ПЕРЕСТРОЙКА:

гласность
демократия
социализм

ОСМЫСЛИТЬ

Л. Аннинский

А. Антонов-Овсеенко

Л. Баткин

Н. Бухарин

Г. Водолазов

М. Гефтер

Л. Гозман

Л. Гордон

Е. Евтушенко

М. Капустин

Э. Клопов

О. Лацис

Ю. Левада

Г. Лисичкин

Б. Орешин

В. Попов

Ф. Раскольников

А. Рубцов

М. Рютин

Б. Сарнов

Л. Седов

А. Синявский

Л. Троцкий

Д. Фурман

Н. Шмелев

А. Эткинд

ПЕРЕСТРОЙКА:
гласность
демократия
социализм

КУЛЬТ СТАЛИНА

Личность и власть.
Драма переживания

Сталин и сталинизм
как социо-психологический
феномен.
Опыт анализа

Культ личности
во времени истории.
Поиски подходов

Предупреждения
и свидетельства

Москва
Прогресс
1989

*Часть средств,
полученных от издания этой книги,
передается в фонд Мемориала
жертвам сталинских репрессий*

ББК 6601775
074

Редактор-составитель: Х. Кобо

Осмыслить культ Сталина: М.: Прогресс, 1989. – 656 с.

ISBN 5-01-001905-1

Сборник включает статьи известных ученых, публицистов и писателей, а также ряд документов и свидетельств, посвященных фигуре Сталина и феномену сталинизма. Разные по жанрам, подходам к теме, конечным выводам, во многом внутренне полемичные, все эти работы объединены одним устремлением: глубже разобраться как в личности Сталина, так и в созданной им модели общественного устройства; определить истоки сталинизма в общемировом контексте и в конкретных условиях России и СССР; уточнить степень и характер деформации социалистического идеала в результате деятельности Сталина; наметить пути преодоления оставшегося от него тяжелейшего наследия.

Группа оперативных изданий

О 0201000000- 485   КБ-3-10-89   ББК 6601775+63.3(2)7-3
      006(01)-89   074

© Издательство "Прогресс", 1989

ОТ ИЗДАТЕЛЬСТВА

Культ Сталина – одного из наиболее жестоких и своекорыстных диктаторов в истории Человечества, и по сей день остается, пожалуй, наименее проясненной для общественного сознания и понятой им безмерной трагедией, которой отмечен XX век. Иначе, откуда бы взяться столь настойчиво рождаемой мощной волне призывов "покончить с критикой", "не тревожить память", "не очернять славное прошлое"? Если мы уступим агрессивному нежеланию знать всю правду и только правду о минувшем, не обречем ли мы уже сегодня на новую трагедию самих себя и на "судьбы безвестные" наших детей?

У нас уже есть в этой области печальный опыт. Сокрушительная, казалось бы, волна разоблачения Сталина и его культа, последовавшая после XX съезда, не смогла выкорчевать из народного сознания демонических мифов, связанных с его именем, – прошло немного времени, изменились условия, и вся эта демонология снова принялась бурно возрастать, словно чертополох, на нашем поле. И дело было не только в воле сверху, диктовавшей реабилитацию Вождя, сначала исподволь и незаметно, а затем все более открыто и целеустремленно – этому способствовали и мощные токи снизу, пресловутым символом которых стали сталинские фотографии на ветровых стеклах трудяг-грузовиков.

Мы глубоко убеждены, что такой поворот, в конце 50-х – начале 60-х казавшийся немыслимым, во многом стал возможен потому, что разоблачение Сталина не сопровождалось глубоким *осмыслением* его фигуры – а главное, порожденной им модели развития – в общественном сознании нашей страны. Отсюда – название этого сборника, на который мы, словно на камертон, стремились настроить собранные в нем материалы.

Время истории, привычно и сострадательно превращая в шрамы вчерашние мучительные ожоги драм и трагедий отдельных людей и целых народов, способно удержать цепкой и неподкупной памятью своей правду фактов, дающих в естественной сцепке и последовательности единственный и верный шифр к прочтению и интерпретации самой истории. Наше общество мучительно долго, с многочисленными остановками и возвратами подступалось к жизненно необходимому для него процессу десталинизации. Свыше 30 лет был недоступен нашей широкой общественной мысли доклад Н. Хрущева о культе личности Сталина, хотя с позиций сегодняшнего дня мы видим всю его ограниченность и недоговоренность, чрезмерную сосредоточенность на личности, а не на феномене сталинизма. Всего лишь год-полтора назад сквозь толщу спрессовавшихся лет прорвались к нынешним поколениям советских людей голоса Н. Бухарина, Ф. Раскольникова, М. Рютина. Возможно, именно под воздействием накопившейся энергии казавшегося нескончаемым ожидания столь стремительно раскручивается ныне пружина исторической памяти, не только донося до нас правдивую картину нашего собственного прошлого, но и давая обществу силу двигаться в сторону лучшего будущего.

Ставшие теперь известными нам факты, свидетельства, воспоминания, очень скудные пока документы многих потрясли, перевернули их сознание, вызвав мучительную переоценку того, что представлялось им устоявшимися жизненными ценностями. Страдания эти можно понять. Но ведь в основе их – не правда, сказанная сейчас, а ложь, что сеялась в прошлом. Жить на лжи невозможно. Эта древняя истина в наши дни обрела вовсе не абстрактное, а вполне конкретное, почти осязаемое наполнение.

Иногда спрашивают: "А правда ли все, что сейчас говорится о Сталине?". Или же: "Не полуправда ли это?". Даже: "Может, это – новая ложь?" Такие вопросы можно понять: народ наш столько раз обманывали, что мы не можем требовать от него новой слепой веры. Часто звучат и такие предостережения: "Подождем, пока откроются архивы – тогда узнаем всю правду". Но истина черпается не только из хранилищ документов, как бы они ни были важны. И, кроме того, где гарантии, что Сталин и его подручные не уничтожили наиболее компрометировавшие их перед судом Истории документы (вспомним хотя бы пример с секретными протоколами пакта Молотов-Риббентроп)? Где гарантии, что их не уничтожали и после 5 марта 1953 г., даже вплоть до недавних дней?

Процессы десталинизации, получившие за последнее время мощное усиление, создали возможности для более глубокого исторического, социологического, психологического рассмотрения (конечно же, желательно с привлечением максимального числа документов) чрезвычайно непростого, многофакторного и комплексного в своей природе феномена, который получил название культа Сталина. Возникает беспрецедентное в нашей истории *общественное право* на исследование адской архитектоники той бесчеловечной машины тотального принуждения, нравственного обескровливания, интеллектуального опустошения и физического истребления собственного народа, творцом и венцом которой оказался вознесенный на вершину пирамиды власти Иосиф Джугашвили. И это право надо использовать, не дожидаясь результатов архивных разысканий.

Не запоздала ли эта книга? Ведь Сталин скончался без малого треть века назад. Да, но "Сталин умер вчера", а культ государства – правопреемник культопоклонений 30–50-х годов – жив во многом и поныне. Культ Сталина оказался живучее самого творца, а обнимаемый этим понятием круг явлений – гораздо шире используемого термина. В этом смысле, думается, книга не запоздала – может быть, к сожалению.

И еще. О Сталине написаны тысячи книг и исследований, в которых критически рассматриваются плоды его деятельности. Многие авторы наиболее серьезных таких работ, появившихся за рубежом, с которыми только сейчас получает возможность ознакомиться наша общественность, едины в выводе, что сталинская историография будет неполной, пока в нее не внесут свой вклад и советские исследователи: их голос весьма важен не только потому, что они смогут опереться на те же архивы, но и потому главным образом, что будут анализировать феномен сталинизма как бы "изнутри", опаленные его драконовским дыханием.

Этот сборник – одна из первых у нас таких публикаций. Он вобрал в себя работы исследователей, которые объединены, во-первых, неприятием Сталина и сталинизма (у их оппонентов было более чем достаточно времени, дабы излагать свои аргументы), и, во-вторых, стремлением не только констатировать и уточнить факты (что также важно), сколько, повторим еще раз, *осмыслить* сталинистский феномен. При всем этом книга получилась внутренне полемичная – иначе и быть не могло. Мы надеемся, что пытливому читателю это не будет помехой – напротив, даст ему дополнительный толчок для уточнения собственных оценок.

В книгу вошли работы авторов, специально подготовленные для этого издания и впервые увидевшие в нем свет. Есть и публикации, написанные для "Прогресса", но по договоренности с издательством напечатанные – в полном или сокращенном виде – до выхода в свет этого сборника в журнальных изданиях. Есть и такие исследования, которые были опубликованы ранее, но здесь переизданы (часто с серьезной авторской доработкой), поскольку они представляются нам особо интересными.

И, наконец, мы с сожалением отмечаем, что по ряду причин в этот сборник не вошли некоторые, безусловно, заслуживающие того работы – в силу ограниченности объема этой книги или же потому, что авторы передали свои исследования другим издательствам и редакциям (как, например, вызвавшая большие споры статья А. Ципко "Истоки сталинизма", на которую в нашем сборнике имеются многочисленные отклики).

В осмыслении культа Сталина рано ставить точку. Эта книга – приглашение к серьезному и строгому осмыслению одной из наиболее трудных глав нашей истории. Издательство и авторы надеются, что это приглашение будет принято нашим обновляющимся обществом.

Культ личности
во времени истории.
Поиски подходов

СОН РАЗУМА

О социо-культурных масштабах личности Сталина

1.

Когда Сталин позвонил Пастернаку, тот вдруг сказал, что надо бы встретиться и поговорить "о жизни и смерти". Сталин в ответ немного помолчал – и повесил трубку.

У кого достанет сил охватить это воображением? Вот дребезжит обычный звонок. Аппарат висит на стене в передней. Или стоит на столике. Вы подходите, подносите к уху мембрану. Все происходит *просто в квартире*. Допустим, после ужина... И с вами ГОВОРИТ СТАЛИН.

Земное течение человеческой жизни приостанавливается, слегка раздвигается вселенская завеса, в этот мир нежданно вступает потусторонняя сила, божественная либо сатанинская. Затем, само собой, возобновляется реальность низшего порядка, однако существуют очевидцы сверхъестественного вмешательства. Так возникает новелла *о чуде* – вроде тех, что вошли в "Римские деяния" (латинский сборник XIII века).

Сталин любил, словно бы в этаком средневековом вкусе, изредка ошарашивать добрых людей звонками с того света. Из слухов и свидетельств о них тоже можно бы составить назидательную книжицу. Между прочим, не случайно В. Гроссман в "Жизни и судьбе" сочинил для любимого персонажа подобный же телефонный искус.

Что до упомянутого доподлинного и знаменитого разговора (очень краткого и, как полагается по условиям жанра, случившегося единожды), то лишь один человек – Борис Леонидович Пастернак – способен был вымолвить в нем такое. Он и тут оставался совершенно собой, то есть по обыкновению путал домашность и метафизическую напряженность, реального собеседника – и собеседника внутреннего. Но желание, высказанное им Сталину, отмечено неслыханно-наивной дерзостью и экстравагантностью только с внешне-практической стороны. Вместе с тем в столь индивидуальной и импульсивной выходке не так уж трудно ощутить нечто социальное и общезначимое.

Поэт подумал вслух за великое множество других людей, которые повели бы себя иначе, да и ничего подобного им в голову не пришло бы, а все-таки каждый из них на свой лад тоже был заворожен безмерностью фигуры Сталина, отождествляемой (чаще бессознательно?) уже не просто с абсолютной деспотической властью, но и – в такой немыслимо огромной стране, после такой огромной революции! – словно бы с самой субстанцией истории. Иначе говоря, с чем-то несравненно большим, чем какая бы то ни было власть и сила, а именно: с их первоисточником. И следовательно – с великой тайной.

Нельзя было, в сущности, естественней и разумней распорядиться возможностью прямого контакта с таинственной надмирной инстанцией, чем это захотелось Пастернаку. К кому же еще обращаться с тем, что М.М. Бахтин назвал "последними вопросами"?

С этой точки зрения, в высшей степени убедительно, что Сталин не ответил. Небеса ли, бездна ли, вершащие историю, и должны молчать, когда к ним взывает, вопрошает о смысле человек. Молчание подтверждает, что мы обратились именно туда, куда и следует обращаться.

Вряд ли в этом плане интересно, что подумал, прежде чем бросить трубку, реальный, бытовой Сталин о слабоумном замечании этого Пастернака, по-видимому, находящегося вне действительности в такой степени, что его следует считать существом для власти безобидным, вроде деревенского дурачка. Нам неизвестно также, остался ли Борис Леонидович в тот момент при ощущении, что политик знает что-то такое о жизни и смерти, чего не знает поэт. Во всяком случае, эпизод, благодаря подобающему ответному молчанию, обрел пластическую завершенность.

Понятно, что я веду речь не о Б.Л. Пастернаке как таковом и не пытаюсь истолковать его личное поведение в биографической и психологической достоверности. Меня во всем этом занимает лишь предельное, странно-возвышенное выражение распространенной формулы тогдашнего и отчасти даже нынешнего отношения к Сталину (вовсе несущественно, апологетического или пропитанного ненавистью) как к великой тайне тяжкого мельничного хода мировых жерновов.[1]

Известно, что в России исстари были склонны к византийской сакрализации самодержца, и петровская "вестернизация" любопытнейшим образом это не отменила, а продолжила и переиначила.[2] Ритуальное обожествление Сталина все же нельзя понять через традицию, вне исторически новых обстоятельств и условий. Машина тоталитарной пропагандистской обработки, монопольный контроль над средствами информации, небывалая социальная почва и система, ее идеологические стереотипы, инстинкт самосохранения, оболванивание одних и запутанный отказ других от мышления (и от себя) – так же мало походят на клише вырожденного мифологического или религиозного сознания, как автомобиль – на карету. При том, что сходство и преемственность этих четырехколесных устройств для передвижения бесспорны, все-таки со-

_____

[1] См. о "завороженности атмосферой 30-х годов" в замечательно глубоком культурно-психологическом эссе Л.Я. Гинзбург "Поколение на повороте" (в ее книге "Литература в поисках реальности". Л., 1987, с. 318 и далее). В рассуждении о разговоре Пастернака со Сталиным я следую за Л.Я. Гинзбург, которая пишет: "Завороженность позволяла жить, даже повышала жизненный тонус, поэтому она была подлинной, искренней – у массового человека и у самых изощренных интеллектуалов. Молодой Гегель, увидев Наполеона, говорил, что видел, как в город въехал на белом коне абсолютный дух. Я помню разговоры Бор. Мих. Энгельгардта. Совсем в том же, гегелевском роде он говорил о всемирно-историческом гении, который в 30-х годах пересек нашу жизнь (он признавал, что это ее не облегчило). Пастернака упрекали, но надо помнить: телефонный провод соединял его в этот миг со всемирно-исторической энергией"

[2] См.: В.М. Живов, Б.А. Успенский. Царь и Бог. Семиотические аспекты сакрализации монарха в России. – В сб.: Языки культуры и проблемы переводимости. М., 1987, с. 47–153.

поставление обнаруживает в первую очередь принципиальный разрыв преемственности.

Однако здесь не место и я не стану рассуждать об объективных предпосылках "культа" Вождя и Отца, о политико-психологическом механизме этих поразительных явлений XX века, прокатившихся от Германии до Дальнего Востока. Из всех причин и свойств тоталитарных культов, складывавшихся в каждой стране в неповторимую органическую комбинацию и окраску, из всех черт нашей отечественной разновидности, оказавшейся едва ли не самой живучей, въедливой, с наибольшим периодом полураспада, я хотел бы выделить только одну черту: представление о Сталине, как о человеке, во всяком случае, необычном, ярком, исполненном *значительности и зловещего величия*.

Нельзя ли выяснить, чего действительно стоил Сталин в отношении личной оригинальности и ума? Недавно опубликованные воспоминания Симонова – первоклассный исторический источник при решении этой задачи.

Поразмыслим об индивидуальном масштабе и уровне Сталина. Ответ позволит глубже проникнуть и в существо сталинского режима.

Конечно, есть более привычный и законный путь: идти к оценке личности Сталина через анализ способов и результатов его деятельности (как политика, дипломата, военачальника и т.д.). Но наметим путь дополнительный и противоположный: каков был, так сказать, общий культурный и интеллектуальный горизонт человека, которого история отобрала, вознесла, сочла подходящим материалом для осуществления своих целей. "История", то есть в данном случае и ближайшим образом внутренняя логика формирования того господствующего аппаратного слоя, вместе с которым вызрел Сталин, венчая его собой, и который Сталина пережил.

Речь пойдет не о размерах сыгранной Сталиным исторической роли. Кто же сомневается в грандиозности этой роли и в том, что личные особенности сталинского склада ума, характера и т.п. были очень важны, в конце концов слились с системой и придали ей, так сказать, стилистическую конкретность? Не будем, впрочем, забывать, что жесткая иерархия власти неизбежно делает непомерно значимой фигуру всякого, чья персона совпадает с вершиной пирамиды. Даже мелкие подробности (болезни, привычки и пр.) попадают в ранг исторически весомых. Так было в "екатерининскую эпоху" или "павловскую эпоху" – так было и в "хрущевскую эпоху" или "брежневскую эпоху". Это свойство престола, а не государя.

Недосягаемо высокое престольное место, если и не красит человека, служит дивно укрупняющей его линзой. Даже сущая вздорность правителя спустя столетия будоражит воображение. Даже бесцветность заслуженно запоминается потомками. А отсюда уже только шаг до своего рода величия? И глупость первого государственного лица в некотором отношении уравнена с умом, поскольку влияет на жизнь миллионов и задним числом осмысляется нами как исторически закономерная и содержательная...

Правда, Сталин не просто пробился к трону, но сумел в значительной степени создать его для себя. Однако речь пойдет и не о том, насколько выдающимися были способности Сталина, которые позволили именно ему, устранив соперников, оседлать процесс превращения бесконтрольной власти партии в абсолютную личную власть. Кто же может отрицать эти специфические технологические способности Сталина как аппаратчика – закулисные сговоры, демагогия, умение выжидать, беспримерная недоверчивость, примитивное, но как раз поэтому достигавшее цели коварство, безотказная память, выносливость, неограниченная самоуверенность, "восточная" непроницаемость, знание простых человеческих слабостей, природный практический ум, тщательно отработанный имидж, отсутствие каких-либо обременительных для политика (этого типа) привязанностей, пороков и принципов. Это уже общеизвестно. То же самое или многое из этого набора отличало и его многочисленных соратников – но, конечно, в несопоставимо меньшей полноте и завершенности. Так что сталинская роль была бы, пожалуй, не по плечу любому другому исполнителю, никто не справился бы с ней столь же даровито, как Иосиф Джугашвили. Роль и актер идеально совпали, что и говорить.

Но как раз поэтому позволительно задаться вопросом, требовалось ли что-либо, кроме отменных типажных данных, словно он был наделен ими нарочно для настоящего случая, для вот этой и только этой пьесы – чтобы Сталин мог так удачно сыграть роль Сталина.

Входила ли в драматургический замысел советской истории с середины 20-х годов потребность в таком исполнителе главной роли, которого отличали бы необычность, яркость, блеск личности? Есть ли основания поставить Сталина в один ряд с Цезарем, Наполеоном, Петром I, или, по крайней мере, Иваном Грозным? Обладал ли он личной значительностью хотя бы таких политиков, как Бисмарк, Столыпин, или де Голль, или Рузвельт? Был бы этот человек с трубкой интересен и на острове св. Елены – то есть лишившись власти, в качестве частного лица и собеседника?

Причем при оценке личного калибра Сталина ограничимся социально-культурными критериями и совершенно отвлечемся от нравственной стороны. Ни масштабы его преступлений, ни масштабы событий недопустимо механически прилагать к измерению масштабов самого индивида, с которым они связаны. Иначе нет никакой проблемы и нечего обсуждать. О Сталине (как и о Гитлере) будут помнить и через тысячу, две тысячи, три тысячи лет. Его будут помнить тверже, чем великих людей, которых он уничтожил. Ведь Герострат – античный младенец по сравнению с ним.

Но еще предстоит разобраться, каков был умственно-психологический, смысловой горизонт Сталина. И что такое, в частности, прославленная "сталинская логика". Этого я и хотел бы коснуться.

А ведь я сам однажды видел Сталина. Я прошел в трех шагах от него. Это произошло в 1956 или 1957 г., когда я в первый и в последний раз был в Мавзолее, где Он лежал рядом с Лениным. Я во все глаза смотрел на него одного. И лишь на мгновение перевел взгляд на другой стеклянный футляр. Впечатление было сильнейшее – неправдоподобности того, что это действительно мумия Сталина, что это я оказался не только его современником, но и в одном тесном помещении с ним, и вот эта невзрачная телесная оболочка вмещала в себя безмерность того, что означало его имя.

Невероятность того, что Сталин так близко.

Воспоминаний о Сталине мало. Любопытная книга Светланы Аллилуевой. Эпизодические и поверхностные, риторические, стилизованные страницы Барбюса, Фейхтвангера и т.п. Рассказы военных – в том числе адмирала И.С. Исакова и маршала А.М. Василевского, зафиксированные К.М. Симоновым в 1962 и 1967 гг. И вот – свидетельства самого Симонова, со многих точек зрения уникальные[1].

Отдадим должное писателю, который решился диктовать стенографистке в 1947 и последующих годах о том, что он видел и слышал, будучи вызванным "в Кремль, к Сталину". Это был нетривиальный и небезопасный поступок, хотя записи, производимые на следующий же день, были внушены Симонову благоговением и ощущением огромной, исторической значительности всего сказанного вождем, каждого даже жеста и каждой паузы. Уже сам факт "записей такого рода" тогда "вряд ли считался возможным" (№ 3, с. 56) – впрямь заключал в себе нечто криминальное и кощунственное, поскольку сталинское Откровение недопустимо было переносить на бумагу втайне. Но в этом Симонов оказался прежде всего писателем, дорожащим уникальным впечатлением, привыкшим заполнять блокноты, неудержимо собирающим про запас все пережитое. Увлеченность писателя возобладала над осторожностью. А преданность – над дисциплиной.

И вот он похищает, пока бесцельно, Зевесов огонь...

Немедленность записи, профессиональное ухо и наблюдательность, тщательность газетчика, любовная захваченность происходившим, сознание важности всякой мельчайшей детали поведения Сталина, – все это гарантирует нам чрезвычайно высокую достоверность симоновских свидетельств.

Разговоры Сталина о литературе – пусть по ведомственным, идеологическим, государственным, совершенно внелитературным поводам с практическими целями – все же невольно затрагивают и обнаруживают в нем какие-то внеполитические, чисто человеческие, что ли, общекультурные представления, вкусы, ухватки. У нас появляется почти фантастическая возможность побыть вблизи и послушать Сталина, разговаривающего на всякие свободные темы.

Мы читаем, и нам хочется воскликнуть: "Эта штука сильнее, чем "Разговоры с Гёте" Эккермана".

Итак. "Тринадцатого мая (1947 г. – Л. Б.) Фадеев, Горбатов и я были вызваны к шести часам вечера в Кремль к Сталину. Без пяти шесть мы собрались у него в приемной в очень теплый майский день, от накаленного солнцем окна в приемной было даже жарко. Я так волновался, что пил воду".

Поскребышев ввел писателей в кабинет, где сидели Сталин, Молотов и Жданов. "Лицо у Сталина было серьезное, без улыбки". "Разговор начался с вопроса о гонораре". Фадеев настаивал на повышении гонораров за "хорошие книги", их переиздания и массовые издания. "Выслушав его, Сталин сказал: "Мы положительно смотрим на пересмотр этого вопроса. Когда мы устанавливали эти гонорары, мы хотели избежать такого явления, при котором писатель напишет одно хорошее

_____

[1] К.М. Симонов. Глазами человека моего поколения. – Знамя, 1988, № 3, 4, 5. См. ниже ссылки в тексте с указаниями в скобках номера журнала и страницы.

произведение, а потом живет на него и ничего не делает. А то написали по хорошему произведению, настроили себе дач и перестали работать. Нам денег не жалко, – добавил он, улыбнувшись, – но надо, чтобы этого не было. В литературе установить четыре категории оценок, разряды. Первая категория – за отличное произведение, вторая – за хорошее, и третья и четвертая категории, – установить шкалу, как вы думаете?" Мы ответили, что это будет правильно" (№ 3, с. 57–58).

Слова Сталина сразу ошарашивают нынешнего читателя. Во-первых, Сталин, оказывается, был убежден, что писатель, именно хороший писатель, если у него есть, на что жить, не кончились деньги, – не сядет за стол, не захочет сочинять. Зачем ему творить, если, допустим, дачу он уже купил? Во-вторых, Сталин полагал, что за литературное качество следует выставлять оценки, как в школе, и платить по "разрядам". В-третьих, этот замечательно цельный взгляд на вещи и сама стилистика высказывания – вслушаемся, особенно хороши вторая и третья фразы! – мучительно напоминают что-то такое, будто мы это уже где-то читали.

Долго и со вкусом Сталин и Жданов обсуждают, кого "включить в комиссию" по пересмотру писательских гонораров. Потом литературная беседа возобновляется (№ 3, с. 59). Сталин спросил: "Какие темы сейчас разрабатывают писатели?" (вместо "о чем пишут"; стиль и впредь полностью выдерживается). Фадеев и Сталин рассуждают о "творческих командировках", различая при этом "писателей-середняков" и "крупных писателей". Выясняется, что "крупных" на такие командировки "трудно раскачать". "Не хотят ехать, – сказал Сталин." И задумался: "Есть смысл в таких командировках?" Писатели хором ответили, что есть.

Тут, надо признать, Сталин вдруг выглядит несколько интеллигентнее, чем трое знаменитых руководителей Союза писателей. "А вот Толстой не ездил в командировки, – сказал Сталин". "Я считал, что когда серьезный писатель серьезно работает, он сам поедет, если ему нужно, – сказал Сталин. - Как, Шолохов не ездит в командировки? – помолчав, спросил он." Мы присутствуем, бесспорно, при одном из самых тонких и здравых высказываний Сталина, по воспоминаниям Симонова. И Фадеев тоже подает самую своеобразную из своих реплик: "Он все время в командировке, – сказал о Шолохове Фадеев". А чуть раньше Фадеев возразил о Толстом, что "Толстой писал как раз о той среде, в которой он жил, будучи в Ясной Поляне". Собеседники как нельзя более далеки от иронии. "Командировка" – эпохальный способ приобретения жизненного опыта. "Командировка" – высокое понятие в стопроцентно административно упорядоченной вселенной. И с этой точки зрения, жизнь писателя в своем имении или станице – в сущности, частный случай командировки.

Что-то в этом есть, ей-богу.

Разговор тянется вяло, прерывается молчанием. Шолохов, сказал Фадеев, "не хочет переезжать в город". "Боится города, – сказал Сталин". Потом "Сталин вдруг спросил: "А что Катаев, не хочет ездить?" "Так он над серьезной темой работает? – спросил Сталин".

И тут вождь наконец-то перешел к тому государственно важному, ради чего начал разговор с вопроса о том, какие темы "разрабатывают" писатели. Очень оживился. "А вот есть такая тема, которая очень важна, – сказал Сталин, – которой нужно, чтобы заинтересовались писатели. Это тема советского патриотизма. Если взять нашу среднюю интеллигенцию, научную интеллигенцию, профессоров, врачей ... у них недостаточно воспитано чувство советского патриотизма. У них неоправданное преклонение перед заграничной культурой". Далее Сталин критикует Петра I за "эту традицию" (как и в разговоре 25 февраля того же 1947 г.с С. Эйзенштейном и Н. Черкасовым[1]). "У Петра были хорошие мысли, но вскоре налезло слишком много немцев, это был период преклонения перед немцами... Сначала немцы, потом французы, было преклонение перед иностранцами, – сказал Сталин и вдруг, лукаво прищурясь, чуть слышной скороговоркой прорифмовал: – засранцами, – усмехнулся и снова стал серьезным" (№ 3, с. 59).

Да уж куда серьезней. Предстояла новая охота на ведьм, увольнения, аресты, казни "космополитов", новый погром интеллигенции и культуры, уличаемой – от генетики и физики до искусствознания – в "низкопоклонстве перед Западом". Но сколь доходчиво – для понимания не только пришедших к нему на прием выдающихся литературных деятелей, но и всего аппарата, всего населения – и вместе с тем, как справедливо подмечает Симонов, "строя фразы с той особенной, присущей ему интонацией", думая и высказываясь на своем органическом уровне, то есть вовсе не стремясь как-то специально к доходчивости, а просто будучи Сталиным, – как выразительно рассуждал вождь! Только одно-единственное словечко было, конечно, не для публикации, его печатные тексты насыщены другими бранными речениями, более сухими и страшными, чем эта почти добродушная "рифма". Но вся политико-идеологическая линия Сталина с 1947 г. и до смерти (а вызревавшая уже в 30-е годы), вся ненависть к "загранице", все отвращение к интеллигенции, курс на имперский изоляционизм, "патриотизм" охотнорядского пошиба – короче, *мысль* Сталина как нельзя лучше и едва ли не в полном логическом объеме содержится в этом "иностранцы-засранцы".

С лукавым, самодовольным прищуром система на десятилетия напрочь отгородилась от нечистого заграничного мира.

Дорого же обошлась нашей стране остроумная сталинская рифма.

Но где, где все-таки еще мы слышали эту "особенную" интонацию, какие стилистические воспоминания смутно грезятся?

Продолжим чтение.

"Простой крестьянин не пойдет из-за пустяка кланяться, не станет ломать шапку, а вот у таких людей не хватает достоинства, патриотизма, понимания той роли, которую играет Россия" (там же).

Шовинизм, ксенофобия, интеллигентофобия для душевного равновесия обязательно нуждаются в похвалах "простому крестьянину", который ломать шапку приучен был ныне и присно только перед местными чиновниками, но уж никак не перед ученым инородцем или "каким-то подлецом-иностранцем", как дополнительно тут же выразился Иосиф Виссарионович (№ 3, с. 60). "Надо бороться с духом самоуничижения у многих наших интеллигентов" (там же). "Надо противопоставлять отношению к этому вопросу таких людей... отношение простых бойцов, солдат, простых людей. Эта болезнь сидит, она прививалась очень долго, со времен Петра, и сидит в людях до сих пор. – Бытие новое, а сознание старое, – сказал Жданов. – Сознание, – усмехнулся Сталин. – Оно всегда отстает. *Поздно приходит сознание*" (№ 3, с. 61. Курсив мой. – *Л.Б.*).

---

[1] См.: *Московские новости*, 1988, № 32.

Долгий и интересный это был разговор. Сталин велел прочитать документ о "деле Клюевой и Роскина" вместе с врачом-академиком Париным, за которых вскоре взялись "органы", умевшие поторопить приход сознания; и распорядился о превращении "Литературной газеты" в особый как бы не официоз; и детально вник, в каком объеме выпускать симоновский "Новый мир", разрешив 18 листов вместо 12-ти; и припомнил, что во времена его молодости журнал "Мир божий" "ставил вопросы науки очень широко"; и почему-то поинтересовался в конце разговора, как "в ваших внутриписательских кругах" относятся к последнему роману Ванды Василевской. "Неважно, – ответил Фадеев. – Почему? – спросил Сталин. – Считают, что он неважно написан. – А как вообще вы расцениваете в своих кругах ее как писателя? – Как среднего писателя, – сказал Фадеев. – Как среднего писателя? – переспросил Сталин. – Да, как среднего писателя, – повторил Фадеев" (№ 3, с. 65).

Между прочим, Сталин звонил Пастернаку с той же целью: узнать, как расценивается этот паршивец Мандельштам во "внутриписательских кругах". То есть "крупный" ли это поэт. Или так, "середняк". По-видимому, отнесение автора к одному из этих двух разрядов было для Сталина существенным. Может быть, с художественными кулаками (в отличие от деревенских) следовало как-то считаться при наказаниях и поощрениях. Может быть, с "крупным" писателем нужно было поступить мягче, чем с провинившимся "середняком". А пожалуй, и наоборот.

Разговор 13 мая 1947 г. продолжался три часа! (№ 4, с. 51). Далее Симонов записывает разговоры Сталина при распределении Сталинских премий. Например, 31 марта 1948 г. (№ 4, с. 58 и сл.). И это, как правило, тоже очень долгие заседания Политбюро с участием некоторых других лиц, ведающих литературой, музыкой и пр. Причем "члены Политбюро высказывались мало, особенно на литературные темы. Видимо, литература, особенно после смерти Жданова, воспринималась всецело как епархия самого Сталина, и только его" (№ 3, с. 68). Руководящие писатели тоже, разумеется, не говорили лишнего. Отвечали сжато на вопросы, если их спрашивали. Иногда о чем-то ходатайствовали. Почти все время охотно и самоупоенно разглагольствовал один человек, и все напряженно "старались не пропустить ни одного сказанного им слова".
Представление о Сталине как о крайне немногословном человеке оказывается сущей выдумкой. Все запомнили, как он просидел несколько часов на собственном юбилее в 1949 г., так и не проронив ни слова, не выступив, хотя все этого ждали – и тем возбудив (я помню) какой-то трепет загадочности. Но вот мы видим, что в немноголюдном избранном кругу Сталин был очень словоохотлив, доводя присутствующих до полного нервного изнурения. "Говорил, то приближаясь, то удаляясь, то громче, то тише, иногда оказываясь почти спиной к слушателям, начинал и заканчивал фразу, не успев повернуться". Не всегда удавалось расслышать, но "переспрашивать его ... было не принято" (№ 3, с. 51).

Что же именно он еще говорил интересного и памятного, наутро тут же записываемого Симоновым?
Мемуаристу "запомнилась история, внешне *вполне юмористическая,* но, если можно так выразиться, обоюдно, с двух сторон оперенная

некоторой циничностью" (курсив мой. – *Л. Б.*). Актер, игравший роль турецкого паши в фильме "Адмирал Нахимов", прислал письмо с просьбой дать ему Сталинскую премию, иначе получится "неправильная оценка роли нашего противника в фильме", а это "будет политически не совсем правильно". Откровенность угодливого попрошайки и мотивировка доставили Сталину некоторое удовольствие. Мотивировка была, в конце концов, из тех, к которым прибегал он сам. "Сталин усмехнулся и, продолжая усмехаться, спросил: – Хочет получить премию, товарищ Жданов? – Хочет, товарищ Сталин. – Очень хочет? – Очень хочет. – Очень просит? – Очень просит. – Ну раз так хочет, так просит, надо дать премию, – все еще продолжая усмехаться, сказал Сталин. И, став вдруг серьезным, добавил: – А вот тот актер, который играет матроса Кошку, не просил премии? – Не просил, товарищ Сталин. – Но он тоже хорошо играет, только не просит. Ну человек не просит, а мы и дадим ему, как вы думаете".

Симонов заключает здесь: "Помню все слово в слово и готов поручиться за точность сказанного, но комментировать это охоты нет" (№ 4, с. 57).

Зато я не могу это не прокомментировать. Поражает, что в 1979 г., диктуя воспоминания, Симонов находит в этой сцене нечто (пусть и "внешне") юмористическое. Хотя его несколько коробит "некоторая" (!) циничность Сталина. Но гораздо больше поражает то, что Симонов и по прошествии тридцати лет совершенно искренне не замечает не то чтобы цинизма, но прежде всего невообразимой гротескности *всех* заседаний, на которых Сталин распределял в присутствии государственных сановников и литературных чиновников Сталинские премии. Всех этих заседаний, от начала до конца! И чем дальше Сталин был от сытой игривости, от ухмылок, как в эпизоде с "Адмиралом Нахимовым", чем вдумчивей были его высказывания, – тем очевидней истинный, черный юмор происходившего. Но очевидней не для мемуариста: ни тогда, что хотя бы объяснимо; ни много спустя, на излете дней, что уже почти неправдоподобно, но тоже, впрочем, объяснимо – и тоже страшно[1].

Сравним эту жуткую, хотя и опереточную, сцену с другой, когда Друзин при раздаче премий докладывает вождю: "Он сидит, товарищ Сталин. – Кто сидит? – не понял Сталин. – Один из авторов пьесы, Четвериков сидит, товарищ Сталин". И вождь, повертев в руках журнал и помолчав, затем сказал: "Переходим к литературной критике..." (№ 4, с. 62).

Или как Сталин не спеша расхаживает и раздумчиво, негромко повторяет о Злобине, побывавшем в немецком плену: "Простить... или не простить?" И все, застыв, ожидают решения злобинской судьбы: "Стояла ... с одной стороны, Сталинская премия, а с другой – лагерь, а может быть, и смерть" (№ 4, с. 84).

Это Симонов понимает. А вот то, что он присутствовал при действе, более всего по стилю и подоплеке похожем, пожалуй, на расчеты в "малине", где Сталин играет роль воровского пахана, – этого Симонов,

---

[1] В настоящей публикации я опускаю довольно обстоятельный раздел, посвященный самому Симонову как автору и персонажу этих воспоминаний (ср. в журнальном варианте статьи: *Знание – сила*, 1989, № 4). Зато восстановлены другие разделы.

конечно, понять не в силах. Но такое впечатление возникает у нынешнего непривычного, свежего читателя. Кого зарежем, а кому кусок в награду. Кому лагерь, кому премия. "Значит, даем первую. Или: Значит, даем вторую". С рефреном: "Нам денег не жалко" (№ 4, с. 68; № 3, с. 64). С актерством "пахана" ("Сталин дважды сыграл перед нами, как перед специально для этого предназначенной аудиторией" – № 4, с. 84–85). С жестокостью, от которой замирали и холодели сидевшие за столом "шестерки" – или с небрежной щедростью, "с неким циничным добродушием", когда "Сталин сам расширял круг присужденных премий". За чем Симонов и др. следили ревниво. Но все-таки восклицали: "Надо дать", "Надо, надо" (№ 4, с. 81). Что ж это такое, если не дележка в малине?

О, перед нами Великий Вор в Законе.

И эта манера высказываться в соответствующем угрожающе-многозначительном блатном тоне: "В последнее время Тито плохо себя ведет". Сталин встал и прошелся. Прошелся и повторил: "Плохо себя ведет, очень плохо" (№ 4, с. 64).

31 марта 1948 г. в присутствии писателей Фадеева, Панферова, Вишневского, Друзина и Симонова И.В. Сталин "высказывал соображения, имевшие для нас общелитературное значение" (№ 4, с. 58–59). Шепилов, говоря о том, почему комиссия ЦК по премиям решила вместо первой премии Эренбургу за роман "Буря" дать вторую премию, заявил о книге, что "французы изображены в ней лучше русских". Сталин с этим не согласился: "Нет, по-моему, тоже неверно было бы сказать, что французы изображены в романе Эренбурга сильнее русских". Тогдашние критики романа упрекали его в том, что русские персонажи выписаны "слабее", "хуже", чем французы, с точки зрения психологической и художественной убедительности. Однако Сталин "подошел к вопросу с другой, главной стороны – что советские люди показаны в романе сильнее французов в буквальном смысле слова. Они сильней, на их стороне сила строя, который стоит за ними, сила их морали" и т.п.

Сталин пренебрег попыткой (тогда не такой уж частой) подойти к роману как к роману, оценить, насколько хорошо сделаны те или иные его страницы. Сталин с невольным простодушием рассуждает как человек, которому практически незнакома и непонятна оценка произведения с этой стороны, оценка, так сказать, "эстетская" и "формалистическая", и который исходит из *тождества изображения и изображаемого*. В искусстве "главная" (на 90% или на все 100%, т.е. – не главная, а единственно серьезная и значимая) сторона – не как, а что изображено. Симонов понял Сталина, в своих тогда же сделанных примечаниях, достаточно верно. Может быть, Эренбург "лучше знает Францию", и поэтому французы выходят у него удачней, "сильнее" русских, но "они, эти недостатки, не перевешивают положительного эффекта понятия "сильнее" в буквальном смысле слова" (№ 4, с. 59).

"А люди, что ж, люди у него показаны средние. Есть писатели, которые не показывают больших людей, показывают средних, рядовых людей", – размышляет главный эстетик СССР. Пытливая мысль ведет Сталина в самую глубину истории литературы. "Вот "Мать" Горького. В ней не изображено ни одного крупного человека, все – рядовые люди" (там же).

Тут перед нами действительно вся советская эстетика тех времен (и поныне, впрочем, не слишком увядшая). Судить надо по "содержанию". К нему подбирается "соответствующая" форма. "Содержание" – это показ "крупных" или "рядовых" людей, и чтобы было видно, кто "сильнее" (иначе: кто "положительней"). В этом деле очень важно, "на чьей стороне" автор. "Принципиальная авторская позиция" понимается именно так, без затей: "за кого" автор, "кому он отдает свои симпатии и кому – свои антипатии" (слова Фадеева). Поэтому (говорит он же) "объективистский подход... это безусловно плохо". Но Сталин мудрей собеседников, искушенней, недоверчивей в литературном деле. Ведь даже у Горького не всегда раскусишь, что кому он "отдает". "Ну, а в "Деле Артамоновых" как? На чьей стороне там Горький? Ясно вам?" Фадеев сказал, что ему ясно, на чьей стороне там Горький". Но Сталин насмешливо разводит руками, он-то знает, что самый-самый крупный из писателей тоже способен запутать следы, и не поймешь, куда он клонит. "А мне, например, не так уж ясно, на чьей стороне Горький в "Деле Артамоновых" (№ 4, с. 60).

"Объективизм" изображения в иных случаях (как в "Кружилихе" Пановой) простителен, поскольку кое-что недоработано и в изображаемом, ведь у "многих и многих" людей бывает "разлад между бытием и сознанием", "нет единства между личным и общественным". Надо признавать правду жизни, учит нас И.В. Сталин. "А разве это так просто в жизни решается, так просто сочетается? Бывает, что и не сочетается" (№ 4, с. 75).

Непростая штука – партийное руководство жизнью, не все в жизни удается упорядочить, пусть и литература иногда это показывает. Если, конечно, такой показ по каким-то прикидкам Сталина полезен в текущий момент или хотя бы не вреден. Симонов: "Анализируя книги, которые он в разные годы поддерживал, вижу существовавшую у него *концепцию современного звучания произведения* (курсив мой, внушительно сформулировано! – Л. Б.), концепцию, в конечном счете связанную с ответом на вопрос: "Нужна ли эта книга нам сейчас?" "Да или нет?" (№ 4, с. 69).

Вот именно. "Да или *нет*?"

Такая "концепция"...

Первая серия "Ивана Грозного", где "Грозный был безоговорочно прав" – вот это *да*! Как тонко замечает Симонов (в 1979 г.), "хотя, казалось бы, фигура Ивана Грозного требовала к себе по всем своим историческим особенностям диалектического подхода, Сталин в данном случае был далек от диалектики" (№ 4, с 71). Ой, прав мемуарист. Действительно "обошелся" Сталин без нее. "В данном случае".

А вторая серия "Ивана" – *нет* и *нет*! Все полезное было исчерпано уже в первой серии. Дальше пошло неполезное.

Но нам сейчас любопытен не политический утилитаризм Сталина, что же тут любопытного? – вот только разве что Симонов досконально разобрался, почему фильмы об Александре Невском, Суворове, Кутузове, Ушакове, Нахимове были выпущены именно в такой последовательности. Последовательность точно соответствовала иерархии учрежденных Сталиным орденов: дело это государственное, хитрое!

И все же нам любопытней то, что Сталин считал главным в фильме *сценарий*, со сценариста и спрос, а режиссеры – пусть их. "А что они? Они только крутили то, что он им написал" (№ 4, с 72). Симонов напрасно пытается уверить, что понимание Сталиным роли режиссера к этому "не сводится", поскольку вождь "любил кино, много смотрел его", "давал задания некоторым из режиссеров" (там же). Сталин последователен в интересе к "что" и незамечании "как".

Вообще с законченной выразительностью рассуждает Сталин об искусстве. Ну, например: "Из женщин Панова самая способная, – сказал Сталин. – Я всегда поддерживаю ее как самую способную. Она хорошо пишет. Но если оценивать эту новую ее вещь, то она слабее предыдущих. Пять лет тому назад за такую вещь, как эта, можно было дать и большую премию, а сейчас нельзя... Вот она взяла один колхоз и тщательно его изучила. А это неверно. Надо иначе изучать. Надо изучать несколько колхозов, много колхозов, потом обобщить. Взять вместе и обобщить. И потом уже изобразить" (№ 4, с. 74).

Или: "В романе есть недостатки... Не все там верно изображено... Вот эта сторона в романе товарища Казакевича неверная. Есть в романе член Военного совета Сизокрылов, который делает там то, что должен делать командующий, заменяет его по всем вопросам... А роман "Весна на Одере" талантливый Казакевич писать может и пишет хорошо. Как же тут решить вопрос? Давать или не давать ему премию?" (№ 4, с. 74).

Ах, если бы все это было опубликовано тогда же! Сколько диссертаций можно было бы защитить, сколько монографий выпустить дополнительно! Сколько прекрасного материала поступило бы в распоряжение эстетики, литературоведения! А то пробавлялись только, допустим, замечанием о горьковской поэме "Девушка и Смерть", которая потому "сильней", чем "Фауст" Гёте, что "любовь побеждает смерть". То есть опять-таки: в каком смысле "сильней"? А в том, что "изображено" и кто кого "побеждает". Кто важней, Сизокрылов или командующий, Смерть или Девушка, русские или французы? Кто сильней?

О тождестве изображения и изображаемого. Шутки в сторону. Тут искусство – это должным образом ("правильно") отрепетированная жизнь. Сталин, как и сталинское искусство, литературная критика и т.д., похоже, исходил из того, что действительность лишь отражает идею действительности. Поэтому художник, давая идею, создает самое действительность. И отменяет то, что не изображено им и, следовательно, как бы не существует.

Так в первобытности магически относились к называнию или неназыванию имени, более действенное, чем предметное наличие или отсутствие. Кинофильм особенно понимался как первоисточник реальности. Отсюда эстетика "Свинарки и пастуха". Вся эта фабрика советских снов. Отсюда понятия "лакировки" и "очернительства" как не просто ложных оценок, а посягательств на саму "жизнь". Отсюда вообще тотальное вытеснение реальности ее словесными, идеологическими макетами. Сталинский неоплатонизм! Ежели мы нечто узрим в идее, и "укажем", и скажем в унисон, многомиллионным хором, "единодушно", – значит, идейное и указанное существует. А безыдейного и неуказанного – вовсе нет.

Сталин одновременно и насаждал квазимифы, и сам жил в этом, чем дальше, все более зазеркальном, квазимифическом мире. Вместе со сталинским миром и Он был творением. Но кого (или что) считать творцом? Что породило вместе со сталинщиной самого Сталина?

20

Это, конечно, главный вопрос. В пределах нашего материала придется ограничиться лишь его частной, социально-культурно-психологической стороной.

Тут выясняется, что сделанные только что замечания (о ритуальной идеологической заведенности, о "квазимифологичности" сталинского мышления) все-таки излишне глубокомысленны. Материал таков, что даже с самой скромной долей глубокомыслия мы рискуем сесть в калошу.

Посмотрим-ка на дело прямо.

Все, что говорит Сталин, все, что он думает о литературе, кино и прочем, донельзя невежественно. Герой воспоминаний К.М. Симонова – довольно-таки примитивный и пошлый тип. Таковы тексты и факты.

Пусть мемуарист сохраняет к нему самое серьезное и уважительное отношение, уверяет нас, что Сталин "действительно любил литературу", "любил читать и любил говорить о прочитанном с полным знанием предмета", – но мы уже могли убедиться из точных записей самого же Симонова, что это было за "знание предмета". Сталин даже не подозревал о существовании такого "предмета", как искусство с его выстраиваемым для себя особым, художественным миром, он ничего не знал о внутреннем устройстве этого мира. Читать-то он любил, любил смотреть кино, но в качестве совершенно эстетически дремучего, неотесанного и вместе с тем практичного политикана (последнее Симонов в общем признает).

"Вкус его отнюдь не был безошибочен. Но у него был свой вкус" (№ 4, с. 79). Что ж, "свой вкус" был и у гостей на свадьбе в "Клопе" – так сказать, ложно-романтический вкус ("Сделайте мне красиво!"); так что этим гостям, как и Сталину, вполне могла понравиться ходульная манера Ванды Василевской. Читать любил и гоголевский лакей Петрушка. "Свой вкус", конечно, есть у каждого.

Но когда Симонов заявляет, что вкус Сталина "не был безошибочен" – уж не дурачится ли автор? Да нет, Симонов серьезен. Тогда какие это "известные основания", которые якобы есть у мемуариста, чтобы думать, будто Сталин "любил Маяковского или Пастернака", ценил мастерство Булгакова? Нет таких оснований и быть не могло. Он их не посадил, не расстрелял, как других; что верно, то верно. Он распорядился считать Маяковского "лучшим поэтом эпохи": ну, то есть самым "крупным"... Но зато есть все основания полагать, что ни в поэзии Маяковского, ни, тем более, в поэзии Пастернака Сталин ровным счетом ничего не мог смыслить. Такая литература, такая поэтика были ему попросту не по зубам. Несмотря на "юношеское занятие поэзией" недоучки-семинариста и "некую собственную художественную жилку", которая, как был убежден Симонов, "где-то у него была" (там же).

Конечно, Сталин успевал внимательно следить за тремя с половиной "толстыми" журналами, за своим советским литературным хозяйством; все читал для развлечения и для порядка, Симонов даже поражается, и все помнил, память была, как у филера; и лично давал указания по поводу каждого советского фильма, благо их, как линкоры, выпускали поштучно. Сталин не гнался в этом идеологическом деле за количеством. Он стоял за качество...

Но что до "художественной жилки", то, если у кого-то еще теплились надежды, что она "где-то" у Сталина была, – не кто иной, как Симонов, окончательно засвидетельствовал отсутствие и такой жилки, и даже каких-либо признаков интеллигентного мышления и речи.

Сталин в своих словоизлияниях оказывается провинциальным, недалеким, подчас более того – анекдотичным. У Симонова – самодостаточные свидетельства. Их невозможно смягчить никакими лояльными комментариями. Они так хороши и выразительны безо всяких комментариев! Хотя и, повторяю, несмотря на выразительность, кажутся вторичными, словно бы подражанием чему-то нами уже читанному.

Вот Сталин рассуждает о том, что у нас в жизни есть еще конфликты. "А то (критики) нападают на все отрицательное, показанное драматургами, в результате они пугаются и вообще перестают создавать конфликты". "Говорят так, словно у нас нет сволочей". У нас, разъясняет Иосиф Виссарионович писателям, есть еще сволочи. "У нас есть немало фальшивых людей, немало плохих людей". Напрасно напали на Бабаевского, что он "сказал про какую-то бабу, про обыкновенную отсталую бабу". Но в жизни еще бывают и отсталые бабы. И "злые люди, плохие люди". Поэтому Софронов не прав со своей теорией отсутствия в жизни конфликтов. "Нам нужны Гоголи. Нам нужны Щедрины".

Так Сталин ободряет робкого Бабаевского и прочих (№ 4, с. 93).

А вот он возражает против того, что Лавренева "берут и критикуют все с той же позиции, что он недостаточно партийный, что он беспартийный. Правильно ли критикуют? Неправильно". И разъясняет, что Белик перестарался с ленинской фразой "Долой литераторов беспартийных". Так надо было говорить, когда большевики были в оппозиции и старались перетянуть к себе литераторов, "создать свой лагерь". "А придя к власти, мы уже отвечаем за все общество, за блок коммунистов и беспартийных, – этого нельзя забывать". До захвата власти мы относились к национальной культуре так, а после захвата власти – уже этак. А то "берут цитаты, и сами не знают, зачем берут их".

Но... в заключение этой тирады, которая по-прежнему кажется К.М. Симонову глубоким и полезным теоретическим указанием, обновлением "критической терминологии" (!), в результате чего "принцип партийности литературы включался в более широкое понятие идейности литературы" – и "тем самым исключалась бы возможность нанесения напрасных обид беспартийным писателям" (№ 4, с. 77–78), – в заключение этой многообещающей тирады, тридцать лет питавшей широту и терпимость Симонова, Сталин, однако же, говорит следующее: "Берут писателя и едят его: почему ты беспартийный? Почему ты беспартийный? А что, разве Бубеннов был партийным, когда он написал первую часть своей "Белой березы"? Нет. *Потом вступил в партию* (курсив мой. – Л. Б.). А спросите этого критика, как он сам-то понимает партийность? Э-эх!"

Господи! Получается, однако, что и Белик, и Сталин, да и Симонов понимают "партийность" как угодно... э-эх! – но непременно также и буквально. То есть в анкетном смысле. Раньше не вступил? – не беда, "потом вступил". Как выразился этот же оратор: "Поздно приходит сознание..."

Тут уж Сталин никакой не "пахан", а кадровик. Он – Великий Кадровик нашей эпохи.

Вот вам Сталин, каков он есть.

Решающая и сквозная черта разнообразных высказываний в записи Симонова – это, безусловно, духовное убожество, нередко с замечательным комическим эффектом.

А Симонову – э-эх! – так и не удалось заметить столь очевидное свойство Сталина и его окружения. Потому что слишком долго и самозабвенно мемуарист, человек вообще-то очень неглупый, одаренный, писавший в молодости живые и прелестные стихи, но рано попавший в сталинские любимцы, ставший литературным генералом, надышавшийся воздухом приемных и кабинетов, совещаний и пленумов, – слишком долго, чуть не от младых ногтей и уже обреченно, бесповоротно, уже до конца, Симонов играл в эти игры, чтобы мочь сохранить в себе хоть малую толику вольтеровского Кандида или же Гурона, Простодушного. И, взглянув на Сталина, благодаря отвратительному подарку судьбы, в упор, оказавшись рядом, – Симонов был неспособен и спустя четверть века увидеть все отчужденно, здраво. Не "великого, но страшного" человека, а страшного и... бесцветного.

Мне могут возразить: в сфере мысли Сталин был велик как политический идеолог и теоретик, что бы он там ни толковал, пусть неудачно, по поводу литературы и пр. И нельзя судить об интеллектуальном уровне Сталина, основываясь только на записях Симонова, это некорректно с исследовательской стороны. У Сталина был оригинальный, сразу узнаваемый стиль. И, главное, знаменитая железная "сталинская логика".

Я эти упреки с удовольствием заранее принимаю. Разумеется, счастливо поступивших в распоряжение историков воспоминаний Симонова тут недостаточно, как они ни точны, как ни подробны и богаты. Источник № 1 при изучении уровня сталинского мышления – это тексты, вышедшие из-под пера самого Сталина. Поэтому придется их внимательно и медленно перечитать. И взять кое-что хотя для бы выборочного разбора.

2.

Но сначала вот что. Наконец-то я понял, что напоминают настроение, уровень, стилистика записанных Симоновым сталинских рассуждений, то есть попросту даже то, какие слова отобраны и как расставлены в фразе. Ну, конечно!

Это тот язык, которым изъясняются персонажи Зощенко. Как ни трудно, может быть, кому-то в это сразу поверить.

Но почитаем-ка немного из Зощенко. Например, вот это. "Вот тут нам говорят, что в романе неверные отношения между Иваном Ивановичем и его женой. Но ведь что получается там у нее в романе? Получается так, как бывает в жизни. Он большой человек, у него своя большая работа. Он ей говорит: "Мне некогда". Он относится к ней не как к человеку и товарищу, а только как к украшению жизни. А ей встречается другой человек, который задевает эту слабую струнку, это слабое место, и она идет туда, к нему, к этому человеку. Так бывает и в жизни, так и у нас, больших людей, бывает. И это верно изображено в романе. Все говорят о треугольниках, что тут в романе много треугольников. Ну и что же? Так бывает".

Простите, я немного перепутал подготовленные заранее выписки всяких прекрасных литературных примеров. И этот отрывок пока не из Зощенко. Это, простите, еще из Сталина (№ 4, с. 75).

Или: "Муж был ответственный советский работник. Он был нестарый человек, крепкий, развитой и вообще, знаете ли, энергичный, преданный делу социализма и так далее.

И хотя он был человек простой, из деревни, и никакого такого в свое время высшего образования не получил, но за годы пребывания в городе он поднаторел во всем и много чего знал, и мог в любой аудитории речи произносить. И даже вполне мог вступить в споры с учеными разных специальностей – от физиологов до электриков включительно".

А это уже впрямь из Зощенко (рассказ "Письмо", 1928 г.)[1]. Но, безусловно – о Сталине!

Когда Сталин рассуждает о "верном изображении" того, как "бывает в жизни", нельзя не вспомнить: "Дореволюционный мастер кисти неплохо справился со своей задачей и по мере своих слабых сил честно отразил момент действительности" ("Не пущу", 1937 г.).

Когда Сталин с Фадеевым задаются вопросом, "за кого автор", "на чьей стороне там Горький" и пр., то это кардинальный эстетический вопрос и для сказового зощенковского повествователя. "Чего хочет автор сказать этим художественным произведением? Этим произведением автор энергично выступает против пьянства" ("Землетрясение", 1930 г.).

Когда Сталин указывает, что и в нашей действительности случаются отсталые люди, а то и сволочи, эпохальное эхо доносит: "Вот на таких ошибках против правды жизни подчас и возникают досадные дефекты – лакировка или же огульное охаивание действительности. Но я полагаю, что хорошая политическая подготовка и истинная любовь к народу предохранят литератора от таких грубых оценочных ошибок" ("Разная правда", 1953 г.).

Тонкий вопрос о взаимозависимости между литературным вдохновением и безденежьем был уже поставлен в рассказе о влюбленном и потому остро нуждающемся в финансах поэте, который "попробовал было оседлать свою поэтическую музу, чтоб настрочить хотя бы несколько мелких стихотворений на предмет, так сказать, продажи в какой-нибудь журнал. Но ... по прочтении продукции ему стало ясно, что не может быть и речи о гонораре" и пр. ("Романтическая история", 1935 г.).

Как выразился на собрании в жакте его руководитель, "мы бы Пушкина на руках носили" ("нам денег не жалко"!), "если бы, конечно, знали, что из него получится Пушкин. А то бывает, что современники надеются на своих и устраивают им приличную жизнь, дают автомобили и дачи, а потом оказывается, что это не то и не то!" ("В пушкинские дни", 1937 г.). Совершенно та же история с писателями и дачами получалась также, по словам секретаря ЦК ВКП(б) Сталина: "Настроили себе дач и перестали работать". Вот и "надейся на своих", "устраивай им приличную жизнь". "Нам денег не жалко, но надо, чтоб этого не было". Чтоб потом не выходило, "что это не то и не то".

Не правда ли, различить эти жлобские высказывания довольно затруднительно: где в только что слепленном попурри зощенковский начальник жакта и где невыдуманный высший руководитель партии и страны. Читая это вместе и вперемешку – сначала смеешься, затем теряешь ориентацию, дуреешь. И задумываешься.

Есть над чем крепко задуматься историкам, социологам, поскольку просматривается монолитное культурно-социальное единство зощенковских типов, каких-нибудь Гетманова или Неудобнова, выведенных

---

[1] Здесь и далее по: Мих. Зощенко. Рассказы и повести. Л., 1960.

24

Гроссманом, кочетовского "Секретаря обкома", ждановского доклада о журналах "Звезда" и "Ленинград", документированных раздумий Сталина.

"Каким же образом", говоря словами Зощенко, этот специфически способный, но весьма ограниченный человек "мог занять первое место в государстве"? "Но надо знать среду, надо изучить характер этой среды... Она выдвинула то, что было в ее ресурсах" ("Керенский", 1937 г.).

Когда Сталин, с его сугубо номенклатурным стилем мышления и словоупотребления, использует непередаваемо выразительный оборот "крупные писатели", то у него обнаруживается предшественник, некий Иван Федорович Головкин, раздраженно толкующий у Зощенко о "некоторых крупных гениях" ("Пушкин", 1927 г.).

Одни и те же смысловые, интонационные, стилевые горизонты у Сталина, у его подручных, и далее, и ниже, и, наконец, у той массовой исторической взвеси, которую М.М. Зощенко взял с пошлой, смешной (часто и безобидной, даже человечной) стороны. А Платонов – со стороны гротескно-трагической.

Симоновские записи подтверждают всю органичность сдвига официального, совчиновничьего, газетного, грубо-идеологического, дешевого тона – в тон обывательский, улично-коммунально-квартирно-трамвайно хамский. Оба мыслительно-словесных ряда легко образуют амальгаму, переходят друг в друга, у обоих в подоснове одна и та же по социальному интересу и источнику (понимаемому широко) манера смотреть на вещи. Зощенко фиксировал, работая над сюжетом и стилем, сдвиг с официального верха в хамский низ. Но, конечно, поскольку это сообщающиеся сосуды, возможен (принудителен) и сдвиг в противоположном направлении. Чтобы поймать его, надо просто побыть вблизи сталинской номенклатуры, в хотя бы *полуофициальной* обстановке.

Симонову повезло. Оставалось только пригласить на следующий день стенографистку. И – конечно, в натуральном, разбавленном виде, а подчас и словно бы на том же высоком литературном уровне (умри, Михаил Михайлович, лучше не напишешь!) – мы слышим и наблюдаем те же уровень и мироотношение...

Только кто-нибудь из зощенковской галереи мог так весело, отчетливо, доходчиво, убедительно сформулировать центральную политическую идею: "иностранцы-засранцы".

Ай да Сталин!

"И слова, как тяжелые гири, верны", – сказал о "кремлевском горце" *даже Мандельштам*: скорее все же со страхом и ненавистью, чем с насмешкой и презрением. *Весомость* слов-гирь двусмысленна. Это и грубая давящая тяжесть, и, хотя бы в этом смысле, некая их *верность*? Так верна смерть.

Шикльгруберу повезло. О нем тут же были сочинены чаплинский "Диктатор" и брехтовская "Карьера Артуро Уи". А вот ничуть не менее потешному Джугашвили еще не скоро посвятят блестящие фарсы.

Чем не загадка?

Могут спросить: но если хоть на минуту предположить – потому что согласиться с этим все равно слишком тяжко, – что Сталин действительно был, по выражению своего главного соперника, "выдающейся посредственностью", то есть доводил своей личностью до наиболее концентрированной, чистой, волевой формы некую энергию усредненного, бесцветного, полуобразованного человеческого слоя, то как же это десятилетиями могло сходить за воплощение мудрости и величия? Почему почти никто не замечал в откровениях Сталина анекдотически-убогой подкладки?

Вообще-то ответ далеко выходит за пределы материала и замысла настоящей статьи. Но ниже мы этого все же несколько коснемся. А пока позволю себе ограничиться еще одной цитатой из Зощенко. У него рассказано о некоем Снопкове, который "через всю Ялту ... прошел в кальсонах. Хотя, впрочем, никто не удивился по случаю землетрясения. Да, впрочем, и так никто не поразился" ("Землетрясение", 1930 г.).

Революция была почище любого землетрясения. Она перепахала, перевернула, вздыбила, перемешала все устоявшиеся слои быта, языка, цивилизованности и медвежьей российской дремучести, она поменяла названия всех вещей, отменила привычные верх и низ, правое и левое, она уготовила себе (во второй половине 20-х годов или раньше) неясный термидор, подняв к поверхности сотни тысяч, если не миллионы "вы-движенцев", имевших за это уже не царские тюрьмы и фронтовые раны, а "приличную жизнь". И власть. Землю продолжало трясти, вроде в продолжение прежнего. Всему этому под стать из рупоров звучали бездарные, неприличные слова. Вождь шествовал в идейных кальсонах. Однако "никто не удивился по случаю землетрясения. Да, впрочем, и так никто не поразился".

Анекдоты стали смешными только при Никите Сергеевиче. При Лео-ниде Ильиче тайная серость стала окончательно явной. Многие засмея-лись. Но не поразились. Время уже давно ушло, чтобы поражаться.

Более того: на фоне явного тайное в глазах некоторых мистически разрасталось. Для нас, бедных, пусть страшным, но все-таки *великим* прошлым остался Сталин. Сталин – единственное у нас, как говорится, есть, что вспомнить. Все-таки, дескать, у этого злодея – масштаб...

"Ибо человек он был и великий, и страшный. Так считал и считаю" (№ 3, с. 7). Симонов перед смертью утверждал, что надо "сказать все до конца и о его великих заслугах, и о его страшных преступлениях". Среди пунктов вопросника неизбежно возникал такой: "Был ли Сталин крупной исторической личностью?" (там же, с 6)[1]. Спасибо уже за во-просительный знак.

Л. Лазарев полагает, что "мы сегодня не можем принять эту фор-мулу", что нужна "более точная". Что ее опровергают слова Толстого: "Нет величия там, где нет простоты, добра и правды" (с. 7).

Но если Сталина следует считать человеком сложным, то это очень лестно для него. Что до правды и добра, то ведь речь идет о предпола-гаемом величии *политика*, не так ли? Кто-нибудь может заметить, что Петр I, или Наполеон, или хотя бы Пальмерстон прославились не "доб-ром". Александр Македонский, Юстиниан, Ришелье или хотя бы Фрид-рих II велики все-таки не "правдой". Если гений и злодейство считать ве-щами несовместными *не только для художника*, то насчет Сталина разговор благонравно обрывается, не успев начаться.

Разумней бы его продолжить. Что до "великих заслуг" Сталина, то с ними теперь уже немного разобрались. Впрочем, это вне моей темы. Тема гораздо скромней, но она также принципиальна. Идет ли речь о

---

[1] Цит. по предисловию Л. Лазарева "Последняя работа К. Симонова".

действительно необыкновенном, значительном и, как он сам себя аттестовал, "большом человеке"? Или, если можно так выразиться, только о большом мелком человеке? *Не* великом – не только с пушкинской, внутрикультурной и, следовательно, нравственной, но и ни с какой стороны, кроме собственно злодейской, тиранической, номенклатурной, аппаратной, политиканской.

Ведь мы раздумываем не над тем, заслуживает ли Сталин эпитета "*великий*", *поскольку* он был "*страшным*"; не о совместимости этих двух определений в некой объединяющей их ценностной сфере. Да может ли божество быть злым? Что ж, с манихейской точки зрения – может. Но дело не в том, что Сталин якобы был злым, обманным, сложным, отрицательным гением, этаким Мефистофелем. Не пора ли понять (в *серьезном*, истинно политическом плане, а для начала в личностном, тоже *серьезном* плане) интеллектуальное, духовно-психологическое *убожество Сталина*? На биологической шкале самый крупный осьминог все же несравненно примитивней самой маленькой собаки или, тем более, шимпанзе. Сталин был редкостно крупным экземпляром довольно примитивного социального класса, семейства и вида.

"Вы считаете Сталина трагической фигурой?" – "Шекспир бы ответил утвердительно". Вот очень показательный современный разговор интеллигентных людей, всей душой, конечно, Сталина ненавидящих, но... считающих неадекватным, несерьезным *презирать* его. "Вопрос жизни для нас – принять его в свой круг, разговорить его, попытаться проникнуть в тайну близости к нему миллионов образованных и полуграмотных (банальности ли благодаря эта близость или для объяснения этого нужны какие-то другие, глубинные понятия...)[1].

"Разговорить?" По-моему, в присутствии Симонова Сталин и сам хорошо разговорился.

В какой это "свой круг" мы должны его принять? В интеллигентский? Не получится. Даже у профессора Хиггинса ничего с этой приземистой, рыжеватой, усатой цветочницей не получилось бы.

Что ответил бы Шекспир, кстати, точно известно, благодаря недавнему художественному эксперименту, о котором я еще скажу. Но разве без того не ясно, что роль медиума на спиритическом сеансе для разговора со Сталиным лучше поручить не Шекспиру, а Зощенко?

О "тайне близости к нему миллионов". По-моему, тут не одна общая тайна, а несколько весьма дифференцированных тайн. Но сначала я хотел бы, чтобы мне сообщили некоторые цифры: 1) какой процент участников индустриальных сталинских строек, всех "магниток", дорог, рудников и пр. составляли заключенные Гулага; 2) сколько было раскулаченных; 3) сколько людей бежали в бараки, на "стройки социализма", спасаясь от деревенского голода; 4) сколько из тех, кто остался на селе работать за "галочки", а затем просто не мог сбежать за отсутствием паспорта, в душе не очень испытывал *близость* к Сталину. До-

---

[1] М. Гефтер. "Сталин умер вчера..." – В кн.: Иного не дано. М., 1988, с. 321, 318 и др. Несколько раньше П. Проскурин также где-то высказался в том смысле, что изображение слишком сложной и трагической фигуры Сталина требует пера Шекспира или Достоевского, не меньше. Да и Ан. Иванов, говоря о Сталине, без Шекспира обойтись не может. Между позициями авторов в остальном не может быть ничего общего; тем поучительней совпадение.

бавим всех, кто Сталина боялся, может быть, воспринимал его, как нового Ивана Грозного, но все же "близость" вряд ли испытывал. Не забудем ссыльные народы, надо думать, не на Сталина же молившиеся. Не забудем и сотни тысяч "бывших", а также "спецов", которые смирились, честно служили – но все же без "близости". Наконец, приплюсуем тех, кто *все* видел таким, каким оно и было; тех немногих, от которых, тем не менее, *мы обязаны* вести настоящий, гамбургский отсчет при любых вариантах на тему "мы тогда не знали, не понимали, не задумывались". Даже если их были бы всего сотни, десятки, единицы: от Платонова и Булгакова до Рютина и Раскольникова. Да не так уж мало интеллигентов и тогда были "интеллигентами", то есть "понимающими". И, наконец, делегаты XVII съезда, проголосовавшие против Сталина, хотя бы отчасти в нем-то разобрались? Словом, десятки миллионов образованных и полуграмотных придется из числа причастных "тайне близости" исключить, не так ли?.. За вычетом всех этих цифр останется, скажем, 15–20% населения страны, ощущавших так называемый энтузиазм, то есть сознательно *веривших Сталину*. Если только эта цифра, взятая мною с потолка, не слишком завышена.

Далее – дифференциация. *Особо* взять большую часть аппарата, которая "верила" слишком своекорыстно. И, надо полагать, на следующий день после ареста Сталина как врага народа, участника антипартийной группы, бывшего агента охранки и англо-японского шпиона, – *поверила* бы любому другому Хозяину. Вот все эти гроссмановские "гетмановы" – или реальные ермиловы и прочие – сангвиники, жизнелюбы, лукавцы, а также истеричные злобные фанатики, вроде Мехлиса, о котором хорошо написал К.М. Симонов, и тупые исполнители-чиновники, и садисты-вертухаи, уголовники, быдло, и тьма-тьмущая человеческой дряни всех сортов, ибо сталинский режим утилизировал, ввел в дело, надул паруса всем нечистотам общества. И *особо* надо взять тех, кто перенес на Сталина свою преданность Партии, кто обрубил в себе все, кроме Пользы Общего Дела (тип Рубашова в романе Артура Кестлера "Слепящая тьма").

Не на всех подряд лежит историческая вина за торжество сталинизма. О, далеко не на всех. Но и у тех, на ком объективно все же лежит, она совершенно разная не только по степени, но по своей социальной и психологической природе. Вина была совместной, но не общей. "Сталин внутри нас"? *Кого* это "нас"? Нет, придется обдумывать всех особо. *Особо* – "образованных" партийцев. И *особо* – "полуграмотных". И, наконец, совсем особо тех интеллигентов, о которых написала Л.Я Гинзбург, ничуть не "веривших" Сталину, но впавших в соблазн толковать его фигуру через понятия сами по себе исключительно серьезные, "глубинные", потому возвышающие его – называть ли это Гением или Историей.

Ведь речь идет о событиях таких огромных, исторических, страшных! И кажется, что личный масштаб главы режима должен был быть (по старинному художественному канону) необходимо соразмерным масштабу самого действия. Кажется, что трагическим лицом был не крестьянин, не интеллигент, не рабочий, не зэк или не только зэк, но и Сталин. Оболваненность, покорность, отказ от рефлексии, наконец, "завороженность", потребная, чтобы выжить, – словом, все мощные психологические потоки *отношения* к далекой, условной персоне Сталина словно бы начинают вращать лопасти этой персоны и восприниматься, как ее собственная индивидуальная мощь.

Но "трагической" можно назвать только ту личность, которая причастна к столкновению двух великих и равно внутренне (исторически, человечески) обоснованных и беспредельно содержательных, двух субстанциональных начал.

Шекспировский Клавдий все же бытийствует в одном духовном пространстве с Гамлетом. "Трагическая личность" всегда *онтологически* возвышенная – пусть это леди Макбет, или Ричард III, или Клавдий, или Гертруда, и в душе у нее "черные и несмываемые пятна". Такая личность не случайна, она предусмотрена вселенским замыслом, она *значительна* – и в *этом* плане позитивна.

Тут сюжет для *поэта*.

То, что значительно, сложно, интересно, уже *оправданно*: хотя бы художнически. В трагедии – боги смеются... *Масштаб*, если он подлинен, сам по себе заслуживает восторга, пусть леденящего: как в гимне царице Чуме пушкинского Вальсингама.

Есть ли тут хоть одна точка соприкосновения с тем, что описано в "Колымских рассказах" Шаламова? Колымский Вальсингам разве что выматерился бы.

Очнемся. Трагедия свершилась, но *другая* трагедия. Не классическая.

Сталин имеет отношение к этой трагедии. Трагедия не имеет отношения к Сталину. Или к Берии. Или к Жданову да Маленкову, Молотову да Кагановичу. Не тот жанр.

Бедные мы, бедные! Все-то нам трудно представить себе, что понимание ума, психологии, личной начинки Сталина может обойтись без глубокомыслия и приподнятости, что во главе террористического режима, перевернувшего мировые пласты и унесшего миллионы жизней, могла стоять посредственность...

Нам это было бы совсем уже обидно.

Нет, сам Сатана губил нас, к тому же был он не без заслуг! – воплощение "исторической необходимости". Пусть величие этого индивида было дьявольским, но – величие. "Великий, но страшный".

На личном его величии и трагизме сталинисты и антисталинисты сходятся.

В этом смысле "культ" Сталина у нас по-прежнему более или менее сохраняется.

"Он имел одно виденье, непостижное уму, и глубоко впечатленье в душу врезалось ему". Мы охотно примысливаем всю непостижность века к некогда миллиарды раз тиражированному виденью.

А реальный Сталин...

Давайте-ка его перечитаем.

Ведь сохранились тексты великого человека.

В отличие от преемников, он писал их сам. Вот аутентичные документы, позволяющие, в частности, судить о качестве и масштабах его ума, логики, о сталинской ментальности (если прибегнуть к современному историко-культурному термину).

За недостатком места я использую только несколько страниц из доклада 10 марта 1939 г. на XVIII съезде партии[1]. Это был первый съезд

---

[1] И. Сталин. Вопросы ленинизма. М., 1952, с. 634–651. Далее указания страниц – в тексте.

после начала Большого Террора. Это первый съезд, на котором Сталин мог совершенно раскрыться в роли победителя. Доклад на предыдущем съезде, 26 января 1934 г., завершился "овацией", пением "Интернационала" и затем "возгласами: "Ура Сталину!", "Да здравствует Сталин!", "Да здравствует ЦК партии!" Хлопали и восклицали, судя по ремарке, сидя. Спустя пять лет хлопать можно было уже только стоя, петь после доклада не полагалось, вместо "овации" была "продолжительная овация" и "возгласы: "Ура! Да здравствует товарищ Сталин! Нашему любимому Сталину – ура!" Этими словами отныне будет заканчиваться прижизненный канон "Вопросов ленинизма", его как бы Избранное.

Вопрос об *эволюции* сталинского интеллектуального стиля придется оставить специалистам, но послушаем вождя в момент первой политической кульминации и апофеоза его судьбы. Он впервые взошел на свой Эверест, он стоит на вершине уже в окончательном, величественном одиночестве (второе восхождение – послевоенное). Так что это – всем сталиным Сталин.

Кроме того, стиль в избранном мною фрагменте превосходно отвечает теме. Ибо речь идет о "подборе кадров", "о некоторых вопросах теории", а именно: "вопросе ... о нашем социалистическом государстве и вопросе о нашей советской интеллигенции".

Перед нами – из числа самых классических сталинских страниц. На экзаменах их надо было помнить почти наизусть.

Сталин сказал: "Иногда спрашивают: "эксплуататорские классы у нас уничтожены, враждебных классов больше нет в стране, подавлять некого, значит, нет больше нужды в государстве, оно должно отмереть, – почему же мы не содействуем отмиранию нашего социалистического государства, почему мы не стараемся покончить с ним, не пора ли выкинуть вон весь этот хлам государственности?" (с. 640).

Никто, разумеется, не задавался тогда такими вопросами. В 1939 г. было бы в высшей степени несвоевременно спрашивать об отмирании сталинского государства. Разъяснительная работа была в основном проведена. В стране не осталось идиота, который бы не понял, что государство пока отмирать не собирается.

Только один человек в стране мог позволить себе вслух этакое "теоретическое" вопрошание.

Итак, "некоторая неразбериха в этих вопросах" и "отсутствие полной ясности среди наших товарищей" – риторическая коррида, которую Сталин разыгрывает сам с собой, благодушно воображая некоего идеологического тореадора с выцветшей красной тряпкой энгельсовских высказываний на сей счет. (Энгельсовских – но не аналогичных ленинских из "Государства и революции"; по утверждению Сталина (с. 643–644), во второй, более важный, но оставшейся ненаписанной, части этого труда Ленин, *после* Октября, непременно развил бы марксизм по вопросу о государстве дальше, "опираясь на опыт существования Советской власти в нашей стране" – вот этим Сталин и занимается – "чего не успел сделать Ленин, должны сделать его ученики. (Б у р н ы е а п л о д и с м е н т ы)".

Изобразив перед едва ли не оцепеневшим залом одного из "наших товарищей", предлагающего "выкинуть вон весь этот хлам государственности", Сталин тут же повторяет эти фразы на другой голос, в чуть измененном виде, и вместо "выкидывания хлама": "не пора ли сдать государство в музей древностей?".

Пропев, таким образом, голоса из хора тех, кто "не разобрался" в марксизме и "проглядел факт капиталистического окружения", "засылающего в нашу страну шпионов, убийц и вредителей", "недооценил роль и значение карательных и разведывательных органов", то есть вообще-то вполне заслужил отправку в Гулаг, Сталин, неторопливо доведя аудиторию до транса, вдруг добавляет: "Нужно признать, что в этой недооценке грешны не только вышеупомянутые товарищи". Хотя он ведь никого не "упомянул"?! – но *каждый* согрешивший в сердце своем мог бы считать себя как бы упомянутым. Сталин же заканчивает тираду: "В ней (недооценке роли "органов". – *Л. Б.*) грешны также все мы, большевики, все без исключения". "Мы не могли предположить, что эти люди могут пасть так низко" – но это, де, не "объяснение" и не "оправдание".

"Все без исключения"! Потрясающий катарсис. Ведь это означает, что в недооценке роли карательных органов был раньше грешен и он сам, Сталин...

"Факт промаха" мог произойти, размышляет вождь, только из-за "непозволительно-беспечного отношения к вопросам теории". "Факт промаха" объясняется *теоретической* "недооценкой роли и значения социалистического государства и его разведки, недооценкой этой разведки, болтовней о том, что разведка при Советском государстве – мелочь и пустяки, что советскую разведку, как и само Советское государство, скоро придется сдать в музей древностей" (с. 641).

"Разведку" после 1937 г. никак нельзя было счесть "мелочью и пустяками". Но нужно предупредить страну, что террор должен продолжаться и впредь, что послабления не следует ожидать даже при полном коммунизме.

Так наступает звездный час для "теории". Час прощания с покойными немецкими бородачами.

Энгельс считал, что "обращение средств производства в общественную собственность" явится "последним самостоятельным действием" государства "в качестве государства", после чего его "вмешательство в общественные отношения станет мало-помалу излишним и прекратится само собой. На смену управления лицами становится управление вещами" и т.д. Сталин в ответ заявляет, что рассуждения Энгельса отличает "общий и абстрактный характер проблемы", поэтому они не подходят к "частному и конкретному случаю победы социализма в одной, отдельно взятой стране, которая имеет вокруг себя капиталистическое окружение" (с. 642–643). Дальше Сталин говорит, что у государства всегда были две функции: "главная", подавления вовнутрь, и "не главная", защиты и захвата вовне. Так вот, после "полной победы" социализма "вместо функции подавления появилась функция охраны социалистической собственности от воров", а "не главная" функция сохранилась; и поскольку именно извне к нам "засылаются" шпионы, убийцы, вредители, то, стало быть, их "вылавливание" внутри страны лишь подтверждает, что "наша армия, карательные органы и разведка... своим острием обращены уже не во внутрь страны, а... против внешних врагов". "Вылавливание", как поясняет в заключение Сталин, поэтому сохранится и при коммунизме, если только капиталистическое окружение не будет "ликвидировано" (с. 644–646).

Вот мысль Сталина, и вот его угроза. Ибо его мысли всегда не что иное, как угрозы или (реже) отсрочки угроз.

Как пишет Симонов, "в своих выступлениях Сталин был безапелляционен, но прост" (№ 3, с. 34).

В данном "теоретизировании" вождя присутствует все характерное для этого социально-исторического типа мышления. Во-первых, "общее" и "абстрактное", то есть действительно теоретическое, с раздражением и брезгливостью отбрасывается, как нечто "оторванное от практики", неинтересное и недостаточное. "Практика" – вот таинственный пароль этих людей, столь поразительно непрактичных во всем, от предвоенного развала армии и сельского хозяйства до уничтожения наиболее выгодных наук, генетики и кибернетики. И "теория", ну, конечно, "теория", однако "конкретная", приспособленная к так называемым "зигзагам истории". Теория – как огрубелая, расторопная и доступная прислуга.

Теория возглашает белое? Ну-с, а мы сейчас, "опираясь на опыт", покажем, что белое есть черное. Сталин называет это: "конкретизировать отдельные общие положения марксизма, уточнять и улучшать их" – а не "спокойно лежать на печке и жевать готовые решения" (с. 643). Зал в ответ разражается "общим смехом", явно считая невозможным для себя жевать марксизм.

Во-вторых. Вопроса о логической связи между "абстрактным", "общим положением" и его "конкретным" антиподом даже не возникает. Почему "хорошо организованные карательные органы" – это "уточнение" и "улучшение" марксистского идеала отмирания государства и грядущей замены управления лицами управлением вещами – остается абсолютно неизвестным. Но убедительным! Как персонаж Зощенко, ухаживающий за дамочкой "из седьмого номера". Он говорит ей, когда та берет четвертое пирожное в театральном буфете: "Ложи взад!". Та, правда, замечает определенное логическое несоответствие и возражает: "Которые без денег – не ездят с дамами". "А я говорю: – Не в деньгах, гражданка, счастье. Извините за указание" ("Аристократка", 1923 г.).

Не в отмирании государства счастье.

В-третьих. Марксистская теория социализма, уж какова она ни есть, понимается Сталиным без какой-либо догадки об ее системности – как именно набор "отдельных положений", любое из коих можно вмиг вырезать и всунуть другое, "уточненное". И опять-таки нет вопроса о том, что эта резекция сулит марксизму в целом, может ли теория социализма уцелеть, ежели взамен постепенного ослабления государственного вмешательства в жизнь людей опереть социализм на государственный террор. Если бы можно было говорить обо всем этом вздоре с некоторой степенью серьезности, то "вопросы теории" требовали бы прежде всего разъяснения того, каким образом "сильное государство" в "отдельно взятой стране" вообще совместимо с социализмом в марксистском понимании. Но боже ты мой! – для нашей темы существенны не свирепые эвфемизмы сталинских рассуждений о "разведке" как конкретном своеобразии советского социализма, а то, что Сталин и миллионы его читателей искренне полагали, будто этот набор фраз и есть занятие "вопросами теории"...

Уровень был задан; притом на полвека вперед. Между прочим, формула "реального социализма" брежневских времен находилась на том же уровне логической рефлексии, служила сходным интересам и была достижением умов, ничуть не более примитивных, чем ум Сталина. Да что там! – совсем уже недавно в редакционном комментарии *Правды* случилось нам прочесть, что существование социализма принципиально возможно и при условии *отчуждения трудящихся от средств производства и от власти!*

"Извините за указание".

"Второй вопрос – это вопрос о советской интеллигенции" (с. 646–649). Сталин за нее заступается, считая, что "пренебрежительное, презрительное" отношение к ней, как к "силе чуждой и даже враждебной" – неправильно. То есть оно вполне правильно применительно к "старой, буржуазной интеллигенции", которая "кормилась у имущих классов и обслуживала их" (за исключением "отдельных единиц и десятков смелых и революционных людей", которые, однако, "не могли изменить физиономию интеллигенции в целом"). После революции наиболее квалифицированная часть ее "пошла в саботажники", затем "завербовалась... во вредители, в шпионы" и "была разбита и рассеяна органами"; другая часть сначала "топталась на месте", "но потом, видимо, махнула рукой и решила пойти в службисты..." Наименее квалифицированная третья ее часть "стала доучиваться в наших вузах". Короче, "в нашей, так сказать, пролетарской стране вопрос об интеллигентах – вопрос пока довольно острый. Проблема кадров еще не разрешена в положительном смысле..."

Вот так ставит проблему Сталин. Правда, последние две фразы как-то снова прилипли сюда из Зощенко. ("Не надо спекулировать", 1931 г.).

Чьи замечания теоретически и стилистически ценнее? – сразу не решишь. С одной стороны, у Сталина то преимущество, что в 1939 г. у него были уже достаточные основания считать: "Мы имеем теперь многочисленную, новую, народную, социалистическую интеллигенцию" – из выдвиженцев. "Сотни тысяч молодых людей... влили в интеллигенцию новую кровь и оживили ее по-новому, по-советски. Они в корне изменили весь облик интеллигенции, по образу своему и подобию".

Что верно, то верно.

Но с другой стороны, в значительной мере именно Зощенко одним из первых заметил это исчезновение старой интеллигентности, это "коренное изменение облика", во многих случаях дававшее довольно-таки выразительный результат. Так что Зощенко в конце концов даже попробовал заговорить – уже от себя – голосом этакого нового интеллигента, растворив себя в сказе, только очистив сказ от неграмотности и грубостей: будто он тоже "недавно еще работал по-стахановски на заводах и колхозах, а потом направлен в вуз для получения образования". Как выразился вождь.

Сталин разъяснял, что *такие* интеллигенты, то есть с достойным, не интеллигентским происхождением, с безупречными анкетами, не должны, в отличие от тех, прежних, считаться "людьми второго сорта". Неправильно думать, "что образование – вредная и опасная штука" (в зале – смех). Он возразил "странным товарищам", которые считают подозрительными и опасными даже рабочих и крестьян, "после того, как рабочие и крестьяне станут культурными и образованными". (В зале раздается "общий смех".) Он отметил, что было бы неправильно "докатиться до воспевания отсталости, невежества, темноты, мракобесия". Что такие взгляды были бы "теоретическими вывихами". Что "старая теория" об интеллигенции остается совершенно верной только по отношению к старой же интеллигенции, а не ко всем кончившим советские вузы. К новой же интеллигенции надо относиться уважительно и дружески.

"Кажется, понятно".

Да, ничего не может быть понятней этой теории. Но как-то недостает настоящей сталинской убежденности. То ли гениальный Кадровик опасался, всякой ли анкете можно верить. То ли, тяготея к большей теоретической конкретности, понимал, что положение о безвредности образования носит слишком абстрактный характер. Отдельно взятого человека образованность может сделать опасным. По сей день – "вопрос пока довольно острый".

"Так обстоит дело с вопросом о нашей новой, социалистической интеллигенции". Последняя фраза – из Сталина или из Зощенко? Сейчас сверюсь с выписками... Из Сталина. Но от оборота "дело с вопросом" не отказался бы великий писатель; с замечанием о "довольно остром вопросе" согласился бы вождь; мы же, глядясь в сегодняшние будни, видим, что правота обоих – долговечна. "Проблема кадров еще не разрешена в положительном смысле".

"Здесь именно и встает вопрос о правильном подборе кадров, о выращивании кадров, о выдвижении новых людей, о правильной расстановке кадров..." (с. 635). Облегчается ли хоть сколько-нибудь это дело тем, что "правильный подбор" – то же, что "правильная расстановка" – и то же, что "выращивание" – и то же, что "выдвижение новых людей"?

"Правильно подбирать кадры это значит:

Во-первых, ценить кадры... дорожить ими, иметь к ним уважение.

Во-вторых, знать кадры, тщательно изучать... знать, на каком посту могут легче всего развернуться способности работника.

В-третьих, заботливо выращивать, помогать... подняться вверх... ускорить их рост.

В-четвертых, во-время и смело выдвигать новые, молодые кадры...

В-пятых, расставить работников по постам таким образом, чтобы каждый работник чувствовал себя на месте..." (там же).

То-есть "в-четвертых" ни на йоту не отличается по смыслу от "в-третьих", "в-пятых" от "во-вторых", и вообще все это есть, разумеется, классическое толчение воды в ступе.

Но в грозно-утомительных повторах состоит самая очевидная черта многословной сталинской риторики. Начиная с простых инверсий ("Что значит правильно подбирать кадры?" – "Правильно подбирать кадры это значит") и кончая знаменитыми перечислениями. В этом же докладе см.: *четыре* черты "внешней политики Советского Союза" (1. Мы стоим за мир... 2. Мы стоим за мирные, близкие и добрососедские отношения... 3. Мы стоим за поддержку народов, ставших жертвами агрессии... 4. Мы не боимся угроз со стороны агрессоров..."); *семь* опор "внешней политики Советского Союза" ("1. На свою растущую ... мощь; 2. На морально-политическое единство... 3. На дружбу народов... 4. На свою Красную Армию... 5. На свою мирную политику"; и пр.); *четыре* задачи партии в области внешней политики" ("1. Проводить и впредь политику мира... 2. Соблюдать осторожность... 3. Всемерно укреплять боевую мощь нашей Красной Армии.. 4. Крепить международные связи дружбы с трудящимися всех стран, заинтересованными в мире и дружбе между народами") (с. 613–614).

Или – из более связных и тонких сталинских рассуждений – "Особенное значение имеет здесь вопрос о смелом и своевременном выдвижении новых, молодых кадров. Я думаю, что у наших людей нет еще полной ясности в этом вопросе. Одни считают, что при подборе людей надо ориентироваться, главным образом, на старые кадры. Другие, наоборот, думают ориентироваться, главным образом, на молодые кадры. Мне кажется, что ошибаются и те и другие". После глубокомысленного начала Сталин объясняет, тратя на это около сотен слов, что старые кадры хороши тем, что стары, молодые – тем, что молоды; вместе с тем старые кадры имеют тот недостаток, что они стары, а молодые – тот, что они молоды. Поэтому, задумчиво говорит Сталин, "задача состоит не в том, чтобы ориентироваться либо на старые, либо на новые кадры, а в том, чтобы держать курс на сочетание, на соединение старых и молодых кадров..." (с. 635–636). Интеллектуальные усилия оратора вознаграждаются "продолжительными аплодисментами".

Ну, а дело, дело-то Сталин говорил? – спросит кто-нибудь из молодых кадров 1989 г. А как же! Ведь Сталин дал понять, что истребление "старых кадров" в основном закончено, и те, кто уцелел и усидел, должны быть сцементированы с выдвиженцами 1937–1938 гг. Вместе с тем: "Задача состоит в том, чтобы взять полностью в одни руки дело подбора кадров снизу доверху... для этого необходимо покончить с расщеплением дела изучения, выдвижения и подбора кадров по разным отделам и секторам, сосредоточив его в одном месте. Таким местом должно быть Управление кадров ЦК ВКП(б) и соответствующий отдел кадров в составе каждой..." и т.п. (с. 637). Так это и делается, как известно, поныне. Это ли было не дело?

Или: Сталин с гордостью указывает на "благие результаты" тотального "разукрупнения" руководства: вместо 14 наркоматов СССР – 34 наркомата, вместо 2559 райкомов – 3815 райкомов, вместо 70 обкомов и крайкомов – 110 обкомов и крайкомов (с. 634). "Вероятнее всего, что разукрупнение пойдет дальше". Это Сталин тонко предвидел и капитально. Сколько теперь у нас наркоматов и райкомов?

Однако нас здесь занимает не административный восторг Сталина, и не дела его, но слова, в которых материализовалось индивидуальное качество его логики, десятилетиями слывшей "железной" (позже, правда, добавили: прямолинейно-схематичной, без полутонов и пр., но, как говорится, что-то в ней было... Что же?).

Да, катехизисная форма, бесконечные повторы и переворачивания одного и того же, одна и та же фраза в виде вопроса и в виде утверждения, и снова она же посредством отрицательной частицы; да, ругательства и штампы партийного бюрократического наречия; неизменно многозначительная, важная мина, призванная скрыть, что автору мало есть что сказать; бедность синтаксиса и словаря, которые пошли Сталину на пользу, усилив те свойства его высказывания, которые позволили ему сшить из серой ткани узнаваемый стилистический наряд. Стиль Сталина неповторимо соединял медлительную, шаманскую важность, риторические приемы недоучки-семинариста, убийственный канцелярит, натужный "юмор", о котором придется ниже сказать еще несколько слов, угрожающий тон... и эту вот бедность чужого для него языка, столь удачно довершающую и сплавляющую остальные элементы.

Когда были изведены вожди-интеллигенты, этот стиль стал, собственно, эпохальным; и если речи Брежнева, Суслова, Черненко и др.

нам справедливо кажутся гораздо более бесцветными и неразличимы-
ми, то надо все же оговориться: государственные речи в нашей стране
полвека *все* текли с одного и того же мыслительного плато, что и речи
Сталина; эти последние, как и речи соратников Сталина, отличались соответственно времени гораздо большей жесткостью, пестрыми и бранными отголосками былых внутрипартийных драк и, следовательно, меньшей внешней обтекаемостью и снотворностью.

Ведь всегда хотя бы отчасти донашивается стиль предыдущей эпохи. Сталин, Жданов и др. донашивали 20-е годы. Их преемники донашивали стиль 30–40-х годов. У самого же Сталина в этом общем стиле
очень заметно своего рода индивидуальное обнажение приема, особая
сухость конструкции. Однако главная тайна рассуждений Сталина состояла – и тоже с неким заметным и необходимым для Вождя преувели-
чением, отвечавшим требованиям этого политического этапа, – в сущности, в том же самом, что и тайна всех прочих тогдашних и позднейших
официальных текстов. Только позднейшие стерли, износили до прозрачной ветхости эту тайну – по причинам достаточно историческим и объективным.

В чем же, с моей (но едва ли не тривиальной) точки зрения, состояла внушительность и тайна логики Сталина, любого высказывания Сталина, личности Сталина?

3.

Тайна логики Сталина состояла в том, что никакой логики не было.
Отсюда весь эффект.

Металлическая мощь его рассуждений – именно в том, что это *не*
рассуждения. А нечто иное. Поэтому незачем предъявлять к сталинским
текстам неправомерные требования, уличать в софизмах, тавтологиях,
грубой лжи, глупостях и пустословии. Все это так, лишь пока мы видим в
них рассуждения, ждем от них содержательности и логичности. Но это
неправильно. Сталин в первые пятьдесят лет своей жизни старался, как
мог, будучи участником политических дискуссий, как-то рассуждать
публично, т.е. доказывать и убеждать. Но в этом партийные интеллигенты, теоретики, краснобаи его далеко превосходили. Очевидно, уже с
1929 г. Сталин окончательно пишет и выступает не для того, чтобы
высказать то, что он думает и как он думает. Его полная победа позволяет в конце 30-х годов созреть тому ритуальному стилю, который был
действительно доведен Сталиным до совершенства и в котором вполне
выразились его личный характер и масштаб.

Дело в том, что любые рассуждения, пусть немудрящие, все-таки
движутся к какому-то выводу. Но у Сталина-диктатора вывод *предшествует* "рассуждению"; т.е. не "вывод", конечно, а *умысел* и *решение.*
Поэтому текст – это способ дать понять, догадаться о решении и в такой
же мере способ помешать догадаться. Это вдалбливание в головы тех
лозунгов и формулировок, которые заключают в себе *генеральную линию*
и скрывают эту линию. Текст Сталина, так сказать, магичен. Он неравен
самому себе, больше самого себя. Он не подлежит обсуждению, но дает
сигнал к очередному всесоюзному ритуальному "изучению", пропа-

ганде", "разъяснению", зачитыванию вслух, к массовым – в миллионы голов, в миллионы языков и ушей – идейным танцам в сети партпросвещения. Так предваряется новая *кампания*, новая охота на мамонта.

Он бесконечно содержателен, сталинский текст, хотя сомнений, раздумий, самовозражений, действительных проблем в нем нет и в заводе, хотя "логика" его состоит из цепочки простых тождеств, А=А и Б=Б, этого не может быть, потому что этого не может быть никогда, это так, потому что это так; вопрос-ответ, вопрос-ответ, но в вопросе уже непререкаемый ответ, а в ответе намек, будоражащая недосказанностью самой торжественной опорожненности тезиса. Пытливые читатели сто раз перечитывали каждый драгоценно-редкий "исторический" документ; так алчущие переворачивают и трясут пустую бутылку, может, на дне есть что-то еще; это пустословие не так-то пусто, убого-риторическое топтание на месте почему-то создавало впечатление приращения, сгущения смысла – и недаром!

Тексты ведь и впрямь были историческими. Ими предвещались судьбы страны, от их сверхсмыслов могли зависеть жизнь и смерть целых категорий российских жителей, социальных классов и каждого человека в отдельности. Как в хрестоматийном примере с фразой "Казнить нельзя помиловать": чья-то судьба зависит от того, где будет поставлена запятая, сделана пауза. Так некогда была значительной всякая даже пауза в звучании медлительного, глуховатого, с сильным акцентом, заоблачного гласа.

Только-то и всего? Я уверен, что да. Пусть это не единственное объяснение харизмы Сталина, но все же главное. Сила его власти! Ведь ничтожество любого из сталинских выступлений, из которых ушла *сила* – сила в прямом, политическом и даже физическом смысле, сила домны и рудника, канала и плотины, армии и "органов", единодушного вопля и неслышного доноса, ночного стука в дверь и парадного шага по брусчатке, – содержательное ничтожество сталинских речей может быть без труда доказано. Но не ничтожество последствий.

В. Гроссман написал о Гитлере, что тот был великим, пока побеждал... И перестал быть великим, когда его армии откатывались на запад. Сталин тоже не казался великим между 22 июня и Сталинградом.

Впрочем, непрерывные военные, дипломатические, хозяйственные катастрофы, беды и конфузы во все прочие периоды – вроде "головокружения от успехов", голода 1933 г., провала политики Коминтерна, уроков озера Хасан и зимней финской войны, пакта Молотов–Риббентроп, изгнания СССР из Лиги Наций, фантастических военных потерь, послевоенной нищеты, "холодной войны" – не только преподносились как новые победы, но и подлинно не уменьшали впечатляющего и загадочного величия этого тоталитарного Вия, поскольку не ставили под сомнение степень концентрации сверхчеловеческой власти в его руках и прочность режима, казалось, рассчитанного на тысячу лет. Гипноз слагался из разных элементов; но в его подоснове было вот это ощущение *тысячелетия*: конца всей прежней истории и начала неисчерпаемой вечности...

Его слушали, затаив дыхание. Но когда в декабре 1949 г. Сталин не промолвил ни слова – он поразил всех своим молчанием точно так же, как если бы выступил. Ибо отсутствие текста казалось нагруженным тем же сверхсмыслом, что и текст.

Если бы он сообщил, что Волга впадает в Каспийское море – это поразило бы всех точностью и простотой правды. Если он сообщил бы, что Волга больше не будет впадать в Каспийское море – никто не отнесся бы к этому с недоверчивостью.

Как пишет Симонов: "Сталин решал, как быть. Решал сам... если он твердо решил нечто, то на прямое сопротивление ему рассчитывать не приходилось... он заведомо был прав, раз он принимал решение. Так вот... с этим решением мы становились в чем-то другими, чем были" (№ 3, с. 36–37).

Тут Симонов прав. И тут разгадка гениальности Сталина в глазах тех, за кого он решал. Собственная смерть была последним решением Сталина. Но смысла этого решения не знал ни один человек. В марте 1953 г. поэтому многие плакали: из-за брошенности, неизвестности, казавшейся космической.

"Поздно приходит сознание".

Речей Брежнева не читали, над ним и уже над Хрущевым смеялись, потому что в дымок над кратером вулкана напряженно вглядываются лишь в периоды непрерывной сейсмической активности. Конечно, Брежнев был куда более слабым, мелким, неспособным человеком, чем Сталин, но и Сталин не был сам по себе значителен. Дело в разных исторических фазах их системы, в меняющихся запросах аппаратной иерархической пирамиды к тому, кто занимает свято место. При Брежневе оно могло быть и должно было быть некоторым образом пусто. В соответствии и в интересах "стабильности". Если бы Леонид Ильич на год куда-нибудь исчез и кто угодно другой исчез, и их заменили двойники-актеры – колесики крутились бы с прежней налаженностью и бессмысленностью, а население не заметило бы исчезновения лидера, углубленное в частную жизнь, в поиски дефицита и пр.

Но ведь то же самое можно сказать о любом брежневском начальнике?

Сталин же *всегда был с нами*. Как и сталинская система – и все ее начальники. Вот откуда его личная значительность.

Вдох и выдох "культа". Напряжение и расслабление диафрагмы. Зрелость и климакс одного и того же, сталинско-брежневского руководящего индивида.

Вообразим, что Сталин пожелал бы выступить по вопросам деторождения. В конце концов, он должен был смыслить в этом гораздо больше, чем в языкознании, не так ли? Он не написал ни одного лингвистического опуса, но произвел на свет трех детей. Кроме того, в обезлюдевшей после войны стране вопросы деторождения, пожалуй, были более актуальными, чем вопросы о классовости и бесклассовости языка. Тем не менее Сталин почему-то вздумал поучать языковедов. Так почему бы ему не просветить акушеров и гинекологов, выступив на тему о том, нельзя ли женщинам рожать детей без помощи мужчин? То было время ошеломляющих биологических "открытий" Бошьяна и старенькой Лепешинской, время лысенковских чудес порождения растениями одного вида растений другого вида. Мой домысел не кажется слишком уж противоречащим тогдашней исторической реальности.

Применив свою прославленную логику, великий человек мог бы сказать примерно так:

"У некоторых наших товарищей нет еще достаточной ясности в вопросах рождения детских кадров. Я бы сказал, что некоторые догматически мыслящие товарищи допускают неразбериху и путаницу в этом вопросе, важном для жизни всего нашего советского народа, важном для рабочего класса, важном для трудового колхозного крестьянства, важном в известной степени, думаю, и для наиболее передовой части нашей советской интеллигенции.

Принято считать, что дети рождаются от женщин при помощи мужчин. Однако отдельные товарищи интересуются, не могут ли дети рождаться от одних женщин. Другие спрашивают, нельзя ли обойтись тут без помощи мужчин. Мне посоветовали в ЦК ответить как тем, так и другим. Мне ничего не остается, как выполнить прямое указание ЦК.

Может ли ребенок родиться только от женщины? Нет, ребенок не может родиться только от женщины. Способна ли женщина обойтись в этом важном деле без помощи мужчины? Нет, со стороны товарищей женщин было бы ошибочным и даже невозможным в таком деле обойтись без помощи мужчин.

В состоянии ли кто-нибудь со знанием дела настаивать на противоположном? Нет, никто не станет на основе данных науки утверждать противоположное.

Мы, большевики, всегда считались с практикой, мы никогда не отворачивались от практики. Мы, большевики, потому и побеждали, что не пренебрегали живым опытом масс. Мы, большевики, всегда были сильны именно тем, что: 1) крепили союз с трудящимися мужчинами и женщинами; 2) не отворачивались от повседневных нужд и запросов женщин и мужчин; 3) не пренебрегали уроками истории; 4) правильно подходили к сочетанию и взаимоувязке классовых и общеисторических интересов и закономерностей.

Только троцкистско-бухаринские изверги, только империалистическая буржуазия всех мастей могли бы быть заинтересованы в том, чтобы вбить клин между нашими мужчинами и женщинами, нарушить взаимопонимание между женщинами, с одной стороны, и мужчинами, с другой стороны, замедлить путем раскола и прекращения деторождения строительство социализма в отдельно взятой стране". И тому подобное.

Но, разумеется, если бы Сталину по каким-то до поры до времени скрытым соображениям показалось бы полезным провести другую линию в этом вопросе, он мог бы сказать и примерно так:

"Мы знаем из опыта прежней истории, из опыта рабовладельческого общества, из опыта феодального общества, наконец, из капиталистического опыта, что женщины всегда рожали детей при помощи мужчин.

Но те, кто, ссылаясь на это, делает вывод, что также и в нашей стране женщины нуждаются в этом немаловажном деле в помощи мужчин, тот впадает в грех меньшевиствующих болтунов и начетчиков. Видно, что некоторые товарищи не совсем ясно представляют себе правильный подход к этому вопросу, путаются в общей и абстрактной постановке проблемы, не умеют подойти к делу конкретно, недостаточно вникают в законы диалектики, не понимают, что все зависит от обстоятельств, места и времени. Не все еще сумели понять, что истина конкретна.

Если раньше женщины нуждались для деторождения в помощи мужчин, это не значит, что и в условиях строительства социализма в одной, отдельно взятой стране, в условиях капиталистического окружения, женщинам не придется отказаться от помощи мужчин, занятых на других участках социалистического строительства.

Мы, большевики, никогда не фетишизировали прежний опыт. Мы, большевики, никогда не боялись улучшать и уточнять отдельные положения марксизма.

Если раньше женщины зачинали детей от мужчин, то почему, спрашивается, так должно продолжаться и в будущем? Разве новые явления всегда должны повторять старые? Разве новые явления не потому и считаются новыми, что они не повторяют старых, не копируют то, что было раньше, не впадают в рабскую зависимость от прежнего опыта?

Только троцкистско-бухаринские изверги, только засылаемые к нам шпионы, вредители и убийцы могли бы быть заинтересованы в том, чтобы создать почву для трений между нашими советскими мужчинами и нашими советскими женщинами, поставить в зависимость одних от других, навязать устаревшие и технически отсталые способы ведения дела. Только потерявшие совесть враги народа заинтересованы в том, чтобы отвлечь таким образом трудящиеся массы рабочих, трудящиеся массы колхозников, а также прослойку новой, преданной Советской власти интеллигенции от непосредственного участия в развитии нашей промышленности, сельского хозяйства, культуры, в деле укрепления армии, карательных и разведывательных органов" и т.п.

Вот несложный способ воссоздания сталинской логики. Или, пользуясь мнением Симонова, "свойственной ему железной конструкции в том, что он говорил" (№ 4, с. 98).

Вы засмеялись? При Сталине вам было бы не до смеха.

Между тем Сталин обладал своеобразным чувством юмора.

Он любил изредка пошутить и посмеяться. Вот он предложил включить в комиссию Мехлиса "и испытующе посмотрел на нас. – Только он всех вас сразу же разгонит, а? – Все снова рассмеялись" (№ 3, с. 58). "Не верьте прочувствованным письмам, товарищ Жданов. – Все засмеялись" (№ 3, с. 64). И эта "внешне вполне юмористическая" история, как актер клянчил премию за роль турецкого паши, и Сталин, развеселившись, дал ему Сталинскую премию. Шутки Сталина в избранном кругу – тоже были угрозами. Но угрозы были в данном случае лишь шутками. Поэтому окружающие вождя писатели, чиновники угодливо, облегченно, искренне смеялись[1].

Другой сорт сталинского юмора мы находим в его докладах на съездах и совещаниях. Вспомним "общий смех" по поводу предположения, что "мы, потомки классиков марксизма, имели возможность лежать на печке и жевать готовые решения" (с. 643); или что "после того, как рабочие и крестьяне станут культурными и образованными, они могут оказаться перед опасностью быть зачисленными в разряд людей второго сорта" (с. 649); или что "правильно подбирать кадры, это еще не значит набрать себе замов и помов" (с. 635); или что "смешно искать "очаги" Коминтерна в пустынях Монголии, в горах Абиссинии, в дебрях испанского Марокко" (с. 608); или что "автономные республики... со всех сторон окружены советскими республиками и областями и им, собственно,

---

[1] С. Михалков вспоминает, как Берия сказал писателям, принятым в Кремле: "А если мы вас отсюда не выпустим" (*Огонек*, 1988, № 12, с. 7). Так что это был не личный юмористический стиль Сталина, а коллегиальный.

некуда выходить из состава СССР (Общий смех, аплодисменты)" – (с. 567); или что "эти, с позволения сказать, критики" Сталинской конституции, "а знают ли вообще эти господа – чем отличается левое от правого" (с. 561); или целых полторы страницы, построенных на несколько перевранном Щедрине, у которого "бюрократ-самодур", де, распорядился "закрыть Америку", и вот господа из германского официоза хотят объявить, что "СССР есть не что иное, как простое географическое понятие", но "сие от них не зависит" (с. 557–558); и взрывы, "взрывы веселого смеха, бурные аплодисменты"...

По-моему, природа этого юмора восходит к тому, что описывал К. Чуковский в книге "От двух до пяти": дети обожают перевертыши. Скажите любому ребенку в этом возрасте или чуть постарше, что "кошки лают, а собаки мяукают" – и он зальется довольным хохотом. Потому что он знает, что на самом деле наоборот, и доволен тем, что собеседник признает за ним твердость этого знания, и смеется над нелепостью утверждения, будто собаки могут мяукать.

Точно так же Сталин и его слушатели твердо знали, что потомки Маркса не могут лежать на печке, что окончание вуза не делает рабочих и крестьян людьми второго сорта и что СССР – не просто географическое понятие.

Поэтому всем было страшно смешно. Сталин отнюдь не приспосабливался к уровню понимания своей аудитории; в частности, записи Симонова подтверждают это. Таков уж был *его и ее* уровень. Место из Щедрина было действительно очень смешным, потому что старорежимный бюрократ не отличался политическим реализмом. Он будто бы распорядился "закрыть Америку", хотя и догадывался, что его распоряжение наверняка останется невыполненным. А это очень смешно. Политические решения должны быть выполнены. Даже если они кому-то кажутся невыполнимыми, нереальными. Их реальность и правильность – это вопрос силы. Нужно быть просто достаточно сильными. Мы не болтуны, и нам смешна критика этих господ, поскольку от них не зависит то, что мы здесь делаем.

Мы будем петь и смеяться, как дети.

Потому что мы-то знаем, "чем отличается левое от правого".

Симонов рассказывает, как в присутствии Сталина выступал Фадеев, после основательного запоя, едва успев опохмелиться: "Лицо кирпично-бурое, а голос в диапазоне его физического состояния – от хрипотцы до дисканта, прорывающегося сквозь эту хрипотцу недавней опохмелки.

Сталин, сидящий за столом... все это прекрасно видит, понимает, да наверняка к тому же и знает все, как оно есть, и наблюдает за Фадеевым со смешанным чувством любопытства (как-то он выйдет из этого положения) и некоторого даже любования Фадеевым (смотри-ка, оказывается, выходит из положения, да еще как выходит). Стоять там, за этой трибункой, под наблюдающим взглядом Сталина Фадееву было, наверно, физически тошно и нравственно мучительно, но он, как он умел это делать, собрал в кулак всю свою волю, сделал доклад по всем правилам..." (№ 4, с. 75). Вот такая сцена.

Развлечения Сталина были выразительны, но однообразны.

Светлана Аллилуева рассказывает о том, как Сталин развлекался на ночных пирах за счет соратников, подкладывая под членов Политбюро на стулья помидоры. А. Ларина вспоминает, что подвыпивший Сталин бросал жене в лицо апельсиновые корки и окурки. Или забавлялся, пуская табачный дым в лицо маленькому Васе. То есть вел себя, как обычное быдло, бытовой хам.

Еще представим себе, как он выскакивал на веранду своей кунцевской дачи, чтобы выстрелить в слишком шумливых ворон.

А Сергей Михалков поведал, как Сталин пел "деревенские частушки" в кругу писательской интеллигенции. Жданов аккомпанировал за роялем.

Как пишет Симонов: "Вкус его отнюдь не был безошибочен. Но у него был свой вкус" (№ 4, с. 79).

В блестящем "трагифарсе" Виктора Коркия "Черный человек, или Я, бедный Сосо Джугашвили", первая постановка которого Евгением Славутиным в студенческом театре МГУ пользуется сейчас немалым успехом, комический эффект основан преимущественно на смешении сталинских и бериевских реалий, идеологического жаргона эпохи – с откровенными классическими цитатами (фабульными и словесными) из "Бориса Годунова", "Маленьких трагедий", "Гамлета"...

Так у нас появляется способ запросить мнение Шекспира и Пушкина относительно возможности использования Сталина в роли трагического персонажа.

Публика то и дело хохочет.

Из Сталина не получается Сальери, не получается Годунов. Сталин и Берия уморительны в трагических одеяниях.

Пьеса написана стихами. Это уже забавно. И Сталин замечает в адрес автора пьесы: "Талантливая рукопись. Конечно, на Сталинскую премию не тянет, зато на вышку может потянуть. Быть может, автор и не "ай да Пушкин!", но сукин сын порядочный!"

Некоторые мои друзья были недовольны этим "капустником". Их глубоко шокировало то, что такая серьезная, страшная, кровавая фигура, как Сталин, послужила поводом и материалом для шутовского и гротескного спектакля. Между прочим, дурацкие реплики Берии казались почему-то не столь неуместными. Что ж, можно посмеяться над Берией. Но – над Сталиным?!

Мы все же привыкли серьезно относиться к Сталину.

Можно ли смеяться над ограниченностью, вульгарностью человека, если этот человек владел умами миллионов, истребил миллионы, если без него непредставима мировая история XX века, если наследие его живо спустя 35 лет после его смерти, если "Сталин – это мы". Если он всем этим словно бы бесконечно многозначителен и трагичен.

Как говорит Сталин в пьесе Коркия: "То, что не снится нашим мудрецам, быть может, снится нашим мертвецам".

Однако смешон же напыщенный, вульгарный Муссолини? Смеется же над фашизмом Феллини в "Амаркорде"? Много смеялись и над Гитлером. У нас М. Ромм в "Обыкновенном фашизме" документально подтвердил, что для презрения и осмеяния, а не только для страха и ненависти – оснований более, чем достаточно. Над Гитлером – да. А над Сталиным?

Истинный человеческий масштаб Гитлера и его сподвижников никогда не вызывал никаких иллюзий у немецкой интеллигенции. Достаточно прочесть, скажем, переписку Томаса и Генриха Маннов, замечания в ней об "этих мерзавцах". Манны ясно видят уже в первые годы ублюдочность нацистского режима. Он "разлагает" эту их несчастную и любимую страну, "которая, конечно, убога и, конечно, позволяет этим мерзавцам сделать ее отвратительной всему миру"[1]. "Правда состоит в том, что они порвали с культурой, равно как и с цивилизацией" (с. 231). Когда Гитлер будет свергнут, о нем можно будет повторить слова Рошфора о Наполеоне III: "Это болван, о котором никто больше не говорит" (с. 242). "Идиотская грубость", "дикий и явный вздор" нацистской издательской продукции (с. 257–258). "Теперь по крайней мере точно знаешь, чем пахнет национал-социализм – потными ногами в высокой степени" (с. 270). "Гитлер, или "этот субъект", как ты метко назвал его, уйдет в мир иной все-таки, пожалуй, со славой. Иначе он не был бы просто орудием обреченной касты" (с. 276). "Этот современник переоценивает свои силы во всех отношениях..." (с. 282). Даже сравнить Гитлера с ничтожным "Учителем Гнусом" Генриха Манна значило бы все-таки польстить ему. "Гитлер не учитель, не профессор – вот уж нет. Но он – гнусность, гнусность – и только" (с. 332).

Томас Манн, говоря о том, какой ужас внушает лучшим немцам, остающимся внутри Германии, "гнуснейший упадок морали и культуры", добавляет: "Они рассказывают о жадности, с какой, хоть это и было опасно, они ловили все, что писалось и говорилось за границей, на воле, о своей мучительной жажде не только правды, но прежде всего порядочности, достоинства, спокойного размышления, о *своей тоске по голосу ума и культуры*" (с. 301–302. Курсив мой. – Л. Б.).

Кто способен тосковать по голосу ума и культуры, знает масштаб и цену этим гитлерам и гитлеровцам, тот не станет принимать их как таковых всерьез – в отличие, разумеется, от гитлеризма.

Да что там великие Манны! Писатель Эрнст Юнгер, настроенный националистически, ретроградно и аристократически, но блестящий стилист, с которым очень заигрывали Гитлер и его окружение, отозвался о них так: "клопы в немецком доме".

И вот я спрашиваю себя: а что же русская интеллигенция, советская интеллигенция? Почему, даже ненавидя сталинизм, мы до сих пор не научились презирать и смеяться над невежеством и ничтожеством Сталина и его окружения, его бутафорскими речами и статьями, его совершенно не похожей на гитлеровскую или муссолиниевскую, но такой же тщательно отрепетированной и такой же фальшивой повадкой, которую очень точно оценил адмирал Исаков в записи Симонова (№ 5, с. 76–77).

И не так уж отличался неприхотливый в быту генералиссимус от своих зарубежных коллег-диктаторов в слабости ко всякой мишуре, погонам, лампасам, мундирам, титулам... Умница Исаков говорил: "Помню, как всерьез обсуждался вопрос о введении адъютантских аксельбантов и эполет; помню, как в закрытых машинах везли в Кремль шесть человек, обмундированных в армейские мундиры с эполетами, и шесть человек, одетых во флотские кители с эполетами... И это было не в конце войны, а в разгар ее". "В звании и форме (генералиссимуса) было что-то мелочное, шедшее откуда-то с молодости, с тех времен, когда он был маленьким по общественному положению человеком – наблюдателем тифлисской метеостанции" (с. 77).

---

[1] Генрих Манн – Томас Манн. Переписка, статьи. М., 1988, с. 228. Далее указания страниц – в тексте.

Между прочим, я полагаю, что А. Рыбаков в попытке беллетристически реконструировать ход мыслей Сталина в "Детях Арбата" слишком увлекается, рационализирует, додумывает, усложняет от себя переливами этот ход. Ибо Сталин был всего лишь практиком "макиавеллизма", но не обладал и граммом гениального политологического мозга Макиавелли. Он был не второй Макиавелли, а тоталитарный, чудовищно разбухший Чезаре Борджиа.

Именно таким чудовищем выглядит Сталин в симоновском описании Пленума ЦК 16 октября 1952 г. Конечно, сам Симонов, который был тогда кандидатом в члены ЦК, и спустя 27 лет ни за что не позволил бы себе подобных оценок. Но он – кажется, впервые в советской историографии? – обстоятельно рассказывает о "ярости", "почти свирепости", хотя, может быть, и не без "элементов игры и расчета", с которыми Сталин обрушился на Молотова и Микояна как возможных преемников после его смерти; и как Сталин попросил Пленум освободить его от обязанностей Генерального секретаря; и как все "оцепенели", и на лице Маленкова было "ужасное выражение", а лица Молотова и Микояна "были белыми и мертвыми" – "белые маски, надетые на эти лица, очень похожие на сами лица и в то же время какие-то совершенно не похожие, уже неживые". И как "зал загудел словами: "Нет! Нельзя! Просим остаться! Просим взять свою просьбу обратно!" – ибо "зал что-то понял", а именно, "что Сталин вовсе не собирался отказываться от поста Генерального секретаря, что это проба, прощупывание отношения пленума к поставленному им вопросу", т.е. что это "смертельная опасность" (№ 4, с. 96–99).

И. Джугашвили явно оставался под сильным впечатлением от фильма Эйзенштейна и решил помериться талантом с Н. Черкасовым, разыграв сцену в точности на манер Ивана Грозного, своего самого любимого исторического героя. Однако без литературного дара и средневековой экстатичности действительно незаурядного Ивана, в пародийном, современном, аппаратном варианте.

Симонов был потрясен, как все; "великий", но перед смертью особенно страшный!

Но вот еще достоверные факты из будней вождя. Писатель Е. Габрилович вспоминает, как Сталин говорил у Горького насчет "инженеров человеческих душ". "После речи мы сгрудились вокруг него, и помню отчетливое чувство, что стою рядом с человеком, от которого зависит сейчас судьба Земли. Считайте меня недоумком, но я ясно помню в себе это чувство. А также удивление от того, что Сталин мал ростом, лицом рябоват и что от него исходил запах непромытого тела".

Соединение двух столь несходных впечатлений!

По свидетельству того же Габриловича, Хрущев однажды рассказал, как он приехал к Сталину на дачу под Гаграми. Хрущев признался, что "не очень-то любил эти приглашения, потому что... когда тебя зовут к Сталину, нельзя сказать на все сто процентов, где ты очутишься утром – у себя в кровати или по дороге на Колыму".

Хочется привести выдержки из пересказа. Они достойны Хармса. Но это быль. "Сталин сидел в саду, в беседке, и пил чай. Он душевно приветствовал Хрущева. Они пили чай и беседовали... Шло время, стем-

44

нело, Сталин мрачнел... Никита Сергеевич сказал: Так я поеду домой, Иосиф Виссарионович. Пора, жена заждалась. – Сталин не отозвался. Хрущев встал. Сталин молчал. – Еду, – сказал Хрущев. – Вы никуда не поедете, – сказал Сталин. – Останетесь тут. – Нельзя, Иосиф Виссарионович. Жена будет ждать. – Останетесь тут! – повторил Сталин и поднял на Хрущева глаза. И это был т о т взгляд... Прошла ночь. Хрущев спал плохо. Утром оделся и вышел в сад. В беседке, как и вчера вечером, в той же позе за самоваром сидел Сталин. Он пил чай. Хрущев поздоровался, сел, справился о здоровье. Сталин молчал. Хрущев помолчал-помолчал да и осведомился – по возможности беззаботно – о том, хорошо ли Иосиф Виссарионович спал. Сталин не отозвался. Прихлебывал чай. Долго, не торопясь. Потом вдруг спросил: – Скажите, а кто вы такой? Как вы попали сюда? – Я? – Да, вы. – Иосиф Виссарионович, – ответил ошеломленный Хрущев, – я Хрущев. – Надо еще выяснить, кто вы такой, – сказал Сталин. Отодвинул стакан, быстро встал и ушел из беседки... В волнении Хрущев тоже отодвинул стакан, тоже встал и пошел по дорожкам. Минут через десять его нагнал порученец. – Никита Сергеевич! Вас товарищ Сталин зовет. Ищет повсюду. Хрущев поплелся к беседке. Там снова сидел Сталин и пил чай. – Ну, где же вы, Никита Сергеевич? – ласково спросил он. – Нельзя так долго спать. Я вас заждался"[1].

Такое мог бы придумать и Коркия, но все-таки не догадался.

Может быть, кому-нибудь захочется, чтобы разгадать эту новеллу, подобрать сложный психологический ключ. Но в нем нет никакой нужды. Отчего бы скучающему Хозяину не нагнать страху на подручного, не подурачиться, не проверить, как тот себя поведет. Еще одна сцена в малине. Уже знакомое угрюмое и дикое развлечение, не лишенное иногда изощренности.

Актриса Целиковская попала на торжественный прием в Георгиевском зале Кремля, пробралась к столу Политбюро, чтобы посмотреть на Сталина совсем вблизи. Он обсасывал вареных раков. И сплевывал объедки на дворцовый пол. Целиковская помнит и спустя полвека эту сюрреалистическую подробность, хотя тогда восторженно встретила беглый взгляд Вождя. Примерно та же мемуарная история, что и с Габриловичем, соединение столь же несоединимых впечатлений...

Вот ключ к шуточке с Никитой Сергеевичем, если угодно. Рачья скорлупа на полу.

Перечитайте у Симонова, как Сталин приказывал ему переделать пьесу "Чужая тень". И что произошло потом при обсуждении пьесы в Союзе писателей. Тоже бесподобная новелла, и *все* действующие лица гротескны. Чего при Чезаре Борджиа не наблюдалось. Но почему могло быть так? Потому что именно этот интеллектуальный, моральный, эстетический уровень был по необходимости заложен в сталинском режиме, в диком характере правящего слоя. Потому, что таков *обыкновенный сталинизм. Сталинская цивилизация...*

Если бы можно было забыть о морях крови – это все ведь страшно смешно. Скоморошья гримаса истории.

[1] Евг. Габрилович. Напоследок. Заготовки к сценарию. – Искусство кино, 1988, № 10, с. 171–172.

Пусть историки изучат, как мощно поднявшиеся революционные воды сначала выносили наверх изображенных Платоновым мужиков, бродяг, мечтателей, отчаянных и путаных головушек, людей страстных, неграмотных, взыскующих правды, доверчивых, свирепых и нежных. Как эти воды несли с собой и бревна, и диковинные дорогие каменья, и мусор человеческий, и пену, и надежду, и ярость, и долгожданную свободу, и новую, в них самих затаившуюся неволю. Но не эти мужики, простолюдины, сорвавшиеся в годы революции с мест, составили затем начальственный хребет сталинского режима. Не красногвардейцы из блоковских "Двенадцати", грешные, но с Христом впереди, – со святым, и человечным, и глубоко историческим оправданием за пеленой этой октябрьской вьюги, пока скрывавшей очертания будущего. Подавляющее большинство *таких* низов, *таких* людей будет этим будущим перемолото. Для всего стихийного, *непосредственно* безумного и *первично* дикого, страшного в сталинском будущем не могло быть, разумеется, места. Даже для конармейцев, описанных Бабелем...

Но принцип "последние станут первыми" продолжал безостановочно работать; взбаламучивание и перемешивание социальных пластов, процесс тотального *деклассирования*, в ходе которого в результате гражданской войны произошло первое размывание и перерождение пролетариата (и партии), сдвижка крестьян в города, резкое уменьшение числа образованных людей в стране, – все это продолжалось, и ускорялось, и принимало совершенно новые очертания со второй половины 20-х годов. Пусть историки изучат, как сотни тысяч "спецов" были выброшены из госаппарата, армии, промышленности; как редела и разлагалась маленькая прослойка партийной интеллигенции; как коллективизация уничтожила крестьянство в качестве класса; как продолжал радикально меняться состав рабочего класса, пополненного миллионами переселившихся из изб в бараки мужиков и баб; как ставшая массовой партия засасывала в себя "выдвиженцев"; как именно "выдвиженцы", тоже снимавшиеся слой за слоем чистками и позже террором – так из молока последовательно удаляются все компоненты, и остается пахта, – в конце концов заменили и партийную интеллигенцию, и "старую" интеллигенцию вообще, и сами были объявлены и сочли себя интеллигенцией. Пусть историки изучат, когда, в силу каких механизмов отбора, какой человеческий материал подымался снизу и к концу 30-х годов составил то, что теперь называлось "кадрами", прежде всего новой породой управляющих. Пусть нам покажут количественные параметры этого процесса, проследят за множеством конкретных судеб, и мы поймем, как нарастал аппаратный класс и почему наиболее примитивным, бесцветным и невежественным людям было легче, чем другим, всплыть наверх. Они могли быть и были, конечно, разными, от природы добродушными или злыми, честными или прохиндеями, работящими или лентяями, фанатиками или циниками, с неприхотливыми бытовыми запросами или ворами, – но в этом пункте они все заметней сближались. При известном числе исключений, таково было правило, а со временем воспроизводство по принципу конформности, серости делало исключения практически почти невозможными. Только нужды войны внесли в это определенные коррективы.

В романе Гроссмана "выдвинутый войной на высокую командную должность" полковник Новиков "неизменно чувствовал свою слабость и робость в разговоре с Гетмановым и Неудобновым", сталинскими аппаратчиками. Он думает: "Люди, не знавшие калибров артиллерии, не умевшие грамотно вслух прочесть чужой рукой для них написанную речь, путавшиеся в карте, говорившие вместо "процент" "процент", "выдающий полководец", "Берлин", всегда руководили им. Он им докладывал. Их малограмотность не зависела от рабочего происхождения, ведь и его отец был шахтером, дед был шахтером, брат был шахтером. Малограмотность, иногда казалось ему, является силой этих людей, она заменяла им образованность; его знания, правильная речь, интерес к книгам были его слабостью. Перед войной ему казалось, что у этих людей больше воли, веры, чем у него. Но война показала, что и это не так... По-прежнему он подчинялся силе, которую постоянно чувствовал, но не мог понять"[1].

Фигура Сталина помогает понять эту силу. А гетмановы, неудобновы дают ключ к фигуре Сталина. Они объекты разных размеров, но на человеческой карте одного масштаба и качества.

Дело не в том, чтобы проклинать их, но в том, чтобы установить медицинский факт. Это – деклассированные люди, сбившиеся в стаю, в новый класс "руководителей". Они ничего не умеют и толком ничего не знают, но они умеют "руководить". Они составители проскрипционных списков, организаторы "кампаний" и "мероприятий", скромные в быту владельцы "госдач", владельцы Государства Российского, ораторы и молчуны, истеричные и непроницаемые, с усиками и без, с шевелюрами и наголо обритыми черепами, вот они, окружавшие Сталина и сотнями тысяч подпиравшие его снизу; вот "соратники", будь то сластолюбивый Берия, эта Синяя Борода Политбюро, или канцелярист Молотов (и тоже палач – все они палачи); хитрый Микоян или простой, как правда, Буденный, разбиравшийся только в лошадях; незапоминающийся Шверник и столь же незапоминающийся, но подмененный в люльке лживой легендой Ворошилов; цепной пес Мехлис, мертвенный кадровик Маленков и грубый, шумный Хрущев; мясник Каганович и "всесоюзный староста" "Калиныч" из папье-маше; и прочая, и прочая, – все они абсолютно похожи в одном, все органически, вызывающе, жутко неинтеллигентны, не в ладах с русским языком, все они специфически пригодны только для того, чтобы руководить, и притом только в этом, сталинском *люмпен-государстве*.

"Выдвижение" могло бы помочь подняться к настоящему образованию одаренным людям из низов, само по себе это могло бы стать и поначалу отчасти стало социальным достижением революции. Только для этого, во-первых, прилив человеческой энергии и ума снизу должен был осуществляться как индивидуальное и самочинное рекрутирование именно одаренности, для которой отныне не было бы имущественных и социальных преград; на деле, и особенно с конца 20-х годов, это была ориентация на "социальное происхождение", просто на "анкету", автоматически предоставлявшую индивиду возможности, независимо от какой бы то ни было одаренности или хотя бы толковости, с нарастающей до сего дня девальвацией действительного образования и знаний, всякой вообще серьезности и основательности. Во-вторых, параллельно шло оттеснение, уничтожение, вымирание образованного слоя и его традиций; так что новому Михайле Ломоносову из Холмогор постепенно становилось не у кого учиться (в Германию его тоже уже не пустили

---

[1] Василий Гроссман. Жизнь и судьба. – *Октябрь*, 1988, № 2, с. 78–79.

бы); не Михайло восходил бы теперь к вершинам науки, но эти под основание стесанные вершины снисходили к нему, опускались до образованности Холмогор; "выходцам", собственно, было уже *некуда* "выходить" из отсталости, которая лишь припудривалась эрзацами образованности или вовсе довольствовалась просто вузовскими дипломами ("корочками") и "характеристиками", безо всякой этой буржуазной пудры.

В-третьих – или во-первых! – процесс "выдвижения", жестко огосударствленный, устрашающе массовый и безличный, полностью идеологизированный и квази-политизированный, разворачивающийся в условиях нарастающего тоталитаризма, коллективизации, террора, – объективно, независимо от сознания тех или иных, возможно, хороших и честных "выдвиженцев", вообще носил характер не культурной революции, а политической и антикультурной контрреволюции. Вверх вызывались, кое-как подучивались, сортировались, истреблялись, набирались по новому призыву, обрабатывались, устрашались, натаскивались на лозунги и установки, обучались слепому послушанию и вере, исполнительности и самоуверенности, и готовности к расправе, и вот так формировались миллионные ряды сталинского аппарата.

Не профессионалы, не политики, не работники, не интеллигенты, а "кадры". Вот эти-то *кадры* и должны были "решать все".

Размывание, деструктурализация всех классов и слоев, превращение общества в аморфную, качественно однородную, вязкую массу восполнялось кристаллизацией из деклассированного материала нового слоя, единственно обладавшего сознательным интересом, сплоченностью, организованностью, традицией, внутренним гегелевским "пафосом". Теперь, при Сталине-победителе, собственно, только этот слой был единственным реальным классом, который мог иметь представлявшую его интересы партию.

Но в этом не было надобности. Он сам и был уже партией.

("Внутренней партией", по Оруэллу, в отличие от рядовых партийцев, от "внешней партии".)

В романе Артура Кёстлера "Слепящая тьма" изображен духовно близкий "оппозиционеру" Рубашову его гэпэушный Мефистофель, тоже старый и заслуженный партиец Иванов, человек, который хочет обойтись одним обобществленным рассудком – без сердца, без воображения, без совести, без рефлективных сомнений, стало быть, без разума. Его тоже арестовывают "из-за прежней дружбы с подследственным или за его недюжинный ум и преданность Первому, основанную на логике, а не на слепой, безрассудной вере. Он был слишком логичен, слишком умен, он принадлежал к людям старого поколения – на смену ему пришли глеткины с их дубоватыми, но действенными методами..." (с. 121). Кто же такой этот Глеткин, новый истязатель Рубашова?

"Он принадлежал к поколению людей, научившихся мыслить после Переворота. У них не могло быть ни памяти, ни традиций: они не знали ушедшего мира... *чистые в своей безродности*" (там же. Курсив здесь и ниже мой. – *Л. Б.*). Это "неандерталец новой эры" (с. 122). "Его происхождение было чисто плебейским, и читать он научился уже будучи взрослым... читая – а в общем-то и думая – чуть ли не по слогам, приходил к простейшим, но неопровержимым доводам... весьма вероятно, именно потому, что совершенно не интересовался *экзотикой*" (с. 131).

"Экзотика" – словечко, которое возникло в давнишнем разговоре Рубашова с неким германским дипломатом, который относился к советскому Усачу (Сталину) примерно с той же брезгливостью, что и к своему Усатику (Гитлеру). Он сказал Рубашову: "Если у вас повторится революция и вы сместите вашего Усача, постарайтесь не забыть о духовной вере или уж по крайней мере об экзотике" (там же).

"Экзотика" – это культура. Это все то, что отличает людей и от животных, и от роботов, все *избыточное*. Смысл всегда избыточен. Только внечеловеческое, вещное однозначно, не имеет смысла.

Глеткин – выходец из низов, но дело не в этом. К "низам", к рабочим и крестьянам, он не имеет ни малейшего отношения. Его малограмотность принципиально противоположна, насмерть враждебна и интеллигентности, и простонародности. И утонченному духу, и живой плоти сознания.

"...Никогда не заслужат от поэта дурного имени те, кто представляет из себя простой осколок стихии, те, кому нельзя и не дано понимать. Не называются чернью люди, похожие на землю, которую они пашут, на клочок тумана, из которого они вышли, на зверя, за которым охотятся. Напротив, те, которые не желают понять, хотя им должно много понять... те клеймятся позорной кличкой: *чернь*; от этой клички не спасает и смерть".

Это – Блок.

Блоковская "чернь" – "бюрократия", "чиновники вчерашнего и сегодняшнего дня", "дельцы и пошляки", "не знать и не простонародье; не звери, не комья земли, не обрывки тумана, не осколки планет, не демоны и не ангелы"[1].

Однако глеткины – даже и никакая не блоковская "чернь", которая обвинена поэтом в том, что она "служит внешнему миру", "пользе, а не культуре", и ставит преграды перед осуществлением назначения поэта.

Тут, с глеткиными, не до назначения поэта, не до культуры вообще. Тут и не до цивилизации, и не до пользы. Тут нечто неслыханное, чуть ли не абсолютно новое. Глеткины – не бенкендорфы, которых поминает Блок. Тем более – не писаревы. Кёстлер сравнивает с робеспьерами и сен-жюстами не молотовых-глеткиных, а рубашовых, старую партийную гвардию (с. 129). Самые печальные и жгучие размышления в его графичной прозе – о том, как исторически ивановы и рубашовы оказались трагически повинны в приходе глеткиных (с. 132, 135, 143–144).

А. Кёстлер любит своего Рубашова, жалеет его, восхищается им –и развенчивает, и судит беспощадным судом.

Но это уже другая тема, не настоящего размышления.

Оно – о "неандертальцах новейшей эры", "чистых в своей безродности".

Основной принцип воспроизводства сталинско-брежневской государственной власти – это-то и неслыханно в мировой истории – состоял в том, что *вменялась серость*. Или – для людей исходно одаренных – "самоизнасилование" с целью утраты индивидуальной яркости, самобытности, ее стушевывания и, так сказать, осерения.

Такова эта удивительная ... "кратия".

Мне показалось нужным придумать новый политологический термин, которым определялась бы управляющая страта, которая не терпит

---

[1] А. Блок. Искусство и революция. М., 1979, с. 351, 353.

полной компетентности, интеллигентности, личной яркости, свободной оригинальности, таланта. И отбирает в свои ряды по возможности бесцветный человеческий материал.

Но возникли затруднения с греческим корнем, который обозначал бы такую бесцветность. Я советовался с коллегами-античниками. Дело в том, что древнегреческий язык не знал понятия "индивидуальность" и соответственно в нем слова, указывающие на ничтожность индивида, имеют значение социальной принадлежности или моральной низости, но не "серости" как недостаточности или отсутствия оригинальности.

Тогда я решил, что придется прибегнуть к "макаронизму", то есть словечку, в котором сознательно, на потеху, дурашливо смешивались бы корни разных языков, разных культур. "Макаронический стиль" любили итальянцы моего XVI века. Что ж, тем лучше. В конце концов, эта любопытнейшая "...кратия" не требует чистого древнегреческого неологизма. Ей лучше подойдет смешение древнегреческого с нижегородским.

Короче, я думаю, что будет совершенно научным назвать ее с е р о - к р а т и е й.

Так решается – хотя бы в одном, социально-культурно-психологическом плане, теперь уже и с помощью мемуаров Симонова – знаменитый вопрос о том, кто кого породил: Сталин сталинскую систему или система Сталина. Что было раньше, серая курица или серое же яйцо. Дескать, не мог же один Сталин все это содеять.

О, Господи, ну, конечно же, не мог.

Но откуда мы взяли, что он был "один"? То есть не в том смысле, что еще существовали сотни тысяч прямых исполнителей плюс миллионы косвенных послушников. Все понимают, что в этом смысле он отнюдь не был одинок. Но все-то кажется, что "один" он – в значении какой-то особой силы и содержательности исторической личности, "один" в значении величия всемирно-исторического духа, воплощенного в политическом гении одного человека, пусть страшного и злодейского.

Нет, дорогие братья и сестры!

К вам обращаюсь я, друзья мои.

Сядем и подумаем.

В итоге совокупности закономерных и случайных, общих и частных социальных процессов, столкновений, альтернативных развилок, исторических выборов направления и в результате суммирования, утрамбовывания, затвердевания, эволюционирования каждого сделанного социального и политического выбора, решения, предпочтения; пользуясь услугами, свойствами, в том числе и ничтожностью тех или иных деятелей, – вызревал, формировал себя политический режим, который не "создан" Сталиным и не "создал" Сталина, а, скорее, рос *вместе с ним* как СТАЛИНЫМ. И вместе со сталинской аппаратной верхушкой, и вместе со всеми "средними" и "низшими" "звеньями". Сталин был неповторимым "личным" элементом и в итоге острым соусом получившегося таким образом обильного блюда. Он сыграл грандиозную историческую роль благодаря случаю и своим замечательно пригодившимся именно для этой роли личным качествам, среди коих было и такое совершенно необходимое качество, как индивидуальная незначительность, бесцветность.

Свойства возобладавшего процесса и слоя Сталин концентрировал в идеально чистом и сбалансированном виде. Пригодились ему и некоторые уроки большевистского прошлого, опыт партийных столкновений и дискуссий, в которых некогда он был незаметным, рядовым участником. А теперь из этих объедков, из старого идеологического жаргона он мог изжарить даже как бы "теорию", мог глядеться большим шкафом по части "марксизма" на фоне сереньких, как мыши, Молотова, Жданова, Берии или Ворошилова. Он определенно был умнее их всех, значительнее их всех, потому что был самым гениальным выражением их принципиальной серости и бездарности. Плюс, разумеется, больше "кругозора", дешевого, но в борьбе за власть подчас решающего расчета, коварства и пр. Словом, "паханом" нового партаппарата он стал заслуженно. Его "величие" – величие этого аппарата, его сила – фокусировка силы, напора, цепкости благодаря полнейшей освобожденности от "экзотики", характерной для тьмы и тьмы глеткиных.

Сталин и Брежнев – братья, старший и младший. Кто более матери-истории ценен? В Брежневе личная незначительность низведена в быт. От него требовалось бездействие, и он прекрасно выполнял исторический мандат. Коварство опустилось до аппаратных смещений, подсиживаний, сущих пустяков. Свирепость рутинно, добродушно довольствовалась сотнями жертв, тысячами жертв, но в сотнях тысяч, в миллионах не было нужды, и слава богу; Леонид Ильич с этим не справился бы. Он был выжившим из аппаратного ума, впавшим в младенчество сталиным.

В Сталине личная незначительность была взвихрена историей. *Такая* незначительность не довольствуется "застоем", коррупцией, болтовней, она оплачивает каждый свой бездарный шаг по самому крупному счету, самому кровавому, самому катастрофическому. Поэтому бездарность на своем героическом этапе требует от Брежнева во многом совершенно иных качеств, в иной их комбинации. Даже гораздо большей грамотности. Брежнев в прежнем своем существовании, когда он был Сталиным, не мог не любить читать и писать. Надо было и читать, и писать. Болтливость Брежнева тогда обретала строгую и впечатляющую форму камлания. Коварство Брежнева тогда имело дело не с Подгорным, Шелепиным, Шелестом, а с Троцким, Зиновьевым, Бухариным, относительно блестящими противниками.

Сталин был брежневым без малейшей флегмы, бытовой глупости, безволия, лени. Его умение выжидать и внимание к "организации и психологии"[1] соответствовали куда более сложным ситуациям, чем те, для которых сгодился и Брежнев. Было в тысячу раз колоритней. Бурный поток сталинской бездарности, который был способен крушить скалы и увлекать за собою обломки, с ревом и белой пеной, разлился в сонный брежневский плес. Только тут все разглядели, зачерпнули, подержали во рту – и поняли, что это вода.

Сталин – это Брежнев вчера.

У этих ничтожеств – комплекс культурной неполноценности и дикарское тщеславие. Слыть политиками им было недостаточно. Замечательно, что Сталин перед смертью пожелал обнародовать свои труды по языкознанию и политэкономии. Знал бы он, что их след останется только

---

[1] См.: Ф. Б у р л а ц к и й. Брежнев и крушение оттепели. – *Литературная газета*, 14 сентября 1988 г., с. 13.

в популярной песенке Юза Алешковского, сочиненной от имени зэков: "Товарищ Сталин, Вы большой ученый, в языкознании знаете Вы толк, а я простой советский заключенный, и мне товарищ – серый брянский волк". А Брежнев на исходе дней поручил сочинить для него мемуары, которые были отмечены Ленинской премией *по литературе*. То-то, что именно по разряду изящной словесности. Эти двое, правившие нашим государством в общей сложности 47 лет из 71-го, больше всего на свете, по-видимому, дорожили в себе гуманитарным и писательским даром. Оба перед тем, как сесть в ладью перевозчика мертвых Харона, воскурили искупительные жертвы Афине и Аполлону.

Калинин когда-то отметил, что стиль товарища Сталина своей ясностью переплюнул стиль русских классиков. Или что-то в этом роде. Сочинения как бы Брежнева, одновременно исповедальные и директивные, проходились в школах на уроках не обществоведения, не истории, а литературы.

Теперь, однако, приходится признать, что оба деятеля были дурными стилистами. Их социальной страте хороший слог вообще как-то не дается.

Иосиф Бродский в Нобелевской речи сказал, что зло, и особенно политическое зло, – "плохой стилист". Однако верно ведь и обратное. Когда плохие, как на подбор, стилисты в большом числе собираются вместе, чтобы указывать другим людям, как им жить, – добра не жди.

Это неожиданно для меня разросшееся эссе было названо "Сон разума" поначалу просто оттого, что мне не пришло в голову ничего более путного. Затем я сообразил, что такое "красивое" название вопиюще не соответствует предмету. А в этом уже, возможно, что-то есть... Во всяком случае, я решил название оставить.

Дело в том, что Гойя, так подписавший один из своих страшных графических листов – "Сон разума порождает чудовищ", – очевидно, помышлял в конечном счете о мировом Разуме, о Боге. Чудовищное зло является в мир, пока Разум в человеке спит. Нечто подобное европейцы думали в течение сотен лет. Зло есть умаление Добра, прореха в миропорядке. Ну, и так далее.

Предмету нашего рассуждения этот высокий взгляд на вещи как-то несообразен. Противоположное Разуму понятие – это Безумие. Святое или преступное. Тема для трагического поэта, для религиозного мистика.

У нас же, в этой истории со Сталиным и сталинизмом, без томика Зощенко и пол-литра не разобраться. Но зато пол-литра, ей-же-ей, вполне достаточно.

Со временем возникнет полная картина того, как – безо всякой там "экзотики", с ее Разумом и Безумием – чудовищ рождало Хамство... попутно умертвив или растлив интеллигенцию.

Слово "хамство" на другие языки непереводимо. Приходится заменять его словами, означающими грубость, неотесанность, злобу, наглость, короче, нечто все-таки бытовое и психологическое. При переводе исчезает странная социальная обобщенность – пропадает и библейское имя Хама, благодаря которому это может быть все-таки введено в игру культурных смыслов. "И сказал: проклят Ханаан; раб рабов будет он у братьев своих" (Бытие, X, 9). Но, по правде, для русского слуха имя Хама в хамстве никак не распознаваемо. Этим именем мы свойски обмениваемся, ссорясь в магазинах и автобусах. А жаль! Лучше бы сохранить за ним социальную точность.

На немецком это можно, наверно, передать – поневоле вяло – как "грубое филистерство".

Сон разума рождает Хама. "Сыны Хама: Хуш, Мицраим, Фут и Ханаан... Впоследствии племена Ханаанские рассеялись... Это сыны Хамовы, по племенам их, по языкам их, в землях их, в народах их" (Бытие, X, 6, 18, 20).

От сыновей Хама родилось хамство.

А уж оно – порождает чудовищ.

Ибо:

> ...Создает не сразу
> Род ни чудовища, ни полубога.
> Лишь долгий ряд достойных и дурных
> Дарует миру ужас иль отраду.

Закончу этими словами гётевской "Ифигении в Тавриде".
В них – при желании – можно расслышать и надежду.

Л. Аннинский

МОНОЛОГИ БЫВШЕГО СТАЛИНЦА

> Негр, не пой, старина, про Сталина,
> Ты у гроба его не простаивал...
>
> А. Вознесенский

> На моем месте мог бы быть другой,
> ибо кто-то должен был здесь сидеть...
>
> И. Сталин*

С тяжелым сердцем решаюсь писать на эту тему. Не потому, что нечего сказать. Напротив, слишком много. Слишком важно оказывается сейчас выработать личное отношение к старым и новым фактам, и по-прежнему, как сорок, пятьдесят лет назад, куда бы ни двинулся в этом море фактов, как бы ни повернулся – непременно натыкаешься на фигуру Сталина, на магнетизм его присутствия, его отсутствия. Почему так страшно? Потому что, тронув Сталина, задеваешь все, буквально в с е, что ни есть вокруг тебя и в тебе самом, и это ощущение всеобщей задетости, это ожидание повышенного тона в разговоре таит в себе ощущение необъяснимой опасности. Опасно трогать чужое, а тут – всеобщее: всеобще-твое и всеобще-чужое; каждый вправе подумать, что это ты е г о задеваешь, лично и кровно. Руки опускаются. Когда-то душу воротило от всеобщего благоговения – теперь душу воротит от всеобщего желания пнуть и куснуть, от карикатур и пародий, от ерничества юмористов и ненависти так называемого "среднего человека", того самого, "всеми помыслами" которого подперла когда-то генералиссимуса судьба.

Не хочу. Ни той любви, ни этой ненависти. Они из одного теста. Потому и не хочу, что сам – из того же теста.

Мне было пятнадцать лет в 1949 г.; я учился в "высоко котирующейся" столичной школе; к 70-летию любимого вождя нам задали домашнее сочинение, темой которого была строчка из гимна: "Нас вырастил Сталин". Разумеется, "вся Москва" писала в те дни такое сочинение, и, разумеется, никто из девятиклассников не посмел бы от него уклониться, но п и с а т ь   с т и х а м и – меня никто не заставлял. Я написал то сочинение стихами. Получил пятерку. В журнал. Под самим сочинением учитель отметку поставить не рискнул. Он почувствовал, что тут дело касается не знаний и не грамотности, которые я, само собой, "выказал". Нет, тут дело подключено к клеммам особого напряжения, к ритуалу, к Абсолюту. Какая там пятерка – пахло ударом тока, пеплом, порохом, смертью. И это – в разгар любви.

Проще всего сказать: тогда мы его любили, потому что не знали правды. Теперь мы узнали правду, всю правду о нем и о его делах – и мы его ненавидим.

---

*И.В. С т а л и н. Беседа с Эмилем Людвигом. – Соч., т. 13, с. 120.

Ясность этого уравнения опровергается с обоих концов. П р а в д у о нем мы и сегодня не знаем. Мы ее – всю – никогда не узнаем. Боюсь, что мы ее и не выдержим. Потому что "вся правда" о нем – это мы. Мы тогда. Мы сейчас.

И еще. Т о г д а мы тоже знали. По фактам, конечно, – тысячную долю. Но по трепету, по вяжущему душу страху, по ужасу, необъяснимому, фатальному, переходящему в онемение, в невесомость, в эйфорию, в экстаз, – мы знали, в сущности, все. Седой усатый старичок в военной фуражке и трогательном шарфике из-под шинели внушал разом любовь и оцепенение. Не сам по себе, конечно. Потому, что он был – всё, он касался всех и всеми был защищен. Система ритуальных действий впиталась с младенчества: тело и душа сами знали, что делать: когда вскинуть руку в салюте, когда подпеть гимну, когда промолчать, когда прокричать "ура". Этот крик "ура" в школьных шеренгах был, кстати, самым трудным для меня, но я кричал – стыдливым, запавшим внутрь голосом; параллельно во мне кричал страх, что слабость моего крика заметна.

Опасно было выпасть из хора. Это как в очереди: внутри щитно и тесно, а вытолкнут – всё: ты обречен, обратно не влезешь. Мы были дети послевоенных очередей (мы еще не поняли, что очередь – э т о н а в с е г д а, что мы в о о б щ е – люди очередей; мы это, похоже, и по сей день не поняли). Очереди тогда состояли из детей и женщин почти сплошь в телогрейках; можно было орать всем вместе, переть "всей очередью" и снести ворота, ограду, милицию – все это было можно. Но нельзя было задеть кого-то отдельно. Нельзя было сказать и даже подумать что-то – о самом этом п о р я д к е бытия, о том, из кого он состоял. Нельзя было в телогреечной очереди оказаться на виду, отдельным телом, человеком "не отсюда". Гибель!

Вот так же точно нельзя было "индивидуально" прикасаться к имени Сталина. Это было что-то сверхличное и сверхопасное, как очередь из телогреек. Это тебя покрывало, прикрывало, прогревало, и вместе с тем это было смертельно опасно. Любовь или ненависть решительно не исчерпывали этого состояния. Ненависти во мне просто и быть не могло – откуда? Нет, это был инстинктивный рефлекс: не выпасть. Любовь? Не думаю. Другое. Надежда, что его имя прикроет, защитит в толпе: не даст выпасть. Что-то сродни надежде на сильного дядю. Или на строгого папашу, который даст ложкой по лбу, поставит в угол, выпорет, но не выгонит же из дому в небытие.

Добрый дяденька в фуражке генералиссимуса и очередь серых ватников – это был единый мир, единый сплав надежды и ужаса, дома и бездомья, или, если т е п е р е ш н и м и с л о в а м и говорить, любви и ненависти. Ибо ненависть есть, конечно, вывернутая наизнанку любовь.

Это впитанное с детства двойное чувство десятилетиями дремало во мне. Оно проснулось, разбуженное Тенгизом Абуладзе. Поскольку по роду деятельности я критик литературы и кинематографа, да простится мне, что этот разговор я построю применительно к книгам и фильмам. Меня ведь не сам Сталин заботит тридцать шесть лет спустя после его смерти – меня заботит то, чем он является д л я н а с. Тридцать шесть лет спустя после его смерти.

Монолог зрителя на "Покаянии"

Я был в шоке. Я сидел не в силах освободиться от мысли, сковавшей во мне все существо; я думал о том, что стало бы с авторами, сделай они такую картину в "суровые времена", нет, что стало бы даже и со зрителями – с нами, посмотревшими этот фильм. Застарелый, забытый ужас поднялся со дна души; я этого не ожидал, я от этого о т в ы к; я был буквально раздавлен этим самооткрытием: вот, эпоха минула, нет, две эпохи, три эпохи, а все мое подсознание – там, в рабском тошнотворном страхе...

Чей-то злой молодой голос вывел меня из оцепенения:

– Да это ж сказочка! Красивая притча на месте трагедии! Сюрреализм в утешение.

Тут я вышел из шока. "Сюрреализм"?! О, мы на уровне. Мы теперь настолько подкованы, что не путаем "сюрреализм" с "абстракционизмом", не закидываем все это на общую "упадническую" свалку; мы теперь знаем, что это разные "приемы". Сюрреализм – это когда рыцари в доспехах ездят по улицам современного города, когда палач поет арию, пуская жертву в расход, вообще весь этот бред, кладбищенский юмор диктатора, гостевание у жертвы... это все – "сюрреализм"?

Да! Но, извините, не как п р и е м, взятый напрокат с "проклятого Запада", не как форма, куда заталкивается "содержание". Таких заемных "сюрреализмов" и в нашем кино хватало, только не упомнишь за бесцветностью. А здесь... Не знаю, что думают об этом узкие специалисты, а я, зритель, вижу в "Покаянии" – впервые в нашем кино – не сюрреалистический "прием", приложенный к материалу, а сюрреальность, прямо вырастающую из реальности: из состояния наших умов и душ. Если уж вставать на позиции школьной теории, это, в общем, довольно точная реальность, да еще с локальным колоритом: грузинская реальность 20–30-х годов; шутки на грани гроба; "тоннель из Бомбея в Лондон"; грузовик с однофамильцами у ворот тюрьмы – арестованные по всей Грузии однофамильцы, все в один кузов вместились... Грузия не Россия, она поменьше; тут могло быть и так, что дети "невинно осужденного" и дети "невинно осудившего" продолжали встречаться на о б щ е м б а л к о н е, и родственники палача втихую помогали родственникам пропавшего... "Сюрреализм"?! Увы, к сожалению, реальность. Стальная реальность XX века, въехавшая самосвалом в традиционное грузинское общение.

Разумеется, было бы все такою же школьной наивностью думать, будто Абуладзе рассказал все "как было". В искусстве так не получается: художник неизбежно создает с в о й м и р. В том или ином условном ключе. Абуладзе, при всей точности реалий, действительно рассказывает притчу. Притчу "на месте трагедии". Почему? Опять страх перед инстанциями, вынужденность: скажу криво то, что не дают сказать прямо? Я уверен, тут другое. Да в ы д е р ж и м ли мы правду-то, если ее вот так – прямо? Эпизод с однофамильцами Дарбаисели, собранными в один грузовик, первоначально касался более известной фамилии: Амилахвари. Абуладзе не решился коснуться старинного рода, начисто сведенного диктатурой в Грузии. Он уберег нервы людей от "прямой правды": "Этот эпизод оказался бы слишком сильным эмоциональным ударом для грузин".

Нет, притча не "иносказание", притча – милосердие к нам, зрителям. Варлам Аравидзе в "Покаянии" слеплен из черт хрестоматийных деятелей, он как шарада: от кого усики? от кого пенсне? от кого черная рубашка? А вот ведь нету т р у б к и, и разве что манера шутить отдаленно напоминает того, о ком все равно думаем. Почему отдаленно? Да потому, что иначе был бы с л и ш к о м с и л ь н ы й э м о ц и о н а л ь н ы й у д а р. Помните Достоевского? "Не выдержим…"

Первые критические отклики на "Покаяние" напоминали храбрый крик андерсеновского ребенка: нас притчей не обманешь, это фильм – "про Сталина", мы не боимся!

Тоска взяла меня от этого запоздалого мужества, хотя, читая те статьи, я должен был признаться, что и во мне жив психологический комплекс, который нуждается в такого рода самоободрении. В известном смысле нужно было в 1986 г. огромное мужество, чтобы решиться даже и на андерсеновское детское признание. Не потому, что страшно было признать в герое фильма изверга, деспота и преступника, обрекшего на смерть и страдания огромное число невинных людей, – это-то как раз уже было официально признано и "разрешено". Труднее было признать другое: что этого человека в реальности любили, нет, боготворили миллионы людей, в нем сконцентрировались и х качества, и потому понятие "невинности" в этом случае лучше бы оставить сказкам Андерсена. Ты вот сначала вырви из памяти эту любовь, как бы она ни была слепа и "не права", – ты с э т и м справься, а это куда труднее, чем задним числом условиться, что перед нами "плохой человек", который обманул и измордовал "хороших".

Прямая правда страшна своей нерасчленимостью. Ее нельзя "объяснить", ее надо только пережечь в себе. Она слепит, эта правда, она рвет душу, потому ее и невозможно выдержать. Выдержать можно – притчу. Рыцарские латы на сотрудниках ОГПУ. Букетик цветов на белом рояле следователя. Пенсне с усиками, картинка-угадайка…

Известно, что Абуладзе пытался обойтись без притчи. Он начинал снимать п р я м у ю т р а г е д и ю. И он понял, что это не вынесут. Он забраковал весь отснятый материал. Кроме одного эпизода – с бревнами. И этот эпизод гениальной метой остался в картине. Не чужеродной вставкой, цитатой из "реализма" в "сюрреализме", а потрясающей метой: метой масштаба, выбросом из притчи в реальность. Когда гигантские оледенелые бревна, обрушенные где-то в "бесконечной Сибири", въезжают в теплый, уютный, многобалконный мир притчи о южном городе, звуки гаснут от этого ледяного дыхания, и все цепенеет на абсолютном нуле, и чувствуешь, что история "городского головы" в малом грузинском "квартале" связана с мировой реальностью, и шут гороховый, поющий арии над трупами, обладает силой, несоизмеримой с костюмерией притчи. Ледяная бездна дышит у Абуладзе из-под резных завитков "сюрреализма". Реальная бездна. Страшная.

А так – завитки, балкончики, бантики… Храм господень, уменьшенный, услащенный до торта, – пожираемый каким-то товарищем в серой фуражке, – не эта ли рыхлая праздничность, декоративная артистичность, художество на месте жизни, не это ли психологическое рококо навлекло на людей такую напасть, таким смирило себя ошейником? Откуда взял силу диктатор с шутовскими усиками, что за мощь бескрайняя, "сибирски" неодолимая вселилась в него? Тут решающий для меня вопрос: почему в с е э т о стало возможно?

Помните? Как женщина говорит женщине... нет, это надо уточнить: когда жена недавнего сподвижника Варлама Аравидзе и, кажется, даже его начальника (впрочем, уже вдова) говорит жене художника (нет, тоже вдове): "Все уладится, все будет хорошо. Не забывай, мы великому делу служим. Нас с гордостью будут вспоминать будущие поколения. У нас масштабы грандиозные, естественно, и ошибки большие, но я слышу, дорогая, нашу любимую бетховенскую оду "К радости", которая неминуемо и скоро зазвучит по всей земле..."

И начинает она, за неимением под рукой фортепиано, напевать мелодию, смешно и трогательно. Как какая-нибудь ссыльная учительница в земской глубинке, рассказывающая ребятишкам про сольфеджио. Нет, это я п о т о м хватался за аналогию с учительницей. А в т о т м о м е н т я ничего не успел: меня смыло. Я успел только замереть от ожидания боли, от мгновенной догадки, меня согнуло, скорчило, когда я понял, что́ Тенгиз Абуладзе обрушивает на меня. Бетховен обрушился. Не лепет бедной учительницы, надеющейся осчастливить человечество скорым всеобщим прозрением, но сама великая Ода, во всем музыкальном сверкании, во всем нечеловеческом своем парении осенила этот мир, и под Бетховена, под Бетховена, умирал на допросе несгибаемый сподвижник Варлама и висел на дыбе добрый художник, а любитель пения в пенсне и с усиками продолжал свои шуточки. Великий глухой старик бился в могиле и не мог сбросить с себя эту плаху; душа моя изнемогала, силясь оторвать гениальную музыку от того, что же такое под нее сделалось, – и не могла.

Не мог я отделить великую мечту от того, что сделали с нею люди, и это была самая страшная правда фильма. Не рыхлой немощью нашей воспользовался, не лукавым артистизмом обвел нас вокруг пальца кладбищенский юморист, а вывернулась так святая, бетховенская, романтическая – с богом сравняться! – сказочно дерзкая наша мечта.

И не отделишь, не вырвешь из себя шута горохового, не выставишь отдельно: вот он виноват, вот он, в пенсне, вот он, в усиках, вот он, в черной рубашке. Потому что МЫ его породили, МЫ накликали. МЫ виноваты. Я виноват. Моя слабость, моя рабская мечта: разом бы до бога и рай немедленно.

Это как у Платонова в "Ювенильном море": сделать бы такую машину, что с а м а работала, решить бы р а з и н а в с е г д а проклятые вопросы, а там...

Что "там"?

А ничего... "Там" – некое избавление от проблем. По щучьему веленью. Счастье в хрустальных дворцах. Так не бывает же такого счастья! Работать надо, решать надо, мучиться надо. Страдать. Рабская мечта – избавиться "от всего" и гулять. "И будет много стихов и песен..." Иллюзион... Не смиришь себя изнутри – запросишь извне ошейника. Где рабы – там и диктатор.

В начале 60-х годов меня представили Надежде Яковлевне Мандельштам; это было за несколько лет до того, как имя этой женщины, исстрадавшейся и несломленной, стало широко известно в мире благодаря ее книгам; а тогда еще ее знал узкий круг, вдова поэта. Так вот, представ перед ней (а было мне лет двадцать пять: "молодой критик", а время было т о с а м о е – Первая оттепель, XX, потом XXII съезды партии), я принялся разоблачать перед ней "культ личности". Наверное, я делал это слишком пылко и многословно; она быстро остановила меня – одной фразой:

– Дело не в нем, дело в нас.

Третье десятилетие ношу, как осколок, в душе эту фразу. Д е л о н е в н е м, д е л о в н а с. Это ведь куда труднее признать, куда тяжелее вынести, чем найти виноватого. Легко же человеку, родившемуся в год, когда Николаев разрядил пистолет в Кирова, сказать: это было до нас, нас это не касается... Касается! И если отец мой не различал черное и белое в мареве мечты, ослепившей его после привычной тьмы, – так это м е н я касается. Его слепота, его слепая любовь – это, увы, не "ошибка", это м о я почва, я на ней стою, мне деться некуда. И если Россия, по скользкой от крови дороге спеша из одной мировой войны в другую, кроваво чистила себя, выжигая все мягкое и жалостливое, – так это что, тоже "ошибка истории"? Или горе горькое, судьбина? Как я могу от этого разом "очиститься"? Нет, я это приговорен в себе носить и изживать, собой восполнять, я не могу от этого отделаться, потому что это – отчее, мое, мое клеймо, мое горе, мое наследие. Тут только одно помогает – то, что и выразил Абуладзе словом в названии фильма: п о к а я н и е.

Я понимаю, что люди, нашедшие в душе достаточно холодности "не отвечать" за то, что было, могут смотреть этот фильм "эстетически". Сказка, притча и так далее. Я им не завидую.

Еще о притче. Из трех картин, составивших трилогию, Абуладзе на финальное место ставит первую – "Мольбу".

Это кажется странным: статуарная фреска, доносящая до нас архаичное величие стихов Важа Пшавела, почему именно она – разрешение трилогии? Я знаю, какую роль заторможенная символика таких фильмов сыграла в конце 60-х годов – она сработала как отрицание преобладавшего тогда в нашем кино монтажного динамизма, – но как разглядеть в "Мольбе" тему "Покаяния?" В драме мужских единоборств – драму слабости, "размазанной" деспотизмом?

Есть связь. В грузинском самосознании образ сильного мужчины, воина, важкаци, традиционно сопутствует образу страдающего праведника. Воинская доблесть, в а ж к а ц о б а, идет об руку с состраданием к слабости: и то, и другое подкреплено веками – веками борьбы и веками проповеди в народе, одним из первых принявшем христианство. "Мольба" – это вопль о милосердии, вознесенный из каменных лабиринтов жестокосердия ("львиносердия", как перевел это место у Важа Пшавела Н. Заболоцкий). Перед нами смертельный поединок равных, гибель лучших, и это месть без конца, мольба о воздании: "Дарла, забудь свои мученья, Дарла, взгляни, перед тобой стоит сегодня все селенье и вместе с ним – убийца твой". Но неизбывны мученья, и казнь убийц не утоляет жажды мести, потому что этот круг бесконечен. Абуладзе переживает безвыходность языческого б а л а н с а с и л ы, он "падает" в христианское снисхождение к слабости, обдирая душу о камни, среди которых происходят поединки воинов.

Железные латы палачей в "Покаянии" – не осколки ли "Мольбы"?

Абуладзе знает: противоборство непосильно. Люди не выдерживают. Раб "живет сто лет", а свободный человек гибнет на поединке в тридцать три года, так? Подлость подтачивает "важкацобу", тупость подтачивает слабость. Коллективный "идиотизм" застывает, деревенеет: в "Древе желания", втором фильме трилогии Абуладзе, едва обозначается на месте утрачиваемого мужества психологический вакуум, как тотчас соблазняет малых сил полубезумный проповедник, и обещает, что горы будут срыты и реки повернуты, а на этом месте побегут локомотивы будущего, и в хрустальных дворцах освобожденное человечество вкусит нирвану, а храм снесут, а науку вознесут, а работу отдадут умным машинам, а сами... ну, и т.д., по четвертому сну Веры Павловны, и по четвертой главе "Краткого курса" тоже. Одно из другого, между прочим, вытекает. Сталин осуществил многое из того, о чем смутно (или программно) мечтали поколения русских интеллигентов, – собственно, все то, что оказалось можно осуществить в реальности, – он ничего не выдумал. Ни "военного коммунизма", ни вообще коммунизма, понятого как коллективное вытеснение личности из христианского идеала, ни безбожия, ставшего синонимом знания, ни веры в науку как в магически действующий инструмент воздействия на природу, ни презрения и ненависти к тому обыкновенному, традиционному, вековому ходу жизни, который обернулся в сознании образованных людей свинцовыми мерзостями", включая сюда и ненавидимый вековой, рутинный крестьянский труд, намертво приросший к "идиотизму деревенской жизни", включая и веру в металл, которым надо перепахать все и вся, и в заводскую трубу, ведущую прямиком в светлое будущее. Полубезумный школьный учитель в "Древе желания", проповедующий этот путь, физиономически слегка напоминает молодого Горького, но этот шарж даже и необязателен, хотя, конечно, за истоки новой веры буревестник революции несет не меньшую ответственность, чем горный орел, стальной завершитель революции за ее реальные результаты. Речь ведь не о том, кому какую часть вины повесить, – речь о том, как все это вообще стало возможно в России.

О том, кто дал с и с т е м у и д е й палачам и идеологам палачества.

О том, кто своею доверчивостью п о д п е р палачей, подпер эти идеи, эти мечты, эти надежды "одним махом" попасть в рай.

По первому вопросу возможен, конечно, и такой кульбит ума, что нечто близкое, военно-казарменное на этом куске земли было бы выстроено и с помощью какой-нибудь другой системы идей. Пойди иначе ход диспутов в тех или иных интеллигентских кружках прошлого века – замесилось окончательно бы тесто не на марксовом экономизме и не на свободной этике Энгельса (радость проповедников "вольного эроса" в 20-е годы – благородное оформление "социализма общей койки"), замесилось бы новое учение на каком-нибудь леонтьевском византизме, на соловьевской софийности, на либеральном "свободном выборе" в духе Михайловского или на "общем деле" в духе Федорова, – тогда хлынула бы вся наша накопившаяся агрессивность в другие формы, но фундаментальные задачи и решения вряд ли были бы другими: индустриализация азиатскими методами, опустошение земли, создание гигантских народных армий и – повальная эйфория слов, которую мы сегодня вольны, конечно, называть ложью, мороком, околпачиванием и идеологическим прессингом, но суть-то не в тех, кто какие подобрал слова, а в тех, кто ж д а л слов и готов был им верить.

Эти-то вот, поверившие, подставившие плечи, спины, горбы, эти, закричавшие "ура", – они-то и есть почва, на которой все выстроилось.

Почву – как замените? Органика! Нечто среднестатистическое, "человек как все", человек без качеств, человек, собирающийся жить долго и не желающий умирать на поединке с конкурентом в тридцать три года, мечтающий о некоем легком, чистом, "интересном" труде и ненавидящий свою лямку, не знающий стабильности в своей жизни и уставший от непрерывных передряг, – кого он должен благословить на решение осточертевших вопросов его жизни? Людей железных, на все готовых, ничем из проклятого прошлого не дорожащих – по контрасту с его собственной мягкостью и робостью, бессилием и отчаянием, нерешительностью и истеричностью. А железные люди – к о г о выдвинут в результате междоусобий? Стального. Того, кто будет тверже их всех и притом будет похож на подпершую их бескачественную "миллионнолицую" массу: будет прост, скромен, шутлив, непритязателен: ничего для себя – все для них, для миллионов "простых людей".

Не диктатура убийственна – убийственна ее почва. То, что порождает и держит диктатора. Не Варлам Аравидзе – объяснение ситуации, а сын его Авель, серая жертвенная овечка, нечто размазанное, бесформенное, улыбающееся, страдательное, жалобное, невменяемое, трогательное и зловещее. Серединный человек. "Как все". Велят – выкопает отца, выбросит из могилы. Велят – и встанет, чтобы подпереть его ватным плечом.

К т о велит? Да сами же люди и велят. Сами себе. Их слабость, их конформизм, их блудливое нежелание рисковать – вот что концентрируется в диктаторе: они его лепят себе из собственной трусости, вывернутой в жестокость. А по наступлении ужасов говорят: это не мы, это он!

Впрочем, сам по себе фильм Абуладзе не дает еще оснований для такого рода мыслей. Тут другое: ощущение ужаса, ощущение жизни как ирреального ада и такое же нерасчлененное, ирреальное, ужасом пробужденное чувство: покаяться! Воззвать к Богу, идти к Храму! До анализа как-то еще не дошло.

До анализа дошло, когда в круг проблем, связанных с "культом личности", вошла суровая проза.

Монолог читателя "Детей Арбата"

Для меня первой ласточкой оказался роман Анатолия Рыбакова "Дети Арбата". Может быть, потому первой, что я эту ласточку поймал еще в "предполете": я прочел рукопись, когда она, еще не опубликованная, ходила по рукам.

Рыбаков давал мне текст по частям. Прочтя часть первую, я сказал, что, по моему разумению, шансов к ее напечатанию нет. Рыбаков предложил прочесть дальше. Я прочел. И сказал ему:

– Знаете, я пришел к выводу, что первую часть напечатать все-таки можно. Но последующие – никогда!

Разговор произошел где-то году в 1985-м. В 1987-м все было издано. Все! И вдобавок все это еще и стало возможно открыто обсуждать.

Но прежде, чем такие невероятности произошли, я успел послать Рыбакову письмо, где написал кое-что, относящееся к нашей теме. Я писал, что главная удача романа – образ Сталина, что это фигура шекспировского толка и что со временем рыбаковская трактовка будет воспринята вовсе не как отрицающая, а как объективная, спасительно объективная для Сталина. Не знаю, обрадовал ли Рыбакова такой комплимент, но письмо мое он напечатал – в Огоньке. Одно место в этом письме вызвало недоумение многих близких мне и, несомненно, доброжелательных ко мне людей, и они, покачивая головами, говорили мне, что это место их задело:

"Рано или поздно правду о Сталине придется сказать, потому что история этого так не оставит, она к этому вернется, она эту дырку в памяти не потерпит – слишком опасно. Так вот, когда она к этому вернется, страшно подумать, сколько может быть написано дури и спекуляции! Сколько славословий рабских и сколько ярости – мстительной, т о ж е р а б с к о й! – может излиться на эту фигуру..."

Увы, так и получилось. Пошел маятник в обратную сторону: не удержать.

Два года спустя мои суждения о "Детях Арбата" были уже восприняты как половинчатые и робкие или, по формулировке одного моего дипломатичного читателя, "замечательно сбалансированные".

Хотя уж чего-чего, а балансировать (на маятнике) я решительно не ставил своей задачей. Мне хотелось качаться совсем в другой плоскости.

Кажется, от Булата Окуджавы идет лейтмотив: арбатский двор – счастливое детство. Войной оборванное, войной опровергнутое. Поколение обреченных. Светлая юность, пошедшая на заклание. "Ах, Арбат, мой Арбат, ты мое отечество..." Отечество – не рыбаковское слово. У Окуджавы есть вариация: "Арбат... моя религия". Религия – тоже не рыбаковское слово. Но А р б а т отныне – слово и рыбаковское. Он его подхватил, наполнил своим содержанием. В сущности, он его сделал символом. Арбат – место, где произросло п е р в о е с о в е т с к о е п о к о л е н и е. Вряд ли Окуджава определил бы его такими словами. Рыбаков – именно так его мыслит.

В 1934 г. героям Рыбакова – по двадцать, по двадцать с небольшим лет. Значит, годы рождения – 1910 по 1914-й. Значит, время формирования – начало 20-х годов: как раз когда жизнь впервые после гражданской войны стала входить в колею, и Советская власть из исторического эпизода сделалась исторической данностью. Так перед нами именно оно, первое советское поколение: не "оказавшееся" в новой реальности и не "перекованное" из старого материала, но с о з д а н н о е новой реальностью, в ы з в а н н о е к ж и з н и новой реальностью, с и м в о л и з и р у ю щ е е новую жизнь.

Рыбаков не видит у этих людей прошлого. Из немногих ретроспекций вы узнаете: вот этот – сын портного, а та – дочь крупного партработника, третья – дочь известного врача, а четвертая и пятая – сироты. Эти короткие нырки в родословие могут помочь кое-что обозначить в характерах героев, но не прошлое определяет их общую психологическую структуру. Родословная главного героя романа, Саши Панкратова, – отрицательная: отец ушел, семья развалилась, преемства нет. В этом отсутствии корней – вся суть оглядки в прошлое.

Суть в том, что оглядываться не на что, что эти люди должны делать себя с а м и. Они не с и р о т ы, они себя так не мыслят. Они – н о в ы е л ю д и. Они не "лишились" прошлого – они его обронили за ненадобностью. Прошлое – ничто, а будущее – все. "Кто был ничем..." Рыбаков исследует психологический эксперимент мировой значимости: попытку создать н о в о г о ч е л о в е к а, создать "из ничего", из новой идеи, из идеи как таковой, утвердить его на новой земле, где все старое разрушено до основанья. Арбат – поле эксперимента, "серединная" московская улица, потерявшая в 30-е годы обаяние старины (столь дорогое нам вновь сегодня) и приобретшая совершенно новый вес – близостью к центру мировой революции, к Дворцу Советов, который намечено возвести на месте взорванного храма Христа Спасителя. Дети Арбата – первая поросль нового общества и первый его человеческий результат. Рыбаков повернул понятие "Арбат" новой гранью: он открыл этот коллективный психологический образ, он дал этим людям новую художественную прописку, дал имя: "Дети Арбата", и под этим именем они начали жить в нашей литературе.

Главное же – не прописка, главное – система координат. Перед нами – основание пирамиды.

Сама пирамида состоит из руководителей разного масштаба. Силовая линия снизу доверху: от секретаря партбюро института – к секретарю райкома – к старику Сольцу в ЦКК. Еще выше – Марк Рязанов, "почти легендарный" руководитель "величайшего в мире строительства". И его шеф – Орджоникидзе. И любимец партии Киров. И, наконец, Сталин.

В с у щ н о с т и, это роман о Сталине. Я это понял при первом чтении, по рукописи еще; мне показалось, что Анатолий Рыбаков, желавший знать мое мнение, был не вполне готов к такому определению; он переспросил: "Так это роман о Сталине?". Он все-таки писал роман о Саше Панкратове; силуэты вождей вырастали где-то вдали, "фоном"; Сталин среди них был фигурой самой трудной, самой решающей, самой опасной и по долгой запретности, и по чудовищной ответственности за каждое слово, сказанное об этом человеке.

И вот слово сказано. Это – событие огромной важности. Я имею в виду даже не образ Сталина сам по себе – теперь, когда стало "можно", писатели быстро доберут свое, – я имею в виду структуру романа: то, что Сталина в этой структуре держит и даже порождает. Тут мало было бы скрупулезного знания биографии горийского мальчика, ставшего тифлисским семинаристом, потом русским большевиком и, наконец, "неумолимым азиатским богом". Тут нужно еще кое-что: гипотеза, объяснение, и Рыбаков это предлагает, в нашей художественной литературе – впервые.

Впервые суть сталинского характера извлечена не из "портретных черточек" (обыгрывавшихся и другими писателями: Солженицыным, Домбровским, Симоновым), а выведена из его в н у т р е н н е й л о г и к и, из хода его рассуждений. Конечно, это и тонкая стилизация манеры говорить и писать, почерпнутой Рыбаковым из речей и статей. Ритм повторов: "Они думают обмануть Сталина. Не удастся обмануть Сталина". Эта стилистика имитировалась и раньше: достаточно было в каждой фразе ударить по уже вбитому гвоздю. Рыбаков понял эту стилистику иначе: не как о к р а с к у речи, не как "форму", а как с т р у к т у р у мышления, как содержание бытия. "Так вот, – внушительно сказал Сталин, – имейте в виду: товарищу Сталину все МОЖНО говорить, товарищу Сталину все НУЖНО говорить, от товарища Сталина ничего НЕЛЬЗЯ скрывать..." Ритм повторов – не просто "стиль", это магия, это ритуал втягивания души в дело, это способ бытия.

Теперь – взгляд в основание пирамиды.

Саша-то Панкратов за что полетел из института? За слова. За стенгазету. Не хотел печатать передовую статью: все равно, мол, она будет повторять передовицу многотиражки.

Будет. Так в том-то и смысл повторов, что они – в т я г и в а ю т. Втягивают тебя в ритм поклонов, в ритм ритуала. Языковые блоки и штампы – не "форма", а суть мышления. Рыбаков смотрит в корень. Короткие фразы: вопрос – ответ. Ответ точный и окончательный, с "ударом по шляпке уже вбитого гвоздя". В монологах Сталина это катехизисное мышление наполняется свинцовой тяжестью, но оно пронизывает самый воздух романа: жизнь членится на элементы, вопросы, черты, черточки, факты, факторы; в ней нет "вязкости", а есть сцепленность кристаллической решетки; поэтому в ней не "вязнешь", а как бы запутываешься; главная же ее черта: ее можно распутать, она вменяема, эта жизнь, она логична, она отвечает на вопросы разума.

Жесткое перо Рыбакова быстрыми штрихами очерчивает эмпирику – силуэты и события, – но это же перо останавливается и с медленной пристальностью следует малейшим ходам мысли героев. Логичность – принцип этой реальности. В сущности, лабиринт рассуждений и есть настоящий базис рыбаковской прозы. Непрерывная сетка расчетов, гипотез, версий, догадок, решений, поправок. На всех уровнях: "Случайно ли? Не случайно!" – лейтмотив. Рассчитывает каждый свой шаг студент, идущий на собрание, где его будут "чистить" или исключать. Рассчитывает каждую интонацию директор завода, идущий разговаривать в наркомат. Рассчитывает, простите, любовник, идущий к любовнице (впрочем, там этих слов не знают: парень к девушке): забеременеет ли? Когда следующий раз звонить? Как вывернуться? Как не попасться?

Эта всепроникающая логика находится в странном сцепе с тем ощущением "первоначальности" мира, когда все делается как бы впервые. Дети Арбата не опираются ни на традиции, ни на прецеденты, они живут "с листа", на свой страх и риск; их цепкость и энергия – все, чем они располагают; впечатление такое, что они сплетают логическую сеть над пропастью: ошибиться нельзя – смерть!

Так ведь точно так же мыслит в романе и Сталин! Вроде бы всесильный, бог, и вроде бы мысль тут – сокрушительная, волевая, ни с чем не считающаяся, ломающая все на своем пути. Однако вслушаемся:

"История остановила свой выбор на нем потому, что он единственный владеет секретом верховной власти в э т о й стране, единственный знает, как руководить э т и м народом, до конца знает его достоинства и недостатки. Прежде всего – недостатки.

Русский народ – это народ коллектива. Община – извечная форма его существования, равенство лежит в основе его национального характера. Это создает благоприятные условия для общества, которое он создает в России..."

Разумеется, тут есть о чем поспорить по существу. Я никогда не примирюсь с тем, что психология "ровной массы", взыскующей себе "верховного вождя", лежит в о с н о в е р у с с к о г о н а ц и о н а л ь н о г о х а р а к т е р а; я считаю, что эта психология – результат несчастных исторических обстоятельств в прошлом, а еще более плод обстоятельств будущих, предвидимых: инстинктивное, л ю б о й ц е н о й – сплочение народа перед войной.

Я хочу остановиться на этом чуть подробнее. Мы привыкли думать, что война – чудовищный перерыв в нашем строительстве, нечто, строительству помешавшее, что это – о т с т у п л е н и е от нашей программы, от нашего пути и от нашей логики. Но чем дальше, тем настойчивее возникает вопрос: не наоборот ли? Не война – перерыв в "громадье наших планов", а "громадье наших планов", вся наша деятельность в 20–30-е годы – перерыв в сквозной войне, на два акта разорвавшейся? И война – не трагический зигзаг на нашем пути к светлому будущему, а истинная точка отсчета? И, стало быть, весь наш путь – не что иное, как трагический зигзаг, единственно спасительный для народа, вырвавшегося из одной схватки и готовящегося ко второй, смертельной схватке с другим народом? Именно войной, двумя мировыми войнами, в сущности, объясняется русская история XX века в первой его половине: войной, а не тем, чему она помешала.

Потом-то она уж не мешала. Сорок лет неслыханной для русской истории передышки п о с л е Великой Победы дали же нам возможность довести до ясности некоторые наши социальные эксперименты. Результаты известны. Страна, когда-то кормившая хлебом полмира, покупает теперь хлеб у "загнивающего Запада"; страна, тщившаяся научить весь мир социальной справедливости, получила в качестве символа этой справедливости бесконечную, неизбывную, тупую, покорную о ч е р е д ь; страна, готовившаяся всех обогнать и разом прыгнуть в будущее, теперь просит тех, кого она обгоняла и перепрыгивала, помочь, научить технологии и организации, научить работать, взять на прицеп "смешанной экономики". Сталин тут, простите, и вовсе не при чем; все это делалось на восемь десятых без него; без него обещано было "ныне живущему поколению" оказаться в коммунизме и без него этот самый осуществившийся коммунизм был переименован в "реальный социализм", что в переводе на общепонятный язык означает: бери, что дают! Так, может, пора сообразить, где тут причина, а где следствие? И тот самый, достроенный Сталиным казарменный социализм, который мы теперь подгримировываем как "наслоение" и называем Административно-Командной Системой, – тот самый социализм барака, социализм ударных армий и трудовых лагерей, когда пойти на фронт под пули было все-таки легче и даже, наверное, безопасней, чем остаться в лагере на голодную и позорную смерть, – все это делалось под наркозом эйфорической мечты о светлом будущем, а на деле-то было не чем иным, как азиатским самоскручиванием народа в боевую армию – изготовкой к смертному бою?

Отошла угроза – и мы оттаяли, разрядились, и вот уже о демократии вспомнили, о "всечеловеческих ценностях" забеспокоились, о милосердии заговорили, перестройку затеяли, бога с большой буквы писать рискнули....

Но я отвлекся.

Так что же такое Сталин в середине 30-х годов? Марксист, "извращающий учение" (по существу же лишь доводящий его догматику до логического конца)? А может, "азиатский вождь", солдатский император, предводитель народа-войска, лишь и с п о л ь з у ю щ и й для своей задачи ученое западное словечко "диктатура"? Словечки-то эти канонические он употреблял только, так сказать, э к с к а т е д р а; в обиходе изъяснялся проще: я – п р и р о ж д е н н ы й б о е ц. Слова "диктатор", "диктатура" употребляли в основном другие.

Кстати. Можно ли быть "диктатором наполовину"? И если вы затеваете "диктатуру", почему и как вы надеетесь ввести ее в "берега"? Если уж "диктатура", ни на какие берега не надейтесь. Или не вводите...

Ах, нельзя иначе? Ну, тогда терпите. И не удивляйтесь, что стреляют, сажают и лгут во спасение.

Если все это – умысел "плохих людей", то как такое вынести, как стерпеть? А если это – умысел самой истории? Тогда, конечно, несколько легче...

Возвращаюсь к Рыбакову. Он мыслит логично, он – писатель логической складки, и именно потому сквозь его замысел бьет историческая логика. Я говорю о логике сталинской мысли в художественном мире Рыбакова. Он "создает" общество? Нет, простите, это ОНО его создает; а он, всесильный диктатор, не столько навязывает себя стране, сколько у г а д ы в а е т ее нужду: он убежден, что он е й нужен, он исходит из е е нужды, из е е судьбы, как он эту судьбу понимает.

В сущности, он, удивительно осторожен и осмотрителен, этот "всесильный бог"; он так же боится ошибиться, как любой рядовой герой рыбаковского романа, он, Сталин, моментально исправляет всякую мелкую неточность своей линии, он боится ошибок и все время "уступает" по мелочам ("Почему у секретаря горкома прямой провод к парткому? (то есть почему Ломинадзе и Орджоникидзе смеют сговариваться за спиной Сталина?)... – Какое дело – прямой провод, – поморщился Орджоникидзе. – Мелочь, – согласился Сталин и вдруг добродушно улыбнулся, – но, понимаешь, отвлекает от работы"). Эти добродушные улыбки кажутся уловками, даже и излишними при той власти, которую к 1934 г. уже сосредоточил в своих руках этот человек, но Рыбаков смотрит глубже: Сталин все время словно бы боится нарушить некоторый общий закон реальности, для которой он, скромный простой работник в фуражке и сапогах, не более чем олицетворение.

Дело не в нем, дело в с а м о й р е а л ь н о с т и, закон которой он угадывает. "Дело в нас..."

Так как же все это могло произойти? Как все это стало возможно – и абсурдное исключение Саши Панкратова из-за ничтожной стенгазеты, и бессилие Марка Рязанова помочь племяннику, и ссылка Саши? Как же все это в стране устроилось: предвзятое следствие, человеческая жизнь, ложащаяся звенышком в зловещую интригу, Сибирь, наводненная ссыльными интеллигентами, бессилие Кирова перед Сталиным? Эти вопросы мучительно встают перед вами при чтении "Детей Арбата": где остановиться? Где надо было остановиться? Кто мог остановиться на этом роковом пути? Да как же он набрал такую силу, этот обаятельный товарищ, этот скромный миротворец и водворитель порядка, страх перед которым сотен миллионов людей так вдохновенно перешел в любовь к нему? Г д е он набрал такую силу?

Рыбаков показывает не только дьявольскую расчетливость этого человека. Он показывает и нечто большее: почву его расчетов. Ярость низовых секретарей, мгновенно схватывающихся насмерть (насмерть! ведь каждый готов другого с первой фразы отлучить, выбросить за пределы реальности!). Да, Дьяков, Сашин следователь, иезуит и ловец душ. Но откуда он взялся? Юра-то Шарок, тихий сын раскуроченного портного, ставший особистом, вершителем судеб, – идет же "снизу", он с а м идет, о н и щ е т таких, как Дьяков! Да, Ягода использовал Николаева. Но сам-то Николаев, рабочий, выбившийся в инспектора, а потом "троцкистами" сброшенный, посланный обратно на завод, уязвленный, обойденный, оттертый, – Николаев-то все-таки с а м написал и послал наверх письмо, в котором сказал, что г о т о в н а в с е ...

Он был готов и ему разрешили. Все были готовы – и получили, что хотели.

"...Марк Александрович вставал, хлопал, кричал "ура". Сталин во френче, только более светлом, чем на других членах президиума, стоял на трибуне, перебирал бумаги, спокойно дожидался, когда стихнут овации. Казалось, что аплодисменты, крики он относит не к себе, а к тому, что олицетворяет, – к великим победам страны и партии, и сам хлопает этому условному Сталину..."

Зачем *олицетворение*, если мир реален? А если олицетворение нужно, что можно сказать о таком мире? В художественном арсенале Рыбакова есть слово, в котором секрет этого мира собран, как в фокусе. Это слово – "з н а к".

"Сталин посмотрел ему прямо в глаза. Будягин знал, что означает этот взгляд: он означает недоверие..." "Ягода... не смотрел на Сталина: смотреть на товарища Сталина значило задавать ему немой вопрос, вызывать на разговор; Сталин этого не любил..." "В этом месте Сталин сделал ту о с о б у ю паузу, означающую, что он сейчас произнесет ф р а з у – о б о б щ е н и е ... Ежов сосредоточился..."

Эти психологические штрихи о з н а ч а ю т нечто большее, чем черты характера действующих лиц или стиль поведения высшего эшелона власти. Это – стиль бытия. Это бытие, которое само себя постоянно истолковывает, ищет в самом себе какой-то потайной ("истинный") смысл, не выраженный явно в словах и поступках. Это бытие, которое словно бы само себе не верит, само от себя скрывается, само себя ставит под подозрение. "Дьяков пренебрегает прямым смыслом слов, Дьяков их истолковывает..." Т о л к о в а н и е – что это? Это не просто ловля подследственного на слове, это вколачивание в реальность того смысла, которого она, реальность, в себе как бы не знает. "Я хочу знать, за что я арестован. – А мы хотим, чтобы вы сами это сказали..." Жизнь должна сама придумать, что она "означает".

Иногда кажется, что тайная связь отношений – не химера, что все эти подписки, конфиденциальные явки, осведомительство, чтение в сердцах, вся та крепчайшая, на к р ю ч к а х, сеть, которую плетут Дьяков и Шарок (и в которой они, конечно же, и сами "сидят на крючках"), есть не что иное, как подведение искусственной опоры под жизнь, которая сама по себе шатается, разваливается и себя реальностью не считает. Шаткой неверности нужен твердокаменный базис, который она учреждает и ощупывает тайно от самой себя. Сдвоенное бытие, "двойная бухгалтерия": то, что на поверхности, – неистинно, а истинно что-то опричь, в засекреченной глубине, в "подноготной". Когда после оплошной стенгазеты на собрании актива студенты требуют от Саши слов раскаяния, они вовсе не р а с к а я н и я требуют от него, они ему все равно не поверят, – они хотят услышать, к а к он будет каяться; и этот заранее расписанный р и т у а л выявляет в реальности тот тайный план, о котором не говорят вслух... Да можно ли и сказать о нем? Саша, гордый человек, сумеет ли сказать себе правду о том, з а ч е м этот ритуал, о ч е м свидетельствует? Потому и не говорят люди себе правды, что она подорвет все то, что они о себе ежесекундно говорят. Реальность – вообще не то, о чем можно сказать; это то, что можно угадать по знакам. Софья Александровна торопливо записывает, что ей разрешили передать сыну: теплые вещи, продукты... ах, да, деньги. "Деньги и продукты о з н а ч а ю т ссылку, теплые вещи – Север или Сибирь..." Азбука намеков, школа обиняков. Саша ее быстро проходит: "Имейте в виду, в ссылке ни один человек не скажет вам правды: кто сидит за дело – делает вид, что сидит ни за что; кто сидит ни за что – делает вид, что сидит за что-то..." Размыты сами категории: правда, дело. Реальность принимает "вид", но истинный смысл ее надо по "виду" угадывать. Мы, кажется, единственный народ в мире, который все время добавляет к "реальности" изумительное определение: п о д л и н н а я .

Что же это такое за рок над нами? Всеобщее помрачение? Или мудрая изворотливость жизни, спасающей самое себя? Непознанные качества принципиально новой реальности? Или вековой российский "люфт", непредсказуемая бездонность души, "дурь", до дна которой не добрались ни Грозный царь, ни Петр Великий!

Скуластая степная девочка, деревенщина, Сашина любовь, – хитрит и лукавит с московским кавалером, причем без видимого смысла. Он: "Встретимся?" Она: "Где это мы встретимся?.." Он: "В шесть, в семь?" Она: "Побегу я в шесть..."

"Побегу я в шесть" означает: приду в семь.

И вот, отъехав на тысячи верст восточнее, Саша вдруг ловит отзвуки этой манеры в репликах другой "девочки" – сибирской "чувырлы" Лукешки. Он: "Годов тебе сколько?" Она: "Кто его знает... Шестнадцать, однако..." Что, они, сговорились, что ли, никогда не видавшие друг друга "дикарки"? И что это в них? Вековая уловистая манера говорить с незнакомцем, запутывая его? Вековая мужичья "сокрытость" перед "барином"? Готовность к мгновенному бунту, хотя бы и ритуальному: побегу я в шесть! Или инстинктивный обманный жест – подстроиться к шатающейся, неверной реальности?

А Тимофей, мужик с Ангары, Сашин зловещий спутник, угрожающий убить ссыльного просто потому, что тот бесправен и беззащитен, просто от куражу, – не из той же коварной реальности?

А Федя, демобилизованный красноармеец, сельский активист, – не оттуда же? Велят помочь Саше – поможет, велят расстрелять – расстреляет...

Качается почва, плывет. Как смирить ее, как нащупать твердь? Внизу тверди нет. И тогда, как в мифе, твердь нависает сверху. И опять все упирается в Сталина.

"...В молодости он понял, что демократия в России – это лишь свобода для развязывания грубых сил. Грубые инстинкты можно подавить только сильной властью, такая власть называется диктатурой. Этого не понимали меньшевики, не знавшие народа, это понимали большевики, знавшие народ..."

Поразительно, но на этот монолог Сталина прямо откликается с о г л а с и е м ссыльнопоселенец, загнанный Сталиным на край света:

"– Никакой свободы! Свобода вылилась бы во всеобщую резню, а народ требует порядка. Предпочитаю не Степана Разина, не Емельяна Пугачева, а Ленина, даже Сталина.

– Потому-то мы с вами здесь.

– Да. А при Степке или Емельке висели бы на осине..."

Мысль ваша пятится от этих выкладок. Что же мы так спасаемся – давя себя? Почему альтернативой давящему порядку является у нас только безудержный, все сметающий бунт? Где та мера, которая снимет безумие из самой основы этого бытия? Неужели ничто никогда не смирит эту душу изнутри, чтобы не надо было смирять ей себя извне стальным ошейником? Почему вечно бунтует русский человек, не умея смириться со своим положением, и почему ему приходится бунтовать снова и снова? "Вечно бунтующий раб"? Рок какой-то: сколько ни сломает клеток, разгулявшись, не остановится, пока в очередную клетку сам себя не загонит, чтобы вновь бунтовать, крушить, ломать все...

Ах, чувства меры нет! А если появится? Если долгой работой выработается, наконец, чувство меры? "Моя свобода кончается там, где начинается свобода других". Где тогда будет наш размах, где безудержная ширь? Кончится трагедия, и вместе с нею кончится в мировой истории р у с с к и й с ю ж е т, а начнется что-то совсем другое – из нашей же материи, с нашими потомками, на нашей... б ы в ш е й нашей земле...

Грустно.

Рыбаков мыслит иначе. Он оптимист. Все исправить, все выяснить. Сталин плох, Саша Панкратов хорош. Есть закон, а есть беззаконие.

Что интересно у писателя? Волевая логика его замысла – лишь верхушка айсберга, созданного сквозной логикой его жизненного чутья, его таланта. Эта логика (логика! – подчеркиваю; Рыбаков по самой сути дара логичен, последователен, ясен), так вот, эта подспудная логика говорит и делает свое в глубине, а чтобы ее расслышать, надо "внешнему разуму" помалкивать в решающие минуты.

Чтобы и вы, читатель, тоже могли вслушаться.

Вы вслушиваетесь в монолог волевого директора Марка Рязанова о "европейской" индустрии, которую нужно построить в России руками "азиатски" безграмотных работников. Затем вслушиваетесь в монолог его сестры: "Вот что я тебе скажу, Марк... Подняли меч на невинных, на беззащитных и сами от меча погибнете!" Кто прав? Кто вполне н е в и н е н в этой ситуации? Кто более всех виноват?

Логика Сталина: "Нам с тобой (это говорится Кирову. – Л.А.) от них (от вождей оппозиции. – Л.А.) пощады не видать. Если они дорвутся до власти, то всех нас перебьют до третьего колена. А ты им доверяешь, либеральничаешь с ними..."

Между прочим, и перебьют. А не перебьют – так и не удержатся. Интересно, что сделал бы Киров, получи он власть на XVII съезде партии, когда власть затем и вручалась, чтобы раз навсегда покончить даже и с мыслью о возможной оппозиции?

Киров власти не получил. Отказался. Не потому ли и отказался, что чувствовал: Сталин делает то, чего все смутно хотят, но не способны, не имеют силы сделать? В том числе и он, Киров. Он власти не получил – и потому может "либеральничать".

Хотя бы в мыслях.

Логика Кирова (как ее правильно видит Рыбаков): м е т о д ы Сталина неприемлемы, но л и н и я правильная. (Как будто методы не из линии рождаются.) Поэтому Кирову Сталина и не сдвинуть: Сталин – это долгожданный порядок, наступивший после хаоса; это сплочение после борьбы. Изменить что-либо уже невозможно; "от сознания собственного бессилия Кирова охватывало отчаяние..."

Кто прав? С нравственной точки зрения? Рыбаков молчит. Его позиция, конечно, выстраивается из логики его любимого героя Саши Панкратова. Где-то Рыбаков обмолвился, что путь Саши – это его, Рыбакова, путь, только Саша ведет себя лучше, чем когда-то его прототип. Допустим. Но т е п е р е ш н и й Рыбаков знает неизмеримо больше Саши. Тут любопытное взаимодействие двух начал: программной позиции, которую автор занимает вместе с героем (позиция уверенная и ясная), и интуитивной позиции, которую автор ищет вместе с нами, думая о герое.

Интуиция глубже, шире и горше позиции, ее не назовешь ни уверенной, ни ясной. Так и в неуверенности есть свой смысл! Я не уверен, что это нормально, когда сплочение утверждается за счет истины, а истина за счет сплочения, – разве что в ситуации смертельной драки, мировой войны, дикого междоусобия, когда нужен вождь, полководец, усмиритель. Я не уверен, что "вожди оппозиции" не сказали бы своим противникам что-нибудь вроде того, что "с вами тоже иначе нельзя...". Так где конец этой кровавой карусели? И в "вождях" ли дело? А Саша что, так уж вне этой логики? Сашина позиция: правильной идеей завладели дьяковы, надо вернуть правильную идею в чистые руки. Но чьи руки чисты? Как это определить в ситуации кровавой карусели? Квачадзе, троцкист, сосланный туда же, куда и Саша, замечает ему: будь ваш верх, вы бы нам выкручивали руки не хуже, чем эти конвоиры.

Саша отвечает:

– Представляю, что бы вы делали с нами, будь вы у власти.

На что тот презрительно бросает:

– Вы бы и при нас тянули руки вверх...

И опять Рыбаков быстро уводит диалог с этой острой точки: "не надо ссориться, ребята". Но вы-то, читатель, уже получили удар тока. У вас-то фраза Квачадзе застревает в сознании. И взаимодействует эта фраза не с Сашиной наивной верой, а со змеиной мудростью вождя, глядящего дальше Саши. Вы-то с этой точки так быстро не сойдете. Так все-таки: тянули бы они руки вверх или не тянули бы? Такие, как Юра Шарок, уязвленные, обиженные, притихшие, ждущие часа, тянули бы? Да, несомненно! А такие, как Саша Панкратов? Сомнительно?.. А если бы их убедить, что л и н и я п р а в и л ь н а я?

Какая-то смутная, тревожная догадка брезжит у вас при чтении романа Рыбакова: Саша похож на своего дядю, Марка Рязанова, каким тот был в юности. Такая же прямая вера, такая же твердость, решительность. Путь Марка лег прямо: его стальная воля нашла над собой еще большую стальную волю. И тогда Софья Александровна крикнула брату: от меча погибнете! И гибель нависла – но не над братом, а над сыном. Случайно ли? Саша, столь похожий на своего дядю, разве остановился бы на своем пути – он ведь твердокаменный, Саша, он – гордый, он ведь н е н а в и д и т с т р а д а л ь ц е в. Дескать, время жестоко и мы жестоки. "Время"... Только тогда и пробило его душу, когда увидел, что мать бьется седой головой о стены, глядя, как его уводят.

А что? Марк Рязанов ответил же ей, вполне спокойно:

– Ну, дорогая сестрица... – двинул стулом и ушел.

Саша без отца вырос – и ничего, нашлось, кому подпереть. На дядю равнялся. Были которые и без матерей вырастали. Дети Арбата – дети "без родителей". Люди без "прошлого". Отцы, напротив, с прошлым. Так в том-то и дело, что фигура Сталина, в противовес всему огромному молодому "сиротскому" населению романа, дана именно через прошлое. Именно из прошлого выносит этот человек горькую уязвленность и убеждение в том, что люди безжалостны и подлы, пока их не заставишь опомниться.

– Люди уважают только тяжелую, строгую, но крепкую и надежную отцовскую руку...

А снизу, из преисподней, куда сбрасывает он людей, доносится ему в ответ:

– Сын не сын и отец не отец...

Традиционные, тысячелетиями освященные понятия прилагаются к миру, который сорвался с вековых орбит; понятия выворачиваются; реальность и бред, истина и ложь, добро и зло меняются местами. Так возникает в романе Рыбакова шекспировская мелодия: человеческая мощь теряет память и не знает, зачем она и откуда.

Теперь, когда сенсация приелась и то, что было "нельзя", стало "можно", – о Рыбакове все чаще говорят в тоне двусмысленно снисходительном: он–де хорош для юношества; когда Перестройка наша была в зачаточной стадии, он свое дело сделал, а по мере же того, как мы в условиях демократии и гласности взрослеем и мудреем, его романы ("Дети Арбата", продолженные "Тридцать пятым и другими годами") все чаще вызывают у нас... (далее я прошу читателя оценить продемонстрированный критиком Аллой Латыниной в *Литгазете* интонационный оборот) вызывают у нас чувство законной признательности и, так сказать, вечной памяти.

Должен сознаться, что я еще не настолько помудрел в гласности, чтобы ставить "Детей Арбата" на юношескую полку. Я думаю, что ясность письма – отнюдь не все, что заключено в этой книге. Я полагаю, что корчевание отчих корней и образ отца родного, возвращающегося блудным детям в облике карателя, – сюжет отнюдь не тривиальный и далеко еще не исчерпанный в нашей жизни и литературе.

"Дело не в нем, дело в нас".

А что такое "мы" – вопрос, в сущности, бездонный.

Монолог читателя "Жизни и судьбы"

Сталин действует у Гроссмана в одной-двух коротких сценах. Но вся тысячестраничная громада, вся художественная вселенная в романе пронизана его присутствием. Эти сцены написаны Гроссманом в глубине 50-х годов, задолго (или незадолго), но до того, как описали Сталина Солженицын и Домбровский, Симонов и Рыбаков. Однако гроссмановская мысль о вожде бьет открытием из-под текстов позднейших авторов, описавших его более детально и даже достовернее по фактуре. Потому что Гроссман не столько изобразил Сталина, сколько объяснил его. Некоторая сдержанность, скованность, пожалуй, даже робость гроссмановского пера при непосредственном описании фигуры Сталина особенно видны в сравнении с теми, кто описывал Сталина вскоре после Гроссмана, и уж вовсе его сдержанность несравнима с бойкостью и разнуздом тех, кто дорвался до этой темы на волне гласности и разоблачательства в конце 80-х годов, – но непревзойден Гроссман по глубине понимания того, что п р и в о д и т к сталинизму, того, что в о з - в о д и т Сталина на вершину власти.

Для 50-х годов Гроссман отважился на запредельную, смертельно опасную художественную параллель: он сравнил Сталина с Гитлером.

В начале 60-х годов именно эта аналогия более всего напугала редакторов журнала *Знамя*: они спровадили текст романа "куда следует"; заметьте, не опровергали его, не спорили с ним, но сразу побежали "к городовому" – настолько вопиющей, внелитературной казалась даже и в период Оттепели эта параллель.

Параллель, которую сегодня, на рубеже 90-х, – кто только не мусолит в статьях и сатирах, – а в будущем, надо думать, она будет настолько тривиальной и школьно пошлой, что вряд ли историки будущего станут даже и интересоваться, кто на нее решился первым.

Я вовсе не с тем говорю это о Гроссмане, чтобы закрепить за ним приоритет, – суть его писательского поиска не в том, что он сказал раньше всех то, что позже стало у всех расхожим местом; суть в том, что параллель двух сталкивающихся насмерть тоталитарных режимов позволила ему понять, о т к у д а эти режимы берутся и почему люди на них соглашаются.

Перед нами настоящий эпос. Не просто потому, что он соткан из огромного числа судеб, насыщен огромным числом героев: солдат, командиров, комиссаров, ученых, вождей, лагерных доходяг, замороченных немцев, эсэсовцев, подпольщиков-антифашистов, летчиков, рабочих СтальГРЭСА, мыкающихся в эвакуации старух, – а прежде всего потому, что перед нами художественное мироздание, целостное и единое, схваченное единым законом, почти неотвратимым в своем сокрушительном действии.

Говорят: в ткани письма много толстовского. Но схожесть Гроссмана с Толстым слишком видна, чтобы быть такой простой, как кажется. Толстой сплетает и связывает, а Гроссман стыкует и сталкивает. Короткие главки его повествования с виду мозаичны, они сыплются дробью; внутри текста все определяют детали, реплики, авторские суждения, сцепление которых, собственно, и обеспечивает художественное течение текста, но оно как раз мало напоминает здесь толстовское "течение"; скорее сухой шорох, дробный стук, словно бы треск разрядов – гул атомов, крутящихся в пустоте.

Любой атом повествования разрывается у Гроссмана от внутренних разнонаправленных сил. Палач плачет над жертвой. Преступник знает, что он не совершал преступлений, и все-таки должен быть наказан. Национал-социализм входит в жизнь людей не как ужас, а как исконные чаяния, по-свойски, с шуточками, с плебейскими замашками. Лагерь смерти выстроен "ради добра". Соединяется несоединимое. "В детской кремовой коляске сложены противотанковые мины". Черное и белое не противостоят друг другу фронтально, а смешаны в микроэлементах. Они меняются местами. Гроссман любит перечни, но они не успокаивают, как должна успокаивать всякая инвентаризация: его перечни – гремучая смесь. "На переднем крае хоронили погибших, и убитые проводили первую ночь вечного сна рядом с блиндажами и укрытиями, где товарищи их писали письма, брились, ели хлеб, пили чай, мылись в самодельных банях..."

Говорится – о боковом, попутном. Мелочи, десятки мелочей. Посреди сталинградского огневого ада, в грековском разбомбленном доме описан застрявший среди трупов котенок: он ни о чем не просит и не жалуется, он "считает, что этот грохот, голод, огонь и есть жизнь на земле".

Ад обжит. Бойцы между атаками чинят ходики. Женщины в тылу стоят в очередях, оформляют прописку, думают о склянке постного масла... Надо было не только пройти войну очеркистом-газетчиком, надо было и жизнь тыла знать в тошнотворной повседневности, – чтобы сложить эпическую громадину из таких вот повседневных кирпичиков. Но дело не только в кирпичиках, в атомах, из которых построено, – дело в кладке. Несоединимое соединено, иногда смешано, перепутано. Смерть рядом – человек ее не замечает, не хочет замечать. Мать, потерявшая сына, продолжает разговаривать с ним, стоя на пороге его пустой комнаты. Сухое безумие, неотличимое от нормы.

Повествование, идущее дробной круговертью, все время как бы обходит нечто, находящееся в глубине, в другом измерении, неназываемое и неодолимое. Лейтмотив Гроссмана: о главном – молчание. Его не выскажешь, оно не поддается словам. Зияние на месте цели, на месте смысла, последней правды – вот лейтмотив. Потрясающая коллекция психологических типов, составляющих пирамиду гитлеровского рейха: наивные простаки, холодные циники, веселые бонвиваны... А на самом верху, "в страшной высоте" тоталитарная пирамида увенчивается... пустотой: там в неизреченном одиночестве остается *вождь* наедине с безмолвием. Художественным рефреном отдается этот замирающий, пресекающийся звук на другом полюсе сражающихся миров – там, где Верховный Главнокомандующий, только что двинувший вперед смертоносные лавины, мечтает о тихой хижине, до порога которой не долетали бы звуки жизни, и вдруг произносит какой-то трогательный детский стишок, так что у присутствующих холодеют руки.

Вождь может позволить себе быть добрым, скромным, тихим, великодушным, шутливым, потому что все злое, агрессивное, ревущее, подлое, серьезное, что столкнулось в глубине народа и вытолкнуло вождя наверх, – я не случайно употребляю это слово, – у ж е свершилось, у ж е решилось, у ж е вытолкнуло его.

Вы можете вообразить этого человека веселым или сердитым, нормальным или одержимым – это ровно ничего не будет значить, потому что дело не в личных качествах вождя, а в той миллионной массе, которая увидела в этих качествах символ с в о и х чаяний. У ж е увидела. Задний ход почти невозможен. Массы-то миллионные. XX век. Яростные массы...

Конечно, Толстой это предсказал, предварил. Откажись Наполеон вести армию в Россию – армия растерзала бы его и немедленно нашла бы себе вождя, который повел бы ее туда, куда она хотела идти. Гроссман н а у ч и л с я у Толстого, он с помощью Толстого обрел зрение. Но то, что увидел художник XX века, – у Толстого не прочитаешь. Толстовская капитальная идея, что ужас жизни можно вынести, если внутренний п о р я д о к жизни не поломан, – эта идея не покрывает новой реальности. Хотя кое-где посверкивает у Гроссмана: в замечании, что мать идет от могилы сына "не медленно и не быстро"... но эти толстовские штрихи – обок главной мысли, главная же мысль пытается справиться с реальностью, совершенно немыслимой в толстовские времена.

Физик Штрум сказал: "Век Эйнштейна и Планка оказался веком Гитлера". Можете подставить наши имена: век Вернадского и Вавилова...

Что это значит?

Это значит: никакие старые мерки не работают. Что произошло с немцами при Гитлере? Куда делся народ, давший миру великую музыку, философию, литературу? Что, злодеи одолели честных людей? Честные ушли – злодеи пришли? Наивность этого доэйнштейновского, эвклидовского, ньютоновского объяснения самоочевидна. Гроссман ищет других объяснений.

Он рассуждает так. Есть законы *общей* динамики в природе. Человеческая масса живет по чудовищным законам количественных вероятностей. А раз так, то надо признать нечто целое, внутри коего меняется положение элементов. "Гитлер изменил не соотношение, а лишь положение частей в германской жизненной квашне..." Можете подставить наши имена.

Слово к в а ш н я, оброненное академиком Чепыжиным в разговоре со Штрумом, – единственное, что приоткрывает философию Гроссмана уже в первом романе диалогии, в книге "За правое дело". Однако и одного этого слова оказалось достаточно, чтобы критики 1953 г. пришли в ярость: чутье-то у них сработало. Чепыжинское рассуждение стало главной мишенью при атаке на роман "За правое дело". Но что поразительно: атака велась вслепую. Гроссману навесили фрейдизм, энергетизм, дуализм, а также доморощенность философии. Похоже, что критиков 1953 г. так уязвил сам факт вольного философствования, что до сути они второпях не добрались. Представляю себе, что было бы с критиками, если бы в ту пору рассказать им, к а к о е тесто замесилось в этой квашне и какие пироги получились из него в романе "Жизнь и судьба".

Нет, не оговорился Чепыжин. За коловертью фактов Гроссман все время ищет, чует некую статистическую волну, некую первоматерию, или прасущность, которую он называет по-разному: это квашня... опара... кипящая, обжигающая каша... темная, коллоидная, смолянистая, не имеющая дна гуща... хаос... трясина.. горячий торф... Иногда таинственность этой текучей праматерии побуждает Гроссмана говорить о пустоте, пустыне... Значит, что-то есть такое в "математической пустыне" мироздания, что порождает "кашу" жизни. Собственно, ж и з н ь – лишь один из псевдонимов этой неуловимой "пражизни".

Любой "хаотический" перечень действий, мыслей, деталей, с помощью которого Гроссман очерчивает молчащую суть, – мечен чувством праматерии, мощно и грозно ворочающейся под видными действиями. Рев первобытных чудовищ слышится в бушевании горящей нефти. Тварь дрожащая обнаруживается во всесильном завоевателе, когда с него срывают регалии и знаки отличия, – проступает та самая "квашня", которая в основе. Можете и здесь поставить наши имена. Три секретаря райкома, которые в 1937 г. разоблачили и сменили друг друга, в результате легли на соседние нары и там не испытывали друг к другу никакой злобы. Что это? Абсурд и хаос с точки зрения человеческой логики! Но это закономерность с точки зрения движения массы, гигантской, надличной, сминающей все и вся, сравнимой с геологическими сдвигами, с потоками лавы, со сменой погоды.

Индивидуум откровенно бессилен перед этой лавой, перед этой сменой времен. Время – стихия. Время у Гроссмана – не система координат, не сетка делений, в которой можно что-то рассчитать или "успеть". Это не та драма, о которой сказал Мандельштам: "Мне на плечи кидается век-волкодав..." Время у Гроссмана – природная магма, и никакое сопоставление с человеком, никакое противостояние здесь невозможно. Можно лишь совпасть со временем, с фазой потока. Или не совпасть. Счастливы совпавшие, они – "сыны времени", но обречены, несчастны "пасынки времени" – их доля печальна. Ибо неумолимо движение общественной "магмы", ее законы безличны. Человека репрессируют безвинно, это так, но его репрессируют не беспричинно: его не наказывают, а упреждают. Его карают за то, что он м о ж е т совершить. По вероятностной статистике. Теоретически – абсурд, практически – саморегуляция потока. Масса организуется по законам, сокрушающим личность; так созидается общее бытие: статистическое, классовое, национальное, государственное. Последнее определение представляется Гроссману наиболее удачным: "государство". (Доживи он до перестройки, может, и перенял бы у Г.Х. Попова термин "Административно-Командная Система", а может, и рискнул на что-нибудь более откровенное, например на "сталинизм".) Однако все эти слова – лишь псевдонимы того таинственного, мощного, слепого, что ломает отдельного человека и ведет вперед "биомассу", громаду, общественную структуру – перемешивает тесто в к в а ш н е человечества.

В этом могучем движении жизни отдельному человеку выпадает тот или иной путь: путь гибели, служения, триумфа или безнадежности; это сродни жребию, року, фатуму; это – с у д ь б а; слово, стоящее у Гроссмана рядом со словом ж и з н ь и означающее разом и структурную упорядоченность, и горькую обреченность любой структуры, созидаемой и ломаемой жизненным потоком.

Поток предполагает гранитную твердость берегов, створов, направляющих стен; волноломы так же естественны, как волны потока. Поток как бы направляет и смиряет себя сам. В о ж д ь есть крайнее и последнее выражение этой смиряющей себя народной магмы.

"Кто-то д о л ж е н здесь сидеть..."

* *
*

Но почему именно он?

Как же все-таки о н оказался наверху, как он сумел одолеть всех, этот косноязычный семинарист, "шпаргальщик", "серое пятно", "выдающаяся посредственность", "дублер", "аппаратчик", "номенклатурщик", ударник самообразования? Как он умудрился возглавить такую махинищу, обратать такую страну, такую неимоверную силу? Какой бес провел его по лабиринтам – ведь гибель ждала за каждым поворотом?

Говорят: мастер кабинетных комбинаций. При любом голосовании – с большинством. Гений процедурных расчетов: всех пересчитал.

Так, но прежде всего: откуда сама эта ситуация, при которой "подсчет голосов" в группке лидеров мгновенно получает решающее и неодолимое значение для жизни миллионов людей, почему какая-нибудь телеграмма с курорта, из кисловодской пещеры, способна оказать фатальное воздействие на судьбу целого социального класса и всей огромной страны? А если так, то, может быть, "подсчет"-то и открывает истину, страшней которой в данной ситуации не придумаешь. Гений комбинирования? Сблокировался с Каменевым и Зиновьевым, чтобы свалить Троцкого, потом сблокировался с Бухариным, чтобы свалить Каменева и Зиновьева, потом использовал Ежова, чтобы свалить Бухарина, потом позвал Берию, чтобы уничтожить Ежова... да что ж они вокруг все слепые, что ли, были, не видели, что происходит? Не слепые. Так в чем же дело? А в том, что вокруг все и сами были такие же, только поддержки не могли собрать. А он – собрал. Профессионал блокирования: на каждом этапе, при каждом очередном голосовании оказывался с большинством. Я бы иначе сказал: не "оказывался" с большинством, а б ы л с ним, у г а д ы в а л его. И делал именно то, чего – осознанно или смутно – большинство хотело. Большинство в группке, называемой "секретариат", или "бюро", или "президиум". Большинство в группе, называемой "пленум", или "съезд", или "конференция". Большинство в партии, взявшей на себя власть и ответственность. Большинство в народе, согласившемся отдать власть и ответственность в руки партии, из того же народа вербуемой.

Чего же хотело большинство? Соловков? Бараков? Голода? Чисток? Всеобщей слежки? Всеобщей лести, сотканной из ежедневного спасительного вранья и искреннего страха? Нет, конечно, хотели не этого. Хотели – выжить, спастись в сложившейся ситуации. А это все была плата.

Так откуда ситуация? Почему понадобилась самосмиряющая монолитность: сталь и железо – гвозди вместо людей, тотальное единство вместо свободы и согласования интересов, диктат и сыск вместо выбора и открытого соревнования качеств? Вообще, тотальная война вместо мира – почему это было лучше? К т о это решил? Генсек, который одно взял у Маркса, другое у Троцкого, третье у Ленина, четвертое у Бухарина, пятое у Макиавелли, сам ничего не выдумал, но уж довел до логического конца то, что выдумывали другие и на что тайно уповали, надеялись все?

Так и решалось, как все хотели. Большинство. Квашня, масса, магма, тесто, поток, силища. "Среднестатистический человек". Увы, он-то и получил то, на что простодушно рассчитывал.

Но не безумие ли это: искать такой "общий тип" человека, гражданина державы в державе, разрываемой внутренней борьбой, в обществе пестром, взбудораженном, сохраняющем единство с помощью стального обруча? Что общего между типом партийца 30-х годов, сгорающего на работе, верящего в светлое будущее, готового ради него на любую жестокость, и типом так называемого обывателя той же поры, раздавленного, потерявшего имя, забившегося в щель, притихшего в ожидании ареста либо приказа, удара либо милости и презираемого этим партийцем?

Общее то, что оба порождены одной исторической почвой и, в сущности, порождают друг друга. Один делает то, что другому хотелось бы, да не может. Один воплощает то, о чем другой мечтал бы... "Кулак – где у того дыра", как сказал поэт. От противного. Воистину, если российский беспочвенный мечтатель брался обрести почву – он ее вытаптывал и трамбовал до каменной непреложности; если он брался тягаться с природой, он доходил до заворота мозгов и поворота рек; если он решался действовать, то действовал наотмашь; если начинал ненавидеть собственное бессилие, то впадал в такой экстаз насилия, что мир был готов перевернуть – тот самый мир, до которого мгновение назад (исторически – мгновение) ему вообще дела не было.

"Российский мечтатель"... Слабовато звенышко – вытянуть т а к у ю цепь. Не без сомненья берусь за него. Но где-то же должен быть решающий человеческий тип, все это определяющий. Как, по Ренану, когда-то, в первый век от Рождества психологический тип сирийца определил успех христианского учения. Какой тип определил успех учения сталинского? Что за люди пошли потоком в то, а не в это русло, определив стрежень?

Не будем тут так уж переоценивать национальный субстрат! Я сказал "российский", а не "русский", и, хотя русская психология сыграла огромную роль в подготовке ситуации, решил ее не "русский человек", а нечто новое: человек "советский". В отличие от нынешней эпохи эпоха сталинская строила себя в минимуме национальных и в максимуме социальных координат. Но эти социальные координаты в свою очередь "подперты" толщей исторического развития, шедшего и в национальных, и во всяких иных формах. Исторические рамки объяснения должны быть несколько сдвинуты, точнее, раздвинуты относительно той тоталитарной и отчаянной ситуации, которую я хочу понять.

Я хочу понять народный феномен, реализовавшийся в сталинизме.

Каковы все-таки исторические рамки? Ну, возьмем пик, кульминацию, предельную точку драматизма: 1937 г., когда "очередь" дошла до самой ленинской гвардии, и она впервые поняла, должна была понять, что не она – хозяйка положения. И еще дата: 1945 г., после которого впервые, кажется, стало "отпускать". Вот "ядро" трагедии. Теперь поищем вход и выход. Лет сорок – до 1985-го – потребовалось нам, чтобы выйти из ситуации: если не изжить ее, то как-то отделить себя от нее психологически (так что только сегодня я могу решиться написать все это). Столько же – лет сорок – она вызревала и шла к своему пику: сорок лет надо отложить по шкале времени в прошлое: к рубежу XX века, к эпохе 1898–1902 гг., ко времени, когда российским сознанием был выдвинут совершенно новый тип революционера – большевик. Вот эти восемьдесят-восемьдесят пять лет XX века и вмещают нашу драму.

Корни, конечно, глубже. Корни уходят в глубь истории: в опыт жизни лесных племен, делавших на всякий случай один-два тайных выхода из своего убежища; в опыт степняков, не имевших возможности огородиться и потому спасавшихся либо мгновенным, дерзким, коварным броском, либо скучиванием в огромные воинственные массы-орды; жили-то на равнине, на "блюдце", во власти всякого проходящего, чья сила; жили в зоне "условного земледелия", с голодовками и морами; жили – не загадывая далеко, в поминутной готовности к переменам и несчастьям, в тихой надежде все вытерпеть и вместе с тем при случае обмануть судьбу, а потрафит – так и взять за рога, сорвать банк разом... а потом и спустить все, плюнуть: не держаться, если все равно безнадежно.

Выработался тип мечтателя, терпеливца, не столько живущего на земле, сколько над ней летающего. Тип кочевника, скитальца. Тип человека контактного и переменчивого, эмоционального и импульсивного, недоверчивого и легковерного: недоверчивого в вопросах мелких, практических, сиюминутных и легковерного в вопросах крупных, духовных, вечных.

Выработалась и глубоко вошла в душу ненависть к оседлой цепкости, к практичной дальновидности, к узкому здравомыслию и повседневной определенности, ко всему, что связано со словом "предел". В отрицательной зоне оказалось слово "хозяин", иногда и слово "город" (город – то, что огорожено, "место", "бург"), неприязнь ко всему, что связывает и держит, что скапливает и копит, не дает разойтись, разлететься. Долгие проповеди русской интеллигенции закрепили эти чувства в словах и понятиях: "мещанин", "буржуй", – и в свой час откликнулись они ненавистью к "кулаку", "хозяйчику", "предельщику" (то есть тому же интеллигенту).

В этой незакрепленной душе мечтание тоже было незакрепленным, непрактичным, малополезным. Характерно вечное сомнение: надо ли мечтать? – подхваченное у Писарева Лениным. Характерно и то, как разлетается мечта от удара о реальность: все или ничего! И тот тип предприимчивости характерен, о котором Лесков сказал с ядом: "разбогатеть бы как-нибудь сразу". То есть: не вкладывая долгого, каждодневного, методичного, выматывающего труда. Сделать бы какую-нибудь эдакую машину, которая бы работала "сама", – а мы бы гуляли, пели, отводили душу. То, о чем Маяковский сказал: "и будет много стихов и песен". То, о чем Платонов сказал – в "Ювенильном море". Юношеская мечта, ювенильная: все "неинтересное" – решить как-нибудь раз навсегда. Препоручить. Кому? Машине. Науке. Какой-нибудь особой группе людей, которая решит. "Из особого материала".

Препоручили.

Большевизм сконцентрировал в себе всю ненависть народа к его же собственной косности, лени, беспочвенной мечтательности, неверности, разгулу, анархической непредсказуемости, сентиментальной эйфории, прекраснодушию. Большевизм – апофеоз дисциплины, стальной решимости, практичности, целеустремленности, монолитности. Он – отрицание, но он и порождение, отражение вязкой русской почвы. Начали строить "царство справедливости" – наивно-практически, с железными гвоздями, со срытием гор, с поворотом рек. В железном методизме, осенившем себя наукой, преломилась все та же надмирная мечтательность, откликнулось все то же легковерие в глобальных вопросах. Как шутили сменовеховцы: разве ж за жалкий конкретный посул, за "кусочек земли или "четыреххвостку" выборов – пошел бы русский мужик революцию делать?! Да никогда! За мировую справедливость пострадать позвали – пошел. Сомнамбула всемирного масштаба. Иррациональная душа с рационализмом наперевес.

Можно ли было переменить что-нибудь?

В условиях мировых войн, экзаменовавших народ на выживание, – не думаю. Могли быть другие имена, другие "вожди", другой порядок жертв, другая очередность срезаемых слоев. Но горе все равно было бы то же. И расплата та же. И прозрение.

Наверное, я фаталист. Но скорее в том смысле, в каком фаталистом был отец Павел Флоренский, соловецкий узник, писавший, что не следует беспокоиться ни о чем, помимо задач сегодняшнего дня. Вы же не можете переменить глобальный ход событий, это не в ваших силах. Побеспокойтесь о том, что в ваших силах: хватит с вас и того, что в ситуации неотвратимо-бесчеловечной вам придется искать пути остаться человеком.

Соловецкий лагерь, между прочим, – модель нащупываемого Гулага. Кто там заключен в начале 20-х годов? Немного "чеховских интеллигентов", попавших как кур в ощип, а в основном – вчерашние бунтари: анархисты, эсеры, меньшевики. Что же они кричат охране? Как-де вы смеете нас держать за решеткой, нас, строителей новой жизни, завтрашних ее владык, – это м ы в а с должны держать за решеткой (и будем держать!). А кто в охране? Частью – чекисты (завтрашние жертвы), частью – перекрасившиеся белогвардейцы (тоже жертвы), большею же частью – вчерашние солдаты первой мировой войны, которым н е х о ч е т с я и д т и о б р а т н о в д е р е в н ю.

Вот вам и модель, вот вам и почва. Откуда Гулаг? Сталин выдумал? Или так: Френкель выдумал, Берман, Ягода, Фирин, а Сталин – "разрешил"? Сколько народу прошло узниками через Гулаг? Миллионы. Сколько нужно народу задействовать в охране и в обеспечении, чтобы охватить такое количество узников? Миллионы же. Что, эти миллионы, упали с неба? Нет, пришли с земли. То есть: у ш л и с земли.

Кто же разорил землю, кто раскрестьянил страну? Хитрый вопрос. Опять-таки, человека, который р а з р е ш и л ликвидировать кулачество как класс, легко вычислить, и мы его хорошо знаем. Но к о м у он это разрешил? И кто практически ликвидировал кулаков? Чья историческая ненависть была тут задействована? Чье желание было угадано?

Да, чуть не забыл еще одно главное действующее лицо: бюрократа. Сидит с бумажками, "оформляет дела". Сколько было дел, мы теперь тоже знаем, вернее, пытаемся узнать. Но откуда навербовались тысячи и тысячи доброхотов в систему, "оформлявшую дела", – это мы себе объяснили? А с к о л ь к о народу писало доносы в 30-е или 40-е годы – это мы сейчас можем себе представить или еще не готовы? И что "сажают правильно", пока "до меня не дошло", и что "кругом враги", и их всех н а д о пересажать, а только "меня – не надо", только меня – "ни за что", – это людям тоже бюрократы внушали, или это козни международного империализма? А может, это все-таки почва? Нужна жилплощадь, сосед мешает – донос. Нужно место в конторе, сослуживец мешает – донос. Конкурент объявился, путь в науку перекрывает – донос...

Нет, не на кого пенять, не на кого валить. Пелена спадает, а мы – все те же. Кто теперь надеется горбом свое заработать? – вся надежда попасть в очередь да получить. П о л у ч к а в языке прочно вытеснила и "доход", и "прибыль", и "стоимость". Главный импульс – бежать туда, где дают. О чем мечтает девочка из дальней деревни? Перебраться на центральную усадьбу. Перебраться в райцентр. Перебраться в областной город. Замуж так замуж, в общаг так в общаг, в лимит так в лимит. Чистая работа лучше "грязной". Из кого состоит "бюрократическая система"? Из женщин средних лет, как сказал один зоркий публицист, из детных баб, "зацепившихся" за должность, чтобы свести концы с концами. А мужик где? Пьет? Сидит? Гуляет? Шабашничает? От веку говорили философы: у России "бабья душа". Денис Давыдов уточнял, что имеются в виду "бабы обоего пола": эмоциональный надрыв, возбуждение, агрессивность, "ползучее хамство" и неистребимая надежда, что все д а д у т, надо только не промахнуться, в нужный момент оказаться в нужной "очереди".

Что выявила гласность, с помощью которой мы пытаемся излечиться от самих себя? Агрессивность нашу выявила, безадресную, безмотивную злобу. Национальные амбиции. Нехватку всего и неготовность работать.

Фатально это? Да, фатально. В тех условиях, какие мы имеем, – фатально. А иначе надо стерпеть слишком многое. Надо стерпеть неравенство, стерпеть национальные амбиции, стерпеть противоположность интересов. Мы этого не умеем. Мы уповаем на равенство, которое устанавливается после уничтожения сильных. Мы уповаем на "всечеловечность", в которой национальные противоречия исчезнут "сами собой". Мы не умеем согласовывать интересы, мы их еще и признавать противоположными не умеем. Мы умеем отказаться о т в с е г о (ради мировых задач), но мы не умеем поступиться малым (уступить конкуренту, признать свое бессилие в том или ином конкретном вопросе). Мы не привыкли работать "по-западному", то есть встав рано и не опохмеляясь. Мы не хотим делать свой кусочек дела – мести свой кусочек улицы, как говорил Гоголь. Мы не прошли этой школы.

Так ведь школу проходят – столетиями! Народ в одночасье не переделаешь – перестроить ряды можно, но как народу вырасти в новое состояние? Сколько нужно поколений? У нас это время есть?

А если опять "передеремся в очередях" и вместо работы опять примемся все делить и переделять, "грабить награбленное" и ловить, кто сколько наворовал, если опять до смертного междоусобия дойдем (как уже доходят в статьях иные журнальные критики), – так чтобы прекратить "бузу", понимаете, к о г о придется звать?

Увы, это в традициях: звать Варяга, когда сами у себя порядка навести не можем. Чуть что – вопли на сторону: придите! И все наше неудержимое чванство по отношению к "иностранцам" оказывается не чем иным, как тайной ревностью, тайной надеждой и тайным заискиванием.

Нет, я, разумеется, не против модных нынче "мостов", "контактов" и "смешанных предприятий".

Я о другом: что же все-таки мы такое на этой земле?

Я о Сталине. О нашем маятнике из любви в ненависть при этом имени. К себе ненависть была – к нему любовь, так? А теперь вывернулось: к нему ненависть – к себе любовь? Он диктатор, конечно. Но кто утвердил диктатуру, в которой он нашел себе место? Он преступник, конечно. Но кто отменил ту черту, которую надо "переступать", кто подменил закон целесообразностью и мораль выгодой? Он виноват, конечно. А мы?

Вот сейчас и решается: что такое мы и чего стоим.

Закончу, как и начал, – черточками автобиографии.

29 июня 1941 г., уходя на фронт, мой отец (ему оставалось жить на этом свете десять дней, но он не знал этого; он надеялся через десять дней кончить войну в Берлине; он был коммунист, политрук, д о б р о в о л е ц), так вот, он подарил моей матери на память книгу: "Тихий Дон" Шолохова. И надписал... в надписи смерть вдруг вздохнула между строчками... он написал: "Расти сына сталинцем". Мать сорок семь лет плакала над этой надписью. Она выполнила завет, благодаря чему в 1949 г. я и подал школьное сочинение о Сталине в стихах. И еще четыре года спустя студентом-второкурсником мысленно (ибо в Колонный зал не пробился) п р о с т а и в а л -таки у его гроба ночи и дни траура. И пережил потрясение, почувствовал веру, обрел надежду в 1956 г. И постепенно протрезвел. К 1964 году. Окончательно.

Вот почему я мало верю в смену вывесок. Я слишком хорошо помню, что имя могло быть другим. Не в имени дело, а в том, что это псевдоним. Я не хочу, чтобы мои дочери растили своих детей под сенью псевдонимов, которые приходится менять.

А. Антонов-Овсеенко

ТЕАТР ИОСИФА СТАЛИНА

Театр Иосифа Сталина – явление уникальное
во времени и в пространстве. Спектакли шли непрерывно,
сливаясь в единое, на три десятилетия, действо.
Сценой ему служила вся страна – от Красной площади
до Колымских лагерей.

Он был неотразим...

Осень 1936 г. Прокурор Российской Федерации Владимир Александрович Антонов-Овсеенко пришел домой радостный, взволнованный.

– Еду в Испанию! Я был у Сталина. Это необыкновеннный человек. Какая концентрация воли и ума... Какая колоссальная энергия!

В Барселону генеральный консул уезжал обласканный, унося в сердце образ обаятельного человека, прозорливого Вождя.

Мария Александровна Иоффе, вдова известного дипломата и революционера Адольфа Абрамовича Иоффе, рассказывает:

"Сталина мы видели часто. Мы встречались с ним на премьерах Большого театра, на которые администрация бронировала нам места в ложе. Сталин обычно появлялся в окружении приближенных. Среди них были Ворошилов и Каганович... Он держался как открытый, душевный собеседник, был чрезвычайно общителен и дружески настроен, но во всем этом не было ни единой искренней нотки... В общем, Сталин был актером редкого таланта, способным менять маски в зависимости от обстоятельств. Одна из его любимейших масок – простой, добрый парень без претензий, не умеющий скрывать своих чувств".

Со временем лицемерие стало его второй натурой, и каждая маска, казалось, органически выражала его сущность. То он играл роль свойского парня, то – строгого блюстителя партийной чести, то – всемогущего Вождя. Сталин вживался в каждую роль столь основательно, что начинал сам верить в новый образ.

Когда Сталин жил у Аллилуевых в 1912 г., а потом вновь в 1917-м, он забавлял окружающих циничными анекдотами. Может быть, здесь-то он и оставался самим собой.

Ко времени своего 50-летия Сталин был убежден, что уже достаточно созрел для выхода на мировую сцену. Дебют прошел удачно. На Юджина Лайэнза, посетившего Кремль в конце ноября 1930 г., генсек произвел благоприятное впечатление. А этот американский журналист был довольно хорошо информирован о характере сталинского правления. Еще большего успеха Сталин добился у Розиты Форбст, леди Астор и нескольких других влиятельных дам. Он совершенно очаровал их, разыгрывая милые сценки с детьми и с собачками...

6–1203

С искусством, которому могли бы позавидовать цирковые волшебники, он в декабре 1931 г. дал представления немецкому писателю Эмилю Людвигу и три года спустя – английскому фантасту Г. Уэллсу. Они тоже не устояли перед его чарами. Правда, Уэллс заметил, что генсек ни разу не посмотрел ему в глаза, но о таких пустяках и говорить не стоило. Знаменательно то, что Уэллс написал: "Я никогда не встречал более чистосердечного, справедливого и честного человека, и своим потрясающим, неоспоримым восхождением он обязан именно этим качествам, а не чему-то темному и зловещему... До встречи с ним я думал, что он, возможно, находится на этом посту потому, что люди боятся его, но скоро понял, что его никто не боится и что все ему доверяют".

Среди писателей, которых он обвел вокруг пальца – а ведь проницательность считается чертой, присущей настоящему писателю, – назовем Барбюса, Ромена Роллана, Андре Жида и Бернарда Шоу. Да, и Шоу.

Он впервые приехал в Москву в 1931 г. Будучи под впечатлением торжественного приема, устроенного в его честь по случаю 75-летия, великий сатирик и правдолюб совершенно не заметил такую деталь, как голод, который уносил миллионы жизней хлеборобов. Однако Шоу же все раскусил Сталина, написав, что манеры диктатора были почти безупречны, "нам с трудом удавалось скрывать то, что он нас ужасно забавлял". С афористичной точностью Шоу описал Сталина как помесь папы и фельдмаршала. В целом, однако, у английского гостя осталось благоприятное впечатление от Вождя, и в 1941 г. он публично атаковал критиков Сталина.

В годы войны актерский талант генсека достиг вершины. В переговорах с главами государств он всегда попадал точно в тон. В присутствии проницательного и недоверчивого Черчилля играл с большой осторожностью, сдержанно. Рядом с добродушным Рузвельтом накладывал иной грим. В конце концов он перехитрил их обоих, может быть, не во всем, но во многом. Сталин пытался убедить каждого, что он вовсе не диктатор, а просто первый среди равных, и что все важные вопросы, касающиеся государства и партии, решаются коллективно, по-ленински. Не так уж легко ему было выказывать искреннее почтение и изображать благородные манеры, но он преодолел эти технические трудности.

Уинстон Черчилль вспоминал в 1959 г.:

"Сталин произвел на нас величайшее впечатление. Его влияние на людей неотразимо. Когда он входил в зал на Ялтинской конференции, все, словно по команде, вставали и – странное дело – держали почему-то руки по швам..."

Однажды Черчилль твердо решил не вставать при появлении Сталина. К началу очередной встречи они с Рузвельтом, как обычно, заняли свои места и стали ждать главу Советской России. Сталин вошел, и будто потусторонняя сила подняла английского премьера с места...

"В самые критические минуты, а также в момент торжества, он был одинаково сдержан, никогда не поддавался иллюзиям, был необычайно сложной личностью. Он создал и подчинил себе огромную империю. Это был человек, который своего врага уничтожал руками своих врагов. Заставил даже нас, которых открыто называл империалистами, воевать против империалистов".

Премьер-министр Великобритании все-таки разглядел под маской Отца Народов жестокого, беспощадного диктатора. Анри Барбюсу этого не было дано.

Он приехал в Москву в сентябре 1934 г. Сталин пригласил его на дачу в Зубалово. Беседовали до глубокой ночи, великий француз и вождь советского народа. Сталин буквально очаровал писателя:

"Человек, чей профиль изображен на красных плакатах рядом с Карлом Марксом и Лениным, – это человек, который заботится обо всем и обо всех, который создал то, что есть, и создает то, что будет. Он спас. Он спасет... И кто бы вы ни были, лучшее в вашей судьбе находится в руках... человека, который... бодрствует за всех и работает, – человека с головой ученого, с лицом рабочего, в одежде простого солдата".

Эти невероятные строки, венчающие книгу Анри Барбюса о Сталине, с той же степенью достоверности, что и архивный документ, помогают воссоздать подлинный образ Вождя. Так провести писателя, заставить его манипулировать своими убеждениями мог только Иосиф Сталин.

Создается впечатление, что он вступил в соревнование со всеми именитыми деспотами истории. На втором десятилетии властвования он превзошел их всех, и после этого его уже не с кем было сравнивать.

Его клака

Почитатели таланта Федора Шаляпина помнят историю, связанную с его дебютом на сцене миланского театра Ла Скала. Театральная клака пыталась освистать великого артиста: он не только отказался оплачивать труды клаки, но велел гнать в шею шантажистов, когда те явились к нему в номер гостиницы.

Сталин в начале 20-х годов создал свою клаку для заседаний Пленумов ЦК, партконференций, съездов[1]. Крикуны могли сорвать выступление любого партийного деятеля.

...В декабре 1925 г. Сталин обнародовал свою теорию построения социализма в одной стране. Это совпало с дискуссией о нэпе и спорами об организационной политике ЦК на XIV съезде.

Слово взяла Крупская. Она с тревогой говорила о положении в партии и коснулась, между прочим, теории непременной правоты большинства. Сталинская клака устроила вдове Ленина настоящую обструкцию. Кто-то ехидно поздравил Троцкого с новым соратником в лице Надежды Константиновны Крупской. Она растерялась...

Каменев оказался покрепче. "Давайте договоримся, – предложил он свирепогласным крикунам, – если у вас есть поручение перебивать меня, то вы так и скажите. ...Вы меня не заставите замолчать, как бы громко ни кричала кучка товарищей".

В заключение Каменев, уже высказавшийся против теории "вождя", мужественно повторил главное:

---

[1] В этой связи следует напомнить читателю, что с 1922 г. организационно-инструкторским отделом ЦК РКП(б) заведовал Л. Каганович, а секретарем ЦК по организационным и кадровым вопросам с 1921 г. был В. Молотов. Их трудами и была укреплена на местах сталинская клака, что дало право В.И. Ленину утверждать в своем "политическом завещании": Сталин приобрел непомерную власть. – *Ред.*

"Сталин не может выполнить роли объединителя большевистского штаба... Мы против теории единоначалия, мы против того, чтобы создавать вождя!"

Зал на мгновение замер. Так бывает перед тем, как, потрясенные ярким монологом, зрители разражаются овацией.

Настал один из тех кульминационных взлетов, к которым генсек старательно готовил свою клаку.

– Неверно! Чепуха!

– Сталина! Сталина!

– Да здравствует Российская Коммунистическая партия! Ура! Ура!

– Партия выше всего!

– Да здравствует товарищ Сталин!!

И клака подняла зал.

"Делегаты встают и приветствуют товарища Сталина", – записано в протоколе.

То было не первое выступление клаки. В январе 1924 г., за несколько дней до смерти Ленина, на XIII партконференции И.Я. Врачев выступил против утвердившихся методов борьбы с оппозицией. Клакеры резко обрывали его.

"Товарищи, может быть, у нас осталось всего несколько часов демократии, так разрешите нам этими часами воспользоваться", – обратился делегат к слишком дружной "команде".

...На объединенном Пленуме ЦК и ЦКК 1927 г. (июль–август) Сталин высмеивает Каменева, потом выдвигает вздорные аргументы против статьи Зиновьева "Контуры будущей войны". Генсек не боится позы скомороха – клака вовремя засмеется. И не забудет к месту – а оратор уж выдержит паузу – крикнуть: "правильно!" или "позор!".

Когда Сталин сравнивает Троцкого с Клемансо, активисты послушно высмеивают "этого опереточного Клемансо".

Но вот генсек извиняется: ему, видите ли, "придется также сказать несколько слов о выпадах Зиновьева против Сталина".

– Просим! – раздаются голоса.

Потом Сталин договорится до того, что оппозиция ведет политику открытого раскола Коминтерна.

– Правильно! – откликаются солисты.

Генсек цитирует то место написанной Лениным резолюции X съезда, где говорится о мерах против фракционеров – вплоть до исключения из партии.

– Надо осуществить это сейчас же! – дружно звучат голоса.

– Подождите, товарищи, – вступает Сталин, – не торопитесь.

Ну, чем не спектакль?

Январь 1924-го. Антонов-Овсеенко обратился к Пленуму ЦК с жалобой на Оргбюро, которое решило снять его с поста начальника Политуправления Реввоенсовета.

Из выступления Антонова-Овсеенко на Пленуме:

"Настаиваю на совершенной ясности в постановке вопроса обо мне. Речь идет об отстранении с поста начальника Политуправления члена партии, осмелившегося выступить в партийном порядке против линии большинства ЦК, вредной для единства партии и моральной сплоченности армии.

Все обвинения в том, что ПУР был мною превращен в штаб фракции, отметаю с презрением – никто этого не доказал и никогда доказать не сможет. А до тех пор, пока это не доказано, смысл моего устранения будет один – еще до съезда партии свести групповые счеты со слишком партийно выдержанным, не способным на фракционные маневры товарищем".

Владимир Александрович разоблачает клеветническую кампанию, начатую центральным аппаратом против него с целью запутать всех активных коммунистов, причисленных к "троцкистской оппозиции".

"Я отнюдь не заблуждаюсь, – заявил членам ЦК Антонов, – что этой широко ведущейся кампании дан определенный тон, и не кем другим, как товарищем Сталиным".

Большинство членов ЦК заняло выжидательную позицию. В поддержку резолюции Оргбюро выступили Молотов, Шверник, Шкирятов, Ярославский. Да, товарищ Емельян тоже. В марте 1906 г. Антонов вместе с ним после провала Московской конференции военных организаций РСДРП(б) угодил в тюрьму. Вместе бежали на волю, и вот теперь... Теперь Емельян Ярославский играет порученную ему роль. Вместе с Молотовым, Шверником, Шкирятовым.

Пройдет всего четырнадцать лет, и эти же лица санкционируют казнь героя Октября. За ним последуют тысячи честных коммунистов.

Функционеры клаки обернулись функционерами смерти.

Надежных исполнителей подобрал себе Сталин. Некоторые, как Ворошилов, Микоян, Молотов, служили ему более трех десятков лет. Последнему, кстати, было труднее других: он страдал заиканием. Однажды Молотов пожаловался Лаврентию Картвелишвили: "А знаете, товарищ Лаврентий, я ведь свои речи перед зеркалом выпеваю".

Это был большой тугодум, однако довольно скоро он наладился скрывать скудость ума под личиной государственного мужа. Впрочем, легковерных на его век хватило. Недавно Молотов скончался, а фальшивый образ его продолжает жить в самых разных писаниях...

...Ноябрь 1946-го. Целый день заседала Академия наук по поводу избрания Молотова своим почетным членом. С утра до позднего вечера изливался на чело заместителя Председателя Совета Министров густой елей. Долгие годы еще будет он курировать Академию наук, будет "светочем науки". Не всякий выдержал бы такое. Молотов выдержал.

Каждое мероприятие и выступление он предварительно согласовывал с генсеком. Под твердой сталинской дланью жилось ему вполне уютно. Но Сталин, привыкший единолично управлять людьми и событиями, был непредсказуем.

На XV съезде партии доклад о сельском хозяйстве читал Молотов. Неожиданно для всех с критикой доклада выступил генсек. Молотова Сталин не предупредил, и Вячеслав Михайлович растерялся. А Сталин своего достиг: продемонстрировал наличие свободы критики в центральном аппарате, а заодно еще раз испытал ближайшего соратника на покорность. Генсек замутил воду в аграрной политике партии, дабы вызвать новые разногласия.

Молотов пришел домой, расстроенный вконец, и пожаловался жене: "Сталин не хочет придерживаться наших общих решений, всегда все перепутает, потом трудно бывает исправить... Мы ведь обо всем с ним договорились, а он взял и набросился на меня..."

Устроить провокацию, уйти в тень, свалить вину на другого, выдать себя за несгибаемого ленинца – такова типовая схема участия Сталина в политических постановках. Этой схемы с вариациями (скажем, расстрелять виновных) Сталин будет придерживаться и впредь. Что касается подручных (соратников), то они были искренне убеждены в том, что всякое мероприятие, начиная от политических кампаний и всесоюзных съездов и кончая стихийными митингами и концертами, должно быть разыграно по схемам, начертанным в высоких кабинетах.

Так полагал и Лазарь Каганович, еще один видный фигурант главной труппы. Его отличало отсутствие малейших сомнений относительно божественного происхождения Сталина. Не он ли первым провозгласил генсека Великим Вождем? Молотов, Микоян, Калинин, Рудзутак, Киров, Орджоникидзе – последние особенно – могли иной раз и не принять сразу указаний генсека, даже поспорить с ним. Не таков был Каганович. Он неукоснительно исполнял любое веление Хозяина и твердо следовал однажды принятому ритуалу.

...Анна Ахматова выступает в большом зале Политехнического музея. Появление любимой поэтессы зал встречает овацией, все встают, многие устремляются к сцене с букетами цветов.

Первым донес генсеку об этом невероятном событии Каганович. Сталин разгневался: *кто организовал вставание?!*

В самом деле, кто посмел?

Лазарь Каганович был редким ортодоксом партаппарата. Его преданность канцелярской букве и Вождю отпугивала даже всемогущего Берию.

Что их объединяло, таких недружных?

Все они, "народа меньшие отцы", жили-играли под знаком трех "у": угадать, угодить, уцелеть.

Игра в отставку

Ленин в своем завещании, давая характеристики возможным преемникам, упомянул о капризности генсека. Что он имел в виду?

Осень 1918 г. Царицын. Член РВС Южного фронта Сталин всячески преследует (иных казнит) генералов и офицеров царской армии, осмелившихся встать на защиту Советской власти. Здесь, вероятно, сказалась его органическая ненависть к "интеллигентам", будь то ученые, литераторы или военные. В Царицыне Сталину особенно досаждал командующий фронтом генерал П.П. Сытин. Через десять лет, достигнув вершины славы и могущества, генсек сведет с ним старые счеты – казнит злополучного патриота, а тогда, в 1918-м, пришлось ограничиться вульгарной клеветой. Он обвинил Сытина в плохом руководстве фронтом, намекнул на предумышленный срыв снабжения частей... ("Чья-то умелая рука старается... доконать Царицын".) Сталин потребовал привлечь командующего к судебной ответственности.

Ленин вызвал Сталина в Москву и резко осудил его политику и самочинные действия членов РВС Ворошилова и Минина. Вернувшись в Царицын, Сталин инспирировал горячий протест собрания видных партийных работников "против насаждения в армии беспартийных генералов" и сделал попытку ревизовать "политику центра" в отношении военных специалистов. Однако взять ленинские позиции наскоком не удалось. Тогда Сталин подал заявление об уходе с постов члена РВС республики и РВС Южного фронта. 9 октября он известил главное командование о том, что считает себя вышедшим из состава РВС.

Так начиналась игра в отставку. Игра, растянувшаяся на три с лишним десятилетия. Ни с каких военных постов Сталин и не думал уходить, он продолжал, в меру своих сил, саботировать директивы центра – до самого конца гражданской войны. История помнит, как член РВС Юго-Западного фронта Сталин, вопреки директиве главкома, задержал переброску войск Первой Конной армии и тем самым сорвал наступление Тухачевского на Варшаву. Интриган и властолюбец, он воспринимал победы других военачальников как личное оскорбление.

Тухачевский и командующий Юго-Западным фронтом Егоров разделили потом судьбу генерала Сытина.

Осенью 1922 г. возникло так называемое "грузинское дело", фактически спровоцированное Сталиным. Начинающий генсек навязал Закавказью федерацию, не посчитавшись при этом с пожеланиями грузинских товарищей. Тяжело больной Ленин пытался вмешаться, но противостоять интригам генсека было нелегко. Сталин отказывался даже ознакомить Владимира Ильича с материалами дела. 30 января 1923 г. Лидия Фотиева записала в дневнике: "Послала письмо Сталину, его не оказалось в Москве. Вчера, 29 января, Сталин звонил, что материалы без Политбюро дать не может... Спрашивал, не говорю ли я Владимиру Ильичу чего-нибудь лишнего, откуда он в курсе текущих дел. Сегодня Владимир Ильич вызывал, чтобы узнать ответ, и сказал, что будет бороться за то, чтобы материалы дали".

Наконец, 1 февраля Политбюро разрешило выдать материалы по "грузинскому делу". Сталин был явно недоволен. Он предложил Политбюро освободить его от хлопотных обязанностей, связанных с наблюдением за исполнением Лениным терапевтического режима. Он, конечно же, играл, генсек. Сталин знал, что никто не решится лишить его статуса надзирателя.

Май 1924 г. На XIII съезде партии, согласно предсмертной воле Ленина, должны были зачитать его письмо, так называемое Завещание. Однако документ, как известно, решили огласить только на собраниях отдельных делегаций.

Предстоял Пленум ЦК. На заседании Пленума Сталин встал в позу обиженного: "Если товарищи считают, что Завещание является таким документом, который лишает меня всякого политического доверия, я уйду с поста генсека..."

То была поза, игра. Игра для Сталина беспроигрышная, ибо генсек знал, что вслед за тем с необходимыми заверениями выступит Зиновьев, за ним – кое-кто еще...

Через месяц Сталин повторил этот прием. Большой мастер по части создания конфликтов, он воспользовался ошибкой стенографистки на XIII съезде партии и обвинил Каменева в искажении речи Ленина – якобы Каменев вместо "России нэповской" употребил слово "нэпмановской". Эту грубо сработанную инсинуацию Сталин вынес на страницы *Правды*.

Каменев и Зиновьев решили дать отпор генсеку. Но когда экстренно созванное совещание ответственных партийных работников при учатии Политбюро и ЦК осудило последний выпад Сталина, он заявил о своем уходе с поста генсека. Такой вот "аргумент"...

Отставка генсека и на этот раз не была принята.

Прошло полтора года после смерти Ленина. Будучи на отдыхе в Кисловодске, группа членов ЦК обсудила во время загородной прогулки вопрос о коллегиальном руководстве. Весьма успешные попытки Сталина укоренить свой диктат над ЦК встревожили товарищей, остановившихся возле живописной пещеры. Они послали генсеку письмо с предложением изменить состав Секретариата ЦК. Сталин тотчас же припугнул их отставкой. На XIV съезде, в декабре 1925 г., Сталин решил их еще и высмеять и повторил: "Если товарищи настаивают, я готов очистить место без шума, без дискуссии, открытой или скрытой, и без требования гарантий прав меньшинства".

Он рассчитывал услышать смех в зале. И смех последовал.

К концу 1927 г. Сталину удалось значительно продвинуться на пути к единоначалию в ЦК. На XV съезде партии он убрал из руководящих органов 75 активных оппозиционеров, некоторых исключил из партии. А всего из партии "вычистили" около двух тысяч человек. После исключения лидеров так называемой "объединенной оппозиции" Сталин устроил на заседании Пленума ЦК маленький спектакль:

"Я думаю, что до последнего времени были условия, ставящие партию в необходимость иметь меня на этом посту как человека более или менее крутого, представлявшего известное противоядие против оппозиции. Сейчас оппозиция не только разбита, но и исключена из партии. А между тем у нас имеется указание Ленина, которое, по-моему, нужно провести в жизнь. Поэтому прошу Пленум освободить меня от поста генерального секретаря. Уверяю вас, товарищи, что партия от этого только выиграет".

Надев маску спасителя партии, генсек мог и пококетничать с судьбой. Пленум, конечно же, вновь избрал его генсеком. Единогласно.

Кому жить надоело?..

Позднее, став непререкаемым Вождем, Сталин к этому трюку не прибегал. Впрочем, нет, в старости он вновь к нему вернется.

Выдвигая в 1946 г. Алексея Александровича Кузнецова на пост секретаря ЦК, Сталин дал повод приближенным увидеть в новом фаворите своего возможного преемника.

Генсеку уже было под семьдесят, настала пора подумать и об отдыхе... Когда же он поручил Кузнецову курировать армию и органы госбезопасности, ни один опытный функционер власти не поручился бы за безопасность самого куратора. Действительно, в 1950 г. он был уничтожен вместе с руководителями ленинградской парторганизации и членом Политбюро Вознесенским.

Разговоры об отставке Сталин не прекращал и потом, до самого конца своей многотрудной карьеры. После XIX съезда партии, в ноябре 1952 г., он дважды просил о ней новый состав ЦК. Все хором отвечали, что это невозможно...

Невольно вспоминаешь героя Достоевского Фому Опискина, который вот так же, не единожды, грозился уйти из дома, где его приютили. Этот дом в селе Степанчикове, с его затхлой атмосферой раболепия, с приживалками, добровольными шутами и моськами генеральши, с таким услужливым полковником, стал для Опискина наиудобнейшей трибуной. Готовый за свои убеждения тотчас же идти на костер, Фома Фомич требует от хозяина называть себя "ваше превосходительство" и получает сие удовольствие. Борец за высокие идеалы, он обернулся деспотом, как только увидел, что генеральша испытывает к нему какое-то мистическое уважение. Следом за ней стали боготворить его все обитатели села.

Фома учит старого камердинера французскому языку, самолично экзаменует, на колени ставит за нерадивость. Он берется за воспитание безгласного дворового мальчика, приобщение его к светским манерам и опять же – к французскому. А бедному Фалалею все снятся не те сны, вместо благородных дам – белый бычок.

Фома Фомич – человек непомерного самолюбия, случающегося, как заметил автор, при самом полном ничтожестве. Униженный, битый в прошлом судьбой, Опискин ныне испытывает садистское наслаждение, унижая других. Ему нужно было наверстать свое. Его мнимые уходы, когда решительно все домочадцы во главе с генеральшей слезно молят своего благодетеля остаться, утверждали его на пьедестале, который Фома занял по праву первейшего демагога.

Сталин пытался превратить всю страну в село Степанчиково. Это стоило народу многих миллионов жизней. Скольких именно, определил сто лет назад в другом произведении, "Бесах", замечательный провидец Федор Достоевский.

Мастер рекламы

В 1934 г. Сталин организовал рекламное представление в Арктике – Красной площади ему показалось мало. Экспедиция на пароходе "Челюскин" была заведомо обречена на неудачу: явно устаревшему маломощному судну нечего было делать в тяжелых льдах. Соединенные Штаты предложили помощь – ледоколами, самолетами. И получили вежливый отказ: неподалеку от погибающего судна стояли вмерзшие в лед транспорты с заключенными. Потребовались поистине нечеловеческие усилия, чтобы спасти обреченных людей.

"Челюскин" покоится на дне Чукотского моря. В каком море утопить исторический позор страны?

...Вот они на фотографии, в дни триумфальной встречи в Москве: начальник экспедиции на "Челюскине" Отто Шмидт, с импозантной бородой и улыбкой победителя, капитан Воронин, парторги, комсорги... Еще одним поводом для всенародного ликования – впрочем, совершенно искреннего, – стало больше. А кто это слева, крайний, в форме НКВД? Он стоит в профиль и строго смотрит из-под своей фуражки. И на старой фотографии, на трибуне Мавзолея, он, как старательный пастух, стережет маленькое стадо челюскинцев.

К 30-м годам Сталин накопил кое-какой режиссерский опыт. Он научился создавать сильные шумовые эффекты. Он уже знал, что для успеха спектакля нелишне усилить контраст между светлым и темным, между добром и злом. В дни процессов над "презренными врагами народа" газеты публикуют то репортаж о героических перелетах летчиков, то – о не менее героических достижениях рабочего класса.

...В кабинете следователя висит на стене радиорепродуктор. Он сотрясается от ликования народных масс. Перед следователем – седой революционер, завтрашний мертвец, Антонов-Овсеенко.

– Слышите, – говорит следователь, – это народ приветствует нашу сталинскую партию и своих славных чекистов. Слышите?! Я вот за вас орден получил...

Что говорить, шумовое оформление политических кампаний Сталину давалось легко. Уже в первые годы коллективизации сельского хозяйства и индустриализации страны он стремился поразить воображение современников масштабами социалистического строительства. Какой фейерверк славословия сопровождал создание совхоза "Гигант", организма неуправляемого, никчемного. А строительство Днепрогэса, во многом неоправданное экономически и прежде всего экологически (о чем сегодня можно прочитать в *Правде*), – кому нужна была столь шумная реклама? Гром литавров раздавался по случаю строительства Беломорско-Балтийского канала. Он и поныне является ограниченно судоходным. Канал стоил жизни тремстам тысячам заключенных. Но Сталин сумел обратить эту всенародную трагедию в свой триумф.

Много лет спустя он увековечит себя невиданным памятником под Сталинградом, и все колоссы древности померкнут перед ним, семидесятиметровым гранитным Вождем.

Спектакль на Колыме

Театр Иосифа Сталина – явление уникальное во времени и в пространстве. Спектакли шли непрерывно, сливаясь в единое, на три десятилетия, действо. Сценой ему служила вся страна – от Красной площади до Колымских лагерей.

Во время войны Соединенные Штаты Америки поставляли в Советский Союз машины, оборудование, продукты питания. На Печору, где мне довелось жить-умирать долгие годы, поступало из Америки много всего, от автомашин и экскаваторов до яичного порошка и костюмов для нашего арестантского театра. Но правительству союзной державы хотелось знать, в каких условиях живут рабочие в советских лагерях, откуда в Штаты поступают золото и лес.

В 1944 г. на Колыму прибыла специальная миссия во главе с вице-президентом США Генри Уоллесом. Его сопровождал представитель Управления военной информации США профессор Оуэн Латтимор. К приезду гостей приготовили особую зону совхозного лагпункта: отремонтировали бараки, установили железные кровати с чистым постельным бельем, даже подушками оснастили ложа для женщин. Им выдали вольную одежду, прислали парикмахера. Вместо маленького ларька, который обычно торговал червивым урюком, зубным порошком да неказистыми гребенками, соорудили магазин, завезли товары, о которых в ту пору и вольнонаемные не смели мечтать. Обновили лежневку – примитивный настил из жердей, убрали вышки по углам зоны, на которых круглые сутки дежурили стрелки. Такой же камуфляж навели в мужской зоне, в пятнадцати километрах севернее совхоза.

Американцам показали теплицы, где выращивали "для рабочих" помидоры, огурцы и даже дыни. Уоллеса повезли на образцовую свиноферму, где роли свинарок бойко исполнили вольные сотрудницы управления лагеря. Инсценировка гостям понравилась, ее повторили на образцовом же руднике по добыче золота – без вышек и колючей проволоки.

Начальник Дальстроя Иван Никишов только что вернулся из Москвы, где выслушал инструкции из уст самого Главного режиссера. Заодно получил награду – Золотую Звезду Героя Социалистического Труда. На американцев он произвел самое благоприятное впечатление. Как писал позднее профессор Латтимор, супругов Никишовых отличает глубокое чувство гражданской ответственности. Он сурово осудил жестокости царизма в Сибири. К счастью, писал он, те времена миновали. Освоение Севера в СССР ведется планомерно, под руководством замечательного объединения Дальстрой, которое можно лишь приблизительно сравнить с американской Компанией Гудзонова залива.

Более всего заморских гостей восхитили вышивальщицы, их изделия, а также местный театр, где им показали настоящий балет.

Такие театры, где труппы состояли в основном из заключенных, функционировали во всех крупных лагерях. В бассейне реки Печоры их было не менее шести: на Воркуте, в поселке Абезь (позднее – в городе Печоре), в поселке Большая Инта, в Ухте, в Княж-Погосте... Из знаменитых в прошлом артистов, зачисленных в стан "врагов народа", назовем Освальда Глазунова, Сергея Радлова и Бориса Дейнеку... В репертуаре театров были наряду с драматическими спектаклями эстрадные программы, оперетты, оперы. Каждый лагерный начальник старался превзойти соседа пышностью постановок.

Еще немного, и Сталин переименовал бы истребительные лагеря в курорты для больных инакомыслием или в центры художественного перевоспитания. Но даже он, неистовый выдумщик, иногда соблюдал меру.

Война: три роли

Начало второй мировой войны показало еще раз, насколько уверенно чувствует себя Сталин на европейской сцене. Осенью 1939 г. он совершает крутой поворот во внешней политике – заключает дружественные соглашения с Германией, отказываясь от естественного союза с Францией и Великобританией. Такой ход не дано было предугадать даже самым искушенным государственным мужам. После подписания пакта с гитлеровской Германией Сталин заявил Риббентропу: "Советское правительство принимает пакт очень серьезно и может гарантировать своим честным словом, что Советский Союз не подведет своего товарища".

Однако ни Риббентроп, ни, тем более, Гитлер не склонны были довериться сталинскому честному слову. Напрасно. Быть может, единственный раз в общении с Западом Сталин был искренен.

И он, действительно, не подвел "своего товарища". Случилось наоборот.

После нападения гитлеровской Германии Сталин еще раз меняет курс. Теперь надо открыть дружеские объятия англичанам, вступить в союз с ними. И – с Соединенными Штатами Америки.

Худо стало после первых поражений на фронтах, и генсек, он же глава правительства и Верховный Главнокомандующий, умоляет союзников о помощи. Оправившись от военной катастрофы, маршал Сталин берет уверенный тон. На Тегеранской конференции, в конце 1943 г., главы государств коснулись проблемы открытия второго фронта. Черчилль отметил рискованность операции по высадке десанта на побережье Франции и высказал некоторые пожелания военного характера. Тогда Сталин резко поднялся с места и сказал, обращаясь к Молотову и Ворошилову: "Идемте, нам здесь делать нечего".

Если бы не находчивость Рузвельта, предложившего сделать перерыв на обед, могло бы случиться нечто непредвиденное.

После падения Берлина Сталин стал держаться уже как властелин половины мира. Тон дипломатических переговоров резко изменился. Дядя Джо – так называли Сталина меж собой Черчилль, Рузвельт и Иден – отбросил маску доброго пастыря. Врагов он разгромил, пришла пора отделаться от союзника.

Три этапа. Три роли. Три маски.

Июль 1945 г. Потсдам. Здесь, в предместье германской столицы, собрались на последнюю встречу руководители союзных держав. Нет уже Рузвельта, ушел с поста Черчилль, их заменили Трумэн и Эттли. Из большой тройки остался лишь он один, Победитель. Сталин вел себя соответственно. Его не смутило даже известие об успешном испытании американской атомной бомбы. Он состроил невозмутимую мину, будто речь шла не о смертельной угрозе его государству, будто он не понимал, что мир вступает в новую эпоху.

Он сидит в окружении дипломатов и генералов – черные фраки, серо-зеленые мундиры. На нем – белоснежный маршальский китель, он вальяжно откинулся в кресле. Кому он сейчас подражает, уж не Скобелеву ли? Подобострастно заглядывают ему в лицо Молотов с помощниками... Теперь Он подлежит непременному обожествлению. Впрочем, оно уже началось – до войны еще.

В гриме и без грима

"Когда ограниченного, грубого, полуобразованного человека, который с первого взгляда кажется третьесортным фанатиком, но в действительности является мелким тираном, жестоким и кровожадным человеком с примитивным интеллектом и болезненно раздутым самолюбием, – когда такого человека называют Богом, боги вправе не замечать этого оскорбления".

Поскольку Владимир Набоков жил на Западе, ему было легче разглядеть натуральный облик вождя под толстым слоем патины. Но подлинный Сталин был еще отвратительнее, нежели образ, описанный Набоковым. Каким же он был в действительности, заживо обожествленный вождь?

На фотографиях и живописных портретах он выглядел великаном. При росте 162 сантиметра. На трибуне Мавзолея ему подставляли специальную скамеечку. Он избегал позировать фотографу рядом с рослыми людьми. Но ничто не могло скрыть его узкий лоб. Когда один из старейших соратников Ленина Пантелеймон Лепешинский спрашивал у жены, звонила ли та Сталину, он не называл ни должности, ни имени, а только прикладывал два слегка раздвинутых пальца ко лбу. В этой семье знали, о ком идет речь.

Одна рука у Сталина была короче – результат полученного в детстве увечья. Лицо – в глубоких оспинах, желтые, кривые зубы... Эти физические недостатки дополняли ущербность духовную.

Год 1905 г. Юная Фарандзем Кнунянц, член социал-демократической партии, приехала из Петербурга на родину, в Баку. Миха Цхакая направил ее к товарищу Кобе, члену партийного комитета, за марксистской литературой.

"Кобу я увидела в небольшой комнате. Маленький, тщедушный и какой-то ущербный, он был похож на воришку, ожидающего кары. Одет он был в синюю косоворотку, в тесный, с чужого плеча пиджак, на голове – турецкая феска. Встретил он меня с нескрываемой подозрительностью. Лишь после подробных расспросов, похожих на допрос, вручил мне стопу книг и брошюр. Часть из них я уже достала в другом месте, поэтому ограничилась тремя из предложенных книг. Он проводил меня до двери, продолжая окидывать подозрительным, враждебным взглядом.

В тот же вечер я вместе с подругой посетила кружок гимназистов, которым руководил Степан Шаумян, вожак бакинских рабочих. Домой мы пошли вместе с ним. Я решила спросить Шаумяна о товарище Кобе.

– Кто он? Ни один из социал-демократов не производил на меня такого гнетущего впечатления... Уж очень он неприветлив, недоверчив и злобен. Он со всеми ведет себя так?

– Что вы, это наш старый подпольщик, опытный и преданный, – заверил меня Шаумян.

Я остановилась на Меркурьевской улице у бедного, многодетного рабочего-жестянщика. Там собирались члены Бакинского партийного комитета. Нас было тринадцать, председательствовали по очереди. Перед началом собрания оживленно беседовали, шутили. Вот уже время начинать, а Кобы все нет, он всегда опаздывал. Ненамного, но постоянно. Казалось, что часы у него существуют лишь затем, чтобы вычислить необходимое для опоздания время. Когда он входил, атмосфера сразу менялась, что-то нас сковывало, терялась деловитость. Коба приходил с книгой, которую прижимал левой укороченной рукой к груди. Сев в угол, он слушал каждого выступающего молча. Высказывался последним, не спеша, сравнивая взгляды, мнения, аргументы. Выбрав самые перспективные и дельные, он вносил свое предложение, как бы подводя черту. Отсюда – впечатление особой значительности каждого произносимого им слова. Таким способом он достигал большого театрального эффекта".

Тетушка Фаро, сестра известного марксиста Богдана Кнунянца, прожила более девяноста лет, но тот далекий пятый год помнила всегда.

И все последующие годы, до последних съездов, совещаний, конференций (вспомним Ялту, Потсдам), Сталин придерживался выбранного им на заре века амплуа резонера. Главного резонера. Одним видом своим, поведением он подчинял себе каждого – сторонников и оппонентов, друзей и врагов. Простаков его примитивная игра в величие могла ввести в заблуждение, от людей же проницательных маска Вождя Всех Времен и Народов не скрывала злобной, хулиганской натуры Сталина. Ведь он позволял себе петь похабные частушки в присутствии жены наркома просвещения Грузии Марии Платоновны Орахелашвили. Он мог в мужской компании, за столом, сидя рядом с дочерью, бросить ей в лицо гнусные скабрезности... Да и жену свою, несчастную Надежду Аллилуеву, Сталин публично подвергал грязным оскорблениям.

Однажды, в конце 30-х годов, Сталин отдыхал в Гаграх. После обеда он вышел с гостями в сад и повел их в свой розарий. При расставании один из гостей спросил:

— Иосиф Виссарионович, сегодня так жарко, а вы в сапогах...

Действительно, светлый чесучовый костюм мало подходил к черным сапогам.

— Что вы, — ответил Хозяин, — сапоги — это очень удобно. Можно так ногой пнуть в морду, что все зубы вылетят.

И засмеялся...

Эти сапоги — не каприз и не атрибут военных лет. Сапоги стали в некотором роде символом, деталью портрета, как его знаменитая курительная трубка.

В 1918 г. Советское правительство переехало из Петрограда в Москву. Когда Сталин вошел в свою новую квартиру в Кремле, он увидел в прихожей большие зеркала.

— К чему здесь эта господская роскошь?

Сказал и пнул сапогом в зеркало. Под ногами захрустело стекло...

Показательные процессы

В постановке судебных спектаклей незаурядный режиссерский талант Сталина засверкал новыми гранями. Он увлеченно работал над пьесами, сочиненными драматургами-криминалистами.

Репетиции пьесы 1938 г. проводились на Лубянке, там же, под надзором Ежова, актеры заучивали свои роли.

...В Октябрьском зале Дома союзов, где в августе 1936 г. проходил процесс над Каменевым и Зиновьевым, Антонов-Овсеенко видел в действии Военную коллегию Верховного суда во главе с Ульрихом. Не пройдет и двух лет, как отец предстанет в качестве "врага народа" перед этой медузой Горгоной в мундире армвоенюриста.

А пока заседание продолжается, и прокурор Российской Федерации Антонов-Овсеенко сидит среди зрителей, пораженный коварством и низостью контрреволюционных заговорщиков. Вот кто, оказывается, направлял руку Николаева, убийцы Кирова, и вместе с Иудушкой — Троцким готовил реставрацию капитализма! Нынешние злодеяния этой банды — не случайность. Еще в 1917 г. Ленин заклеймил их как штрейкбрехеров Октября.

До начала процесса, под свежим впечатлением неопровержимых "улик" и достоверных "фактов", Антонов публикует в Известиях яростную статью с характерным заголовком "Добить до конца!".

Поседевший в боях революционер проклинает троцкистско-зиновьевскую банду, этот "особый отряд фашистских диверсантов", злейших врагов народа, с "которыми может быть только один разговор – расстрел".

Антонов раскаивается в своем прошлом. В 1923–1927 гг. он пытался примирить Троцкого со Сталиным. Теперь он восхищается прозорливостью великого Сталина, которого окружают горячая любовь и преданность трудящихся.

А Сталин потирал, довольный, руки. Действительно, Антонов-Овсеенко сказал именно то, что нужно: сравнил СССР с могучим гранитным утесом, назвал троцкистско-зиновьевских бандитов прямыми агентами гестапо, не забыл упомянуть "первое непременное условие победы – железное ленинское единство партии в беспощадной борьбе с агентурой классового врага" и совершенно справедливо отметил решающую роль товарища Сталина, который "орлиным взором" видел перспективу и обеспечил это единство.

Значит, не напрасно он изыскивал способы уничтожения соперников на пути к верховной власти. Значит, его стратегия победила и в сердцах соратников Ленина, если удалось провести, словно ребенка, такого опытного политика, как Антонов-Овсеенко. Значит, в спектакли, разыгрываемые на сценах Дома союзов, поверили!

За неделю до начала процесса обвиняемым позволили вволю поспать, их подкормили, придали приличный вид, но вовсе заретушировать следы истязаний не удалось. Они выглядели истощенными, пришибленными. Как показывает бывший ответственный сотрудник НКВД, перед выходом на сцену Ягода и Ежов провели с обвиняемыми небольшое совещание. От имени Сталина их заверили в том, что жизнь им будет сохранена, если никто не выйдет за рамки роли. Ежов предупредил, что любая индивидуальная попытка отказаться от срепетированных признаний будет рассматриваться как предательство, как заговор всей группы в целом.

Оформление сцены Октябрьского зала было продумано до мелочей. Большой стол, покрытый ярко-красной скатертью, за ним – три монументальных кресла с гербом Советского Союза, трибуна для государственного обвинителя, отгороженные от зала низким деревянным барьером места для обвиняемых. Да три рослых охранника с примкнутыми к винтовкам штыками.

Финал спектакля, то есть оглашение приговора, был подготовлен заранее, как и полагается в профессиональном театре. Однако без накладок не обошлось.

Проходивший по делу Гольцман показал на суде, что встречался со старшим сыном Троцкого, Львом Седовым. Место встречи – Копенгаген, отель "Бристоль", время – лето 1932 г. Когда материалы процесса были опубликованы на Западе, всплыли весьма нежелательные обстоятельства: здание отеля снесено еще в 1917 г., а сын Троцкого в указанное время находился в Берлине, где держал экзамен в Высшую техническую школу.

Допрос другого последственного, друга Гольцмана, чуть не испортил все дело.

В ы ш и н с к и й . Когда вы покинули центр?
С м и р н о в . У меня не было намерения покидать, не было, что покидать.

Вышинский. Центр существовал?

Смирнов. Какой центр?

Вышинский. Мрачковский, центр был?

Мрачковский. Да.

Вышинский. Зиновьев, центр был?

Зиновьев. Был.

Вышинский. Евдокимов, центр был?

Евдокимов. Да.

Вышинский. Бакаев, центр был?

Бакаев. Да.

Вышинский. Ну, что, Смирнов, будете и теперь настаивать, что центра не было?

Но Смирнов стоял на своем. Тогда Вышинский вновь опросил членов мифического центра. Они повторили сказанное ранее и добавили, что Смирнов возглавлял троцкистскую часть заговора. Смирнов повернулся к ним: "Вам нужен вождь? Ладно, берите меня".

Процесс сопровождался шумовым оформлением. Все газеты буквально грохотали проклятьями в адрес предателей и шпионов, продавшихся фашизму, а заодно и Иуде-Троцкому.

К финалу гнетущая атмосфера в Октябрьском зале стала вовсе нестерпимой. "Я требую, чтобы эти бешеные псы были расстреляны – все до одного!" – так закончил свою обвинительную речь Вышинский на утреннем заседании 22 августа. Оставался последний акт – заключительное слово подсудимых. Зиновьев еще раз склонил голову перед могучим Вождем – неужто надеялся на пощаду? – и так определил свое место в истории: "Троцкизм – это разновидность фашизма, а зиновьевизм – это разновидность троцкизма..."

Другие обвиняемые называли себя подонками и предателями, не смея даже помыслить о снисхождении. Мрачковский прямо заявил, что его следует расстрелять. Ему было тринадцать лет, когда его арестовали впервые. Сын и внук рабочих, революционер, беззаветно преданный партии, Мрачковский перекинулся в стан врагов. О своем славном прошлом он рассказал для того, чтобы каждый "помнил, что не только генерал, не только князь или дворянин может стать контрреволюционером, рабочие или люди рабочего происхождения, вроде меня, тоже могут становиться контрреволюционерами".

Настала очередь Каменева. Было время – в туруханской ссылке, потом в Петрограде в 1917 г. и в первые годы Советской власти, – Сталин считал его своим мэтром, не раз вместе с ним противостоял Ленину. Теперь жизнь Каменева зависела от прихоти верного ученика. Каменев покаялся, признал себя последним негодяем и сел на место, но спохватился и попросил разрешения передать своим сыновьям несколько слов. И он сказал: "Каков бы ни был мой приговор, я заранее считаю его справедливым. Не оглядывайтесь назад. Идите вперед. Вместе с советским народом следуйте за Сталиным".

Он сел и закрыл лицо руками.

Вот он, апофеоз!

Последние слова Каменева не могли не тронуть исполнителей на сцене и в зале – даже самых непроницаемых. Но судьям предстояло разыграть еще один фарс, последний. Они удалились в совещательную комнату, где на столе лежал уже готовый приговор, смертный для всех осужденных. Надо было выдержать последнюю паузу, предусмотренную Автором пьесы.

Лишь в половине третьего утра состоялся торжественный выход, и неподменный Ульрих зачитал приговор.

Следующий спектакль был разыгран в конце января 1937 г. Официально он назывался "Процесс антисоветского троцкистского центра", в историю он вошел как процесс Пятакова, Сокольникова, Серебрякова, Муралова, Радека. Остальным двенадцати подсудимым Сталин отвел роли исполнителей директив главных троцкистов, членов вымышленного "Параллельного троцкистского центра". Сталин неукоснительно следовал испытанным канонам сценического действия – непрерывность и темпы. Публике никак не следует остывать. Ее интерес надо подогревать постоянно.

Распахнулись стены бывшего Дворянского собрания, зрительным залом стала вся страна. Да что там, всю планету пригласили лицезреть и слушать новую постановку.

Набор обвинений выглядел грандиозно:
– захват власти при помощи военной интервенции;
– сотрудничество с германскими фашистами;
– сотрудничество с Троцким, выполнение его установок;
– реставрация капитализма в СССР;
– измена Родине;
– диверсии, вредительство, шпионаж.

И – обязательный террор против особы Вождя и его соратников.

Один из них уже здесь, в Октябрьском зале, на своем привычном месте у левой стены. За прокурорским столом. Прилизанные седые волосы на пробор, аккуратные усики, черный костюм, белая сорочка, галстук.

Предавая казни своих врагов, в чем только не винил их Иван Грозный. Они-де хотели крымского хана да литовского короля Жигмонта призвать и отдать королю Псков и Новгород. Да с турецким султаном преступную связь замыслили. Народ грабили и губили. Забыв крестное целование, намерились извести царя чарами...

Перед тем как палач отсекал голову осужденного, думный дьяк государев зачитывал на площади по длинному свитку все вины злодея.

На сталинских процессах-спектаклях роль думного дьяка исполнял Вышинский. Сколько свитков понадобится, чтобы уместить одни лишь ругательства в адрес подсудимых, приведенных на заклание в Октябрьский зал. Шайка бандитов, грабителей, диверсантов, шпиков, убийц. Троцкисты всегда были капиталистической агентурой в рабочем движении, утверждает прокурор. А теперь троцкизм стал одним из отделений СС и гестапо. Дабы связать новую волну вредительства и саботажа с прежними, Вышинский вспоминает первые процессы – "шахтинское дело" и "дело Промпартии" (1928, 1930) и недавний процесс Зиновьева. Он утверждает, будто Пятаков еще в 1918 г. замышлял арест Ленина. Этот же криминал прокурор предъявит в следующем году Бухарину.

Процесс Пятакова идет к концу, пора готовить следующий.

Постановщики январского представления 1937 г. вновь продемонстрировали сыгранность всех участников. Стоило Вышинскому – пусть плоско, пусть зло – пошутить, как в зале возникало движение, раздавался смех. Прокурор даже басню Крылова рассказал, "Лев на ловле", – к случаю. Зал откликнулся аккуратным коллективным смехом.

97

Хотя Ульрих и на этот раз главное действующее лицо, он лишь подыгрывает прокурору, подавая редкие, не очень дельные реплики. А государев дьяк витийствует на правах фактического премьера. Чувствуется отсутствие профессиональной школы, скудость мысли. Зато в избытке – злоба. "Вот бездна падения! Вот предел, последняя черта морального и политического разложения. Вот дьявольская безграничность преступлений!"

Обвинитель явно переигрывает. Ложная патетика выспреннего стиля покоробит кого угодно. Но не Сталина. Это его вкус, его заказ. Обвинитель уверенно вел свою роль и сделал все, чтобы жертвы – участники спектакля не преступали черты правдоподобия. Подвели опять драматург и репетиторы. Вынудив Пятакова признаться в получении лично от Троцкого программы действий Параллельного центра, они не обеспечили эту версию реальными деталями. В декабре 1935 г., когда якобы состоялась встреча Троцкого с Пятаковым, последний находился в Берлине с официальной миссией. Троцкий же в это время был в Норвегии. Их свидание не могло состояться и в силу целого ряда обстоятельств. Но эта явная накладка не помешала успеху спектакля. Англо-советский парламентский комитет, выпустивший свой отчет о процессе, отметил обоснованность обвинений. На председателя комитета, лейбориста Нила Маклина, большое впечатление произвела искренность признаний обвиняемых. О чем тогда же поведала *Правда*.

Следующий процесс начался утром 2 марта 1938 г. в Колонном зале и окончился 13 марта чтением приговора. Казнь свершилась без промедления.

Этот судебный процесс оказался самым сложным, ибо драматург решил объединить в своей пьесе "правых" – Бухарина, Рыкова – с троцкистами и зиновьевцами, связав их с "заговором" Тухачевского, "делом" Енукидзе, "врагами партии" Рудзутаком и Гамарником, "националистическим подпольем" и иностранными разведками в придачу. К тому времени Сталин успел убрать Агранова, Гая, Миронова, Молчанова и ряд других руководящих работников НКВД, поднаторевших на прежних постановках. Генрих Ягода тоже угодил в тюрьму, ему предстояло сыграть свою последнюю роль в этом же спектакле. Бывший помреж – в роли обвиняемого... В то невероятное время случались и не такие метаморфозы.

Неудивительно, что подготовка нового судилища заняла целый год. Внимание публики – своей и заграничной – привлекали имена подсудимых: Бухарин, Рыков, Крестинский, Раковский, Розенгольц, Чернов, Гринько, Иванов. Трое первых входили при Ленине в состав Политбюро, остальные – в состав ЦК и правительства. Кроме них – руководители Узбекской республики Ходжаев и Икрамов и известные врачи Плетнев, Левин, Казаков. И несколько второстепенных фигур из разных ведомств на роли свидетелей-разоблачителей. На сцене – те же действующие лица: Вышинский, Ульрих с ассистентами Матулевичем и Иевлевым (последний сменил Рычкова). Роль одного из помощников режиссера была поручена такому компетентному товарищу, как Миронов, начальнику внутренней тюрьмы НКВД, он наблюдал за размещением подсудимых, объявлял "Суд идет!", следил за очередностью вызова свидетелей.

Полный ассортимент бредовых обвинений, с добавлением нового криминала Николаю Бухарину: он, как оказалось, еще в 1918 г. готовил захват власти и с этой целью замыслил лишить жизни Ленина и Сталина.

То была не случайная выдумка генсека, автора теории двух вождей Октябрьской революции.

...Перед троцкистами-террористами на сцене – Вышинский. Отрепетированные жесты присяжного громовержца, саркастическая улыбка, приторно-фальшивый пафос. Сбоку, совсем близко, – следователи, одни – с тупыми, квадратными лицами, другие – востроносые, с длинными шеями. Их злые глаза буравят подсудимых. Следователи занимают пять первых рядов, роли им дали без слов, но их участие предусмотрено как обязательное. Из-за кулис бдительно наблюдает за поведением своих клиентов Миронов. Казни на Лубянке совершаются в его присутствии – это подсудимым известно.

Заведующий отделом печати НКИД Евгений Гнедин занимал место в середине зала. Он описал пережитое в своей книге "Катастрофа и второе рождение". Над сценой зала было несколько небольших окошек, завешенных тонкой темной тканью. "Скрываясь за этими занавесками, можно смотреть сверху в зал, а из зала видно, как за тканью вьется дымок, явно дымок из трубки. Главный режиссер наблюдает за тем, как по его приказу творится чудовищное злодеяние..."

В самом начале случилась накладка. Крестинский, бывший секретарь ЦК, отказался признать себя троцкистом и отмел все остальные обвинения. И как прокурор ни бился с ним, вернуть его в накатанную колею не смог. "Свидетелей" Крестинский прямо обвинил во лжи и заявил, что на следствии его вынудили дать фальшивые показания. Вышинский встревожился, но сумел сбить обвиняемого и довести его своими иезуитскими вопросами до сердечного приступа.

В тот первый день прокурор был вынужден прервать допрос Крестинского и возобновить его назавтра вечером. Дополнительные "репетиции" преобразили упрямца даже внешне. Он как-то весь съежился, стал отвечать на вопросы механически, без интонаций. Теперь Крестинский признавал все, что навязывал ему обвинитель. Изобличать раскаявшегося помогал Вышинскому Христиан Раковский. Чем они все-таки его взяли, этого революционера героического склада?..

Вчерашнее выступление Крестинского прокурор назвал троцкистской провокацией. Обвиняемый объяснил свое поведение накануне чувством ложного стыда перед лицом мирового общественного мнения.

Узнаем мы когда-нибудь, кто сие придумал?..

Много лет спустя станет известно, что Рыков и Бухарин с товарищами решили превратить судилище в процесс против сталинского режима. Их, брошенных в тюрьму, распятых, вдохновлял пример Петра Алексеева и Георгия Димитрова. Когда обвиняемых привели первый раз в Октябрьский зал, они отмели все абсурдные наветы и отказались от показаний, добытых штатными костоломами на предварительном следствии. Зал был полон, на сцене – государственные лица, в ложе – представители прессы, кинооператоры ведут съемку.

...То была репетиция.

Обвиняемых увели на доработку. Но они, прошедшие школу подпольной борьбы с царизмом, проявили нечеловеческое упорство. Не знали обреченные на заклание, что таких фальшивых спектаклей будет столько, сколько *надо*. Настоящий состоится *после четырех генеральных репетиций, когда сломить удастся всех. Такого не числится даже за щедрой на лютые выдумки средневековой инквизицией.*

7°

И тому, кто ныне задается вопросом "Почему они признавались?", надо знать и об этих спектаклях-фикциях.

А Вышинский с бульдожьим упрямством заставлял ни в чем не повинных людей признаваться в фантастических деяниях, начиная от покушений на жизнь генсека и связей с фашизмом, кончая заражением скота сибирской язвой и подбрасыванием в масло битого стекла. Эти инсинуации были явно рассчитаны на разжигание ненависти к террористам и вредителям. Вот они, виновники постоянной нехватки продуктов питания и одежды! Сталин применял этот политический маневр на всех судебных процессах.

Поведение Раковского на суде кажется особенно странным. На следствии шестидесятипятилетний революционер держался дольше всех, восемь месяцев. А потом "признался" в преступлениях, которых хватило бы за глаза на целую банду. Как свидетельствует Н.А. Рыкова, ее отца пичкали наркотиками, угрожали расправой с семьей.

А что сделали с Раковским?..

И все же он иногда выходил из заданного образа. Раковский был основателем румынской социалистической партии, издавал газету, и все это – за свой счет, точнее, на средства, доставшиеся ему от богатого отца. Раковский помогал революционерам других стран, российским социал-демократам. Прокурор решил использовать сомнительное происхождение революционера для провокации.

В ы ш и н с к и й. Значит, я не ошибаюсь, когда говорю, что вы были помещиком?
Р а к о в с к и й. Не ошибаетесь.
В ы ш и н с к и й. Вот мне важно было выяснить, откуда шли ваши доходы.
Р а к о в с к и й. Но мне важно сказать, на что шли эти доходы.
"Это другой разговор", – прерывает его Вышинский.

И еще одна иррациональная сцена. Обвинитель затронул – в который раз! – тему убийства Кирова.
В ы ш и н с к и й. Вы лично приняли какие-нибудь меры, чтобы убийство Кирова осуществилось?
Я г о д а. Я лично?
В ы ш и н с к и й. Да, как член блока.
Я г о д а. Я дал распоряжение.
В ы ш и н с к и й. Кому?
Я г о д а. В Ленинграде Запорожцу. Это было немного не так...
В ы ш и н с к и й. А вы дали потом указания не чинить препятствий к тому, чтобы Сергей Миронович Киров был убит?
Я г о д а. Да, дал... Не так.
В ы ш и н с к и й. В несколько иной редакции?
Я г о д а. Это было не так, но это не важно.

Но Ягода посеял лишь сомнение в обоснованности обвинений. Бухарину удалось больше. Когда председательствующий Ульрих прервал его показания, заметив, что вместо прямого признания своей вины он приводит аргументы в свою защиту, Бухарин ответил: "Это у меня не моя защита, это у меня самообвинение". И тут же признал, что его программа вела к сползанию к буржуазно-демократической свободе. Вышинский настаивал на том, что она вела к сползанию к прямому оголтелому фашизму. Что и было с облегчением принято коммунистом Бухариным.

Чем не театр абсурда?

Далеко не все участники исполняли свои роли профессионально, но часто неумение восполнялось старанием. Надевшие маски преступников истово каялись, признаваясь порой в том, о чем не имели конкретного представления. Устроителям важнее *как*, нежели *что*. А подлинные преступники, надев маски судей и прокуроров, отрабатывали свое благополучие и право на жизнь. Это их объединяло, палачей и жертв, – страх. Одним Верховный экзекутор обещал жизнь в обмен на чистосердечные признания, другим платил вечным комфортом за счет народа. Но он оставлял за собой "право" отнимать у главных исполнителей комфорт вместе с жизнью.

В роли штатных провокаторов на судилище выступили Владимир Иванов и Василий Шарангович. Поскольку Иванов по сценарию должен был служить в царской охранке, его выступление на сцене в качестве провокатора новой формации выглядело более чем странно. Но главный драматург не утруждал себя логикой.

Для расправы с профессором Плетневым был придуман новый трюк. В Остроумовской больнице лечилась страдавшая язвенной болезнью желудка некая Брауде. Она была подвержена истерическим припадкам и довольно скоро согласилась сыграть роль пациентки профессора Плетнева. В канун 1936 г. Брауде явилась к нему на прием, потом стала досаждать ему дома. В сценарии значилось, что она посетила Плетнева впервые два года назад и он укусил ее за грудь, надругался над пациенткой... По этому поводу *Правда* напечатала большую статью под трагическим заголовком "Профессор – насильник, садист". В тот же день, 17 июня 1937 г., в это действие вступили другие газеты, посыпались реплики коллег Плетнева, страна зашумела митингами. Получив отмеренные два года, Плетнев предстал через год на сцене Октябрьского зала в заглавной роли по делу о покушении на жизнь Максима Горького и его сына.

Профессору Плетневу были известны обстоятельства гибели Надежды Аллилуевой. Но в затеянной против него клеветнической кампании исполнители явно перестарались, уж слишком грубой оказалась эта стряпня. Однако Сталин тонкостью не грешил никогда и ни в чем. К тому же он знал свою публику, приведенную к тотальному послушанию. Ему нужно было во что бы то ни стало отвести от себя подозрения в причастности к гибели жены. И к убийству Кирова. Вот почему на каждом процессе-спектакле прокурор навязывал подсудимым роль организаторов убийства Кирова. Вышинский пришел в ярость, когда не удалось навязать эту роль ни Бухарину, ни Рыкову.

...Все эти дни в зале незримо присутствовало еще одно действующее лицо – Смерть. Долго выдержать в этой гнетущей атмосфере нетренированным зрителям было бы невмоготу. Но время от времени трагическое течение действия перемежалось фарсом.

Обвинитель сообщил о записке-талисмане, обнаруженной в кармане обвиняемого, и попросил у суда разрешения прочесть ее. Презрительным тоном, под хихиканье зала, Вышинский прочел из Псалмов "Да воскреснет Бог, и расточатся врази Его..." и т.д. Потом спросил Розенгольца: "Как это попало вам в карман?"

Р о з е н г о л ь ц. Однажды этот небольшой пакетик, перед уходом моим на работу, жена положила мне в карман. Она сказала, что это на счастье.

Вышинский продолжал насмешливо:

"И вы несколько месяцев носили это "счастье" в заднем кармане?

Р о з е н г о л ь ц. Я даже не обращал внимания...

В ы ш и н с к и й. Все-таки вы видели, что ваша супруга делает?

Р о з е н г о л ь ц. Я торопился.

В ы ш и н с к и й. Но вам было сказано, что это семейный талисман на счастье?

Он подмигнул публике, раздался громкий хохот, и слушание дела закончилось.

Вышинский проявил себя актером многогранным. Надменный распорядитель жизни и смерти, хулиганствующий крикун, грязный хулитель, столп правосудия, он менял маски с ловкостью эстрадного престидижитатора.

Спектакль подошел к концу. Еще одна фальшивая сцена – ночное, почти семичасовое совещание суда, когда текст приговора давно уже лежит на столе.

Какая все-таки необычная пьеса, ее финал известен лишь Сочинителю, и лишь перед самым концом станет известен нескольким лицам из юридической обслуги.

До последнего часа надеялись обвиняемые на милость Сталина. Он обещал... Да, но на прошлогоднем спектакле он всех обманул. Но теперь, теперь они выполнили все условия игры – каялись до исступления. Слово – за Ним. И оно грянуло – казнить всех, кроме троих. Троих отправят на лагерную смерть.

"Расстрелять, как поганых псов! – заключил прокурор. – Требует наш народ одного: раздавите проклятую гадину!

Пройдет время. Могилы ненавистных изменников зарастут бурьяном и чертополохом... Мы, наш народ, будем по-прежнему шагать по очищенной от последней нечисти и мерзости прошлого дороге, во главе с нашим любимым вождем и учителем – великим Сталиным – вперед и вперед, к коммунизму!"

Вышинский сошел со сцены через год после смерти Сталина. Будучи в Нью-Йорке, он получил срочный вызов в Москву. Совсем недавно, в декабре 1953-го, казнили Лаврентия Берию. Не пришла ли пора бывшего Генерального прокурора отвечать за преступления против народа? Андрей Ягуарович – так называли его заглазно – предпочел застрелиться.

Могил невинных жертв не сохранилось, их просто не было. Прах Вышинского покоится в Кремлевской стене.

Доколе?..

Война на время прервала столичные юридические игрища. В послевоенные годы самый яркий процесс выпал на сентябрь 1950 г. Судили руководителей Ленинградской области, арестованных еще летом 1949-го. Более года ушло на подготовку так называемого "ленинградского дела". Выездная сессия Военной коллегии Верховного суда СССР заседала в ленинградском Доме офицеров.

Все напоминало спектакли, прошедшие более десяти лет назад в Москве, в Октябрьском зале.

Заведующую отделом партийных, комсомольских и профсоюзных органов обкома ВКП(б) Закржевскую арестовали, когда она готовилась стать матерью. Ее мучили ночными допросами, пока не случился выкидыш. Не выдержав пыток, Закржевская подписала все. Следователь Комаров, только что произведенный министром госбезопасности Абакумовым в полковники, получил данные, полностью изобличающие руководителей Ленинграда в антисоветском заговоре. Перед началом суда Комаров провел специальную подготовку. Устраивались репетиции, заучивались наизусть показания. В ходе процесса Комаров, Путинцев и Носов еще и еще раз наставляли Закржевскую, Турко, Михеева и других обвиняемых. И предупреждали. Спустя четыре года один из уцелевших, Турко, показал: "Меня предупредили: суд идет и пройдет, а вы останетесь у нас".

Все обвиняемые – и главари и рядовые члены банды (чего уж там стесняться) – признали себя виновными и были приговорены к смертной казни. Едва затихло последнее слово приговора, как рослые охранники набросили на смертников белые саваны, взвалили на свои плечи и понесли к выходу через весь зал. В этот момент послышался шум падающего тела и лязг оружия: это произошел непредусмотренный сценарием обморок с молодым конвоиром.

В 1954 г. в том же зале Дома офицеров судили исполнителя сталинских предначертаний, бывшего министра Абакумова. Прокурору Руденко рассказали о сцене выноса приговоренных из этого зала, и он спросил подсудимого: "Зачем вы это тогда сделали?". "Для психологического воздействия на присутствующих. Все должны были видеть наше могущество, несокрушимую силу Органов", – ответил Абакумов.

Меценат

Как актер Сталин был мастером синтетическим. Он с равным успехом выступал в амплуа то комика, то простака, то резонера или трагика. Он был еще и плодовитым драматургом и волевым режиссером. Не забудем его выступления в роли цензора и рецензента. В историю театра Сталин вошел и как меценат. Два театра он опекал лично – МХАТ и Большой. Они представляли собой как бы фасад созданной им социальной системы, рекламу его державы. Особое пристрастие Сталин питал к оперным спектаклям, помпезным, в дорогом оформлении.

Певице Галине Вишневской запомнилась атмосфера паники и страха в дни посещения Сталиным театра. Потакая его вкусу, дирекция ставила на спектакль угодного генсеку артиста. Многие старались потрафить ему, попасть в любимчики, чтобы быть всенародно отмеченным за счет публичного унижения своего же товарища. Эти замашки крепостного театра сохранялись еще долго после смерти Сталина.

Любил ли Сталин музыку? Нет. Он любил именно Большой театр, его пышность; там он чувствовал себя императором. Он любил покровительствовать театру, артистам – ведь это были его крепостные артисты, и ему нравилось быть добрым к ним, по-царски награждать отличившихся. Вот только в центральную, царскую ложу Сталин не садился. Царь не боялся сидеть перед народом, а этот – боялся и прятался за занавеской. В его аванложе (артисты называли ее предбанником) на столе всегда стояла большая ваза с крутыми яйцами – он их ел в антрактах. (Интересно, какими яйцами заедал Николай II музыку Римского-Корсакова – крутыми или же всмятку?)

Историю, которая приключилась с артистом Селивановым в начале 1953 г., многие помнят и поныне. Давали "Пиковую даму". Селиванов, исполнявший партию Елецкого, увидев рядом в ложе Сталина, потерял от страха голос и проговорил под музыку знаменитую арию "Я вас люблю, люблю безмерно...". Спектакль не прервали, но все впали в транс. В антракте Сталин вызвал к себе в ложу директора театра Анисимова, тот прибежал ни жив ни мертв, трясется...

– Скажите, кто поет сегодня князя Елецкого?

– Артист Селиванов, товарищ Сталин.

– А какое звание имеет артист Селиванов?

– Народный артист Российской Советской Федеративной Социалистической Республики...

Сталин выдержал паузу, потом сказал:

– Добрый русский народ!..

И засмеялся.

На другой день вся Москва в умилении повторяла гениальную остроту.

Вишневская нарисовала основанный на тонких наблюдениях портрет Сталина: "Говорил он очень медленно, тихо и мало. От этого каждое его слово, взгляд, жест приобретали особую значительность и тайный смысл, которых на самом деле они не имели, но артисты потом долгое время вспоминали их и гадали, что же скрыто за сказанным и за "недоговоренностью". А он просто плохо владел русским языком и речью. Вероятно, он, как актер, уже давно набрал целый арсенал выразительных средств, безотказно действовавших на приближенных, и применял их по обстоятельствам".

Замечательный дирижер С.А. Самосуд, многие годы проработавший в Большом театре, рассказывал, как однажды он дирижировал оперным спектаклем, на котором присутствовало все правительство. В антракте его вызвал к себе в ложу Сталин. Не успел он войти в авансложу, как Сталин без лишних слов заявил ему:

– Товарищ Самосуд, что-то сегодня у вас спектакль... без бемолей!

Самуил Абрамович онемел, растерялся – может, это шутка?! Но нет – члены Политбюро, все присутствующие серьезно кивают головами, поддакивают:

– Да-да, обратите внимание – без бемолей...

Хотя были среди них и такие, как Молотов, например, – наверняка понимавшие, что выглядят при этом идиотами...

Самосуд ответил только:

– Хорошо, товарищ Сталин, спасибо за замечание, мы обязательно обратим внимание.

...В начале 30-х годов генсек увлекался известной балериной Большого театра. Как вспоминал И.М Гронский, Сталин нередко возвращался от нее в Кремль в два-три часа ночи. Потом ему приглянулась прославленная меццо-сопрано, исполнительница главных ролей в спектаклях Большого. Ее почтительно называли "царь-бабой" за эффектную внешность, редкую красоту. Осенью 1937-го, на одном из кремлевских приемов, к ней подошел охранник и сообщил, что после концерта проводит ее к Вождю.

Певица содрогнулась. Нечистоплотный уродец, он же вдвое старше ее!.. Как он смеет!.. Но пошла. Неповторимо прекрасная "царская невеста" попала в каменные чертоги генсека. А вышла оттуда лауреатом Сталинской премии...

Пример оказался заразительным. Молотов остановил свой выбор на лирическом сопрано, генералы МВД проявляли особый интерес к балеринам – словом, Сталин и его подручные пытались превратить Большой театр в подобие придворного гарема. Насколько они в этом деле преуспели, установить сейчас, спустя полвека, трудно. Да и противно.

Зиновий Паперный недавно вспоминал о премьере чеховского спектакля "Три сестры" на сцене МХАТ. Сталин сидел в своей ложе, однако на этот раз не аплодировал. Немирович-Данченко заходил во время антрактов в ложу и возвращался озабоченный: Сталин ничем не выражал своего одобрения. Ушел немедленно по окончании действия. Актеры сразу же окружили Немировича-Данченко, расспрашивая о впечатлениях Хозяина. Режиссер отвечал уклончиво, но когда исполнительница одной из главных ролей Анастасия Георгиевская стала донимать его, деликатность покинула Владимира Ивановича: "О вас персонально товарищ Сталин сказал, что таких надо расстреливать".

Нет, Георгиевская уцелела. Погибли другие актеры, составившие славу отечественного театра: Ахметели, Голубок, Зускин, Курбас, Мейерхольд, Михоэлс, Рафальский – названы только те, кто носил звание народных...

До сих пор в истории советской культуры зияет раной ликвидация Камерного театра. Его руководитель Александр Таиров погиб от инфаркта. Что стоило члену Политбюро Лазарю Кагановичу одно слово сказать в защиту театра... Он посетил Новодевичье кладбище, увидел подле могилы Таирова Алису Коонен, подошел ближе, посочувствовал горю и присовокупил несколько комплиментов ей лично и уничтоженному театру. Вдова Таирова спросила, кто он, и тотчас удалилась, опустив низко голову.

Алексея Денисовича Дикого арестовали в тридцать седьмом в Ленинграде, там он готовил спектакль в Большом драматическом имени Горького. Замечательного режиссера приглашали также МХАТ и Малый театр, в его постановке шли спектакли в Палестине (в "Габиме"), в Швеции. Словом, для обвинения в шпионаже материала хватило. Десять лет лагерей за шпионаж по тем временам можно было считать милостью. Жену Дикого постигла та же судьба. Коллеги репрессированного, известные актеры, режиссеры, не сразу решились вступиться за него, но все же подписали прошение на имя Сталина. С этим письмом отправилась к Меценату актриса Мария Андреева, вдова Максима Горького. Началась Отечественная война. Дикий отбыл уже четыре года, успел организовать в лагере театр.

Вскоре Алексею Дикому довелось играть в кино роль, но вначале была проба. Сталину не понравилась игра Геловани в образе Вождя. "Неужели я такой красивый и такой глупый?" – спросил он. Попробовали для этой картины другого. И этого отвел генсек. Кто-то назвал имя Дикого. "Хороший актер, давайте его сюда", – согласился Сталин.

Отправляясь на пробу, Дикий успокаивал родных: "Я ведь буду говорить по-русски, без малейшего акцента, и меня не возьмут". Но случилось иначе. Сталину Дикий очень понравился, он утвердил его на роль Сталина. "Это хорошо, – сказал он. – Вождь русского народа может и должен говорить чисто по-русски".

Игра в кошки-мышки

У меня лично нет никаких сомнений в причастности Сталина к устранению Кирова. Они были на "ты", ленинградский секретарь и генсек. Сталин при всяком удобном случае демонстрировал свою дружбу с Кировым. Свою книгу "Вопросы ленинизма" он подарил Кирову с выразительной надписью: "Другу моему и брату любимому – от автора. И. Сталин. 23/5–24 г."

Январь 1934 г. XVII съезд партии. Генсеку доложили, что против его избрания в состав ЦК подано 292 голоса, а против кандидатуры Кирова – всего 3. Сталин понял, что желание делегатов увидеть во главе Центрального Комитета именно Кирова может вот-вот исполниться. Пришлось пойти на фальсификацию результатов голосования, пришлось потом устранить председателя счетной комиссии Затонского и его заместителя Верховых. Киров уехал в Ленинград, его ждала работа. Летом в Казахстане, куда Кирова послали на хлебозаготовки, кто-то устроил на него покушение. В сентябре он отдыхал вместе с товарищем Сталиным в Сочи. До убийства "дорогого Мироныча" остается три месяца.

Когда тело Кирова положили в гроб и настала минута прощания, никто не поцеловал покойного – кроме Сталина и вдовы. Да еще Петра Смородина, близкого друга Сергея Мироновича. Но этот не в счет, его уничтожат через четыре года, в феврале 1939-го.

В конце августа 1937 г. генерального консула в Барселоне Антонова-Овсеенко вызвали в Москву. В подъезде Второго дома Совнаркома Владимира Александровича встречает испуганный взгляд лифтерши. Почти все двери семиэтажного здания опечатаны большими сургучными печатями НКВД. Арестован Сулимов, председатель СНК Российской Федерации. Теперь он враг. Подобно многим соратникам по октябрьским боям. Погибли Тухачевский и другие славные полководцы.

Прошла неделя и еще одна. Вставать каждое утро без всяких обязанностей, провожать бесцельно прожитый день и длинной ночью ждать – чего?

Сталин вызвал Антонова-Овсеенко в Кремль на тридцатый день пребывания в Москве. Он начал с упреков. Оказывается, Антонов действовал в Испании слишком самостоятельно, не согласовывая своих шагов с Наркоматом иностранных дел. На него поступило много жалоб.

Владимир Александрович объяснил:

– Необходимо было принимать подчас рискованные, смелые решения немедленно, как того требовала сложная политическая обстановка.

Видимо, он убедил собеседника. Сталин подобрел, проводил до дверей, сердечно простился с Владимиром Александровичем.

Через день последовало назначение на пост наркома юстиции РСФСР. Через две недели Сталин приказал арестовать его и бросить в тюрьму.

Для расправы с наркомом юстиции СССР В.Н. Крыленко генсек измыслил довольно примитивный план. Роль провокатора он поручил давнему приятелю Берии, соучастнику закавказской резни Джафару Багирову. На первой сессии Верховного Совета тот набросился на Крыленко, обвинив наркома в чрезмерном увлечении... спортом. Он действительно увлекался альпинизмом, любил шахматы – что с того?.. Но сигнал прозвучал, и Крыленко сняли. Пять дней он сдавал дела диввоенюристу Н.М. Рычкову, работавшему до этого в бригаде Ульриха. Потом Крыленко уехал на дачу.

Неожиданный звонок из Кремля, голос Сталина:

– Слушай, Николай Васильевич, ты не расстраивайся. Мы тебе доверяем. Продолжай порученную тебе работу над новым Кодексом...

В ту же ночь группа оперативников НКВД окружила дачу Крыленко.

1 Мая 1937 г. из Испании приехал Михаил Кольцов. Сталин принял его через несколько дней. Почти три часа члены Политбюро слушали рассказ публициста. В тот же вечер Кольцов поделился о встрече с Вождем со своим братом Борисом Ефимовым.

”...Сталин остановился возле меня, прижал руку к сердцу, поклонился.

– Как вас надо величать по-испански? Мигуэль, что ли?

– Мигель, товарищ Сталин, – ответил я.

– Ну, так вот, дон Мигель. Мы, благородные испанцы, сердечно благодарим вас за ваш интересный доклад. До свидания, дон Мигель. Всего хорошего.

– Служу Советскому Союзу, товарищ Сталин!

Я направился к двери, но тут он снова меня окликнул, и произошел какой-то странный разговор:

– У вас есть револьвер, товарищ Кольцов?

– Есть, товарищ Сталин, – удивленно ответил я.

– Но вы не собираетесь из него застрелиться?

– Конечно, нет, – еще более удивляясь, ответил я, – и в мыслях не имею.

– Ну, вот и отлично, – сказал Сталин. – Отлично! Еще раз спасибо, товарищ Кольцов. До свидания, дон Мигель”.

На другой день Климент Ворошилов сказал по телефону:

– Имейте в виду, Михаил Ефимович, вас ценят, вас любят, вам доверяют.

Это было приятно слышать, но Кольцова грызли сомнения. Он сказал брату:

– Знаешь, что я совершенно отчетливо прочитал в глазах Хозяина, когда он провожал меня взглядом?

– Что?

– Я прочитал в них: ”слишком прыток”.

В той давней беседе Кольцова со Сталиным принимал участие Николай Ежов. Арестовали Михаила Кольцова 17 декабря 1938 г., уже при новом наркоме внутренних дел Лаврентии Берии.

Подивимся долготерпению Хозяина.

Все, что предшествовало убиению Николая Бухарина, напоминает игру черной пантеры с добычей, которую она уже закогтила. Иное сравнение на ум не приходит. Не он ли, генсек, говорил на XIV съезде партии: ”Крови Бухарина требуете? Не дадим вам его крови, так и знайте!”

Это было сказано в 1925 г. Через десять лет на банкете в честь очередного выпуска военных академий Сталин произнес тост:

”Выпьем, товарищи, за Николая Ивановича Бухарина! Все мы его знаем и любим, а кто старое помянет, тому глаз вон!”

107

Через год, в 1936-м, осенью, на процессе Зиновьева – Каменева подсудимые дали показания против Бухарина. Спектакль в Октябрьском зале еще не истек, а прокуратура начала новое следствие – по делу "правых".

Что же Сталин, друг Бухарина, с которым он на "ты"? Генсек в Сочи, он отдыхает, он не хочет мешать ни суду, ни прокуратуре. Это ведь органы независимые, ему не подвластные.

Неожиданно Бухарина вызвали в ЦК. В кабинете Кагановича сидел доставленный туда из тюрьмы Сокольников. Очная ставка. Покорный чьей-то воле, твердит он монотонно о предательстве Николая Ивановича, друга юности.

Но вот вернулся из Сочи Сталин, и сразу же газеты сообщили о прекращении следствия по делу Бухарина – Рыкова. Пантера вобрала свои когти.

Следующую сценку генсек разыграл на Красной площади, куда Бухарин пришел вместе с женой по гостевому билету 7 Ноября. Они стояли на боковой трибуне, мимо них демонстранты проносили бесчисленные портреты Вождя. Вдруг к ним подошел часовой, отдал честь и передал просьбу товарища Сталина подняться на Мавзолей. "Ваше место там..."

Сталин вскоре ушел. Ушел первым.

В декабре игра вступила в новую фазу. На Пленуме ЦК нарком внутренних дел Ежов, назначенный вместо арестованного Ягоды, обвинил Бухарина в контрреволюционной деятельности.

Когда Бухарин бросил в лицо клеветнику гневное "молчать!", вступил Сталин. "Не следует торопиться с решением, – сказал генсек, – а следствие надо продолжить..."

На этом декабрьский акт закончился. Следующий назначен на февраль 1937-го. Но Бухарин решил не участвовать в этом представлении и объявил голодовку. Сталин послал на квартиру Бухарина людей с распоряжением выселить его с семьей. И тут же позвонил:

– Что у тебя, Николай?
– Вот пришли из Кремля выселять...
– А ты пошли их к чертовой матери.

Начало работы Пленума ЦК было отложено по случаю гибели и похорон Орджоникидзе. Бухарин явился на первое заседание Пленума, но голодовку не снял.

Диалог начал Сталин.

– Кому ты голодовку объявил, Николай, ЦК партии?
– Зачем это надо, если вы собираетесь меня из партии исключать?
– Никто тебя из партии исключать не будет.

Через день Бухарина арестовали. Анна Михайловна, его вдова, запомнила этот день, 27 февраля 1937 г., навсегда. Вечером позвонил секретарь генсека Поскребышев и пригласил на заседание Пленума. Ни ордера на арест, ни агентов в фуражках с голубым верхом...

Инженер-строитель Асцатуров, двоюродный брат известного революционера Богдана Кнунянца, приехал в 1937-м в Москву в ЦИК СССР. Ему вручили орден Ленина – награду за досрочное завершение строительства моста.

Беспартийный инженер удостоился редкой чести: его принял Сталин. Хозяин беседовал с ним сердечно, поздравил с наградой, изволил проявить живой интерес к планам...

Окрыленный высочайшим приемом, спустился Асцатуров на первый этаж здания ЦК, прошел в гардероб. А там его уже ждали. Инженера препроводили на Лубянку. Потом – Краснопресненская пересылка и столыпинским вагоном – домой, в Армению. В ереванской тюрьме его навестили родные, Иосиф успел передать сестре письмо для Сталина. Вот Вождь узнает, как с ним поступили, сразу же освободит и накажет виновных в произвол.

И сестра поехала в Москву. И отдала письмо на имя Сталина в ЦК. И стала ждать справедливости.

Брат был высок, могуч, красив. Казнь кавказскому Геркулесу придумали лютую: подвесили к потолку камеры за ноги, вниз головой.

Так погиб Иосиф Асцатуров, обласканный Иосифом Сталиным.

В 1937-м Сталин арестовал всех заместителей председателя правления Госбанка Льва Ефимовича Марьясина. Придя к своему близкому другу, Марьясин хотел тут же, в кабинете, покончить с собой. Но друг выхватил у него из руки револьвер.

– Зачем ты меня удержал? – укорял его Лев Ефимович. – Неужели тебе неизвестно, какие там заставляют романы писать? Перед ними сочинения Эдгара По кажутся забавой.

...На Пленуме ЦК, в перерыве между заседаниями, генсек обнял Марьясина за талию. "Ты же наш советский банкир. Ты не пойдешь в услужение к этому презренному врагу Сокольникову. Ты наш...".

Через месяц "нашего банкира" забрали, обвинили во вредительстве. Он погиб мученической смертью.

Николая Вознесенского не взяли, а только сняли со всех постов – председателя Госплана, заместителя Председателя Совета Министров – и вывели из состава Политбюро. Это случилось в марте 1949 г. Почти полгода, месяц за месяцем, день за днем ожидал он решения своей участи. Не теряя напрасно времени, работал над книгой "Политическая экономия коммунизма". Недавний фаворит послал записку Сталину. Вождь оставил ее без ответа.

...Телефонный звонок: Сталин приглашал Николая Алексеевича Вознесенского на подмосковную дачу. Сталин обнял опального соратника, посадил за стол рядом с членами Политбюро.

– Я предлагаю тост за дорогого товарища Вознесенского, нашего ведущего экономиста. Он тот, кто способен прокладывать пути к светлому будущему, планировать дальнейшие победы. Такие люди составляют наш самый ценный капитал, такие люди, как Николай Алексеевич, нужны нашей партии. За здоровье товарища Вознесенского!

Счастливый, сияющий, вернулся он домой. Жена обняла, заплакала от радости. Звонок. Нет, это не телефон. За ним пришли. Один оперативник по-хозяйски сел за стол и начал опорожнять ящики. На пол полетели бумаги, записные книжки, ордена... На лице у сотрудника органов – натренированное выражение гадливости. Рядом на столике возле пишущей машинки лежала рукопись "Политической экономии коммунизма". Сотрудник брал по листку и бросал на пол. Вот ведь как они маскируются, предатели, – о коммунизме пишут. Коммунизм вам не поможет...

Вознесенскому повезло: его долго не пытали, а лишь возили раздетого зимой в товарном вагоне по окружной железной дороге – авось простудится... Потом прикончили.

...Чокаться с завтрашними мертвецами за ночным столом? Это для гурманов. Сказано: "Незачем поить ночью птицу, которую утром зарежут". А Сталин поил. И перышки приглаживал, игривец.

Последний акт

Последний акт жизни диктатора разыграли в первые дни марта 1953 г. в Кунцеве, на Ближней даче. На этот раз Сталин не мог вмешиваться в ход спектакля. Может быть, поэтому в драму смерти вплелись неуместные комедийные мотивы. Вот как это выглядело в описании дочери:

"В большом зале, где лежал отец, толпилась масса народу. Незнакомые врачи, впервые увидевшие больного (академик В.Н. Виноградов, много лет наблюдавший отца, сидел в тюрьме), ужасно суетились вокруг. Ставили пиявки на затылок и шею, снимали кардиограммы, делали рентген легких, медсестра беспрестанно записывала в журнал ход болезни. Все делалось, как надо. Все суетились, спасая жизнь, которую уже нельзя было спасти".

Среди присутствующих выделялись члены Президиума ЦК Берия, Маленков, Хрущев, Булганин. В последнее время только их и терпел Хозяин. Но эту четверку раздирали противоречия и взаимное опасливое недоверие. Берия с Маленковым значительно превосходили вторую пару и умом и характерами. Хрущева с Булганиным Сталин взял в свой театр на роли простаков. Это выглядело вполне естественно, так же как и назначение на амплуа резонера Маленкова. Берия попал на свою роль злодея еще в 20-е годы. Однако он обладал могучим сценическим темпераментом и далеко не всегда вписывался в отведенные ему режиссером рамки. В смертный час генсека он, возбужденный до крайности, метался по комнатам, отдавая распоряжения охране, прислуге, врачам. В цепких руках мелькали маски: то самоуверенного Папы Малого (так его почтительно называли не только в Грузии), то верного, преданного до собачьего визга друга, когда он лобызал влажную руку Хозяина, то охваченного злостью ожидания убийцы.

Умирал Сталин трудно. Правая сторона уже была парализована, он лишился речи, наступило удушье. В последний раз открыл глаза, обвел взглядом окружающих – охранников, незнакомых врачей, слишком знакомых соратников и своих детей... Якова нет, старшего он загубил десять лет назад. Младшего, Василия, он тоже не любил, дальше кухни мальчика не пускал. А Светлана здесь. Письма дочери генсек подписывал, ерничая, "твой секретаришка"... Но в минуты раздражения уличал ее в антисоветских настроениях, и тогда в его голосе звучали садистские нотки следователя по особо важным делам.

...Он обвел взглядом окружающих и вдруг поднял левую руку в угрожающем жесте, силясь что-то сказать. И сник навсегда.

Занавес.

Нет, еще остался последний эпизод. Лаврентий Берия, убедившись наконец в столь желанной смерти Бессмертного, не удержался и вышел из образа. Скорбную тишину прорезал его ликующий возглас: "Хрусталев, машину!"

Занавес.

110

Кончину Хозяина оплакивала вся прислуга – повара, подавальщицы, шоферы, дежурные диспетчеры охраны, садовники.

Читаем у Светланы Аллилуевой:

"Пришла проститься Валентина Васильевна Истомина – Валечка, как ее все звали, – экономка, работавшая у отца на этой даче лет восемнадцать. Она грохнулась на колени возле дивана, упала головой на грудь покойнику и заплакала в голос, как в деревне. Долго она не могла остановиться, и никто не мешал ей... И, как вся прислуга, до последних дней своих она будет убеждена, что не было на свете человека лучше, чем мой отец".

Покойный был так внимателен, так приветлив и добр к ним. И они горевали искренне. А Он, он, когда искренним был – с ними или со своими подручными? Быть может, с народом?

Нет, Сталин играл со всеми. Он всю жизнь комедию ломал.

А. Синявский

СТАЛИН – ГЕРОЙ И ХУДОЖНИК
СТАЛИНСКОЙ ЭПОХИ

Для начала поставим вопрос: чем Сталин отличался от Ленина и в какой мере Ленин подготовил Сталина?

Даже чисто внешнее сопоставление показывает громадное различие между двумя вождями, олицетворявшими государство на двух разных этапах. Ленин по складу характера и внешнему облику был человек сугубо штатский. Сталин – человек военный или, во всяком случае, разыгрывающий роль военного. Свое пристрастие к военному чину и мундиру он окончательно реализовал в пышном титуле генералиссимуса. Однако и в ранние революционные годы Сталин уже носил сапоги, шинель и свои знаменитые усы – намек на принадлежность к военной касте русского большевизма. Ленин же ходил в своей, тоже знаменитой, жилетке – принадлежность штатского облика – и, ораторствуя, имел обыкновение закладывать большие пальцы рук за края жилетки, у подмышек, как если бы собирался танцевать фрейлехс. Может быть, в этом сказывалось чисто российское интеллигентское пренебрежение Ленина к позе, к собственной внешности, к своему костюму – хотя и при жилетке.

Непрезентабельна и наружность Ленина: лысый, маленький и картавый человечек с огромным лбом ученого. Сталин тоже был невысокого роста (правда, с низким лбом). Однако мы этого не замечали за лесом громадных статуй, которые он воздвиг в собственную честь – в сапогах, в шинели и с усами. Вместо научных дискуссий и въедливых партийных препирательств (к чему был склонен Ленин) начинался военный парад – театрализованной власти и театрализованной действительности.

Ленин в анкете в графе "профессия" тихо писал о себе: "литератор". А Сталин сделался "вождем всего передового человечества", как его повседневно величали. И даже их псевдонимы звучат по-разному. "Ленин" – что-то неопределенное, производное от домашнего женского имени. Это теперь слово "Ленин" звучит громко, а вначале оно ничего высокого и торжественного не обозначало. Почти как "Машин" или "Катин", "Люсин", например. И, придя к власти, Ленин продолжал подписываться "Ульянов" в сочетании с псевдонимом "Ленин", звучавшим еще более непритязательно. А Сталин о своем истинном имени "Джугашви-

---

Глава из книги "Основы советской цивилизации".

Употребляя определения "художник" или "ученый", автор не вкладывает в эти слова какой-либо качественной оценки, а пользуется ими нейтрально в значении типологических терминов.

ли" не любил вспоминать и сразу ввел в обиход громкое понятие "Сталин", в котором слышится "сталь" и кем этот человек "стал", определив собственным именем новую, стальную эпоху.

Военных летчиков стали называть "сталинскими соколами". В почет вошли сталевары – по аналогии со Сталиным. И в это же время был написан роман "Как закалялась сталь". Заглавие романа, как стальная струна, резонировало на имя: Сталин. А рядом со Сталиным вдруг объявился народный поэт, писавший о Сталине, дагестанский ашуг Сулейман Стальский, которого Горький назвал "Гомером XX века".

От одного имени "Сталин" все зазвучало в стране по-сталински и стало стилем. Этот стиль Сталин назвал *социалистическим реализмом*. На вопрос писателей – что такое социалистический реализм? – Сталин отвечал: "Пишите правду". Этой репликой он прикрепил писателей к действительности, как прикрепляли крестьян к помещикам. А эпитетом "социалистический" реализму сообщался какой-то дополнительный блеск – вроде позолоты...

Ленин в быту был непритязателен, почти аскетичен. В нем действовала еще старая закваска русских революционеров. Согласно неписаным правилам этой традиции, человек, отдавший себя делу народа и революции, должен – внешне – не выделяться и не возвышаться над простыми людьми. Он должен бороться и жить бескорыстно, не стремясь к личной славе. Поэтому Ленин не играл в демократию, но был действительно демократичен в своих привычках, в отношениях с людьми. Мы не знаем, чтобы Ленин упивался властью, которая ему досталась в неограниченных размерах, чтобы он сводил с кем-то счеты по личным мотивам или выказывал деспотический нрав, как это свойственно диктаторам. Да, Ленин проявлял невероятную жестокость. Но эта жестокость исходила не от его собственного нрава и характера, а от сугубо научного подхода к проблемам классовой борьбы и политики. Лично Ленин был скорее добрым человеком. Но в своих политических действиях он был безразличен к вопросам "добра" и "зла", полагая, что "добро" – это то, что полезно в данный момент пролетариату и его, ленинской, политике, выражавшей, как ему казалось, пролетарские интересы. А "зло" – все то, что может этим интересам повредить и помешать.

Властвуя единолично, Ленин избегал славы и почета, которыми его имя уже было окружено. Вот пример: в дни 50-летия Ленина в 1920 г. проходит IX съезд партии, который хочет отметить ленинский юбилей. И как же реагирует Ленин на эти поздравительные овации? Он уходит, как только начинаются хвалебные речи в его честь. И, сидя в кабинете, один, все время шлет записки съезду и звонит по телефону, чтобы его чествование поскорее прекратили и перешли к очередной полезной работе. И это – искренне: как и подобает революционеру, интеллигенту и демократу.

Овации во славу себе Сталин поощрял и, случалось, расстреливал тех, кто мало ему аплодировал. Сталин упивался собственной властью. Он проявлял личную мстительность, злопамятство, садизм и прочие темные страсти, свойственные его натуре. И при этом не считался ни с какими классовыми интересами и действовал даже вопреки этим интересам – обнаруживая исключительную личную жестокость, личное коварство и личную жажду власти.

С некоторых пор существует противопоставление – Ленин и Сталин. Отрицая Сталина, коммунисты обычно ссылаются на Ленина и

8–1203

говорят: вот если бы был жив Ленин, все пошло бы по-другому и не было бы Сталина. В результате Ленин становится воплощением доброго, хорошего коммунизма.

Действительно, трудно представить Ленина в роли Сталина. Однако Ленин подготовил приход Сталина к власти. Подготовил тем, что исключил всякую, в том числе партийную, демократию. И, будучи по натуре демократичным интеллигентом, он, по сути, запретил дискуссии внутри партии и вне ее. Ленин свел все государственное управление к самому Ленину, не заботясь о том, что завтра на его место сядет Сталин.

Кульминация Сталина – 1937 г., когда он ликвидировал всех своих мнимых и действительных противников по партии. Конечно, не в одном 1937 г. все это делалось, но 1937 г. навсегда останется в русской истории какой-то мистической датой, может быть, наравне с тоже достаточно сакраментальным 1917 г. 37-й г. – это как бы ответ 17-му. На разум Ленина, на его крайнюю рациональность, проявленную в 1917 г., Сталин через двадцать лет Советской власти – в 37-м – ответил иррационально.

Сталинская иррациональность заключалась в том, что сажали и убивали вчерашних героев революции, убивали своих, самых преданных членов партии, которые умирали подчас с клятвой верности Сталину на устах.

Это кажется безумием. И существует версия, что Сталин простонапросто был сумасшедшим, который все это устроил и организовал, вопреки собственным и партийным интересам. На самом деле Сталин поступал совершенно логично со своей точки зрения, и даже в чем-то следуя ленинской политике. Но если все-таки допустить, что Сталин был безумцем, который правил государством в течение нескольких десятилетий, не встречая никаких помех и никакого сопротивления, то значит само государство, созданное Лениным, несло в себе такую возможность. А Сталин, при всем психологическом различии с Лениным, был его учеником, правда учеником, который превзошел своего учителя.

Известно, что Ленин уничтожил оппозицию прежде всего в виде других партий, в том числе других социалистических партий меньшевиков и эсеров. А Сталин в начале правления столкнулся с оппозицией себе внутри партии в лице троцкистов, которых он ликвидировал, а затем распространил эту ликвидацию и почти на всю ленинскую гвардию, которая в его глазах была потенциальной оппозицией ему, Сталину. Для того и понадобились показательные процессы 30-х годов, когда виднейшие руководители партии и государства публично признавали себя агентами иностранных разведок, якобы всю жизнь мечтавшими о реставрации капитализма в России.

Следует признать, что эти спектакли были поставлены и проведены блестяще. Сошлюсь только на одно свидетельство – Лиона Фейхтвангера, которого как знатного иностранца и друга Советского Союза пригласили присутствовать на судебном процессе в Москве. Вот что рассказывает Фейхтвангер в книге "Москва 1937":

"Людей, стоявших перед судом, никоим образом нельзя было назвать замученными, отчаявшимися существами, представшими перед своим палачом. Вообще не следует думать, что это судебное разбирательство носило какой-либо искусственный или даже хотя бы торжественный, патетический характер.

Помещение, в котором шел процесс, не велико, оно вмещает, примерно, триста пятьдесят человек... Сами обвиняемые представляли собой холеных, хорошо одетых мужчин с медленными, непринужденными манерами. Они пили чай, из карманов у них торчали газеты, и они часто посматривали в публику. По общему виду это походило больше на дискуссию, чем на уголовный процесс, дискуссию, которую ведут в тоне беседы образованные люди, старающиеся выяснить правду и установить, что именно произошло и почему это произошло. Создавалось впечатление, будто обвиняемые, прокурор и судьи увлечены одинаковым, я чуть было не сказал спортивным, интересом выяснить с максимальной точностью все происшедшее. Если бы этот суд поручили инсценировать режиссеру, то ему, вероятно, понадобилось бы немало лет и немало репетиций, чтобы добиться от обвиняемых такой сыгранности: так добросовестно и старательно не пропускали они ни малейшей неточности друг у друга...

Признавались они все, но каждый на свой собственный манер: один – с циничной интонацией, другой – молодцевато, как солдат, третий – внутренне сопротивляясь, прибегая к увёрткам, четвертый – как раскаивающийся ученик, пятый – поуча. Но тон, выражение лица, жесты у всех были правдивы".

Между тем известно, что Сталин, как главный режиссер, вникал во все детали подобных инсценировок. Говорят, что одному из организаторов этих процессов Сталин приказал: "Ты организуй дело так, чтобы всем подсудимым на процессе подавали чай с лимоном и пирожными".

В судьбе Сталина все настолько запутано и загадочно, что над многими фактами мы ломаем голову, не зная, как их понять и как в действительности обстояло дело. Долгое время в тени находились истинные мотивы, объясняющие, почему подсудимые Сталина признавались и каялись в самых неправдоподобных грехах. Мы не знаем до конца, как Сталин убил Кирова, какому варианту смерти Горького следует отдать предпочтение. И не покушался ли Сталин на жизнь самого Ленина, как подозревает Троцкий? Да и самого Сталина, может быть, убили (есть и такая версия)? И существуют две версии смерти жены Сталина.

Словом, фигура Сталина теряется во мраке благодаря непостижимости его планов и замыслов.

Тем не менее во всем этом по-своему проявлялась ленинская логика, продолженная Сталиным дальше и доведенная до абсурда. Ведь с точки зрения Ленина, всякая оппозиция большевизму, всякая оппозиция его власти и его, ленинской, точке зрения – это выражение классовых и политических интересов буржуазии. Ибо как марксист, какой-то личной идеологии Ленин не признавал. Все в этом мире лишь выражение чьих-то классовых интересов. Поэтому своих политических противников Ленин постоянно зачислял в ряды буржуазии, и это типичная ленинская терминология, которую он раздавал направо и налево в своих статьях и речах, – "агенты буржуазии", или "агенты международного империализма", или "социал-предатели", или "предатели рабочего класса" и так далее. При этом, с точки зрения Ленина, субъективная честность человека и его субъективное мнение или самоощущение, что никакой он не агент буржуазии и никакой не предатель, дела не меняют. Важно не то, что человек думает о себе, а чьи позиции он *объективно* выражает, независимо от собственной воли. Ибо в истории действуют лишь объективные законы классовой борьбы.

Вот эту ленинскую "объективность" Сталин и приложил в величайших масштабах и в новых поворотах уже к членам самой партии, к ветеранам революции, которые ему казались почему-либо подозрительными.

Конечно, Ленин выражался иносказательно, когда употреблял этот термин – "агенты буржуазии" – применительно, допустим, к меньшевикам или к западным социал-демократам. Или когда он говорил, что они "продают" интересы рабочего класса, он это слово "продают" понимал и употреблял метафорически, а не думал, что меньшевики буквально побежали к мировой буржуазии и получили у нее деньги. Или что меньшевики как агенты буржуазии пошли и завербовались в иностранную разведку. А вот Сталин все это трактовал уже буквально. Раз "агент буржуазии", значит, буквально шпион. Сталин реализовал ленинские метафоры. И в этом смысле судебные процессы и казни 30-х годов есть не что иное, как реализация метафор.

И как это всегда бывает с реализацией метафор, в итоге получилась картина чудовищная и фантастическая. По стране всюду ползали какие-то невидимые "шпионы" и "диверсанты", которых вылавливали, и тогда они становились видимыми, для того чтобы каждый прохожий на улице мог оказаться таким же скрытым врагом.

Но нельзя забывать, что Ленин предусмотрел самые тяжелые наказания за то, что человек *объективно* является "агентом буржуазии". В 1922 г. в письме наркому юстиции Курскому Ленин требует: "расширить применение расстрела", в частности за агитацию и пропаганду. А для этого в Уголовном кодексе требует "найти формулировку, ставящую эти деяния в связь с международной буржуазией". Обратите внимание: именно "связь с международной буржуазией" дает право на расстрел человека. А для этой связи не нужна буквальная завербованность человека в иностранную разведку. Достаточно, что своими высказываниями или писаниями человек *объективно* помогает международной буржуазии. И вот в другом письме тому же наркому юстиции Ленин находит такую формулировку и предлагает ее как свой, ленинский проект соответствующей статьи Уголовного кодекса:

"Пропаганда или агитация, объективно содействующая международной буржуазии", предусматривает расстрел (или высылку за границу)."

А уж в сталинскую эпоху любое высказывание, выражающее самую легкую критику государства и Сталина, рассматривалось как такая буржуазная агитация и пропаганда. Да и высказываться было не обязательно. Достаточно было подозрения, что человек мыслит как-то не так. Достаточно было случайной оговорки или опечатки.

Массовые аресты 37-го года коснулись в основном привилегированного слоя. Но в принципе мог пострадать каждый, ни к чему не причастный человек. Одна домохозяйка, простая баба, увидела, например, во сне, что она, извините, отдается Ворошилову. А утром вышла на коммунальную кухню и рассказала об этом сне соседке. Та донесла в НКВД, и виновницу отправили в лагерь с забавной формулировкой: "за неэтические сны о вождях". Таких историй великое множество, и всех вариантов так называемой буржуазной агитации не перечислить.

На Первом съезде советских писателей среди других партийных лидеров выступал Ем. Ярославский. Ярославский сказал: "Что дала наша партия? Она дала образы несравненной красоты, железной воли, яркой беззаветной преданности (опускаю большую часть эпитетов превосходной степени. – *А.С.*), непревзойденные характеры Ленина и Сталина. (*Аплодисменты*)... Где, в каком произведении, – спрашивает с упреком Ярославский, – вы показали во весь рост Сталина? (*Аплодисменты*)".

Итак, Сталин это первый положительный герой среди ныне живущих людей. Сама идея положительного героя в советском искусстве ориентирована на фигуру вождя. В целом сталинскую эпоху допустимо представить сценой, о которой позднее поведал Хрущев и в которой неизвестно чего больше – искусства или действительности: у Сталина, рассказал Хрущев, была маниакальная страсть к прогулкам среди статуй с собственным изображением.

В принципе подобную процедуру он мог исполнять как тяжелую, но необходимую повинность, демонстрируя свои изображения молящейся толпе ради ее нравственного и эстетического воспитания. Разумеется, как человека умного его могла по временам раздражать возня вокруг его бюстов, портретов и прочих принадлежностей культа. Известен эпизод, когда Сталин явился в театр без предупреждения и проследовал прямо в правительственную ложу. А испуганный директор театра вдруг обнаружил, что в фойе нет бюста Сталина и лишь один бюст стоит в вестибюле. Пока шло первое действие спектакля, нашли второй бюст и поставили в фойе, украсив цветами. В антракте Сталин, проходя мимо, злобно буркнул, показав на собственный бюст: "А этот когда успел прийти?"

Но сам же Сталин этот культ насаждал: он мыслил себя в божественных измерениях. Он сказал Енукидзе, который попытался перед ним защищать Каменева и Зиновьева: "Запомни, Авель, кто не со мной – тот против меня!" (А. Орлов "Тайная история сталинских преступлений"). И – убил Енукидзе. Как бывший семинарист, Сталин не мог не помнить, кому принадлежали эти слова в Евангелии от Матфея.

Спрашивается: верил ли Сталин в собственные фантазии по поводу своей исключительности или по поводу организованных им массовых казней? Существует версия, что Сталин не верил в справедливость этих арестов и процессов, поскольку сам все это подстроил и пустил в ход. А в то же время – по свидетельству Хрущева – Сталин жил в воображаемом мире и шел на поводу собственного воображения. Очевидно, Сталин и верил и не верил своему воображению, как и подобает истинному художнику.

Лион Фейхтвангер в книге о Москве 1937 г. приводит эпизод из своей беседы со Сталиным – "Сто тысяч портретов человека с усами":

"На мое замечание о безвкусном, преувеличенном преклонении перед его личностью он пожал плечами. Он извинил своих крестьян и рабочих тем, что они были слишком заняты другими делами и не могли развить в себе хороший вкус, и слегка пошутил по поводу сотен тысяч увеличенных до чудовищных размеров портретов человека с усами, – портретов, которые мелькают у него перед глазами во время демонстраций. Я указываю ему на то, что даже люди, несомненно обладающие вкусом, выставляют его бюсты и портреты – да еще какие! – в местах, к которым они не имеют никакого отношения, как, например, на выставке Рембрандта. Тут он становится серьезен. Он высказывает предположение, что это люди, которые довольно поздно признали существующий режим и теперь стараются доказать свою преданность с удвоенным усердием. Да, он считает возможным, что тут действует умысел вредителей, пытающихся таким образом дискредитировать его. "Подхалимствующий дурак, – сердито сказал Сталин, – приносит больше вреда, чем сотня врагов". Всю эту шумиху он терпит, заявил он, только потому, что он знает, какую наивную радость доставляет праздничная суматоха ее устроителям, и знает, что все это относится к нему не как к отдельному лицу, а как к представителю течения, утверждающего, что построение социалистического хозяйства в Советском Союзе важнее, чем перманентная революция".

Сталин лицемерил. Запугать Лиона Фейхтвангера, как это делал со своими подданными, он не мог, и он обманывал, желая понравиться иностранному писателю, в чем и преуспел. Фейхтвангер Сталина превознес в западной печати, в частности за его скромность. Но любопытно, на какие мотивы ссылается Сталин, объясняя собственный культ. В конце приведенной цитаты не случайно упоминается "перманентная революция", теоретиком которой был Троцкий. По сути, Сталин эту теорию усвоил и осуществлял по-своему. И коллективизацию, и чистки 30-х годов, и многое другое, что проводил Сталин, в принципе допустимо рассматривать как перманентную революцию. Но здесь важно другое – то, что Сталин портреты и ликование в свою честь рассматривает как победу над Троцким, некогда своим главным врагом и конкурентом. Эта победа и увенчалась расстрелами 30-х годов, а вскоре и убийством Троцкого. В то же время Сталин вину за собственный культ старается спихнуть на мифических "вредителей", которые якобы хотят его дискредитировать. Этим он развязывает себе руки для дальнейших расстрелов – в том числе и тех, кто был ему предан. Наконец, Сталин извиняет этот культ наивностью рабочих и крестьян, которыми он правит. За этим скрывается тайная мысль Сталина, которую он и осуществил на практике, что только так этим наивным народом и народом вообще и можно, и нужно править.

Исследователи говорят, что Сталин обладал одной исключительно гениальной способностью. Он как никто разбирался в людях и видел их насквозь. И поэтому очень умело подбирал кадры. Людей талантливых или самостоятельных в руководстве он уничтожил и окружил себя исполнителями, которые никак не могли с ним конкурировать да и боялись этого пуще огня. Кроме того, удивительно разбираясь в людях, он умел так их расставлять и стравливать между собой, что в конечном счете это шло на пользу ему одному. В результате его жертвы располагались как бы цепями, подчас предварительно сыграв роль палачей. Скажем, расстрел Якира подписал среди других сначала маршал Блюхер, а затем сам Блюхер был расстрелян. "Одним из главных принципов убийств сталинского времени было уничтожение одним рядом партийных деятелей другого. А эти в свою очередь гибли от новых – из третьего ряда убийц" (В. Шаламов "Воскрешение лиственницы").

Громадный интерес и уважение Сталин испытывал к Макиавелли, которого можно назвать художником в политическом искусстве и в теории государственного управления. Очевидно, Сталин особенно ценил рекомендации Макиавелли в достижении и укреплении власти не брезговать никакими средствами.

А из русских исторических деятелей он ценил Ивана Грозного. У Алексея Толстого, который написал дилогию о Грозном, где восхвалял этого царя, есть в архиве запись телефонного разговора со Сталиным. Сталин лично позвонил Толстому по телефону, одобрил эту вещь, а по поводу личности Ивана Грозного сказал, что у царя был один недостаток. Казня бояр, тот между казнями почему-то мучился угрызениями совести и каялся в своей жестокости.

Помимо садизма, было в Сталине нечто и от юродства грозного царя Ивана Васильевича. Светлана сообщает, что в 52-м году Сталин "дважды просил новый состав ЦК об отставке. Все хором отвечали, что это невозможно... — комментирует Светлана. — Ждал ли он иных ответов от этого стройного хора? Или подозревал кого-нибудь, кто выразит согласие его заместить? Никто не осмелился этого сделать. Ни один не решился принять его слова всерьез. Да и хотел ли он в самом деле отставки? Это напоминало о хитростях Ивана Грозного, временами удалявшегося в монастырь, жалуясь на старость и усталость и приказывавшего боярам избрать нового царя. Бояре на коленях умоляли его не покидать их, боясь что любой избранный ими тут же лишится головы" ("Только один год").

Сталин играл в Ивана Грозного. Недаром бывший чекист Орлов, оставшийся на Западе, рассказывает, что для проведения особо секретных операций за рубежом некоторым резидентам советской разведки был сообщен новый, специальный псевдоним Иосифа Виссарионовича – *Иван Васильевич*. "Псевдоним, – поясняет Орлов, – был весьма прозрачен – так звали любезного сталинской душе царя, Ивана Грозного, с которым у Сталина были к тому же одинаковые инициалы" ("Тайная история сталинских преступлений").

В отличие от Ивана Васильевича Сталина, по-видимому, никакие грехи не мучили. Однако, при всей загрубелости натуры, диапазон душевных его колебаний был достаточно широк, и играл он также, помимо театра людей-марионеток, на самых сокровенных и тонких струнах своей души. Светлана рассказывает: "Я думаю, что отец находил нечто для себя в своей любимой опере "Борис Годунов", которую часто ходил слушать в последние годы, часто сидя один в ложе. Однажды он взял меня с собой, и у меня мороз бежал по спине при монологе Бориса и при речитативе юродивого, страшно было оглянуться на отца... Может быть, у него в это время были "мальчики кровавые в глазах"? Почему он ходил слушать именно эту оперу?.."

Помимо режиссерских талантов, Сталин был великим актером. Об артистических способностях Сталина неоднократно упоминает Хрущев в своих "Воспоминаниях". Образцы удивительной актерской игры Сталина приводятся во множестве и другими мемуаристами. Как, например, Сталин поцеловал лежащего в гробу Кирова, которого сам же убил. Как Сталин скорбел над телом Орджоникидзе, которого убил или довел до смерти. Авторханов пишет: "Я присутствовал на этом митинге, вблизи Мавзолея, в нежный февральский день 1937 г. Я наблюдал за Сталиным – какая великая скорбь, какое тяжкое горе, какая режущая боль были обозначены на его лице! Да, великим артистом был товарищ Сталин!" ("Мемуары").

А вместе с тем Сталин умел очаровывать людей своими мягкими и обходительными манерами. Умел сохранять маску непроницаемости, за которой скрывалось что-то непредсказуемое... И умел – одной лишь неторопливой интонацией – сообщать глубочайшую мудрость простым и плоским речениям.

Сама власть его привлекала, помимо прочего, как игра человеческими жизнями. Глубоко зная людей и глубоко их презирая, Сталин к ним относился как к сырому материалу, с которым можно делать что угодно, осуществляя в истории некий замысел своей личности и судьбы. Он был в собственных глазах единственным актером-режиссером, а сценой была вся Россия и шире – весь мир. В этом смысле Сталин был по натуре художником. Отсюда, в частности, и многие отклонения Сталина от Ленина в сторону культа собственной личности. Отсюда же его капризный деспотизм, а также подготовка и развертывание судебных процессов как сложно-увлекательных детективных сюжетов и красочных спектаклей. И его спокойная маска на публике, маска мудрого вождя, который абсолютно уверен в своей правоте и непогрешимости и поэтому всегда спокоен. Хотя в душе, наверное, у него клокотали страсти.

Сталин любил заманивать свою жертву оказанным почетом и в то же время иногда немного пугать, выбивая из равновесия, играя как кошка с мышью. Сталин любил держать человека на приколе, допустим, оставляя его на высоком посту, но арестовав жену, брата или сына. Перед тем как расстрелять, он, случалось, не понижал, а повышал человека в должности, создавая у того ложное ощущение, что все благополучно.

У крупного партийного деятеля Отто Куусинена Сталин как-то спросил, почему тот не хлопочет об освобождении сына. Тот ответил: "Очевидно, были серьезные причины для его ареста". Сталин усмехнулся и распорядился – освободить.

Сталин как бы проверял на людях силу и магию своей власти, и, если человек проявлял покорность, Сталин иногда оказывал милость. Но здесь не было строгой закономерности. Человек мог как угодно ползать перед ним на брюхе, а Сталин его топтал. В игре с человеком и над человеком Сталину важно было придать своей власти непостижимую загадочность, высшую иррациональность. В нем была, по всей вероятности, и самая подлинная иррациональность, но Сталин ее еще сгущал, театрализовывал и декорировал. Это соответствовало и жившей в нем художественной струне, и стремлению придать своей власти религиозно-мистический акцент, и его скрытному, всегда как бы затаенному характеру.

По сравнению со Сталиным Ленин кажется человеком открытым, насколько, конечно, это вообще возможно для диктатора. Ленину не было надобности скрывать что-то особенное или тайное в своей душе и личности, поскольку он весь или почти весь раскрывался в своих рациональных построениях и в своей рациональной деятельности. А Сталину было что скрывать. Поэтому, кстати, имя и личность Сталина окружены легендами самого разнообразного сорта, которые иногда совпадают с фактами, а иногда от них отклоняются, но не настолько, чтобы легенду нельзя было принять за факт.

Некоторые историки прошлого – например, Светоний – строили свои труды во многом как собрание анекдотов и занятных достопримечательностей из жизни того или иного героя. И этот полуфольклор служит нам историческим источником в изучении отдаленных эпох. Нам не так уж важно правда это, или вымысел, или домысел, поскольку сам домысел бывает реальнее фактов. Примерно то же происходит с легендами о Сталине. За фактическую их достоверность нельзя ручаться. Но важно то, что они соответствуют эпохе и образу Сталина в ней, метафизике его личности.

Например: "Рассказывали, что он (Сталин) позвонил по телефону в редакцию молодежной газеты, и заместитель редактора сказал:

– Бубекин слушает.

Сталин спросил:

– А кто такой Бубекин?

Бубекин ответил:

– Надо знать, – и шваркнул трубку.

Сталин снова позвонил и сказал:

– Товарищ Бубекин, говорит Сталин, объясните, пожалуйста, кто вы такой?

Рассказывали, что Бубекин после этого случая пролежал две недели в больнице – лечился от нервного потрясения".

(В. Гроссман "Жизнь и судьба")

По этим анекдотам и множеству других видно, что Сталин любил не просто проявлять власть, но, пользуясь своим положением, производить попутно всякого рода затейливые "художества". К наиболее добрым из них принадлежит придуманная им игра с маленькой Светланой, документально зафиксированная в их переписке. Дочь Светлану он ласково именовал "хозяйкой", а себя, всесильного хозяина страны, аттестовал ее покорным "секретарем" или бедным "секретаришкой". Рядом же подписывался звучным именем – "Сталин", а членов Политбюро называл также ее "секретарями" или "секретаришками" ("Двадцать писем к другу"). Ему нравилось нарочито и шутливо уничижать себя перед девочкой, демонстрируя, что он настолько властен, что и высшую свою власть ни во что не ставит.

Сталин, по-видимому, был большим юмористом. Стоит по этой части сравнить его с Лениным. Ленин с грустью признавался Горькому, что лишен чувства юмора. И это можно понять. Ведь Ленин – ученый, притом рационалистического склада, которому юмор не нужен. Одно из проявлений иррациональной, художественной природы Сталина – его юмор. Правда, это по-преимуществу черный юмор, но все же юмор. Этим юмором Сталин наслаждался, владея жизнью и смертью людей, которым он мог принести зло, а мог принести добро. Сталин стоял как бы уже по ту сторону добра и зла. И, сознавая это, чаще всего прибегал к черному юмору, который заключался в колебаниях смысла, так что зло могло обернуться добром, а добро – злом. Когда, допустим, Сталин проявлял ласковость к человеку и в то же время показывал когти, угрожая его убить. Но та же угроза убить могла закончиться вознаграждением. В этой безграничной возможности подменять добро злом и наоборот проявлялась непостижимая загадочность Сталина. И потому лучшим выражением сталинского юмора был – труп. Но не просто труп и не труп врага, а труп друга, который любил Сталина и которому все же Сталин почему-то не доверял...

Это проявлялось и в большой политике. Сталин убил Кирова, а затем, приписав это убийство своим идейным противникам, развязал цепь образцово-показательных судебных процессов. Это был гениальный ход сталинской тактики и политики. Но вместе с тем, убив Кирова, Сталин сделал из Кирова великого вождя. Раньше Киров был известен лишь партийным кругам. А после гибели он превратился в великую историческую личность, известную всей стране, и в лучшего друга Сталина. Сталин назвал его именем ряд городов: "Кировск", "Кировоград", "Кировакан" и так далее. И это стремление увековечить Кирова и ввести его имя даже в географию России было вызвано не только тактикой – замести следы, но, главным образом, на мой взгляд, черным юмором Сталина. Сталин как бы платил Кирову после его убийства, выводя Кирова в люди, в заглавные герои советской истории. Может быть, в этом выражалась тайная благодарность Сталина Кирову за то, что дал себя убить.

* *
*

Сталин любил искусство – литературу, кино, театр, всевозможные ансамбли песни и пляски. Это кажется невероятным, но Сталин любил искусство куда больше, чем Ленин, который искусством мало интересовался. Сталинские собственно художественные вкусы представляли странную смесь самых грубых и варварских пристрастий с тонкостью и пониманием. И это естественно. Сталин – плебей и деспот с какими-то необыкновенными художественными задатками. Ничего подобного мы не найдем у Ленина. Сталин – дикарь по сравнению с интеллигентом Лениным. Но этот дикарь прочел больше художественных произведений, чем Ленин, читавший в основном политическую и научную литературу. А Сталин весьма внимательно следил за развитием советской литературы. Правда, это внимание ей дорого стоило. Но показателен уже сам факт подобного вмешательства, который свидетельствует о неравнодушии Сталина к эстетике. Это было вызвано не только заботами главного цензора, но и внутренним побуждением и пристрастием к искусству. Отсюда мы находим у Сталина и самые нелепые суждения в этой области, и отдельные проявления глубокой проницательности. Достаточно вспомнить знаменитый сталинский афоризм по поводу поэмы Максима Горького "Девушка и Смерть". На экземпляре этой очень слабой поэмы Сталин начертал: "Это штука сильнее, чем "Фауст" Гёте". Но в то же время Сталин сумел оценить Маяковского как лучшего советского поэта и сделал это не только из политических соображений. В текущей литературе Сталин разглядел повесть Виктора Некрасова "В окопах Сталинграда" – лучшую повесть о войне. А из писателей, идеологически ему чуждых, Сталин испытывал слабость к Михаилу Булгакову и потому оставил его в живых. О Достоевском Сталин как-то сказал Светлане, что тот был "великий психолог". "Наверное, – предполагает Светлана, – он находил в Достоевском что-то глубоко личное для себя самого, но не хотел говорить и объяснять, что именно".

Сталин – это человек, развращенный властью, но как никто понимавший природу власти. И одна из самых главных пружин сталинской власти – тайна, которой он себя окружил. Поэтому Сталин не просто безжалостный диктатор, но своего рода гипнотизер, сумевший поставить себя на место Бога и внушить людям соответствующее отношение. Сталин понимал, что власть должна быть таинственной, и этой таинственностью как бы окутан культ Сталина. Отсюда и ощущение, что Сталин все знает или все видит. То есть, присвоение себе божественных полномочий – всеведения. При Сталине невероятно разросся аппарат тайной полиции, проникая во все поры советского общества. Но помимо своих прямых, карательных функций, это имело еще значение величайшей таинственности, с какой осуществляет свое дело всеведущая и всемогущая власть.

Когда умер Сталин, многие думали, что все погибло. Причем так думали даже люди, политически совсем не приверженные режиму и не обожавшие Сталина. Просто персона Сталина превратилась в синоним всего государства и самой жизни на земле: "Нас имя Сталина ведет, а Сталин – это жизнь " (Александр Твардовский). Недаром солдаты во время войны шли в атаку и воевали под одним девизом: "За Родину! За Сталина!" Сталин был адекватен Родине.

Известны случаи посмертных явлений Сталина. Писатель Леонид Леонов в частной беседе с суеверном ужасом рассказывал, что после хрущевских разоблачений Сталина, когда его имя повсюду вычеркивали, Леонов со своей редакторшей как-то весь вечер, готовя переиздание, в очередном томе сочинений снимал имя Сталина. И вот редакторша, уходя от Леонова, упала на лестнице и сломала руку. Леонов совершенно серьезно уверял, что это была месть самого Сталина, который, дескать, на темной лестнице подтолкнул старенькую редакторшу. И я, прибавлял Леонов, с тех пор себя тоже плохо чувствую.

Так это или не так – мы гадать не будем. Ибо нас интересуют не эти привидения, а то очарование, пускай мрачное, которое умел внушать Сталин и при жизни, и после смерти. Объяснение этому – глубокая тайна, которой он обставил свою власть и собственную личность. Сталин угадал, что сила власти во многом в ее тайне.

Магическое воздействие Сталина (если представить, но схематически) распадается на две части – светлую и темную. Соответственно, одна половина сталинской личности пребывает как будто в ярком свете дня. Днем ликуют народы, возводятся постройки, совершаются парады, расцветает искусство социалистического реализма. Но главные дела производятся ночью – и аресты, и расстрелы, и политические интриги, и государственные заседания, объединенные с ночными застольями, наполненными черного юмора и зловещего шутовства. Этот ночной стиль жизни отвечал тайне, которую Сталин вложил в само понятие, в само содержание власти. Поэтому, между прочим, о Сталине так интересно читать. Тайна затягивает, засасывает. Книга Александра Орлова называется "Тайная история сталинских преступлений". Это звучит как музыка, как название какого-нибудь увлекательного романа: "Парижские тайны", "Таинственный остров", "Тайна двух океанов". Сталин, можно сказать, сумел превратить историю советского общества в тайную историю своих интересных преступлений...

Оглядывая сталинскую эпоху, я не нахожу в ней художника, который был бы достоин Сталина и отвечал бы его грозному "ночному" иррациональному духу. Таким художником при жизни Сталина мог быть, очевидно, лишь сам Сталин. Всех прочих художников, которые могли бы с ним соперничать в искусстве или в жизни, он устранил. А основной массе писателей предоставил идти по светлой дороге соцреализма, отвечавшей только "дневной" стороне его натуры и работы. Но до одной таинственной книги он все же не добрался, и она нам досталась много лет спустя как прижизненный памятник той уникальной эпохи.

Я имею в виду роман Булгакова "Мастер и Маргарита", написанный в то самое время, когда с невероятной силой проявился иррационализм Сталина. Роман Булгакова теснейшим образом связан со "сталинской" проблематикой, хотя ею, конечно, не ограничивается Воланд, не сам Сатана, благоволящий Мастеру, это до некоторой степени Сталин, благоволивший Булгакову, Сталин, представленный в темном, черном и все же идеализированном образе.

В 1930 г. Булгаков написал письмо Советскому правительству, где рассказал, как его затравила критика и цензура, как он, отчаявшись, бросил в печку черновик романа о дьяволе – это предшествующий "Мастеру и Маргарите" текст. Булгаков просил правительство отпустить его на свободу, в эмиграцию, либо каким-нибудь образом его трудоустроить. В том же письме Булгаков рекомендовал себя: "я – мистический писатель", предпочитающий "черные и мистические краски".

Булгакову по поводу его письма позвонил по телефону Сталин и, между прочим, спросил: "Что, мы вам очень надоели?" По-видимому, эта реплика поразила Булгакова, и он ее воспроизвел. В "Мастере и Маргарите" Воланд спрашивает Маргариту после "Великого бала": "Ну что, вас очень измучили?.."

Да и сам этот "Великий бал у сатаны" представляет собою некий апофеоз зла, квинтэссенцию преступлений, достигших предела и сосредоточенных в Сталине. Все злодеи мира собраны здесь – у Воланда, у Сталина.

Допустимо отметить множество других аллюзий. Скажем, когда Афраний после казни Христа говорит Пилату, поднимая чашу: "За нас, за тебя, кесарь, отец римлян, самый дорогой и лучший из людей!.." Перед нами очередной намек на Сталина. Но главное – не отдельные намеки и не прямые ссылки на современность, а вся атмосфера романа, пронизанная сталинскими темными токами. Атмосфера какого-то массового гипноза, психоза, в котором находится общество, следуя путем доносов и разоблачений, где само ГПУ, тюрьма и допросы представлены как некий театр – в подражание сталинскому театру разоблачений и репрессий. Недаром в центре событий в романе Булгакова поставлен сумасшедший дом, в конечном счете охватывающий всю Москву.

Не сговариваясь с Булгаковым и не будучи мистиком, Хрущев сравнивал сталинскую эпоху с сумасшедшим домом, где лично ему, Хрущеву, случайно повезло: достался, говорит Хрущев в мемуарах, "счастливый лотерейный билет", и потому он остался в живых и не попал во враги народа. Лотерейный билет, как выяснилось, состоял в том, что Хрущев учился в Промакадемии вместе с женой Сталина и защищал позиции Сталина, а та по женской наивности пересказывала мужу, и Сталин навсегда запомнил: Хрущев – свой, сталинский человек. Впрочем, Сталин тоже как-то обмолвился, что "мы живем в сумасшедшее время".

Л. Троцкий писал в 1937 г., что преступные черты в Сталине приняли "поистине апокалиптические размеры", и называет его подлоги "чудовищными", сравнивает их с "кошмаром" и "бредом". Все эти эпитеты действительно передают духовный портрет Сталина и его эпохи, хотя слабо вяжутся с марксизмом. А "мистический писатель" Булгаков прозревал реальность, что тогда не удавалось никаким "реалистам". Булгаков показал, что советская история вступила в область непознаваемого, в поле действия каких-то демонических сил.

Недавно в *Литературной газете* была напечатана статья В. Каверина "Взгляд в лицо". В ней он, в частности, говорит об актуальности романа "Мастер и Маргарита" и для той эпохи, когда роман писался, и для наших дней. По словам Каверина, роман Булгакова, где властвует "фантастика, отмеченная современной остротой", – это "свежий воздух", ворвавшийся наконец-то в советскую литературу: "...Мы ведь годами жили, делая вид, что литература не уклоняется от правды. Между тем она становилась целенаправленной, но пустой". А далее Каверин утверждает, что в годы Сталина "сложилась та общественная атмосфера, плоды которой мы никак не изживем до сих пор". Это означает, что дух Сталина продолжает действовать и, между прочим, питает собою искусство. Оказалось, и "тьма" бывает иногда благодетельной...

ЛЕНИН И СТАЛИН

Философско-социологический комментарий
к повести В. Гроссмана "Все течет"

Зачем понадобился этот комментарий?

Не ручаюсь за детали (никто меня в них не посвящал), но общий ход размышлений редакции (заказавшей мне эту статью) могу предположить – доводилось не раз сталкиваться с подобными ситуациями.

Перед редактором на столе повесть В. Гроссмана. Великолепная. Правдивая, беспощадная – написанная о том и так, о чем и как у нас еще мало писалось. Она должна прийти к читателю, ее надо печатать.

Но вот одна закавыка: автор так широко и так свободно размышляет, что некоторые речи его звучат непривычно даже для перестроечных ушей. Он выходит за границы – даже за те достаточно широкие границы, – которые завоеваны эпохой перестройки. Ну, в самом деле, вписываются ли, например, в наш социалистический плюрализм острокритические рассуждения Гроссмана о роли Ленина в истории? Или его трактовка корней сталинизма?

Как же тут быть?

Повыкидывать эти дьявольские страницы и печатать без них (достаточно апробированный в прошлом вариант)? Но сегодня это уже неприемлемо. Есть в этом что-то недостойное и для журнала, и для нынешней эпохи. Ведь этого не поймет и, что называется, демократическая общественность (много наслышанная об этих страницах), и, с другой стороны, будет брошена тень на провозглашенную и проводимую ныне линию демократической терпимости к инакомыслию.

Есть еще вариант, тоже иногда выручавший в прошлом. Печатать как оно есть. Но где-нибудь в примечании, петитом, как-то коротенько заметить "от редакции" что, дескать, она "не во всем согласна с автором". Или так: "Отдавая должное художественности произведения, редакция не может согласиться с рядом содержащихся в нем философско-социологических обобщений". Или еще "гибче": "Было бы неверно отождествлять позицию автора повести со взглядами одного из ее героев". Тоже – плохо, тоже какое-то неуважение и к автору, и к читателям – ведь очевидно же для всех, что главный герой, Иван Григорьевич, высказывает задушевные мысли автора.

А может быть, все это было и не так. Просто редакция не хотела, чтобы остались без ответа несправедливые слова, сказанные в адрес Ленина даже столь уважаемым и талантливым художником, как В. Гроссман, и она решила сопроводить повесть комментарием историка или философа. Может, и так. Не знаю.

Но как бы там ни было, редакция не ошиблась: я, действительно, приветствуя все основные художественные идеи повести В. Гроссмана, буду решительно возражать против понимания автором (и его героем) причин, корней, истоков сталинизма, против отождествления Ленина со Сталиным, а ленинизма со сталинизмом. И в этом смысле я действительно буду защищать Ленина.

Но прежде (и для меня сегодня это главное) я хотел бы защитить В. Гроссмана, защитить его право сказать, что он думает и как он думает, его право довести содержание своих размышлений до читателя (и при этом без всяких сопроводительных комментариев). Это, конечно, несколько запоздалая защита (25 лет спустя после смерти писателя!). Но, с одной стороны, далеко не все, сказанное им, пришло к читателю, а с другой – речь ведь идет об общем принципе, о праве, в котором нуждаются многие из живущих – те, кто, подобно лирическому герою А. Твардовского, способен сказать о себе: "Не могу передоверить даже Льву Толстому сказать, что я хочу, и так, как я хочу".

"Социалистический плюрализм" – есть ли в нем место В. Гроссману

Все зависит от того, как толковать "социалистический плюрализм". Если так, как это сегодня нередко делается, – как многообразие мнений "в рамках ленинской идеологической традиции", то В. Гроссману вроде бы тут места нет, ибо он эту традицию как будто бы открыто и остро критикует, и получается в силу этого, что его критика вроде бы не "служит делу укрепления социализма" (еще один признак "соцплюрализма"!). Однако попробуем более основательно разобраться во всем этом.

Вначале – о толковании "социалистического плюрализма". Мы не будем затрагивать сейчас вопрос о словах, о терминах, о том, хорошо или плохо это название в них вкладывается. Так вот, обратим прежде всего внимание на одну довольно странную вещь. Как-то так обычно получается, что добавление определения "социалистический" к какому-либо понятию ведет не к расширению, не к обогащению его содержания, а к резкому его сужению и обеднению.

Вспомним: социалистический реализм, социалистический гуманизм, социалистический интернационализм, социалистическая демократия.

Так, социалистический реализм – это не какой-то более богатый и глубокий реализм, чем все его прежние разновидности, не тот реализм, которые в максимальной степени отражает всю правду жизни, а тот, который отражает требования из пяти-семи пунктов, сформулированных разными там ждановыми и ермиловыми. Скажем, в 70-е годы просто реализм требовал бы отражения жизненного застоя, а "социалистический" реализм – жизни в ее "революционном развитии" (то есть добродетельного вранья); просто реализм должен был бы показать низведение основной массы людей до участи "винтиков" и "гаечек", а "социалистический" – "решающую роль народных масс в истории"; просто реализм требовал бы отражения всех сторон и всех цветов жизни, "социалистический" – лишь "примерных" сторон и розово-голубых красок.

Прежний интернационализм предусматривал добровольную солидарность полностью самостоятельных прогрессивных и социальных сил мира. "Более высокая" – "социалистическая" – форма интернационализма на практике нередко означала жесткое ограничение суверенитета "дружественных" стран, народов, политических партий и движений – вплоть до самого беспардонного вмешательства одних во внутренние дела других.

"Социалистический" гуманизм – не какое-то там "абстрактное" ("трухлявое" или как там еще?) человеколюбие, ставящее превыше всего жизнь и счастье человечества и отдельного человека, но "гуманизм", на знамени которого написано: "Кто не с нами, тот против нас", и если этот, который "против", "не сдается, его уничтожают".

"Социалистическая" демократия часто означала не ту, которая выше, шире, глубже не-социалистической и до-социалистической ("буржуазной", "рабовладельческой" и т.п.), а ту, которая уже "не для всех" и которая приводила в итоге к ситуации "человека-винтика", которая прекрасно уживалась с уничтожением крестьянства, травлей интеллигенции, обожествлением всевластного Вождя.

Действительное же содержание марксистских установок связано с громадным расширением участия людей в освободительной борьбе и общественной жизни. Лозунг марксизма: рабочий класс, освобождая себя, освобождает *всех*. Освобождение *человечества* – вот высший императив марксизма. И это понимание общечеловеческого смысла освободительной борьбы ныне все более широко распространяется в среде марксистов. Очень удачен и очень точен, на мой взгляд, популярный сегодня лозунг: "Больше демократии – больше социализма". То есть "больше демократии" *означает* "больше социализма". Заметим: "больше" не "социалистической демократии" – "больше социализма" (это было бы, в лучшем случае, бессодержательной тавтологией, а в худшем – сталинистско-брежневской формулой), а именно больше просто "демократии". Социализм – это ведь и есть "до конца" доводимая демократия. "До конца" – то есть до действительного равенства людей не только в политико-правовой области (начало чему было положено Великой Французской революцией XVIII века), но и в экономической, культурной, научной сферах, то есть до равенства по отношению к средствам производства материальных благ и управления, культурному богатству, к средствам производства научного знания.

Иначе говоря, реализм становится социалистическим, когда он охватывает с наибольшей глубиной логику развития жизни; гуманизм – социалистическим, когда поднимается до общечеловеческого гуманизма и общечеловеческих ценностей, а демократия – социалистической, когда она становится делом и полем деятельности всех и каждого. Вот почему "больше социализма" и означает, в частности, "больше демократии, больше гуманизма, больше интернационализма, больше реализма".

В этом контексте после приведенных разъяснений попробуем поосновательнее разобраться с *понятием* "социалистический плюрализм". Это важно не только для ответа на сравнительно частный вопрос, вынесенный в подзаголовок данного раздела статьи, но и для более ясного представления о том, в каком направлении в сфере гласности следует держать нам курс в дальнейшем.

Итак, весьма авторитетные деятели информируют нас, что в рамках "социалистического плюрализма" могут получить место только те мысли и позиции, которые "продолжают ленинскую идеологическую традицию" и которые тем самым "служат социализму". Такая трактовка вызывает ряд вопросов. Например, означает ли это, что мыслители, принадлежащие к другим идеологическим традициям, – ну, скажем, поклонники Л. Толстого, последователи М. Ганди, Дж. Неру или такие деятели, как Дж. Гэлбрейт, В. Брандт и т.д. и т.п., – должны оказаться за пределами нашего плюрализма и нашей гласности?

С другой стороны, что конкретно имеется в виду, когда говорится о "ленинской идейной традиции". Например, сталинский "Краткий курс" с его высоко положительными оценками Ленина – это "ленинская традиция"? А авторы, официальные интерпретаторы и проводники в жизнь идей "Краткого курса", – Молотов, Берия, Вышинский, Каганович и др., – влезают они в обозначенные рамки? А та "традиция", которая в годы застоя именовалась "Ленинским курсом" (по названию сочинений Л.И. Брежнева)? А Нина Андреева и ее покровители (которые, между прочим, клянутся Лениным, впрочем, вкупе со Сталиным) – их куда отнести? А их антиподы – критики сталинизма и брежневщины Рой Медведев, Лен Карпинский, Андрей Сахаров, Юрий Афанасьев – они умещаются в означенное русло?

Вопрос-то сегодня вот ведь какой стороной поворачивается: что значит "ленинская традиция"? Что такое социализм и что ему "служит"? Коллективизация и индустриализация "по-сталински" – "служат"? А "классовый подход" в области права, культуры и искусства с его апофеозом в 1937-м и 1946–1948 гг. – "служит"? Кто больше служит социализму – расстрелянный в 1938 г. Бухарин или положенный в 1953 г. рядом с Лениным в Мавзолей Сталин? Черта под всеми этими вопросами не подведена, наука только приступает к серьезному выяснению всего этого. Еще только-только приоткрылись двери спецхранов, еще продолжают оставаться в тайне главные документы архивов. Только еще едва-едва прозвучали первые, робкие, слабо документированные вступительные речи к серьезным научным дискуссиям, а администраторы уже начинают отмерять допустимые пределы дебатов, чертить для них рамки и границы. Требуют "нового прочтения Ленина" – и тут же грозное предостережение: но только в таких-то рамках. Требуют новой, углубленной разработки критериев социализма – и тут же: но, знаете ли, только вот в таких-то пределах.

Но ведь рамки действительно научной дискуссии, границы содержания выносимых на теоретическое обсуждение понятий может определить только сама дискуссия, только сам ее ход. Мы же встречаемся с попыткой определения всего этого *до* дискуссии. Словно кто-то уж превосходно знает, как надо по-новому читать Ленина, в чем глубинная суть оставленного им наследия, каковы искомые критерии социализма и т.д. Но если это так, если кому-то это все хорошо известно, то зачем этот призыв к дискуссиям, к "многообразию мнений" (и зачем, простите, вообще какой-то "плюрализм"?). Так не таите же, не скромничайте, сообщите нам побыстрее ваше понимание, обозначьте поотчетливей желательные для вас "рамки". Правда, отдайте себе ясный отчет в том, что выполнение этой задачи с необходимостью потребует от вас написания нового курса истории (и, конечно, – краткого, ибо так оно яснее и проще запоминается, да и легче будет сличать формулы нового курса с дискуссионными высказываниями).

Да, в этом важном вопросе должна быть полная ясность, тут надо следовать ленинскому методологическому принципу, не однажды уже повторявшемуся с самых высоких трибун: пора перестать морочить самих себя. Да, пора. Либо – либо: либо действительный плюрализм (ограниченный только "рамками" стремления к объективной истине да высшими нравственными и правовыми критериями, до которых доработалась наиболее цивилизованная, наиболее развитая часть современного человечества), либо – плюрализм "в рамках" (определение которых находится в монопольном владении тех или иных администраторов). И тогда, в последнем случае, действительно не следует морочить ни себя, ни других, не следует говорить о какой-либо принципиальной новизне ситуации – ибо такой-то – "управляемый" плюрализм "в рамках", – пожалуй, и в 1937 г. существовал (разве не позволялось тогда многообразие мнений "в рамках" традиций "Краткого курса"?). А если на это кто-то заметит, что в отличие от прошлого сейчас рамки предлагаются более широкие, я отвечу: да, конечно, это так, и недооценивать это нельзя, но принцип, увы, остается прежний – монополия администрации на истину, стремление превратить науку в угодливого комментатора и беспрекословную служанку политики. Речь пока может идти лишь о количественных различиях в рамках одного и того же качества. А количественные характеристики (шире – уже, больше – меньше) в условиях неразрушенной монополии на истину могут легко и быстро изменяться. Легкость, с которой Нина Андреева и К° в первые недели после публикации в *Советской России* начала расширять свои позиции, ясно свидетельствует о непрочности количественных изменений. Должно меняться *качество* отношений между политикой и наукой, качество плюрализма. Если мы действительно хотим способствовать формированию максимально демократической (то есть социалистической, ибо это синонимы) атмосферы в нашем обществе, если мы действительно хотим построить привлекательное для трудящихся всей земли общество – свободных, равноправных, всесторонне развитых людей (то есть социалистическое общество), – то наше понимание "социалистического плюрализма" (если уж мы пользуемся этим словосочетанием) должно быть принципиально иным. Плюрализм при социализме своим богатством и многообразием должен превосходить любые другие типы плюрализма. Он должен быть самым свободным и самым широким во всей человеческой истории – в соответствии с уже известной матрицей: "больше плюрализма" означает "больше социализма". Социализму "служат" прежде всего не какие-то определенные, "правильные" (идущие в "нужных" рамках) мнения, а само многообразие мнений, сама возможность каждому высказаться и быть услышанным. "Правильно" – "неправильно" – это не министерствами, не главками, не комитетами определяется, а ходом дискуссии, общественным мнением, практикой.

Только в такой – свободной, ничем не ограниченной (кроме разве лишь статей демократического правового законодательства) – атмосфере дискуссии и могут формироваться (хотя и не сразу, не без борьбы) истины (то есть соответствующие объективной логике истории и интересам подавляющего большинства людей) суждения. Только в такой атмосфере победа той или другой "традиции" будет убедительной, полновесной, будет выражением политического, научного и социального прогресса. Впрочем, в такой атмосфере будет обогащаться и само представление о "традициях" – уйдут в прошлое узкие, сектантские представления о монопольной истинности "наших" традиций, которые-де во всем, во всех отношениях выше всех других, на их место придет иное представление о традиции, которая не только способна быть верной своему первоисточнику, но и умеет переплетаться с другими "традициями", обогащаться их мыслями, их идеями, развиваться вместе (и параллельно) с ними, обеспечивая взаимное обогащение друг друга. Путь жестких ограничений, идейного монополизма, административного устранения конкурентов и оппонентов ведет (и в этом надо отдавать себе ясный отчет!) не к победе защищаемой традиции, а, как и всякая монополия, к загниванию, к застою, к кризису. Бюрократические ограничения научной жизни – это лучший способ погубить самую лучшую традицию.

Отсюда вполне понятен наш вывод: в рамках так понимаемого "социалистического плюрализма" В. Гроссман и его единомышленники имеют вполне законное место, не менее законное, чем представители любых других "традиций". Более того, само присутствие их мнений, их могучая побуждающая сила – бесстрашно искать ответы на "проклятые вопросы" наших дней, дабы построить мир нелицемерного уважения к человеку, – служат самым высоким и прекрасным целям (совокупность которых основоположники марксизма и называли социализмом).

Но признание их абсолютного права, не спрашивая ничего разрешения, присутствовать на общественной дискуссионной арене не означает с моей стороны признания правоты их точки зрения на причины, приведшие нас к тупиковым ситуациям, на пути и способы их преодоления. Последующие страницы и будут посвящены полемике с этими достойными уважения людьми.

Ошибки "Дневника" и художественное открытие В. Гроссмана

Будем откровенны: серьезной научной экспертизы гроссмановские страницы о Ленине выдержать не смогут. Их научная слабость просто бросается в глаза. Здесь и неточные факты. (Ну, например, не давал Ленин указаний провести обыск у умирающего Плеханова. Там местные "социалистические" держиморды, будущие сталинисты, поусердствовали. Ленин же, напротив, узнав об этом, страшно и яростно возмутился.) А если и приводится эпизод, действительно имевший место, то он как-то странно, как-то весьма неубедительно толкуется. Какая грубая, внушают нам строки дневника Ивана Григорьевича, какая примитивная натура у этого вождя: поднимается с друзьями на гору в Швейцарии и, достигнув вершины, вместо того чтобы сказать несколько возвышенных слов о красоте природы (как, по мнению автора, должен был бы поступить человек тонкой, интеллигентной организации), он бросает какую-то гневную политическую фразу, являвшуюся, по-видимому, итогом его молчаливых размышлений во время прогулки. Политическая суета заслонила-де ему всю "поэзию Божиего мира". Узость ума, бедность чувства, ограниченность натуры – автору кажется, что именно об этом говорит приведенный им факт. Но просто, ведь очевидно, что факт этот говорит совсем, совсем о другом – о прямо противоположном: пока Россия живет так, как она живет, – с распутиными и романовыми, бросая миллионы людей на гибель в бессмысленную мировую бойню (приводимый эпизод относится к годам первой мировой войны), – он, Ленин, не может любоваться "Божиим миром": совесть не позволяет. Да вот ведь и автор дневника, сам-то Иван Григорьевич, возвращающийся после многолетней сталинской каторги, – разве он любуется "Божиим миром", бегущим за окном железнодорожного вагона, разве занимают его маленькие радости этого Божьего (а в действительности безбожного) мира, которыми живут его попутчики по купе? Какой он угрюмый, "односторонний", думающий все об одном и том же, этот Иван Григорьевич! И в дневнике-то ни про ручейки, ни про птичек – ни слова; все – про Ульянова и Джугашвили. "Чудовище" настоящее, а не человек!..

Неверны в повести и многие обобщения, касающиеся существенных сторон личности Ленина, его моральных и политических принципов. "Ленин в споре не стремился убедить противника, – читаем мы в дневнике Ивана Григорьевича. – Ленин в споре вообще не обращался к своему оппоненту, он обращался к свидетелям спора. Его цель была – перед лицом свидетелей спора высмеять, скомпрометировать своего противника". Ну, неверно же, совершенно неверно все это. Прежде чем вступить в открытый, публичный спор с А. Богдановым (в книге "Материализм и эмпириокритицизм", 1909 г.), Ленин писал ему несколько лет философские письма – целые "тетрадки" исписывал. Г. Пятакову, Е. Бош и другим молодым "левым" социал-демократам в 1915–1916 гг. снова в письмах-тетрадях выяснял для них сложную диалектику межнациональных отношений. А знаменитые, известные сегодня в деталях дискуссии вокруг "Апрельских тезисов" в 1917 г., Брестского мира в 1918-м – эти образцы ленинской демократической манеры полемики! А сила (соединенная с мягкостью и деликатностью) убеждения в его речи "О задачах союзов молодежи" и в работе "Детская болезнь "левизны" в коммунизме"!

И разговоры о нетерпимости Ленина по отношению к оппонентам – они не основаны на серьезных фактах. Все было как раз наоборот. Уж чего-чего не наговорил в его адрес саркастический и ядовитый Плеханов – и с Собакевичем его сравнивал, и с гоголевским Осипом (слугой Хлестакова), называл его "Апрельские тезисы" "бредом", указывал на их сходство с дневниковыми записями Поприщина, вообще его мировоззрение оценивал как "дубоватый марксизм". (Кстати, как деликатны, как изысканно вежливы были его оппоненты, не правда ли?) А Ленин?

Он, этот "необъективный" человек, думавший только о том, как "скомпрометировать своих оппонентов", давая после смерти Плеханова итоговую оценку его взглядов, писал: нельзя стать сознательным коммунистом, не изучив всего, что написано Плехановым по философии. Вот вам и "нетерпимость"! Или: как блистательно сработался Ленин с Троцким в 1917–1923 гг. А ведь какие перья целое десятилетие перед этим летели в их схватках; и Лев Давидович, как известно, подобно Плеханову, в полемике тоже не слишком церемонился. А вот поди же ты – смогли вместе работать. И те трогательные венки воспоминаний, полных преклонения перед Владимиром Ильичем, которые положил Л.Д. Троцкий к подножию памяти о Ленине, – еще одно убедительное свидетельство нравственной и политической высоты Ильича. А ставший уже хрестоматийным эпизод, когда Каменев и Зиновьев, так разошедшиеся с Лениным в Октябре, смогли вернуться в его "ближайшее окружение" и приложить свои крупные по тем временам силы к укреплению и развитию первых шагов послеоктябрьского строительства. Ленин умел убеждать, умел объединять, умел быть терпеливым, умел ждать, умел делать десять шагов навстречу тому, кто готов был сделать первый встречный шаг. Нет, нет, он – полная противоположность тому характеру, что обрисован в повести.

Или: "Он (Ленин) никогда не допускал возможность хотя бы частичной правоты своих противников, хотя бы частичной своей неправоты". И снова – мимо. Вот только один пример. И для большей убедительности – снова связанный с Троцким (долгие годы одним из главных оппонентов Ильича). Речь шла об очень серьезном вопросе – о тактике по отношению к предпарламенту, к Демократическому совещанию (это был сентябрь 1917 г., острейший момент – когда тщательно выверялись политические шаги, способные приблизить и обеспечить победу грядущей революции). "Надо было бойкотировать Демократическое совещание", – пишет Владимир Ильич и с полнейшей определенностью заключает: "Мы все ошиблись, не сделав этого". И тут же знаменательные слова: "Троцкий был за бойкот. Браво, товарищ Троцкий!"[1].

Найдите мне у Мартова, Аксельрода, Плеханова, Потресова, Чернова и т.д. и т.д. – после 1903 г. – подобные слова: "Мы ошибались. Ленин прав. Браво, товарищ Ленин!". Не найдете, уверяю вас!

Об ошибках, когда они случались, Ильич писал прямо – и относительно бойкота 1-й Государственной Думы в 1906 г. и небойкота Демократического совещания, об ошибочности политики военного коммунизма (как стратегической линии строительства общества), о необходимости внесения принципиальных коррективов в страстно защищавшиеся им накануне Октября принципы Парижской Коммуны и т.д. и т.п. Им даже общий принцип сформулирован: открытое признание ошибок, правильное отношение к ним, связанное с умением извлечь из них урок, – есть первый признак серьезной партии.

Конечно, такие признания – ошибок – далеко не на каждой странице произведений Ленина. Но лишь по той простой причине, что ошибочных страниц в них бесконечно меньше, чем страниц, подтвержденных практикой жизни и борьбы. Ну, а за это нельзя быть в претензии к человеку.

В общем, строгой научной экспертизы указанные места повести не выдержат. Это всем ясно! Знающему человеку не только из числа блюстителей и охранителей с докторскими степенями и профессорскими дипломами несложно одержать легкую победу. И то, что это попытаются сделать, – не сомневаюсь. Но это не будет действительной победой. Потому что повесть Гроссмана и все ее страницы – это не научный трактат, а художественное произведение. И должна восприниматься и оцениваться по законам художественности. И как художник Гроссман не только не ошибся, но тонко подметил и верно отразил возникновение одной из важнейших тенденций интеллектуальной жизни общества: мучительно размышляя над причинами нескладицы нашей жизни, все большее число людей обращается – с сомнениями, подозрениями, вопросами – к исходному проекту построения нового общества – к проекту, созданному Марксом, Энгельсом и Лениным, к программам и замыслам

---

[1] В.И. Ленин. Полн. собр. соч., т. 34, с. 262.

Октября. Очень верно схвачена специфика этого феномена: речь идет не о каких-то там дворянах-эмигрантах, вздыхающих в Стамбулах и Парижах по своим, оставшимся в России "вишневым садам", не о белогвардейцах, не о "буржуазных интеллигентах" – вообще не о тех, кто не приемлет самой идеи социального равноправия, а о выходцах из рабочих и беднейших крестьянских семей, о первых поколениях той новой народной интеллигенции, которую породил Октябрь. Речь идет о тех людях, для которых идея социализма, дело Октябрьской революции и имя Ленина были сердечной святыней. И вот мысль, раздумья именно этих людей под страшным давлением громады жизненных фактов, не укладывавшихся в русло их ожиданий, под влиянием немыслимых, невероятных бед, обрушившихся на их головы, мысль этих людей все более активно и все более массово стала двигаться в направлении, которое самим этим людям еще недавно представлялось совершенно невозможным и совершенно немыслимым: а не в исходном ли "проекте" заложены были все те страшные деформации, которые так изломали послеоктябрьские поколения? Речь шла о в высшей степени драматическом интеллектуальном переломе – подобном тому, который происходит в головах верующих, когда жизнь вдруг заставляет их поставить перед собой страшный (для них) вопрос: а есть ли, а существует ли это высшее, милосердное, всемогущее и всезнающее Существо – Бог? Вот какой значимости явление было уловлено Гроссманом – и поразительно, что это было сделано в период (на рубеже 50–60-х годов), когда явление это было еще только-только возникшей, слабой и неясной тенденцией.

В. Гроссман и был одним из первооткрывателей этого феномена – будем же благодарны ему за это. А этот духовный перелом, надлом, сдвиг, поиск ответов на мучительные, страшные вопросы, глубина и основательность размышлений у разных людей происходил по-разному – все зависело от жизненного опыта, силы ума, темперамента. Да и просто от элементарной возможности ознакомиться с историческими фактами. Разве можно быть в большой претензии, например, к Ивану Григорьевичу, что в его дневнике маловато фактов и что те, которые есть, не вполне точны, – его жизнь проходила вдали от архивов и библиотечных спецхранов.

Поэтому, я думаю, задача теоретического анализа повести состоит не столько в том, чтобы, вступив в научный спор, "опровергнуть" Ивана Григорьевича, сколько в том, чтобы попытаться объяснить само возникновение отмеченного феномена (что отразилось в нем?) и высказать свое отношение к самой логике подобных (обращенных к "исходному проекту") размышлений.

Эта задача тем более важна, что сегодня речь идет уже не о зародыше названной тенденции, а о ясно обозначившемся крупном явлении духовной жизни. Речь идет о феномене, который будет играть возрастающую роль во всех интеллектуальных процессах, происходящих в нашем обществе. Уже не скромные дневниковые записи Ивана Григорьевича, а фундированные цитатами и хорошо проверенными фактами научные статьи появляются на страницах журналов, близится время книг и монографических исследований на эти темы.

Следует иметь в виду, что это не случайность, не какой-то временный зигзаг массового и научного сознания. Это будет долгой и устойчивой тенденцией, с которой нужно будет всерьез считаться. Возникновение ее естественно и закономерно. Все упирается в невыясненность, в необъясненность сталинского феномена, его существенных сторон, его корней и причин. Что он такое, откуда он? Легкими ответами тут не отделаешься. Припомните еще раз все события, все ситуации повести – ведь это что-то за пределами человеческой логики, даже за пределами человеческой цивилизации, невообразимое, немыслимое, невозможное, – и все же это было, было, это оказалось возможным. Почему? Как?

Просто нельзя жить, не ответив более или менее убедительно на эти вопросы. И когда говорят: "Хватит копаться в прошлом, давайте строить будущее – время не ждет", я знаю: это говорят или мертвые душой люди, или те, кто чувством и мыслью из одного мира с "вершителями" нашей истории 30–40-х годов. Таких людей надо бы подальше держать от "проектирования" будущего. Нормальный человек не может строить будущее, пока не поймет, как стало возможным *такое* прошлое. я бы даже сказал так: все наши обновительские процессы не будут иметь стойкого успеха до тех пор, пока не будет *полной* информации о прошлом, пока не явятся более или менее серьезные ответы относительно сталинистского феномена, ибо мы должны предельно ясно представлять, что именно перестраиваем. Нельзя просто сложить в исторический саркофаг все смертельно-радиационные элементы истории и закопать его где-то подальше от человеческого разума и человеческой совести. Не получится – мы, все наши мысли, чувства, все наши общественные организмы подключены к тем корням, которые породили прошлое и которые отравляют нашу кровь, наше общественное кровообращение и сегодня. Продолжение поисков корней сталинизма, обращение в этой связи к "исходным проектам" – насущнейшая и неодолимая общественная необходимость, с ней ничего не поделаешь – не запретишь, не перекроешь. С нею придется считаться, и она может стать разрушительной, если вместо стремления направлять ее возникнут попытки заглушить ее.

Следует помнить и о том, что в этом неизбежном процессе обращения с капитальной проверкой к "исходным проектам", "теоретическим основам нашей доктрины" примут участие люди разного уровня подготовки да и просто разной культуры. Будут перекосы, гам, шум, много будет поднято пыли. Важно не затеряться во всем этом. Важно изначально придать всем этим дискуссиям культурные, цивилизованные формы, отличающиеся демократичностью, нравственным тактом, подлинной, неформальной гласностью. Но и не паниковать и не слишком нервничать в связи с будущими неизбежными перекосами, односторонностями, преувеличениями и т.д. Помнить о том, что мы (теоретические и политические работники) несем свою долю ответственности за то, что не дали удовлетворительных объяснений феномену сталинизма.

Поскольку же этот процесс генеральной перепроверки уже начался, то, думаю, есть смысл и нам высказать несколько соображений о корнях сталинизма и о том, обосновано ли отождествление Сталина с Лениным.

Вопрос о Ленине должен быть
поставлен и решен заново

Что значит "заново"? И почему "заново"?

"Заново" не означает простого переворачивания прошлых оценок: где был плюс, ставить минус – и дело с концом. "Заново" означает генеральную *перепроверку* всех прежних оценок, всех постановок вопросов, всех идей и цитат, всех выводов. Никаких аксиом, никаких "истин, не требующих доказательства", никаких принимаемых на веру положений!

Речь, конечно, вовсе не идет о том, чтобы напрочь игнорировать все, что писалось на эти темы в прошлом, – там наряду с хламом и ложью встречались и плодотворные подходы, интересные оценки, а подчас (в редких, конечно, случаях) и просто прозрения. И их надо, разумеется, учесть. Но сводить сегодня дело лишь к "уточнению" и развитию прежних оценок путем скрупулезного отделения "верного" в них от "неверного" значило бы обрекать себя на неудачу. Правда и вымысел, ложь и истина переплелись в общественном сознании как змеи весной: голова истины переходит в хвост лжи – попробуй раздели их. Да и потом, истина – это же не сумма отдельных верных утверждений, а система идей (определенным образом взаимосвязанных и развивающихся). А ведь даже сравнительно верные идеи укладывались общественным (и в особенности массовым, обыденным) сознанием в ложную в своей основе канву: "Сталин – это Ленин сегодня", или что то же самое: "Ленин – это Сталин вчера". (Брежневский "Ленинский курс" был в целом наследником сталинской методологии.) "Заново" и означает порушить эту привычную канву, сломать эти (и любые другие априорные) рамки.

В прежнем общественном сознании Ленин представал как мыслитель неразвивающийся, неизменяющийся, непогрешимый, как единственный, кто вносил новые крупные идеи в марксистскую теорию, как деятель, который не имел ни достойных соратников (ну, кроме, конечно, Иосифа Виссарионовича), ни серьезных и умных оппонентов. "Заново" означает сломать и эту методологическую традицию. Короче, "заново" означает – произвести перепроверку, руководствуясь коротким, простым и прекрасным девизом Маркса: "Все подвергай сомнению!"

И такая перепроверка уже началась. Вслед за первыми ее робкими попытками (в конце 50-х годов), убитыми цензурой, теперь пришла пора серьезных научных статей. И уже не в скромных дневниковых заметках героя повести Гроссмана, а в солидных журналах с многомиллионными тиражами зазвучало:

Неверно видеть главную причину наших социальных деформаций в каких-то *специфических* взглядах, *специфических* теоретических построениях Сталина. Зачем обманывать себя, мифологизируя Сталина и его дело? Копать надо глубже. Критический анализ должен обратиться к "нашим теоретическим основам", "исходным проектам", дабы выяснить "доктринальные причины деформации". Там, в "основах", "доктринах", мы найдем истоки страшной болезни. Ведь то, что писал Сталин, в общем "никогда не противоречило марксизму", в его "работах и лозунгах" "трудно найти несогласованность с привычными хрестоматийными представлениями о марксизме, да и текстами Маркса". Он "строил социализм в соответствии с предначертаниями теории, пытался, как мог, ускорить движение России к коммунизму, начатое (Лениным) в Октябре

1927 г.". А "отклонения" Сталина от марксизма носили второстепенный характер и сводились, по сути, к трем следующим моментам: 1) низведение простых людей до "функции винтиков"; 2) представление о партии как "ордене меченосцев"; 3) идея, что по мере продвижения к высотам социализма нас ждет обострение классовой борьбы (то есть возрастание остронасильственных методов решения социально-политических задач).

Многим такая постановка вопроса показалась чрезвычайно смелой (не спорю!) и удивительно глубокой (оспариваю категорически!). Давайте разбираться.

Прежде всего – об этих "малозначащих", "второстепенных" "отклонениях". "Человек-винтик" – да какая же это "второстепенность", это же целая социальная концепция, прямо, контрастно, антагонистически противоположная пониманию социализма Марксом, Энгельсом и Лениным. Для классиков марксизма суть, смысл, главные цели социализма как раз были связаны с тем, чтобы человек перестал быть безмолвным и беспомощным винтиком экономической и политической машины и превратился в суверенное, свободное, универсально и всесторонне развитое существо; социализм, по их представлениям, – это результат творчества, исторической самодеятельности масс и каждого человека. Разрешите не цитировать? Об этом можно ведь прочитать едва ли не на каждой странице сочинений Маркса, Энгельса, Ленина.

Партия – "орден меченосцев". Да разве это второстепенная деталь теории: кто такие коммунисты – закрытый, замкнутый средневековый "орден", привилегированная каста, господствующая над народом и втайне решающая все вопросы его судьбы, или это открытая, демократическая организация, добровольно взявшая на себя обязанность выполнять волю народа, быть подотчетной и подконтрольной народу в каждом своем шаге?

А идея обострения классовой борьбы? Это же, по сути, апологетика насилия, переходящего в открытый террор против своего народа.

Вот ведь какая суть сталинского политического режима вырисовывается из этих характеристик: замкнутый, закрытый, привилегированный "орден" (во главе, разумеется, со всемогущим Магистром) самодержавно, опираясь на самое грубое, самое жестокое насилие, управляет "винтико-человеками". Это, извините, не второстепенные отклонения от Маркса и Ленина, это вообще не "отклонения" от "исходного проекта". Это просто другой, принципиально другой проект.

Таково, по моему мнению, действительное содержание "отклонений", таково их действительное значение для понимания сути сталинизма и его отличия от "первоначальных проектов".

Теперь два слова о "совпадениях" – о том "основном", что, по мнению некоторых авторов, "роднит" Сталина с Марксом и Лениным, делая их представителями "единой теоретической традиции", которая, "воплотившись" в практику сталинской политики, принесла столько бед. Роднит их, оказывается, ошибочное отрицание товарности и рынка при социализме, идея прямого продуктообмена. "Представьте себе, – говорят нам, – во что превратится наша страна, если мы предпримем еще одну, теперь уже третью (после военного коммунизма и сталинского наступления на рынок) попытку построить нашу экономику по модели Маркса, то есть на основе прямого продуктообмена и абсолютного директивного планирования сверху".

Да, если будет предпринята такая попытка, стране действительно придется очень плохо. Но при чем здесь "модель Маркса"? Откуда вычитано, что Маркс советовал в условиях, подобных условиям российской действительности после Октября 1917 г., игнорировать рыночно-стоимостные механизмы, вводить прямой продуктообмен и директивное планирование?

Разрешите невеселую аналогию. Человек ныряет в бассейн в точном соответствии с рекомендуемой "моделью прыжка" и разбивается – он упустил из виду одну деталь: бассейн должен быть наполнен водой. Ну, скажите, можно ли винить тут "модель прыжка", рассчитанную на нормальные условия?

Маркс и Энгельс (как, добавим, и Ленин) связывали преодоление товарно-стоимостных отношений с общественным строем, который возникнет на основе высокоразвитого капитализма (который будет близок к исчерпанию своих возможностей, обобществит процесс производства, создаст высокоразвитого работника, способного управлять социально-экономическими процессами, сохранять и приумножать "плоды цивилизации" и т.д.). И эту-то альтернативу высокоразвитому капитализму Маркс с Энгельсом и назвали "социализмом". Только на этом, чрезвычайно высоком этапе культурного, экономического и политического развития и становится возможным и прогрессивным прямой продуктообмен, разработка планов, ориентированных не на стоимостные характеристики, а на потребности людей. Только к *этим условиям* и относится "модель Маркса".

Ситуация же, сложившаяся после Октября 1917 г., была совершенно непригодна для реализации этих марксовых "моделей". Здесь речь шла о поиске альтернативы не высокоразвитому, близкому к исчерпанию своих возможностей капитализму, а об альтернативе российской экономике – многоукладной, с доминированием мелкобуржуазного уклада, с существованием даже полуфеодальных отношений. Разваливалась эта экономика – и, конечно, условий для строительства того социализма, о котором писали Маркс и Энгельс (а это, думается, и есть единственно научное понимание социализма), не было. Пытаться в этих условиях применять "модель Маркса" и означало нырять в ненаполненный бассейн. О каком же "совпадении" сталинизма с марксизмом может идти речь?

А с ленинизмом? Может быть, с Ленина начались попытки применения "модели Маркса" в "немарксовых" условиях? Может быть, Ленин был первым, кто выдвинул после Октября 1917 г. "введение социализма" в России, а Сталин лишь продолжил эту линию, начатую в Октябре 1917 г.?

Нет, и с ленинизмом у сталинизма нет ни совпадений, ни отношения преемственности. Ленин, оценивая послеоктябрьскую ситуацию, с определенностью, не допускающей никакой двусмысленности, подчеркивал: для "введения", для непосредственного строительства социализма нет условий – "кирпичи еще не созданы, из которых социализм сложится"[1]. И центральная, на мой взгляд, формула, выражающая самую глубинную суть ленинских оценок послеоктябрьской реальности: "...выражение социалистическая Советская республика означает решимость

_____

[1] В.И. Ленин. Полн. собр. соч., т. 36, с. 66.

Советской власти осуществить переход к социализму, а вовсе не признание новых экономических порядков социалистическими"[1]. Более того, "в *материальном*, экономическом, производственном смысле мы еще в "преддверии" социализма не находимся"[2].

Вот как: даже в "преддверии" социализма не находимся! Поэтому-то и не выдвигал Ленин задачу реализации в этих условиях "модели Маркса", поэтому-то и разрабатывал он специфическую "модель" развития, которая была бы альтернативной не крупному капиталистическому хозяйству, а именно социально-экономическим отношениям, которые сложились в ту пору в России. Не крупный, развитый, государственный капитализм борется здесь с социализмом, отмечал Владимир Ильич, "а мелкая буржуазия плюс частнохозяйственный капитализм борются вместе, заодно, и против государственного капитализма, и против социализма"[3]. Вот почему с такой иронией Ленин писал о "левом ребячестве" тех, кто предлагал тогда сразу переходить к социализму. Нет, возражал он, чтобы победить мелкобуржуазность, нам нужно суметь использовать механизмы крупнокапиталистического, государственно-капиталистического производства. "Наша задача – учиться государственному капитализму немцев, *всеми силами* перенимать его"[4]. И писал все это Ленин в начале 1918 г. – по сути, сразу же после Октябрьской революции. А нас пытаются уверить, что Сталин воплощал его идеи перехода к социалистическому непосредственному продуктообмену.

Сталин и его окружение действовали не по "моделям" классиков марксизма, а в прямом противоречии с их "моделями". Для Сталина и его окружения в их реальной практике на первом месте стояли политическая воля, политическое насилие (переходящее в жестокий террор), с помощью которых они стремились решать все проблемы экономического и культурного развития, не справляясь о том, достаточно ли зрелы условия для реализации тех или других задач. Не помышляя о том, чтобы находить пути и методы действия, способствующие их созреванию. Это и должно было кончиться большой бедой – как то, кстати, анализируя подобный образ действия, и предсказывали основоположники марксизма.

Я думаю, все изложенное дает нам право сделать вывод: "отклонения" Сталина – не отклонения, а "совпадения" – не совпадения. "Отклонения" на самом деле составляют суть его собственной социально-политической концепции, принципиально отличной от концепций Маркса и Ленина. "Совпадения" Сталина с "исходными проектами" напоминают "совпадение", случившееся у героя известной притчи, пожелание которого на похоронах "таскать вам – не перетаскать" совпадало с пожеланием, обращенным к людям, убирающим свой урожай.

Можно (и нужно) критически анализировать "исходные проекты" – и там мы действительно обнаружим и ряд односторонностей, и чересчур абстрактные утверждения, и определенную аберрацию видения, когда очень далекое представляется очень, очень близким, найдем и прямые промахи, и ошибки. Не найдем, я уверен, только одного – корней сталинизма.

---

[1] В.И. Ленин. Полн. собр. соч., т. 36, с. 295.
[2] Там же, с. 303.
[3] Там же, с. 296.
[4] Там же, с. 301.

Но доказать *только* это – недостаточно. Ибо надо ясно ответить на вопрос: если корни сталинизма не там, то где же? Несерьезно же видеть их в злоумышлении, злой воле, политических амбициях, а то и просто в психическом заболевании (появилась и такая версия!) Генерального секретаря. Несерьезно потому, что все это ничегошеньки не объясняет. Ну, скажем, примете вы диагноз Бехтерева: "сумасшедший у власти". Ну и что? Вы же ни на йоту не продвинетесь вперед в понимании сталинизма, ибо вам все равно тогда нужно будет объяснить: почему же, как же так случилось, что тысячи сумасшедших под присмотром нормальных людей, хотя и называли себя Наполеонами, но спокойно "вязали веники" и клеили спичечные коробки где-нибудь на Канатчиковой даче, а тут *один* сумасшедший вдруг заставил миллионы здоровых людей "вязать веники" за колючей проволокой и признать, что он – Наполеон.

Или признаете, что слишком плохими были его проекты "коллективизации", "индустриализации", "политической системы". Ну и что? Вам все равно нужно будет объяснить, почему сотни плохих проектов оказывались просто в мусорных корзинах, а Его – становились законом всей общественной жизни страны.

Железная воля? Но давайте же не будем повторять нелепо преувеличенные песнопения подхалимов и трусов. Подумаешь, "воля" – у неограниченного деспота. Какая там особая "воля" нужна была: только бровью поведи, только губу скриви – и десятки угодников бросятся исполнять. Что он, гипнотизер какой? Вольф Мессинг, что ли? Кстати, почему в таком случае Джугашвили, а не Мессинг стал генеральным Гипнотизером?

А серьезны ли те "углубления", которые ныне в большом количестве встречаются на страницах популярных изданий? Понимают: глубже копать надо. И вот копают, углубляют. Например, можно "углубляться" в исследование строения мозга всемогущего шизофреника, отыскать обрывки его электроэнцефалограмм, выйти даже на клеточный уровень изучения – и копать, копать, глубже и глубже.

Можно углублять (как это подчас и делают сегодня) популярную версию о том, какими мастерскими, интриганскими действиями добился Он победы своих замыслов. Здесь можно и записочки его на разных там заседаниях воспроизвести и воспроизвести его разговоры с каким-нибудь Кагановичем или Ворошиловым, подслушанные кем-то случайно спрятавшимся под диваном. И про жену вождя можно кое-какие детальки подбросить, и поведать пикантные подробности про сестру Кагановича и некоторых других особ, бывавших у вождя на даче. Тут можно достичь просто неимоверной глубины...

Явно недостаточны для понимания причин сталинизма и рассказы о перипетиях идейно-политической борьбы после смерти Ленина. В них тоже главный акцент делается на личных качествах Сталина, на его политическом коварстве, "макиавеллизме" и т.п. Так, указывается, что с самого начала общепартийной дискуссии с троцкистами он начал борьбу за власть, не придавая слишком большого значения теоретическому содержанию полемики, планам и программам. Мастер политической интриги, он разбивал своих соперников по очереди: вначале использовал авторитет и личные амбиции Зиновьева, Каменева и Бухарина, чтобы разбить Троцкого и тем самым устранить с дороги своего главного политического соперника. Потом-де он устранил и Зиновьева с Каменевым, опершись на яркий теоретический талант Бухарина. ("Бухарчика", как ласково и сентиментально называл он его в тот период.) Потом подошла очередь и Бухарина, ставшего к 1929 г. главным его "конкурентом". Вот и все причины победы административно-командной системы.

Очень простое "объяснение"! Я бы сказал, что модель мелких склок и мелочных подсиживаний, характерных для иных научных коллективов, переносится на явления всемирно-исторического масштаба – туда, где идет движение, столкновение, взрывы, рождение и гибель громадных социальных континентов и политических материков. Думать, что какая-то отдельная личность по своей воле способна передвигать эти "материки" и "континенты" в любом, желаемом ей направлении – святая наивность, в лучшем случае.

Повторяю: либо мы дадим серьезные ответы на вопрос о корнях сталинизма, либо мысль человеческая будет с неизбежностью двигаться в сторону погрома "исходных проектов" марксизма.

И такой действительно серьезный анализ должен быть, как мы полагаем, связан в первую очередь с выяснением взаимоотношений и борьбы интересов, установок и устремлений важнейших социальных групп и слоев, участвовавших в российском революционном движении.

Метод такого анализа давно разработан Марксом. Вспомним, что в течение почти полувека мыслители XIX столетия были бессильны объяснить логику развития Великой Французской революции 1789–1794 гг. Тогда тоже преобладали "углубленные" попытки проанализировать черты характера революционных вождей, качество их воли (у одного – железная, у другого – стальная, у третьего – фарфоровая), их умение вести политическую интригу. Исписывались сотни страниц, чтобы доказать, что вот если бы Робеспьер не лег спать в свою последнюю ночь, а продолжал бы объединять своих сторонников, если бы Сен-Жюст в своей последней обвинительной речи успел назвать конкретные имена врагов революции, если бы немножко иначе вели себя Дантон и Камиль Демулен, если бы Шарлотта Корде была не Шарлоттой Корде... и т.д. и т.п., то не было бы этого калейдоскопа поднимающихся к власти и гибнущих затем деятелей, не было бы итоговой гильотины на Гревской площади... В общем, от таких объяснений, от мириад фактов и мелких подробностей, лежащих в их основе, чумела и пухла голова, а ясность сознания не приходила. Какая там, думалось, логика, какие закономерности – так, бессмысленный, полный случайностей кровавый клубок событий, и только.

А Маркс начал свой анализ не с "проектов" разных революционеров, не с того, что они сами о себе и о революции думали, а с рассмотрения содержания и борьбы интересов больших социальных групп, классов французского общества. И логика революции стала сразу ясной и прозрачной, на этом фоне стали предельно ясными взлеты и падения революционных вождей, стали понятными зигзаги судьбы Робеспьера и приход в конечном счете Наполеона Бонапарта.

Да, Маркс дал метод. Чтобы его выработать, надо было быть гением. Чтобы его применять – достаточно быть просто более или менее квалифицированным марксистом.

А метод этот состоит, в частности, в том, что прежде, чем рассматривать взгляды, волю, стремления отдельных личностей, следует понять логику движения и столкновения того, что мы назвали социальными материками и континентами. А отдельные личности? Ну что же, их роль, конечно, немаловажна. Но она может быть сыграна только в рамках тех мощных объективных исторических тенденций, которые не в состоянии создать чья-то индивидуальная воля. Кроме того, отдельная личность может переходить с одного "материка" на другой, с одной позиции на другую, не изменяя при этом принципиально ни противостояния "материков", ни конфронтацию позиций, ни само содержание всемирно-исторического противостояния. Поэтому-то именно содержание классовых, всемирно-исторических противостояний, а не поведение и интриги отдельных личностей должно иметь приоритетное значение в исторических исследованиях.

Если бы через Сталина не получали свою реализацию какие-то серьезные объективно исторические тенденции, интересы и настроения определенных социальных сил, никакие бы "ухищрения" с его стороны не обеспечили бы ему столь долго длившийся успех.

Какие же социальные силы, какие интересы и настроения питали сталинизм?

О сущности и корнях сталинизма

Итак, сталинизм. Что же это? Откуда это? Этот кошмар в стране той революции, которая хотела навсегда покончить с эксплуатацией, насилием, унижением человеческого достоинства, хотела быть началом мирового гуманизма и человеколюбия?

В нашей публицистике сегодня много рассуждений об этом "откуда" и меньше – о том, что он такое. Считается, что последнее общеизвестно: ну, там, репрессии, культ, командные методы, повсеместная грубость, унификация, двойная мораль; остается только найти корни. Но эти перечисления – лишь отдельные части, лишь проявления более глубокой сущности. Ее-то прежде всего и надо определить. Без знания этого "что" невозможно прийти и к настоящему пониманию "откуда".

Итак, что же он такое, "сталинизм", в чем его суть как идеологии и как общественной системы?

Существующая в истории философии шкала оценок философских систем недостаточна для характеристики идеологии сталинизма. Нет в ней таких понятий, которые хотя бы отдаленно могли бы быть применимы к сталинистским взглядам. Наверное, потому, что не было в прежней истории чего-либо похожего на сталинизм. Ну, может быть, из имеющихся наименований ближе всего подошло бы "крайний, грубый субъективный идеализм". Да, это в том направлении, но до станции "сталинизм" катить по этой идейной ветке еще очень и очень далеко. Достаточно вспомнить теоретическую культуру, гуманизм да и простое человеческое благородство таких субъективных идеалистов, как Фихте, Беркли, Богданов, – и становится ясным, что относить это наименование к сталинизму – значит незаслуженно его облагораживать. Зрелый, развитый сталинизм, каким он сложился к середине 30-х годов, – это антигуманистическая, волюнтаристская идеология бюрократической элиты, абсолютизирующая и прославляющая насилие – во всех его ипостасях. Это его идейная суть. А как система социально-политических отношений сталинизм – это диктатура бюрократии (причем в ее самых варварских, самых террористических формах).

Сталинисты (что легко устанавливается в первую очередь по их действиям) рассматривают себя ("руководящие кадры") в качестве абсолютных авторов и подлинных демиургов истории ("кадры решают все!" – И. Сталин). Для сталиниста социальная действительность – не органическая система взаимоотношений людей, развивающаяся по своим законам и проходящая определенные ступени зрелости, а материал, глина, из которой можно лепить что угодно, по своему усмотрению – были бы только политическая воля, крепкая (с "железной дисциплиной!") организация и мощные средства насилия, с помощью которых можно было бы поворачивать людей в любую сторону. Вам нужно получить гарантированное зерно? Создайте диктаторские отряды, вооружите их винтовками и правом беспощадно карать – и они "в два счета" загонят массы разъединенных и безоружных людей за один забор, и те в сталинских колхозах или лагерях будут работать. Куда они денутся! Законы ГПУ выше всяких там "объективных законов"!

Следует к этому еще добавить, что сталинизм – это система, построенная на самой постыдной лжи, на идейном цинизме и двойной морали. Идеологию неистового волюнтаризма и бешеного насилия здесь стремятся вырядить в благородные диалектико-материалистические одежды марксистской терминологии. Диктатуру бюрократической элиты со всемогущим деспотом и кровавыми палачами тщатся представить как самую гуманную и самую яркую демократию Земли.

Да, кажется просто немыслимым господство такой идеологии, такого политического режима в обществе, стремившемся сознательно руководствоваться материалистическим учением Маркса и развивать широкую демократизацию общественной жизни. Это выглядит действительно столь невероятным, что и причины этого обычно стараются найти тоже какие-то невероятные – у чудовищного явления должны быть и чудовищные корни. Ищут в прошлом какое-то внезапное, гигантское социальное землетрясение, которое "вдруг" резко переломило когда-то логику исторического развития.

И в результате сбиваются на ложные пути. Потому что самые страшные болезни, как правило, возникают путем *постепенной* деформации нормы. Раковые клетки растут поначалу тихо, незаметно, постепенно деформируя здоровую ткань. И только потом, когда перерождение с разных сторон захватывает организм, губительный процесс начинает убыстрять свой ход, обретая черты чудовищного и трагического.

Самое трудное (и самое, конечно, важное) – понять истоки этого движения от нормы к деформации.

Сталинизм начинается просто, "естественно" и тихо – отнюдь не с каких-то громких и коварных "измен", идейных и политических "переворотов". Он начинается: идейно – как бы с марксизма, а социально-политически – как бы с традиций Октября.

Непростая задача и состоит в том, чтобы установить, как, каким путем, под воздействием чего он превращается в прямую противоположность давшему ему жизнь "началу". Это не происходит вдруг.

1924–1929 гг.: формирование предпосылок сталинизма. Между преобладанием ленинизма в первые послереволюционные годы и утверждением сталинизма (в середине 30-х годов) лежит некий "переходный период", когда формируются идейные и социально-политические предпосылки и черты сталинизма, когда все яснее выявляются противоположности казарменно-коммунистических и социалистически-демократических начал нашей общественной жизни, когда они вступают в открытую борьбу друг с другом. А происходит эта постепенная идейная и социально-политическая кристаллизация сталинистских тенденций следующим образом.

Сталинизм начинается как бы с марксизма. Начинается как несколько упрощенный, несколько вульгаризированный, как бы немного недопонятый марксизм. И это на первых порах и не слишком заметно. Тем более, что все эти "упрощения" и "отступления" в той или другой, в меньшей или большей степени были присущи отнюдь не одному Сталину. Все члены большевистского руководства, кроме разве Ленина, грешили этим – и Зиновьев, и Троцкий, и Каменев, и Бухарин, и Пятаков... Причем "грех" этот у всех был одного и того же свойства: они все немного припадали на "левую ногу" – слишком большую роль в истории отводили человеческой инициативе и активности. Их революционные биографии, вся логика их прежней борьбы, боевая послеоктябрьская атмосфера толкали их к преувеличению одной идеи марксизма, изложенной в знаменитом 11-м тезисе Маркса о Фейербахе: "Философы лишь различным образом *объясняли* мир, но дело заключается в том, чтобы *изменить* его"[1]. Понималось это как-то таким образом, что "объяснение" (то есть понимание) мира – это что-то маловажное, второстепенное и даже не очень нужное. Главное – "изменять" мир, "переделывать". И практика как будто подтверждала это: все гигантские "изменения" и "переделки", начатые в Октябре 1917 г., удавались прекрасно. Мир подчинялся и не сопротивлялся. Почти все получалось. Победили монархистов, кадетов, эсеров, меньшевиков, не спасовали перед немцами и Антантой, разбили белую гвардию. Варшаву, правда, взять не удалось. Но это – частности, случайная неудача; в следующий раз приложить чуть больше усилий – решится и эта задача. Главное – "изменять" мир, человек все может!

А разве не так? Разве не критиковал Маркс в "Нищете философии" Гегеля и Прудона за то, что для них человек – щепка на волнах судьбы, актер, покорно играющий по сценарию, написанному Объективным Разумом. Разве не подчеркивал Маркс, что человек – творец, "автор", что вся история не что иное, как результат деятельности человека, преследующего свои цели? Разве не так?

Не так! Да, Маркс признавал за человеком историческое авторство. Но это была лишь часть, лишь половина марксовой формулы человеческой деятельности. А вот другую ее половину в первые послереволюционные годы как-то не очень замечали. Человек, гласит *полная* формула Маркса, и автор, и одновременно актер, действующее лицо разыгрываемой в истории драмы[2].

Человек – автор, ибо своей борьбой он избирает и реализует одну из имеющихся объективных возможностей – по какому, скажем, пути пойдет Россия в начале XX столетия, по прусскому или американскому. Но он не может, например, при всем своем желании, ввести в России 1905 г. коммунистическое производство и распределение. Он выбирает только в пределах того спектра возможностей, который был создан деятельностью предшествовавших поколений, за эти пределы ему не выскочить. И в этом отношении он – "исполнитель", "актер".

---

[1] К. Маркс и Ф. Энгельс. Соч., т. 3, с. 4.
[2] См.: К. Маркс и Ф. Энгельс. Соч., т. 4, с. 138.

Эта-то диалектика марксизма ("автор – актер") не вполне ухватывалась многими теоретиками и политическими руководителями начала 20-х годов. Им больше нравилась тема "авторства". С нее и начинается движение в направлении сталинизма. Но все же это лишь первые шаги, движение лишь в направлении к сталинизму, лишь некоторый вектор, направленный в его сторону. Однако стрелка, указывающая направление "на Москву" ("nach Moskau"), еще не свидетельствует о том, что Москва – там, где эта стрелка, и что тот, кто движется по направлению, ей указанному, обязательно доберется до Москвы. Поэтому нам не кажется убедительным вывод, который делают иные современные публицисты из этого общего левацкого, волюнтаристского поветрия первых послереволюционных лет – дескать, все они: Троцкий, Зиновьев, Каменев, Бухарин, Сталин и многие, многие другие партийные лидеры той поры – одним миром мазаны. Чего их разделять, все хороши!

Я все же думаю, есть одна важная, принципиальная грань, стерев которую, мы рискуем ничего не понять в истории. Я думаю, мы сделаем большую ошибку, отождествив, например, левацкие увлечения Бухарина (особенно сильные в начале 20-х годов) со сталинистской идеологией середины 30-х годов. Это же принципиально разные вещи: добросовестные заблуждения Бухарина, склонного к преувеличению возможностей революционного народа (и его вождей) в истории, – и сознательный антинародный курс сталинистов, ставящих на исторический пьедестал бюрократическую элиту, ее "всемогущего" вождя и рассматривающих народ как совокупность "винтиков" и "гаечек".

Эту грань надо видеть. Но, постоянно видя эту грань, следует, на мой взгляд, задуматься и над тем – как так случилось, что левацкие, волюнтаристские тенденции не стушевались под воздействием практики, а получили усиление, подходя к той грани, за которой начинается собственно сталинизм, грани, где субъективные ошибки, честное революционно-романтическое заблуждение уступают место тщательно разработанной и последовательно проводимой в жизнь концепции решающей роли в истории административно-бюрократического насилия.

Переход этой грани одной логикой борьбы идей не объяснишь. Дело вовсе и не в том, что в какой-то период руководству партии показались более убедительными левацкие идеи. Усиливала левые тенденции в руководстве, гнала их к грани, за которой начинается сталинизм, в первую очередь психология довольно значительной части революционных масс (наименее развитой, уповающей во всех вопросах на универсальное средство решения – саблю и пулю).

Мощное идейно-психологическое давление этих массовых социальных слоев, их политическая поддержка руководителей ярко выраженного волюнтаристского типа играли громадную роль в передвижке всей оси политической жизни партии и страны в сторону левачества и субъективизма.

Движению политической и теоретической мысли "влево", к волюнтаризму (а в перспективе – к сталинизму) способствовали, таким образом, не только идейные установки руководителей партии, формировавшиеся под воздействием неточно понятых причин успехов революции и упрощенно истолкованного марксизма, но и давления – психологического, идейного, политического – значительной части революционного народа.

То есть – и это тоже очень важно четко зафиксировать – сталинизм получает первоначальные импульсы и в определенной части народа. Таким образом, не только идейные истоки сталинизма, но и социальные тоже не отличаются чем-то из ряда вон выходящим. Некоторые исследователи пытаются отыскать какую-то необычайную социальную базу, питавшую "чудовище" сталинизма, – называют "пауперов", "деклассированные элементы", те или другие крестьянские слои. Мне же кажется, что и первоначальная *социальная* база сталинизма не отличается какой-то крайней, особой экзотичностью.

Зародыши сталинистских (то есть субъективистских, волюнтаристских) идей вовсе не кажутся революционной массе чужеродными. Ибо она вся – после громких революционных побед – заражена левачеством (и даже значительно большим, чем ее вожди). Но все же в революционном народе, совершившем Октябрьскую революцию, ясно просматривается разделение на два крыла, две части, два течения. Одно – несмотря на некоторый налет левачества, естественный, повторяю, в ту пору, – можно было бы все же назвать революционно-реалистическим, революционно-демократическим, и другое – революционно-левацким, казарменно-коммунистическим. Ранний сталинизм (примерно во второй половине 20-х годов) и начинает все больше ориентироваться на вторую часть революционной массы. Но – в силу важности этого аспекта проблемы – о нем следует сказать поподробнее.

Социальная база "раннего сталинизма". Принципиально важным моментом для понимания происходивших после Октября процессов является признание существования внутри российского революционного движения двух социальных образований и возникающих на их основе двух идейных течений – революционно-реалистического и революционно-левацкого толка. Мы подчеркиваем: именно внутри революционного движения (о разделении реформистского и революционного крыла, большевиков и меньшевиков писалось много – это другой сюжет). Речь идет о политически развитой, культурной, цивилизованной части угнетенных трудящихся масс и об угнетенной, о темной и неразвитой, страдающей, но непросвещенной массе. Обе части были одинаково – "против": против царизма, корниловщины, войны, капиталистического хищничества и бесправия. Но они были по-разному "за", они были за разное "за". Они по-разному представляли себе процесс ликвидации старого мира и утверждения нового.

Разделение это, различия эти имели не случайный, не временный, не второстепенный характер. О том, что речь идет о принципиальном и крупном историческом противостоянии, свидетельствует и тот факт, что эти две тенденции издавна и постоянно существовали в российском революционном движении. Это – "казарменно-коммунистическая", авторитарная (Заичневский, Нечаев, Ткачев...) и демократическая, прославляющая историческую самодеятельность народа (Радищев, Герцен, Лавров, Добролюбов, Чернышевский...). В этих двух типах жизненной ориентации, политического мышления, мировоззрения отразились различия социального и культурного бытия двух основных слоев революционной массы – развитого, культурного слоя трудящихся, способного подхватить и продолжить в истории "золотую нить прогресса", способного, говоря словами Маркса, сохранить и приумножить "плоды цивилизации", и слоя людей, отброшенных обществом на самое дно, "отверженных" в полном смысле этого слова, людей, забитых этим обществом, загнанных в угол, неразвитых, ненависть которых к данному общественному устройству получает преимущественно тотально-разрушительный характер. "Наше дело – страшное, полное, повсеместное и беспощадное разрушение, – провозглашали наиболее ранние выразители указанной тенденции в России, нечаевцы. – Пусть же все здоровые, молодые люди принимаются немедленно за святое дело истребления зла, очищения и просвещения земли огнем и мечом". Формы этой деятельности "могут быть чрезвычайно многообразны: яд, нож, петля и т.п.", – "революция все равно освящает!".

Этот отряд угнетенных требует пристального к себе внимания. Он, с одной стороны, составляет важную и очень решительную часть общей революционной армии и будет с беззаветным героизмом сражаться с угнетателями. Но, с другой стороны, существует большая опасность, что люди этого слоя свои неразвитые потребности, свою "полуазиатскую бескультурность"[1], свои нравственные установки, порожденные во многом их обесчеловеченным бытием в старом обществе, попытаются возвести во всеобщий закон нового общества. Причем попытаются сделать это с помощью привычного им средства "огня и меча", с помощью всемогущего, по их мнению, насилия – и в итоге, как писали Маркс с Энгельсом, может в новой форме произойти "возрождение старой мерзости".

Неразвитость, низкий культурный потенциал тысяч нагульновых и сафроновых (героев из "Поднятой целины" Шолохова и "Котлована" Платонова) делали понятным им только одно: организоваться, сплотиться, напрячь все силы, непослушных поднять и заставить – и все можно сделать, все! Ошеломляющий успех в Октябре и в гражданской войне – когда по всем обычным законам соотношения сил они как будто не могли победить, но победили – укреплял их веру в свое всемогущество. То есть непонятая логика Октябрьской победы (в которой как раз опора на объективные законы, а не на насилие, обеспечила успех) и низкая культура значительной части народа и породили массовую эйфорию всемогущества и всевозможности. Ну, буквально: нет преград – ни в море, ни на суше. Или, как восклицал в состоянии политического восторга один из революционных лидеров той поры: "Если это солнце будет светить только буржуазии – мы погасим солнце!!" Вот как! Ораторский образ, конечно, большой силы. И я представляю, каким восторженным гулом откликнулась на него революционная толпа. А вдумаемся в него, умерив экзальтацию: во-первых, надо ли так чересчур-то чваниться – уж солнце-то во всяком случае нам совершенно не подвластно; и во-вторых, если даже мы и выполним это фантастическое обещание, то ведь не только же "проклятая буржуазия", но и сам всемогущий пролетариат исчезнет с лица земли.

Хотя, впрочем, что-то похожее на это обещание сталинистам удалось-таки реализовать: одно за другим, например, гасили они исторические "солнца" – в небе культуры, науки, промышленности, сельского хозяйства. Самоубийственное всемогущество!..

Разумеется, все это неоднозначно. Массовое ощущение полноты своих исторических сил, уверенности в способности к социальному творчеству – прекрасное состояние людей, сбрасывающих оковы рабства. Глядя на них, уже не скажешь, как когда-то Чернышевский о спя-

---

[1] В.И. Ленин. Полн. собр. соч., т. 45, с. 364.

щей России: нация рабов, сверху донизу – все рабы. В эти-то прекрасные исторические минуты пробуждения роль партий, "вождей", по-видимому, и должна состоять в выяснении тех реальных возможностей, которые способны реализовать полные энтузиазма люди. И, указывая на границы возможностей, где-то надо идти и против течения – так, как это умел делать Ленин: "коммунисты, учитесь торговать"; меньше громких фраз, больше конкретных, "малых" дел; не бойтесь идти на выучку к спецам; не чваньтесь пролетарским классовым чутьем, овладевайте всем богатством прошлой культуры; стройте будущее не на энтузиазме только, а при помощи энтузиазма на заинтересованности каждого в результатах конкретной работы; миллионы юношей и девушек, механически затвердивших коммунистические лозунги, принесут делу строительства нового общества больше вреда, чем пользы, и т.д. и т.п. – глубокие, умные, отрезвляющие слова. Они не забивали, не гасили энтузиазм, но переводили его из области мифов в мир реальностей, из области слепой и безотчетной веры в мир строгой и научно обоснованной мысли. Сталинизм же закрепляет эти ложные ценности и установки волюнтаризма и возводит их в ранг теории и партийно-государственной политики. Противоположность ленинских и сталинских установок просто бросается в глаза.

Ленин: на основе добровольности, на базе убеждения, опираясь на примеры успешной деятельности, вести постепенную и планомерную работу по развитию кооперативных начал в деревне; используя достижения мировой научной и индустриальной мысли, опыт спецов, сочетая энтузиазм и материальную заинтересованность трудящегося человека, диалектически сочетая хозяйственное единоначалие и рабочую демократию, двигать промышленность; вести культурную революцию, настойчиво, но деликатно преодолевая наследие прошлого культурного варварства.

Сталин: за пару лет ударными темпами создать социалистические отношения на селе, превратив сельских тружеников в колхозное крестьянство, а сомневающихся и "несознательных" – в "лагерную пыль"; за две-три пятилетки всех догнать и перегнать (иначе "нас сомнут"); в кратчайшие сроки покончить с религиозным опиумом, не останавливаясь, если понадобится, ни перед чем – можно и церкви взрывать, и приходы закрывать, и попов сажать; заполнить деревни атеистами и чекистами.

И попробуйте слово сказать поперек этого "энтузиазма" – в порошок сотрут: "Что, неверие в силы народа, в силы революционного, победившего, героического и всемогущего пролетариата? Конечно, вы, интеллигентские умники, можете ждать, а мы, пролетарии и беднейшие крестьяне, измучившиеся за долгие годы рабства, ждать не можем. Не перечеркнуть вам наших надежд, капитулянты, трусы, маловеры, вредители, враги" и т.д. – по восходящей.

Сталинские лозунги той поры – это *их* лозунги, *их* желания, *их* стремления, *их* надежды. И, конечно, этот хищнически эксплуатируемый государственным руководством энтузиазм – подобно допингу, принимаемому спортсменом, – что-то временно дает, на сколько-то ступеней поднимает общество, но ценой последующего разрушения организма и прихода страшного разочарования – в будущем.

Но тогда, в те исторические мгновения конца 20-х – начала 30-х годов, когда последствия политического допинга для многих были еще не видны, они восклицали: "Да здравствует наш родной, близкий Сталин!" И он действительно был *их*, близкий, родной и такой понятный.

Так – во второй половине 20-х годов – зарождались теория и практика сталинизма, питаемые настроениями значительных масс народа, и в этом смысле его происхождение отнюдь не было каким-либо историческим казусом или нелепой случайностью.

Зрелый сталинизм: социальная база и идеологическая суть. Народен ли сталинизм? Итак, сталинизм выглядел поначалу как продолжение марксизма и как выражение воли и настроений народных масс. Заметим, однако, что по мере роста ультралевацких тенденций в сталинском руководстве и кристаллизации сталинской доктрины эта связь с марксизмом становилась все более иллюзорной, а по мере развития общественной практики, все отчетливей выявлявшей подлинную социальную суть сталинизма, рушилась и его связь с народным сознанием, с массами. Последнее особенно важно, и поэтому нужно пояснить, что мы имеем в виду.

Из того несомненного факта, что первоначальной питательной средой для становления и первых ростков сталинской доктрины является психология определенной части народных масс, нередко делается вывод, что сталинизм – это *народная* идеология, что за Сталиным – интересы широких масс народа; что, развертывается далее "логическая" цепочка, тот, кто выступает против сталинизма, – выступает против народа; то есть – кто враг сталинизма, тот враг и народа.

В подобных рассуждениях стирается еще одна существенная грань – между сталинизмом и народным сознанием, народными интересами. Стирание этой грани ведет к разного рода ложным выводам. Для одних публицистов ("либерального" направления) – это веское доказательство того, что народ России ничего лучшего, как сталинизм, и не заслуживал: "Народ имел то правительство, которое он заслужил". Для других (ностальгически вздыхающих по прежним временам "порядка") – это способ защиты сталинизма: Сталин – *народный* вождь, а созданная им система – отражение воли, желаний и чаяний масс.

Вот против этого отождествления сталинизма и интересов народа мы хотели бы особенно решительно возразить.

Да, сталинизм в каком-то смысле вырастает на народной почве, но в нем отражаются не подлинные, не действительные, не глубинные интересы народа, а лишь поверхность его сознания, его психологии в определенный конкретно-исторический период (да и то не народа в целом, а, как мы отмечали, лишь его менее развитой, менее цивилизованной части). Надо добавить еще, что эти "верхние слои" его психологии, его настроения находились в остром противоречии с его действительными интересами. Ведь в чем состоял действительный, подлинный интерес угнетенных российских масс? В осуществлении социального равенства людей, и на этой основе – обеспечении роста их материального благосостояния и культурного развития. Однако их представления о методах и способах достижения этой цели были ложными – они не вели к ней. Существовало, таким образом, фундаментальное противоречие между действительными интересами народа и предполагаемыми способами их достижения. Возникало ложное сознание, не соответствующее исторически назревшим задачам. Сталинизм в отличие от ленинизма не стремился просветить массы, выяснить это противоречие целей и предлагаемых ими средств и предложить средства, адекватные целям; он эксплуатировал их невежество, их предрассудки. И поэтому, я думаю, нет никаких оснований говорить о сталинизме как выразителе коренных интересов и потребностей даже какой-то части народа. Сталинизм, по сути своей, антинароден.

Народ (ни в каких его частях или слоях) поэтому, строго говоря, никак не может рассматриваться в качестве социальной базы зрелых форм сталинизма (какие сложились, например, к середине 30-х годов). Да, сталинизм в пору своего возникновения питался невежеством, неразвитостью народных масс. И в этом смысле (и только в этом смысле) определенную "народную" (может быть, точнее сказать, "псевдонародную") окраску он приобретал. Но он приходит в острое столкновение с этими же массами, как только они начинают осознавать свои подлинные задачи и адекватные способы их решения.

В итоге все яснее вырисовывалась действительная социальная база, питающая зрелые формы сталинизма. Сталинизм постепенно ее нащупывает, а затем в массовом порядке ее воспроизводит и решительно в моменты острых социальных конфликтов защищает. Что же это за база?

Диктатура бюрократии. Общий механизм нащупывания (и формирования) бонапартистскими режимами (а сталинский – из их числа) своей адекватной социальной базы превосходно описан Марксом в "Восемнадцатом брюмера Луи Бонапарта". Свой первоначальный исток бонапартизм, как указывал Маркс, находит в одном из массовых угнетенных слоев (тогда, в конце 40-х годов XIX века, это было крестьянство). И далее важное добавление: "Династия Бонапарта является представительницей не просвещения крестьянина, а его суеверия, не его рассудка, а его предрассудка, не его будущего, а его прошлого..."[1].

Подставим вместо "династии Бонапарта" – "сталинизм", вместо "крестьянства" – "пролетариат и беднейшее крестьянство", и мы получим точную характеристику нашей ситуации в конце 20-х годов. А вот что происходило в бонапартистской Франции дальше. По мере того как развитие исторических событий просвещает крестьянина, помогает ему подниматься со ступени "предрассудка" на уровень "рассудка" происходит обострение противоречий между более верно осознающим свои интересы народом и псевдонародной властью. Но к этому времени бонапартизм уже не нуждается в "братском согласии" с прежде дружественными народными слоями. Он сформировал уже свою собственную социальную базу, полностью отвечающую его зрелым формам: бюрократию, армию, репрессивный аппарат, способные жестоко расправиться со своим вчерашним "союзником". Начались "облавы, устраиваемые армией на крестьян", "массовые аресты, массовая ссылка крестьян"[2].

Сходную эволюцию претерпевал и сталинизм. Эксплуатируя "предрассудок", "ложное сознание" части трудящихся масс, он постепенно укреплял исполнительную власть и создавал соответствующую своей сути армию бюрократии, способную с помощью карательных органов дать отпор всем, кто поднимется на уровень "рассудка" и заявит свои права. *Адекватной социальной базой сталинизма и становится бюрократия.*

---

[1] К. Маркс и Ф. Энгельс. Соч., т. 8, с. 209.
[2] Там же, с. 208.

Вот почему сталинизм и народ, поверхностно и противоречиво соединенные на начальных этапах нашей истории, с течением времени все дальше отходят друг от друга. По мере развития экономики страны и культурности трудящихся, по мере того как искаженные, деформированные представления о целях социального движения заменяются в сознании трудящихся более точными, а ложные представления о средствах их достижения вытесняются все более истинными, сталинизм утрачивает и ту ограниченную народную опору, что он имел когда-то. Развивающиеся в ходе объективного исторического движения массы становятся поначалу стихийным, а потом и все более сознательным противником сталинизма. В этом – в невозможности опереться на поддержку масс – заключается, кстати, одна из причин затрудненности реставрации крайних форм сталинизма сегодня.

Однако, по мере того как уменьшается роль одной из опор сталинского режима, резко возрастает роль другой опоры – бюрократии, которая со временем и становится *главной* социальной базой сталинизма. На этом рубеже изменяется *качество* сталинского режима: из волюнтаристской, административно-командной системы, все еще сохраняющей определенную связь с народной основой и опирающейся среди прочего на народный энтузиазм (порожденный Октябрьской революцией), он превращается (по времени – где-то к середине 30-х годов) в антинародную (по сути своей) диктатуру бюрократии, опирающуюся на силу карательных органов, на силу страха.

Вместе с изменением качества социально-политических отношений меняется и качество идеологии. Нет, она, как и прежде, сохраняет свою субъективно-идеалистическую окраску. Ибо бюрократия, как и та, менее развитая часть трудящихся, о которой мы писали, придерживается волюнтаристских взглядов на исторический процесс – ее социальное бытие в качестве силы, с одной стороны, бесконтрольно управляющей (точнее – заправляющей) социальным строительством, а с другой – теснимой подлинным субъектом истории – трудящимся человеком, – навязывает ей волюнтаристское сознание. Только в отличие от названных народных слоев она придерживается волюнтаризма и субъективизма не по невежеству, а сознательно. Здесь уже речь идет не о наивно-революционном сознании масс, ошибочно определивших некоторые из своих целей и средств реализации своих интересов, но о *безошибочно* точном отражении объективных интересов бюрократического слоя, о тщательно продуманной реакционно-консервативной доктрине.

Возникновение и развитие этой, второй, а с ходом времени – главной, опоры и социальной базы сталинизма – тоже вполне закономерный, естественно-исторический (а не порожденный волей "злодея" или "гения", как хотите) процесс. Никаких тут исторических казусов нет. Имелись существенные причины того, почему в первые после Октября годы стала усиливаться бюрократия и почему задерживалось половодье демократизма и народоправства.

Историческая обусловленность усиления бюрократии. Если взять экономическую сторону дела, то в начале 20-х годов экономически страна представляла сумму не связанных между собой, разорванных звеньев; *системы* экономической не было, были лишь малосвязанные друг с другом "острова" экономики. Экономических рычагов, механизмов, способных увязать все в систему, навести мосты между "островами", дабы заставить хоть как-то функционировать эту экономику, не было. Экономические связи по необходимости надо было заменить политическими, административными. Государственное чиновничество и было связующим началом разрозненных экономических звеньев, оно было, так сказать, "административно-политическими костылями" экономики, оно худо-бедно давало возможность экономике жить и двигаться.

Если же взять социально-политический, или социально-культурный, аспект, то неизбежность усиления административно-бюрократического слоя связана с объективной невозможностью значительной части (если не большинства) трудящихся – в силу своей культурной неразвитости – принимать реальное участие в управлении, в реальном контроле за деятельностью хозяйственного и государственного аппарата. Поначалу они не потому не принимали участия в управлении и контроле, что их кто-то, по причине своей злонамеренности, не допускал, но потому, что они просто не в состоянии были это делать.

И снова возникает искушение сделать вывод (как то и происходит в статьях некоторых публицистов): поскольку усиление бюрократии по названным выше причинам – факт неизбежный (и с точки зрения развития экономики страны в какой-то степени оправданный), то, следовательно, и вырастающий на ее основе сталинизм – тоже явление неизбежное, которому нет альтернативы (и потому тоже в определенной степени оправданное).

Думаем, что снова – мимо. Думаем, что несостоятельны и эти попытки обосновать неизбежность сталинизма и на другой, теперь уже не народный, а бюрократический лад.

Что было действительно неизбежным в нашем послеоктябрьском развитии и что – нет? Да, неизбежным было усиление бюрократии. Это факт. Но "усиление бюрократии" – это еще не сталинизм. Сталинизм – это диктатура (то есть тотальное и безусловное господство) бюрократии (да еще в террористических формах). И вот этот-то переход от простого "усиления бюрократии" к ее террористической диктатуре, по нашему мнению, неизбежным не был. Мы убеждены, что вполне возможен был и другой вариант развития событий – постепенное ограничение, ослабление роли бюрократии и рост демократических начал.

Была ли эта, другая возможность **реальной** возможностью? Был ли действительный **выбор**? Думаем, что и реальная возможность, и действительный выбор **были**! И вот тому доказательства.

О том, что возможности иного выбора были реальными, свидетельствует прежде всего тот факт, что "ситуация выбора" между административно-командным и демократическим началом возникала в нашей истории не раз – не только в 1929 г., но и раньше, и позже; и не всегда разрешалась она в пользу сталинского варианта. Случалось, брало верх демократическое, ленинское начало. Разве нет? Вспомните, к примеру, ситуацию в начале 20-х годов, накануне нэпа, в 1927 г. – в период XV съезда партии, в 1956 г. (XX съезд!), в апреле 1985 г.

Это были ситуации именно такого выбора. В начале 20-х годов, отмечая мощный рост военно-коммунистических, командно-бюрократических тенденций, Ленин с тревогой писал, что, если мы от чего и погибнем, так это от бюрократизма. Он тогда же всерьез размышлял об опасности "термидора". Иначе говоря, складывалась явно кризисная, критическая ситуация, когда от того или другого решения зависело, придет ли "термидор", "погибнем" ли мы или сумеем найти способ движения по иному, демократическому, а в перспективе – социалистическому пути развития. Этот момент выбора закончился, как известно, в пользу демократической, ленинской, альтернативы. Лениным была предложена программа по ограничению возможностей советской бюрократии, по ее ослаблению. Эта программа предусматривала блокаду, а в перспективе – и разрушение тех главных основ, на которых покоилась бюрократия. Предлагалось, во-первых, оживление экономических связей (что уменьшало бы надобность в существовании громоздких механизмов внеэкономического, административно-политического регулирования) – это программа нэпа, развитие кооперации, поощрение создания промышленных концессий и государственно-капиталистических форм производства. Делалась, во-вторых, ставка на *экономические* стимулы приобщения населения к труду (что сужало бы сферу внеэкономического, военно-коммунистического принуждения). Принимались, наконец, меры по развитию демократии, участия простых рабочих и крестьян в работе высших государственных органов страны, в контроле за деятельностью руководящих кругов партии, по ликвидации неграмотности и росту общей культуры народа.

Ну, и разве нереален, утопичен был этот план? Разве остался он в сфере мечтаний? Разве не начал он реализовываться в жизни? И разве не пошла успешно его реализация? Успехи нэпа хорошо известны. Административно-командной, бюрократической системе тогда не удалось прорваться к господству.

Потерпели поражение и попытки создания административно-командной системы на базе концепции "первоначального социалистического накопления" Троцкого – Преображенского сразу после смерти Ленина. Борьба партии против этой концепции, в которой ведущую теоретическую роль сыграл Бухарин, закончилась закреплением в целом ленинских, демократических начал развития страны XV съездом ВКП(б) (1927 г.)[1]. Вместо предлагаемого авторами концепции "первоначального социалистического накопления" плана развития экономики страны "за счет крестьянства", путем административно-насильственной перекачки средств из деревни в город, вместо их планов построения работы заводов и фабрик по военно-казарменному принципу и стимулирования, интенсификации труда с помощью политического и правового насилия – вместо этого партия на XV съезде приняла программу, нацеленную на сохранение равноправия рабочих и крестьян, на добровольное кооперирование, на высокие (но реалистические) темпы индустриального развития, на расширение демократических начал в общественной жизни.

А разве XX и XXII съезды партии, развитие событий после апреля 1985 г. не являются еще одним убедительным доказательством *реальности* несталинской (антисталинской) альтернативы? Понимание этого, понимание того, что вопрос "быть сталинизму или нет" решается не в сфере каких-то "объективных", царящих над людьми предначертаний, а всеми нами, нашей борьбой, умением ее организовать и вести, понимание того, что нить истории слагается не из каких-то неизбежных, необратимых событий, а представляет собой узлы постоянно возникающих и разрешающихся людьми альтернатив, – это понимание совершенно необхо-

---

[1] О подробностях этой борьбы см. нашу статью "Выбор истории и история альтернатив. (Бухарин против Троцкого)". – *Проблемы мира и социализма*, 1988, № 10.

димо для успешной деятельности по революционному преобразованию современной действительности.

Недорого стоит мудрость исследователей, которые, оценивая шаги и результаты конкретной исторической борьбы, глубокомысленно изрекают: все это было неизбежно, иначе и быть не могло, а разговор о возможных иных исходах – это, по их мнению, не историческая наука, а бессмысленное гадание на кофейной гуще. Для них все "неизбежно" – и победа сталинистов в 1929 г., и их поражение в 1956-м, и реванш неосталинистских тенденций после 1964 г., и поворот к демократическим началам в апреле 1985 г. Правда, затрудняются они сказать, какая "неизбежность" ожидает нас, например, в 1995 г. Вот уляжется дым сегодняшних схваток, определится в отчаянной борьбе итог событий – вот тогда снова придут наши мудрые летописцы со своим глубокомысленным "иначе и быть не могло". Большой прок от этой "мудрости задним числом"!

Нет, мы не защищаем тезис о том, что в истории "все возможно" и что "от человека зависит все". Мы просто обращаем внимание на то, что соотношение основных социальных сил в нашей истории (развитых и неразвитых слоев трудящихся, бюрократической элиты и т.д.) было и есть таково, что были возможны и остаются возможными варианты как демократического, так и административно-командного развития и что исход каждого из сражений между этими силами не предопределен заранее. Результат зависит от многих конкретных факторов, в том числе и от умения борющихся сторон (и их вождей) находить правильную политическую стратегию и организационные формы борьбы. И еще одна важная сторона методологии, которой мы придерживаемся. Для понимания результатов того или другого конкретного выбора важно видеть общую историческую тенденцию, состоящую в том, что по мере экономического и культурного развития страны и трудящихся масс все более широкой становится социальная база демократических ("ленинских") политических программ и сужается социальная база сталинизма. Поэтому если в первой половине нашей послеоктябрьской истории общий социально-экономический и политический фон эпохи благоприятствовал победе сталинистских установок (хотя и не делал эту победу неизбежной), то затем массовая историческая инициатива стала – объективно – переходить к подлинно ленинским, демократическим силам (хотя и не делала их победу гарантированной).

Подведем краткий итог сказанному.

Сталинизм берет начало не в каких-то необычных, экзотических идейных и социальных сферах. Он вырастает на той же самой общей почве, что и ленинизм, – почве революционного народа и марксизма, но на тех участках этой почвы, которые порождают сорняки, паразитические растения, противостоящие цветам подлинно гуманистической культуры. По внешнему виду первые ростки ядовитых растений сталинизма не сразу можно отличить от культурных побегов.

Иначе говоря (оставим образный строй рассуждений!), сталинизм не сразу проявляется как ясно выраженный антипод марксизма-ленинизма. На первом этапе он формируется как некая, неясно выраженная *тенденция* идеологического субъективизма и политического волюнтаризма, отражающая психологию, настроение менее развитой, менее культурной части революционных масс (это, так сказать, ранний, "народный" сталинизм). Суть второй ступени эволюции – в изменении его социальной опоры и идейной окраски: "народный" сталинизм превращается в "бюрократический" (то есть антинародный), а волюнтаристские идейные тенденции – в идеологию культа личности, которая в окружении бюрократической элиты представляется единственным творцом истории. (Заметим – в скобках, потому что это тема особого разговора, – что переход от "народного" к "бюрократическому" сталинизму в 30-е годы был непростым и страшно болезненным процессом. Объективный смысл и логика кровавых репрессий 30-х годов, думаю, пока не разгаданы нашей наукой. Пишут о расправе над "ленинской гвардией" – делегатами XVII съезда партии. Но ведь подавляющее большинство делегатов этого съезда стали заметными политическими фигурами лишь после смерти Ленина, при Сталине и "под Сталиным" (то есть, как правило, благодаря Сталину). Основные силы "ленинской гвардии" утратили свое влияние уже к концу 20-х годов. "Заметки экономиста" Бухарина (1928) и манифест Рютина (1932) были, пожалуй, последними крупными, заметными попытками повернуть партию и страну на подлинно ленинские рельсы. Иногда в репрессиях 30-х годов видят логику действий преступной политической мафии – расправляются сначала со своими противниками, конкурентами, а затем, дабы спрятать концы в воду, и с их палачами, членами своей мафии, знавшими слишком много. Это, возможно, объясняет некоторые отдельные случаи – уничтожение Ягоды, Ежова и их сообщников, но дать нить понимания, схватить логику событий всего десятилетия эта узкая точка зрения не в состоянии. Иногда поэтому говорят, что там не было никакой логики – неуправляемый процесс кровавой бойни. Не думаю. Мне представляется, что основным, не осознаваемым хорошо самими участниками содержанием борьбы и репрессий 30-х годов было противоборство "бюрократического" и "народного" сталинизма. Первый представляли деятели типа Кагановича, Молотова, Ворошилова, Жданова, Маленкова, Берии, Вышинского, Ульриха. Второй – Киров, Орджоникидзе, Куйбышев, Постышев, Косарев, Косиор. Триста голосов против Сталина на XVII съезде – это, я думаю, отражение нараставшего протеста народных масс против укрепляющейся монополии власти бюрократической элиты.)

Любопытно, что "народный" сталинизм, разгромленный в 30-е годы в высших партийных и государственных эшелонах, продолжал тем не менее жить в определенных слоях народа. Для него характерной оставалась острая антибюрократическая направленность. Мечты части простого народа в период брежневщины о сильном вожде, напоминающем Сталина, – это мечты о силе, которая смогла бы защитить простых людей от абсолютной власти бюрократии. Видеть различие двух видов сталинизма очень важно. "Народный" сталинизм в отличие от "бюрократического" преодолевается терпеливым просвещением, развитием гласности и демократических начал, в рамках которых эти люди получают возможность осознать свою собственную силу, вполне достаточную, чтобы самим ликвидировать бюрократию, не уповая на мифическую силу какой-либо могучей личности. С этими людьми ленинские, демократические силы могут и должны найти контакт и взаимопонимание.

Таковы, на наш взгляд, сущность и корни сталинизма.

А отсюда и вывод, касающийся путей их преодоления. Не диалектика, не марксистский материализм плохи, не в них семена сталинизма, не их, следовательно, надо уничтожать; беда – в их вульгаризации и искажении. Обрыв золотой нити социального прогресса произошел не тогда, когда возник диалектический материализм, не тогда, когда Ленин на его основе вычерчивал маршруты прогресса в XX столетии, не в период Октября. Не там обрыв, не там определилась дорога, бегущая в пропасть. Обрыв произошел позднее – в конце 20-х годов, там, где ленинизм стал подменяться волюнтаризмом, а идея народоправия – культом Вождя. Поэтому я считаю, что люди, желающие способствовать делу человеческого прогресса, должны размышлять не над тем, как "переиграть" Октябрь и ленинизм, а над тем, как "переиграть" 1929 и 1937 гг., опираясь на ценности Октября и ленинизма. Разумеется, "переиграть" не буквально – историю не вернешь! "Переиграть" – сегодня, ибо ни 1929-й, ни 1937-й – годы торжества бюрократии – вовсе не невозможная вещь в конце XX столетия. Вот почему влечет нас к пониманию истории отнюдь не только и не сугубо исторический интерес.

А важнейший элемент этого понимания и состоит в том, что ленинизм – не исток сталинизма, а наиболее сильное орудие борьбы с ним. Ибо ленинизм – это учение, выдвигающее задачи, решение которых и ведет к разрушению главнейших опор, фундамента бюрократической системы. Ленинизм выступает за развитие экономических (а не административно-командных) связей в народном хозяйстве страны, за принцип распределения по труду, запрещающий создание нетрудовых, кастовых, бюрократических привилегий, за превращение работника в действительного, реального хозяина – через механизм самого широчайшего плюрализма и демократизма. И, кроме того, ленинизм не только идейно, программно противостоит сталинизму, но и способен практически, политически победить его. Да, в конце 20-х годов сталинизм взял верх над ленинизмом. Но такой исход сражения вовсе не был предопределен фатально. Ленинские (то есть демократические) силы в партии и народе не "в принципе" "не могли" победить – они *не смогли*, они просто *не сумели* победить. Они не смогли выработать хорошо выверенные стратегические планы, определить верную тактику. У них не оказалось сильных и талантливых полководцев; их лидеры допускали грубейшие ошибки в борьбе, и главная среди них – попытка остановить развитие казарменно-коммунистических, бюрократических, административно-командных тенденций (выражавшихся в первые годы после смерти Ленина в планах Троцкого – Преображенского) бюрократическими же, административно-командными методами. Зиновьев, Каменев и многие другие, возглавляя борьбу с идеями троцкистского варианта административно-командной системы, заботились не столько о демократическом соревновании программ и идей, не столько об убедительности и развернутости аргументов, сколько о том, чтобы любыми способами скомпрометировать Троцкого как личность. Они фактически лишили Троцкого и его единомышленников возможностей открыто перед всей партией и народом излагать свои взгляды, критиковали его грубо и (за исключением разве что Бухарина) не слишком заботясь о доказательности, извлекали на свет божий ленинские характеристики Троцкого, данные давно, в частных письмах и не имеющие никакого отношения к современной полемике. При обсуждении в высоких инстанциях формировали группы лиц, которые устраивали сторонникам Троцкого обструкцию, не давали говорить, постоянно перебивали их с места грубыми выкриками, требовали "покаяний", "разоружения", "встать перед партией (читай – перед ее руководящей группой) на колени". В этой недемократически ведущейся борьбе с идеями административно-командной системы Троцкого они сами реально, на практике формировали эту систему. Бюрократические идеи нельзя победить с помощью административного, бюрократического насилия. Средства не безразличны к цели, к результату. Негодные средства, применяемые даже во имя "хорошей" цели, неизбежно дадут негодный результат.

На этом же тридцать лет спустя споткнулся Хрущев, пытаясь покончить со сталинизмом и бюрократизмом бюрократическими же методами. Он – в особенности во второй половине своего "славного десятилетия" – не способствовал развертыванию общественных механизмов демократии, а свертывал их, он видел *в себе, в своей личности* гарантию против возврата к сталинизму. И не понимал, что одна личность, даже на посту руководителя партии, не в состоянии определить направление и исход исторических битв. Он не понимал, что XX съезд, демократическое половодье 1956–1961 гг. не есть результат его индивидуальной деятельности (хотя, конечно, его личной политической смелости 1956 г. следует воздать должное!), что он лишь помог приоткрыть клапаны накопившейся и готовой выйти наружу мощной народной антисталинской энергии. Он сам (и окружавшие его подхалимы) слишком переоценил роль, которую он играл в начавшемся процессе, он слишком переоценил себя. Более того, когда события стали опережать его личные политические возможности, его кругозор, его сложившееся в сталинские годы кредо, он не сумел способствовать тому, чтобы ход событий и демократические механизмы выявили людей – наверху и на местах, – способных двигать перестройку 50-х годов дальше. Он стал – и объективно, и субъективно – тормозить процесс, начало которого во многом было связано с его именем. Вспомним, как заговорил он с творческой интеллигенцией – писателями, художниками, журналистами, как начал единолично определять, кто будет президентом, секретарем ЦК и т.д. Не случайно вновь всякие лысенки пошли при нем в гору, не случайно при нем поднимались к вершинам власти неосталинисты Суслов и Брежнев. Он – во многом сам того не ведая – формировал административно-командную, неосталинистскую ("нео" – ибо без массовых кровавых репрессий) систему, которая начала глушить демократические процессы и безропотной жертвой которой он и сам стал вскоре.

Мы не должны третий раз – сегодня – споткнуться на том же самом месте. Все должны знать обо всем, все должны принимать участие во всем – вот ленинский принцип, единственно верный метр, которым можно мерить уровень (да и само наличие) демократии в обществе.

Нет, нам не фатально суждено жить под гнетом сталинизма и бюрократии, просто нам не всегда доставало понимания смысла нашей борьбы.

И еще одно пояснение во избежание недоразумений. Мы сказали: сталинизм – диктатура бюрократии. А как насчет социализма в нашей стране – был ли, не был?

Одни говорят: не был! Какой-де это социализм, когда крестьянство без паспортов, не распоряжается тем, что производит, когда миллионы – в лагерях, на рабском труде, когда собственность – как бы "ничейная" и бюрократия – всемогуща.

Другие, понимая серьезность этих аргументов, тем не менее не могут принять категорически отрицательный вывод. С одной стороны, его принятие сопряжено с невероятной потерей исторических ориентиров и координат – возникает просто какой-то обвал мысли и истории. С другой стороны, все же не абсолютно темна была наша история – и неподдельный энтузиазм масс был, и от неграмотности страну освободили, и определенный экономический потенциал создали, и войну – что там ни говори – выиграли, да и потом были ведь и не сталинские периоды в нашей истории. И потому они ищут определений, в которых нашли бы отражение и те, и другие стороны этого противоречивого явления. Предлагают называть его "социализмом" с различного рода добавлениями: "бюрократический", "государственный", "авторитарный", "деформированный" и т.п. Возникают в итоге определения, разрушающие сами себя. "Бюрократический" (то есть не демократический) социализм – это же не социализм, это все равно, что "горячий лед" или "холодный огонь".

Где же выход? Мне не хотелось бы здесь и сегодня углубляться в эту материю. Обозначу только опорные моменты своего подхода.

Первый тезис: сталинизм – это, конечно же, не социализм.

И второй. История нашей страны не сводится к истории сталинизма. Ее содержание – борьба двух тенденций (бюрократически-тоталитарной и демократически-социалистической), и потому реальное состояние нашего общества всегда было *результатом* их борьбы (результатом, который невозможно выразить в категориях и понятиях только одной из этих тенденций). К тому же, как уже отмечалось, сталинизм не во все периоды был господствующей тенденцией в нашей жизни. Демократически-социалистические (ленинские) начала были особенно сильны в 1917–1929 гг., 1941–1945 гг. (патриотический подъем военных лет, прямое чувство ответственности каждого за судьбу страны породили и определенные процессы десталинизации социальной жизни), 1953–1964 гг., 1985 г. и по сей день. Это несколько десятков лет. Немало!

Ну и все же, спросит читатель, как все-таки вы определите результаты этой борьбы двух тенденций в нашем обществе, к какому из названных выше лагерей публицистов вы ближе – к первому или ко второму. Я – сам по себе. Мне думается, мы имели дело с социальным феноменом, для точного определения которого в нашей классической теории нет подходящих терминов. Суть этого феномена по-настоящему не улавливается имеющимися теоретическими формулировками, их употреблением, будь то в позитивном или негативном смысле. Мы вступили в социальный мир несколько иного типа, чем тот, в котором жили Маркс и Ленин, разработавшие категориальную структуру нашего социального мышления. Образно говоря, из ньютоновского социального мира мы вступили в эйнштейновский. И потому я за то, чтобы изучать новые социальные реальности – и у нас, и во всех других странах мира – *по существу*, не торопясь наклеивать на них обобщающую итоговую этикетку. Давайте опишем – глубоко и правдиво – реальную картину общественных отношений в странах современного мира. А итоговые этикетки потом изобретем. Термин, дефиниция не должны предварять конкретный анализ, они должны быть его *результатом*. Не стоит ли поэтому на какое-то время ввести мораторий на употребление ряда обобщенных социально-политических понятий, дабы груз их прошлого содержания не тянул назад нашу общественную науку, не мешал непредубежденному анализу того, что есть.

И самое последнее. Да, я считаю, что учение Маркса и Ленина, творчески развиваемое применительно к сегодняшним условиям, является главным и наиболее совершенным инструментом борьбы против всех форм и разновидностей сталинизма. Эту свою позицию я буду защищать.

И все же для меня та или другая доктрина – не самоцель. Главное – отстаивание и практическая деятельность по осуществлению гуманистической и демократической альтернативы общественного развития. И если кто-то пришел к пониманию важности этой задачи через Ганди, Толстого, Бердяева, Улофа Пальме, буддизм, православие и т.п., – это, мне кажется, не должно вызывать огорчения у ленинцев. В конце концов, может быть, именно такое массовое, многообразное, действительно плюралистическое движение с разных сторон к одной и той же цели – может, только оно-то и способно обеспечить ее достижение. И, может быть, от умения этих многоликих демократических сил найти пути друг к другу, создать атмосферу взаимной уважительности и доверия, демократического сотрудничества и зависит, каким – неосталинистским или подлинно свободным – будет новое общество.

Да, для меня, скажу еще раз в заключение, "ленинизм" тождествен с самой широкой демократией, всечеловеческим гуманизмом и максимальной свободой. Но если я встречу человека, не согласного с этим отождествлением, но тем не менее выступающего, подобно Гроссману, против сталинизма и за демократическое народоправие, я скажу ему: "Название – дело десятое! Руку, товарищ!"

Б. Сарнов

СКОЛЬКО ВЕСИТ НАШЕ ГОСУДАРСТВО?

Государство, созданное Сталиным, уникально. Какие бы аналогии тут не напрашивались, все они говорят больше о сходстве внешнем, нежели о сути. Даже рабовладельческий мир не знал такой всеобщей, тотальной незаинтересованности всех членов общества в результатах своего труда.

Столь же уникальны взаимоотношения этого государства с искусством. Казалось бы, эта уникальность даже более очевидна, чем какая-либо иная. Но и она остается неосознанной.

Старый писатель, один из тех, кто на протяжении полувека постоянно ощущал эту уникальность собственной шкурой, в ответ на грустный вздох собеседника, не без остроумия ответил:

– Ах, оставьте, пожалуйста! Писателю всегда плохо. Ваши жалобы напоминают рассуждения девицы, которая боится выходить замуж: "Вам, небось, хорошо, маменька! Вас-то выдали за папеньку! А мне за чужого мужика итти!"

Действительно, взаимоотношения художника с государством во все времена были далеки от идиллии. Легко может показаться, что в нашем случае мы имеем всего лишь одну из разновидностей этих, отнюдь не идиллических отношений. На худой конец – дальнейшее их развитие, своего рода обострение, усугубление этого извечного конфликта.

Однако разница здесь не количественная, а качественная.

В отношении сталинского государства к искусству поражает причудливое сочетание двух, казалось бы, взаимоисключающих начал.

С одной стороны, это государство уже почти не скрывает свою органическую враждебность искусству, свое последовательное, принципиальное неприятие самой его сути.

С другой стороны, оно придает искусству огромное значение, не только введя своего рода государственную монополию на искусство, но и превратив искусство в одну из важнейших отраслей "народного хозяйства", не менее важную (даже более важную), чем, скажем, угольная или химическая промышленность.

Нельзя сказать, чтобы государственные деятели в прежние времена не придавали искусству совсем никакого значения.

Бисмарк, например, составляя смету государственных расходов, какую-то сумму неизменно обозначал специальной рубрикой: "Reptilliengeld" (то есть – деньги, ассигнованные, как бы мы сейчас сказали, на пропаганду).

Но можно ли представить себе, чтобы тот же Бисмарк весь свой государственный ум, весь свой темперамент бросил на разоблачение какого-либо направления в живописи или в музыке, так как данное направление представляет непосредственную государственную опасность?

Можно ли представить себе другое государство, в котором деятельность нескольких театральных критиков рассматривалась бы как проблема первостепенной государственной важности, равнозначная по своим возможным последствиям государственному перевороту?

Могут возразить, что в данном случае (как и в ряде других подобных случаев) имел место самый обыкновеный, вульгарный обман масс. Но даже если это так, этот обман уже давно стал самообманом.

Существенной особенностью государства, созданного Сталиным, является то, что человек, волею обстоятельств оказавшийся во главе государства, автоматически становится единственным толкователем и пророком великого учения. Религиозный культ вождя вовсе не был рожден капризом или нелепой претензией Сталина. Культ личности вождя в государстве такого типа неизбежен. Неограниченная власть одного человека должна быть как-то обоснована. Если властелин не помазанник божий, стало быть, должен быть у него какой-то другой мандат на эту должность. Стало быть, он гений, основоположник, корифей науки и т.д. и т.п.

Поскольку вакансия пророка уже занята, художнику остается гораздо более скромная роль: облекать выводы официально утвержденных пророков в формы, доступные массам.

Но как тогда быть с распространенным представлением о свободе творчества, без которой якобы немыслимо никакое искусство? Объявить это представление неправильным? Устаревшим?

На первых порах это почему-то показалось чересчур смелым.

И выход нашелся.

За художником была сохранена (и то до поры до времени) относительная "свобода выбора" в одной узкой сфере: мастерства. Считалось, что художник имеет право сам для себя решать, в какой манере воплотить ту или иную предписанную ему идею.

Впоследствии, как известно, у художника была отнята и эта, последняя его прерогатива. Всем без исключения деятелям советского искусства было вменено в обязанность пользоваться единым творческим методом.

В том, что эта (убийственная для искусства) концепция нашла среди художников искренних и увлеченных последователей, уже содержится некий парадокс, нуждающийся в объяснении. Но еще парадоксальнее другое.

Одним из создателей концепции поэта-мастера и самым яростным, самым убежденным ее адептом был поэт, прежде столь же искренне исповедовавший и воплощавший в своей практике концепцию поэта-пророка.

Я имею в виду Маяковского.

Это он в юношеских своих стихах именовал себя "тринадцатым апостолом", новым Заратустрой, новым Христом:

> Я,
> обсмеянный у сегодняшнего племени,
> как длинный,
> скабрезный анекдот,
> вижу идущего через годы времени,
> которого не видит никто.

И еще:

> Это взвело на Голгофы аудиторий
> Петрограда, Москвы, Одессы, Киева,
> и не было ни одного,
> который
> не кричал бы:
> "Распни,
> распни его!"

И снова:

> ...я у вас – его предтеча;
> я – где боль, везде;
> на каждой капле слезовой течи
> распял себя на кресте.

И опять:

> В праздник красьте сегодняшнее число.
> Творись,
> распятью равная магия.
> Видите –
> гвоздями слов
> прибит к бумаге я.

И снова, уже в который раз:

> Слушайте!
> Проповедует,
> мечась и стеня,
> сегодняшнего дня крикогубый Заратустра!

Голгофа, крест, спаситель, предтеча, пророк, проповедник... Эти образы буквально не сходили у Маяковского с уст.

И вот, спустя всего несколько лет, тот же поэт, с той же страстью и той же убежденностью стал провозглашать нечто прямо противоположное:

> Мастера, а не длинноволосые проповедники
> нужны сейчас нам!

И снова:

> Я хочу, чтоб в дебатах потел Госплан,
> мне давая задания на год!

Эта навязчивая идея буквально преследовала его, разрастаясь, постепенно заполняя весь его духовный горизонт, пока не достигла, наконец, своего апогея. Я хочу, провозгласил он,

> С чугуном чтоб,
>   и с выделкой стали
> о работе стихов,
>   от Политбюро,
> чтобы делал
>   доклады Сталин!

Поэзия окончательно превращается в одну из отраслей государственного производства. Поэт сам, от имени поэзии дает государству санкцию на вмешательство, на государственную монополию. Отныне интимнейшие движения его души будут планироваться Госпланом наряду с контрольными цифрами выплавки стали и чугуна.

Для этой стремительной эволюции, для этой "измены" себе, своим прежним убеждениям и принципам были у Маяковского причины не менее серьезные, нежели те, которые побудили в свое время Савла стать Павлом. В существе этих причин мы еще разберемся. Пока же отметим только, что вовсе не случайно создателем этой убийственной для искусства концепции оказался поэт. Концепция не была навязана художникам извне. Во всяком случае, она легла на хорошо подготовленную почву. Хотя, надо сказать, что смертоносный заряд, который несла в себе эта концепция искусству, с самого начала был виден невооруженным глазом.

На семинарском занятии в МГУ студент задал В.Ф. Переверзеву вопрос:

– Как вы относитесь к теории социального заказа?

Ответ последовал мгновенный и недвусмысленный:

– Никакой теории социального заказа нет! Есть теория социального приказа!

Формула эта лишь предельно обнажила суть дела. То, что "социальный заказ" – это лишь псевдоним "социального приказа", ни для кого не было тайной.

Парадокс состоял в том, что это не было тайной и для самого Маяковского.

Когда Маяковского упрекали, что он пишет то, что ему велят, он отвечал:

– Дело не в том, что мне велят, а в том, что я х о ч у, чтобы мне велели.

Так говорить, а главное – так думать и так чувствовать его побуждала не партийная дисциплина и, уж конечно, не склонность к столь ненавистному ему приспособленчеству.

Характерно, что судьба поэта, который х о т е л, чтобы ему велели, оказалась в своем роде не менее трагична, нежели судьба тех, кто относился к теории "социального приказа" с ужасом и негодованием.

Произошло это по той простой причине, что он был поэтом. И в этом, может быть, ярче всего проявилась нетривиальность отношений, сложившихся между художником и государством сталинского типа.

Нетривиальность этих отношений в принципе может быть рассмотрена на любом примере. Можно взять самую что ни на есть "благополучную" судьбу. Результат будет все тот же: трагедия.

Эпизод, с которого я хочу начать, – один из самых драматичных в русской литературе советского периода, как известно, богатой драматичными эпизодами. Однако интересен он не только своим обнаженным трагизмом.

Особый интерес представляет внутренний с м ы с л этого эпизода, лежащий глубоко под поверхностью фактов.

Но поскольку факты тоже не слишком хорошо известны, да и те, что известны, обросли множеством апокрифов и легенд, я начну с изложения фактов.

Осенью 1933 г. Осип Мандельштам написал небольшое стихотворение:

Мы живем, под собою не чуя страны,
Наши речи за десять шагов не слышны,

А где хватит на полразговорца, –
Там припомнят кремлевского горца.

Его толстые пальцы, как черви, жирны,
А слова, как пудовые гири, верны.

Тараканьи смеются усища,
И сияют его голенища.

А вокруг его сброд тонкошеих вождей,
Он играет услугами полулюдей,

Кто свистит, кто мяучит, кто хнычет,
Лишь один он бабачит и тычет.

Как подковы кует за указом указ –
Кому в пах, кому в лоб, кому в бровь, кому в глаз.

Что ни казнь у него, – то малина.
И широкая грудь осетина.

В ночь с 13-го на 14-е мая 1934 г. Мандельштам был арестован.

По просьбе жены поэта за Мандельштама взялся хлопотать Н.И. Бухарин. Он думал, что Мандельштама взяли за "обычные отщепенческие стихи".

Однако, узнав, что Мандельштам арестован "за эпиграмму на Сталина", Бухарин пришел в неописуемый ужас.

"Проездом из Чердыни в Воронеж, – вспоминает Н.Я. Мандельштам, – я снова забежала к Николаю Ивановичу. "Какие страшные телеграммы вы присылали из Чердыни, – сказала Короткова (секретарь Бухарина) и скрылась в кабинете. Вышла она оттуда чуть не плача. – Н.И. не хочет вас принимать – какие-то стихи..." Больше я его не видела – Ягода прочел ему стихи про Сталина, и он, испугавшись, отступился..."

Б. Пастернак обращался и к Бухарину и к Демьяну Бедному. Дело в том, что за несколько лет до своего ареста Мандельштам обращался к Демьяну с просьбой похлопотать за каких-то не известных ему людей. Демьян тогда хлопотать отказался, но при этом пообещал, что, если дело коснется самого Мандельштама, он обязательно за него заступится. Неизвестно, напомнил ли Пастернак Демьяну об этом обещании. Известно только, что в ответ на просьбу Пастернака помочь, Демьян ответил категорическим отказом: "Ни вам, ни мне в это дело вмешиваться нельзя".

Те, кто поспешит бросить камень в отказавшихся хлопотать за опального поэта, должны ясно представлять себе, что заступничество в этом случае было бы больше, чем героизм. Бухарин искренне симпатизировал Мандельштаму, неоднократно помогал ему, да и в этот раз, пока не выяснилось, за что тот арестован, делал все, чтобы смягчить его участь. Не знаю, понимал ли Бухарин тогда в полной мере, на краю какой пропасти он стоит. Но как бы то ни было, он точно знал, что заступничество за человека, написавшего такие стихи, угрожает уже не только положению его, но и самой жизни. Да и Демьян висел на волоске после того, как неосторожно сказанул где-то, что терпеть не может, когда Сталин листает редкие книги в его библиотеке своими жирными пальцами. Кстати, отсюда и строки Мандельштама: "Его толстые пальцы, как черви, жирны...".

Когда стало известно, что Мандельштам арестован за стихи о Сталине, друзья и близкие поэта поняли, что надеяться не на что. Да и раньше, до ареста, все, кто знал эти стихи, не сомневались, что он за них поплатится жизнью.

Сам Мандельштам говорил, что с момента ареста он все время готовился к расстрелу: "Ведь у нас это случается и по меньшим поводам". Следователь прямо угрожал расстрелом не только ему, но и всем "сообщникам" (то есть тем, кому Мандельштам прочел стихотворение).

И вдруг произошло чудо.

Мандельштама не только не расстреляли, но даже не послали "на канал". Он отделался сравнительно легкой ссылкой в Чердынь, куда вместе с ним разрешили выехать и его жене. А вскоре и эта ссылка была отменена. Мандельштамам разрешено было поселиться где угодно, кроме двенадцати крупнейших городов страны. (Тогда это называлось – "минус двенадцать".) Не имея возможности долго выбирать (знакомых, кроме как в двенадцати запрещенных городах, у них не было нигде), Осип Эмильевич и Надежда Яковлевна наугад назвали Воронеж.

Жизнь в Воронеже у Мандельштамов была трудная, но не ужасная. Время от времени удавалось даже зарабатывать переводами, чего раньше, до ареста, давно уже не бывало.

Причиной "чуда" была фраза Сталина: "Изолировать, но сохранить".

Н.Я. Мандельштам считает, что тут возымели свое действие хлопоты Бухарина (Бухарин ведь отступился не сразу, а только после того, как узнал, ч т о было подлинной причиной ареста).

В конце бухаринского письма Сталину была приписка: "Пастернак тоже беспокоится". Упоминая Пастернака, Бухарин, видимо, хотел сказать, что судьбою Мандельштама обеспокоен не только он и что его беспокойство носит не личный, а, так сказать, общественный характер.

Получив записку Бухарина, Сталин позвонил Пастернаку.

Между ними произошел следующий разговор:

СТАЛИН. Дело Мандельштама пересматривается. Все будет хорошо. Почему вы не обратились в писательские организации или ко мне? Если бы я был поэтом и мой друг поэт попал в беду, я бы на стены лез, чтобы ему помочь.

ПАСТЕРНАК. Писательские организации не занимаются этим с 1927 года, а если б я не хлопотал, вы бы, вероятно, ничего не узнали. (Далее он прибавил что-то по поводу слова "друг", желая уточнить характер своих отношений с Мандельштамом, которые, как он считал, не вполне подходили под определение – "дружеские".)

СТАЛИН. Но ведь он же мастер? Мастер?

ПАСТЕРНАК. Да дело не в этом!

СТАЛИН. А в чем же?

ПАСТЕРНАК. Хотелось бы встретиться с Вами. Поговорить.

СТАЛИН. О чем?

ПАСТЕРНАК. О жизни и смерти.

На этом Сталин бросил трубку. Разговор с Пастернаком о жизни и смерти был ему не интересен.

Никто не понимал, почему Сталин проявил такое неожиданное мягкосердечие. Почему велел "изолировать, но сохранить"? Зачем звонил Пастернаку?

Н.Я. Мандельштам, как я уже говорил, полагает, что "чудо" объяснялось заступничеством Бухарина. По ее свидетельству, примерно так же думала и А.А. Ахматова:

"Хлопоты и шумок, поднятый вокруг первого ареста О. М. какую-то роль, очевидно, сыграли, потому что дело обернулось не по трафарету. Так по крайней мере думает А. А. Ведь в наших условиях даже эта крошечная реакция – легкий шум, шопоток – тоже представляет непривычное, удивительное явление".

Дело, действительно, обернулось не по трафарету. Но я думаю, что оно приняло столь нетрафаретный оборот совсем по другой причине.

В разговоре Сталина с Пастернаком видят обычно лишь жестокую лицемерную игру кошки с мышью. Такая игра была одним из любимых развлечений Сталина. Фраза: "Если бы я был поэтом и мой друг поэт попал в беду, я бы на стены лез..." – весьма красноречиво свидетельствует о желании Сталина не только "поиграть" с собеседником, но и всемерно его унизить.

Совершенно очевидно, что Сталин звонил Пастернаку не только затем, чтобы его унизить. Он хотел получить от него квалифицированное заключение о реальной ценности поэта Осипа Мандельштама. Он хотел узнать, как котируется Мандельштам на поэтической бирже, как ценится он в своей профессиональной среде.

Именно в этом, на первый взгляд, странном и необъяснимом интересе я вижу разгадку так называемого "чуда".

Сталин всю жизнь испытывал суеверное уважение к поэзии и поэтам.

Мандельштам это остро чувствовал. Недаром он говорил жене:

– Чего ты жалуешься? Поэзию уважают только у нас. За нее убивают. Только у нас. Больше нигде...

Уважение Сталина к поэтам проявлялось не только в том, что поэтов убивали. Сталин прекрасно понимал, что мнение о нем потомков во многом будет зависеть от того, что о нем напишут поэты. Разумеется, не всякие, а те, стихам которых суждена долгая жизнь.

Представления Сталина о поэзии во многом были обусловлены впечатлениями его отрочества, сформировались под влиянием его знакомства с поэзией Востока. Не исключено, что поэзию вообще он знал и понимал преимущественно как поэзию придворную.

Узнав, что Мандельштам считается крупным поэтом, он решил до поры до времени его не убивать. Он понимал, что убийством поэта действия стихов не остановишь. Стихи уже существовали, распространялись в списках, передавались изустно.

Убить поэта – это пустяки. Это самое простое. Сталин был умнее. Он хотел добиться большего. Он хотел заставить Мандельштама написать другие стихи. Стихи, возвеличивающие Сталина.

Почему это было для него так важно? В конце концов не все ли равно – Мандельштам или кто-нибудь другой? В поэтах не было недостатка.

Кажется, ведь это сам Сталин сформулировал известный лозунг:

"У нас незаменимых нет!"

В отличие от своих учеников и последователей Сталин был не настолько наивен, чтобы надеяться на то, что великими поэтами в будущем будут считаться те, кого он сегодня назначит на эту должность. Рассказывают, что, когда Д.А. Поликарпов, назначенный секретарем Союза писателей, донес Сталину о безобразиях, творящихся во вверенном ему ведомстве, Сталин ответил:

— В настоящий момент, товарищ Поликарпов, мы не сможет предоставить вам других писателей. Хотите работать – работайте с этими.

Сталин прекрасно понимал, что в таком сложном и тонком деле, как литература, незаменимые люди должны быть. Но он полагал, что вся их незаменимость лежит в сфере узкой специализации, в сфере мастерства. "Незаменимый" в рамках привычных для Сталина понятий – это значило "уникальный специалист", "спец". А если "спец" действительно уникальный, важно, чтобы тебя обслужил именно он, а не кто другой. Точно так же, если бы речь шла о хирургическом вмешательстве, важно, чтобы оперировал выдающийся хирург, а не заурядный.

Впрочем, возможно, тут было еще и другое.

Стихи, возвеличивающие Сталина, писали многие поэты. Но Сталину было нужно, чтобы его воспел именно Мандельштам, не только потому, что был "мастер", но и по иной, не менее важной, причине.

Потому что Мандельштам был – "чужой".

У Сталина был острый интерес к "чужим". К Булгакову, например. Не случайно он смотрел "Дни Турбиных" пятнадцать раз, и не случайно заставил Поскребышева в ночь смерти Булгакова звонить и справляться: "Правда ли, что писатель Булгаков умер?"

Когда стало известно о смерти Н. Аллилуевой, группа писателей направила Сталину свои соболезнования. Пастернак, видимо, не успел подписать это письмо. Как бы то ни было, в том же номере "Литературной газеты", в котором было опубликовано коллективное соболезнование, появилось индивидуальное письмо Пастернака:

"Присоединяюсь к чувствам товарищей. Накануне глубоко и упорно думал о Сталине; как художник – впервые. Утром прочел известие. Потрясен так, точно был рядом, жил и видел."

Не исключено, что этим письмом Пастернак спас себе жизнь.

Во всяком случае, Сталину явно импонировало, что именно такой человек, как Пастернак "глубоко и упорно думал" о нем. Сурков, который бы всю ночь "глубоко и упорно" думал о нем, был ему, надо полагать, далеко не так интересен[1].

Эстетическим идеалом Сталина был фасад Российской Империи: старая русская военная форма, деньги, похожие на царские трешки и пятерки, "царский" портрет генералиссимуса на здании Моссовета (левая нога на полшага впереди правой, в левой руке перчатки).

---

[1] Когда следователь, занимавшийся реабилитацией Мейерхольда, начал разбирать его "дело", он обнаружил, что, помимо всех прочих обвинений, Мейерхольду инкриминировалась связь с Пастернаком, Олешей и Эренбургом. Из всех троих следователю было известно только имя Эренбурга. Эренбург объяснил следователю, что и Пастернак, и Олеша никогда репрессированы не были, что оба они – честные советские писатели, имеющие большие заслуги перед советской литературой. Следователь встретился с Пастернаком и задал ему традиционный вопрос о Мейерхольде: "Вы были его другом?". Пастернак искренне удивился: "Что вы! Я никогда не был достаточно советским человеком для этого!"

Неограниченный властелин полумира, создатель государственной машины, с которой не могла сравниться ни одна империя прошлого, земной бог, официальный титул которого (величайший гений всех времен и народов, корифей науки, гениальный полководец, основоположник, лучший друг физкультурников и прочая, и прочая, и прочая) далеко превосходил количеством и пышностью определений полный титул российских самодержцев, он до конца своих дней не мог отделаться от завистливого равнения на последнего отпрыска рухнувшей провинциальной монархии. Я уверен, что лучшим комплиментом для Сталина, высшей оценкой фасада созданной им империи, были бы принятые всерьез полунасмешливые строки поэта: "Амуниция в порядке, как при Николае".

Венцом этого эстетического идеала, лучшим украшением фасада этого великолепного здания могли бы стать две-три оды, написанные двумя-тремя н а с т о я щ и м и поэтами. (Как сказал бы Паниковский, – "с раньшего времени, теперь таких нет!"[1].)

Свидетельство Пастернака, а в какой-то мере и свидетельство Бухарина подтверждало, что Мандельштам – настоящий.

Впрочем, это было известно Сталину и раньше. До ареста Мандельштам получал совнаркомовскую премию в двести рублей. Докладчиком по этому вопросу выступал Молотов. Он мотивировал необходимость дать пенсию заслугами в русской литературе при невозможности использовать в литературе советской.

Если вдуматься, уже сама эта формулировка представляет собой еле заметную трещину в монолите революционной ортодоксальности. Выходит, будучи справедливо отторгнутым советской литературой, можно в то же время представлять собой некую ценность, так сказать, по гамбургскому счету.

Эта двойная бухгалтерия, это инстинктивное уважение к гамбургскому счету было в высшей степени характерно для Сталина.

Ленин, который был н а с т о я щ и м революционером, ощущал себя скорее создателем н о в о г о гамбургского счета, более истинного, нежели все, существовавшие когда-либо прежде. Он был родоначальником великой переоценки всех ценностей, создателем новой, самой совершенной системы отсчета. Ломая и взрывая все общепринятое, он мог позволить себе презрительную гримасу по отношению к любому авторитету.

"... Ходили в театр смотреть "Сверчка на печи" Диккенса, – вспоминает Крупская. – Уже после первого действия Ильич заскучал, стала бить по нервам мещанская сентиментальность Диккенса, а когда начался разговор старого игрушечника с его слепой дочерью, не выдержал Ильич, ушел с середины действия".

В других воспоминаниях рассказывается о том, что, прочитав "Записки из мертвого дома" и "Преступление и наказание" Достоевского, читать "Бесы" и "Братья Карамазовы" Ленин не пожелал. Мотивировал

---

[1] Эстетические идеалы Сталина и его ближайшего окружения я сравниваю с эстетическими идеалами незадачливого персонажа Ильфа и Петрова не ради красного словца. Молотов с упоением говорил в какой-то своей речи: "Ни для кого не секрет, что А.Н. Толстой – это не кто иной, как бывший граф Алексей Николаевич Толстой...". Им ужасно нравилось, что они имеют в своем распоряжении бывшего графа. Это сомнительное графство в сочетании со знаменитой фамилией (тот, настоящий, Толстой, тоже ведь был графом) давало им иллюзию, что и Толстой у них настоящий, и сами они – настоящие.

он это таким образом:

"Содержание сих обоих пахучих произведений мне известно, для меня этого предостаточно. "Братьев Карамазовых" начал было читать и бросил: от сцен в монастыре стошнило. Что касается "Бесов" – это явно реакционная гадость, подобная "Панургову стаду" Крестовского, терять на нее время у меня абсолютно никакой охоты нет. Перелистал книгу и швырнул в сторону. Такая литература мне не нужна, – что она мне может дать?.."

У Сталина же была психология узурпатора, психология человека, незаконно утвердившегося на интеллектуальном троне. Корифей науки (хотелось бы знать, какой именно?) инстинктивно считался с научными и художественными авторитетами, особенно с "чужими". Писатель, признанный всем миром, в глазах Ленина мог оказаться ничтожеством, филистером – кем угодно. В глазах Сталина – никогда. Мнение "чужих" было для Сталина очень высокой меркой.

Будучи сам неудавшимся стихотворцем, в э т о й о б л а с т и Сталин особенно безотчетно готов был прислушаться к мнению авторитетов.

Не зря он так настойчиво домогался у Пастернака:

– Но ведь он же мастер? Мастер?

В ответе на этот вопрос для него было все. Крупный поэт – это значило крупный мастер. Другого значения слова "поэт" Сталин не понимал. А если – "мастер", значит, сможет возвеличить "на том же уровне мастерства", что и разоблачил. И тогда возвеличивающие стихи перечеркнут те, разоблачительные. Если все дело в мастерстве, то как смогут потомки отличить стихи, написанные "под нажимом", от стихов, родившихся по естественному влечению души? Все это пустяки. В "мистику" Сталин начисто не верил. Он был рационалистом и материалистом. Он для того и пощадил Мандельштама, для того и отправил его не "на канал", а в Воронеж. Он ждал, что этот простой расчет принесет плоды.

И дождался.

Мандельштам понял намерения Сталина. (А может быть, ему намекнули, помогли их понять.) Так или иначе, доведенный до отчаяния, загнанный в угол, он решил попробовать спасти жизнь ценой нескольких вымученных строк. Он решил написать ожидаемую от него "оду Сталину".

Вот как вспоминает об этом вдова поэта:

"У окна в портнихиной комнате стоял квадратный обеденный стол, служивший для всего на свете. О. М. прежде всего завладел столом и разложил карандаши и бумагу. Для него это было необычным поступком – ведь стихи он сочинял с голоса и в бумаге нуждался только в самом конце работы. Каждое утро он садился за стол и брал в руки карандаш. Писатель как писатель! Не проходило и получаса, как он вскакивал и начинал проклинать себя за отсутствие мастерства: "Вот Асеев – мастер! Он бы не задумался и сразу написал!.." Попытка насилия над собой упорно не удавалась..."

В конце концов попытка насилия над собой все-таки увенчалась успехом.

В результате появилась на свет долгожданная "Ода", завершающаяся такой торжественной концовкой:

И шестикратно я в сознаньи берегу, –
Свидетель медленный труда, борьбы и жатвы

Его огромный путь через тайгу
И ленинский Октябрь – до выполненной клятвы.
Правдивей правды нет, чем искренность бойца.
Для чести и любви, для воздуха и стали
Есть имя славное для сильных губ чтеца,
Его мы слышали, и мы его застали.

Казалось бы, расчет Сталина оправдался. Стихи были написаны. Теперь Мандельштама можно было убить (что и было сделано).

Но Сталин ошибся.

Мандельштам не был мастером. Он был поэтом. Он написал стихи, возвеличивающие Сталина. И тем не менее план Сталина потерпел полный крах. Потому что такие стихи мог написать и Лебедев-Кумач. Чтобы написать такие стихи, не надо было быть Мандельштамом. Чтобы получить такие стихи, не стоило вести всю эту сложную игру.

Справедливости ради следует отметить, что Лебедев-Кумач, скорее всего, бесхитростно срифмовал бы "стали" и "Сталин". (Последняя строчка в этом случае звучала бы как-нибудь так: "... и это имя – Сталин!".) Мандельштам, инстинктивно озабоченный соображениями элементарного вкуса, обманул привычные ожидания читателей последней, чуть менее банальной строкой: "Его мы слышали, и мы его застали". Слегка превышают возможности Лебедева-Кумача слова: "для сильных губ чтеца". Но "есть имя славное" – это уже чистый, беспримесный, стопроцентный Лебедев-Кумач.

2

Мандельштам не был мастером, он был поэтом.

Если это не риторическая фраза, надо попытаться понять, что конкретно она означает.

Мандельштам ткал свою поэтическую ткань не из слов. Этого он не умел. Его стихи были сотканы из другого материала.

Невольная свидетельница рождения едва ли не всех его стихов (невольная, потому что у Мандельштама никогда не было не то что "кабинета", но даже кухоньки, каморки, где он мог бы уединиться) Надежда Яковлевна свидетельствует об этом так:

"Стихи начинаются так: в ушах звучит назойливая, сначала неоформленная, а потом точная, но еще бессловесная музыкальная фраза. Мне не раз приходилось видеть, как О. М. пытается избавиться от погудки, стряхнуть ее, уйти. Он мотал головой, словно ее можно выплеснуть, как каплю воды, попавшую в ухо во время купания. Но ничто не заглушало ее – ни шум, ни радио, ни разговоры в той же комнате...

У меня создалось такое ощущение, что стихи существуют до того, как написаны. (Он никогда не говорил, что стихи "написаны". Он сначала "сочинял", потом записывал.) Весь процесс сочинения состоит в напряженном улавливании и проявлении уже существующего и неизвестно откуда транслирующегося гармонического и смыслового единства, постепенно воплощающегося в слова".

Пастернак, которому все это было знакомо с младенчества ("Так начинают. Года в два от мамки рвутся в тьму мелодий, щебечут, свищут, а слова являются о третьем годе"), потому-то и поморщился досадливо на вопрос Сталина ("Но ведь он же мастер?"), что вопрос этот предполагал принципиально иное представление о существе дела. Представление это, резонно казавшееся Пастернаку чудовищной чушью, так как оно находилось в вопиющем противоречии со всем его опытом, предполагает, что единый и нераздельный процесс отчетливо делится на "содержание" и "форму", причем собственно писание стихов состоит как раз в том, что для "содержания" подбирается соответствующая "форма".

Идущих этим путем Мандельштам в "Разговоре о Данте" называл "переводчиками готового смысла". Тут слово "мастер" было бы вполне уместно. Но оно имело бы смысл скорее уничижительный, нежели комплиментарный.

Будь Мандельштам "мастером" ("переводчиком готового смысла"), решив написать стихи, прославляющие Сталина, он легко справился бы с этой задачей. Он исходил бы из заданной темы: Сталин – гений всех времен и народов. Это, как говорится, – дано. Это не подлежит обсуждению. Задача состояла бы в том, чтобы "оформить" эту аксиому с максимальной "художественностью", то есть не банально, стремясь к "максимальной яркости и незаношенности речи" (любимое выражение Асеева), к максимальной остроте и выразительности словесного и образного построения.

Разница между Мандельштамом и, скажем, Асеевым, которому он завидовал, была не в том, что они по-разному относились к Сталину. Разница была в том, что Асеев умел писать стихи, не самообнажаясь, не вытаскивая на поверхность, не выявляя в стихе весь запас своих подспудных, тайных впечатлений, идущих из подсознания, из самых глубин личности. А Мандельштам так не умел.

Попытаться написать стихи, прославляющие Сталина, – это значило для Мандельштама прежде всего найти где-то на самом дне своей души хоть какую-то точку опоры для этого чувства.

Не случайно, фиксируя процесс создания "Оды", Н.Я. Мандельштам всячески подчеркивает искусственность этого акта, выразившуюся в совсем не свойственном Мандельштаму стремлении сочинять за столом, с карандашом в руке ("писатель как писатель").

Впрочем, по ее же свидетельству, долго усидеть за столом Мандельштаму не удавалось:

"Не проходило и получаса, как он вскакивал и начинал проклинать себя за отсутствие мастерства: "Вот Асеев – мастер!..." и т.д.

Потом, внезапно успокоившись, ложился на кровать, просил чаю, снова поднимался, через форточку кормил сахаром соседского дворового пса – чтобы добраться до форточки, надо было влезть на стол с аккуратно разложенной бумагой и карандашами – снова расхаживал взад и вперед по комнате и, прояснившись, начинал бормотать. Это значит, что он не сумел задушить собственные стихи и, вырвавшись, они победили рогатую нечисть..."

Получается так, что "Оду" Мандельштам писал, а бормотал, то есть рождал естественным для себя путем какие-то другие – свои стихи. Между тем и в самой "Оде" можно разглядеть следы собственного, реального, набормотанного. В ней ведь не сплошь мертвые, безликие строки.

Но все мало-мальски живое, что было в ней, связано не со Сталиным и не с отношением Мандельштама к Сталину, а с невольным прикосновением поэта к каким-то другим, реальным для него темам.

Контраст между строчками, имеющими какую-то точку опоры в душе поэта, и строками, такой опоры не имеющими, разителен, даже если строки эти стоят рядом и образуют как бы единое целое:

> Пусть не достоин я иметь друзей,
> Пусть не насыщен я и желчью и слезами...

Строки довольно выразительные и по-своему даже сильные. Но рифмующиеся с ними следующие две строки, уже непосредственно прославляющие Сталина, просто пародийны:

> Он мне все чудится в шинели, в картузе,
> На чудной площади с счастливыми глазами...

Опять-таки, справедливости ради надо отметить, что не все строки, несущие в себе прославление Сталина, так откровенно беспомощны. Попадаются и такие, где попытка прославления как будто бы даже удалась:

> Он свесился с трибуны, как с горы,
> В бугры голов. Должник сильнее иска.
> Могучие глаза решительно добры,
> Густая бровь кому-то светит близко...

Строки эти кажутся живыми, потому что к их мертвому остову сделана искусственная прививка живой плоти. Этот крошечный кусочек живой ткани – словосочетание "бугры голов".

Надежда Яковлевна вспоминает, что, мучительно пытаясь сочинить "Оду", Мандельштам повторял:

– Почему, когда я думаю о нем, передо мной все головы, бугры голов? Что он делает с этими головами?

Разумеется, Мандельштам не мог не знать, "ч т о он делает с этими головами". Но этому знанию в "Оде" не было места.

Изо всех сил стараясь убедить себя в том, что "Он" делает "с ними" не то, что ему мерещилось, а нечто противоположное, то есть доброе, Мандельштам невольно срывается на крик:

> Могучие глаза решительно добры...

Не просто глаза, но – могучие! Не просто добры, но – решительно добры!

Еще Гоголь проницательно замечал, что в лирической поэзии неискренность всегда обнаружит себя н а д у т о с т ь ю.

Впрочем, прививка реального, увиденного ("бугры голов") невольно сообщает черты относительного правдоподобия всему остальному – вымученному, мертвому:

> И в дружбе мудрых глаз найду для близнеца,
> Какого не скажу, то выраженье, близясь
> К которому, к нему, вдруг узнаешь отца
> И задыхаешься, почуяв мира близость...

Казалось бы, в этих строчках есть и характерное мандельштамовское косноязычие, его неповторимый синтаксис, и такой характерный для Мандельштама не смысловой, а звуковой, музыкальный образ. Но и здесь видно, что поэт все время как бы ходит вокруг да около. Стоит ему только приблизиться вплотную к заданной теме, как он сразу же попадает в плен казенных эпитетов, штампованных оборотов, в пошлые рамки казенного, газетного славословия: "мудрый", "отец", "шинель" и т.п.

"Ода" была не единственной попыткой вымученного, искусственного прославления "отца народов".

Вот еще один пример.

В 1937 г. там же, в Воронеже, Мандельштам написал стихотворение "Если б меня наши враги взяли...", завершающееся такой патетической концовкой:

> И промелькнет пламенных лет стая,
> Прошелестит спелой грозой – Ленин,
> И на земле, что избежит тленья,
> Будет будить разум и жизнь – Сталин.

Существует версия, согласно которой у Мандельштама был другой, противоположный по смыслу вариант последней, концовочной строки:

> Будет г у б и т ь разум и жизнь – Сталин.

Можно не сомневаться, что именно этот вариант отражал истинное представление поэта о том, какую роль в жизни его родины играл тот, кого он уже однажды назвал "душегубцем". (В стихотворении, послужившем причиной ареста Мандельштама, был такой вариант строки о "кремлевском горце": "Душегубца и мужикоборца".)

Но это дела не меняет. Стихи от такой замены лучше не становятся.

Даже наоборот. Легкость, с какой одна строка заменяется другой, прямо противоположной по смыслу, лишь ярче оттеняет искусственность, неподлинность, мертворожденность стихотворения.

Все-таки Сталин зря отказался встретиться с Пастернаком и поговорить с ним "о жизни и смерти". Хотя он бы все равно ничего не понял. Не мог он понять, что означает досадливая фраза Пастернака: "Да не в этом дело!" – сказанная в ответ на простой и ясный вопрос: "Но он же мастер? Мастер?".

Конечно, Сталин не без основания считал себя крупнейшим специалистом по вопросам "жизни и смерти". Он знал, что сломать можно любого человека, даже самого сильного. А Мандельштам вовсе не принадлежал к числу самых сильных.

Но Сталин не знал, что сломать человека – это еще не значит сломать поэта.

Он не знал, что поэта легче убить, чем заставить его воспеть то, что ему враждебно.

3

Поэта легче убить, чем заставить его воспеть то, что ему враждебно.

Эта фраза могла бы стать прекрасной концовкой, заключающей мой рассказ. Но рассказ, к сожалению, только начинается.

После неудавшейся попытки Мандельштама сочинить о д у Сталину прошел месяц. И тут произошло нечто поразительное. Настолько поразительное, что я вряд ли сумел бы найти слова, чтобы об этом рассказать. Но, поскольку я пишу о поэте, искать нужные слова мне не придется. Поэт тем и отличается от простых смертных, что все говорит о себе сам. Вернее, за него говорят его стихи.

Итак, перед нами стихотворение Мандельштама, явившееся на свет всего лишь месяц спустя после "Оды":

> Средь народного шума и спеха,
> На вокзалах и площадях
> Смотрит века могучая веха
> И бровей начинается взмах.
>
> Я узнал, он узнал, ты узнала,
> А теперь куда хочешь влеки —
> В говорливые дебри вокзала,
> В ожиданья у мощной реки.
>
> Далека теперь та стоянка,
> Тот с водой кипяченой бак,
> На цепочке кружка-жестянка
> И глаза застилавший мрак.
>
> Шла пермяцкого говора сила,
> Пассажирская шла борьба,
> И ласкала меня и сверлила
> Со стены этих глаз журьба...
>
> Не припомнить того, что было,
> — Губы жарки, слова черствы, —
> Занавеску белую било,
> Несся шум железной листвы...
>
> И к нему — в его сердцевину —
> Я без пропуска в Кремль вошел,
> Разорвав расстояний холстину,
> Головой повинной тяжел.

Как ни относись к этим стихам, как ни воспринимай их, одно несомненно. Как небо от земли отличаются они от тех, казенно-прославляющих рифмованных строк, которые Мандельштам так трудно выдавливал из себя, завидуя Асееву, который в отличие от него был "мастер".

На этот раз стихи вышли совсем другие: обжигающие искренностью, несомненностью выраженного в них чувства.

Так что же? Неужели Сталин в своих предположениях все-таки был прав? Неужели он лучше, чем кто другой, знал меру прочности человеческой души и имел все основания не сомневаться в результатах своего эксперимента?

Может быть, он был не только непревзойденным специалистом по вопросам жизни и смерти, но и тончайшим психологом, проникшим в самые тайные глубины художественного сознания?

13 февраля 1921 г. на торжественном заседании, посвященном 84-й годовщине смерти Пушкина, Блок произнес свою пророческую речь "О назначении поэта".

По мысли Блока, служение поэта можно разделить на три стадии, три этапа, три д е л а.

"Первое дело, которого требует от поэта его служение, – бросить "заботы суетного света" для того, чтобы поднять внешние покровы, чтобы открыть глубину. Это требование выводит поэта из ряда "детей ничтожных мира".

> Бежит он, дикий и суровый,
> И звуков и смятенья полн...

Дикий, суровый, полный смятенья, потому что вскрытие духовной глубины так же трудно, как акт рождения..."

Второе дело поэта, говорит далее Блок, "заключается в том, чтобы поднятый из глубины и чужеродный внешнему миру звук был заключен в прочную и осязательную форму слова... Это – область мастерства".

Оговорив, что мастерство тоже требует вдохновения и что поэтому никаких точных границ между первым и вторым делом поэта провести нельзя, Блок переходит к последнему, третьему этапу:

"Наступает очередь для третьего дела поэта: принятые в душу и приведенные в гармонию звуки надлежит внести в мир. Здесь происходит знаменитое столкновение поэта с чернью..."

Чернь – это категория людей, исконно враждебных поэту и его назначению в мире. По самой сути своей эти люди призваны ему мешать. Но на протяжении всей истории человечества они научились мешать поэту лишь в самом последнем его, т р е т ь е м деле.

"...Люди догадались выделить из государства только один орган – цензуру, для охраны порядка своего мира, выражающегося в государственных формах. Этим способом они поставили преграду лишь на третьем пути поэта: на пути внесения гармонии в мир; казалось бы, они могли догадаться поставить преграды и на первом и на втором пути: они могли бы изыскать средства для замутнения самих источников гармонии; что их удерживает – недогадливость, робость или совесть, – неизвестно..."

Так говорил Блок. И то ли из суеверия, то ли побуждаемый каким-то смутным предчувствием он добавил:

"А может быть, такие средства уже изыскиваются?"

Трудно сказать, какие были у Блока реальные основания для этого предположения. Важно, что уже тогда, в 1921 г., он считал такое покушение на высшую, внутреннюю, т а й н у ю свободу художника в принципе возможным.

И он был прав.

Решив до поры до времени не расстреливать Мандельштама, приказав его "изолировать, но сохранить", Сталин, конечно, знать не знал и думать не думал ни о каком искусственном замутнении каких-то, неведомых ему, источников гармонии. Он просто верил в непогрешимость и непререкаемость грубой силы.

Не следует, однако, думать, что Сталин так-таки уж совсем ничегошеньки не понимал в психологии.

Да, он не гнушался и тех старых, испытанных средств воздействия, к которым прибегали палачи всех времен и народов. Пытки, побои, самые гнусные и жестокие издевательства, все эти так называемые "недозволенные методы ведения следствия", как известно, широко использовались следователями НКВД. И все это делалось по прямому указанию Сталина. Но при этом Сталин великолепно понимал, что в некоторых случаях даже эти "сильнодействующие средства" могут не сработать. Он знал, что есть нечто более страшное для психологии подследственного, чем самая изощренная пытка.

Допросы Каменева вел следователь Миронов. Долгое время он тщетно пытался добыть признание обвиняемого привычными для него методами. Но Каменев не сдавался. Миронов доложил Сталину, что Каменев отказывается давать показания.

– Так вы считаете, что Каменев не признается? – спросил Сталин.

– Не знаю, – ответил Миронов.

– А вы знаете, сколько весит наше государство, со всеми его заводами, машинами, армией, со всем вооружением и флотом?

Миронов и все, кто присутствовал при этом разговоре, удивленно глядели на него, не понимая, куда он клонит.

– Подумайте и ответьте мне, – требовал Сталин.

Миронов улыбнулся, решив, что Сталин шутит. Но Сталин шутить не собирался. Он смотрел на Миронова вполне серьезно.

– Я вас спрашиваю, сколько все это весит? – настаивал он.

Миронов растерялся. Он молчал, все еще надеясь, что это – шутка. Но Сталин продолжал смотреть на него в упор, ожидая ответа на этот странный вопрос. Миронов пожал плечами и неуверенно сказал:

– Никто не может этого знать, Иосиф Виссарионович. Это уже астрономические цифры.

– Хорошо, – кивнул Сталин. – А теперь скажите, как вы думаете: может один человек противостоять давлению такого астрономического веса?

– Нет, – ответил Миронов.

– Ну так вот, – заключил Сталин. – Никогда не говорите мне больше, что Каменев или другой заключенный способен выдержать такое давление.

Можно предположить (и не без некоторых к тому оснований), что именно этого-то давления и не выдержал Мандельштам.

В действительности, однако, дело обстояло еще хуже. Его положение было еще трагичнее, потому что помимо астрономического веса государства с его заводами, машинами, армией и флотом, он должен был противостоять еще и другому, неизмеримо более тяжкому грузу.

4

Для того чтобы попытка прославления Сталина ему удалась, у такого поэта, как Мандельштам, как я уже говорил, мог быть только один путь: эта попытка должна была быть искренней. Он должен был найти в своей душе хоть маленький уголок, хоть крошечный закоулок, не выходя из которого можно было бы убедить себя, что Сталин – не только палач и тупица, играющий "услугами полулюдей", но и человек, с которым связаны какие-то светлые надежды.

Точкой опоры для мало-мальски искренней попытки примирения с реальностью сталинского режима для Мандельштама могло быть одно только это чувство: надежда. Прежде всего надежда на перемены.

Если бы это была только надежда на перемены в его личной судьбе, тут была бы только слабость, но еще не было бы самообмана. Но по самой природе своей души озабоченный не только личной своей судьбой, поэт пытается выразить некие о б щ е с т в е н н ы е надежды. И тут-то начинается самообман, самоуговаривание:

> В надежде славы и добра
> Гляжу вперед я без боязни:
> Начало славных дней Петра
> Мрачили мятежи и казни.

Так уговаривал себя Пушкин.

Его "Стансы" не были ни предательством, ни даже отказом от своих убеждений, так как в них содержался некий "урок царям", некий совет, а цари, как известно, не очень любят, чтобы им давали советы. Особенно такие:

> Семейным сходством будь же горд;
> Во всем будь пращуру подобен:
> Как он, неутомим и тверд,
> И памятью, как он, незлобен.

В этом совете была даже известная смелость, но был в то же время и некий моральный компромисс. Что ни говори, все-таки "казни", омрачившие начало царствования того, к кому обращался Пушкин, – это были не просто какие-то абстрактные казни. Казнили людей, с которыми поэт был хорошо знаком, приятельствовал, а с иными был даже связан самой искренней и верной дружбой.

Впрочем, суть не в этом.

Важно то, что спустя более чем столетие после своего появления на свет пушкинские "Стансы" вдруг вновь обрели неожиданную актуальность.

В 1935 г. Мандельштам написал свои "Стансы". А за четыре года до этого другой поэт – Пастернак, отнюдь не побуждаемый никакими внешними силами, написал стихи, представляющие прямой перифраз знаменитых пушкинских:

> Столетье с лишним, – не вчера,
> А сила прежняя в соблазне
> В надежде славы и добра
> Глядеть на вещи без боязни.

> Хотеть, в отличье от хлыща
> В его существованьи кратком,
> Труда со всеми сообща
> И заодно с правопорядком...

> И тот же тотчас же тупик
> При встрече с умственною ленью,
> И те же выписки из книг,
> И тех же эр сопоставленье.

> Но лишь сейчас сказать пора,
> Величьем дней сравненье разня:
> Начало славных дней Петра
> Мрачили мятежи и казни.

177

Итак, вперед, не трепеща
И утешаясь параллелью,
Пока ты жив, и не моща,
И о тебе не пожалели.

При всем очевидном и нарочито подчеркнутом оптимизме финала, при самом искреннем желании автора признать "величье дня" нынешнего, при столь же очевидном намерении повторить применительно к новым обстоятельствам то, что столетье назад сказал Пушкин, стихи эти гораздо менее определенны, менее однозначны, нежели пушкинские.

Пушкин прямо говорит, что в надежде славы и добра он глядит в будущее без страха.

Пастернак говорит совсем о другом. О том, что есть огромная сила в с о б л а з н е смотреть на вещи так, как смотрел Пушкин. Он говорит: я бы тоже хотел смотреть в будущее без боязни. О, как бы я хотел! Как бы это было прекрасно, если бы я мог, подобно Пушкину, глядеть в будущее без страха, верить и надеяться!

Собственно говоря, стихи Пастернака – это плач о невозможности для него такого взгляда. Поэтому самоуговаривание в его стихах звучит гораздо обнаженней и трагичней, чем у Пушкина.

"Итак, вперед, не трепеща!" – это окрик, понукание самому себе. И это признание, что в душе он трепещет, чувствуя, зная, что все кончится недобром.

Очень трудно человеку жить с сознанием, что вся рота шагает в ногу, и один только он, злополучный прапорщик, знает истину. Особенно, если "рота" эта – многомиллионный народ.

Очень мучительно ощущать свое социальное одиночество, очень болезненно это чувство отщепенчества, даже если в основе его лежит прозорливость, безусловное знание истины.

Очень естественно для нормального здорового сознания хотеть – "труда со всеми сообща и заодно с правопорядком".

Пастернак мучительно переживал свою несхожесть "со всеми", ощущал ее как некую недостаточность, как непоправимое, причиняющее страдание уродство. Сознавая невозможность стать таким, "как все", даже пытаясь утвердить свое право на это, он еще не смел ощущать свою непохожесть на всех как некую избранность. Сознание своего избранничества появилось у него гораздо позже, во времена, когда писался "Доктор Живаго". А тогда, в 1931 г., Пастернак не столько даже утверждал свою правоту, сколько оправдывался:

И разве я не мерюсь пятилеткой,
Не падаю, не подымаюсь с ней?
Но как мне быть с моей грудною клеткой
И с тем, кто всякой косности косней?

Перед кем он оправдывается? Уж, конечно, не перед теми, кто мог заподозрить его в нелояльности, в недопустимом для советского человека пренебрежении к всенародному обязательству выполнить пятилетку в четыре года.

Он оправдывался, пытаясь доказать всем, и прежде всего самому себе, что, раздираясь противоречиями, он озабочен соображениями высшей, мировой справедливости. Он убеждал себя, что высший нравственный закон, с а м а п о э з и я велит ему отказаться от себя, дабы "счастье сотен тысяч" предпочесть положенному на другую чашу весов "пустому счастью ста".

178

Таким образом, в ход уже пошла арифметика.

Арифметика знакомая. Когда-то аналогичные выкладки представил Л.Н. Толстому посетивший Ясную Поляну студент-революционер. Он пытался объяснить бестолковому старцу, что революция есть благо. А в доказательство приводил очень наглядный пример:

"...Если положить в кучу тысячу карандашей и сто карандашей, то лучше уничтожить сто, чтобы спасти тысячу, а не наоборот!"

Толстой так и не внял этому наглядному объяснению, заметив: "И это же говорит Столыпин: перевешать десятки, сотни и избавить отечество от резни".

Затем он ворчливо добавил: "Кто их призвал выбирать – скольких и кого нужно уничтожить? Мое личное дело – знать, что убивать никого не нужно..."

Я, конечно, не хочу сравнивать Пастернака с яснополянским гостем, рассуждавшим о карандашах. Повторяю: оправдания Пастернака имели смысл не политический, а нравственный. Но даже так ему вряд ли стоило оправдываться.

Когда-то давным-давно (в статье 1913 г.) Мандельштам написал, что поэт ни при каких обстоятельствах не должен оправдываться. Это, говорил он, "...непростительно! Недопустимо для поэта! Единственное, чего нельзя простить! Ведь поэзия есть сознание своей правоты".

Сознания своей правоты не было у Пастернака. В лучшем случае было сознание своего п р а в а остаться самим собой, н е в з и р а я на свою неправоту. Права, обусловленного странностью профессии, вакансия для которой в данную историческую эпоху, к несчастью, опасна, если не пуста. Отступаться же от этой профессии он не хочет, да и не может в силу некоторых специфических особенностей своей духовной конституции.

У Мандельштама сознание своей правоты было уверенным, абсолютным, непримиримым.

В тот самый год, когда Пастернак "мерился пятилеткой" и самобичевался, признавая свою интеллигентскую косность, Мандельштам открыто провозглашал готовность принять мученический венец "за гремучую доблесть грядущих веков, за высокое племя людей":

> Мне на плечи кидается век-волкодав,
> Но не волк я по крови своей.
> Запихай меня лучше как шапку в рукав
> Жаркой шубы сибирских степей.
>
> Чтоб не видеть ни труса, ни хлипкой грязцы,
> Ни кровавых костей в колесе,
> Чтоб сияли всю ночь голубые песцы
> Мне в своей первобытной красе...

Ощущение своего социального отщепенчества Мандельштама не пугало. Оно давало ему силу, помогало утвердиться в столь необходимом ему сознании своей правоты. Демонстративно, запальчиво славил он все то, чего у него никогда не было, лишь бы утвердить свою непричастность, свою до конца осознанную враждебность веку-волкодаву...

Пастернак жил тоже не на Олимпе. Его тоже преследовал образ "кровавых костей в колесе". Иначе не было бы нужды "утешаться параллелью", вспоминать о начале "славных дней Петра".

Но для Пастернака петровская дыба, образ которой нежданно воскрес в XX веке, была всего лишь нравственной преградой на пути его духовного развития. Преградой чисто абстрактной. Вопрос стоял так: имеет ли он моральное право через эту преграду переступить? Ведь и кровь, и грязь – все это окупится немыслимым будущим братством, "счастьем сотен тысяч"!

Душе Мандельштама плохо давались эти резоны, потому что в качестве объекта пыток и казней он неизменно пророчески видел с е б я. Не кому-то, а именно е м у кидался на плечи век-волкодав. Не чьи-то, а именно е г о кости хрустели в пыточных застенках.

Не случайно почти во всех стихах, написанных в это время, так упорно, так настойчиво, так неотвязно преследует его ощущение своей загнанности, обреченности, сознание неизбежной гибельности своего пути:

> Я на лестнице черной живу, и в висок
> Ударяет мне вырванный с мясом звонок,
>
> И всю ночь напролет жду гостей дорогих,
> Шевеля кандалами цепочек дверных.

Декабрь 1930 г.

> Помоги, Господь, эту ночь прожить:
> Я за жизнь боюсь – за Твою рабу –
> В Петербурге жить – словно спать в гробу.

Январь 1931 г.

Единственный выход – спрятаться, убежать:

> Мы с тобой на кухне посидим.
> Сладко пахнет белый керосин.
>
> Острый нож, да хлеба каравай...
> Хочешь, примус туго накачай,
>
> А не то веревок собери
> Завязать корзину до зари,
>
> Чтобы нам уехать на вокзал,
> Где бы нас никто не отыскал.

Январь 1931 г.

Но и спрятаться невозможно:

> Нет, не спрятаться мне от великой муры
> За извозчичью спину – Москву...

Апрель 1931 г

> А стены проклятые тонки,
> И некуда больше бежать...

Ноябрь 1933 г

Впрочем, безысходность, завладевшая сердцем поэта, была рождена предчувствием не только физической гибели. Еще страшнее было то, что несло гибель его душе, делу его жизни, поэзии:

> Пайковые книги читаю,
> Пеньковые речи ловлю

И грозное баюшки-баю
Кулацкому раю пою.

Какой-нибудь изобразитель,
Чесатель колхозного льна,
Чернила и крови смеситель
Такого достоин рожна...

Может ли найтись для поэта перспектива более жуткая, чем

Присевших на школьной скамейке
Учить щебетать палачей...

Что касается этой, последней угрозы, то ее Пастернак видел, пожалуй, с не меньшей ясностью. Тут он был проницателен ничуть не менее Мандельштама:

А сзади, в зареве легенд,
Дурак, герой, интеллигент
В огне декретов и реклам
Горел во славу темной силы,
Что потихоньку по углам
Его с усмешкой поносила...
А сзади, в зареве легенд
Идеалист-интеллигент
Печатал и писал плакаты
Про радость своего заката.

Но в отличие от Мандельштама Пастернаку, при всей его проницательности, не чуждо было это мазохистское стремление славить "радость своего заката":

Всю жизнь я бы хотел, как все,
Но век в своей красе
Сильнее моего нытья
И хочет быть, как я.

"Нытье" – это уже словечко весьма определенного лексикона. К нему так и просится эпитет – "интеллигентское".

Желание быть "как все" естественно трансформировалось у Пастернака в комплекс интеллигентской неполноценности. А отсюда уже так близко было до святой и простодушной веры в правоту "века-волкодава".

Мандельштам не хотел быть "как все".

Особенности своей духовной конституции, которые Пастернак, оправдываясь, называл "тем, что всякой косности косней", искренне полагая, что они затрудняют его путь к тем, кто прав, – именно эти особенности Мандельштам рассматривал как своеобразную гарантию непреложности и неколебимости своей правоты.

И тем не менее, как это ни парадоксально, в какой-то момент Мандельштам тоже захотел "труда со всеми сообща". Вопреки всегдашней своей трезвости и безыллюзорности он даже острее, чем Пастернак, готов был ощутить в своем сердце любовь и нежность к жизни, прежде ему чужой. Потому что из этой жизни его насильственно выкинули.

Осознав, что его лишили права чувствовать себя "советским человеком", Мандельштам вдруг с ужасом ощутил это как потерю:

Упиралась вода в сто четыре весла,
Вверх и вниз на Казань и на Чердынь несла.

Там я плыл по реке с занавеской в окне,
С занавеской в окне, с головою в огне.

И со мною жена пять ночей не спала,
Пять ночей не спала, трех конвойных везла...

Я смотрел, отдаляясь на хвойный восток,
Полноводная Кама неслась на буек...

И хотелось бы тут же вселиться, пойми,
В долговечный Урал, населенный людьми,

И хотелось бы эту безумную гладь
В долгополой шинели беречь, охранять.

Май 1935 г.

Чувство это было подлинное, невыдуманное, реальное. И Мандельштам ухватился за него, как утопающий за соломинку, стал судорожно раздувать эту крохотную искорку, чтобы она, не дай бог, не угасла, стал беречь и лелеять ее как единственную возможность выжить:

Люблю шинель красноармейской складки –
Длину до пят, рукав простой и гладкий
И волжской туче родственный покрой,
Чтоб, на спине и на груди лопатясь,
Она лежала, на запас не тратясь,
И скатывалась летнею порой.

Проклятый шов, нелепая затея
Нас разлучили. А теперь пойми –
Я должен жить, дыша и большевея,
И перед смертью хорошея,
Еще побыть и поиграть с людьми!

Май–июнь 1935 г.

Он сам еще не понимал, что с ним произошло. Он думал, что он – все тот же, прежний, несломленный, одержимый неистребимым сознанием своей правоты:

Лишив меня морей, разбега и разлета
И дав стопе упор насильственной земли,
Чего добились вы? Блестящего расчета:
Губ шевелящихся отнять вы не смогли.

Май 1935 г.

А "блестящий расчет" тем временем уже дал в его душе свои первые всходы. И "шевелящиеся губы" непроизвольно лепили уже совсем другие слова:

Да, я лежу в земле, губами шевеля,
Но то, что я скажу, заучит каждый школьник:

На Красной площади всего круглей земля
И скат ее твердеет добровольный...

Май 1935 г.

Почвой, на которой проросло это семя, было – завладевшее душой поэта сознание противоестественности своего насильственного отторжения от жизни, нормальное человеческое желание "побыть с людьми".

Когда-то, в стародавние времена, факт ареста сам по себе еще не делал это естественное желание столь трагически неосуществимым. Человек был отторгнут от жизни, но связь его с людьми не прерывалась.

Сталинская тюрьма (или ссылка) представляла в этом смысле совсем особый случай.

Здесь сам факт насильственного изъятия из жизни сразу отнимал у заключенного право на сочувствие, хотя бы тайное, тех, кто остался на воле. Отнимал даже право на их жалость.

Мандельштам столкнулся с этим тотчас после ареста, по дороге в Чердынь.

"В переполненных вагонах, на шумных вокзалах, – вспоминает Надежда Яковлевна, – на пароходе, словом, всюду никто не обращал внимания на такое экзотическое зрелище, как двое разнополых людей под конвоем трех солдат. Никто даже не обернулся и не посмотрел на нас. Привыкли они что ли к таким зрелищам или боялись "заразы"?.. Это равнодушие толпы очень огорчало О. М.: "Раньше они милостыню арестантам подавали, а теперь даже не поглядят". Он с ужасом говорил, что на глазах такой толпы можно сделать что угодно – растерзать, убить арестанта, а зрители повернутся спиной..."

Потрясло Мандельштама не просто равнодушие. С равнодушием и даже с враждебностью толпы арестант мог столкнуться и по дороге в царскую ссылку. Но тут было другое. Это было столкновение с монолитом, официально именуемым "морально-политическим единством советского народа". Не зря, оказавшись в Чердыни, озабоченная тяжелым психическим состоянием Мандельштама, Надежда Яковлевна расспрашивала ссыльных эсеров и меньшевиков, хорошо помнивших царские тюрьмы:

– А раньше тоже из тюрьмы выходили в таком виде?

Ссыльные в один голос отвечали, что прежде аресты почему-то так не действовали на психику заключенного.

Мандельштам с ужасом ощутил, что фактом ареста его обрекли на п о л н о е , а б с о л ю т н о е отщепенчество. А жизнь между тем продолжалась. Люди смеялись, плакали, любили. В Москве строили метро.

Между ним и всей этой н о р м а л ь н о й жизнью сразу легла пропасть. И у него появилась естественная потребность уверить себя, что его выкинули из этой жизни несправедливо, что он этой жизни вовсе не чужой, что его с нею связывают узы кровной, внутренней, духовной близости. Близости, которую надо таить про себя, в которой нельзя никому признаться – все равно не поверят:

Ну, как метро? Молчи, в себе таи,
Не спрашивай, как набухают почки...
А вы, часов кремлевские бои –
Язык пространства, сжатого до точки...

Апрель 1935 г.

Н.Я. Мандельштам считает эти настроения последствиями травматического психоза, который Мандельштам перенес вскоре после ареста. Болезнь была очень тяжелой, с бредом, галлюцинациями, с попыткой самоубийства.

Говоря о том, как быстро Мандельштам сумел преодолеть эту тяжелейшую травму, Надежда Яковлевна замечает:

"Единственное, что мне казалось остатком болезни, это возникавшее время от времени желание примириться с действительностью и найти ей оправдание. Это происходило вспышками и сопровождалось нервным состоянием, словно в те минуты он находился под гипнозом. В такие минуты он говорил, что хочет быть со всеми и боится остаться вне революции, пропустить по близорукости то грандиозное, что совершается на наших глазах..."

Можно, конечно, считать это болезнью. Но тогда придется признать, что болезнь эта была чрезвычайно широко распространена.

Заклеймив каждого арестованного по политическому обвинению именем "врага народа", Сталин вряд ли вдавался в какие-либо психологические тонкости, связанные с особым складом души российского интеллигента.

Объявляя своих недоброжелателей (действительных или мнимых) не "врагами Сталина", не "врагами режима", не "врагами советской власти" даже, но "врагами н а р о д а", он скорее всего руководствовался естественным инстинктом демагога. Но слово было выбрано на редкость удачно.

Хуже всего было то, что и н а р о д поверил в эту формулу, принял ее, привык к ней. Привык, быть может, не слишком даже вникая в смысл понятия. Но принял, пустил в оборот, бессознательно ее у з а к о н и л.

Каждый арестованный по политическому обвинению знал, что в глазах миллионов людей он – в р а г н а р о д а. И ему не просто было от этого знания отделаться, внутренне пренебречь этим знанием, считать его несущественным.

Формула была так удачна, она так точно била в цель, что просто трудно поверить в то, что она не была создана со специальным расчетом, исходящим из точного знания всей истории русской интеллигенции, ее специфического социального опыта, ее особого психологического склада.

Когда ибсеновский доктор Стокман впервые слышит обращеный к нему возглас "враг народа!" – он потрясен. Как? Это он, для которого нет ничего выше, чем забота о благе и чести родного города, он – враг народа?!

Но буквально через секунду он осваивается. И – п р и н и м а е т это клеймо. И произносит монолог, из которого следует, что клеймо его не пугает.

"Да, – говорит он, – если угодно, пожалуйста! Можете называть это так. Да, я враг народа! Потому что народ – это косное ленивое стадо, и только единицы, только такие люди, как я, помогают народу стать народом".

Западный интеллигент лишен суеверного преклонения перед мнением большинства, он с готовностью принимает клеймо "врага народа", и это ничуть не отражается на его нравственном самочувствии, потому что у него только один бог – истина.

184

Для русского интеллигента все было иначе.

Он не сотворил себе кумира из истины. У него были другие кумиры.

Если для западного интеллигента истина – это кумир, требующий жертв, то для русского интеллигента – это нечто такое, что само может и должно быть принесено в жертву.

"Если бы математически доказали мне, что истина вне Христа, то я согласился бы лучше остаться с Христом, нежели с истиной", – говорил Достоевский. И эта фраза проливает больше света на духовный облик российского интеллигента, чем сотни увесистых томов.

Я вовсе не собираюсь утверждать, что русская интеллигенция оказалась в плену у религиозной проповеди Достоевского. Я имею в виду другое. Подобно Достоевскому, она всегда, выражаясь фигурально, готова была "Христа" предпочесть "Истине".

А Христом русской интеллигенции был н а р о д .

Русский интеллигент – точно по слову Достоевского – всегда предпочитал остаться не с истиной, а с народом. Остаться в н е народа всегда было для него страшней, чем остаться в н е истины. Вот почему этот жупел – "враг народа" – действовал на душу русского интеллигента так безошибочно и так страшно.

К этому можно добавить, что Мандельштамом смолоду владело сознание прочной, нерасторжимой, чуть ли не мистической связи поэта, художника – с б у д у щ и м .

"Мореплаватель, – писал он в одной из самых ранних своих статей о поэзии, – в критическую минуту бросает в воды океана запечатанную бутылку с именем своим и описанием своей судьбы. Спустя долгие годы, скитаясь по дюнам, я нахожу ее в песке, прочитываю письмо, узнаю дату события, последнюю волю погибшего. Я имел право сделать это. Я не распечатывал чужого письма. Письмо, запечатанное в бутылке, адресовано тому, кто найдет ее. Нашел я. Значит, я и есть таинственный адресат.

> Мой дар убог, и голос мой не громок,
> Но я живу – и на земле мое
> Кому-нибудь любезно бытие.
> Его найдет далекий мой потомок
> В моих стихах – как знать – душа моя
> С его душой окажется в сношеньи.
> И как найду я друга в поколеньи,
> Читателя найду в потомстве я.

Читая стихотворение Баратынского, я испытываю то же самое чувство, как если бы в мои руки попала такая бутылка..."

Каждому истинному поэту органически присуще это чувство, эта жажда обратиться к неведомому адресату, найти читателя "в потомстве", оставить след своего пребывания в мире.

В этом, собственно, и состоит назначение искусства, его настоящая цель. Конечный смысл всякого искусства есть борьба со смертью. Возможность создать произведение искусства – это возможность обмануть смерть, найти лазейку в бессмертие, "убежать тленья".

Не случайно каждый поэт, каждый художник озабочен тем, чтобы создание его оказалось "прочным", чтобы выдержало, чтобы могло противостоять разрушительной силе времени.

Не случайно именно прочность своего "нерукотворного" создания извечно внушает поэту наивысшую гордость и наивысшее сознание правильно прожитой жизни:

> Гранита крепче он и тверже пирамид...

И даже Маяковский, демонстративно воскликнувший: "Умри, мой стих!" – "ассенизатор и водовоз", демонстративно "поставивший свое перо в услужение сегодняшнему часу и проводнику его партии и правительству", – даже он, подводя итоги, испытал потребность обратиться "через головы поэтов и правительств" непосредственно к людям будущего.

Маскируясь напускной грубостью, по-простецки называя потомков товарищами, в критическую минуту своей жизни он тоже запечатал свое письмо в бутылку и бросил бутылку в океан, надеясь, веруя, что далекий потомок поймет его. Поймет и оправдает лучше, чем это смогли сделать современники.

У Мандельштама сумели отнять даже эту надежду.

У него отняли последнюю возможность, которая всегда, при всех обстоятельствах оставалась у поэта: возможность запечатать письмо в бутылку и бросить в океан. Предполагалось, что самый отдаленный потомок, найдя такую бутылку, с презрением отшвырнет ее от себя. Ведь все, что делалось, все ужасы и жестокости, все несправедливости – все это совершалось не просто так, а для них, потомков, для людей будущего.

Маяковский мог надеяться, что люди будущего простят ему, что он р а д и н и х наступал на горло собственной песне.

У Мандельштама не могло быть таких надежд.

Совершался величайший в истории социальный эксперимент. Каждый, кто хотя бы в душе своей подверг сомнению политическую, экономическую или нравственную правомочность эксперимента, покушался на само б у д у щ е е.

Настоящее было фундаментом, на котором воздвигалось прекрасное завтра. Ощутить себя чужим сталинскому настоящему, значило вычеркнуть себя не только из жизни, но и из памяти потомства.

Вот почему Мандельштам не выдержал.

Вот почему он стал так судорожно и неумело "перековываться":

> Изменяй меня, край, перекраивай, –
> Чуден жар прикрепленной земли! –
> Захлебнулась винтовка Чапаева –
> Помоги, развяжи, раздели!

Из последних сил он пытается убедить себя в том, что прав был тот, "строитель чудотворный", а он, Мандельштам, заблуждался, и чем скорее он откажется от своих заблуждений, тем вернее приблизит себя к истине:

> Я должен жить, дыша и большевея,
> Работать речь, не слушаясь, сам-друг.
> Я слышу в Арктике машин советских стук,
> Я помню все – немецких братьев шеи
> И что лиловым гребнем Лорелеи
> Садовник и палач наполнил свой досуг.

И не ограблен я, и не надломлен,
А только что всего переогромлен,
Как Слово о полку струна моя туга,
И в голосе моем после удушья
Звучит земля – последнее оружье –
Сухая влажность черноземных га...

Ограбленный и надломленный, он пытается уверить себя в обратном: в том, что наконец-то он оправился от тяжкой болезни.

Первопричиной его духовной трансформации было не только грубое давление извне. Поэты, как я уже говорил, такому давлению неподвластны.

Причина "грехопадения" Мандельштама коренилась отнюдь не в слабости его, не в готовности к компромиссу. Мандельштам не уступил грубой силе, не сдался. С ним случилось нечто худшее.

Он утратил сознание своей правоты.

6

В России со времен Петра существовало нечто вроде государственной монополии на духовную жизнь общества. Наполеон это оценил. Он говорил Александру : "Вы сами у себя император и папа. Это совсем не так глупо".

Это и в самом деле было неплохо придумано.

Но это не было доведено до конца.

Имелись некоторые неудобства. Кое-какие сферы духа находились в частном владении и хотя и были подконтрольны цензуре, но все-таки монополизации не подлежали. Во всяком случае, когда веселые создатели Козьмы Пруткова сочиняли свой знаменитый проект "О введении единомыслия в России", они наивно полагали, что это – шутка, гротеск, чудовищая гипербола, фантасмагория. Им и в голову не приходила возможность ситуации, при которой весь народ, все население огромной страны, от академика до дворника, будет постигать "смысл философии всей" по одной и той же великой книге.

Сталин ввел государственную монополию на духовную жизнь каждого члена общества.

По давней традиции, унаследованной от русских императоров, он с а м , л и ч н о объединил в своем лице светскую и духовную власть. Но он пошел гораздо дальше русских императоров. Он являлся в то же время как бы незримым духовником и цензором к а ж д о г о мыслящего члена общества.

Каждое свое душевное движение, каждый поступок, каждую тайную мысль проверять мысленным обращением к Сталину (или к его портрету), затаив дыхание гадать, одобрит Сталин или нет, нахмурится или улыбнется, поощрит или упрекнет, – все это стало н о р м о й мироощущения советского человека:

Усов нависшею тенью
Лицо внизу притемнено.
Какое слово на мгновенье
Под ней от нас утаено?

Совет? Наказ? Упрек тяжелый?
Неодобренья строгий тон?
Иль с шуткой мудрой и веселой
Сейчас глаза поднимет он?

(А. Твардовский. К портрету Сталина)

Трагическая ирония состоит в том, что создателем этой нормы, ее предтечей, был тот единственный поэт, который позволил себе открытый бунт. Тот, кто проклял сияющие голенища "кремлевского горца". Он п е р в ы й принял и узаконил духовную цензуру Сталина, признал законность ее власти над своей бедной, заблудшей душой:

И к нему – в его сердцевину –
Я без пропуска в Кремль вошел,
Разорвав расстояний холстину,
Головой повинной тяжел.

Резиновая дубинка сталинского государства ударила Мандельштама в самое больное место: в совесть.

Все шло к тому, чтобы неясный комплекс вины, терзавший душу поэта, принял четкие и определенные очертания в и н ы п е р е д С т а-л и н ы м.

Сталин говорил от имени Вечности, от имени Истории, от имени Народа, от имени вековой мечты русской интеллигенции – от имени ее Христа. Он узурпировал даже право говорить от имени самой поэзии, от лица таинственного "ключа Ипокрены".

До поры до времени все эти многочисленные аргументы не действовали на Мандельштама, они были бессильны перед присущим ему сознанием своей правоты.

Но все мгновенно изменилось, едва только оказалась задета его совесть.

Случилось это "средь народного шума и спеха, на вокзалах и площадях", там, где "шла пермяцкого говора сила, пассажирская шла борьба...". Дело тут было уже не в самом Сталине, не в низкорослом и низколобом "кремлевском горце" с жирными пальцами, а в его идеальных чертах, в его облике, в его портрете, который вся эта голодная, нищая толпа вобрала в свою душу, приняла и узаконила так же бессознательно, как она приняла и узаконила словосочетание "враг народа":

Я узнал, он узнал, ты узнала,
А теперь куда хочешь влеки –
В говорливые дебри вокзала,
В ожиданья у мощной реки...

Дело было уже не в Сталине, а в н а р о д е, к которому Мандельштам едва ли не впервые прикоснулся своей судьбой, беде которого он причастился, из одной кружки с которым пил:

Далека теперь та стоянка,
Тот с водой кипяченой бак,
На цепочке кружка-жестянка
И глаза застилавший мрак...

Приложившись губами к этой жестяной кружке, Мандельштам испытал вдруг непреодолимое желание разделить с народом не только его судьбу, но даже его заблуждения:

"Мне смешно вспомнить, – писал Л.Н. Толстой одному из своих корреспондентов, – как я думывал и как вы, кажется, думаете, что можно себе устроить счастливый и честный мирок, в котором спокойно без ошибок, без раскаянья, без путаницы жить себе потихоньку и делать не торопясь, аккуратно все только хорошее. Смешно! Н е л ь з я... Отделить себя, чтобы не грязниться, есть величайшая нечистота, вроде чистоты дамской, добываемой трудами других. Это все равно, как чистить или копать с края, где уже чисто..."

Подобно Толстому, который понял, что нельзя очиститься в одиночку, Мандельштам не хотел один обладать истиной: "Если народ вне истины, пусть лучше я буду не с истиной, а с народом".

Это чувство слитности со страной, с ее многомиллионным народом было таким мощным, таким всепоглощающим ("сильнее и чище нельзя причаститься", – говорил Маяковский), что оно незаметно перевернуло, поставило с ног на голову все представления Мандельштама об истине, всю его вселенную:

> Моя страна со мною говорила,
> Мирволила, журила, не прочла,
> Но возмужавшего меня, как очевидца
> Заметила – и вдруг как чечевица
> Адмиралтейским лучиком зажгла...

Страну, бывшую для него прежде некой абстракцией, он вдруг увидел воочию ("как очевидец"), приобщился к ней, к ее повседневной жизни, пил с нею из одной кружки. И сквозь дальность ее расстояний, сквозь эти орущие, спешащие куда-то толпы людей, сквозь это великое переселение народов он вдруг, как сквозь гигантскую стеклянную чечевицу, з а н о в о увидел крохотный лучик адмиралтейской иглы. И этот крохотный лучик з а ж е г его.

Нет, неверно! Зажег его не луч адмиралтейской иглы. Зажгла с т р а н а. В великой сутолоке спешащих людских толп Мандельштаму померещился высокий созидательный смысл, и вот он уже готов увидеть в Сталине нового "строителя чудотворного", а в происходящем вокруг – не крах, не конец, но п р о д о л ж е н и е Санкт-Петербурга, продолжение великого дела Петра, которое тоже ведь началось с такого же бессмысленного перемещения людских толп, с крови, грязи и нищеты, а завершилось великим городом над Невой, было увенчано адмиралтейской иглой и пушкинским "Медным всадником".

Когда-то, до ареста, Мандельштама ужасала мысль о неизбежном конце петербургского периода русской истории. Душа его не могла смириться с концом Санкт-Петербурга, города "Медного всадника" и "Белых ночей".

И вдруг, в далекой дали от прежней своей жизни, средь народного шума и спеха, Мандельштаму показалось, что петербургский период русской истории продолжается. Лучик петровского адмиралтейства не угас, он вошел составной частью в этот кровавый пожар.

Мандельштам инстинктивно ухватился за эту надежду, как за последнюю возможность спасенья.

Принять ее – значило признать, что "душегубец и мужикоборец" прав, что он воистину "строитель чудотворный".

Но не принять было еще страшней: ведь это значило "выпасть" из истории, остаться в стороне от этого "народного шума и спеха", от великого исторического дела. А к бытию вне истории, к неисторическому существованию Мандельштам был не приспособлен.

Признать р а з у м н о с т ь происходящего – это было для Мандельштама гораздо больше, чем отказаться от одной исторической концепции и принять другую. Это значило для него не просто отречься от прежних своих взглядов. Это значило отречься от с а м о г о с е б я, от своей души, стереть, выжечь каленым железом из самых глубин подсознания свою прежнюю личность.

И он пошел на это.

Слова Мандельштама о том, что он входит в жизнь "как в колхоз идет единоличник", не были риторической фигурой. Он действительно как бы вступал в мир заново, отказавшись от всего, накопленного им прежде, духовного имущества, от всех – без исключения! – даже самых интимных, самых дорогих ему "предметов" своего духовного обихода.

На заседании, посвященном 84-й годовщине смерти Пушкина, где Блок говорил о назначении поэта, Владислав Ходасевич высказал предположение, что желание ежегодно отмечать пушкинскую годовщину рождено предчувствием надвигающейся непроглядной тьмы. "Это мы уславливаемся, – сказал он, – каким именем нам аукаться. Как нам перекликаться в надвигающемся мраке".

Человек, у которого отняли все, хотел сохранить последнее свое духовное прибежище, последнюю зацепку, последнюю свою связь с самим собой.

Мандельштаму не оставили даже этого. Его убедили, что даже Пушкин принадлежит не ему, а его конвоирам:

> На вершок бы мне синего моря, на игольное только ушко,
> Чтобы двойка конвойного времени парусами неслась хорошо.
> Сухомятная русская сказка, деревянная ложка – ау!
> Где вы, трое славных ребят из железных ворот ГПУ?
>
> Чтобы Пушкина чудный товар не пошел по рукам дармоедов,
> Грамотеет в шинелях с наганами племя пушкиноведов –
> Молодые любители белозубых стишков...
> На вершок бы мне синего моря, на игольное только ушко!..

Тот самый Мандельштам, который сопротивлялся дольше всех, который ни за что на свете не соглашался "присевших на школьной скамейке учить щебетать палачей", испытал вдруг потребность вступить со своими палачами в духовный контакт. Захотев, подобно Ходасевичу, аукнуться с кем-нибудь в надвигающемся мраке, он не нашел ничего лучшего, как крикнуть "ау!" трем славным ребятам "из железных ворот ГПУ".

Вступая в жизнь заново, "как в колхоз идет единоличник", Мандельштам смирился с тем, что "обобществили" все его духовное достояние. Даже Пушкина.

У него отняли все, не оставив ни малейшей зацепки, ни даже крохотного островка, где он мог бы утвердить свое не тронутое, не уничтоженное, не распавшееся сознание. Единственное, за что он еще мог ухватиться, было вот это, в н о в ь н а ж и т о е: летящая по ветру белая занавеска, кружка-жестянка, "тот с водой кипяченой бак". И можно ли упрекать его в том, что он вцепился в эту занавеску, как в последнюю ниточку, связывающую его с жизнью.

Жить "дыша и большевея", вступить в жизнь заново, "как в колхоз идет единоличник", – это был единственный выход. Никакой иной альтернативы не было и быть не могло. Существовал только этот, необсуждаемый вариант. Не зря о необходимости жить "большевея" Мандельштам не говорит: "Я хочу". Он говорит: "Я должен". И это вопль человека, загнанного в ловушку.

Суть художественного творчества состоит в том, чтобы вытащить из себя все самое глубинное, самое тайное, самое сокровенное. Ощутить внезапную боль от самых тайных своих душевных царапин, идущих из детства, из подсознания, – вытащить все это на поверхность и запечатлеть, зафиксировать в слове.

В стихах Мандельштама о его вине перед Сталиным ("И ласкала меня, и сверлила со стены этих глаз журьба"), при всей их искренности, почти не ощутима связь этого конкретного чувства с самыми основами личности художника. Как будто все прежние его жизненные впечатления, знакомые нам "до прожилок, до детских припухлых желез", были стерты до основания.

В известном смысле эти, искренние стихи Мандельштама свидетельствуют против Сталина сильнее, чем те, написанные под прямым нажимом, неотличимые от стихов Лебедева-Кумача. Они свидетельствуют о вторжении сталинской машины в самую душу поэта.

Мандельштама держали в Воронеже как заложника. Взяв его в этом качестве, Сталин хотел продиктовать свои условия самой вечности. Он хотел, чтобы перед судом далеких потомков загнанный, затравленный поэт выступил свидетелем его, Сталина, исторической правоты.

Что говорить! Он многого добился, расчетливый кремлевский горец. В его распоряжении были армия, и флот, и Лубянка, и самая совершенная в мире машина психологического воздействия, официально именуемая морально-политическим единством советского народа. А всему этому противостояла такая малость – слабая, раздавленная, кровоточащая человеческая душа.

Но главная победа сталинского государства над душой художника была достигнута почти без применения грубой силы. Заложника вечности убедили в том, что нет и никогда больше не будет другой вечности, кроме той, от имени которой говорил Сталин.

Значение этой победы ни в коем случае нельзя сбрасывать со счета. Но можно ли ее считать полной и окончательной?

7

Художник исстари гордился не только своей неподвластностью земным владыкам (царям, императорам, королям), но и своей нерасторжимой, чуть ли не мистической связью с истиной.

Много лет ученые бились над чудесным умением птиц каким-то непонятным образом ориентироваться в пространстве, уменьем без промаха прилетать на место, завези их в сундуке хоть за тридевять земель. Наконец, было высказано предположение, что не иначе как в птице есть компас. Ну, не настоящий компас, конечно, но какой-то особый орган, который всегда ориентирован по странам света.

Точь-в-точь такое же объяснение было некогда дано загадочному свойству души художника, его удивительной способности чувствовать и находить правду.

Предполагалось, что у поэта тоже есть некий компас, который никогда его не подведет. Вернее, даже не предполагалось. Это сообщалось как истина, не подлежащая сомнению:

> Качка слабых мучит и пьянит.
> Круглое окошко поминутно
> Гасит, заливает хлябью мутной –
> И трепещет, мечется магнит.
>
> Но откуда б, в ветре и тумане,
> Не швыряло пеной через борт,
> Верю – он опять поймает Nord
> Крепко сплю, мотаясь на диване.
>
> Не собьет с пути меня никто.
> Некий Nord моей душою правит,
> Он меня в скитаньях не оставит,
> Он мне скажет, если что: не то!

В этих строчках Бунина есть известное высокомерие. Качка мучит слабых. Но поэт – не из их числа. Он может спокойно спать, пережидая бурю. У него есть надежный инструмент, который в любой хляби, в любом тумане выведет его на верную дорогу.

Бывали эпохи, когда "качка" была такой сильной, что все представления, все ценности оказывались перевернуты, поставлены с ног на голову. Но и в этих исключительных обстоятельствах поэт всегда твердо стоял на ногах. В мире царил хаос. Но поэт неизменно взирал на этот хаос с точки зрения истины:

> Зову я смерть. Мне видеть невтерпеж
> Достоинство, что просит подаянья,
> Над простотой глумящуюся ложь,
> Ничтожество в роскошном одеянье,
>
> И совершенству ложный приговор,
> И девственность, поруганную грубо,
> И неуместный почести позор,
> И мощь в плену у немощи беззубой,
>
> И прямоту, что глупостью слывет,
> И глупость в маске мудреца, пророка,
> И вдохновения зажатый рот,
> И праведность на службе у порока...

Мир, изображенный в этом знаменитом шекспировском сонете, безумен. И только поэт, единственный нормальный человек в этом обезумевшем мире, каким-то непостижимым образом сохранил истинную меру вещей.

Так было всегда. Дисгармония, хаос, бессмыслица мироздания – все это не раз бывало сюжетом поэзии, темой, мучившей поэта. Но это не могло быть внутренним двигателем поэзии, ее внутренним содержанием. Поэт и з о б р а ж а л хаос, но сам он не был в плену у этого хаоса. Он органически не мог стать глашатаем этого хаоса, его провозвестником, его певцом.

Эта устойчивость позиции поэта питалась его непоколебимой уверенностью в том, что существует в е ч н о с т ь, где рукописи не горят, где рано или поздно все будет поставлено с головы на ноги, все обретет свою истинную цену.

"Я не понимаю и не люблю, – сказал однажды Л.Н. Толстой, – когда придают какое-то особенное значение "теперешнему времени". Я живу в в е ч н о с т и, и поэтому рассматривать все я должен с точки зрения вечности... Поэт только потому поэт, что пишет в вечности".

Такое положение вещей представлялось Толстому незыблемым, неколебимым. Но сегодня в эту строгую формулу приходится внести некоторые существенные коррективы.

Взаимоотношения художника с вечностью никогда уже не будут такими, какими они были в прежние времена. Никогда уже поэт не сможет безмятежно повторить вслед за Толстым: "Я живу в вечности...".

Природа взаимоотношений художника с вечностью стала иной. Старая формула Толстого больше не годится. На смену ей пришла другая, предложенная Пастернаком:

> Ты вечности заложник
> У времени в плену.

Художник больше не живет в вечности, он насильственно изъят оттуда. Он – в плену. Но его связь с вечностью не оборвалась. Она существует лишь в той мере, в какой художник с а м осознает ее, то есть она существует постольку, поскольку он ощущает, осознает себя заложником вечности.

Прежняя безмятежность художника была обусловлена тем, что связь его с вечностью (а следовательно, и с истиной) не зависела от его воли. Она существовала объективно.

Это определяло великую гордыню художника, его высокомерие:

> Но откуда б в ветре и тумане
> Не швыряло пеной через борт,
> Верю – он опять поймает Nord,
> Крепко сплю, мотаясь на диване.

Отныне с этой безмятежностью тоже покончено навсегда, потому что дело помощи утопающим – дело рук самих утопающих, потому что к вечности (то есть к истине) художник должен отныне пробиваться с а м, сквозь ложь, сквозь отупение, сквозь сон. Отсюда вместо высокомерного бунинского – "Крепко сплю..." – эти исступленные заклинания:

> Не спи, не спи, работай,
> Не прерывай труда,
> Не спи, борись с дремотой,
> Как летчик, как звезда.
>
> Не спи, не спи, художник,
> Не предавайся сну...

И последние две строчки – как предупреждение: "Не забывай!" Ни на секунду не забывай, что ты – "вечности заложник" лишь до тех пор, пока сам помнишь об этом. А коли так, не все ли равно, есть на свете вечность или нет ее. Твоя вечность – в тебе самом.

Не легкое это дело – постоянно чувствовать, что в п л е н у, и при этом оставаться заложником в е ч н о с т и.

13–1203

Время, в плену у которого жил Мандельштам, не признавало никаких законов, никаких женевских конвенций. С пленными поступали, как хотели. Заложников расстреливали.

В такой ситуации не грех было и позабыть о вечности.

Но вот бутылку прибило к берегу. В ней – письмо. Оно адресовано нам с вами. В письме этом – все, что полагается в письмах, брошенных в океан.

Указание места катастрофы:

> Пусти меня, отдай меня, Воронеж, –
> Уронишь ты меня иль проворонишь,
> Ты выронишь меня или вернешь...

Дата:

> – Я рожден в ночь с второго на третье
> Января в девяносто одном
> Ненадежном году, и столетья
> Окружают меня огнем...

Описание судьбы погибшего:

> За гремучую доблесть грядущих веков,
> За высокое племя людей
> Я лишился и чаши на пире отцов,
> И веселья и чести своей...

Когда-нибудь это письмо прочтут внимательнее, спокойнее. И быть может, окажется, что главное, самое важное в нем – вовсе не это.

Но мы – не потомки Мандельштама. Мы его младшие современники и товарищи по несчастью. Может быть, именно поэтому явственнее всего мы слышим в его посмертном голосе – сигнал бедствия:

> Мы живем, под собою не чуя страны,
> Наши речи за десять шагов не слышны...

А может быть, этот сигнал бедствия и есть – в з г л я д и з в е ч-
н о с т и, ее суд, ее торжество над временем, в плену у которого мы так долго жили.

СТАЛИНИЗМ "ПО-ПЛАТОНОВУ"

Один из героев Платонова – любознательный капиталистический старичок Хоз, благополучно загнивающий в добром здравии уже сто один год и не лишенный некоторой сексуальной сентиментальности, приезжает в страну большевиков. С горестно сострадательной симпатией американский долгожитель наблюдает, как вдохновенно, но преступно неумело строят социализм в Артели Четырнадцати Красных Избушек. Слегка романтик, но в основном скептик, Хоз напрасно увещевает слегка скептиков, но в основном романтиков, опасно одержимых энтузиастов-строителей Мировой Экономической и Прочей Загадки:

– Карл Маркс говорил мне в середине прошлого века, что психоз пролетариату не нужен.

Возможно, что подобная мысль и без подсказки Маркса приходила в голову молодому Арманду Хаммеру, когда еще в ранних 20-х он видел в стране-загадке поражавшую его переустроительную энергию, но одновременно – разрушительную самонадеянность утопического психоза. Наверно, как практичный бизнесмен Хаммер и тогда замечал, что слишком много русских деревьев уходит на древки знамен и лозунгов, на бюрократические столы и трибуны для ораторов. Наверное, Хаммер и тогда недоумевал, почему в такой богатейшей по ресурсам стране на каждом шагу – непонятное для растленного капитализма зоологическое явление – очередь.

Через полвека, бросая шерхановский взгляд постаревшего тигра мировых джунглей из окон услужливо предоставляемых большевистских лимузинов, доктор Хаммер не мог не заметить, что в стране нестабильных политических доктрин и репутаций единственное, что осталось непоколебимо стабильным, это очереди.

Сегодняшняя очередь – это визуальный символ наказания за утопический психоз. Сегодняшняя очередь – это вопиющая народная невыгода. Экономическая выгода иногда бывает и безнравственной, но всенародная невыгода безнравственна всегда.

Безнравственность начинается с невыполнения обещаний. Лозунг "Земля народу!" не был выполнен. Кузнец в "Чевенгуре" рубит правду-матку так: "Мудреное дело: землю отдали, а хлеб до последнего зерна отбираете: да подавись ты сам такой землей". Лозунг "Вся власть Советам!" был подменен властью бюрократии, горделиво говорящей о себе так: "Без бюрократии, уважаемые ратники государства, не удержаться Советскому государству и часа... Кто мы такие? Мы – за-ме-сти-те-ли пролетариев!" Насильственная политизация экономики была таким же психозом, как политизация личной жизни. "...Кулак мешает коснуться нашим устам..." – зачумленно говорит один из активистов раскулачивания инженер Вермо. Не боялись отбиться нравственно – боялись ошибиться политически. В экономике забыли, что выгодно, что невыгодно, но помнили – что идеологически вредно. Утопический психоз состоял в том, что социализм строился методами, противоречащими идеям социализма. Методы были самые невыгодные, потому что были безнравственные, и самые безнравственные, потому что были невыгодные. Жутковата метафора Платонова, когда Суенита говорит: "Опусти в море этот тюремный кузов. Поправь на нем погуще колючую проволоку, мы рыбы наловим, мы тогда наедимся". История показала, что колючей проволокой не наловишь ни рыбы, ни мяса. Считавшийся "бесплатным" труд миллионов заключенных не окупал затрат на колючую проволоку, охранников, овчарок, лагерные вышки с пулеметами, на громоздкую машинерию слежки, беззакония. Психоз нерентабелен. Тех, кто совсем не видел творящих беззакония, – не было. Не верьте в лживое: "Мы ничего не знали". Может быть, знали не всё, но знали. Знали, но не хотели знать. Не верьте тому, что Сталин не знал. Он знал больше всех. Он боялся не тех, кто знает, но не хочет знать. Он боялся тех, кто знает и хочет знать еще больше. Он уничтожал их в первую очередь. На рассказе Платонова "Впрок" Сталин написал: "Подонок". "Я прозевал недавно идеологически двусмысленный рассказ Платонова "Усомнившийся Макар", за что мне поделом попало от Сталина", – писал в одном из писем А. Фадеев. Платонов был опасен тем, что не только знал, но и обобщал. Почему же Сталин не уничтожил Платонова? Запутался в миллионах фамилий, запамятовал? Может быть, счел его за блаженного и брезгливо пожалел – что это за царство российское без блаженного на папертях? Может быть, это была ошибка художественного вкуса Сталина – он не счел, что "эта штука посильнее, чем "Фауст" Гёте", не понял, что Платонов – гений, причем гений опасный, принял его за писаку, недостойного ареста? Может быть, сообразил, какого калибра писатель Платонов, но надеялся, что тот одумается, и то припугивал Платонова непечатаньем, то позволял немножко печатать, то арестовывал сына Платонова, то освобождал его, уже смертельно больного после свинцовых рудников, то поощрял нападки прессы на Платонова, то не мешал назначению писателя собкором *Красной звезды*. Не было ли это все игрой в кошки-мышки на дистанции? История еще даст ответ на это, а может быть, никогда. Факт остается фактом: ни один писатель так не разоблачил сталинизм изнутри сталинизма, как Платонов, и тем не менее Платонов чудодейственно умер не в лагере, а своей естественной смертью в 1951 г. Но есть и другая, еще более таинственная загадка в судьбе этого великого писателя Мировой Экономической и Прочей Загадки.

Неуслышанность не есть опоздание

Каким образом Платонов понял еще в 20-х все то, что наше общество только начинает уразумевать сейчас, да и то с большим скрипом? Это было таким же подвигом, как, находясь внутри костра, анализировать горящий хворост и тех, кто его подбрасывает, да еще пожалев их за "святую простоту".

Платонов не оправдывал, жалел. Но инквизиторов Платонов к "святой простоте" никогда не причислял. Еще в "Че-Че-О", написанном в соавторстве с Пильняком (1928), есть явный едко-иронический намек на личность Сталина, на его манеры: "Величественный москвич, в честь которого пили пиво, рассудительно и таинственно молчавший, несколько оживился. – Не совсем так, товарищ, не совсем! – сказал он. – Мы никак не привыкнем к равновесию. Я бы сейчас главным лозунгом объявил равновесие мероприятий. А то получается не самокритика, а – бичевание..." В этом месте своей речи, к слову сказать, не очень внятной и четкой, москвич предложил своим собеседникам папиросы "Герцеговина Флор". В "Ювенильном море" при поверхностном прочтении может показаться, что Платонов, не выдержав испытания дамокловым мечом, делает комплименты Главному Меченосцу: "Вермо нашел "Вопросы ленинизма" Сталина и стал перечитывать эту прозрачную книгу, в которой дно истины ему показалось близким, тогда, как оно на самом деле было глубоким..." Но кто такой сам Вермо, так восторгающийся Сталиным? "Вермо всегда не столько хотел радостной участи человечеству – он не старался ее воображать – сколько убийства всех врагов творящих и трудящихся людей". Страшноватенький поклонник у Сталина. А вот еще: "Вермо глядел ей вслед и думал, сколько гвоздей, свечек, меди и минералов можно химически получить из тела Босталоевой: "Зачем строят крематории? – с грустью удивился инженер. – Нужно строить химзаводы для добычи из трупов цветометзолота, различных стройматериалов и оборудования..." Тайные мысли инженера Вермо осуществили фашисты, пуская трупы на мыло, а человеческую кожу на абажуры. Вермо, читая Сталина, "ощущал спокойствие и счастливое убеждение верности своей жизни, точно старый серьезный товарищ, неизвестный в лицо (уже через несколько лет этим лицом будет увешана вся страна, инженер Вермо! – *Е.Е.*), поддерживал его силу..." Прямая связь идей Сталина с их исполнителем – инженером Вермо, готовым людей разлагать на химические элементы ради торжества этих идей, – это серьезное и, может быть, первое, еще домандельштамовское обвинение Сталину.

Но Платонова интересовали не столько главные инквизиторы, сколько подбрасыватели хвороста. От главных инквизиторов в своей ежедневной жизни Платонов был, слава богу, далеко, а вот среди подбрасывателей хвороста провел всю свою жизнь. Костры инквизиций без подбрасывателей хвороста были бы невозможны. Подбрасыватели хвороста вполне искренне думают, что в пламени корчатся не такие же люди, как они сами, – из мяса, костей и боли, – а зловредные колдуны и ведьмы. Но искренность подбрасывателей хвороста не снимает с них вины за то, что этот искренний хворост живьем сжигает людей. Без вины виноватых подбрасывателей хвороста нет.

Сафронов из "Котлована" воспитывает девочку так: "Мы же, согласно пленума, обязаны их ликвидировать не меньше как класс, чтобы весь пролетариат и батрачье осиротели от врагов! – А с кем останетесь? – С задачами, с твердой линией дальнейших мероприятий, понимаешь что? – Да, – ответила девочка. – Это значит, плохих людей всех убивать, а то хороших очень мало..."

Но откуда девочке знать – кто плохие, а кто хорошие люди? Кого назовут "плохими" – те плохими и будут, то есть подлежащими ликвидации, и хворост к костру девочка понесет вприпрыжку. В руках у девочек, которых гладил по головке Сталин на Мавзолее, были не букеты, а вязанки хвороста. Детей в этом винить нельзя, но нельзя оправдывать растлевающую педагогику психоза. Красный террорист Пиюся расстреливает так называемых буржуев и полубуржуев в спину без каких-либо угрызений революционной совести. Пиюсю не трогают абстрактно гуманистические заклинания Дванова: "Коммунисты издали не убивают, товарищ Пиюся!" Ответ Пиюси на это внеклассовое слюнтяйство прост и афористичен: "Коммунистам, товарищ Дванов, нужен коммунизм, а не офицерское геройство!" Это уже перерождение простого подбрасывателя хвороста в инквизитора. Копенкин – русский революционный Дон Кихот в лаптях, мечтающий, как о своей Дульсинее, о Розе Люксембург, восклицает: "Я клянусь, что моя рука положит на ее могилу всех ее убийц и мучителей!" А вдруг в этот пованивающий букет из трупов попадут люди, которые никогда не были убийцами Розы Люксембург, а лишь представились таковыми в больном воображении Копенкина? Вот чем опасна растленная "святая простота", впавшая в психоз переустройства мира.

Феномен Платонова в том, что сквозь махание лозунгами утопического шапкозакидательства 20-х годов он провидел и кровавый 1937-й, и столкновение двух противоборствующих мусорных ветров, превратившихся в смерч второй мировой войны. По силе исторического провидения Платонов равен, пожалуй, только Достоевскому, в нечаевском деле увидевшему эмбрион будущей шигалевщины. С "Бесами" произошла трагедия неуслышанности – некоторые революционные демократы сочли, что это роман-пасквиль, не поняв, это роман-предупреждение. Платоновская проза – это тоже предупреждение. В чевенгуровщине пророчески проглядывается и ежовщина, и бериевщина, и хунвэнбинщина, и полпотовщина, и краснобригадовщина. Но платоновскому предупреждению суждено было остаться неуслышанным, непонятым – даже Горьким, который в целом высоко ценил Платонова. Вот что написал Горький Платонову, когда тот попросил его помощи в печатании "Чевенгура" в 1929 г.: "Хотели вы этого или нет, – но вы придали освещению действительности характер лирико-сатирический. При всей нежности вашего отношения к людям, они у вас окрашены иронически, являются перед читателями не столько революционерами, как "чудаками" и "полоумными". Это, разумеется, неприемлемо для нашей цензуры".

Голос Платонова был не услышанным вовремя набатом. Социально-утопический психоз перешел в болезнь человеческой глухоты. Но есть набаты, которые не были услышаны при пожарах настоящего, но еще могут предупредить потенциальные пожары будущего. Неуслышанность не есть опоздание. Сейчас, когда мы запоздало узнаем о стольких трагедиях и преступлениях, порой становится невыносимо стыдно и за народ, и за историю. Но у запоздалости нашего познавания истории есть, к счастью, и положительная сторона. Мы запоздало, но счастливо узнаем, что даже в самые жестокие годы были люди, противостоявшие массовому психозу. Национальная гордость без национального исторического стыда за преступления превращается в шовинизм. Исторический стыд становится не разрушительной, а созидательной силой, когда его верная союзница – национальная гордость. Проза Платонова была предгласной гласностью. Набат, не услышанный вовремя, может стать набатом на все времена.

История человечества есть история великих идеалов и великих психозов. Происхождение массового психоза, может быть, изначально связано с растерянностью раннего полумохнатого человечества перед прекрасной, но иногда и грозной, испепеляющей силой природы. Страх перед природой заставлял первобытных людей зависимо прижиматься к вождям, якобы обладающим Тайной. Власть одних людей над другими началась с психоза.

Страх перед тайной вырубал из камня и дерева идолов, заменяя недостаток знания психозом слепой веры. Борьба человечества за свободу была борьбой за свободу от массового психоза.

Эрзац-идеалы, как, например, фашизм, были целиком основаны на психозе и рассыпались вместе с ним. Но психоз примазывался и к гуманистическим идеалам, например к христианству, порождая инквизицию. Во время Великой Французской революции появился психоз "врагомании", когда революционеры начали убивать друг друга. Именно эти времена породили трагический афоризм: "Революция — это мать-чудовище, пожирающее собственных детей".

Психоз нашей отечественной "врагомании" уничтожил перед войной цвет нашей нации, облегчая Гитлеру его зловещую задачу. Но даже война не помешала психозу "выяснения" личности. Смершевцы изводили фронтовиков слежкой даже под вражескими пулями, заградотряды стреляли в спину своим, бежавших из фашистского плена героев отправляли в лагеря. Параноидальное "выяснение" продолжалось. Но ведь началось оно еще в 20-х годах.

"Я здесь невыясненный..." — с невеселым вздохом произносит один из героев Платонова, директор совхоза Умришев. Он принадлежит к тем людям, чья личность беспрерывно выясняется громоздкой, ржаво скрежещущей Машиной Выяснения, состоящей из "секторов, секретариатов, групп ответственных исполнителей, единоначалия, отделов, подотделов, широкой коллегиальности, совещаний, планирования безвестных времен лет на тридцать... учреждений такого глубокого и всестороннего продумывания, что для их решения требуется вечность..."

От своей, может быть, заложенной в проекте ржавости смолоду, от перепутанности проводов, недостачи деталей Машина Выяснения становилась Машиной Запутывания, Машиной Наведения Тени на Плетень. "Раза два в месяц невыясненные приходили в учреждения и спрашивали: "Ну как, я не выяснен еще?" Воистину кафкианская картина, к сожалению, до отвращения родимая русской душе.

Бюрократизм не был уродливым наростом на здоровом стволе. Бюрократизм был множеством внутренних древоточцев, разъедавших не кору, а сердцевину.

Бюрократы, как мародеры, невидимо шли по дымящимся полям гражданской войны, прибирая к рукам все, что плохо лежит. А плохо лежала страна, изуродованная, разрушенная, голодная, и они начали прибирать к рукам страну. Старорежимную бюрократию сменила новорежимная с такой быстротой, что истинные творцы революции и опомниться не успели. Ленин писал: "Дела с госаппаратом у нас до такой степени печальны, чтобы не сказать отвратительны, что мы должны сначала подумать вплотную, каким образом бороться с недостатками его, памятуя, что эти недостатки коренятся в прошлом, которое хотя перевернуто, но не изжито..."

Настоящее, объявленное социалистическим, бюрократы превращали в перевернутое прошлое. Привычка к демократии в народе еще не образовалась, а привычка к бюрократии со времен самодержавия была готовенькая. Бюрократия многим казалась необходимым "железным" обручем, без которого все общество рассыплется, как бочка незадачливого бондаря, на отдельных согнутых в дугу людей. Сталин в дополнение к железным обручам бюрократии набил на рассохшуюся, безнадежно протекающую бочку как дополнительный обруч железную корону социалистического самодержца. Бюрократия сама внушала народу свою необходимость: "Бюрократия имеет заслуги перед народом: она склеила расползавшиеся части народа, пронизала их волей к порядку..."

В рассказе "Мусорный ветер", написанном о фашистской Германии по классическому методу лермонтовского варианта: "Прощай, немытая Турция...", Платонов так нарисовал пейзаж бумажного психоза бюрократии: "Миллионы теперь могли не работать, а лишь приветствовать: кроме них, были еще и сонмы, и племена, которые сидели в канцеляриях и письменно, оптически, музыкально, мысленно, психически утверждали владычество гения-спасителя, оставаясь сами безмолвными и безымянными". Почти одновременно с Платоновым Мандельштам описал муссолиниевскую Италию с такой же отечественной пронзительностью:

И над Римом диктатора-выродка
Подбородок тяжелый висит.

Ассоциативность возникла не от лукавых аллюзий, а от фатально общей атмосферы массового психоза, хотя в разных странах он носил наоборотные, противостоящие формы.

Бюрократия была арматурой, а сам психоз – тюремным цементом внутри этой арматуры, когда начали отделять глухой стеной от всего остального мира Артель Четырнадцати Красных Избушек. Девочка спрашивает про меридианы на географической карте: "Дядя, что это такое – это загородки от буржуев?" "Загородки, девочка, чтобы буржуи к нам не перелезали, – объяснил ей Чиклин, желая дать ей революционный ум". Как пророческая пародия на глушение иностранных передач звучит такой разговор в 20-х годах: "...сказывали, белые буржуи сигналы по радио дают. Слышишь, опять какой-то гарью понесло... Это воздух от беспроволочных знаков подгорает..." "Махай палкой! – давал немедленный приказ Копенкин. – Путай ихний шум – пускай они ничего не разберут..."

Бюрократия для самоспасения нуждалась в фетишизации государства как Высшего Существа, Высшего Разума. За сегодняшнее, ставшее во время перестройки привычным выражение "не человек для государства, а государство для человека" в платоновские годы могли бы "закатать десятку". "Без государства ты бы молочка от коровы не пил! – куда ж оно делось бы? – Кто же его знает, – куда! Может, и трава бы не росла... В африканской Сахаре вон нету государства, и в Ледовитом океане нет, от этого там не растет ничего – песок, жара и мертвые льдины...

– Позор таким местам! – твердо ответил Леонид..."

Бюрократия для самоспасения нуждалась в фетишизации партии, против чего всегда восставал ее основатель – Ленин. "А ты покажь мне бумажку, что ты действительное лицо!" "Какое я тебе лицо! – сказал Чиклин. – Я никто: у нас партия: вот лицо!" Бюрократия, чтобы отвлечь трудящихся от мыслей о борьбе с ней, с бюрократией, нуждалась в фетишизации классовой борьбы: "Комитет партии послал сюда, в "Родительские дворики", – Надежду Босталоеву – чтобы разбить и довести до гробовой доски действующего классового врага".

"В районе мне не поверят, что был один убивец, а двое – это уже вполне кулацкий класс, организация".

Бюрократия для того, чтобы превратить живых людей в шпалы индустриализации, нуждалась в фетишизации техники.

"Суенита: Аэроплан летит над пустыней. Он тоже наш – в нем капля нашей колхозной крови. Пусть летит выше – мы вытерпим. – Ксеня: Во мне молоко пропадает – детей наших с тобой нечем кормить! – Суенита: Сукровицу из себя выдавливай, как я вчера своего кормила..." Платонов был первым в советской литературе писателем, который с гоголевско-щедринской силой сказал, что бюрократия – это окаменевший психоз.

Есть ли что материальней, чем нравственность?

Платонов-мелиоратор строил социализм материальный. Платонов-писатель строил в своих книгах социализм нравственный. Но есть ли что материальней, чем нравственность?

Массовый психоз, как горная лавина, обрушился на нашу страну с так называемых вершин государственного мышления. Эта лавина погребала под собой когда-то плодородные нивы, села, со всем их вековым укладом, церкви, пролетарское достоинство русских рабочих, свободомыслие интеллигенции. Охваченные психозом люди добровольно или от страха превращались в неостановимо катящиеся камни этой лавины, безжалостно кроша всех тех, кто не хотел становиться каменным. Но у тех, кто стал каменным, включая сердце свое, судьба была в конце концов такая же – их тоже раздавливали, крошили следующие камни.

Платонов имел смелость встать поперек лавины, усомниться. Лавина сбила его с ног, потащила вместе с собой, но и внутри лавины, катясь, обдираясь до крови, расшибаясь, он. усомнялся и усомнялся. Сомнения Платонова не происходили от ущербно-заносчивого желания выглядеть умным за счет высокомерия к людям, к истории. Платонов сомневался, как идущий по деревянной тропе, проложенной над трясиной, сомневается в каждой досточке, пробуя ее ногой, прежде чем за ним пойдут другие люди. Платонов сомневался, как врач, который прежде, чем выписать больному лекарство, сначала пробует его на себе. Такие сомнения драгоценны. Если кто и удерживает до сих пор человечество на краю пропасти, от гибельного падения, так это сомневающиеся. Ни в чем не сомневающиеся торжественно маршируют в пропасть. Марш ни в чем не сомневающихся – это марш психоза.

Платонов не маршировал в ногу с современниками, потому что он шел в ногу с потомками, да и то не со всеми. Но Платонов любил современников все-таки больше, чем потомков, потому что он знал их не только по бесчеловечности, но по человечности, а потомки для него были еще дымчатые, неопределенные. Платонов умел любить и заблудших, но любить их не всепрощением, а болью. Даже саму лавину истории, которая швыряла его из стороны в сторону, била его смертным боем, но в последний момент почему-то не решилась ударить по его драгоценной голове, Платонов жалел, как живое заблудшее существо. Платонов пытался внушить лавине, что она не такая уж плохая, уговаривал ее остановиться, не уничтожать все дышащее, теплое, разумное. Но в те времена не только прямое противодействие психозу, но и попытки уговорить, образумить выглядели в глазах безумевших от раздуваемой классовой ненависти как предательство или психопатия.

Петр отводит усомнившегося Макара в милицию. "Товарищ начальник, я вам психа поймал и за руку привел". – "Какой же он псих? – спрашивает дежурный по отделению. – Чего же он нарушал в общественном месте?" – "А ничего, – открыто сказал Петр. – Он ходит и волнуется, а потом возьмет и убьет. Суди его тогда. А лучшая борьба с преступностью – это ее предупреждение. Вот я и предупредил преступление". – "Резон! – согласился начальник. – Я его сейчас направлю в институт психопатов – и на общее исследование..."

Самозащита психоза – это объявление психопатами всех других, в психоз не впадающих. В годы "застоя" Твардовский поехал в "психушку" выручать из нее попавшего туда Жореса Медведева. Диагноз – параноидальное раздвоение личности – был ханжески поставлен в связи с тем, что Медведев, биолог по профессии, с "анормальной активностью" интересовался политикой, писал письма протеста. Твардовскому удалось выручить Медведева, но в "психбольницу" "засадили" некоторых других. Психоз застоя не был таким настолько жестоким и всеохватным, как психоз сталинских времен, но был гораздо трусливей, оглядчивей – иногда более изощренней, циничней. Несмотря на жестокие или более мягкие модификации психоза, в его основе лежало то же самое политически-медицинское шулерство в определении "нормальности" и "ненормальности". "Если в свое время безошибочно угадывали особенных самодельных людей, то уничтожали их с тем болезненным неистовством, с каким нормальные дети бьют уродов и животных: с испугом и сладострастным наслаждением. Вот что становилось идеалом "государственного жителя": "Воли в себе он не знал, ощущая лишь повиновение, радостное, как сладострастие". Сладострастие повиновения тем, что выше, прекрасно сочеталось со сладострастием повелевания теми, кто ниже: садомазохизм рабства и власти. Массовый психоз есть множество комплексов неполноценностей, соединенных в лечебный психокомплекс, где насильственно лечат от нормальности.

Всех литературных "психиатров" Платонов раздражал тем, что он беспрестанно "ходил и волновался", да еще позволял себе "усомняться". Само присутствие Платонова в литературе было устыжением тех, кто потерял стыд. Этот вроде бы тихий, вроде бы мирный, ни на кого

лично не нападавший, ничье место занять не хотевший, кургузенько оде-
тый, внешне малоприметный, низкорослый человек, которого никто не
узнавал в лицо, – вызывал своей самоценностью, "самодельностью"
животную зависть и бешенство. Усомнившийся Макар пытается воззвать
к гражданской совести обитателей ночлежки: "Товарищи работники
труда! Вы живете в родном городе Москве, центральной силе государства, а в нем непорядки и утраты ценностей". Пролетариат зашевелился на
койках: "Митрий! – глухо произнес чей-то широкий голос. – Двинь его
слегка, чтобы он стал нормальным..."

Примерно так же реагировали на прозу Платонова многие его современники, не желая слышать его воззваний к их совести и разуму, когда под видом наведения порядка создавались непорядки нравственные,
а под видом создания социалистических ценностей разрушались ценности национальные, общечеловеческие. Л. Авербах так выразился в своем печатном "диагнозе" о гражданской ненормальности Платонова:
"...конкретный смысл платоновского: "Даешь душу!" означает право на
ячество, на шкурничество, на себялюбие, как социальный принцип, т.е.
правоуклонистские и кулацкие лозунги..." И далее: "К нам приходят с
пропагандой гуманизма, как будто есть на свете что-либо истинно-чело-
вечнее, чем классовая ненависть". Из свинца классовой ненависти
Авербах сам выплавил себе пулю, который был расстрелян. Другой рап-
повец, И. Макарьев, назвавший статью о Платонове "Клевета", был окле-
ветан сам, просидел лет семнадцать. Вернувшись беззубый, лысый, Макарьев по ночам перелезал дачный забор своего бывшего соратника по
РАППу Фадеева, кидал из кустов камнями в его погашенные окна и кричал: "Сашка, за тобой лагерные призраки пришли! Ты еще за все отве-
тишь, Сашка!" Макарьев спился, покончил жизнь самоубийством. Фадеев, тоже когда-то критиковавший Платонова, сам никого не посадивший,
но вынужденный по должности подписывать информации об арестах писателей, застрелился, терзаемый совестью за свои и не свои ошибки.
Постояннно критиковавший Платонова в 30-х А. Гурвич сам был жестоко
оплеван в начале 50-х во время кампании против "космополитизма".
Если бы Платонов был признан при жизни, он не торжествовал бы над
своими критиками, а скорбел бы по этим несчастным людям, запутан-
ным историей и потом жестоко поплатившимся за жестокости, допущенные в затмении разума.

Лишенное религиозного психоза, христианское начало в Платонове
несомненно. Социалистическое начало в нем тоже несомненно, но без
психоза антирелигиозного. В рецензии на спектакль "Идиот" в 1920 г.
совсем еще юный Платонов невольно написал через героя Достоевского
свой будущий портрет: "Князь Мышкин – пролетарий: он рыцарь мысли,
он знает много: в нем душа Христа – царя сознания и врага тайны. Он не
отвечает ударом на удар: он знает, что бить злых – это бить детей". Для
Платонова, ставившего выше всего слово "мастер", Христос – это тоже
мастер, мастер совести. Платоновский Христос потому враг тайны, что
для мастера тайна – это недостаток знания. Мистик, разыгрывающий из
себя "царя бессознательности и врага тайны", не способен ни взойти на
Голгофу, ни написать "Войну и мир", ни создать теорию относитель-
ности. Платонов понял совесть как ежедневный труд.

Идолов, созданных массовым психозом, сами массы когда-нибудь
разбивают. Парадокс истории в том, что массы в конце концов называют
великими именно тех, кто не поддался массовому психозу.

Надежда без предварительных условий

Жаль, что молодой Хаммер не встретился тогда, в 20-х, с молодым воронежским мелиоратором Платоновым, под чьим личным руководством за 4 года в губернском земельном управлении было сделано 763 пруда, 316 шахтных и трубчатых колодцев, возведено 800 плотин, 3 электростанции, осушено 7 600 десятин земли, организовано 240 мелиоративных крестьянских товариществ (!!!). Этим двум полным бешеной энергии молодым деловым людям из разных систем поставить бы общее дело выше всякой идеологической болтовни, подружиться бы, объединиться да и отгрохать вместе что-нибудь такое, чтобы весь мир ахнул! Но политический психоз ставил себя выше народной выгоды. Взаимовыгода в отношениях с капиталистическим миром считалась опасной ересью – нам не может быть выгодно то, что выгодно им. На той стороне океана был и есть такой же наоборотный политический психоз. Реакционеры всего мира соединяются гораздо быстрее, чем пролетарии.

Сталин, проводя индустриализацию, надеялся на приятные параллели с Петром I. Однако Сталин в отличие от Петра, который даже перебарщивал в западничестве, смертельно боялся "растлевающего влияния Запада" и зарешетил окно в Европу, прорубленное Петром. Петр самолично стриг бороду боярам, а Сталин стал насаждать боярство номенклатуры при помощи страха и подкупов "синими пакетами" (вторая, неофициально вручавшаяся зарплата). Сталин подражал не Петру-плотнику, а Петру-палачу. Ключевский так характеризовал отрицательные черты Петра: "Вводя все насильственно, даже самодеятельность вызывая принуждением, он строил правомерный порядок на общем бесправии, и поэтому в его правомерном государстве рядом с властью и законом не оказалось всеоживляющего элемента, свободного лица, гражданина". Без свободного мышления и советская экономика не могла развиваться свободно. Припадочные закупки иностранной техники, как, например, экскаваторов "Марион", которые осваивал Платонов, не выручали. Один старый тассовец рассказывал мне, что перед самой войной ТАСС закупил на валюту четыре фотоаппарата "лейка" по личной разрешительной резолюции Сталина. Изолированная от мирового развития, сталинская индустрия то делала успехи благодаря нечеловечески напряженному труду народа, то пробуксовывала на лужах крови, подтекавших под гусеницы экскаваторов. В автобиографии Платонов писал, почему он бросился именно в технику, а не в литературу: "Засуха 1921 г. произвела на меня чрезвычайно сильное впечатление, и, будучи техником, я не мог уже заниматься созерцательным делом – литературой". Но вера Платонова только в технику, как в спасительный архимедов рычаг, подорвалась, ибо этот рычаг часто находился в руках романтически невежественных либо цинически равнодушных. Вот отрывки из писем Платонова 1926 г.: "Обстановка для работы кошмарная, склока и интриги страшные...", "мелиоративный штат распущен, есть форменные кретины, доносчики. Хорошие специалисты беспомощны, задерганы...". В ранней юности сам социальный утопист, Платонов быстро излечился от соблазна социальных утопий горькой реальностью, как переехаанная грузовиком собака излечивается безымянными, но генетически известными ей горькими травами. Неумному оптимизму всеверия Платонов, однако, не предпочел только кажущийся умным пессимизм всеневерия. Но моменты пессимизма были: "Иногда мне кажется, что у меня нет общественного будущего, а есть будущее, ценное только для меня одного...". "Без меня народ неполный", – однажды сказал Платонов. Но он и сам был неполным без народа. Когда Платонов полностью посвятил себя литературе, она оказалась делом далеко не созерцательным, а еще более каторжным. Как и в мелиорации, здесь встретились еще худшие склоки, интриги, форменные кретины и кретины в форме. Но у литературы есть преимущество перед техникой: не претворяемые в жизнь технические проекты неминуемо устаревают, а запрещаемые великие рукописи вырастают в своем значении. Так случилось с "Котлованом", "Чевенгуром", "Ювенильным морем", пришедшими к нам через пятьдесят с лишним лет. Что же поддерживало дух Платонова?

Надежда на то, что напечатают при жизни, или на то, что напечатают после смерти?

Надежда без предварительных условий. Надежда без торговли с жизнью или смертью.

Платонов в статье о Пушкине поставил живого, теплого человека выше холодного бронзового символа государственной мощи: "Евгений тоже ведь "строитель чудотворный" – правда, в области, доступной каждому бедняку, но недоступной "сверхчеловеку": в любви к другому человеку".

Платонов тоже был чудотворным строителем любви к человеку. Имя этого человека – народ.

Бронтозавры, дающие молоко?

Когда человека любишь, его надо предупреждать обо всех грозящих опасностях, даже если эти опасности сидят у него в душе, в характере, в привычках. Так же и с народом. Льстят народу, заигрывают с ним – от равнодушия. Говорят от имени народа, чтобы использовать народ. Когда настоящий писатель говорит народу горькую правду, народ обижаться не должен, потому что через писателя сам народ говорит с народом. В "Котловане" есть такой вопрос:

– А зачем тебе истина? Только в уме у тебя будет хорошо, а снаружи гадко.

Действительно, зачем людям истина? Ведь от нее может стать гадко не только снаружи, но и в уме. Почему, судя по нынешним письмам в газеты, многие читатели так настырно добиваются, например, точной цифры арестованных и убиенных в сталинское время, точной цифры сегодняшних заключенных, преступлений, самоубийств? Простое любопытство? Или все-таки желание понять истину философскую при помощи истины фактической? Что нам, легче, что ли, станет, если мы узнаем все эти цифры? Нет, станет трудно. Но зато станет труднее и делать новые ошибки: ужаснуться истине – залог неповторения ужаса. Достаточно ли мы ужаснулись сталинскому террору, Чернобылю, чтобы этот ужас не повторился?

Все тот же Арманд Хаммер, уже переживший Платонова на целых тридцать семь лет, помог нам медикаментами после чернобыльской катастрофы. Отчего она произошла? Платонов дал нам предупредительный ответ вперед, но мы не захотели расслышать. Вот он: в сновидении Макар увидел гору, а на той горе стоял научный человек. Макар лежал под той горой, как сонный дурак, ожидая от научного человека либо слова, либо дела. Но человек тот стоял и молчал, думая лишь о целостном масштабе, но не о частном Макаре...

Для Платонова целостный масштаб состоял именно из частных Макаров, в отличие от его "государственного жителя", считавшего, что "сочувствовать надо не преходящим гражданам, но их делу, затвердевшему в лице государства". Идеализация государства, возвышение его над человеком – такая же опасная нелепость, как возвышение администрации гостиницы, дежурных на этажах и другого обслуживающего персонала над проживающими в гостинице людьми, которых они обязаны обслуживать. Но у нас именно так произошло и с государством, и с гостиницами. А представьте себе, что дежурные на этажах начнут диктовать писателям, проживающим в гостиницах, о чем они должны писать, о чем не должны: что они не должны писать о недостатках и трагических происшествиях в гостиницах. Там, где начинают бояться трагедий, описанных печатным словом, там – начало новых трагедий в реальности.

Люди – существа опасно короткопамятные. Ретроспекция преступлений нас не всегда глубоко впечатляет, иногда и смешит. Гитлер, театрально прижимающий руки к сердцу и выпучивающий жабьи глаза в телевизионном документальном фильме, выглядит сейчас пародией его чаплинского прообраза; Сталин на том же экране, вскидывающий снайперскую винтовку, – это страшноватая, но все-таки безопасная ныне пародия. Спрашиваешь себя: как столько миллионов людей когда-то могли верить таким, явно пародийным, кровавым персонажам?

Многие персонажи Платонова и их идеи тоже могут сейчас показаться пародийными, ирреальными. Ну, например, зоотехник Високовский, одержимый идеей, что "эволюция животного мира, остановившаяся в прежних временах, при социализме возобновится вновь, и все бедные, обросшие шерстью существа, живущие ныне в мутном разуме, достигнут судьбы сознательной жизни". Разве не откровенно пародийна такая идея инженера Вермо: "Не пришла ли пора отойти от ветхих форм животных и завести вместо них социалистические гиганты вроде бронтозавров, чтобы получать от них по цистерне молока в один удой...". Пародийно? Но разве это более смешно, чем не так давняя идея кукурузного помешательства? Утопия опасней реальности, потому что соблазнительней, чем реальность. Томас Мор, Кампанелла и другие платонические утописты манипулировали только своими фантазиями. Но утописты, манипулирующие целыми народами ради того, чтобы впихнуть их в прокрустово ложе утопии, даже если и придется поорудовать топором, предают то чистое, целомудренное желание всеобщего счастья, которое было изначальным смыслом утопии. Такие утописты могут быть людьми, лишенными палаческих устремлений, но если им не хватает культуры, ответственности за свои действия, то рано или поздно они неумолимо превращаются в уже далеко не "святую простоту", палачествующую с людьми и матерью-землей, ибо, как сказано в Библии, "не ведают, что творят". Но имеют ли люди право творить, не ведая того, что творят?

Откуда взяться культуре руководства
без культуры первичной

Инженер Вермо, ведали ли вы, что творите, когда хотели осуществить "седьмое условие Сталина" – ставку на "творческого пролетарского человека" с тем, чтобы изобретение стало способом работы?

Платонов, сотворивший вас из сырого сучковатого полена реальности, словно добрый папа Карло – зловещую версию Буратино, тоже мечтал о том, что "творческий изобретательный труд лежит в самом существе социализма". Но то, что вы делали с человеческими душами, с природой и даже с животными, совсем не походило на социализм, инженер Вермо. На вашу неосуществленную в 20-х завиральную психованную идею "давайте покроем всю степь, всю Среднюю Азию озерами ювенильной воды!" все-таки клюнуло брежневское правительство, утвердив проект плана переброски северных рек. Это был мелиоративный психоз, достойный книги рекордов Гиннеса! Я не требую от вас дворянского генеалогического древа и французских гувернеров, инженер Вермо, но все-таки нельзя браться за переустройство России без элементарной первичной культуры. Нельзя пускаться в социальные эксперименты, не прочтя "Бесов" Достоевского – там много серьезных предупреждений. Если вы еще живы, я рекомендовал бы вам прочесть и "Епифанские шлюзы" вашего создателя – Андрея Платонова, где так страшно написана "кровавая грязца в колесе", и заодно повесть "Ювенильное море", где изображены вы сами, инженер Вермо, как социальный психопат с невинными глазами ребенка, выпавшего из колыбели. Если бы вы знали, инженер Вермо, насколько оказался лишенным и творческих, и пролетарских прав этот обещанный Сталиным "творческий пролетарский человек". Почитали бы вы, инженер Вермо, ранний роман Дудинцева "Не хлебом единым" о судьбе изобретателей, натыкавшихся со своими идеями технической революции на непробиваемую стену. Непобедимый изобретательский талант нашего народа продолжал творчество даже в "шарашках" – вспомним хотя бы Туполева, создававшего за колючей проволокой проекты краснозвездных самолетов. Но это было не благодаря, а вопреки. Кибернетика в словарях сталинского времени называлась лженаукой, Сахарова пытались отлучить от науки только за то, что испугались слова "конвергенция" больше, чем водородной бомбы. Прожектерство и страх саморазвития – это сиамские близнецы. Разве в этом страхе саморазвития не были виноваты такие безответственные переустраиватели мира, как вы, инженер Вермо? Вам советовал Ленин учиться не переставая, постоянно, а вы вместо этого начали сами учить все человечество. Вы начали тащить историю вперед за волосья, забыв присоветованные Платоновым слова Николая Арсанова: "Достаточно оставить историю на пятьдесят лет в покое, чтобы все без усилий достигли упоительного благополучия". Вот как лихо решает узловые проблемы истории Копенкин: "Ты что за гнида такая, сказано тебе от губисполкома – закончить к лету социализм!" Похожее по безответственности заявление о том, что наше поколение будет жить при коммунизме, мы слышали от Хрущева, поразительно похожего и лексикой, и характером на многих, далеко не худших ранних героев Платонова. Хрущеву понравилась бы, например, идея решения жилищного кризиса путем выращивания гигантских тыкв, в которых будут спать доярки и гуртоправы. Если вас не расстреляли в 37-м, инженер Вермо, то, возможно, вы стали начальником, как Макар и Петр, которые в конце концов добились, что и те, кто "волнуется и ходит", сами стали принимать в своих кабинетах других "волнующихся и ходящих". Но отсутствие у этих начальников первичной культуры привело к тому, что "трудящиеся стали думать и решать за себя в квартирах". А ведь раньше Петр вычитывал у Ленина только то, что ему, Петру, необходимо было для оправдания своей жажды стать начальником: "Побольше надо в наших учреждениях рабочих и крестьян. Социализм надо строить руками массового человека".

Но семидесятилетняя практика нашего государства показала, что многие крестьяне и рабочие, став начальниками, перерождаются, теряют чувство собственного класса. Ставка на руководителя как на массового человека не оправдалась. Для того чтобы вести за собой массы, надо быть чем-то большим, чем просто "массовый человек". Надо обладать культурой, как таковой, и культурой руководства. Но откуда же взяться культуре руководства без культуры первичной?

Тогда получаются либо Умришев с его спасительным: "Не суйся. Чем старина себя спасла? Тем, что не совалась...". Либо сующаяся всюду Федератовна: "Я всю республику люблю. Я день и ночь хожу и щупаю где что есть и где чего нет... Мы их кокнем!". Либо романтически склонная к прожектерам Босталоева, которая, к счастью, "начать эту работу она стеснялась, потому что не понимала еще внутреннего устройства земного шара, и не видела ни разу вольтовой дуги...". Отсутствие элементарных философских знаний у таких руководителей подменяется философией доморощенной, ибо нельзя же руководить людьми хотя бы без видимости идеи... тускленькая, тухленькая философия Умришева: "Каждому трудящемуся нужно дать в его собственность небольшое царство труда... Один, например, чистит скотоместа, другой чинит по степи срубовые колодцы, третий – пробует молоко – какое скисло, какое нет – каждый делает свое дело, и некуда ему больше соваться". Философия Федератовны – приказная, бросающая людей, как мясо, прямо в кипящий котел классовой борьбы: "Старайся, старайся, активничай, выявляй, помогай, бодрствуй, мучитель советской власти...". Но когда Федератовна плачет, она, стесняясь своих слов, говорит секретарю: "Ты пиши, пиши наше партийное, а мое бабье, старое наружу выходит...".

Нечаянная бесчеловечность к другим начинается с того, когда начинают стесняться простых человеческих чувств. Беззаветная романтика Босталоевой кончается полным отчаянием, когда к техническим чудесам социализма не хватает комплектных деталей. Босталоева просит у начальника полторы тонны проволоки-катанки, из которой она задумала нарубить гвозди, не существующие на данном этапе социализма. Начальник, готовый помочь ей с проволокой в порядке натурального обмена на ее тело, осторожно спрашивает: "А вы не обидитесь?". Босталоева отвечает: "Не обижусь, потому что привыкла. Прошлый год я доставала кровельное железо, мне пришлось за это сделать аборт".

Жутко становится от этого столкновения возвышенной утопии с ухмыляющейся мордой реальности. Философией Босталоевой становится покорная привычка к тому, что ради прекрасного все время приходится делать что-то унизительное, гадкое. Новые утописты-циники хотят утопить утопистов-романтиков. Кемаль уже кричит на Босталоеву: "Ты же все лозунги извращаешь, ты с природой, ты с отсталостью примирялась, здесь, нервная ничтожность...".

Некрасивое отношение к женщине, да еще и к товарищу по социализму, не правда ли, инженер Вермо? Но вы ведь сами думали о ней еще хуже – на химические элементы в интересах социализма ее тело раскладывали! Вы, инженер Вермо, были первооткрывателем бюрократической игры – сокращения штатов: "Что если мы ликвидируем пастухов, а коров передадим быкам... Бык этот умник, если его приучить к ответственности: субъективно бык будет защитником коров, а объективно нашим пастухом: штатное многолюдство – это отсталость...".

Бюрократические штаты даже за полвека вам не удалось сократить, инженер Вермо, а вот что удалось сократить – так это число талантливых, самостоятельно думающих людей.

Сейчас вы, наверное, на пенсии, инженер Вермо. Ворчите на то, что всюду очереди, что перестройка идет заторможенно. Но ведь это именно такие, как вы, инженер Вермо, начали тормозить сегодняшнюю перестройку еще в 20-е годы. Успешнее всего тормозят прогресс безответственным ускорением истории. Находясь на пенсии, вы, так сказать, диссидент справа.

Когда тех, кто потенциально опасен для перестройки, вежливо отправляют на пенсию, – это соблюдение национальной безопасности.

Чучело больше и страшней

Платонов благоговейно писал о происхождении мастера. Будь он жив, сегодня он написал бы об исчезновении мастера.

У самого Платонова лицо, почти исчезнувшее из почти обезнароденного народа, – лицо русского мастерового, знающего цену не только себе, но и другим: кому – грошовую, кому – неоплатную.

Фронтовые товарищи Платонова вспоминают, что, остановившись на ночлег в какой-нибудь обезмужичевшей избе, Платонов всегда брал в ум и дырявую крышу починить, и дровишек наколоть.

Году в 50-м в литинститутском дворике мне "показали" Платонова. Он счищал снег с аллеи деревянной лопатой, обитой по краям жестью. Платонов, в потрепанном пальтишке, в кроличьей потертой шапке с опущенными ушами, двигал лопатой столь размеренно, столь привычно, что был похож на обыкновенного дворника. Даже эту работу он делал уважительно и к снегу, и к лопате. Тогда Платонова не печатали, не писали о нем, его только показывали, да и то издали. Мой старший друг – геофизик, ставший впоследствии критиком, В. Барлас без выноса из квартиры дал мне почитать редкостную тогда книжку "Река Потудань". Она ошеломила меня, озадачила, околдовала. У меня было такое чувство, как будто меня ввели в потайное подземелье, где от недоброго глаза и злой руки спрятаны дива дивные. Платоновские слова под светом выхватившей их из мрака колеблющейся свечи заиграли, засияли, замерцали, как драгоценные камни, о которых я и слыхом не слыхивал. Так и жила наша страна, надевавшая в торжественных случаях пышную и жалкую бижутерию и пряча в подземелья от самой себя и от других истинные сокровища. Когда кровавый психоз кончается, то еще надолго инерционно остается психоз умолчания. Главное чудо прозы Платонова в том, что она, несмотря ни на что, написана и что стала, по его же выражению, "веществом существования". Платонов оставил нам, своим потомкам, отравленным лживой историей, свои бесценные свидетельства "самодельного человека". В "Котловане" Вощев рассуждает так: "Все живет и терпит на свете, ничего не сознавая. Как будто один или несколько немногих извлекли из нас убежденное чувство и взяли его себе". Платонов оказался одним из этих немногих, среди которых были и Вавилов, и Чаянов, и Войно-Ясенецкий, и чудом выживший Лихачев. Но собственное избранничество не могло слишком радовать Платонова, ибо убежденное чувство он хотел видеть щедро рассыпанным по всему народу, не обделяя ни одного усомнившегося Макара. Платонов не сваливал все народные беды на вождей и бюрократию. Бюрократия, по Платонову, лишь порождение социально-исторического психоза, охватившего все слои населения, включая интеллигенцию и временно – самого Платонова. Платонов был народом, осуждавшим сам народ не только за то, что он позволял делать с собой, но и за то, что народ делал с собой сам. Бюрократия – это оплачиваемое народом пренебрежение к народу.

Усомнившегося Макара вытаскивают из колодца мужики под командой Чумового, "который боялся, что погибнет гражданин помимо фронта социалистического строительства". Значит, на социалистическом фронте погибать естественно? Привычка к массовому закланию конкретных людей во имя абстрактного "народа" – вот что было страшным следствием психоза. Хоз ядовито высмеивает детскую по разуму, но кровавую по результатам игру во врагов и друзей: "Классовый враг нам тоже необходим: превратим его в друга, а друга во врага – лишь бы игра не кончилась". Старший пастух Климент считал, что врагов надо ценить, а если нужно, то и производить, иначе без врагов вся классовая борьба – насмарку: "Злой человек – тот вещь, а смирный же – ничто, его даже ухватить не за что, чтобы вдарить!" Сталинская доктрина обострения классовой борьбы по сути была производством "злых людей" для последующего "ухватывания" их, чтобы вдарить. Хоз недоуменно спрашивает Антона: "Зачем ты это чучело поставил – три трудодня истратил. Расточительство!" Антон: "Пугать классового врага! Чучело больше человека и страшней!". В пьесе "14 красных избушек", написанной в 1937–1938 гг., Платонов уже тогда зафиксировал, что государственное производство классовых врагов уравновешивается производством мраморных и бронзовых чучел. Психоз, набирая инерцию, забывает про свою первоначальную цель – уничтожение врагов. Уничтожение начинает руководить психозом, а не психоз – уничтожением. Дванов, арестовывая того, кто, по его мнению, должен быть бандитом, удивляется, что тот не похож на бандита, а обыкновенный мужик и вряд ли богатый.

– Ты кулак?

– Нет, мы тут последние люди, – вразумительно ответил мужик. – Кулак не воюет: у него хлеба много – весь не отберут.

Кочевая профессия мелиоратора измотала Платонова, но в то же время позволила ему "прижаться к фактам", почувствовать болевые точки израненного гражданской войной тела страны, которое продолжали ранить, кромсать, ковырять дилетантские безграмотные руки политических и экономических коновалов. Деревня была первой жертвой утопического психоза. А настоящих деревенщиков, защитников крестьянства в литературе тогда почти не осталось. Спасительные идеи Чаянова были задушены вместе с автором. Даже в книге В. Васильева "Андрей Платонов" (1980) Чаянов, выдающийся защитник крестьянства, называется "антисоветски настроенным". Есенин с душераздирающей печалью писал: "Я последний поэт деревни", – некрасовская линия прервалась. Пролеткультовская космическая гигантомания, которой отдал свою дань в юности Платонов, породила "заграночную псевдопоэзию". Маяковский непростительно для его великого таланта просмотрел нараставшую трагедию деревни, написал плакатно-лубочное: "Сидят папаши, каждый хитр, землю попашет, попишет стихи". При всей моей любви к "Тихому Дону", к чубатому казацкому Гамлету – Григорию Мелехову и к Аксинье шолоховский Давыдов не вызывает у меня симпатии такими своими аргументами: "Кулака мы терпели из нужды: он хлеба больше, чем колхозы давал. А теперь – наоборот. Товарищ Сталин точно подсчитал эту арифметику и сказал: "Уволить кулака из жизни...". Теперь-то мы с вами знаем, что под видом кулака увольняли из жизни середняка, на котором держалось хлеборобство российское. Товарищ Сталин совсем не точно подсчитал арифметику. Мы по сталинским фальшивым счетам до сих пор расплачиваемся и расплатиться не можем. Хоз, ставший счетоводом, вдруг бросает надоевшие ему своим щелканьем бухгалтерские костяшки: "Пусть они будут счастливы приблизительно... Все равно – всякий учет и счет потребуют потом переучета".

Перестройка – это время великого переучета. Не все писатели выдерживают испытание великим переучетом. А вот Платонов выдерживает – и как мастер, и как гражданин. Как мастер – потому что он чурался приблизительных слов. Как гражданин – потому что он презирал приблизительное счастье.

Этот человек и был человечеством

Судьба прозы Платонова была подобна так описанной им судьбе пушкинской Татьяны: "Она походит здесь на одно таинственное существо из старой сказки, которое всю жизнь ползало по земле и ему перебили ноги, чтобы это существо погибло – тогда оно нашло в себе крылья и взлетело над тем низким местом, где ему предназначалась смерть".

Сейчас борются две точки зрения на время так называемого Великого Перелома, который превратился в перелом костей тех, кто не захотел сгибаться. Первая точка зрения: выдвижение именно такого самодержавного человека, как Сталин, насильственная коллективизация, индустриализация на костях были исторической неизбежностью.

Вторая точка зрения: была альтернатива гуманистическая – развитие кооперации, гласности, демократии, добровольной коллективизации (бухаринский вариант). Альтернативный вариант на пост генсека не называется. Победил первый вариант, и все случилось по платоновскому предсказанию из "Котлована": "Ну что ж, вы сделаете из республики колхоз, а вся-то республика будет единоличным хозяйством!"

Кроме бухаринской, были, конечно, и другие альтернативы. Насколько мне известно, Платонов ни одну из них прямо не поддерживал и вообще прямой профессиональной политикой не занимался. Но сейчас очевидно, что по мастерству социально-политического анализа Платонов оказался впереди и Сталина, и Бухарина, и многих других. Разгадка неучастия Платонова в ежедневной политической борьбе была, видимо, в этом. Не случайно Платонов анализировал отсутствие Пушкина на Сенатской площади так: "Мы хотим поставить вопрос – не обладал ли Пушкин более точным знанием и ощущением действительности, чем декабристы? И затем – не играл ли он пассивную роль в декабрьском движении по собственному почину? Иначе следует допустить, что великий поэт, будучи человеком храбрым, несчастным и гениальным, отказался принять участие в улучшении своей и всеобщей судьбы, то есть оказался человеком, мягко говоря, недальновидным и легкомысленным. А мы знаем, что Пушкин применяет легкомыслие лишь в уместных случаях..." ("Пушкин наш товарищ").

Писатель Андрей Платонов предпочел не карабкание по хребтам истории в групповой альпинистской связке, а свободный полет. Но летел он так, что увидел и целостный масштаб, и каждого частного Макара. Проза Платонова – это взлетевшая над своим временем гениальная русская мысль.

Он был рожден как писатель для того, чтобы писать о любви. Вот шепот, подслушанный Чагатаевым в "Джан": "...никакого добра у нас с тобой, я все думала-передумала, и вижу, что люблю тебя... – Я тоже тебя (говорил муж) иначе не проживешь...".

В "Реке Потудань" Люба говорит: "Люди умирают потому, что болеют одни и некому их любить, а ты со мною сейчас...". Но Платонов боялся любви "в идеальной, чистой форме, замкнутой в самой себе, равной самоубийству", и боялся литературы, подобной такой любви.

Платонов учит нас тому, что "пролетариату психоз не нужен", а нужна любовь – иначе не проживешь. Платонов продышал лед на стекле времени и додышался до нас. Во всем советском периоде русской литературы нет писателя чище и любовней к людям. О Платонове можно сказать чувствами Фро о музыканте: "Этот человек, наверное, и был человечеством". В предисловии к своей ранней книжке стихов "Голубая Глубина" Платонов писал: "Мы ненавидим наше убожество, мы упорно идем из грязи... Из нашего уродства вырастет душа мира". Тот, кто не лгал о прошлом, не солжет и о будущем.

Сталин и сталинизм
как социо-психологический
феномен.
Опыт анализа

О. Лацис

СТАЛИН ПРОТИВ ЛЕНИНА

Удивительное дело: уже на третьем году перестройки стали все чаще раздаваться речи о том, что хватит писать о Сталине, надоело, устали: как ни раскроешь *Огонек*, как ни глянешь в телевизор – все об одном. И слова находят красивые: нельзя, говорят, идти вперед, повернув голову назад. Да и ясно, говорят, всё – уже столько написано...

А сколько написано?

Была четверть века беспардонной лжи и неустанной аллилуйщины – вся эпоха сталинского самовластия, от конца 20-х до начала 50-х. Четверть века, целое поколение выросло в дурмане – и не надоело. Потом, после десятилетия оглядывающейся полуправды, еще двадцать лет удушения правды. Верно, теперь душили не жесткой удавкой, как при Сталине, а мягкой подушкой. На несколько лет отец народов исчез с экранов и печатных страниц – совсем исчез, будто и не было.

Сусловы и трапезниковы безошибочно рассчитали, что истина, не напоминаемая ежедневно, не преподаваемая в школе, очень быстро забывается большинством людей. Уже через несколько лет их расчет был подтвержден приступом специфического правдолюбия: появлением тысяч портретов за ветровыми стеклами машин, водители которых пребывали в наивной уверенности, что их жест неприятен властям. Портреты за ветровым стеклом означали, что реальный облик тирана забыт – рождается новый миф. Тогда усатая физиономия снова возникла в кадрах фильмов и на страницах псевдоисторических романов. Это было какое-то третье обличье: не божий лик, витавший над миром до 1953 г., и не морда палача, явленная нам в 1956-м. Третий Сталин был благостный (одевался скромно и борщ себе наливал сам) и остроумный (мог сказать Рокоссовскому: "Пойдите и подумайте еще"), когда-то совершил какие-то неясные ошибки (кто их не совершал?), но, впрочем, привел нас к державному величию и славной победе. Да еще потом снижал цены – это, пожалуй, самое приятное в нем.

Итак, почти шесть десятилетий историческое сознание народа, его представление о собственном отнюдь не давнем прошлом забивалось мусором разных сортов. И только после ноября 1987 г. в полную силу развернулась расчистка этих завалов. Да, в полную силу – только после ноября 1987 г., хотя время гласности пришло в 1985. Но тут мало было одного лишь журналистского усердия. Требовалось опровергнуть ложь, запечатленную не только в романах и фильмах, учебниках и статьях. Часть сталинской лжи была оттиснута в строках партийных документов, которые не утратили силу, пока сама партия их не опровергла. Поэтому полный и гласный научный анализ недавнего прошлого стал возможен только после доклада о 70-летии Октября, основные положения которого одобрил перед тем Пленум ЦК КПСС.

Что же достигнуто за сравнительно короткое время гласности после долгой ночи безгласия? Несмотря на то что то и дело слышались призывы свернуть критику сталинщины, сделано много, гораздо больше, чем за всю пору "оттепели" конца 50-х – начала 60-х. Во-первых, созданы условия для перемены всей общественной атмосферы. Они созданы политикой гласности, изменением партийных оценок нашей истории, работой Комиссии Политбюро по пересмотру дел репрессированных. Во-вторых, эти благоприятные условия реально использованы, в обществе произошли небывалые перемены.

И в то же время сделано еще очень мало. Не потому, что письмо в защиту сталинистских "принципов" нашло и сочувственный отклик. И не потому, что на суд Шеховцова против Адамовича (не то, почти смешное заседание, что было показано по телевизору, а второе, в городском суде) явились воинственные сторонники сталиниста. И даже не потому, что и на XIX Всесоюзной партконференции не все оценили по достоинству громогласное лицемерие литературного генерала, пугавшего неким "критическим ядом". Главная слабость сделанного в том, что переменилось больше общественное настроение, чем общественное сознание, – сдвиг важнейший, но сам по себе непрочный.

Еще не подсчитаны – для начала хотя бы с точностью до миллиона – жертвы беззакония. Еще не всем реабилитированным или их семьям возвращены полностью их законные права. Еще не все беззаконно наказанные реабилитированы, и немалая еще работа предстоит Комиссии Политбюро. Еще не все архивы открыты для историков, да и не забудем, что открыть архивы – это совсем не то, что открыть вещевой склад: на поиски ценностей в архиве нужны годы и годы. Еще не написан хотя бы один правдивый учебник по истории партии после множества неправдивых. Еще едва начато издание трудов запрещенных мыслителей, едва начал приоткрываться народу целый пласт украденной у него духовной жизни. Еще не установлен ни один памятник жертвам преступлений.

После десятилетий дезинформации нужны, во всяком случае, годы на восстановление и восприятие правдивой информации. Но и это – только начало. Узнать утаенные факты истории – это даже не полдела. Гораздо важнее и сложнее – осмыслить новые факты. Именно перед этой задачей отступила первая волна критики сталинщины после XX съезда. Именно к вопросам, впервые поставленным более тридцати лет назад, пришлось нам вернуться сегодня.

Почему мы строили социализм по-сталински? И могли ли мы иначе его построить? Не праздное любопытство стоит за этим желанием постичь наше прошлое, за ним – тревога о настоящем и будущем, потому что, не сведя счетов со сталинщиной, мы не найдем гарантий против ее повторения, не укрепим доверие новых поколений к социализму, не возродим его авторитет в мире. Мы просто не можем жить без этого.

Что дали двадцать лет умолчания о неудобных вопросах после 1964 г.? Укреплен ли авторитет социалистической идеи в результате этого умолчания? Нет, только ослаблен. Это наша пропаганда молчала о горькой правде нашего прошлого, это наша наука не исследовала сложные проблемы. Чужая пропаганда не молчала, чужие историки не теряли времени. Да и те советские люди, кто не слушал чужих голосов, – они не мирились с незнанием и заполняли вакуум мифами, самодельными концепциями.

Социалистическое сознание старших поколений относительно меньше пострадало от этого. Жизненный опыт людей, видевших революцию и гражданскую войну, социалистическое строительство и войну Отечественную, – этот опыт и без науки давал ощущение силы нашего строя. Потрясенные горькой правдой в 56-м, люди тех поколений в большинстве своем все же выработали понимание того, что ленинские идеи, социализм – это одно, сталинщина – другое. Но совсем иную закалку дал жизненный опыт тем, кто вступил в активный возраст в 70-х годах, для кого политика отождествлялась лишь с длинным рядом портретов "героев" застойного времени.

Именно в те времена, когда на страницах печати господствовала "идейная чистота", в реальной общественной жизни произошло немыслимое прежде засорение идеологии. Монархические, буржуазно-демократические, шовинистические, националистские, разномастные мракобесные идеи, справедливо считавшиеся некогда принадлежностью лишь остатков эксплуататорских классов, распространились среди интеллигенции, среди рабочих и крестьян, среди потомков революционеров. Не просто распространились, а стали модой, свидетельством вольномыслия, соблазном для молодежи. Сегодня противники перестройки любят порассуждать о случившемся будто бы в пору гласности повреждении идейных основ социализма, о появлении "альтернативных башен", стремящихся сокрушить наш строй. Есть подобные "башни", хотя "плакальщики по социализму" любят приписывать к ним и всякую критику извращений прошлых времен. Есть в обществе носители подлинно антисоциалистической идеологии, но гласность только лишь позволила им обнаружиться. А появились они в годы молчания.

В пору гласности и перестройки историки начали сначала. Начали в худших условиях, потому что двадцать лет упущены. Начали в лучших условиях, потому что документы 70-летия Октября дали то, что нужно науке: не истину в последней инстанции по всем вопросам и обо всех личностях, а возможность вести объективное исследование.

Начали с тех же вопросов, перед которыми остановились в конце 50-х – начале 60-х годов.

Прежде всего в центре внимания оказался вопрос об исторических альтернативах сталинизму. Открывалась ли перед страной возможность иного пути? Если да – почему она осталась неиспользованной? Иначе говоря – каково соотношение объективных и субъективных причин сталинизма? Политическое значение этих вопросов столь же очевидно, как и их научная сложность. Ведь если выбора не было, если путь наибольших народных жертв был объективно предопределен – историкам пришлось бы оправдать Сталина. А если не был предопределен (к чему склоняется, кажется, большинство авторов), то лишь весьма сложная историческая концепция сможет надежно объяснить то, что произошло, не погрешив против исторического материализма или, попросту говоря, не превратив историю из науки в собрание анекдотов из жизни правителей.

Историки только начали нащупывать такую концепцию, когда дало о себе знать еще одно течение, норовящее перевести всю дискуссию в иную (впрочем, не новую) плоскость. Наглядным его выражением может служить, например, статья А. Ципко "Истоки сталинизма"[1]. Ее логика заслуживает более подробного разбора.

---

[1] См.: *Наука и жизнь*, 1988, № 11, 12; 1989, № 1, 2.

Автор начинает с правильной в общем постановки вопроса "о доктринальных причинах наших неудач в социалистическом строительстве", как он выражается. Действительно, нельзя изучить причины деформации революционной доктрины, не присмотревшись более пристально к самой доктрине, как нельзя познать рак, не поняв, какие сбои в генетической программе здоровой клетки делают ее уязвимой для злокачественного перерождения.

Мысль верная. В сущности, необходимость такого подхода понимал уже Ф.М. Достоевский, результатом чего явились "Бесы" – да и этот автор, может быть, не был первым. В наше время весьма удачную, на мой взгляд, методологию исследования революционной доктрины (как и почему в ее организме могут возобладать либо здоровые клетки, либо больные) предложил Г. Водолазов. Можно только пожалеть, что его книга "От Чернышевского к Плеханову", бог весть каким чудом изданная в Москве еще в 60-е годы (правда, ничтожным тиражом), выпала из научного оборота в наши дни – именно сейчас она очень ко двору[1].

Однако суть дела не в том, кто первым родил здравую мысль. Беда в том, что, провозгласив эту мысль, А. Ципко тут же уклонился от весьма трудоемкого анализа, к которому обязывает реализация его предложения. Вместо этого он заявляет, будто Сталин никакого отхода от марксистско-ленинской революционной доктрины не совершил, и только недостаточная смелость мысли мешает современным авторам признать, что Сталин выполнил то самое, что и замышляла ленинская партия.

Напомним, что именно выполнил Сталин, как мы знаем сейчас. Срыв ленинской политики "смычки", замена добровольного кооперирования насильственной коллективизацией, высылка миллионов раскулаченных (не только кулаков), обрекшая многих из них на гибель. Срыв первого пятилетнего плана, замедление индустриализации в результате "подхлестывания" экономики, предвосхитившего маоистский "большой скачок". Удушение голодом нескольких миллионов крестьян уже в колхозах. Беззаконные репрессии против миллионов советских людей всех слоев общества, включая большинство лучших представителей интеллигенции, большую часть руководителей партии, государства, армии, органов госбезопасности. Убийство коминтерновцев, руководителей многих зарубежных компартий. Высылка целых народов по национальному признаку. Срыв политики единого фронта против фашизма в западноевропейских странах, натравливание коммунистов против социал-демократов.

Букет еще не полон, но достаточно и этого. Может быть, А. Ципко открыл неизвестные доселе докумнеты, показывающие, что марксистско-ленинская революционная доктрина все это предполагала? Нет, автор просто исходит из того, что Сталин был типичным марксистом – в этом суть выдвинутой версии.

Правда, А. Ципко все-таки делает оговорку (сославшись на газетные выступления Д. Затонского). Представление о партии как об "ордене меченосцев", низведение простых людей до функции "винтиков", идея, что по мере продвижения к высотам социализма нас ждет обострение классовой борьбы, – вот, пожалуй, и все, по его мнению, явственные теоретические отклонения Сталина от духа марксизма-ленинизма.

---

[1] Г.Г. Водолазов. От Чернышевского к Плеханову. М., 1969.

Но ведь одна эта фраза опрокидывает всю пирамиду построений А. Ципко. Стоит вспомнить, что марксизм начертал на своем знамени как высшую цель – всестороннее развитие личности, чтобы понять: одно лишь низведение людей до функции "винтиков" (т.е. превращение человека из цели в средство) уже начисто вычеркивает Сталина из рядов марксистов. Стоит также вспомнить, что стояло за идеей "обострения классовой борьбы", чтобы понять, сколь далеко уводило от марксизма и это "теоретическое новшество".

Однако названные три отклонения от марксизма – не только не пустячные, но и далеко не единственные у Сталина. Давно разобраны по косточкам и подвергнуты уничтожающей научной критике с марксистско-ленинских позиций и "Марксизм и вопросы языкознания", и "Экономические проблемы социализма в СССР", содержащие целый букет антимарксистских положений. Пожалуй, если взять лишь оригинальные теоретические работы Сталина (оставив в стороне те, где он с большей или меньшей степенью искажения и огрубления пересказывал работы Ленина), то легче назвать те, которые выдерживают критику с марксистских позиций. Едва ли не единственный такой труд – его ранняя статья по национальному вопросу (в отношении которой, правда, невозможно сейчас установить, какова была степень участия Бухарина, направленного Лениным в помощь Сталину на время работы над этой статьей, поскольку Сталин не знал немецкого языка, а браться за теоретическую статью на эту тему без работ австрийских марксистов было немыслимо).

Однако в данном случае вопрос не в том, много ли отклонений от марксизма можно насчитать в сочинениях Сталина. Ведь предмет исследования А. Ципко – сама сущность политики Сталина. Предмет, обозначенный в заглавии статьи, – истоки сталинизма. Применительно к этой теме, за которой стоят трагедия революции, трагедия народа, личные трагедии миллионов, – попытка свести разговор к наличию или отсутствию теоретических ошибок в сочинениях организатора преступлений лежит, на мой взгляд, не только за пределами науки, но и за пределами нравственности.

В государстве, рожденном великой революцией, вдохновлявшейся самыми передовыми идеями, сумел захватить власть человек с психологией пахана бандитской шайки. Иллюзионистские фокусы, в том числе и "теоретические", которые он при этом использовал, конечно, должны быть исследованы так же внимательно, как и весь прочий фактический материал. Но описанием пропагандистских масок великого иллюзиониста нельзя заменить изучение реального содержания его политики. И все это никак не приближает нас к ответу на главный вопрос: как и почему сталинщина стала возможной?

Напротив, я считаю – отдаляет. И даже снимает с повестки дня самый вопрос – что и требуется доказать сталинистам. "Сталин – это Ленин сегодня", – учили нас в школе. Естественно, это говорилось в похвалу Сталину. "Сталин – это адекватный выразитель марксизма-ленинизма своего времени", – говорят А. Ципко и некоторые другие авторы. Итак, всего-навсего меняется знак – минус вместо плюса. Сталинизм отождествляется с марксизмом-ленинизмом не в похвалу Сталину, а в осуждение марксизму-ленинизму. К одному искажению исторической ретроспективы добавляется другое, а с точки зрения оценки сталинизма, итог тот же: Сталин не виноват.

Конечно, так думают не все. Например, Г. Лисичкин придерживается прямо противоположного мнения[1]. Он наглядно показал убожество Сталина-экономиста с позиций марксизма. Но идеи, подобные идеям А. Ципко, нынче входят в моду. Главным образом потому, что оригинально, ниспровергательно, смело. Не вяжется с фактами, рассыпается при сопоставлении с первоисточниками? Да кто их нынче читает, эти первоисточники? В среду надо прочитать *Московские новости* и *Литературку*, в субботу *Неделю*, в воскресенье *Огонек*, каждый день ежедневные газеты, а еще *Новый мир, Знамя, Дружба народов, Юность, Знание – сила...* господи, да с этой гласностью и выспаться-то некогда.

Но если мы хотим остаться на почве науки, то надо помнить, что хлеб науки – факты. И самая заковыристая гипотеза получает право именоваться теорией только тогда, когда она подкреплена фактами. Поэтому наберемся терпения и обратимся к документам.

Попытки "подверстать" Маркса, Энгельса, Ленина под Сталина рассыпаются при объективном изучении подлинных документов. Конечно, в десятках томов сочинений классиков среди слов, сказанных в разное время и по разным поводам, можно найти цитаты, по крайней мере не противоречащие тем или иным суждениям Сталина. Но это либо высказывания Ленина времен "военного коммунизма", опровергнутые позднее самим Ильичем, либо общетеоретические, более или менее абстрактные суждения, обычно относящиеся к дооктябрьскому периоду или к самым первым месяцам революции. Как писал Г. Водолазов в упоминавшейся книге "От Чернышевского к Плеханову", "особенность абстрактной теории состоит в том, что противоречия, в ней заключающиеся, не выявлены и не противопоставлены друг другу. И конкретизация как раз и состоит в том, что "абстрактные" (неясные и неощущаемые или едва ощущаемые, "размытые") противоречия проясняются. Внутренние, скрытые противоречия единого прежде учения получают самостоятельное развитие, самостоятельное существование. Одна из сторон прежнего учения становится самостоятельной теорией и направляется против другой его стороны"[2].

Такой абстрактной, с неясными или едва ощущаемыми внутренними противоречиями, была марксистская доктрина социалистического строительства до февраля 1917 г. Уже в предоктябрьских работах ("Грозящая катастрофа и как с ней бороться", "Удержат ли большевики государственную власть?"), развивая большевистскую программу выхода из конкретной ситуации, Ленин начал конкретизировать некоторые крупные детали в направлении, явно расходящемся с левацкими представлениями. Начиная же с первых месяцев 1918 г., со схватки Ленина с "левыми коммунистами", раздвоение единого прежде учения стало явным. Правда, мирная передышка (от заключения Брестского мира в марте до чехословацкого мятежа в мае) оказалась слишком короткой для полной разработки путей приложения марксистской теории к конкретной практике. На три года задержалась выработка таких существенных деталей ленинской доктрины, как переход от концепции "единой фабрики" в масштабах страны к концепции хозрасчетного обособления предприятий, от безденежного распределения и продуктообмена – к торговле и правиль-

---

[1] См.: *Новый мир*, 1988, № 11. Эта же статья публикуется в данном сборнике.
[2] Г.Г. Водолазов. Указ. соч., с. 81.

ному денежному обращению, от непосредственно коммунистического расчета на энтузиазм – к "личному интересу". Но начиная с 1921 г. определились и детали.

Так или иначе, начиная с 1918 или с 1921 г. определенно существовали два направления, два типа, две "модели" (как сейчас часто говорят) социализма и социалистического развития. К 1928 г. левацкая модель была известна уже в нескольких вариантах: "левые коммунисты" 1918 г., троцкистская платформа 1923 г., "новая оппозиция" 1925 г., оппозиционный блок 1926–1927 гг. Все левацкие модели уходили своими корнями в теоретическую марксистскую модель, которая до Октября, до первого революционного опыта оставалась нерасчлененной, не могла различить даже крупных деталей, оказавшихся потом в центре полемики и борьбы. Они были марксистскими по происхождению – как и та модель, которую в 1918–1923 гг. наиболее полно отразил Ленин, а в 1925–1928 гг. – Бухарин. Обе были марксистскими и обе стали непримиримо противоположными. Поэтому утверждение о том, что Сталин был марксистом, будучи фактически верным определением его принадлежности к данному идейному течению в целом, в то же время ничего не объясняет нам относительно происхождения сталинизма. Необходимо еще показать, к какому из двух течений послеоктябрьского (и, добавим, послеленинского) марксизма относится сталинизм. Весьма знаменательно, что имено сталинская и сталинистская политэкономия всячески избегала признания самого факта существования двух моделей социализма, объявляя одну из них (назовем ее хозрасчетной) несоциалистической: либо еще неразвитой, переходной и подлежавшей устранению (ленинский нэп), либо "ревизионистской" (всякие предложения такой политики позднее). Критики, подобные А. Ципко, тоже изображают марксистско-ленинскую модель социализма как нечто единое, меняя лишь эмоциональную оценку ее.

Сопоставляя высказывания, замечаешь удивительную закономерность: все, что для Ленина было трудно, для Сталина – легко и просто. Там, где Ленин видел коренную проблему длительной переделки массовой психологии с помощью нового экономического строя, там для "коммунистических бюрократов" существовала лишь проблема манипулирования массами – от бухаринского призыва на VII съезде "давить на массы" до сталинского "великого перелома". Из этого главного различия вытекали все прочие, частные расхождения. Вот какими категориями мыслил Ленин, например, в статье "О кооперации":

"Но чтобы достигнуть через нэп участия в кооперации поголовно всего населения – вот для этого требуется целая историческая эпоха. Мы можем пройти на хороший конец эту эпоху в одно-два десятилетия. Но все-таки это будет особая историческая эпоха, и без этой исторической эпохи, без поголовной грамотности, без достаточной степени толковости, без достаточной степени приучения населения к тому, чтобы пользоваться книжками, и без материальной основы этого, без известной обеспеченности, скажем, от неурожая, от голода и т.д., – без этого нам своей цели не достигнуть"[1].

В другой период, в "Очередных задачах Советской власти", Ленин высказывался в том же духе:

---

[1] В.И. Ленин. Полн. собр. соч., т. 45, с. 372.

"... если центральной государственной властью можно овладеть в несколько дней, если подавить военное (и саботажническое) сопротивление эксплуататоров можно в несколько недель, то прочное решение задачи поднять производительность труда требует, во всяком случае... нескольких лет. Длительный характер работы предписывается здесь безусловно объективными обстоятельствами"[1].

Так говорил Ленин. А вот в 1931 г. держит речь Сталин:

"Говорят, что трудно овладеть техникой. Неверно! Нет таких крепостей, которых большевики не могли бы взять. Мы решили ряд труднейших задач. Мы свергли капитализм. Мы взяли власть. Мы построили крупнейшую социалистическую индустрию. Мы повернули середняка на путь социализма. Самое важное с точки зрения строительства мы уже сделали. Нам осталось немного: изучить технику, овладеть наукой. И когда мы сделаем это, у нас пойдут такие темпы, о которых сейчас мы не смеем и мечтать"[2].

И здесь вся ленинская иерархия задач перевернута – что для Ленина сложная задача, то для Сталина – не проблема. "Мы взяли власть" – какие еще могут быть трудности! Сталинский подход был, без сомнения, милее любому бюрократу – Ленин требовал уж очень многого, тогда как Сталин ставил задачу просто и ясно. Даже в самый разгар войны и "военно-коммунистических" увлечений в 1919 г. Ленин не забывал главного:

"У нас, в лучшем случае, есть наука агитатора, пропагандиста, человека, закаленного дьявольски тяжелой судьбой фабричного рабочего или голодного крестьянина, – наука, которая учит долго держаться, оказывать упорство в борьбе, что и спасало нас до сих пор; это все необходимо; но этого мало, с этим одним победить нельзя; чтобы победа была полная и окончательная, надо еще взять все то, что есть в капитализме ценного, взять себе всю науку и культуру"[3].

Дальше в той же речи "Успехи и трудности Советской власти":

"Задача – как соединить победоносную пролетарскую революцию с буржуазной культурой, с буржуазной наукой и техникой, бывшей до сих пор достоянием немногих, задача, еще раз скажу, трудная. Здесь все дело в организации, в дисциплине передового слоя трудящихся масс"[4].

По Ленину, эта трудная задача распадается на две: первая – поставить на службу социалистическому строительству старую интеллигенцию; вторая – сплотив трудящиеся массы, "внушить им, разъяснить, убедить их в важности задачи взять всю буржуазную культуру себе..."[5]. Это не все могли, для этого и старым революционерам надо было заново учиться. От этого многие уклонялись. И здесь тоже один из корней склонности к "левизне": она вся в старом, милом сердцу бунтарском сознании, она проста, ясна и готова. Она автоматически обеспечивает преимущество "старикам", а в выработке нового у них нет преимущества перед молодыми. И это тоже почуял Сталин и использовал в момент, когда наиболее крупные из новых задач встали вплотную. Легче крушить по-старому.

[1] Там же, т. 36, с. 187–188.
[2] И.В. Сталин. Соч., т. 13, с. 41–42.
[3] В.И. Ленин. Полн. собр. соч., т. 38, с. 58–59.
[4] Там же, с. 59.
[5] Там же.

В той же речи 1919 г. Ленин вполне логично подходит и к вопросу о роли насилия:

"... глупо воображать, что одним насилием можно решить вопрос организации новой науки и техники в деле строительства нового общества. Вздор! Мы, как партия, как люди, научившиеся кое-чему за этот год советской работы, в эту глупость не впадем и от нее массы будем предостерегать. Использовать весь аппарат буржуазного, капиталистического общества – такая задача требует не только победоносного насилия, она требует, сверх того, организации, дисциплины, ...создания новой массовой обстановки, при которой буржуазный специалист видит, что ему нет выхода, что к старому обществу вернуться нельзя, а что он свое дело может делать только вместе с коммунистами...

Задача – громадной трудности, на которую, чтобы полностью решить ее, надо положить десятки лет!"

"Мы раздавили их сопротивление, – это надо было сделать, – но надо не только это сделать, а силой новой организации, товарищеской организации трудящихся надо заставить их служить нам, надо излечить их от старых пороков, помешать им вернуться к своей эксплуататорской практике... они буржуа насквозь, с головы до пяток, по своему миросозерцанию и привычкам.

Что же, мы разве выкинем их? Сотни тысяч не выкинешь! А если бы мы и выкинули, то себя подрезали бы. Нам строить коммунизм не из чего, как только из того, что создал капитализм"[1].

Чем не мирное врастание? "Они буржуа насквозь", они часть класса буржуазии, а Ленин считает, что и эти "кирпичи" годятся для строительства коммунизма. В понятие "буржуазные специалисты" он включает офицеров старой армии и особым достижением считает, что в Красной Армии их десятки тысяч, – достижением, хотя измены были и будут. А Сталин десятью годами позже, в мирное время, при неизмеримо упрочившейся Советской власти, не видел возможности "заставить служить нам" кулаков – своего рода буржуазных специалистов деревни. "Сотни тысяч не выкинешь", говорите? А почему бы и нет? Технически вполне реальная вещь, а что исполнимо технически, в том Сталин не видел и политической невозможности. Он доказал, что можно выкинуть и миллионы.

Нет, не только с точки зрения уплаченной цены и затраченного времени, но и с точки зрения "качества продукции", социализм в сталинском понимании не может нас устраивать. Тогда ведь не просто индустрия строилась, не просто развивалось сельское хозяйство – строился социализм, развивалось социалистическое отношение к труду, социалистическая культура труда, социалистическое сознание. У Ленина эти задачи всегда были первыми, даже в гораздо более трудные годы. "Культура" – у него слово почти навязчивое. Заботу "о пуде хлеба, пуде угля" он рассматривал не как источник материального богатства, а как показатель воспитания нового человека, нового отношения к труду. Высшая фаза коммунизма у него ("Государство и революция") предполагает не только "не теперешнюю производительность труда", но и "не *теперешнего* обывателя"[2].

---

[1] Там же, с. 56–57.
[2] Там же, с. 97.

Что дал сталинский способ индустриализации и коллективизации в этом смысле? В промышленности – упадок культуры труда, ярче всего выразившийся в том, что прирост производительности труда в первой пятилетке оказался втрое ниже планового. В сельском хозяйстве – прямое отучение крестьянина от труда даже на прежнем уровне культуры (свидетельство тому – цифры урожайности и продуктивности скота). Вроде бы "всего лишь" ускорили вовлечение крестьян в более крупные, а значит и более культурные, коллективные хозяйства. Но недаром же Энгельс требовал дать крестьянину подумать как можно больше перед этим решением, недаром Ленин предвидел медленность этого перехода. Палками в рай не загоняют, это Ленин подчеркивал всегда – и в связи с вопросом об изучении русского языка народами России (большевики всячески *за* изучение русского языка другими народами, именно поэтому они *против* обязательности такого изучения, ибо насилие – лучший способ отвратить от благого дела); и в связи с вопросом о праве на самоопределение (мы *против отделения* народов от общего союза, именно поэтому мы стоим *за право на отделение*, ибо объединение против воли народов невозможно); и в связи с таким великим социальным переворотом, как кооперирование деревни (мы за кооперирование – именно поэтому мы против того, чтобы загонять крестьянина в колхоз).

Но если насилие в национальном вопросе подрывает союз наций, то насилие в трудовых вопросах подрывает саму основу социализма, его главное преимущество: сочетание в одном лице производителя и собственника средств производства. Человек, принуждаемый к труду насилием, ощущать себя хозяином не может.

Для качества нового строя оказалось небезразлично не только – *когда*, но и – *как*. Развитие промышленности и колхозов по принципу "числом поболее, ценою подешевле" не только снизило культуру труда, не только обесценило труд, но обесценило человеческую личность. Хозяйственный ущерб от этого поправить было легче: объявили на вторую пятилетку главным "пафос освоения" вместо "пафоса нового строительства" и переварили то, с чем не справились в первую пятилетку. А вот исправить сдвиг в массовой психологии было труднее – да Сталин и не собирался это делать.

Его устраивала психологическая подготовка строителей нового общества к тому, что враг массовиден, а насилие над массой людей – оправдано.

Здесь мы вынуждены сделать еще одно отступление от прошлого к настоящему. Ряд современных авторов упрекают революцию в первородном грехе насилия, который якобы и был первоисточником гибели тысяч и тысяч революционеров от рук Сталина.

Для таких авторов характерно осуждение революционного насилия как такового, отождествление революционного насилия со сталинским, подобно тому как они отождествляют революционный террор со сталинским.

Неудобно напоминать общеизвестное, но почему же стало удобно забывать общеизвестное? Необходимо уточнить и то принципиально важное обстоятельство, что сталинское насилие не было прямым и непосредственным продолжением волны революционного насилия. Сталинское насилие, в отличие от революции и гражданской войны, отнюдь не было ни способом выхода из предшествовавшего насилия, ни ответом на насилие политического противника. Это был террор во имя цели, достичь которую посредством террора не предлагали ни Маркс, ни Ленин: не во имя разрушения старого, не во имя защиты от нападения, а во имя созидания нового общественного строя. Никак невозможно доказать, что Сталин не виноват в этом, но виноваты его жертвы.

Вздохи о неприятии насилия адресуются поколению революционеров, которое до революции претерпело на себе бесконечное насилие старой власти, которое в результате революции приняло из рук этой власти страну, погруженную в насилие с головой, и тут же согласилось на любые жертвы ради мира, похабного Брестского мира, которое было втянуто в круговерть насилия интервенцией и гражданской войной и все-таки, в отличие от прежних властей – царя и Керенского, – сумело привести страну к миру, остановить цепь насилия. И одновременно умудряются снять вину со Сталина, который в 1928 г. стал единоличным властелином страны мирной и обеспеченной, уверенно шедшей к процветанию, и вверг ее в насилие, унесшее за пять лет больше жизней, чем первая мировая война. Это и есть объяснение истоков сталинизма?

Не более убедительны и повторяющиеся ссылки на ответственность большевиков за "преждевременную" революцию в отсталой стране. Сталин применил террор, когда на повестку дня встала отнюдь не национальная российская, и отнюдь не специфическая проблема отсталых стран – именно по той отмеченной Лениным причине, что пролетариат вообще не может создать при капитализме (хотя бы и развитом, передовом капитализме) развернутую собственную культуру. Это значит, что перед пролетарской партией, взявшей власть, стоит не только задача донести старое пролетарское сознание до новых слоев рабочего класса – специфическая задача революционной партии в отсталой стране. Нет, перед ней стоит более сложная и исторически более важная задача формирования новой, развернутой социалистической культуры, нового, социалистического сознания. Последнее, между прочим, отличается от революционного сознания пролетариата при капитализме не только как развернутая система от отдельных элементов (на это отличие указывал Бухарин). Есть отличие принципиально более важное – отличие сознания революционных *разрушителей* старого строя от сознания революционных *строителей* нового – на это отличие настойчиво указывал Ленин. Он же дал и первый – в мировой истории – толчок выработке новой культуры на практике.

Столкновение ленинского и сталинского подходов к этой работе нельзя считать лишь фактом истории – оно остается глубоко актуальным. Венгрия, Чехословакия, Польша, Югославия – страны, где наиболее наглядно проявилась сложность этой проблемы уже в наши дни. Отсутствие столь же острых проявлений, скажем, в Советском Союзе отнюдь не означает, что проблема формирования нового сознания здесь менее сложна. Трагическим светом освещает эти изыскания и "великая пролетарская культурная революция" в Китае, где вульгарно-коммунистические лозунги и теории соседствовали с чисто фашистской практикой. Проблемы революционного сознания остаются в центре борьбы во всем мире. Американец Герберт Маркузе делал вид, будто всерьез считал образцом маоистскую революционность, и многие верили ему. А глубоко мысливший венгр Дьёрдь Лукач незадолго до смерти сказал столь же много о сложности проблемы, сколь мало – о путях ее решения:

"Человек типа Гевары был героическим представителем якобинского идеала – его идеи проходили через всю его жизнь и полностью определяли ее. Он не был первым таким человеком в революционном движении... Такое благородство заслуживает глубокого человеческого поклона. Но их идеализм не для повседневной жизни при социализме, которая может опираться только на *материальный* базис, создаваемый при строительстве новой экономики. Однако я должен добавить немедленно, что экономическое строительство само по себе никогда не порождает социализм. Абсолютно ошибочным было представление Хрущева, будто социализм победит в мировом масштабе, как только стандарты жизни в СССР превзойдут американские. Проблема совсем в другом, ее можно сформулировать примерно так. Социализм – первая в истории экономическая формация, которая не порождает самопроизвольно "экономического человека", разрушающего ее. Потому что это переходная формация, конечно, – *средство* перехода от капитализма к коммунизму. А раз социалистическая экономика не производит и не воспроизводит самопроизвольно соответствующего ей человека, как классическое капиталистическое общество естественно порождает своего *хомо экономикус, разделенного гражданина* – буржуа 1793 г. и де Сада, – функция социалистической демократии заключается именно в *обучении* ее членов в социалистическом духе. Функция беспрецедентная, не имевшая аналогии ни с чем в буржуазной демократии. Что нужно сегодня, так это, бесспорно, ренессанс Советов – системы демократии рабочего класса, которая возникает каждый раз вместе с пролетарской революцией – в Парижской Коммуне, в русской революции 1905 г. и в Октябрьской революции. Но это не происходит в одну ночь. Проблема в том, что рабочие безразличны к этому: они ни во что не верят авансом"[1].

Не исключено, что на эти вопросы нельзя окончательно ответить сегодня – ответы будут нащупываться постепенно, рождаться самой практикой. Но что можно определить уже сейчас – это тот путь, на котором не найти ответа, тот способ, которым нельзя решить задачу создания новой культуры. Это именно сталинский способ, суть которого можно выразить одним словом: насилие. И этот свой стержневой принцип Сталин тоже придумал не сам. Задолго до того, как Сталин применил его на практике, этот принцип был разработан и обоснован теоретически. Вот что писал ранний, "левый" Бухарин в "Экономике переходного периода" в 1920 г.:

"Это революционное насилие, с другой стороны, должно активно помочь формированию новых производственных отношений, создав новую форму "концентрированного насилия", государство нового класса, которое действует, как рычаг экономического переворота, изменяя экономическую структуру общества. С одной стороны, следовательно, насилие играет роль разрушающего фактора, с другой – оно является силой сцепления, организации, строительства. Чем больше по своей величине эта "внеэкономическая" сила, которая в действительности является "экономише потенц", тем меньше "издержки" переходного периода (при прочих равных условиях, конечно), тем короче этот переходный период, тем скорее устанавливается общественное равновесие на новой основе и тем быстрее кривая производительных сил начинает подниматься кверху".

---

[1] Цит. по: *New Left Review*, 1971, № 68.

"... необходимо уничтожение так называемой "свободы труда". Ибо последняя не мирится с правильно организованным, "плановым" хозяйством и таким же распределением рабочих сил. Следовательно, режим трудовой повинности и государственного распределения рабочих рук при диктатуре пролетариата выражает уже сравнительно высокую степень организованности всего аппарата и прочности пролетарской власти".

"С более широкой точки зрения, т.е. с точки зрения большего по своей величине исторического масштаба, пролетарское принуждение во всех своих формах, начиная от расстрелов и кончая трудовой повинностью, является, как парадоксально это ни звучит, методом выработки коммунистического человечества из человеческого материала капиталистической эпохи".

Не случайно в одном и том же сочинении шла речь и об "отмене политэкономии", и о "созидательном" насилии над трудящимися. Бухарин понимал, что насилие над объективными законами развития общества неизбежно должно быть подкреплено насилием над людьми. Понимал и не видел причин скрывать призыв к тому и другому. Ведь он тогда искренне считал насилие подходящим средством для строительства нового общества. Во время "военного коммунизма" не он один так думал. Но позднее такие намерения не могли быть результатом добросовестного заблуждения – только злого умысла. Вот почему Сталин если и делал то, что Бухарин – "левый" предлагал, то обосновывал это иначе, другими словами.

После 1921 г., когда свершился суд над "военным коммунизмом" и его идеологией, включая бухаринскую "Экономику переходного периода", после всего этого уже нельзя было говорить, что при социализме исчезает политическая экономия, исчезают экономические законы и потому можно делать все, что хочешь. В "Экономических проблемах социализма в СССР" Сталин писал, что объективные экономические законы существуют. Но при этом как-то так получалось, что опять-таки можно делать все, что хочешь, – такое уж было у Сталина понимание законов.

Во-первых, в противоречии с марксовой и ленинской оценкой капитализма как полнейшей материальной подготовки социализма, Сталин заявляет, что Советская власть должна была создать социалистические формы хозяйства "на пустом месте". Это после того, как уже в 1918 г. Ленин провел целую кампанию борьбы за использование не только буржуазных специалистов, но и созданных капиталистами объединений ("трестов"). После слов Ленина, что капитализм означает полнейшую материальную подготовку социализма, что, например, в Германии есть все необходимое для социализма, кроме власти рабочих. Одно это заявление Сталина уже предопределяло весь подход к делу: раз в наследство досталось лишь "пустое место", нечего и разбираться в объективных свойствах имеющегося человеческого материала и экономических ресурсов – валяй как хочешь. И Сталин заявляет: "Можно ограничить сферу действия тех или иных экономических законов...", "закон стоимости не имеет регулирующего значения в нашем социалистическом производстве...", "нужно выключить излишки колхозного производства из системы товарного обращения и включить их в систему продуктообмена между государственной промышленностью и колхозами"[1].

_____
[1] И.В. С т а л и н. Экономические проблемы социализма в СССР. М., 1952, с. 7, 9, 20, 93.

Сам строй мыслей Сталина был таков, что даже когда он опирался на мысли Ленина, то в его, сталинском, изложении необъяснимым образом получалось "совсем наоборот". Вот он приписывает Ленину решение "...сохранить на известное время товарное производство (обмен через куплю-продажу), как *единственно приемлемую* для крестьян форму экономических связей с городом..."[1]. Вроде бы все верно – и все неверно, как неверен "правильный" ответ на неправильно поставленный вопрос. Да, Ленин исходил из сохранения товарного производства в переходный период, но ему никогда не пришло бы в голову приписывать себе решение "сохранить товарное производство". Ведь с таким же успехом можно, укрывшись зонтиком, объявлять о своем решении позволить дождю литься. Для Ленина вопрос стоял так: сохраняется ли товарное производство как объективный элемент экономических отношений при общественной собственности на средства производства? Он надеялся (заранее теоретически предполагал вслед за Марксом), что не сохраняется, но, понаблюдав за хозяйственной практикой в первые полгода нэпа, сделал вывод: нет, сохраняется, продуктообмена не получилось, получилась торговля. И решение он принимал не о том, что от воли правительства не зависит (сохранять ли товарные отношения), а о том, как организовать управление производством, коль скоро установлено, что товарно-денежные отношения не умерли.

Сталин же на нескольких страницах "Экономических проблем" доказывает, что еще не приспело время "устранить товарное производство". Не о том толкует, что это невозможно в принципе, а о том, что пока не надо, не пришло время. И вполне определенно говорит, что придет такое время, и рассуждает, каким способом тогда лучше будет это самое... "устранить". Способ оказывается простой: ликвидировать единственную помеху – колхозную собственность. И ликвидация произойдет, по всей вероятности, очень просто: "путем организации единого *общенародного* хозяйственного органа (с представительством от госпромышленности и колхозов) с правом сначала учета всей потребительской продукции страны, а с течением времени – также распределения продукции...". Не знаешь, чему больше дивиться: теоретической... ну, скажем, смелости этого рассуждения (план перестройки общественных отношений путем создания нового ведомства) или его административному лицемерию: уж кто-кто, а Сталин-то прекрасно знал, что колхозы не распоряжались своей продукцией, как не распоряжались ею и государственные предприятия. Распределение ее из единого центра существовало давно, но не приблизило коммунизма, а отдалило его.

Да, ликвидация товарного производства через ликвидацию колхозной собственности служила в теории Сталина и главным средством перехода к коммунизму: "подняв" колхозную собственность "до уровня общенародной", предлагалось немедленно оказаться в коммунизме. Непостижимая скромность помешала Сталину проделать это при жизни – ведь в его описании это было так просто, вполне осуществимо имевшимися у него средствами.

Тенденция доказать, что народ счастлив лишь стараниями управителя, проявилась также в своеобразном преувеличении роли централизованного планирования. И здесь также теоретическим источником выступает Бухарин – "левый", который, как мы помним, всю разницу

---

[1] Там же, с. 14.

между капитализмом и социализмом сводил к разнице между хозяйством анархическим и плановым. Другой равноценный теоретический источник – троцкист Преображенский с его требованием всеобъемлющего хозяйственного плана в условиях 1923 г. Сталин на XV съезде осмеивает тех, кто, приводя в пример Америку и Германию, полагает, что и при капитализме возможно планирование. Чепуха, заявляет Сталин, у них всего лишь план-прогноз, ни для кого не обязательный, а у нас план-директива. Симптоматично, кстати, и это противопоставление, ибо, если не увлекаться командами и директивами, то нетрудно заметить, что план-прогноз не лучше и не хуже плана-директивы, как топор не лучше и не хуже пилы – всякий инструмент хорош к своему делу. Но важнее здесь другое: капиталистическая Германия была вполне способна использовать и план-директиву. Более того, именно план-директиву с точным указанием о производстве и распределении продукции ввело кайзеровское правительство – а по его примеру и английское, и российское – в первую мировую войну. И, наоборот, ничего не слышно было о применении в те времена Германией плана-прогноза. И если уж взялся Сталин оспаривать утверждение, что в капиталистической Германии возможно планирование, то надо было назвать и автора такого утверждения. Ленин писал в 1918 г.:

"Чтобы еще более разъяснить вопрос, приведем прежде всего конкретнейший пример государственного капитализма. Всем известно, каков этот пример: Германия. Здесь мы имеем "последнее слово" современной крупно-капиталистической техники и планомерной организации, *подчиненной юнкерски-буржуазному империализму*. Откиньте подчеркнутые слова, поставьте на место *государства* военного, юнкерского, буржуазного, империалистического, *тоже государство*, но государство иного социального типа, классового содержания, государство *советское,* т.е. пролетарское, и вы получите *всю* ту сумму условий, которая дает социализм"[1].

Как видим, монополии на планирование Ленин социализму не присваивал, и не в способности к планированию видел его отличие от капитализма, а в социальном типе власти. Так что утверждать, что социализм нужен ради того, чтобы обеспечить плановость хозяйства, – значит прежде всего игнорировать факты истории. Но еще важнее то, что такая вульгаризация обедняет и планирование, и социализм. Она и преувеличивает, и преуменьшает роль социалистических плановых органов. Преувеличивает – потому что не им первым дано планировать и не ими одними жив социализм. Преуменьшает – потому что социализму нужен не любой план, не "лишь бы план". Важнее еще, кому этот план служит и как служит, важны его цель, его содержание.

Но в том-то и дело, что признать наличие объективных требований к плану и к тем, кто планирует, значило бы для Сталина лишить себя возможности под видом планирования издавать директивы помпадурского свойства.

Между тем это занятие, послужившее однажды *средством* захвата власти, в дальнейшем стало *целью*, стало одним из главных проявлений этой власти. Трудно сказать, на какой стадии сталинское планирование причинило больший ущерб – в первой пятилетке, когда ему вольно было заняться ускорительством, или после войны, когда он на склоне лет

---

[1] В.И. Ленин. Полн. собр. соч., т. 36, с. 300.

выдавал планы, прямо тормозящие развитие экономики. В знаменитой предвыборной речи 1946 г. он заявил, что для того, чтобы иметь "гарантию от всяких случайностей", надо производить 50 млн. т чугуна в год, 60 млн. т стали, 500 млн. т угля и 60 млн. т нефти, на что уйдет, по его мнению, три-четыре пятилетки. Через *три* пятилетки, в 1960 г., было произведено 46,7 млн. т чугуна, 65,3 млн. т стали, 509,6 млн. т угля, 147,9 млн. т нефти – и никто не считал это гарантией от всех случайностей. Не столь велик был количественный просчет Сталина, поставившего недостаточно значительные задачи, сколь качественный, принципиальный просчет. Как и двадцать лет назад, он требовал побольше угля и чугуна, а нужно было гораздо больше нефти, гораздо важнее названных им отраслей становились неназванные – энергетика и химическая, а еще важнее – преследуемые и гонимые: кибернетика и, в другой области, генетика. Перст вождя стал указывать не вперед, а назад, и в этом тоже была своя закономерность – закономерность развития произвола, поименованного впоследствии субъективизмом.

Субъективизм был второй – после уничтожения командных кадров в 1937 г. – важнейшей причиной временных неудач и больших потерь в Великой Отечественной войне. Некоторые примеры катастрофического по своим последствиям произвола можно назвать, опираясь хотя бы на воспоминания крупнейших советских военачальников. Одни из них, например Штеменко, стремятся возвеличить Сталина, не замечая, что многие сообщаемые ими факты служат обвинением ему. Большинство – Жуков, Василевский, Баграмян и другие – сообщают факты сдержанно, не подчеркивая и не комментируя самые острые моменты. Третьи – как маршал артиллерии Воронов – откровенно критичны и самокритичны (впрочем, определенной доли критики не избежал ни один серьезный автор). Но все вместе дают солидный обвинительный материал, показывающий, что Сталин отнюдь не ограничился уничтожением массы военных специалистов – он и оставшимся не вполне доверял и не давал работать по их усмотрению. Дело не только в том, что в Наркомате обороны огромное влияние получили его сатрапы вроде Кулика и Мехлиса – полные ничтожества в военном отношении (они были отстранены лишь после скандальных провалов на фронте). Дело еще в том, что многие важнейшие вопросы Сталин решал самолично, и решал неправильно.

Так, еще в 1940 г. генштаб, руководимый Шапошниковым, имел план отражения нападения, основанный на предположении, что главный удар противник нанесет в центре советско-германского фронта, в Белоруссии, с последующим направлением на Москву. Сменивший Шапошникова Мерецков получил приказ Сталина переработать план обороны исходя из расчета, что главный удар последует южнее, на Украине. План переработали в декабре 1940 г., соответственно размещали войска. Сменивший Мерецкова в феврале 1941 г. Жуков считал, что главного удара следует ждать в Белоруссии – Сталин его не послушал. Фашисты нанесли главный удар в Белоруссии. Группировка советских' войск здесь была не самая сильная. Для ее разгрома, окружения одиннадцати дивизий и захвата Минска фашистам хватило шести дней. А на Украине фронт сохранялся, хотя и отступал, до сентября, пока Гитлер не перебросил туда с московского направления танки Гудериана. Но и тогда, с падением Киева и гибелью целого фронта, здесь не было в 1941 г. такого общего разгрома, как в Белоруссии в первые дни войны.

Можно привести другие подобные факты – ошибочные решения об отдельных видах оружия, разоружение укреплений на старой границе, ликвидация созданных по замыслу Тухачевского танковых соединений, которые слишком поздно, перед самой войной, начали формировать вновь, и т.п. Разные по значимости, они имеют общую причину. Однако детальный анализ версии о "великом полководце" выходит за рамки данной работы, да и по существу это – тема специального исследования.

Субъективизм лежал и в основе постоянного стремления выводить "теорию" из сиюминутной потребы. Любой кратковременный поворот, объясняемый вполне очевидными тактическими соображениями, Сталин старался подкрепить высокой теорией. Еще полбеды, когда сами эти тактические соображения были обоснованны. Совсем плохо было и для теории, и для практики, когда тактические ходы определялись весьма сомнительными побуждениями.

Так, в 1929 г., стремясь пострашнее показать правую опасность, Сталин начал искать ее и в Коминтерне. С его точки зрения, это было логично, коль скоро работу в Коминтерне вел Бухарин. И вот ради того, чтобы продемонстрировать заблуждения Бухарина, Сталин сочиняет новую теорию об отношении к некоммунистическим рабочим партиям. Прежняя теория была отлично известна любому большевику после разработки ее Лениным в "Детской болезни" и в ряде выступлений в первые годы Коминтерна. Сам Сталин еще в 1926 г. в спорах с Троцким и Зиновьевым очень кстати цитировал такие слова Ленина:

"Капитализм не был бы капитализмом, если бы "чистый" пролетариат не был окружен массой чрезвычайно пестрых переходных типов от пролетария к полупролетарию (тому, кто наполовину снискивает себе средства к жизни продажей рабочей силы), от полупролетария к мелкому крестьянину (и мелкому ремесленнику, кустарю, хозяйчику вообще), от мелкого крестьянина к среднему и т.д.; – если бы внутри самого пролетариата не было делений на более и менее развитые слои, делений земляческих, профессиональных, иногда религиозных и т.п. А из всего этого необходимость – и безусловная необходимость – для авангарда пролетариата, для его сознательной части, для коммунистической партии, прибегать к лавированию, соглашательству, компромиссам с разными группами пролетариев, с разными партиями рабочих и мелких хозяйчиков вытекает с абсолютной необходимостью. Все дело в том, чтобы *уметь* применять эту тактику в целях *повышения*, а не понижения, *общего* уровня пролетарской сознательности, революционности, способности к борьбе и к победе"[1].

Ленин идет еще дальше – Сталин приводит и эту цитату:

"Что Гендерсоны, Клайнсы, Макдональды, Сноудены безнадежно реакционны, это верно. Так же верно и то, что они хотят взять власть в свои руки (предпочитая, впрочем, коалицию с буржуазией), что они хотят "управлять" по тем же стародавним буржуазным правилам, что они неминуемо будут вести себя, когда будут у власти, подобно Шейдеманам и Носке. Все это так. Но отсюда вытекает вовсе не то, что поддержка их есть измена революции, а то, что в интересах революции революционеры рабочего класса должны оказать этим господам известную пар-

---

[1] И.В. Сталин. Соч., т. 8, с. 223.

ламентскую поддержку"[1].

По какому поводу напоминал Сталин эти замечательные слова? По поводу выдвинутого Троцким и Зиновьевым требования об уходе из Англо-Русского комитета единства, то есть о прекращении сотрудничества с английскими реакционными профсоюзами. Полемизируя с оппозицией, Сталин не только весьма кстати цитировал Ленина, но и сам высказывался довольно удачно:

"...тактика единого фронта является, таким образом, необходимой и обязательной для коммунистических партий. Оппозиционный блок исходит из совершенно других предпосылок. Не веря во внутренние силы нашей революции и впадая в отчаяние перед лицом затяжки мировой революции, оппозиционный блок скатывается с почвы марксистского анализа классовых сил революции на почву "ультралевого" самообмана и "революционного" авантюризма, отрицает наличие частичной капиталистической стабилизации и сбивается, таким образом, на путь путчизма.

Отсюда требование оппозиции о пересмотре тактики единого фронта и срыве Англо-Русского комитета единства, непонимание роли профсоюзов и лозунг о замене профсоюзов новыми, выдуманными "революционными" организациями пролетариата.

Отсюда поддержка со стороны оппозиционного блока ультралевых крикунов и оппортунистов в Коммунистическом Интернационале (например, в германской партии)"[2].

В 1926 г. Сталин боролся с оппозицией, которая числилась "левой" – и не только в ВКП(б), но и в других партиях его беспокоили "левые", в германской партии он громил леваков Рут Фишер и Маслова. В 1928 г., перейдя сам на "левые" позиции, он обрушился на Бухарина – и вот уже в президиуме Исполкома Коминтерна он держит речь "О правой опасности в германской компартии" и добивается смены всех установок в Коминтерне. В речи "О правом уклоне в ВКП(б)" Сталин уже отрицает относительную стабилизацию капитализма (за что совсем недавно громил оппозицию) и ждет революции со дня на день – совсем под стать Зиновьеву и Троцкому:

"Мы говорим, что в Европе назревают условия нового революционного подъема, что это обстоятельство диктует нам новые задачи по усилению борьбы с правым уклоном в компартиях и изгнанию правых уклонистов из партии, по усилению борьбы с примиренчеством, прикрывающим правый уклон, по усилению борьбы с социал-демократическими традициями в компартиях и т.д. и т.п. А Бухарин нам отвечает, что все это пустяки, что никаких таких новых задач нет у нас, что на самом деле речь идет о том, что большинство ЦК желает "прорабатывать" его, т.е. Бухарина"[3].

Дальше:

"В тезисах Бухарина говорилось о том, что борьба с социал-демократией является одной из основных задач секций Коминтерна. Это, конечно, верно. Но этого недостаточно. Для того, чтобы борьба с социал-демократией шла с успехом, необходимо заострить вопрос на борьбе с так называемым "левым" крылом социал-демократии, с тем самым "левым"

---

[1] Там же.
[2] Там же.
[3] Там же, т. 12, с. 18.

232

крылом, которое, играя "левыми" фразами и ловко обманывая таким образом рабочих, тормозит дело отхода рабочих масс от социал-демократии. Ясно, что без разгрома "левых" социал-демократов невозможно преодоление социал-демократии вообще. А между тем в тезисах Бухарина вопрос о "левой" социал-демократии оказался совершенно обойденным. Это, конечно, большой недостаток. Поэтому делегации ВКП(б) пришлось внести соответствующую поправку в тезисы Бухарина, принятую потом конгрессом"[1].

Фашизм захватил Италию, миллионы людей, включая рабочих, идут за фашистами в Германии, а человек, величавший сам себя учеником Ленина, забыл, что говорилось в "Детской болезни" даже во время действительного революционного подъема в Европе. Он не считает нужным хотя бы упомянуть о задачах борьбы с фашистами. К чему такие пустяки, когда "назревает революционный подъем", когда надо, как Сталин заявляет в 1928 г., делать "упор против социал-демократии, как основной опоры капитализма в рабочем классе и как главного противника коммунизма..."[2].

Только одно было, к несчастью, правдой в словах Сталина: конгресс Коминтерна принял его поправки. Слишком велик был авторитет партии Октябрьской революции, чтобы пренебрегли им другие партии. Лишь в 1935 г. следующий, VII конгресс принял иной курс: на широкий антифашистский фронт всех левых сил. Но для большинства коммунистов Германии это уже была лишь возможность устанавливать единство с социал-демократами за колючей проволокой. Был упущен исторический шанс начала 30-х годов, когда компартия Германии имела наибольшее влияние за всю свою историю. Шанс не только для Германии – шанс для всего мира был упущен.

Это был шанс вполне реальный. Даже при борьбе друг против друга две рабочие партии Германии вместе собирали больше голосов, чем нацисты, и на выборах 1930 г., и на двух выборах 1932 г., причем на последних выборах перед поджогом рейхстага их перевес выразился примерно в два миллиона голоса. Разумеется, нельзя забывать, что против единства были и правые лидеры социал-демократов. Но ведь политика, которой добивался Сталин в 1928–1929 гг., не изолировала этих правых социал-демократов, а укрепляла их. При другой политике коммунисты во многих случаях побеждали раскольников.

Могла ли последовательная политика единства, без сталинского зигзага в 1929 г., предотвратить приход Гитлера к власти? Не станем гадать о том, что *могло* произойти. Зафиксируем, что *произошло*.

Первое: объявленный Сталиным в расчете на новый революционный подъем курс на захват власти силами одних коммунистов не принес победы ни одной компартии мира.

Второе: противоположный курс – единства левых сил – дал победу с первой попытки во Франции, где Народный фронт был принят массами именно как альтернатива фашизму. В результате фашизм захватил Францию лишь шестью годами позже, и не внутренними силами, а вторжением извне. Поэтому в глазах французов он предстал не национальным движением (каким казался, например, многим итальянцам), а антинациональным. Разница известна: Италия, при всем размахе своего Сопротив-

---

[1] И.В. Сталин. Соч., 12, с. 21–22.
[2] Там же, т. 11, с. 203–204.

ления, выставила союзную Гитлеру армию, Франция – отряды маки и войска де Голля.

Третье: Народный фронт победил в Испании. Даже без коммунистов в правительстве и вообще при небольшом до войны влиянии коммунистов он настолько беспокоил Гитлера и Муссолини, что именно туда они направили первый удар. Поразительное дело: считая коммунистов главным врагом, они, словно приложив к себе логику сталинского лозунга, не могли бросаться на страну коммунизма, пока не уничтожили республику, где коммунисты делили власть с другими партиями. Но фашисты-то, с точки зрения их интересов, были правы: для них особенно опасны были коммунисты, добившиеся союза со всеми антифашистами.

Четвертое: в конце 30-х годов правительство Народного фронта было создано в Чили. Оно продержалось недолго, но укрепленная им политическая традиция спустя тридцать лет выросла в громадную революционную силу Латинской Америки. Одним из министров того правительства был левый социалист Сальвадор Альенде.

Избрание правых уклонистов в компартиях и левых социал-демократов в качестве главной мишени в момент нарастания фашистской угрозы было самым трагическим по своим последствиям, но отнюдь не единственным случаем, когда Сталин подчинял стратегию тактике, теорию – нуждам текущей политики.

Напомним, как многолетний стратегический план перехода к социализму – ленинский кооперативный план – был принесен в жертву борьбе с трудностями текущей хлебозаготовительной кампании. А когда на XVI съезде понадобилось перечеркнуть первый пятилетний план, который сам Сталин столь рьяно отстаивал еще совсем недавно в борьбе с Бухариным, и утвердить совершенно новые, гораздо более высокие цифры, Сталин тут же испек и новую теорию планирования: только "безнадежные бюрократы" могут, оказывается, рассматривать план как нечто законченное. Составление планов есть лишь начало планирования, ибо все возможности при составлении плана учесть нельзя. Правда, это слабо вязалось с прежним его рассуждением о плане-директиве, но недаром же Сталин на склоне лет, в "Марксизме и вопросах языкознания", обрушился на начетчиков и талмудистов, имеющих наглость сопоставлять изречения.

Подобный финт всегда сопровождался ссылками на чрезвычайные обстоятельства. Дескать, мы знаем, что вообще-то так делать нельзя, но вот как раз сейчас без этого не обойтись – только на один разочек.

Разумеется, ссылка на чрезвычайные, временные обстоятельства – не всегда ложная. Но отношение к чрезвычайным мерам в политике должно быть примерно таким же, как к хирургическому вмешательству в медицине: нельзя резать, если можно не резать. Чрезвычайные меры могут оправдываться только чрезвычайными обстоятельствами: война, стихийное бедствие. Кстати, только в этом случае они и могут приносить подлинный успех, ибо иначе масса их не поймет и не примет. Чрезвычайные меры должны отменяться сразу по миновании чрезвычайных обстоятельств, как отменена была продразверстка, едва подошла к концу война. Сталин же сплошь и рядом принимал чрезвычайные меры, когда чрезвычайными обстоятельствами и не пахло. Самый вопиющий пример тому – принятые им в 30-е годы юридические "открытия" Вышинского, вроде того, что вообще-то подследственных бить нельзя, но врагов народа – можно.

Зачем понадобилось Сталину подобные теории, следует разобраться особо. Троцкий первым додумался опереться на тот слой, в котором Ленин видел источник неустойчивости партии. Еще в 1923 г. Троцкий воззвал к молодежи. Но его подвело именно то, что он был первым: слишком рано было, и первые струйки молодых, неустойчивых сил партии еще не могли одолеть старый костяк, даже если Троцкому удавалось повести их за собой. Сталин использовал тот же прием в то время, когда приток молодых сил стал самым мощным. В середине и конце 30-х годов наступил третий этап: приток новых рабочих стал не столь сильным по сравнению с уже сложившейся за две пятилетки массой рабочего класса. Появилась естественная устойчивость, которую уже не надо было поддерживать особыми мерами – наоборот, особые меры требовались для того, чтобы ее нарушить. Новички третьей пятилетки не могли свалить новичков первой пятилетки одной своей массой. А свалить Сталину нужно было, ибо поколение 20-х годов в рабочем классе и партии к концу 30-х уже не было сырым и неопытным. Оно обучилось, запомнило и горький опыт первой пятилетки, через который прошло под сталинским знаменем. Лучшие люди этого поколения начали понимать слишком много – Сталин почувствовал это на XVII съезде, где возникла опасность, что его могут сменить у руля. Потому-то он не мог позволить большинству делегатов дожить до следующего съезда.

Тем временем в политике чрезвычайные меры уступили место новой конституции, в экономике ускорительство начало отступать перед трезвым расчетом. Приходило понимание отдаленных последствий сегодняшнего решения. А с ним и вопросы: какие сегодняшние обстоятельства сами служат лишь отдаленными последствиями вчерашних решений? И следующий вопрос: было ли необходимым ускорительство в первой пятилетке, нужно ли было претерпеть голод в начале 30-х? Эти вопросы готов был выдвинуть не тончайший слой "старой гвардии", а основной, массовый слой "молодой гвардии". У него еще нет вождя, который выразит окрепшее новое сознание, но разве мало их, из второго эшелона старых большевиков, занявших место вытолкнутых соперников Сталина по шестерке? Киров, Орджоникидзе, Рудзутак, Постышев, Эйхе, Тухачевский – любой может завтра стать опасен. Может быть, они и сами еще не все это поняли – вот и надо спешить, пока не поняли. Надо убрать и их, и тот слой, идеи которого они готовы выразить.

Но победить массовый слой можно только массовым насилием. В этом секрет бессмысленной на первый взгляд массовости репрессий 1937 г. Вот почему наивно говорить, что Сталина обманывали Ежов и Берия, что ему случайно не повезло: ошибся, мол, не тем поверил. Нет, он поверил именно тем, кому хотел поверить, он выбрал тех, кто лучше всего подходил для выполнения поставленной задачи. Чтобы убедиться в этом, нет нужды разглядывать темные фигуры этих бандитов. Они были всего лишь исполнителями, палачами с топором. Работу палачу задает прокурор, а он действовал вполне открыто. Теории Вышинского в сочетании со знаменитой речью самого Сталина об обострении классовой борьбы в ходе строительства социализма доказывают неопровержимо, что установка была именно на массовые репрессии.

Остановимся на фигуре Вышинского и попробуем рассмотреть его также как представителя определенной социальной силы, интересной в данном случае постольку, поскольку Сталин счел нужным на нее опереться. Оксфордский "Сарвей" (советологический "журнал исследования Востока и Запада") в 1971 г. опубликовал отрывок лагерных воспоминаний Иосифа Бергера, в 30-е годы выполнявшего ответственные задания Коминтерна в ряде стран. Отрывок называется "Инжир". Так звали заключенного, с которым Бергер встречался в лагерях Красноярского края в послевоенные годы. Инжир поведал Бергеру, что он – старый меньшевик, после Октября перекрасившийся в беспартийного специалиста в ожидании гибели большевиков. По делу Промпартии он был арестован и спасся от сурового приговора тем, что оговорил невинных людей – большевиков. С тех пор он видел в этом дело своей жизни: губить большевиков руками большевиков, писать на них доносы и сажать в тюрьму как можно больше. Он сделал на этом блестящую карьеру: когда начальником Гулага сделался Ежов, Инжир стал его главным бухгалтером. Эта близость его погубила: когда посадили Ежова, был вновь арестован и Инжир – он закончил свою жизнь в заключении.

Одна деталь важна в этой истории: Инжир – меньшевик. Вспомним: при всей вере в возможность использования даже буржуазных специалистов, меньшевикам Ленин не доверял никогда. В пору чистки партии, отмечая, как мало в ней бывших меньшевиков, Ленин писал: хорошо бы оставить в партии в сто раз меньше. Имена многих меньшевиков используются в ленинских статьях как нарицательные, как ругательные слова: церетели, даны, заславские, майские.

Заславский, один из главных сотрудников самого ненавистного Ленину издания – меньшевистской газеты *День*, – стал при Сталине одним из видных сотрудников *Правды*. По свидетельству старых правдистов, в 20-е годы коммунисты *Правды* трижды отказывали Заславскому в приеме в партию. Он был принят, когда принес рекомендацию Сталина.

Безусловно, полезной была и дипломатическая, и научная работа Майского. Но как не подивиться его везенью: этот бывший министр самарской "учредилки", став советским послом в Лондоне, уцелел тогда, когда послы из старых большевиков гибли один за другим. Слава богу, что уцелел Майский. Но почему бы не уцелеть и Раскольникову?

Зато нельзя сказать, что была полезной деятельность Мехлиса. В воспоминаниях нескольких видных военачальников Отечественной войны оценка его подвигов самая печальная. В отличие от Заславского и Майского, этот бывший меньшевик был доверенным лицом Сталина и как таковой провалил не одну военную операцию, загубил немало людей. И должности он получал посолиднее: главный редактор *Правды*, начальник Главпура, министр госконтроля.

Самой страшной – и по существу точно совпадающей с предполагаемой деятельностью Инжира – была всем известная деятельность Вышинского. Из бывших меньшевиков он достиг самого высокого положения. Если бы только кто-нибудь сказал Ленину, что на процессах, которые кончатся смертным приговором троим из шести названных им виднейших руководителей партии (Каменеву, Зиновьеву, Бухарину), а также секретарю ЦК при Ленине Крестинскому и другим виднейшим старым большевикам, если бы он мог представить, что государственным обвинителем на этих процессах будет меньшевик Вышинский! В 1923 г. такую воображаемую ситуацию можно было бы объяснить только одним: значит, победила контрреволюция. А ведь Вышинский был не только практиком, не только организатором одного "центрального процесса". Он был и теоретиком, создателем юридических норм для всех остальных "процессов".

Роль нескольких меньшевиков в истории сталинской эпохи прослежена здесь отнюдь не для того, чтобы дать какую-либо оценку меньшевизму в целом или хотя бы части его. Такая оценка, во-первых, увела бы нас от темы, а во-вторых, она невозможна в двух словах. Меньшевизм, как всякая социал-демократия, течение многоцветное, не поддающееся однозначной оценке – сама природа этих партий допускает существование под одной крышей очень разных, порой противоположных направлений. Выше названы не вообще меньшевики, а лишь бывшие меньшевики, оставившие свою партию после Октября. И не вообще бывшие меньшевики, а лишь те из них, которые, не желая оставаться вне политики, исполнили предсказание XI съезда партии большевиков: пошли в единственную правящую партию, хотя отнюдь не стали большевиками по своим взглядам, а некоторые из них, возможно, не утратили и враждебности по отношению к большевикам. Но даже и этой узкой группе нельзя дать однозначную оценку. Да такая оценка и не нужна в рамках нашей темы. Нам важно оценить не меньшевиков, а Сталина, в данном случае – через его отношение к меньшевикам. Мы видим, что Сталин относился к ним иначе, нежели Ленин и основная масса большевиков. Это отличие, это стремление Сталина опереться на силу, искони враждебную большевикам, само по себе говорит о многом.

Мы увидели, какую роль в подготовке событий конца 30-х годов сыграли события 20-х: внутрипартийная и межпартийная борьба, действия меньшевиков, троцкистов, уклонистов. Издержки отчаянной борьбы за власть, желание замести следы, скрыть ошибки, – все это объясняет многое в сталинских репрессиях, особенно в его маниакальном стремлении убрать не только личных врагов, но и близких соратников, от Каменева до Тухачевского, и личных друзей, от Сванидзе до Серго. Но и это не до конца объясняет главную загадку: массовость репрессий, уничтожение тысяч и тысяч вовсе не знакомых и явно не опасных ему лично людей. Ответ на эту загадку может дать только анализ классовой направленности сталинской политики.

Здесь снова требуется оговорка. Автор не собирается исследовать нередко выдвигаемый вопрос о том, чьи классовые интересы выражал Сталин. Не собирается не в силу каких-либо опасений, а по вполне определенным научным соображениям. Автор просто не знает, возможен ли ответ на такой вопрос, существовал ли когда-либо единственный класс, которому можно приписать соответствующие интересы – а именно класс бюрократии. Т. Заславская, например, уверенно говорит лишь о слое, а не о классе. Правда, затем поясняет: "Но даже если считать, что такой слой не успел окончательно превратиться в класс, он, во всяком случае, уверенно шел в этом направлении"[1]. С этим можно согласиться, но надо иметь в виду, что Т. Заславская здесь говорит об устройстве и функционировании нашего общества "в периоды сталинщины и брежневщины". Мы же пытаемся разобраться, как и почему сталинщина роди-

---

[1] *Известия*, 23 декабря 1988 г.

лась – тут нам не поможет ссылка на социальный слой, сложившийся в результате ее функционирования.

Уточнение требуется и по поводу вполне правомерных дискуссий о социальной базе сталинизма. Некоторые авторы усмотрели в интересной статье Г. Бордюгова и Б. Козлова "Время трудных вопросов"[1] указание на то, что Сталин будто бы выразил интересы молодых слоев рабочего класса. Конечно, такое утверждение, будь оно в этой статье, должно было вызвать самые резкие возражения. Дело в другом: Сталин эксплуатировал предрассудки и политическую неопытность этого слоя, Сталин обманом привлек его временно на свою сторону. Никогда он не выражал его подлинные интересы. Ведь если, скажем, грабитель проберется в чужой дом, соблазнив конфеткой оставленного хозяевами ребенка, то не будем же мы говорить, что грабитель выразил интересы этого ребенка, несмотря на то, что дитя, может быть, симпатизировало "доброму дяде". Впрочем, на мой взгляд, в указанной статье такого утверждения нет – ее авторов можно упрекнуть разве лишь за неаккуратное словоупотребление и, может быть, отсутствие уточняющих оговорок.

Верно, взяв власть, Сталин постарался не только терроризировать страну, но и подкупить некоторые социальные слои, на что указывал еще Ф. Раскольников в известном разоблачительном письме. Это продолжалось и позднее. Так, послевоенная экономическая политика, включавшая знаменитые снижения цен, построенная на безжалостном ограблении крестьянского большинства тогдашнего населения и ничего не давшая основной массе рабочих, была, бесспорно, выгодна многим служилым людям, особенно столичным. Однако даже применительно к тем слоям, которым был адресован подобный грубый подкуп, нельзя сказать, что сталинская экономическая политика отвечала их интересам – по сравнению с разумной политикой, вполне возможной при социализме, и эти слои больше теряли, чем приобретали (даже если тогда в массе своей не понимали этого).

Нет, мы здесь говорим не о том, чьим классовым интересам соответствовала политика Сталина. Посмотрим, чьим классовым интересам она не соответствовала. Такой анализ сразу показывает, что Сталин не мог ограничиться разгромом партии, отстранением от власти старой партийной верхушки. Его политика противоречила коренным интересам рабочего класса – независимо от того, что рабочие в массе этого не сознавали и, соприкасаясь с негативными последствиями сталинского курса, воспринимали их как результат произвола местных властей, частные ошибки и т.п. Даже без осознания общей картины политического развития рабочий класс был способен инстинктивно, следуя ближайшим интересам, сломать сталинскую политику суммой отдельных решений по частным вопросам – посему следовало отнять у него власть над этими решениями. А власть рабочим при Ленине была дана большая. Эта власть Сталиным была отнята.

Узурпировав не только права партии, но и права рабочих и крестьян, Сталин неизбежно должен был и охранявшие его власть меры подавления направлять не только против партийной верхушки. Никак нельзя было арестовать всех рабочих и крестьян (хотя система Гулага представляла собой весьма обширный эксперимент по созданию "рабочего

---

[1] *Правда*, 30 сентября, 3 октября 1988 г.

класса" совсем особого рода), но опасность для Сталина объективно представляли именно все, ибо он нарушил коренные интересы обоих трудящихся классов в целом. Даже не осознав своей враждебности Сталину, массы могли сорвать его экономическую политику – хотя бы простым стихийным бегством с одного места работы на другое, что и происходило в масштабах, коих сам Сталин не мог скрыть. Последовало логичное завершение системы: всеобщая обязательная паспортная прописка, лишение рабочих и служащих права менять место работы по собственному желанию, приковывание колхозников к деревне путем лишения паспортов.

Можно еще долго характеризовать отношения Сталина с рабочим классом, и нигде не минуется отрицание "не": люди, пользующиеся жильем, не решали, сколько и где должно строиться жилых домов на накопленные их трудом средства; покупатели не решали, сколько и каких товаров производить, за какую цену продавать, сколько и где магазинов для того построить. Нет, былая бедность наша, конечно, вызвана была не тем, что один Великий и Мудрый все решал. Но кто сочтет, насколько она продлилась из-за того, что от решений отстранялась мудрость народная?

Коль скоро народ не решал по-хозяйски вопросов трудных – вроде вопроса, как разделить небогатые свои доходы, – то создавалось впечатление, что не его, народа, а сталинской заслугой были и решения приятные – вроде ежегодного снижения цен. Все, что создавалось трудом народа, представало в обыденном сознании как дар Вождя. Позднее его же исключительной заслугой стали представляться и военные победы, одержанные отнюдь не малой кровью. Изжить подобные элементы массового сознания – задача во многом актуальная и по сей день.

Решить эту задачу нелегко, такое решение требует и освобождения от многих предрассудков, и глубокого анализа многих сложных и неясных явлений общественного сознания. Взять, например, известный феномен "духа 30-х годов". Откуда воспоминание о них как о времени светлом, радостном, героическом – о прекрасном утре социализма? Это не случайные личные впечатления людей, помнящих то время, – литература оставила нам достоверные художественные документы эпохи. Катаев, Третьяков, Каверин, Олеша, Горбатов, Ильф и Петров, Фраерман, Твардовский, Исаковский, Паустовский и десятки других, в том числе, может быть, самый удивительный голос, почти целиком отзвучавший именно в десятилетии 30-х: Гайдар. Такие разные по характеру таланта и такие сходные по настроению книги той эпохи: веселые. Поразительный факт: даже в книгах конца 30-х годов о шпионах, о врагах, обманывающих нас (Макаренко – "Флаги на башнях", Гайдар – "Военная тайна", "Судьба барабанщика"), даже в таких книгах главный мотив – не угрюмое слово "бдительность", оглушавшее нас в начале 50-х, а мысль о доверии к людям. Гайдар в этом особенно настойчив, он эту мысль проводит и в "Тимуре", и в "Голубой чашке", уже в 1939 г., когда "дух тридцатых" умер – не случайно этот рассказ был принят официальной критикой с недоумением.

Верно, существовало и другое мировосприятие, и у него были свои выразители – Булгаков, Пильняк, Замятин. Но между ними и авторами, так сказать, оптимистического направления нет пропасти. Многие охватывали разные стороны действительности – далеко не однозначны, например, настроения Олеши. Платонов, может быть, лучше других видел силу и рабочего человека (в большинстве своих произведений), и его противника ("Город Градов"). Но для анализа корней "духа 30-х годов" нет нужды изображать оптимистическое мировосприятие того времени как исключительное, единственное. Не так важно даже, было ли оно присуще большинству. Достаточно, что оно существовало и было массовым, что оно остается таким и в памяти многих наших современников, а в некоторых книгах наших дней даже изображается как вполне адекватно отражавшее объективную действительность того времени.

Оговоримся: мы ссылаемся здесь на художественную литературу без каких-либо литературоведческих претензий – просто как на документальное подтверждение того, что определенные взгляды и настроения существовали. Именно это явление массового сознания нас и интересует – каким оно было в жизни, а не как отражалось в книгах. Для людей, бывших тогда уже взрослыми, дух 30-х – это нарком Серго, которому рабочие говорили "ты", это красные директора, еще не сменившие кепку на шляпу, это привычка говорить всю правду, ни на кого не оглядываясь и никого не опасаясь. Откуда все это в 30-х, если Сталин победил в 1929-м?

В том-то и дело, что тогда он победил организационно, политически, но еще не победил психологически и социально. Более того, объективная инерция социальной психологии стала работать против него именно потому, что переворот его был скрыт от сознания масс, и, отрекшись от некоторых имен 20-х годов, люди не отреклись от революционных идей. Революционный дух первых лет Октября, прорвавшись сквозь нэп, стряхнув частника, зарядившись энтузиазмом пятилеток, нашел наконец себе постоянную и прочную демократическую опору: массив нового рабочего класса. И непосредственно над этим рабочим классом стоял средний слой старой, ленинской закваски – он-то, слой, непосредственно общавшийся с массой, и создавал для рядового человека живое представление о характере власти. По этому слою судя, человек решал: своя власть. Откуда им было знать о характере сталинской группы на самом верху?

Это противоречие между новым сталинским курсом и старым духом среднего слоя опять-таки создавало в перспективе опасность, которую нельзя было устранить простой заменой нескольких лидеров: и по этим соображениям тоже выходило, что надо срезать целый слой. (Разумеется, полного единообразия не могло быть, часть старых кадров приспосабливалась, перестраиваясь в новом духе, но монолитного просталинского сознания от этого поколения руководящих кадров нельзя было ожидать; вернее всего – со сталинской точки зрения – было это поколение вырвать.) Легко представить, что для массового сознания переход от светлого "духа 30-х" в подземелье 1937 г. был страшен и непонятен своей неожиданностью, как для древних людей – солнечное затмение среди ясного дня. Чем лучше было жить, тем труднее для рядового человека заметить, какой подготавливается поворот. Даже оказавшись в заключении, люди подолгу не понимали происходящего, не представляли масштабов репрессий, отказывались верить тому, что с ними творится, ожидая, что наваждение вот-вот кончится.

Объяснить это наваждение сегодня поможет только анализ классовой направленности сталинской политики, очищающий суть явления от маскирующей шелухи разноречивых фактов. Эту суть раскрывает именно приложение ленинского понятия класса к сталинской политике.

Определяя сущность социально-экономических сдвигов, учители марксизма ограничивались указанием на *возможность* присвоения чужого труда – большего они не требовали для научной оценки явления. Энгельс говорит, что появление товарного обмена создало возможность порабощения человека с помощью продуктов его труда. Он не рассматривает здесь, каким сроком отделено воплощение в действительность от появления возможности. Он не интересуется, понимали ли участники первой купли-продажи, какому великому историческому процессу открыли путь (и без слов ясно, что не понимали).

Ленин тоже говорит о *возможности* присвоения чуждого труда как основе классовых различий. И политически нам безразлично, пользовался ли Сталин лично этой возможностью – достаточно того, что он ее создал. Этим одним уже определяется классовая направленность его политики. А уж для сохранения этой основы ему потребовались прочие действия, включая ликвидацию в той или иной форме демократических свобод и нарушение прав личности. Эти действия, их внешняя неожиданность и непонятная массовость сразу теряют загадочность, лишь только мы посмотрим на них как на средства и покажем, какой цели они были подчинены.

Разумеется, понимание общей направленности политических явлений не снимает необходимости самостоятельно исследовать отдельные, частные вопросы. Наш анализ не может дать ответа на все загадки того времени хотя бы потому, что многие события слишком слабо освещены документами, доступными сегодня массовому читателю. Так, густым туманом покрыты многие детали самого первого этапа борьбы за власть, когда Ленин был еще жив и лишь начал отходить от руководства.

Мы отмечали выше, что в 1923 г. Троцкий – как позднее Каменев и Зиновьев – первым напал на большинство ЦК. Однако не исключено, что документы, которых нет в публичном обороте, могли бы изменить это представление. Весьма любопытен в связи с этим эпизод, рассказанный в нижегородских воспоминаниях Микояна, помещенных в *Новом мире* в 1972 г. Оказывается, в 1921 г. Сталин поручил Микояну весьма деликатную миссию. Микоян, в то время секретарь нижегородского губкома, был послан в Сибирь для передачи инструкции о том, чтобы на очередной съезд партии сторонников Троцкого не избирать.

Много странностей в этом простодушном по виду воспоминании. Сталин дает – а Микоян отвозит и сибиряки беспрекословно принимают – указание бороться с "троцкистами", как выражается Сталин. Но в то время в открытом партийном обиходе такое слово не употреблялось, а имя Троцкого упоминалось вслед за именем Ленина. Троцкистская оппозиция возникла только в 1923 г., да и тогда еще без открытого активного участия Троцкого лично. В 1921 г. наиболее актуальной официально была задача борьбы с энергично сопротивлявшимися остатками "рабочей оппозиции", в которой Троцкий никогда не участвовал. Микоян упоминает, что его сообщение о необходимости затирать сторонников Троцкого было для сибиряков полнейшей неожиданностью – значит, в открытой политической борьбе ничто еще не указывало на необходимость таких действий. Микояну велено было ехать будто бы по личным делам, не заходить к первому секретарю губкома, позиции которого Сталин тогда не знал, и передать инструкции второму секретарю тайно. Сталин не разговаривает об этом с Микояном в ЦК, а приглашает к себе на квартиру. Наконец, Сталин говорит Микояну, что действует по поручению Ленина. Но Ленин заходит в квартиру Сталина во время беседы, и из его слов, которые Микоян приводит, не видно, чтобы он знал, зачем приглашен Микоян к Сталину. Никакого участия в беседе Ленин не принимает, ни о каком его подтверждении сталинских слов Микоян не сообщает – Ленин просто говорит Микояну несколько слов, выражающих его доброе расположение к гостю, и тут же уходит.

Трудно представить, чтобы в то время был послан гонец только в Сибирь. Надо полагать, Сталин везде постарался заранее подготовиться к борьбе с самым сильным своим противником. Нетрудно догадаться, что, если такая же подготовка проводилась в Ленинграде, то вел ее лично Зиновьев, стоявший в то время против Троцкого. А раз так, то он уже знал этот прием и именно поэтому не позволил потом использовать его против себя перед XIV съездом – по крайней мере в "своей" губернии.

Историю нельзя переиграть заново. Ранний социализм в Советском Союзе выполнил свое предназначение, переплавив мелкобуржуазную массу в рабочий класс, новую интеллигенцию и новое крестьянство, все меньше отличающееся от рабочего класса по своему материальному положению и культуре и уступившее ему численное превосходство. Все получилось не так, как хотел Ленин и как реально можно было – сравнительно быстро и с наименьшими потерями, – а по-сталински, мучительно и с громадными жертвами. Международная обстановка тоже не облегчала этот путь. Но дело сделано. У сталинизма больше нет массовой социальной опоры в стране. Пусть никого не вводит в заблуждение обилие людей, готовых и сейчас петь славу Сталину. Во Франции было много монархистов и сто лет спустя после Великой революции, но монархизм умер как жизнеспособная политическая перспектива в 1789 г. – ни одна его позднейшая победа не была прочной. Сталин умер вовремя, ибо в 50-е годы сталинизм утратил последние объективные основания.

Сталинизм не может существовать как живое и развивающееся течение. Но это не значит, что на него можно махнуть рукой. Бывает, и мертвый хватает живого. Трудно и медленно восстанавливается в нашей жизни то, что Сталин разрушил. Эта работа пойдет много быстрее, когда будет четко осознано, что именно разрушено и что надо восстанавливать. В критике Сталина, начатой после XX съезда, крупный пробел возник в результате того, что в центре внимания стояли массовые репрессии. Да, это самые страшные его злодеяния, правду о которых должны знать все. Но эта правда еще не объясняет суть его политики. В тени остается то, что сам Сталин старался оставить в тени: антиленинский политический переворот, совершенный в конце 20-х годов.

Анализ документов показывает сразу, что главной целью уничтожения людей было уничтожение идеи, носителем которой они были (или могли стать), уничтожение прежней политической тенденции и закрепление новой. После XV съезда партии Сталин по всем главным линиям ревизовал ленинизм и потому вынужден был позднее уничтожить людей, которые если еще не поняли этого, то могли понять потом – понять и воспротивиться. Они горевали, что пали невинными жертвами необоснованных обвинений. Но они были виновны – виновны в том, что слишком много знали, слишком хорошо разбирались в марксизме и когда-нибудь могли стать врагами Сталина.

Попробуем подвести итог этому уничтожению идей. Ленин, переваривая опыт революции, прошел путь от утверждения, что "социализм есть не что иное, как государственно-капиталистическая монополия, *обращенная на пользу всего народа* и постольку *переставшая* быть капиталистической монополией"[1] (1917 г.), до великой мысли, что социализм есть "строй цивилизованных кооператоров"[2] (1923 г.). Разница между государственной (пусть не капиталистической) монополией и строем кооператоров понятна без объяснений. Сталин же довел государственную монополию до степени бюрократической диктатуры, опирающейся на безграничный террор. Ленин добился разработки идеи рабочей демократии в партии и величайшей революционной силой считал демократическую власть трудящихся, осуществляемую через Советы. Сталин уничтожил и власть Советов в ленинском понимании, и партийную демократию. Ленин видел столбовую дорогу мировой революции в единении всех антиимпериалистических сил – Сталин "левым" сектантством ослабил рабочее движение в час решающей схватки с фашизмом. (В 1929 г. даже в Болгарии, где фашистскую диктатуру знали не понаслышке, на волне повсеместной борьбы с "правым уклоном" Димитрова и Коларова третировали как "правых" за их политику единого фронта.) Можно продолжить этот перечень, упомянув экономические отношения, национальную политику и многое другое. Но достаточно и этого, чтобы убедиться: Сталин не просто устранял соперников в борьбе за личную власть, но добивался этого с помощью радикального политического переворота.

Конечно, в дальнейшем, сделав главное – захватив власть, – он применял на практике многие элементы не своей, а ленинской политики. Отчасти этого требовали соображения маскировки, ибо факт переворота, совершенного в 1928–1930 гг., был семейной тайной, которая скрывалась даже более тщательно, чем подлинный характер борьбы с "врагами народа" в 1937 г. Отчасти сказывались соображения чисто прагматические. Так, отказ от чрезмерных плановых темпов во второй пятилетке был вызван слишком очевидным разрушительным воздействием ускорительства на народное хозяйство. А возврат к идее Народного Фронта на VII конгрессе Коминтерна столь же явно вызван повсеместной тягой к единству рабочего движения после того, как Гитлер сумел использовать отсутствие этого единства.

Наконец, иногда у Сталина оказывались руки коротки сломать то, что он хотел бы сломать. Так было с колхозами. Палками загоняя туда крестьян, он думал, что создает маршевые роты, которыми легко будет командовать. Он не предвидел, какие внутренние силы таит в себе демократическая организация, которая сама распределяет прибавочный продукт и сама избирает руководителей. Только увидев колхозы в деле, Сталин понял, что форсировал рождение силы, неподвластной ему. И возненавидел их лютой ненавистью, которую пронес до последнего своего сочинения, где объявил колхозы "низшей формой" за их меньшую способность подчиняться команде. Всю жизнь Сталин душил колхозы чем только мог, и больше всего – голодом.

Сталинизм не смог стать единственной, всеохватывающей нормой советской жизни, но Сталин в этом не повинен. Он-то старался. Сталин паразитировал на социалистической революции – вот откуда иллюзии единства этих противоположных начал. Сталинизм и революция всегда шли рядом, "обнявшись крепче двух друзей" – кто кого задушит. Проч-

---

[1] В.И. Ленин. Полн. собр. соч., т. 34, с. 192.
[2] Там же, т. 45, с. 373.

ность иллюзии единства наглядно демонстрирует М. Джилас в книге "Встречи со Сталиным", вышедшей несколько годами позже его наиболее известной книг "Новый класс". У него было время и подумать, и документы изучить. Но Джилас лишь углубил заблуждение. У него Сталин "построил социализм", защищал идеи коммунизма, сделал отсталую Россию индустриальной. Строил и развивал, а не ломал и тормозил развитие – вот как оказывается. Прямо некрасовский разговор в вагоне: "Кто построил эту дорогу? – Граф Петр Андреевич Клейнмихель, душечка". А по бокам-то все косточки русские...

По Джиласу, Сталин – "монстр", крупнейший преступник всех прошлых и даже будущих времен. И в то же время он призывает "быть справедливым" к Сталину: оказывается, только таким способом можно было решать стоявшие перед страной задачи, только так можно было ею руководить, только Сталин мог с этим справиться, и он был при этом непревзойденным государственным деятелем своего времени, самым значительным после Ленина. Здесь ярый противник Сталина заговорил вдруг языком самых заядлых его защитников.

Знакомые речи, не правда ли?

Такова логика ненаучной критики: она скорее оправдывает того, кого призвана ниспровергать. Но есть и логика ненаучных оправданий, они разоблачают больше, чем пытаются защитить. Сам Джилас с замечательной точностью пишет: Сталин из тех страшных догматиков, которые способны уничтожить девять десятых человечества ради того, чтобы "сделать счастливыми" оставшихся. Предположим, читатель поверит, что Сталин и революция нераздельны. Станет ли он от этого "справедливее" к "монстру"? Скорее иное: станет несправедливее к социализму.

Для полного успеха работа по восстановлению разрушенного Сталиным после XX съезда должна была быть вполне сознательной. Это стало возможным только в пору гласности. Теперь мы получили возможность точно разобраться, на что мы еще смотрим, сами того не замечая, сталинскими глазами, и отделить зерна от плевел. Если мы ставим Сталину в вину только жертвы необоснованных репрессий – тогда нам больше заботиться не о чем, ведь мертвых не поднять. Если же мы считаем, что первой жертвой сталинизма был ленинизм, – работы еще много.

Рождение культа личности Сталина означало убиение личности рядового человека не только как гражданина, но и как труженика. Вылепив психологию манкурта, стремящегося и по сей день приписывать свершения народа одному Вождю, Сталин одновременно создал и социальный тип нехозяина. Этот многоликий тип – тут и иждивенец, и слепой исполнитель, и захребетник, и завистливый уравнитель, и несун – гораздо более живуч, чем примитивный сталинист. В роли Хозяина ему не обязательно нужен Сталин – годится любое государство. Лишившись страха и слепой веры, обязательных при Сталине, манкурт не стал человеком – он стал архаровцем из распутинского "Пожара". Как человеческий тип архаровец ниже манкурта, ибо манкурт лишь забыл свою душу волею обстоятельств – архаровец же никогда и не имел души. Переводя это с языка литературы на язык политики, можно было бы сказать, что типичный выразитель брежневщины как человек ничтожнее сталиниста. Но не стоит их противопоставлять друг другу. Это близнецы, рожденные в один час истории – час сталинского перелома. Только поняв несчастье их рождения, можно надеяться вылечить общество от этой болезни.

Отчуждение человека – так называл это Маркс. Отчуждение от собственности и от власти. Выбор, сделанный Сталиным, – выбор в пользу перелома – привел к отчуждению от собственности, а затем был закреплен отчуждением от власти.

Защитники Сталина, лишившись в пору гласности многих аргументов, сочинили новый тезис: чего же, дескать, на одного Сталина все валят, он ведь не один это творил.

Да, конечно же, не один – разве одному управиться с такой громадной истребительной работой? И неправда, что молчат о других – написано немало о Берии и Вышинском, Молотове и Кагановиче, Жданове и Ульрихе, Ежове и Абакумове и о многих помельче. Но кто был у них главным – это не подлежит сомнению. И не только потому, что он самолично подобрал и поставил на должность каждого из этих подручных, самолично же лишил должности (а чаще – и жизни) всех, кто не годился для его дел. И не только потому, что смог уничтожить всех, кто, не впадая ни в какие оппозиции или уклоны против политики партии, выступил прямо против его культа, – группу Рютина, Ивана Москвина, Осипа Пятницкого, Федора Раскольникова. Он был главным прежде всего потому, что на решающих поворотах именно он делал выбор.

Исторический выбор – вот что определяет историческую ответственность. Каким бы коллективным ни было руководство партии при Ленине, мы знаем, что именно Ленин определил выбор в апреле 17-го – против буржуазной, за социалистическую революцию; в октябре 17-го – за вооруженное восстание; весной 18-го – за Брестский мир; весной 23-го – за продналог. После ухода Ленина выбор принадлежал коллективной воле руководства партии один раз, на XIII съезде, когда была отвергнута предложенная в Ленинском завещании идея замены и Сталин остался на своей должности. За всякий последующий выбор отвечает перед историей Сталин – сначала вместе с большинством поименованной Лениным шестерки против Троцкого; затем вместе с Бухариным против остальных; а с 28-го – за все последующее – он один, ибо вокруг остались лишь те, кого он сам назначал и смещал, награждал и убивал. Выбор, сделанный в час рокового перелома, Сталин не только предложил, не только отстоял и навязал стране – именно этот выбор он использовал для того, чтобы, убрав последнего соперника, утвердить свою единоличную власть. За нее полагается и личный ответ перед историей.

Когда сегодняшние арендаторы-фермеры приходят в опустевшие деревни и начинают расчищать заросшие кустарником поля, они не могут не задумываться: с чего же это запустение? Откуда оно и там, где вражье нашествие пережили, и там, где не было этого нашествия? Оно пошло от сталинского великого перелома. От тех времен, когда переломили хребет человеку труда.

О том переломе не может не вспомнить и современный обществовед и политик, когда он, обращаясь к последним работам Ленина, пытается полностью раскрыть смысл одной из самых знаменательных фраз, отразивших итог жизни великого революционера: "Вместе с тем мы вынуждены признать коренную перемену всей точки зрения нашей на социализм". Ленин, имевший на диктовку последних работ по нескольку минут в день, раскрыл этот тезис крайне сжато: раньше мы центр тяжести должны были класть на политическую борьбу, революцию, завоевание власти и т.д. – теперь центр тяжести переносится на мирную организационную "культурную" работу.

Чтобы вполне оценить значение этих слов, надо вспомнить кое-что, написанное их автором за пять с небольшим лет практического применения революционных идей.

Да, Ленин начинал с повторения общепризнанного до того в течение десятилетий представления о социалистическом хозяйстве как единой фабрике, но пришел затем к идее социализма как общества цивилизованных кооператоров, поняв за пять лет то, на что иным не хватило и семи десятилетий.

Да, Ленин начинал с представления о кайзеровской Германии как образце планомерной организации производства (хотя и о социалистической предприимчивости упоминал тогда же, в 1918-м), но в итоге пришел к призыву учиться торговать, пришел к уравнению настолько ясному в своей краткости, что исказить его не смог даже Сталин – оставалось только забыть. Вот это уравнение, легко просматриваемое в статье "О кооперации": социализм равен строю цивилизованных кооператоров, цивилизованный кооператор равен культурному торгашу.

Да, Ленин начинал с политической борьбы, революции, завоевания власти, с революционного насилия. Но пришел к категоричной заключительной фразе статьи "О кооперации". "Для нас достаточно теперь культурной революции для того, чтобы оказаться вполне социалистической страной, но для нас эта культурная революция представляет неимоверные трудности и чисто культурного свойства (ибо мы безграмотны), и свойства материального (ибо для того, чтобы быть культурным, нужно известное развитие материальных средств производства, нужна известная материальная база)". При всем желании здесь не найти ни малейшего намека ни на неизбежность обострения классовой борьбы на пути к социализму, ни на призыв к "раскрестьяниванию"[1].

Пожалуй, современный исследователь вправе утверждать, что Сталин как политик прошел сходный путь идейного развития. Но с непременным пояснением: он прошел его в обратном направлении.

---

[1] В.И. Ленин. Полн. собр.соч., т. 45, с. 377.

МИФЫ И РЕАЛЬНОСТЬ

Перестройка, чтобы быть успешной, требует проверки ряда теоретических посылок, с тем чтобы в ходе ее у нового здания не покосились стены, не осел фундамент, не протекла крыша. Поэтому, приступая в своей хозяйственной практике к перестройке, очень важно преодолеть расплывчатость, научную неопределенность этого понятия, с тем чтобы потом опять чего-то не перестраивать, зря потратив массу времени, средств и, более того, человеческих жизней. Чтобы избежать этого, важно еще раз задуматься, как мне кажется, над тремя вопросами: г д е м ы ? к т о м ы ? ч е г о м ы х о т и м ?

1. Где мы?

> Даже самые выдающиеся умы принципиально, вследствие какой-то слепоты суждения, не замечают вещей, находящихся у них под самым носом. А потом наступает время, когда начинают удивляться тому, что всюду обнаруживаются следы тех самых явлений, которых раньше не замечали.
>
> *Из письма К. Маркса Ф. Энгельсу от 25.3.1868*[1]

Уже при жизни Ленина и тем более после его смерти стала складываться обстановка, которая предопределила отход от творческого марксизма к его догматическому варианту. Это с неизбежностью должно было привести и к отходу от самого теоретического наследия Маркса, Энгельса, Ленина. Создался теоретический вакуум, который быстро оказался заполнен эклектической тиной. Постараемся же разобраться, в чем выразился отход от учения Маркса, Энгельса, Ленина, который был осуществлен в сталинский период. Виноваты ли, как некоторые считают, Маркс и Ленин во всем том, что произошло у нас в ходе строительства социализма?[2] Или, иными словами, может ли Маркс, марксизм нести от-

---

[1] К. М а р к с и Ф. Э н г е л ь с. Соч., т. 32, с. 43—44.
[2] Например, в югославском журнале *Экономист* (1987, № 1) опубликована статья профессора экономического института в Белграде Д. Марсенича "Утопические элементы в прогнозах К. Маркса относительно нового общества", где он пишет: "Предвидения К. Маркса относительно социалистического и коммунистического общества стали составной частью практических мер в социалистических странах. Они

ветственность за деятельность Сталина? Или еще и так: а насколько вообще правомерно Сталина называть марксистом? Строил ли он тот социализм, о котором писали Маркс, Энгельс, Ленин, или что-то другое?

Ответы на эти вопросы исключительно важны при определении работ, которые надо проводить в ходе перестройки. На XX съезде КПСС в 1956 г. культ Сталина был подорван. Но как? Были осуждены грубые нарушения законности, массовые репрессии, широко распространенные в период его правления. Но сама марксистская природа деятельности Сталина не подвергалась сомнению, сама идеологическая принадлежность его к марксизму никем не ставилась под сомнение. Более того, Хрущев, выступавший с разоблачением культа Сталина на XX съезде, охарактеризовал в одном из своих последующих выступлений Сталина как "великого марксиста". "В 1957 г. газеты напечатали сокращенное изложение выступления Хрущева "За тесную связь литературы и искусства с жизнью народа", где мало говорилось об искусстве, а больше об отношении к Сталину: "Строительство социализма в СССР осуществлялось в обстановке ожесточенной борьбы с классовыми врагами и их агентурой в партии – с троцкистами, зиновьевцами, бухаринцами и буржуазными националистами... В этой борьбе Сталин сделал полезное дело. Этого нельзя вычеркивать из истории борьбы... за социализм. За это мы ценим и уважаем Сталина. Мы были искренними в своем уважении к Сталину, когда плакали, стоя у его гроба. Мы искренни и сейчас в оценке его положительной роли..."[1].

Эта двойственность в оценке сталинизма сохраняется и по настоящее время.

Мне кажется, что пора покончить с мифом о великомученике Сталине, отстоявшем чистоту марксизма от опасности "слева" и "справа", но в усердии и запальчивости пролившем при этом невинную кровь. Идентификация сталинизма и марксизма таит огромную опасность для нас, для всего дела начавшейся перестройки, лишая тех навигационных приборов и карт, по которым можно сверять правильность того курса, которым мы следуем. Сталинский вариант "марксизма" уже завел всех нас в тупик, поскольку оставил нас без навигационных документов и приборов. Поэтому не может быть успешного движения вперед без очищения Маркса от Сталина, без возвращения к теоретическому наследию классиков, дискредитированному сталинистами разных рангов.

Хочу обратить внимание на такой факт. Несколько лет назад крупный американский социолог Нейл Смелсер провел опрос среди наиболее известных ученых Запада, пытаясь выявить, престиж какой из тео-

_____

"виноваты" в многочисленных извращениях социализма, если вообще существует настоящий критерий, в соответствии с которым можно утверждать, какой социализм развивается по верному пути, а какой нет. Поэтому в своей работе я высказываю некоторые сомнения по поводу "неоспоримости" исходных посылок К. Маркса о будущем социалистическом и, соответственно, коммунистическом обществе, в которых я обнаруживаю известные элементы утопии вопреки установившейся вере в них как в конечную истину". С этим мнением, с доказательством оправданности его не соглашается югославский экономист М. Шароска (_Экономист_, 1987, № 3–4), которая доказывает, что попытка списать трудности социалистических стран на утопизм Маркса "является тяжелой клеветой".

[1] Цит. по: _Октябрь_, № 5, с. 158.

рий, объясняющих жизнь общества, особенно сильно возрос за последние двадцать лет. Около 80% опрошенных ответили: марксизма. Интересно, что марксизм был назван 60% ученых как наиболее перспективное из теоретических обществоведческих учений[1].

Можем ли мы сказать, что в нашей стране авторитет марксизма среди тех, кто занимается общественными науками, также вырос? Кризис, переживаемый нашими общественными науками, не дает права положительно ответить на этот вопрос. Сталкиваясь с трудностями общественного развития, люди изобретают примитивные, домотканые теории, на базе которых рассчитывают эти трудности преодолеть, используя при этом в лучшем случае лишь цитаты из Маркса и Энгельса, а не их учение, не их метод исследований.

Чего стоит, например, утверждение публициста М. Антонова, который в газете *Социалистическая индустрия* (17 мая 1988 г.) доказывает, что "в марксизме-ленинизме полнее разработана теория разрушения старого строя, чем созидания нового. В нем поэтому не получили должного развития человеческий фактор, внутренний мир личности, духовно-нравственные ценности". Ну кого, спрашивается, может в наши дни заинтересовать учение, которое оставляет человека в стороне, а занимается только разрушением старого, тем более если, во всяком случае у нас, оно уже давно разрушено? Вот и М. Антонов, отвергнув разрушительную марксистско-ленинскую философию, предлагает взамен ее свою, на его взгляд, глубоко гуманистическую. В центр своих общественных построений он ставит коммуну, общину, которая объединит людей. Как, на чем объединит? "На любви к ближнему", – отвечает автор. Важно, пишет он, чтобы кооперировать не "товаропроизводителей-эгоистов", а людей с альтруистической закалкой.

Правда, автор верит, что деятельность такой общины будет якобы обязательно высокорентабельной, однако, как заранее оговаривает он, "не это в ней главное"[2].

Короче, та самая община, с которой боролся Ленин из-за ее закрытости к внешнему миру, неспособности к динамичному развитию, та самая маоистская "коммуна", тот самый сталинский "колхоз", которые тоже замешены на общинной идее и доказательстве, что не в прибыли счастье, а в труде на благо ближнего и дальнего за условные единицы с боевым названием "трудодень", эта самая ячейка предлагается в качестве альтернативы, лишь бы не поддаться бесчеловечным "рыночникам", тянущим общество к "рыночному социализму". В рамках такой организации нас соблазняют таким стерильным порядком, при котором рассчитывают "полностью сохранить ее сильные стороны и отсечь слабые". Потом я покажу истоки такого рода "гуманистических" затей, в осуществление которых нас пытаются втянуть вновь и вновь.

От публициста М. Антонова не отстает и бывший ответственный работник, заместитель председателя Госплана СССР М.И. Малахов, кото-

---

[1] *Известия*, 7 марта 1988 г.

[2] Я не хочу обвинять М. Антонова в плагиате, но сопоставьте его слова со словами И.В. Сталина: "У нас, наоборот, крупные зерновые хозяйства... не нуждаются для своего развития ни в максимуме прибыли, ни в средней норме прибыли, а могут ограничиваться минимумом прибыли, а иногда обходятся и без всякой прибыли, что опять-таки создает благоприятные условия для развития крупного зернового хозяйства".

рый в журнале *Молодая гвардия* (1988, № 4) рассказывает нам известную старую сказку об эффективности сталинской экономической политики. "Мне лично по службе, – пишет автор, – не раз приходилось встречаться со Сталиным, слышать о нем отзывы крупнейших ученых, писателей, конструкторов, военачальников, руководителей производства уже после XX съезда, мнения в чем-то расходились, но в одном совпадали – это была яркая личность". И яркость эта, по мнению М.И. Малахова, заключается в том, что Сталину удалось быстренько свернуть шею ленинской нэповской политике. "В.И. Ленин, разрабатывая систему нэпа, рассчитывал только на переходный период, а не на эпоху построенного социализма, а Рыбакову (Малахов ведет полемику с автором романа "Дети Арбата". – *Г.Л.*) хотелось бы, чтобы нэп существовал вечно, "всерьез и надолго"?" Очень советуем читателям прочитать после статьи Нины Андреевой и этот номер *Молодой гвардии*, чтобы реальнее представить себе опасность неосталинизма, в рамках которого на поставленный нами выше вопрос об идентичности марксизма и сталинизма дается категорически положительный ответ, а отвержение актуальности нэпа, это, как может убедиться каждый, не что иное, как отрицание необходимости принятия тех мер, которые проводятся уже или намечены в ходе перестройки.

И все-таки самое главное состоит не в том, что в нашей печати появляются статьи упомянутого типа. А почему бы им не появляться, если мы за плюрализм мнений? Тревожно другое. И этой тревогой поделился на XIX партийной конференции председатель правления Союза театральных деятелей РСФСР М.А. Ульянов. "Эта статья (Н. Андреевой. – *Г.Л.*), – сказал он, – застала нас врасплох. Многие, не все, но многие уже вытянули руки по швам и ждали следующих приказаний... мы перепугались ее письма. Вот что страшно. И появись они, эти указания, их моментально бросились бы выполнять, не задумавшись и не колеблясь... И хоть душа болела, а подавляющее большинство замерло и ждало предначертаний. И понимали, что это неверно, а ждали, тряслись, но терпеливо, послушливо и обреченно ждали... Вот ведь как глубоко в печенку въелись в нас послушливость и бездумная исполнительность!"[1].

Хотя Сталин давно умер, хотя его кровавые репрессии резко осуждены, тем не менее сталинизм как форма мышления продолжает существовать и проявляется во многих высказываниях и практических действиях независимо от того, сознается это или нет. Было бы напрасно искать в нашем обществе изолированную группу людей, которая явно или тайно исповедует сталинизм. Нельзя вновь поддаться психозу выявления ведьм. К большому сожалению, все мы отличаемся друг от друга лишь степенью отравленности этим образом мышления. Чтобы избавиться от него – а без избавления не может быть речи об успехе перестройки, – потребуется время и последовательное отторжение сталинизма от марксизма, разведение этих взаимоисключающих учений, чтобы вновь обрести преемственность в нашем миропонимании и не изобретать уродливых теоретических велосипедов, а развивать творческое наследие, которым мы с полным правом можем гордиться. В чем же это взаимоисключение состоит, в чем Сталин извратил Маркса? На мой взгляд, в первую очередь, в толковании проблем собственности; роли насилия в социалистическом строительстве; в толковании значения закона стоимости в жизни того общества, в котором мы живем.

---

[1] *Правда*, 30 июня 1988 г.

В свое время мне приходилось уже писать о необходимости сверять бытующие представления о нашем движении в океане исторического развития человечества с реальностью. К сожалению, в истории бывают такие случаи, когда возникают недоразумения, длящиеся десятилетиями, а потом вдруг обнаруживается, что неоспоримая истина является всеобщим заблуждением, сохранение которого мешает развитию человечества. Одним из таких заблуждений было, в частности, открытие Колумбом Америки, которую он вместе с современниками принял за Индию. "Ошибка, – писал я, – была исправлена, но и по сей день, как памятник большому недоразумению, по этому континенту передвигается местное население, окрещенное ни с того ни с сего индейцами, хотя они в то время видом не видывали, слыхом не слыхивали о далекой, чужой им Индии. Как бы это ни казалось странным, – заключал я свое сравнение, – но нечто подобное произошло и с некоторыми учеными, изучающими экономику социализма"[1]. Иными словами, на мой взгляд, мы тоже заблудились, но во времени, и приняли континент, к которому пристали, не за тот, к которому плыли. Что я имею в виду?

Прежде всего широко распространенное у нас, да и не только у нас, но и в других социалистических странах, представление о характере происшедшего обобществления средств производства и тех практических выводах, которые из этого следуют при строительстве нового общества. В 1917 г., после победы Октябрьской революции, были конфискованы и национализированы почти все предприятия промышленности, торговли, транспорта, банки. Перепись 1920 г. выявила, что в числе обобществленных предприятий, помимо крупных, оказалось более седьмой части тех, на которых работал всего один рабочий. Этот факт говорит сам за себя, иллюстрируя исключительно высокую степень достигнутого у нас в стране после революции обобществления производства. Какой же вывод для практики социалистического строительства сделали из этого факта те марксисты, которые накануне революции изучали труды Маркса, Энгельса? Они сочли, что наступил наконец час, когда можно немедленно и энергично взяться за осуществление тех принципов, которые соответствуют природе социалистического общества. А они у Маркса и Энгельса, кстати, довольно четко прописаны. Действительно, все знают, что Энгельс в "Анти-Дюринге" писал: "Раз общество возьмет во владение средства производства, то будет устранено товарное производство, а вместе с тем и господство продукта над производителями"[2]. И еще одно категорическое утверждение: "Когда общество вступает во владение средствами производства и применяет их для производства в непосредственно обобществленной форме, труд каждого отдельного лица, как бы различен ни был его специфически полезный характер, становится с самого начала и непосредственно общественным трудом"[3].

Спрашивается, как должен повести себя человек, прочитавший подобные высказывания Маркса, Энгельса, если он, как это было у нас после революции, оказался вдруг в условиях, когда почти все производство уже обобществлено и нет у этого человека и всех других людей, делавших революцию, никаких сомнений, что на обломках разрушенного капитализма нужно строить именно социалистическое здание указан-

---

[1] Г. Лисичкин. Что человеку надо? М., 1974, с. 102.

[2] К. Маркс и Ф. Энгельс. Соч., т. 20, с. 294.

[3] Там же, с. 321.

ного классиками образца? На этот риторический вопрос пусть читатель отвечает сам. Скажу то, что всем известно: многие видные революционеры и теоретики партии большевиков сочли, что условия, сложившиеся после Октября, полностью соответствуют тем, о которых писал Маркс, и поэтому указания Маркса и Энгельса должны быть немедленно осуществлены. В связи с этим призыв: долой деньги, долой цены, долой золото, долой торговлю, долой банки – получил широкое распространение, тем более что всеобщая разруха как бы подтверждала жизненность теоретических умопостроений, поскольку деньги и без большевиков переставали быть деньгами, золото – золотом, торговля вырождалась в примитивный продуктообмен. Все шло как по маслу, то бишь по Марксу. Теоретические посылки указанного толка не вызывали сомнений у большинства тех, кто должен был об этом думать. Ну, а практика?.. Что ж, практику, казалось, надо было совершенствовать в том направлении, которое задает теория. Если люди не привыкли пока работать и жить по-новому, по-социалистически, то, мнилось, достаточно покрепче закрутить гайки, и тогда можно будет приучить их жить так, как надо. А как надо? Это известно – написано у классиков марксизма. Смотри том такой-то, страницу такую-то.

В революционной России среди большевиков нашелся высокоавторитетный марксист, который прямо, откровенно и резко сказал: мы приплыли еще не туда, куда плывем, поскольку наше обобществленное производство еще не того качества, которое имели в виду и Маркс и Энгельс, размышляя о принципах организации нового общества на базе общественной собственности на средства производства. Это, конечно, был В.И. Ленин.

Действительно, предсказывая объективную неизбежность превращения частной собственности на средства производства в общественную, и Маркс и Энгельс предупреждали тем не менее о двух возможных вариантах развития этого процесса. Обобществлять производство можно по-разному. Одно обобществление рождается на базе развития производительных сил, на основе такого укрепления зависимостей отдельных производственных участков, когда они естественно, логично превращаются в звенья одной технологической цепи в рамках развитого разделения общественного труда. Крупная овощная плантация с индустриальной технологией производства и завод по переработке овощей настолько тянутся друг к другу, что невольно оказываются в рамках одной производственной организации. Это пример экономического обобществления. Еще более яркий пример такого типа обобществления – почта, телеграф, железные дороги. Там экономическое обобществление заходит так далеко, что оно взрывает узкие рамки частного владения и средства производства становятся достоянием общества. Общество просто вынуждено превращать их в свою собственность.

И об этом естественном процессе Энгельс в том же "Анти-Дюринге" писал: "Я говорю "вынуждено", так как лишь в том случае, когда средства производства или сообщения действительно перерастут управление акционерных обществ, когда их огосударствление станет экономически неизбежным, только тогда – даже если его совершит современное государство – оно будет экономическим прогрессом, новым шагом по пути к тому, чтобы само общество взяло в свое владение все производительные силы. Но в последнее время, с тех пор как Бисмарк бросился на путь огосударствления, появился особого рода фальшивый социализм, выродившийся местами в своеобразный вид добровольного лакейства, объявляющий без околичностей социалистическим *всякое* огосударствление, даже бисмарковское. Если государственная табачная монополия есть социализм, то Наполеон и Меттерних несомненно должны быть занесены в число основателей социализма"[1].

Как видим, марксизм четко различает д в а типа обобществления – правовое (административно-волевое) и экономическое. Лишь экономическое обобществление является условием прогресса, а волевое, насильственное обобществление вредит ему, поскольку обрекает на острый конфликт производительные силы с производственными отношениями.

Большинство тех, кто после революции размышлял о методах строительства нового общества, не поняли того различия в толковании обобществления, которое присуще марксизму. Волевое, насильственное обобществление было смешано с обобществлением экономическим. Между двумя этими понятиями был поставлен знак равенства, что предопределило характер экономического механизма, создаваемого для строительства социализма. Он принял тот вид, который нам знаком сначала по периоду "военного коммунизма" и характеризовался, как известно, тем, что в рамках его государственное предприятие теряло свою социально-экономическую самостоятельность; значение других форм собственности принижалось до минимума; целью производства объявлялось производство потребительных стоимостей, то есть вала, а не стоимостей; деньги превращались в учетные знаки, лишенные того содержания, которое делало их товаром товаров, то есть всеобщим эквивалентом; рынок начисто исключался из системы народного хозяйства и рассматривался как антипод социализма. И все это подавалось как реализация идей марксизма на практике.

В.И. Ленин первым обратил внимание на иное, чем то, о котором говорили Маркс и Энгельс, качество обобществления средств производства, происшедшее у нас после революции. Уже весной 1918 г. он писал: "Главная трудность лежит в экономической области: осуществить строжайший и повсеместный учет и контроль производства и распределения продуктов, повысить производительность труда, *обобществить* производство *на деле*"[2]. "...Недостаточно, – предупреждал Ленин, – даже величайшей в мире "решительности" для перехода *от* национализации и конфискации к обобществлению"[3].

Реальное видение экономического уровня обобществления производства позволило Ленину зафиксировать многоукладность экономики, то есть разную степень социальной и экономической зрелости отдельных производственных участков и регионов страны. Необходимость учета этого обстоятельства требовала и дифференцированной экономической политики на разных участках народного хозяйства. В то время как некоторые экономисты и политики предлагали после революции немедленно начать хозяйствовать по рецептам Маркса и Энгельса для условий обобществленных средств производства, Ленин, казалось бы, вопреки Марксу и Энгельсу предлагал развернуть какие-то непонятные

---

[1] К. М а р к с и Ф. Э н г е л ь с. Соч., т. 20, с. 289.
[2] В.И. Л е н и н. Полн. собр. соч., т. 36, с. 171.
[3] Там же, с. 293.

работы по обобществлению уже обобществленного производства. Непонятными они были для тех, кто научился читать Маркса, но не овладел его методом исследования действительности. Эти принципиальнейшие расхождения нашли свое выражение в борьбе Ленина с людьми, зараженными "детской болезнью "левизны" в коммунизме", которым казалось, что своими призывами развивать в условиях обобществленного производства рыночную экономику Ленин "ревизует" марксизм и затягивает, откладывает в дальний ящик решение задач построения социализма. Борьба с "левыми" закончилась на том этапе победой Ленина, зафиксированной в переходе страны к нэпу.

Нэп у нас очень часто обедняют тем, что ограничивают его только заменой продразверстки продналогом и замыкают тем самым на одну отрасль – сельское хозяйство. А на самом деле это была коренная, революционная ломка всех взглядов на строительство социализма в тех условиях, которые были в реальности. Поэтому в период нэпа изменилось положение государственного предприятия в системе народного хозяйства – оно из пассивного объекта управления сверху превратилось в активный субъект социально-экономической политики. При этом наряду с госпредприятиями конституировались кооперативные организации, роль которых неимоверно возросла именно в связи с переходом к нэпу. Появились акционерные компании. Открылись возможности для развития того, что сейчас мы называем индивидуальной трудовой деятельностью... Карточное фондирование материально-технических средств в народном хозяйстве было заменено институтом оптовой торговли. Денежная реформа 1922–1924 гг. заменила совзнаки классическими деньгами, ленинским золотым червонцем. Критерием оптимальности работы предприятий стала прибыль, а не процент выполнения натуральных госзаказов, спускаемых сверху. План, народнохозяйственные балансы стали формироваться в тесной увязке натуральных и стоимостных аспектов развития экономики. Закон стоимости, рынок был признан в качестве одного из важнейших р е г у л я т о р о в, управляющих развитием социалистической экономики.

Это была революционная перестройка жизни всего нашего общества, происходившая под давлением реальности и с учетом творческого применения марксизма. В основе этой перестройки, как можно видеть, лежал возврат к марксистскому толкованию феномена обобществления средств производства с учетом тех специфических условий, в которых оно произошло в то время в России. Была сохранена марксистская теория построения научного социализма.

Возврат к реальностям быстро принес успех, который ощутили все слои трудящихся. После голода, унесшего тысячи и тысячи жизней, сельское хозяйство в годы нэпа стало быстро возрождаться. Уже в 1922 г. закупка хлеба государством вместе с налогом превысила объемы продразверстки предшествующих лет. В 1921–1922 гг. было заготовлено более 38 млн. центнеров хлеба, а в 1925–1926 гг. – более 89. В 1925 г. размер посевных площадей достиг довоенного уровня. Поголовье крупного рогатого скота, овец, коз, свиней превысило довоенный уровень[1]. В 1923 г. страна впервые после революции вывезла на внешний рынок 130 млн. пудов российской пшеницы[2]. За четыре года нэпа на-

---

[1] *Правда*, 15 июля 1988 г.

[2] *Аргументы и факты*, 1988, № 14.

циональный доход, упавший почти втрое за годы гражданской войны, достиг довоенного показателя. За период 1921–1924 гг. валовая продукция крупной государственной промышленности возросла более чем в два раза.

Так реагировали страна, народ на возврат от амбициозных, псевдореволюционных фантазий к реалистической экономической и социальной политике, которая развивалась на теоретической базе творческого марксизма.

Заслуга Ленина, на мой взгляд, состояла прежде всего в том, что, высадившись со своей командой на каком-то незнакомом берегу, он тотчас же определил, что это все-таки не тот континент, к которому человечество ищет дорогу. Увидев айсберги и торосы, он быстро распознал, что наш корабль оказался на Южном полюсе. И в то время, когда в команде раздались радостные голоса: раз Юг – раздевайтесь и загорайте на здоровье, – он заботливо и трезво предупредил нас: Южный полюс, конечно, не Северный, но вести себя как на пляже здесь нельзя – враз окочуришься.

2. Сталинские идолы

> Самый страшный черт тот, который молится богу.
>
> *Польская пословица*

Человечество давным-давно догадывалось о том, что частная собственность на средства производства порождает массу несправедливостей. Именно на этой базе рождаются противоположность нищеты и роскоши, голода и обжорства, бесправие и политический гнет. Поэтому многие философы и революционеры в разное время, но с одинаковой страстностью требовали отменить, уничтожить частную собственность и установить в мире царство социальной справедливости.

Марксизм, как известно, признает м о р а л ь н у ю несправедливость частной собственности. Однако избавление от социальной несправедливости он видит не в политическом, а в экономическом преодолении частной собственности. Сапожник-частник, производящий в одиночку в своей мастерской обувь, оказывается в один-прекрасный день у разбитого корыта, то есть банкротом, поскольку открывшаяся по соседству обувная фабрика начала производить обувь дешевле и на разный вкус. На обувной фабрике обобществленный (в таких рамках) труд оказывается производительнее. Оттого он и вытесняет е с т е с т в е н н ы м образом труд частника. Поэтому к судьбе частной собственности марксизм относится очень осторожно. ”Ни одна общественная формация, – писал Маркс, – не погибает раньше, чем разовьются все производительные силы, для которых она дает достаточно простора, и новые более высокие производственные отношения никогда не появляются раньше, чем созреют материальные условия их существования в недрах самого старого общества”[1]. Частная собственность не только проклятие, но и колоссальное благо до тех пор, пока она не до конца выполнит свою цивилизаторскую роль в жизни человечества. Так смотрели на судьбу частной собственности и Маркс, и Энгельс. Поэтому они ни за что на свете не

---

[1] К. Маркс и Ф. Энгельс. Соч., т. 13, с. 7.

сорвали бы плод незрелым, зеленым, а помогли бы по возможности его созреванию, то есть не национализировали бы, имея власть, частную собственность на том основании, что она частная, не убедившись предварительно, что она отжила свой век, что она неконкурентоспособна, архаична.

Естественно, что и Ленин относился к частной собственности с большим историческим почтением. Почему же тогда так скоропалительно была уничтожена почти вся частная собственность (за исключением крестьянской) в отсталой России сразу же после Октябрьской революции, где ее созидательные возможности были далеко еще не использованы и, уж во всяком случае, использованы гораздо хуже и меньше, чем в Европе или в США, где частная собственность и поныне демонстрирует свои немалые потенции?

Это произошло в таких масштабах не в результате плановых, сознательных действий большевиков, а стихийно и, во всяком случае, вопреки желаниям и воле Ленина. Как известно, в первоначальном наброске (3 апреля 1917 г.) "Апрельских тезисов", представлявших программу действий партии большевиков после прихода к власти, Ленин подрывал частную собственность всего лишь в одном пункте, предлагая конфискацию всех помещичьих земель. Ориентируя партию на проведение социалистической революции, он в то же время предупреждал: "*Не введение социализма сразу*, а немедленный, систематический, постепенный переход Советов рабочих депутатов к **контролю** общественного производства и распределения продуктов"[1]. В "Апрельских тезисах" эта формулировка уточняется: "Не "введение" социализма, как наша *непосредственная* задача, а переход тотчас лишь к *контролю* со стороны С.Р.Д. за общественным производством и распределением продуктов"[2].

Итак, подготавливая социалистическую революцию, Ленин реалистически видел отсутствие экономической базы для "введения" социализма, и поэтому, как истинный марксист, он не собирался насилием решать те проблемы, которые решаются иными способами. Частную собственность предполагалось устранить сначала лишь в тех немногих пунктах, где процесс концентрации производства зашел действительно далеко. Как, например, в случае с синдикатом сахарозаводчиков или с банковским делом. Такой осторожный, дифференцированный теоретический подход к частной собственности был применен Лениным сразу после победы Октябрьской революции на практике, когда были национализированы банки, железные дороги и была предпринята попытка сохранить нормальное функционирование всех частных предприятий под наблюдением органов рабочего контроля. Эта попытка не удалась в первую очередь потому, что началась гражданская война и саботаж буржуазии, ее чиновников сорвал такую форму сотрудничества. Саботаж даже в мирное время наказуем, а в период революционного взрыва тем более. Национализация и конфискация были одной из мер наказания, которой каралась буржуазия. Собственность саботажников, а также масса брошенных собственниками во время бурных событий тех лет средств производства оказались в руках Советского государства, хотя оно не стремилось любыми средствами увеличивать сектор национализированной экономики, поскольку к управлению ею было просто не подготовлено.

---

[1] В.И. Ленин. Полн. собр. соч., т. 31, с. 100.
[2] Там же, с. 116.

В это смутное время Ленин прилагал усилия к тому, чтобы юридическое обобществление не обгоняло обобществления экономического. Он предостерегает от бездумных действий в отношении частной собственности: "Нам нечего браться за смешную задачу – учить организаторов треста, – их учить нечему. Их нам нужно экспроприировать. За этим дело не стоит. В этом никакой трудности нет. Это достаточно мы показали и доказали. И всякой рабочей делегации, с которой мне приходилось иметь дело, когда она приходила ко мне и жаловалась на то, что фабрика останавливается, я говорил: вам угодно, чтобы ваша фабрика была конфискована? Хорошо, у нас бланки декретов готовы, мы подпишем в одну минуту. Но вы скажите, вы сумели производство взять в свои руки и вы подсчитали, что вы производите, вы знаете связь вашего производства с русским и международным рынком? И тут оказывается, что этому они еще не научились, а в большевистских книжках про это еще не написано, да и в меньшевистских книжках ничего не сказано"[1].

Учитывая такого рода реальность, учитывая низкий уровень экономического обобществления производства, Ленин не торопил национализацию и конфискацию частной собственности. В тот краткий период сравнительно мирного существования Советской власти, который и продолжался-то всего лишь с октября (ноября) 1917 до осени 1918 г., Ленин прилагал все усилия к тому, чтобы наладить нормальные отношения с теми экономическими силами, которые были способны к сотрудничеству.

Что касается частной собственности трудового крестьянства, то у Ленина по отношению к ней была твердая марксистская позиция. "Всякий сознательный социалист, – разъяснял он вскоре после революции, – говорит, что социализм нельзя навязывать крестьянам насильно и надо рассчитывать лишь на силу примера и на усвоение крестьянской массой житейской практики"[2].

В целом к мелкой буржуазии Ленин вырабатывал такой подход, который мог бы втянуть ее в создание материальной базы социализма. Он писал: "Соглашение с мелкой буржуазией не в смысле блока для буржуазно-демократической революции, не в смысле ограничения задач социалистической революции, а в смысле исключительно *форм* перехода к социализму для *отдельных* слоев мелкой буржуазии"[3]. Как только Советская власть получила первую передышку весной 1918 г., Ленин поспешил разработать новую позицию по отношению к буржуазии в целом. "...Мы должны, – писал он, – заменить контрибуцию с буржуазии постоянным и правильно взимаемым поимущественным и подоходным налогом, который даст *больше* пролетарскому государству и который требует от нас именно большей организованности, большего налаживания учета и контроля"[4]. Эти слова были претворены в дело. 17 июня 1918 г. СНК утвердил Декрет об изменении и дополнении декрета 24 ноября 1917 г. о взимании прямых налогов, который определил новые отношения между буржуазией и Советской властью.

Показательны, на мой взгляд, следующие данные. До 1 июля 1918 г. в стране было национализировано всего 521 предприятие, из них 271 – областными советами народного хозяйства (51,4 процента), 123 (24 про-

---

[1] В.И. Ленин. Полн. собр. соч., т. 36, с. 258.
[2] Там же, т. 35, с. 264.
[3] Там же, с. 424.
[4] Там же, т. 36, с. 183.

цента) – губернскими и уездными организациями, ВСНХ и СНК национализировали лишь 100 предприятий, то есть около 20 процентов[1].

Гражданская война, интервенция, политическая незрелость русской буржуазии, оказавшейся неспособной к компромиссу и сотрудничеству с новой властью, привели к тому, что большая часть частной собственности в производстве к 1921 г. была национализирована и конфискована. Это была мера не экономического, а вынужденно репрессивного, карательного характера.

Как только в стране стал восстанавливаться мир, Ленин поспешил вернуться к той политике, с которой он начинал после победы Октября. Эту политику мы называем сейчас новой экономической политикой. Может сложиться впечатление, что большевики наломали сначала дров, а потом очухались, одумались и взялись за дело с другого конца. Это представление ошибочно. О том, что новая экономическая политика есть старая, та, которую большевики пытались налаживать сразу после победы Октября, Ленин подчеркивал неоднократно. Характерно, что, пытаясь объяснить преемственность политического курса, Ленин советует в своем письме Е.С. Варге, писавшему в то время статью о хозяйственной политике, "более полно цитировать мои работы весны 1918 года против "левых", о "государственном капитализме" и о трудностях *управления*, как *специфической* задаче"[2].

Не идеализируя института частной собственности, прекрасно понимая все негативные социальные явления, которые она порождает, Ленин тем не менее не торопился уничтожать ее административно, насильно, а искал пути ее включения в естественный процесс трансформации в собственность социалистическую. Эти поиски приводят его (май 1918 г.) к убеждению, что "государственный капитализм *экономически* несравненно выше, чем наша теперешняя экономика"[3], а позднее к выводу о возможности использования кооперации в деле ускорения экономического обобществления частной собственности на деле. Вот почему в связи с переходом к нэпу Ленин проводит частичную денационализацию, поскольку в ходе "военного коммунизма" государство оказалось вынужденным многое взять в свое владение без учета экономической целесообразности. Тогда же он ставит вопрос и о необходимости использования иностранных концессий.

Короче говоря, пока жив был Ленин, частная собственность имела своего надежного заступника в рядах большевистских вождей. Ленин предполагал истребить частную собственность не административным, а экономическим путем. Его лозунг "кто кого" – социализм окончательно победит или капитализм – предполагал такое экономическое соревнование общественной и частной собственности, при котором со сцены должна была исчезнуть та, которая окажется менее производительной, менее рентабельной.

Как это произойдет и когда это станет возможным, на такой вопрос Ленин не торопился дать категорический и однозначный ответ, ожидая подсказок от жизни, от практики. Поэтому на VII съезде партии, в марте 1918 г., когда большевики были уже у власти, Ленин возражает тем, у кого подобная схема социализма уже давно и заранее была готова. Но

---

[1] В.П. Милютин. История экономического развития СССР. 1917–1927. М., 1928, с. 110.

[2] В.И. Ленин. Полн. собр. соч., т. 54, с. 203.

[3] Там же, т. 36, с. 299.

она родилась у них не из жизни, а в голове. Из прочтения разных книг о социализме, в том числе и сочинений Маркса. Однако они не могли соотнести прочитанного со спецификой русской реальности. Ленин тоже штудировал и Маркса, и Энгельса, и других социалистов. Но он не спешил механически, бездумно пользоваться их рецептами в тех особых условиях, в которых произошла первая в мире социалистическая революция. "Дать характеристику социализма, – говорит он, – мы не можем; каков социализм будет, когда достигнет готовых форм, – мы этого не знаем, этого сказать не можем... как будет выглядеть законченный социализм, – мы этого не знаем... нет еще для характеристики социализма материалов. Кирпичи еще не созданы, из которых социализм сложится. Дальше ничего мы сказать не можем, и надо быть как можно осторожнее и точнее". "Дать характеристику социализма мы не в состоянии..."[1] Или вот еще: "Мы не претендовали на то, что мы знаем точную дорогу"[2]. "Сколько еще этапов будет переходных к социализму, мы не знаем и знать не можем"[3].

Ленин смысл происшедшей с о ц и а л и с т и ч е с к о й революции видел в том, что она открывала длинный, долгий, постепенный путь к социализму, а многие его соратники по партии считали, что если с о ц и а л и с т и ч е с к а я революция свершилась, то можно, не теряя времени, немедленно, уже сейчас начинать с р а з у строить социализм. В этом трагическом недоразумении таились темные, разрушительные силы.

Иными словами, Ленин, как и все социалисты, был убежден, что главной характеристикой социализма является общественная собственность на средства производства, но он как марксист был также убежден и в том, что таким простым способом, как национализация и конфискация, этого достичь нельзя.

Совсем иное, чем у Маркса, Энгельса, Ленина, было о т н о ш е н и е к ч а с т н о й с о б с т в е н н о с т и у Сталина. Он считал ее злом и только злом, независимо от того, исчерпала она свои возможности в развитии того или иного производства или нет. Поэтому он в годы своего правления истребляет частную собственность не только во всей промышленности, торговле, строительстве, но и в сельском хозяйстве, где социалистическая зрелость производительных сил была равна в то время даже не 0, а –1. Для Сталина л ю б а я общественная собственность кажется милее и эффективнее, чем частная. В 1929 г. в работе "К вопросам аграрной политики в СССР" он заявляет: "А между тем простое сложение крестьянских орудий в недрах колхозов дало такой эффект, о котором и не мечтали наши практики. В чем выразился этот эффект? В том, что переход на рельсы колхозов дал расширение посевной площади на 30, 40 и 50%". В этом выступлении Сталин еще не говорит, что простое сложение примитивных частных средств крестьянского производства уже дало или даст п р о и з в о д с т в е н н ы й эффект, а радуется тому, что земельный клин увеличился, но в работе "Год великого перелома" он обещает и это, заявляя, что "наша страна через каких-нибудь три года станет одной из самых хлебных стран, если не самой хлебной страной в мире".

---

[1] Там же, с. 65–66.
[2] Там же, т. 37, с. 223–224.
[3] Там же, т. 36, с. 48.

Негативное отношение к частной собственности, безотносительно к уровню ее экономической зрелости, было заимствовано Сталиным не у марксистов, а у тех псевдосоциалистов, которых именно марксисты резко критиковали. Вспомним незабвенного Дюринга, которому частная собственность тоже очень не нравилась, поскольку он считал, что она возникла из насилия одного человека над другим, что опорочило грехом всю последующую историю человечества. Надо, доказывал Дюринг, лишь исправить историческую несправедливость, уничтожить частную собственность, и сразу же равенство, братство и счастье станут всеобщим состоянием людей, живущих на Земле. Энгельс разъяснял ему то, что не смог гораздо позднее понять Сталин: "Пока тот или иной способ производства находится на восходящей линии своего развития, до тех пор ему воздают хвалу даже те, кто остается в убытке от соответствующего ему способа распределения. Так было с английскими рабочими в период возникновения крупной промышленности. Более того: пока этот способ производства остается еще общественно-нормальным, до тех пор господствует, в общем, довольство распределением, и если протесты и раздаются в это время, то они исходят из среды самого господствующего класса (Сен-Симон, Фурье, Оуэн) и как раз в эксплуатируемых массах не встречают никакого отклика. Лишь когда данный способ производства прошел уже немалую часть своей нисходящей линии, когда он наполовину изжил себя, когда условия его существования в значительной мере исчезли и его преемник уже стучится в дверь, – лишь тогда все более возрастающее неравенство распределения начинает представляться несправедливым, лишь тогда люди начинают апеллировать от изживших себя фактов к так называемой вечной справедливости. Эта апелляция к морали и праву в научном отношении нисколько не подвигает нас вперед; в нравственном негодовании, как бы оно ни было справедливо, экономическая наука может усматривать не доказательство, а только симптом. Ее задача состоит, напротив, в том, чтобы установить, что начинающие обнаруживаться пороки общественного строя представляют собой необходимое следствие существующего способа производства... Гнев, создающий поэтов, вполне уместен как при изображении этих пороков, так и в борьбе против проповедников гармонии, которые в своем прислужничестве господствующему классу отрицают или прикрашивают эти пороки; но как мало этот гнев может иметь значения в качестве *доказательства* для каждого данного случая, это ясно уже из того, что для гнева было достаточно материала в *каждую* эпоху всей предшествующей истории"[1].

Вот нотация, которую прочитал Энгельс Дюрингу, а через него и нам, объясняя, что несправедливости, проистекающие из частной собственности, не имеют ничего общего с выводом о необходимости ее уничтожения. Надо еще доказать, что она перестала быть "общественно нормальным" явлением, что производство, организованное на базе общественной собственности, способно сразу же дать в несколько раз больше продукции на единицу затрат. Это условие, это ограничение марксистов по поводу отмены частной собственности Сталин вслед за Дюрингом не принимал, не понимал. Для него важно было истребить даже частную трудовую собственность, которая якобы "ежедневно, ежечасно, стихийно и в массовом масштабе" рождает капитализм. Я не случайно поста-

---

[1] К. Маркс и Ф. Энгельс. Соч., т. 20, с. 153.

вил это слово "якобы", поскольку Сталин вневременно смотрел на частную собственность, и справедливые слова Ленина, сказанные им для одних условий, он отнес к абсолютно другим, к условиям, когда политическая власть в стране находилась уже в руках трудящихся и когда Ленин доказывал, что при помощи кооперации есть возможность приобщить трудягу-частника к социализму мирным путем; без конфискации, без национализации, без колоссальных спадов производства, а при его стабильном росте.

Этот ленинский путь трансформации частной собственности в общественную, о котором говорили в свое время Маркс и Энгельс, Сталин также понять не мог, не смог, как и саму мысль об исторической ценности института частной собственности. Поэтому все формы кооперации, получившие развитие при Ленине и (по инерции) в первые годы после него, он быстро уничтожил. Более того, даже к колхозам, созданным по его представлению об обобществлении производства, Сталин относился с большим подозрением, считая и эту форму собственности не общественной, а групповой, второсортной, временной. Об этом он открыто говорил в своей последней работе "Экономические проблемы социализма в СССР", усматривая и в факте существования колхозов препятствие переходу страны к коммунизму.

Сталин был последователен в своем толковании обобществления, понимая его как необходимость свалить все добришко, откуда и как бы оно ни досталось, в одну кучу, а потом распоряжаться им по-своему, то бишь по "общенародному" представлению о целесообразности. Но желание свалить все в одну кучу было у вождя, у его соратников и у многих миллионов людей, лишенных практически какой-либо собственности, но, как и их вожди, не понимающих, что от перераспределения даже большего, чем было тогда в России, частного имущества люди не станут богаче, а вот беднее – запросто. Было ли такое же желание и у тех, кому предстояло со своим добришком расставаться? Конечно, не было! Так как же быть? Отступать от светлых идеалов социализма?

Не из тех людей был Сталин, чтобы отступать в экономических вопросах. Его примитивное представление о том, что любая общественная собственность автоматически и сразу обеспечит более высокую производительность труда, чем частная, оказалось совершенно несостоятельным прежде всего потому, что его общественная собственность была общественной только по названию, по юридическим документам. Как действительно можно говорить об общественной или даже о групповой собственности в колхозах, где крестьянин сдает под метелку все зерно, а сам живет за счет чрезмерного труда на приусадебном участке и тех действий, которые превратили его в несуна?

Прошедшие годы убедительно показали нам, что общественную собственность одним актом административного обобществления создать невозможно. Она возникает там, где применяется самая современная технология, где существуют обоснованные цены на продукцию, нормальные налоги, где обеспечено эффективное обращение товаров, где развиты неформальные демократические принципы.

Учения Маркса о способах обобществления производства при социализме Сталин не одолел. Обобществление он дискредитировал, отбросив тем самым учение о социализме далеко от того рубежа, на котором оно было в начале века.

Нужно вообще признать, что капитализм, как заявил на совещании в Праге тогдашний секретарь ЦК КПСС А.Ф. Добрынин, обнаружил "значительно больший, чем представлялось ранее, запас прочности"[1]. Эта же мысль содержится в статье секретаря ЦК КПСС В.А. Медведева "...капиталистический строй сумел тем не менее приспособиться к новым условиям. Он устоял, несмотря на образование социалистической системы, выдержал распад колониальной системы империализма, постаравшись компенсировать его различными формами неоколониальной, а в последнее время и технологической эксплуатации развивающихся стран; нашел достаточно ресурсов для углубления научно-технической революции; использовал экономический рост для приглушения классовой борьбы и расширения пределов социального маневрирования"[2].

Иными словами, частную собственность хоронить, оказалось, рано. Она показывает неиспользованные резервы своего развития. Поэтому с ней надо не только считаться, но и уживаться с пользой для социализма.

На это же обстоятельство обращают внимание югославские экономисты. Так, доктор Томислав Николич пишет: "...коммунистические партии и рабочий класс пришли к власти гораздо раньше, чем предполагал Маркс. Следовательно, из факта "преждевременной" пролетарской революции нужно было бы сделать вывод о том, что все, что Маркс писал о коммунизме, адресовано не нам, что мы еще очень далеки от реализации идей "свободной ассоциации объединенных производителей"[3].

* * *

Грубая теоретическая ошибка Сталина в трактовке проблем собственности, его отступление от учения Маркса, его ревизия исторического подхода в толковании общественных явлений с логической, фатальной неизбежностью потянула за собой цепь других грубых теоретических просчетов. Прежде всего, толкование роли насилия в жизни общества.

Марксизм считает, что без насилия не может быть развития общества. Оно играет революционную роль в его жизни и, по словам Маркса, является "повивальной бабкой" старого общества, когда оно беременно новым. Вдумаемся в это широко известное сравнение роли насилия с повивальной бабкой, с акушеркой, говоря нашим современным языком. Какой отец-мужчина не бежит сломя голову звать в свой счастливый дом акушерку, когда приспело время? Какая женщина-мать не благодарит ее за облегчение родов, за сохранение нормального ребенка?

Сталин меньше всего похож в своей роли на повивальную бабку истории. Поскольку, как я пытался показать выше, для него было недопустимо временное понимание процесса "беременности" собственности, ее созревание, он грубо врывался в каждый дом и приступал к исполнению функций повивальной бабки. В этих домах также раздавались родовые истошные крики, рыдания, но чаще всего наступавшее затем затишье не нарушалось счастливым писком здорового ребенка, а сменялось плачем по исковерканной жизни. Повивальная бабка такого рода,

---

[1] *Правда*, 13 апреля 1988 г.

[2] *Коммунист*, 1988, № 2.

[3] *Экономска политика*, февраль 1988.

такой квалификации, как Сталин, не приносила в дом счастья. Мне нет необходимости доказывать правоту этих своих слов. Все, кто хоть в какой-то мере в этом сомневаются, должны прочитать или перечитать хотя бы "Чевенгур" А. Платонова, "Драчунов" М. Алексеева, "На Иртыше" С. Залыгина, "Мужиков и баб" Б. Можаева... Как публицист я приведу лишь несколько разрозненных показателей, иллюстрирующих разрушительную роль сталинского насилия тогда, когда оно употреблялось не в марксистском понимании. Самый яркий из них, безусловно, сталинская коллективизация.

Как известно, Ленин использовал в своей политике насилие. Отобрав, например, землю у помещиков и монастырей, он передал ее крестьянам. Более того, через комбеды, организованные летом 1918 г., было насильно изъято (с инвентарем) примерно 50 миллионов гектаров (из 70–80) у кулаков, которые также были розданы крестьянам. Кулачество как класс было практически уничтожено в ходе гражданской войны и деятельности комбедов. Ленинское решение аграрного вопроса дало замечательные плоды. Крестьяне в годы нэпа показали, на что они способны, когда им не очень сильно мешают работать.

Сталин, руководствуясь бредовой идеей, что любое обобществление уже есть благо и социализм, начинает в конце 20-х годов беспримерную кампанию по объединению крестьян в колхозы с истреблением физическим, гражданским и моральным тех, кто кажется ему не очень довольным его сумасбродными действиями. Формальное основание для этого – классовая непримиримость к буржуазным элементам на селе. Но где мог их взять Сталин к тому времени?

Используя расслоение деревни, носившее к тому времени не социальный, а исключительно имущественный характер, Сталин бросился крушить деревню, крестьян, рассчитывая, что насилием он добьется быстрее того, чего так замедленно, но надежно добивался своей аграрной политикой Ленина. Сталин разгромил во время своей коллективизации не менее трех миллионов крестьянских дворов (то есть 11–12 процентов от всего их числа), уничтожив физически или морально в несколько раз большее количество людей. Окупилось ли сталинское насилие хотя бы ростом производства? Куда там! Отчитываясь перед XVII съездом партии, Сталин мог похвастаться только такими вот результатами своего произвола на селе: лошадей к 1933 г. осталось 16,6 миллиона голов против 35,1 в 1916 (военном) году; крупного рогатого скота (соответственно) – 38,6 против 58,9; овец и коз – 50,6 против 115,2; свиней – 12,2 против 20,3. В стране во время коллективизации и в первые годы после нее начался, естественно, страшный голод и просто мор. Страна не стала самой хлебной, какой обещал ее сделать за три года Сталин.

И если бы колоссальные жертвы, принесенные Сталиным на алтарь насильственного обобществления крестьян, были бы не напрасны, если бы, как он предполагал, они окупились общим подъемом экономики, тогда можно было бы хоть каким-то образом простить его, оправдывая хотя бы тем, что захват укрепленных бастионов всегда требовал и требует жертв. А если при этом и пало бойцов больше, чем могло пасть, то пусть благоразумные потомки учатся на ошибках, без которых не может быть ни одной крупной победы. Так говорят нам теперь неосталинисты. Но дело в том, что у Сталина созидания-то как раз и не получилось, а вышла одна крупная ошибка, за которую дорогой ценой заплатил советский народ и которую теперь, в ходе перестройки, предстоит исправлять.

Такое заявление не может не привести в ярость наших неосталинистов. А Магнитка? А Днепрогэс? А Сталинградский тракторный?.. Вот вехи сталинских побед, вот вещественное оправдание всех ошибок Сталина, вот его реальный вклад в дело разгрома фашизма – страстно доказывают они нам. Но давайте наберемся мужества и посмотрим на реальный масштаб тех достижений, которые мы имели перед войной.

А для этого прежде всего нужно сравнивать результаты хозяйствования не с уровнем 1913 г. собственной страны, как это было принято до недавнего времени, а по крайней мере с уровнем соседей, которые хотя и при менее совершенной социальной системе, но тоже не стояли на месте в своем развитии. Так вот, в расчете на душу населения производство в процентах к уровню соседей выглядело так: в 1913 г. по чугуну к уровню США – 8, Англии – 12, Германии – 8. В 1937 г. соответственно – 30, 48, 26. По стали: США – 8, Англии – 16, Германии – 9, а в 1937 г. соответственно – 27, 38, 26. По электроэнергии: в 1913 г. к уровню США – 5, Англии – 13, а в 1937 г. соответственно – 18 и 30. Следовательно, несмотря на рост производства в период индустриализации, по главным показателям мы все равно оставались примерно в том же очередном порядке по уровню развития, из которого хотели вырваться.

Однако и эти показатели еще недостаточны для оценки реального положения вещей. Во всех странах обычно сталь, чугун, нефть, цемент производят не ради самих стали, чугуна и т.д., а ради роста общего богатства страны, которое лишь благодаря разумному пропорциональному сочетанию натуральных ценностей фокусируется в величине национального дохода. Сталин по ряду причин не любил этого синтетического показателя результативности любой хозяйственной деятельности. Поэтому в его отчетах можно легко найти показатели производства чугуна и стали в удобном для него сравнении, но о росте общего богатства страны, то есть национального дохода, он предпочитал или не отчитываться совсем, или говорить об этом очень туманно. Так, по крайней мере сейчас давайте ответим на этот вопрос: намного ли стала наша страна в целом богаче по сравнению с соседями за годы властвования Сталина?

В. Селюнин и Г. Ханин в статье "Лукавая цифра" пишут, в частности: "Национальный доход, рассчитанный по нашей методике, возрос с 1928 по 1985 г. в 6–7 раз. Это по любой оценке успех выдающийся – не много в мире стран, которые могут похвастаться такими темпами. Но с другой стороны, увеличение дохода за этот период и не девяностократное, как свидетельствует официальная статистика... За 1929–1941 гг. национальный доход вырос в полтора раза. Темп отнюдь не рекордный". Авторы этой статьи пишут и о том, что с 1928 по 1985 г. материалоемкость общественного продукта возросла в 1,6 раза, а фондоотдача снизилась на 30%[1].

И еще один важный аспект при оценке конечных результатов любой экономической деятельности – качество национального дохода. Можно производить много чугуна, стали, зерна и оставаться бедными. Как это может случиться? Очень просто. Чтобы получить, например, тонну меди, сообщал бывший секретарь ЦК КПСС В. Долгих[2], мы затрачиваем 973 киловатт-часа электроэнергии, а в ФРГ – в три с лишним раза меньше. На тонну производимого цемента у нас расходуется 274 килограмма услов-

---

[1] *Новый мир*, 1987, № 2.

[2] *Правда*, 11 июля 1988 г.

ного топлива, а в Японии – 142. Из-за низкой экономичности бытовых приборов приходится ежегодно вырабатывать лишние 20 миллиардов киловатт-часов электроэнергии, то есть строить одну лишнюю гигантскую электростанцию. Сталинская модель экономики страшно неэкономна.

Наконец, и такой показатель результативности хозяйствования – жизненный уровень населения. Но об этом вообще не стоит говорить, поскольку каждый живший при Сталине помнит наше общее нищенское существование, оправдываемое колоссальными расходами на оборону и индустриализацию. И с этим оправданием, с данной диспропорцией между I и II подразделениями, между группами А и Б можно было бы согласиться, если бы... Если бы все расходы на оборону не были по известным причинам обесценены тем, что буквально за несколько дней войны многие производственные мощности оказались на оккупированной территории, а война была выиграна при производстве той же стали почти в два раза меньшем, чем накануне войны, что сразу же обнажило характер всего развития экономики при Сталине, где индустриализация оказалась ради индустриализации, производство ради производства, а не ради роста благосостояния страны, народа. Ведь производство массы овощей при отсутствии мощностей по хранению и переработке, так же как и производство той же стали сверх необходимости, отнюдь не обогащает, а обедняет страну. Труд и в том и в другом случае оказывается выброшенным на ветер.

Будущие исследователи уточнят не только реальные наши потери во время коллективизации, массовых репрессий, подсчитают, во что обошлась нам война, сколько действительно народу погибло на ней, выяснят они и реальный объем тех достижений в народном хозяйстве, которые были в годы Сталина, расскажут, насколько отчеты о них соответствуют действительности. Но уже сейчас можно с полным основанием сказать, что ни о каком "экономическом чуде", приписываемом Сталину, не может быть и речи[1].

Сталинская интерпретация роли насилия в жизни общества не только от марксизма, она диаметрально ему противоположна. Но и тут, как и в толковании проблем собственности, Сталин был не оригинален. И тут пальма первенства принадлежит не ему, а малограмотному Дю-

---

[1] В работе известного американского экономиста Р. Голдсмита "Сопоставление национальных балансов (1688–1978 гг.)" (Чикаго, 1985) приводятся такие данные. Соотношение национального богатства к годовому национальному продукту составляло для России в 1913 г. – 9,50, в 1929-м – 7,24, в 1939-м – 2,94, в 1950-м – 3,42. Этот же показатель соответственно для США был: 7,62; 9,98; 9,20; 7,15; для Франции – 10,74; 7,01; 6,43; для Англии – 8,62; 9,81; 9,87; 8,3.

О чем говорят эти цифры? Во-первых, в 1913 г. уровень России был по процентному показателю близок к уровню развитых промышленных стран Запада. Во-вторых, в годы сталинских пятилеток это соотношение резко упало, что свидетельствует о варварском использовании национального богатства. В-третьих, и в 1939 и в 1950 гг. указанный показатель стал в три раза ниже, чем в других странах. В-четвертых, если наш низкий показатель 1950 г. может быть объяснен разрухой войны, то низкий уровень мирного 1939 г. может объясняться только войной против своего народа, своей страны (с. 36).

В другом источнике – "Изменение и анализ социально-экономического развития" (Женева, 1985) – сопоставляются уровни социально-экономического развития по большому ряду показателей в расчете на душу населения. По всем вариантам обобщающего индекса Советский Союз занимает двадцатое – двадцать второе место, так же как и по уровню национального дохода на душу населения (с. 299).

рингу и ему подобным провинциальным теоретикам, чье убожество исторических представлений так издевательски-резко критиковал в свое время Энгельс, тыча Дюринга носом, как неразумного кутенка, в море неизвестных тому по малограмотности фактов. Дюринг, нескромно опережая Сталина, заявляет, что он "исходит из той предпосылки, что политический строй является решающей причиной хозяйственного положения и что обратное отношение представляет лишь отраженное действие второго порядка..." "До тех пор, – продолжает Дюринг, – пока люди будут рассматривать политическую группировку не как существующую ради нее самой, не как исходный пункт, а исключительно как *средство в целях насыщения желудка*, – до тех пор во взглядах людей будет скрываться изрядная доза реакционности, какими бы радикально-социалистическими и революционными эти взгляды ни казались". И еще из Дюринга же: "...*первичное* все-таки следует искать в *непосредственном политическом насилии*, а не в косвенной экономической силе".

Кто из сталинистов и неосталинистов захочет опровергнуть эту мысль Дюринга и его духовного двойника Сталина? Никто! Опровергнуть Дюринга – это значило бы поставить под сомнение ту же коллективизацию; последующие гонения на кооперацию, приведшие к уничтожению промкооперации, к вырождению кооперативной природы и огосударствлению потребкооперации, совхозизации колхозов; изничтожение жалких личных приусадебных хозяйств и многие, многие другие факты, возникавшие в нашей жизни из-за того, что социализм виделся Сталину по Дюрингу, то есть как политическое устройство, свободное от унизительных соображений о "средствах в целях насыщения желудка".

Сталин тоже считал, что первична стройность и изначальная красота политической идеи, конструкции, осуществить которую можно политическим насилием. Если Дюринг никак не мог понять, что даже рабство в определенных исторических условиях является благом и прогрессивно, пока оно экономически эффективно, пока оно не исчерпало свой резерв эффективности, то Сталин не мог понять разную степень зрелости частной собственности и бросился изничтожать ее политическими средствами, без учета того, отработала ли она в той или другой области свой век. Справедливость для него имела вневременной характер, поэтому так несправедливо обходился он с народом, реализуя свою попытку всех нас осчастливить.

За идеалистическое представление о социализме как схеме абстрактной справедливости Дюрингу крепко досталось от Энгельса. Он буквально уничтожил его своим сарказмом. Поскольку Сталин жил и работал в условиях, когда такие люди, как Энгельс, должны были или молчать, или томиться в сталинских концлагерях (надо ли напоминать о судьбе выдающихся экономистов 20–30-х годов?), то воспользуемся аргументами Энгельса в полемике с Дюрингом, который должен был еще при своей жизни глотать горькие пилюли марксистской критики. Так вот, Энгельс, как марксист и как фабрикант, – а это не случайное совпадение, не признак лицемерия, а признак реализма, – вразумлял Дюринга: "...насилие есть только средство, целью же является, напротив, экономическая выгода...", "...насилие не в состоянии делать деньги, а в лучшем случае может лишь отнимать сделанные деньги, да и от этого не бывает много толку...". "Если бы, – продолжает Энгельс втолковывать через Дюринга, – "хозяйственное положение", а вместе с ним и экономический строй какой-либо страны попросту зависели, в согласии с учением г-на

Дюринга, от политического насилия, то было бы невозможно понять, почему Фридриху-Вильгельму IV не удалось после 1848 г., несмотря на всю его "доблестную армию", привить средневековое цеховое устройство и прочие романтические причуды железнодорожному делу, паровым машинам и начавшей как раз в это время развиваться крупной промышленности его страны; или почему русский царь, который действует еще гораздо более насильственными средствами, не только не в состоянии уплатить свои долги, но не может даже удержать свое "насилие" иначе, как беспрерывно делая займы у "хозяйственного положения" Западной Европы"[1].

Как современно звучат эти слова Энгельса сегодня. Насилие в дюринговском его толковании, то есть не ограниченное экономической целесообразностью, а целиком подчиненное мнимой стройности ложных политических идей, привело к тому, что только в прошлую пятилетку мы, обладающие почти двумя третями мировых площадей одних черноземов, вынуждены были завозить примерно 40 миллионов тонн зерна ежегодно, что составляло 22 процента валового сбора зерна у нас. И это обращение к Западу было нам крайне нужно, чтобы жить хотя бы так, как мы сейчас живем.

Надо ли удивляться, что и русский царь, и те, кто пришел к власти затем, не отказавшись от веры во всесилие насилия, так бесславно ведут хозяйственные дела? Отвечу: нет, не надо. Марксисты уже давным-давно предсказали неуспех каждому, кто политические схемы и насилие в их осуществлении сделает основой своей экономической политики.

Заслуга Сталина перед марксизмом состоит в том, что он, хотя и страшно дорогим способом, от противного, доказал на практике правильность марксистского толкования роли насилия в истории, показав разницу между насилием повивальной бабки и насилием насильника. Результаты обоих вариантов насилия, как мы убедились на собственном опыте, диаметрально противоположны.

Объявив главным показателем уровня развития социализма не производительность труда, которая при социализме в принципе должна быть гораздо выше, чем при капитализме, не благосостояние народа, которое прежде всего характеризует преимущества нового строя, не степень демократичности в жизни общества, а степень административного обобществления производства, Сталин до примитивизма упростил себе и своим соратникам решение задачи строительства социализма в СССР. Вопрос "кто кого" Сталин решил быстро и просто, поскольку перевел его из сферы экономической, социальной, моральной в сферу административную, где не так важно умение работать, а нужно владеть лишь мастерством запугивания и оболванивания.

Расправившись с единоличным крестьянским хозяйством, с мелкими ремесленниками и недоразвитыми нэпманами, Сталин с позиций своего видения социализма мог на XVII съезде партии (1934 г.) торжествовать победу и объявить всему миру о том, что "уже за годы первой пятилетки построен фундамент социалистической экономики". А еще через два года в докладе на Чрезвычайном съезде Советов он заявлял и о том, что "наше советское общество добилось того, что оно уже осуществило в основном социализм, создало социалистический строй, то есть осу-

---

[1] К. Маркс и Ф. Энгельс. Соч., т. 20, с. 188–189.

щствило то, что у марксистов называется иначе первой или низшей фазой коммунизма. Значит, у нас уже осуществлена в основном первая фаза коммунизма, социализм".

Чтобы ни у кого не было никаких сомнений по поводу того, что происходило в голодной и нищей стране, Сталин декретировал социализм законодательно, закрепив свою победу в сталинской Конституции. Какие были у него основания для такого смелого заявления? Были. И весьма солидные. Они перечислены в резолюции XVIII съезда партии: "Социалистическая – государственная и кооперативно-колхозная – собственность на производственные фонды, на орудия производства и производственные постройки к концу второй пятилетки составляла 98,7 процента всех производственных фондов в нашей стране. Социалистическая система производства стала безраздельно господствовать во всем народном хозяйстве СССР: по валовой продукции промышленности она составляла 99,8 процента, по валовой продукции сельского хозяйства, включая личное подсобное хозяйство колхозников, – 98,6 процента, по товарообороту – 100 процентов. В соответствии с происшедшей социалистической перестройкой экономики страны изменилась и классовая структура советского общества... 94,4 процента населения страны было занято в социалистическом хозяйстве или тесно связано с ним".

Как видим, представления о социализме у Ленина и Сталина диаметрально противоположны. Ленин в характеристику социализма включал в первую очередь более высокую, чем в передовых капиталистических странах, производительность труда и демократизм на базе Советов, более высокий по уровню свобод, чем парламентский, строй. Для строительства т а к о г о социализма Ленин, естественно, просил у истории длительного времени. Тем более Ленин знал, что "мы придем к победе только вместе со всеми рабочими других стран, всего мира"[1]. "Мы никогда не обольщали себя надеждой на то, что сможем докончить его (переход от капитализма к социализму. – Г.Л.) без помощи международного пролетариата"[2].

Сталинский социализм, как видим, значительно проще. Он требует лишь одного – чтобы все работали на госпредприятиях или в колхозах. Не важно, как работают, не важно, при каких порядках работают, не важно и то, как люди живут, но важно, лишь бы они были под общей единой государственной крышей. Выполнить эту задачу можно, конечно, быстрее. И конечно, такой социализм возможен в одной, отдельно взятой стране. И Сталин к XVIII съезду завершил его строительство на голом месте. За пятнадцать лет после смерти Ленина. А мы сейчас Дом культуры или скромную школу на селе за такой срок не можем частенько осилить. Да, были люди в наше время! Богатыри, не вы...

"Потомственному" сталинисту кощунственными кажутся нынешние призывы: "Больше социализма!" Куда уж больше, если социализм мерить сталинскими мерками огосударствления. Но почему мы должны и сейчас пользоваться старым, фальшивым метром? Ветеран Отечественной войны из Ленинграда И. Николаев, размышляя об этом, пишет: ""Больше социализма!" А сколько у нас уже есть социализма? И сколько не хватает? В период "культа личности удельный вес социализма в национальном доходе подсчитывался так: в 1917 г. – 0% социализма, в

---

[1] В.И. Ленин. Полн. собр. соч., т. 36, с. 234.
[2] Там же, т. 35, с. 271.

1924-м – 35, в 1928-м – 44, в 1937-м – 99,1, в 1954-м – 99,98... При таком подсчете "больше социализма" не может быть. Считаю, что социализм у нас не только созидался, но и разрушался. Народ строил социализм, а Берия разрушал социализм. Когда, например, колхозники теряли чувство хозяина своей земли и своей продукции, то это было не строительство социализма, а разрушение социализма. Значит, пришло время отказаться от сталинской системы подсчета социализма и восстановить ленинскую"[1]. Но если встать на такую точку зрения, если подсчитать социализм по такой системе, а только так и можно считать, когда к социализму подходят по-научному, тогда многое в нашей действительности нужно переделывать. Но затем, собственно, мы и начинаем перестройку.

Ревизовав марксизм во взглядах на собственность и роль насилия в жизни общества, Сталин с логической неизбежностью попал в теоретический капкан, поставленный им самим на собственном пути. Обобществив, как умел, все средства производства и заглянув в работы классиков марксизма, он быстро усвоил азбучную истину о том, что при социализме не будет рынка и закон стоимости перестанет быть регулятором производства. Но социализм к XVIII съезду партии Сталин уже "построил". Значит, общество, решил он, уже совершило тем самым переход из царства необходимости в царство свободы, и теперь можно жить и руководить экономикой огромной страны по удобному, особенно для диктатора, принципу: что хочу, то и ворочу.

Заранее скажем, что Маркс никакого повода к такому сталинскому решению, конечно, не давал и давать не мог. Наоборот, он категорично предупреждал: "Царство свободы начинается в действительности лишь там, где прекращается работа, диктуемая нуждой и внешней целесообразностью, следовательно, по природе вещей оно лежит по ту сторону сферы собственно материального производства"[2].

Говорить о том, что наша страна в 30-х годах была "по ту сторону материального производства", можно, вероятно, только в приложении к тогдашнему сельскому хозяйству, которое при Сталине действительно оказалось "по ту сторону", но, конечно, со знаком не плюс, а минус. Следовательно, оснований для уничтожения рынка, для игнорирования закона стоимости не было никаких. Но Сталин был великим идеалистом, а идеалистам нет нужды считаться с ограниченностью материальных средств, поэтому свой социализм он легко взгромоздил на хрупкую материально-техническую базу, в структуре которой видное место занимали тачка, лопата, кетмень...

Отрицательное отношение Сталина к закону стоимости, к рынку в тех условиях, в которых была страна, просматривается через его работу "Экономические проблемы социализма в СССР", вышедшую в 1952 г., а также через учебник политэкономии, выпущенный в 1954 г., но, как известно, духовным отцом которого был, как и в случае с "Историей ВКП(б)", Сталин. В "Экономических проблемах" Сталин с присущей ему грубостью напал на Венжера и Санину, обвинив их в том, что "они не понимают роли и значения товарного обращения при социализме, не понимают, что товарное обращение несовместимо с перспективой перехода к коммунизму".

---

[1] *Советская культура*, 23 июня 1988 г.
[2] К. Маркс и Ф. Энгельс. Соч., т. 25, ч. II, с. 386–387.

В учебнике же политэкономии было категорически заявлено, что наш труд уже приобрел непосредственно общественный характер. Непосвященному читателю весь этот разговор может показаться абстрактным и схоластичным. Не все ли равно, как сказать: "посредственно" или "непосредственно" общественный? Назови хоть горшком, только в печь не ставь, заметит непосвященный читатель. Однако я бы не советовал так быстро соглашаться с той или иной характерстикой нашего труда, поскольку от этого зависит наша повседневная бытовая и производственная жизнь.

Если наш труд объявить непосредственно общественным, то тем самым надо признать, что из жизни нашего общества исчезли те неудобные противоречия, которые так мучают людей, то есть исчезают противоречия, открытые Марксом в товаре: между потребительной стоимостью и стоимостью; между абстрактным трудом и конкретным; между трудом индивидуальным и общественным. Ну и что, скажет тот же непосвященный читатель. А то, что на самом деле эти противоречия не исчезают оттого, что мы объявляем их отмененными. Но за наш нигилизм они жестоко мстят нам. Любая клушка учит вылупившихся цыплят видеть и решать противоречия, присущие жизни. Она объясняет им, что надо остерегаться коршуна и соседской кошки, а также не лезть в воду, не зная броду. Объявив наш труд непосредственно общественным, мы разоружили людей, общество в борьбе с противоречиями, утратили иммунитет, спасающий нас от болезней и хворей, окружающих нас вопреки утверждениям о стерильности окружающей среды. Поэтому не надо удивляться, что мы так часто и так тяжело болеем тогда и там, где другие, приняв легкую таблетку, чувствуют себя вполне здоровыми и дееспособными.

Второе следствие из декретирования нового характера труда состоит в том, что при таком взгляде на вещи срывалось покрывало таинственности с марксового понятия стоимости, которое в его толковании имело слишком уж "нематериальную" природу. Учебник объявил стоимость социалистического товара категорией вещной, и определить ее, рассчитать представлялось делом простым, чисто техническим – замерить те или иные материальные затраты на данный вид продукции, поделить полученную сумму на число продуктов данного вида, и дело с концом. Не надо думать о равновесии между спросом и предложением, не надо думать о сбыте, поскольку в этом случае господствует полная убежденность, что все произведенное по плану будет вовремя реализовано по той цене, которая рассчитана бухгалтерами еще до начала производства, без изучения поведения возможного потребителя. Как видим, согласившись с постулатом о непосредственно общественном труде, мы обрекли себя на вечно тупиковую ситуацию в ценообразовании, на производство массы неходовых товаров. Сталкиваясь со всеми этими негативными явлениями, мы горько вздыхаем, ахаем и... разводим руками в бессилии устранить первопричину, нами же самими и созданную.

Ошибочный взгляд на характер нашего труда привел с неизбежностью и к утверждению уравниловки в оценке труда. Рабочее время каждого работника данной профессии объявлялось более или менее равноценным, а более сложные и ударные специальности оценивались по коэффициентам несколько выше, но главное в оценке труда состояло в том, что она никак не связывалась с размером конечного продукта, его качеством, успехами в его реализации.

Наконец, отрицание противоречия в товаре между потребительной стоимостью и стоимостью сделало теоретически ненужной саму торговлю продуктами, а утверждение единства труда конкретного и абстрактного сделало ненужными и сами деньги в их классической функции, в том качестве, которое делало их товаром товаров, всеобщим эквивалентом, имея который можно купить все, кроме разве птичьего молока, если под этим, конечно, иметь в виду не деликатесный торт, а невозможное. На базе нетоварной концепции складывалась, как известно, вся практика хозяйствования.

Короче говоря, Сталин был категорически против использования товарно-денежных отношений в их самостоятельной, а не только в учетной форме. "Впрочем, – пишет Т. Дзокаева, – Сталин умудрялся на словах, в "теории", даже защищать товарно-денежные отношения при социализме. Что не мешало ему ориентировать практику на прямой продуктообмен"[1]. Это абсолютно верно. Достаточно прочитать доклад Сталина на XVII съезде партии, чтобы заметить указанное противоречие. Сталин критиковал тех, кто ратовал за свертывание торговли, за превращение денег в простые расчетные знаки. "Понятно, – говорил Сталин, – что партия, стремясь организовать развернутую советскую торговлю, сочла необходимым погромить и этих "левых" уродов, а их мелкобуржуазную болтовню пустить на ветер". Откуда у Сталина такая эклектичность? И эклектична ли это?

Надо отдать Сталину как теоретику должное. От твердо и последовательно придерживался концепции специфического товарного производства на базе непосредственно общественного труда. Это та самая база, несостоятельность которой в свое время была доказана классиками марксизма[2]. Но Сталин был человек не робкого десятка. Очень справедливо, на мой взгляд, Т. Дзокаева пишет в упомянутой статье: ""На общем фоне нигилизма авторитарность под видом партийности выбрасывала из экономической науки, созданной Марксом, часть за частью. Герман Лопатин, этот "мученик идеи", испытал бы еще одно груснейшее разочарование, проживи он на пару лет дольше. Главы "Капитала" – о товаре, двойственном характере труда, товарном фетишизме, – блестящим переводчиком которых на русский язык он стал, были забыты прежде всего. Вместо положения о двойственном характере труда – Маркс называл его самым таинственным явлением, не разгаданным на протяжении двух тысячелетий, и считал главным своим открытием – была подана сладенькая водичка о "непосредственно общественном характере труда при социализме", идея, объявленная впоследствии "прочным завоеванием экономической мысли социализма"..."

Но Сталину как теоретику и тут опять не везет. Ему не удается вырваться в оригиналы пусть даже бредовых идей. Он ни на миллиметр не может оторваться от своего двойника – Дюринга и идет за ним след в след, пользуясь тем, что тот в 1921 г. умер и уже не может обвинить его в плагиате.

---

[1] *Правда*, 6 мая 1988 г.

[2] "Непосредственно общественное производство, как и прямое распределение, исключает всякий товарный обмен, следовательно, и превращение продуктов в товары (по крайней мере внутри общины), а значит и превращение их в *стоимости*" (К. Маркс и Ф. Энгельс. Соч., т. 20, с. 320).

Не Сталину, а Дюрингу принадлежит идея совместить непосредственно общественное производство с использованием закона стоимости и товарно-денежными отношениями за счет установления "справедливой", или "истинной", стоимости. Это его изобретение было оценено Энгельсом как несостоятельное.

Рецепт исчисления "истинной", "справедливой" стоимости в условиях общественной собственности на средства производства Дюринг тоже передал по наследству Сталину. Это Дюринг, обгоняя время, рекомендовал устанавливать "для каждого рода предметов единую цену", соответствующую средним издержкам производства, предсказывая, что "для определения стоимости и цены так называемая себестоимость производства будут играть" роль "оценки требующегося количества труда". Какие до боли близкие, знакомые постулаты. Оказывается, не только проверенные истины, но и заблуждения могут сохраняться в веках. Не забудем, что Дюринг активно пропагандировал свои взгляды в середине 70-х годов прошлого века.

Уравнительные идеи распределения по труду разработаны также Дюрингом настолько, что Сталин мог брать их в готовом виде. Это именно Дюринг предлагал оплачивать труд при социализме "независимо от того, сколько отдельные личности произвели продуктов, больше или меньше, и *даже* в том случае, когда они случайно *ничего* не произвели". Мы вдоволь насмотрелись на то, как эта схема действует и в сельском хозяйстве, и в промышленности. Правда, нужно отдать должное, уравнительность Дюринга, как и его нынешних последователей, не безгранична. Он писал: "Принципиальное равенство прав в экономической области не исключает того, что наряду с удовлетворением требований справедливости будет иметь место еще *добровольное* выражение особой признательности и почета... Общество *делает самому себе честь*, когда отмечает высшие виды деятельности, предоставляя им *умеренную прибавку* для нужд потребления". Так трогательно, замечает Энгельс, Дюринг, "соединяя невинность голубя с мудростью змия... заботится об умеренном добавочном потреблении для дюрингов будущего"[1]. И они, дюринги будущего, могли бы теперь воздать у нас хвалу человеку, идеи которого так пригодились для развития теории сталинизма, на базе которой могут благоденствовать те, о ком позаботились Дюринг со Сталиным.

С институтом денег, этим мировым открытием человечества, значение которого можно приравнять или к возникновению членораздельной речи, или к изобретению письменности, поскольку и то, и другое, и третье является средством элементарного общения между людьми, Дюринг рекомендует ввести действительные деньги, но запретить им функционировать иначе, чем в качестве простых трудовых марок. Такие деньги, напоминает Энгельс слова Маркса, "имеют с деньгами так же мало общего, как, скажем, театральный билет"[2]. Обмен в дюринговском социализме предполагалось осуществлять так, как это сделал Сталин, то есть чисто натуральный обмен с учетом в так называемых деньгах.

Энгельс, критикуя теоретические построения Дюринга, говорил о том, что в его интерпретации получается, будто "капиталистический способ *производства* вполне хорош и может быть сохранен, но капиталисти-

---

[1] К. Маркс и Ф. Энгельс. Соч., т. 20, с. 312.
[2] Там же, с. 314.

ческий способ *распределения* – от лукавого, и он должен исчезнуть"[1]. Сталин со своей неуемностью перешел от дюринговских слов к решительному делу, то есть к радикальным изменениям именно в сфере распределения, поскольку, говоря словами Энгельса, "производство – это такая область, где мы имеем дело с осязательными фактами, и "рациональная фантазия" может предоставить здесь полету своей свободной души лишь ничтожный простор, так как опасность осрамиться слишком велика. Другое дело – распределение, которое, по мнению г-на Дюринга, не находится ни в какой связи с производством и определяется не производством, а просто актом воли: оно как бы самим небом предназначено для того, чтобы служить ареной для дюринговской "социальной алхимии""[2].

С результатами сталинской социальной алхимии нам и приходится сейчас с большим трудом разбираться.

Известный английский экономист Г. Кейнс пишет: "Практичные люди, которые верят, что они освобождены от влияния ученых, оказываются обычно рабами какого-нибудь малоизвестного экономиста. Опьяненные авторитетом власти, они прислушиваются... и таким образом подхватывают идеи какого-нибудь всеми забытого академического писаки"[3]. Этой судьбы, как видим, не избежал и Сталин, которому марксизм оказался не по зубам, и он вольно или невольно позаимствовал у Дюринга теоретическую концепцию строительства социализма в одной стране. Характеризуя качество этой концепции, Энгельс писал: "...свой социализм г-н Дюринг основывает непосредственно на теориях вульгарной политической экономии самого худшего сорта. Его социализм имеет ровно такую же ценность, как эта вульгарная политическая экономия: их судьбы неразлучно связаны между собой"[4].

Эти слова оказались пророческими. Сталин своей практической деятельностью доказал оправданность тех предостережений классиков марксизма, которые они адресовали потомкам, рассматривая теоретическую базу сталинизма, разрабатывавшуюся в их время г-ном Дюрингом.

3. Как в воду глядели

> Маркс со стенки смотрел, смотрел...
> И вдруг
> разинул рот,
> да как заорет:
> "Опутали революцию обывательщины
> нити..."
>
> *В. Маяковский, "О дряни".*

Беру на себя смелость утверждать, что основателями жанра антиутопии были не Е. Замятин ("Мы", 1921), не О. Хаксли ("О дивный новый мир", 1932), не Дж. Оруэлл ("1984", 1949), а К. Маркс и Ф. Энгельс.

---

[1] Там же, с. 310.
[2] Там же.
[3] Г. Кейнс. Общая теория занятости, интересов и денег. М., 1977, с. 383.
[4] К. Маркс и Ф. Энгельс. Соч., т. 20, с. 199.

18–1203

Это они не только показали теоретическую несостоятельность сталинизма, но и нарисовали устрашающую картину тех практических последствий, которые грозят обществу, решившему выбрать путь своего развития на рассмотренных выше (ошибочных или, вернее, ложных) принципах. Вот как предупреждал Маркс Сталина об опасности воплощения идеи "материализации" стоимости, ее конструирования на базе обмена "равных" материальных затрат.

"Предположим, – писал он, – что Петр проработал двенадцать часов, а Павел только шесть часов; в таком случае Петр может обмениваться с Павлом только шестью часами на шесть часов, остальные же шесть часов останутся у него в запасе. Что сделает он с этими шестью рабочими часами?

Или ровно ничего не сделает, и, таким образом, шесть рабочих часов пропали для него даром, или он просидит без работы другие шесть часов, чтобы восстановить равновесие, или, наконец, – и это для него последний исход – он отдаст эти не нужные ему шесть часов Павлу в придачу к остальным.

Итак, что же, в конце концов, выигрывает Петр по сравнению с Павлом? Рабочие часы? Нет. Он выигрывает только часы досуга, он будет вынужден бездельничать в продолжение шести часов. Чтобы это новое право на безделье не только признавалось, но и ценилось в новом обществе, это последнее должно находить в лености величайшее счастье и считать труд тяжелым бременем, от которого следует избавиться во что бы то ни стало. И если бы еще, возвращаясь к нашему примеру, эти часы досуга, которые Петр выиграл у Павла, были для Петра действительным выигрышем! Но нет. Павел, который вначале работал только шесть часов, достигает посредством регулярного и умеренного труда того же результата, что и Петр, начавший работу чрезмерным трудом. Каждый захочет быть Павлом, и возникнет конкуренция, конкуренция лености, с целью достичь положения Павла.

Итак, что же принес нам обмен равных количеств труда? Перепроизводство, обесценение, чрезмерный труд, сменяемый бездействием, словом, все существующие в современном обществе экономические отношения за вычетом конкуренции труда"[1].

Как удивительно эта картина, нарисованная Марксом в те давние времена, совпадает с той, что мы наблюдаем сейчас. Подставьте в Марксовом рассуждении к имени более искусного работника Павла слова "ударник", "стахановец", и все встанет на свои места, все наши недостатки осветятся ярким прожектором. Разве тех, кто вырывается за свой лимит зарплаты, не урезают тут же пересмотром норм и расценок, если такой человек настолько житейски "незрел", что начинает на своем рабочем месте работать на полную катушку? Разве у тех предприятий, которые начинают ускоренно развивать производство, не урезают тотчас фонд зарплаты, как в щекинском эксперименте, как у загубленного на этом же конфликте директора совхоза в Казахстане Худенко? Разве все эти случаи, тиражируемые десятилетиями во всем нашем народном хозяйстве, не подтвердили правильность вывода Маркса о том, что в обществе, страдающем недугом дюринговской (сталинской) конституированной стоимости, неизбежны конкуренция лености, презрение к труду, перемежаемые чрезмерным, авральным трудом (в конце месяца, квартала, года)?

---

[1] Там же, т. 4, с. 106–107.

Поблагодарим же Маркса хотя бы за то, что он в пику вождям сталинского типа не возлагает всю вину за леность на биологический код личности, человека, народа, а объясняет ее высоким уровнем безграмотности вождей, создающих такие условия существования в обществе, при которых человек постепенно начинает деградировать.

Марксисты предупреждали Сталина и о том, что попытка государства диктовать через соответствующие административные органы цены товаров, ориентируясь на себестоимость и регулируя товарооборот с помощью бумажных денег, схожих по своей природе с театральным билетом, добром не кончится, что эта практика неизбежно приведет к диспропорциям и кризису производства. Энгельс мог тогда позволить себе с большим сарказмом издеваться над теми, кто безмятежно верил в такую чушь: "Если же мы теперь спросим, какие у нас гарантии, что каждый продукт будет производиться в необходимом количестве, а не в большем, что мы не будем нуждаться в хлебе и мясе, задыхаясь под грудами свекловичного сахара и утопая в картофельной водке, или что мы не будем испытывать недостатка в брюках, чтобы прикрыть свою наготу, среди миллионов пуговиц для брюк, то Родбертус (еще один теоретический двойник Сталина. – Г.Л.) с торжеством укажет нам на свой знаменитый расчет, согласно которому за каждый излишний фунт сахара, за каждую непроданную бочку водки, за каждую не пришитую к брюкам пуговицу выдана правильная расписка, расчет, в котором все в точности "совпадает" и по которому "все претензии будут удовлетворены, и ликвидация этих претензий совершится правильно". А кто этому не верит, тот пусть обратится к счетоводу Икс главной кассы государственного казначейства в Померании, который проверял счет, нашел его правильным и как человек, еще ни разу в недочете по кассе не уличенный, заслуживает полного доверия"[1].

И эти слова, как видим, сказаны не в бровь, а в глаз про нашу сегодняшнюю жизнь. На полках магазинов, как мы все знаем, лежит куча неходовых товаров, а за теми, что сейчас нужны покупателю, очереди, давка, черный рынок, спекуляция и всякие другие отвратительные явления, достойные того социализма, который строится на примитивных представлениях о жизни общества, но не совместимые с научным социализмом – альтернативой развития человечества. Как показал долгий опыт, нашей беде не может помочь никакая смена никаких вождей. Нужна смена принципов функционирования общества, чтобы перестать задыхаться в массе залежалых товаров и унижаться до потери человеческого достоинства в погоне за дефицитом.

К. Маркс и Ф. Энгельс предостерегали также и от попытки реализовать дюринговскую сумасбродную идею о том, чтобы превратить деньги лишь в средство, обеспечивающее только более и менее равное потребление, отказав им в сквозной функции всеобщего эквивалента. Деньги, предсказывали они, в качестве удостоверения часов, проведенных человеком на общественной работе, и обеспечивающие ему лишь право на такое количество продуктов, в которых овеществлено равное количество труда, такие деньги, деньги только в такой роли долго не просуществуют. Они постепенно и уже в деформированном виде будут превращаться в настоящие деньги, восстанавливая в разных уголках нового общества старые, но более коверканые производственные отношения.

---

[1] Там же, т. 21, с. 190.

Энгельс втолковывал Дюрингу бытовые истины, доказывая несостоятельность попыток осуществить социальную справедливость, кастрируя институт денег. "Холостяк, – писал Энгельс, – великолепно и весело живет на свой ежедневный заработок в восемь или двенадцать марок, тогда как вдовец с восемью несовершеннолетними детьми может лишь скудно прожить на такой заработок... Налицо оказывается возможность и мотив, с одной стороны, для образования сокровищ, с другой – для возникновения задолженности... А так как собиратель сокровищ имеет возможность заставить нуждающегося платить проценты, то... восстанавливается также и ростовщичество"[1]. Это что касается судьбы денег, так сказать, внутри страны. Но помимо социализма в отдельно взятой стране, существует остальной грешный мир, где жизнь идет по старинке и где золото и серебро остаются мировыми деньгами, всеобщим покупательным и платежным средством, абсолютных воплощением богатства. У тех, "социалистических" граждан, у которых накапливаются деньги, объясняет вторую бытовую истину Энгельс, будет обязательно рождаться желание превратить их в конвертируемую валюту. И тогда: "Ростовщики превращаются в торговцев средствами обращения, в банкиров, в господ, владеющих средствами обращения и мировыми деньгами, а следовательно, в г о с п о д, з а х в а т и в ш и х в с в о и р у к и п р о и з в о д с т в о и с а м ы е с р е д с т в а п р о и з в о д с т в а, х о т я б ы э т и п о с л е д н и е е щ е м н о г о л е т п р о д о л ж а л и ф и г у р и р о в а т ь н о м и н а л ь н о к а к с о б с т в е н н о с т ь х о з я й с т в е н н о й и т о р г о в о й к о м м у н ы (разрядка моя. – Г.Л.). Но тем самым эти превратившиеся в банкиров собиратели сокровищ и ростовщики становятся также господами самой хозяйственной и торговой коммуны. "Социалитет" г-на Дюринга в самом деле весьма существенно отличается от "туманных представлений" других социалистов. Он не преследует никакой другой цели, кроме возрождения крупных финансистов; под их контролем и для их кошельков коммуна будет самоотверженно изнурять себя работой, – если она вообще когда-нибудь возникнет и будет существовать. Единственным для нее спасением могло бы явиться лишь то, что собиратели сокровищ предпочтут, быть может, при помощи своих мировых денег не медля ни минуту... сбежать из коммуны"[2].

По поводу возможностей футурологии во всех странах высказываются огромные сомнения. И, видимо, зря. Поскольку можно, оказывается, довольно точно предсказывать даже самые мелкие детали жизни будущего общества, если, конечно, научно и реалистично смотреть на движущиеся силы его развития. Футурологические предсказания Маркса и Энгельса убеждают нас в этом, поскольку они сбылись полностью. Тех, кто в этом сомневается, я отсылаю к тем материалам в нашей печати, где рассказывается о жизни и деятельности бывшего члена ЦК КПСС, бывшего министра внутренних дел СССР Щелокова, пользовавшегося неограниченным покровительством Брежнева. Щелоков, видимо, даже не сознавая того сам, посвятил свою жизнь доказательству оправданности тех предостережений Маркса и Энгельса, о которых речь шла выше. Щелоков полностью разделял мнение марксистов о несостоятельности дюринговской (сталинской) концепции денег, согласно которой деньги должны играть ту же роль, что и театральный билет. В открытую Щелоков

---

[1] К. Маркс и Ф. Энгельс. Соч., т. 20, с. 315–316.
[2] Там же, с. 316.

об этом не говорил, но, с другой стороны, всем своим поведением демонстративно подчеркивал солидарность с мнением тех марксистов, которые доказывали, что и в дюринговско-сталинском социализме сохранится тяга к мировым деньгам, к реальным ценностям.

Теперь мы знаем, что поведение Щёлокова не является чем-то необычным для того круга людей, в котором он вращался. Сочинский мэр Воронков, бодюловские холуи в Молдавии, почти вся правившая при Рашидове партийно-правительственная верхушка в Узбекистане... Короче, речь идет уже не о случаях, а о явлении, о процессах, глубоко проникших в живую ткань нашего общества.

Резонно задать, однако, вопрос, откуда же берутся средства, чтобы платить высокому руководству такие высокие взятки. Ведь сами министры и партийные секретари материальных ценностей, как известно, не производят, да и те, кто пишет и кто нас читает, не в состоянии, если бы жизнь заставила, дать на лапу таким "народным вождям" столько, сколько им не стыдно было бы взять. Эти средства поступают к ним из того самого общественного производства, господами которого они, по предсказаниям Энгельса, уже давно стали, хотя номинально общественной собственности никто не отменял. Вчитайтесь в очерк В. Соколова "Зона молчания"[1] о бывшем генеральном директоре узбекского аграрно-промышленного объединения имени Ленина Адылове. Он ворочал миллионами, подчиняя всех, в ком нуждался.

Можно, конечно, сказать, что Адылов – обычный преступник и у нас нет оснований связывать частный опыт его хозяйствования в социалистической экономике с предсказаниями классиков марксизма о перерождении общественной собственности. Но такой ли уж он частный, если на базе только хлопковых приписок адыловы за короткое время смогли лишь в Узбекистане присвоить свыше 4 миллиардов рублей? А ведь, как мы теперь знаем, адыловщина не только узбекский феномен. В той или иной степени процессы подобного рода развивались и во многих других районах страны...

При чем же здесь Сталин, скажет тот читатель, который следит только за хронологией. Сталин умер вон когда, а адыловы развернулись при Брежневе, в годы застоя. Правильно. Только нужно все-таки мыслить хоть чуть-чуть исторически, чтобы понять инкубационную функцию брежневского периода. Коррупция, взяточничество, злоупотребление служебным положением – не частные факты, а закономерно вытекающие из принятой концепции экономических отношений "социализма". Из тех яиц, которые в свое время были заложены в инкубатор, теперь вылупляются такие крокодилы, которые пожрут всех нас, если немедленно не остановить действие "адской машинки", подброшенной Сталиным.

Сталин, вслед за Дюрингом и Прудоном, носился с планами создания такого общества, в котором все остается на своих местах, кроме тех отрицательных качеств, которыми страдает современное общество товаропроизводителей. Теоретик этого рода, говоря словами Энгельса, хочет "устранить отрицательные стороны, возникшие вследствие развития товарного производства в капиталистическое, выдвигая против них тот самый основной закон капиталистического производства, действие которого как раз и породило эти отрицательные стороны. Подобно Прудону, он хочет уничтожить действительные следствия закона стоимости при помощи фантастических"[2].

---

[1] *Литературная газета*, 20 января 1988 г.
[2] К. М а р к с и Ф. Э н г е л ь с. Соч., т. 20, с. 324–325.

Тем, кто решится взяться за практическое осуществление рассмотренного выше комплекса идей, Маркс и Энгельс предрекли фиаско. "Но как бы гордо ни выступал наш странствующий рыцарь, – писал Энгельс о теоретическом предшественнике Сталина г-не Дюринге, – наш современный Дон-Кихот на своем благородном Росинанте, "универсальном принципе справедливости", отправляясь в сопровождении своего бравого Санчо Пансы, Абрахама Энса, в поход для завоевания шлема Мамбрина – "стоимости труда", – мы все-таки сильно опасаемся, что домой он не привезет ничего, кроме знаменитого старого таза для бритья"[1].

Жертвы сталинизма во время коллективизации, в период репрессий в 30–50-х годах, во время войны – это, конечно, не смешной старый таз для бритья, о котором говорил Энгельс, – это трагический памятник безграмотности поиска путей в светлое будущее без знания отправных истин обществоведения. Тем не менее и в наши дни, о чем говорилось в начале статьи, раздаются голоса, которые продолжают призывать нас вести поиск в прежнем направлении, в направлении создания общества, составленного из одних положительных качеств, где люди будут жить и работать не корысти ради, а ради любви к своему ближнему. Неужели с нас не хватит всего того, что уже было на этом пути?

Маркс и Энгельс могут торжествовать печальную победу в дискуссии с авторами дюринговского социализма. Правильность их рассуждений и предсказаний доказали на практике Сталин и его последователи. Обидно, конечно, что при этом в массовом сознании стиралась разница между сталинизмом и марксизмом, поэтому, говоря сейчас о Марксе, многие не могут точно припомнить, то ли он унес с вешалки чужую шубу, то ли у него ее украли. А во всем этом надо бы разобраться. Без правильной теории не может быть правильной практики.

Но для этого надо прежде всего отказаться от некоторых мифов, которые мешают нам видеть реальность наших дней. Надо не только дать исторически правильную оценку самому Сталину, но раскрыть сущность того выработанного им и переданного нам в наследство образа мышления, которое мы называем сталинизмом. Без избавления от него мы рискуем оказаться в безысходном кризисе.

Сталинизм изображают продуктом труда "высокообразованного" человека. Именно так в своих воспоминаниях говорит о нем бывший нарком Военно-Морского Флота СССР Н.Г. Кузнецов, неоднократно встречавшийся с ним[2]. Об этом же пишет и бывший заместитель председателя Госплана СССР М.И. Малахов в упоминавшейся выше статье в журнале *Молодая гвардия*. Мне кажется, что это миф. Сталина нельзя назвать не только высокообразованным, но и просто образованным. Разве образованный человек пошел бы на поводу у такого провинциального теоретика, как Дюринг, несостоятельность которого блестяще была доказана еще Энгельсом? Понять предостережение Энгельса должен был каждый высокообразованный человек, берущийся за дело управления экономикой. Но этот экзамен, как видим, Сталин не выдержал и провалился с треском. Мне в свое время довелось близко общаться с видным советским экономистом Л.А. Леонтьевым. Заходила речь о Сталине. На одном из выступлений перед экономистами, рассказывал Л.А. Леонтьев, Сталин говорил о политэкономических характеристиках товара. "Слушая

---

[1] Там же, с. 325.
[2] *Правда*, 29 июля 1988 г.

его, я понял, что Сталин совершенно не понимает категории абстрактного труда и существа стоимости". Это свидетельство, на мой взгляд, еще раз подтверждает духовную близость Сталина и Дюринга.

Мне кажется, что "высокообразованность" не просматривается и в других областях его деятельности. Ну, спрашивается, мог ли высокообразованный человек сказать по поводу горьковского рассказа "Девушка и Смерть" такое: "Эта штука посильнее "Фауста"". Я очень люблю Маяковского, но к человеку, безапелляционно называющего его лучшим поэтом нашей эпохи, отношусь настороженно, поскольку поэзия не школьный класс, где можно кому-то ставить пятерки, кому-то тройки... И высокообразованные люди это понимают. Вспомните интеллигентные слова Ленина в адрес того же Маяковского.

И вообще надо сказать, что одним из признаков высокообразованности является высокая степень толерантности. Наоборот, невежество всегда агрессивно. У Сталина, как известно, терпимости не было никакой. Поэтому он систематически устраивал погромы то среди "космополитов", то среди экономистов, то среди биологов, то среди писателей... Откуда же возник миф о высокообразованности Сталина? Царя, как известно, играет окружение. Высокообразованность Сталина возникла из той среды, которую он сам для себя создал. А в ней, на верхних этажах особенно, истреблялось все мало-мальски интеллигентное, яркое, самобытное. На образованном репрессиями сером фоне Сталину было легко создавать впечатление яркой, высокообразованной личности.

К тому же Сталин был неплохой актер. В институте, где я учился, преподавал академик Е.В. Тарле, выдающийся советский историк. Он рассказывал нам на одном из семинаров о встрече со Сталиным в его кабинете. Подойдя к книжной полке, Сталин взял Плутарха, раскрыл на знакомом ему месте и стал читать отдельные места. Захлопнув книгу, он обратился к Е.В. Тарле: "Неплохо писали древние. Хорошо бы переиздать!" Цель была достигнута. Академик Тарле увидел руководителя страны, раздираемого практическими заботами сегодняшнего дня, в образе глубокомысленного философа, черпающего мудрость в писаниях древних. Не скрою, на нас, студентов, рассказ академика произвел тоже сильное впечатление и добавил еще большее уважение к вождю всех "времен и народов", если только можно было туда что-нибудь добавить.

Об искусственности позолоты высокообразованности Сталина свидетельствуют и его замечания о второй серии кинофильма "Иван Грозный", записанные в 1947 г. С. Эйзенштейном и Н. Черкасовым и опубликованные в *Московских новостях* 7 августа 1988 г.

За одну только беседу с работниками искусства, длившуюся чуть более часа, Сталин в присутствии и при согласии Жданова и Молотова наговорил много таких вещей, которые не оставляют никаких иллюзий по поводу его "высокообразованности" и знаний истории той страны, которой он так уверенно руководил, направляя ее в пропасть.

"Высокообразованность" Сталина определил его теоретический уровень, который в свою очередь нашел полное отражение в результатах хозяйствования, в созданных нормах общественной жизни. Все три компонента здесь находятся в монолитном единстве. Короче говоря, каков автор, такова и теория, созданная им, какова теория – такова и (печальная) практика.

Так что не будем особо обольщаться. Сталинизм как система взглядов создавался отнюдь не гигантом мысли и корифеем науки, как это изображается до сих пор. Сталин читал Маркса, часто ссылался на него, но был так же далек от того, чтобы овладеть марксистским диалектическим методом мышления, как легальные марксисты, которые тоже по-своему толковали марксизм, выхолащивая из него сущность. В этом, как видим, Сталин был не одинок. И его тоже нельзя считать марксистом, чтобы не унижать это великое учение.

Построил ли Сталин социализм? Кое-кому сам этот вопрос кажется, может быть, кощунственным. Например, писатель Б. Олейник, выступая на XIX конференции КПСС, образно разделил советское общество на два этажа. "И своевременно, – говорил он, – состыковать наконец два этажа, наметившиеся в перестройке. Условно первый, где в поте чела трудятся ученые и теоретики, которые уже доперестраивались до того, что вдруг задались вопросом: что же мы вообще построили? И это на восьмом десятке Советской власти вопрошают люди, до последнего мига зарабатывавшие деньги на теоретическом обосновании этого самого "нечто"! И вправду: страшно далеки они от условно второго этажа, где реально трудится народ! Почти как декабристы. С той существенной разницей, что дело последних не пропало"[1].

Не будем обращать внимания на традиционное противопоставление трудолюбивого народа и бездельников-ученых, которое уже дало те известные плоды. Не будем тратить время и на перечисление "деловых предложений" таких, в частности, ученых, как Чаянов, Кондратьев, Юровский, и многих, многих других, к кому не только не прислушивались те, кому надо было прислушаться, но кого просто уничтожили, чтобы они не совали нос не в свое (то есть "их") дело. Однако и это все-таки не остановило многих честных ученых типа Венжера, Саниной, Ярошенко, Ноткина, которые продолжали идти опасным путем, задумываясь над тем, над чем н е л ь з я было задумываться тогда и н е х о ч е т с я – сегодня, а именно: куда же мы идем, то ли строим, о чем мечтали? Но это, так сказать, все попутные эмоции.

Суть же высказанной точки зрения сводится, очевидно, к следующему широко распространенному убеждению: если у нас нет помещиков и капиталистов, если собственность общественная, значит, у нас есть готовый социализм. Ограниченность такого взгляда на вещи состоит в том, что при этом забывают о многих других признаках, наличие которых и делает социализм социализмом. Ведь "общественная" собственность на средства производства была и у Пол Пота, Иенг Сари в период их кровавого режима в Кампучии. Как видим, социализм социализму рознь, даже если собственность "общественная". И это, слава богу, мы чувствуем на своей собственной шкуре, сравнивая сталинский социализм с тем, что начал складываться... всего лишь последние четыре года, не считая стартовых ленинских лет. Но чувствовать – это одно, а понимать, оказывается, другое.

В отличие от Б. Олейника И. Дедков и О. Лацис[2], считают, что "споры о том, откуда мы пришли и что оставляем позади, важны прежде всего потому, что помогают понять предстоящий нам путь – путь перестройки". Возражая профессору Ю.Н. Афанасьеву, заявившему о том, что он, Ю.Н. Афанасьев, не считает... "созданное у нас общество социалистическим"[3], И. Дедков и О.Лацис в упомянутой статье пишут: "Нужно отчет-

---

[1] *Правда*, 2 июля 1988 г.

[2] Там же, 31 июля 1988 г.

[3] Там же, 26 июля 1988 г.

ливо представлять принципиальную разницу между курсом к социализму, намеченным партией, и сталинской практикой" (разрядка моя. – Г.Л.). Иными словами, авторы говорят о том, что между желанием, стремлением к социализму и реальными результатами в его строительстве, практике существует "принципиальная разница". Более того, авторы статьи в *Правде* признают: "...невзирая на самые тяжелые деформации, социализм выжил и в самое горькое время. Он жил прежде всего в сознании (разрядка моя. – Г.Л.) и созидательном труде народа, в его идеалах и надеждах". Что касается труда, то он чаще всего бывает созидательным независимо от того, идет ли речь о социализме или феодализме. Но вот говорить о том, что социализм жил, живет "в сознании", "в идеалах и надеждах", а не в реальной практике, – это равносильно плохо скрытому стыдливому согласию с тезисом Ю.Н. Афанасьева.

Построил ли Сталин социализм? Построил, да! Но вот какой? Во всяком случае, не тот, идеи которого развивали Маркс, Энгельс, Ленин. И в этом может легко убедиться каждый, кто непредвзято посмотрит на окружающий нас мир, на нашу реальную действительность.

Как известно, первый качественный признак научного социализма состоит в том, что он обеспечивает более высокую производительность труда, чем при капитализме. По этому признаку мы еще до научного социализма не дотянулись. Производительность общественного труда у нас составляет примерно треть от американского, а в сельском хозяйстве – менее 15 процентов к уровню США[1].

Научный социализм, как известно, предполагает преодоление сложившейся системы общественного разделения труда, обрекающего человека на физическое и духовное уродство. Критикуя Дюринга за непонимание этого условия, Энгельс писал: "Согласно этому ограниченному способу мышления, известное количество "существ" должно остаться при всех условиях обреченным на то, чтобы производить *один* вид продуктов: таким путем хотят увековечить существование "экономических разновидностей" людей, различающихся по своему образу жизни, – людей, испытывающих удовольствие от того, что они занимаются именно этим, и никаким иным, делом, и, следовательно, так глубоко опустившихся, что они *радуются* своему собственному порабощению, своему превращению в однобокое существо... г-н Дюринг, который сам еще всецело остается рабом разделения труда, выглядит как самодовольный карлик"[2].

Пока на наших дорогах будут работать женщины, перетаскивающие шпалы и укладывающие лопатой бетон, пока ручной, неквалифицированный труд будет занимать в нашей жизни то место, которое он занимает сейчас, говорить о построенном социализме, не дискредитируя этого понятия и не уподобляясь "самодовольному карлику", вряд ли возможно.

Научный социализм, как известно, предполагает уничтожение разрыва между городом и деревней и возможно более равномерное распределение крупной промышленности по всей стране. "Правда, – писал Энгельс, – в лице крупных городов цивилизация оставила нам такое наследие, избавиться от которого будет стоить много

---

[1] *Известия*, 7 июля 1988 г.
[2] К. Маркс и Ф. Энгельс. Соч., т. 20, с. 305.

времени и усилий. Но они должны быть устранены – и будут устранены, хотя бы это был очень продолжительный процесс...”[1] . По этому показателю социализма мы, очевидно, не только не приблизили, но даже удалились от того, что было, попав в трудную экономическую и демографическую ситуацию.

Само собой разумеется, что научный социализм предполагает уничтожение эксплуатации человека человеком. На первый взгляд может показаться, что уж по этому-то параметру у нас все в порядке. Но давайте вспомним труд зеков и крестьян. Если не лицемерить, к чему привыкнуть сразу нелегко, то мы должны признать, что и здесь Сталин внес много нового в понятие социализма. Хочу напомнить слова В. Ярузельского на митинге советско-польской дружбы на судоверфи имени А. Варского во время визита М.С. Горбачева летом 1988 г. Он сказал: "Нарушение социалистических принципов общежития не сводится сегодня лишь к классическим формам эксплуатации или к махинациям спекулянтов, взяточников, валютчиков, наживающихся на трудностях, живущих за счет трудящихся. К сожалению, и в обобществленном секторе встречаются факты присвоения достижений наилучших работников теми, кто считает, что производительно должен работать не он, а кто-то другой – прибыльные предприятия, сосед, товарищ по работе. Это наши коллективные и индивидуальные, как говорят по-русски, рвачи”[2].

Иными словами, в определенных условиях на месте одних форм эксплуатации вполне могут возникнуть и развиваться другие, не менее жестокие.

И еще один важный показатель научного социализма – уровень милосердия в обществе. Надо ли говорить, что не только понятие, само это слово лишь вчера реабилитировано и вытащено немалыми усилиями на свет божий. О состоянии дел в этой области можно составить определенное представление по таким данным, приведенным министром здравоохранения СССР Е.И. Чазовым на XIX партийной конференции. Наша страна по уровню детской смертности находится на пятидесятом месте в мире после Маврикия и Барбадоса и на тридцать втором – по средней продолжительности жизни.

Тот, кто знаком со шкалой мировых сопоставлений разных показателей развития общества в разных странах, способен вообще заподозрить, что социализма неожиданно может оказаться больше там, где его официально не строили. Ну, скажем, в Королевстве Швеция. Впрочем, от этого тоже не надо отмахиваться, если всерьез верить, что социализм – это объективный результат общественного развития.

Наконец, научный социализм, как известно, предполагает широкое развитие политических свобод в гораздо большей мере, чем в самой демократической буржуазной стране. И прообраз такой системы классики марксизма видели в институтах Парижской Коммуны, в самоуправляющихся Советах, принявших в России эстафету от французских коммунаров.

Если мерить сталинский социализм метром научного социализма, то, как видим, не представляет особого труда рассмотреть, что эти два понятия не только не совпадают, но и диаметрально противоположны. И все-таки то, что построил Сталин, не назовешь ни капитализмом, ни феодализмом в рамках традиционного толкования этих категорий. Тогда что

---

[1] Там же, с. 308.
[2] *Известия*, 14 июля 1988 г.

же? На этот вопрос уже давно дан исчерпывающий ответ. Открещиваясь от подобной модели социализма, разработанной Дюрингом, Энгельс писал о том, что "...никому не придет в голову опошлять современный научный социализм и низводить его до *специфически прусского социализма* г-на Дюринга"[1].

Тяжело вздохнув, признаем, что в этом-то как раз классик марксизма сильно ошибся. Только теперь мы всерьез заговорили об изменении нашего видения социализма, о возвращении к тому пути, указанному Марксом, Энгельсом, Лениным, с которого давно сбились. И именно поэтому нам нужна перестройка. И не просто перестройка, а революционная. Только чтобы без пуль и крови. Этого уже было предостаточно. Давайте воевать аргументами и фактами.

[1] К. Маркс и Ф. Энгельс. Соч., т. 20, с. 309.

В. Попов, Н. Шмелев

НА РАЗВИЛКЕ ДОРОГ

Была ли альтернатива
сталинской модели развития?

Слишком много в нашей национальной истории связано с личностью Сталина, слишком весом отпечаток, наложенный годами сталинщины на все сферы нашей общественной жизни, чтобы уже сейчас можно было точно и определенно сказать, в какой мере Сталин был порождением системы, а в какой мере, наоборот, сама система была порождена Сталиным. Понадобятся, по-видимому, еще годы и годы исследований, дискуссий и споров, прежде чем мы общими усилиями сумеем расставить здесь все точки над "i".

Это касается и ключевого, по сути дела, вопроса о закономерностях возникновения сталинщины, о причинах и факторах "великого перелома" конца 20-х годов, о субъективных и объективных исторических основаниях становления административной системы. Была ли "революция сверху", как называл сам Сталин перелом 1929 г., неизбежным результатом всего предшествующего развития страны, более того, органическим следствием нашего национального характера и нашего образа жизни? Или же все-таки она была обусловлена несчастным стечением исторических обстоятельств и неправильно сделанным выбором, которого могло и не быть? Этот вопрос, по существу, охватывает всю нашу жизнь в предвоенный период – и политику, и экономику, и социальные отношения, и культуру. Однако нас в данной статье интересует прежде всего одно – экономическая система, которую страна получила в наследие от тех времен.

Особый интерес по вполне понятным причинам вызывает сегодня опыт развития нашей страны в 20-е годы, в короткий период нэпа. Это без всякого преувеличения одна из ярчайших страниц отечественной, да и всей мировой истории, период блестящего развития нового общества и первой в мире рыночной социалистической экономики, своего рода "золотой век" в истории страны. Это реальное, практическое, а не книжно-теоретическое подтверждение жизненности социалистических принципов и идеалов. И это убедительное доказательство правильности исторического выбора, сделанного страной в 1917 г.

Административная система, утвердившаяся в 1929 г. и просуществовавшая у нас более полувека, никогда не знала такого быстрого и многогранного развития, каким был период 20-х годов.

Те, кто оправдывает до сих пор свертывание нэпа, указывают обычно на необходимость индустриализации страны. Они охотно признают, что отдельные частные "перегибы" были излишними и неоправданными, но защищают сам принцип внеэкономического принуждения, удушения рынка, жесткой централизации источников накопления и всей экономической жизни. Без разрыва с нэпом мы не смогли бы индустриализовать страну и выстоять в самой страшной в национальной истории войне – вот, пожалуй, самый распространенный и, по существу, единственный аргумент сторонников такой точки зрения.

"Был бы Сталин, не было бы Сталина, – у нас период чрезвычайного управления, я убежден, был необходим, – пишет об этом известный советский правовед Б. Курашвили. – Потому что нельзя было не осознать того, что осознал Сталин: "Мы отстали от передовых стран на 50–100 лет. Мы должны пробежать это расстояние в десять лет. Либо мы сделаем это, либо нас сомнут". Сказано это было в феврале 1931 г.! Магическое совпадение или предвидение?.. Конечно, можно спорить о том, что продолжение нэпа дало бы те же результаты, – этого мы не знаем. Известно другое: 30-е годы создали наш военно-экономический потенциал. Для того чтобы такой потенциал создать, нужно было изымать средства из сельского хозяйства, перекачивать средства из гражданской промышленности в военную, из легкой промышленности в тяжелую. В условиях нэпа такая перекачка средств была бы невозможна. Требовался неэквивалентный обмен между отраслями производства, а он мог осуществляться только принудительной силой государства. Так что, я думаю, нэп в течение десятилетия не успел бы создать тех результатов, которые дала чрезвычайная система управления"[1]. Схожие доводы приводятся и в статье И. Клямкина "Какая улица ведет к храму?", получившей широкий резонанс[2].

Конечно, хорошо бы, чтоб и волки были сыты, и овцы целы, говорят сторонники этой точки зрения, но в жизни так не бывает. За прогресс надо платить. И мудрость государственного руководства как раз в том и состоит, чтобы выбрать такой вариант развития, при котором издержки в сравнении с выгодами были минимальны. Разве не был таким же тяжелым выбором, скажем, Брестский мир? Ленин, как известно, сравнивал этот мирный договор с решением отступающего полководца, отдающего врагу территорию, чтобы спасти армию, проигрывающего сражение, чтобы выиграть войну.

Точно так же и свертывание нэпа, навязанные Сталиным форсированная коллективизация и индустриализация за счет сельского хозяйства, стоившие нам столь дорого, были тем не менее абсолютно якобы необходимы, чтобы избежать еще более страшных потерь. "Мы иногда говорим: тяжело, тяжело было в прошлом, – замечает по этому поводу Ю. Прокушев. – А что было бы, если бы не было Кузнецкого комбината, Магнитки? Мы бы все оказались в фашистском рабстве, в Майданеке: и узбеки, и евреи, и русские"[3].

На первый взгляд, такие аргументы выглядят, возможно, убедительно. Исторический прогресс действительно всегда имел и имеет свою цену. К великому сожалению, человечество до сих пор не знает способа жить и развиваться без потерь. Социальные устройства со "стопроцентным коэффициентом полезного действия", т.е. вообще без каких бы то ни было издержек, нам пока что неизвестны. Нравится нам

[1] *Огонек*, 1988, № 12, с. 5, 18.
[2] См.: *Новый мир*, 1987, № 11, с. 180–181.
[3] *Огонек*, 1988, № 16, с. 27.

это или нет, но всякая государственная власть, да и вообще всякая политика всегда сопоставляет, сравнивает, соизмеряет выгоды и издержки, затраты и результаты, непременно включая в эти широкие понятия и человеческие судьбы, и сами жизни множества людей.

Бесспорно также и то, что перспектива национальной гибели не устраивала никого, что победа в будущей войне действительно была самым высшим приоритетом и нужна была нам любой ценой, что, следовательно, Кузнецкий комбинат и Магнитку нельзя было не строить. Но вопрос, однако, в том, что породило 1929 г.: внешние или внутренние факторы, угроза тогда еще далекой войны или что-то другое, не имеющее к внешнему миру прямого отношения?

Многие наши ученые и публицисты, в частности Ю. Афанасьев, О. Лацис, В. Селюнин и др., уже высказались в печати в том духе, что "великий перелом" вовсе не был неизбежен и предрешен, что была альтернатива, был другой путь, не сопряженный с трагическими потерями и жертвами, что решающую роль в историческом повороте конца 20-х годов сыграли именно внутренние, а не внешние факторы[1]. Авторы настоящей статьи разделяют такую точку зрения и хотели бы высказать некоторые дополнительные соображения на этот счет.

Немного статистики

Принципиальные оценки итогов экономического развития в отдельные периоды (и, конечно, выводы, делаемые на основе таких оценок) сильно зависят от того, какими статистическими данными пользоваться. Скажем сразу: на официальные данные полагаться нельзя, поскольку они сильно приукрашивают общую картину. В частности, высокие темпы прироста промышленного производства и всей экономики в 30-е годы, после свертывания нэпа, – это целиком и полностью статистическая фикция, иллюзия, созданная существовавшей тогда практикой статистического учета. Механика такого рода искажений описана и в специальной, и в публицистической литературе, в частности, в известной статье В. Селюнина и Г. Ханина (*Новый мир*, 1987, № 2), так что, не утомляя читателя техническими подробностями, остановимся только на самых ключевых моментах, чтобы затем сразу перейти к результатам.

Любой анализ нашего прошлого на основе данных официальной статистики будет ложным анализом. Достаточно беглого знакомства с ежегодно публикуемыми Госкомстатом "синими книжками" (красными – в юбилейном исполнении), чтобы понять, что экономики с такими параметрами развития (если допустить, что все цифры верны) не может быть в природе ни при каких обстоятельствах. И дело не только в том, что всего за шесть десятилетий (1928–1988 гг.) реальный национальный доход увеличился более, чем в 90 раз, валовая промышленная продукция – почти в 180 раз, производительность труда в промышленности – более чем в 30 раз, капиталовложения – почти в 250 (!) раз. Другие страны затрачивают на такое наращивание экономического потенциала не деся-

[1] См.: Ю.Н. Афанасьев. Перестройка и историческое знание. – *Литературная Россия*, 17 июня 1988 г.; О. Лацис. Перелом. – *Знамя*, 1988, № 6; В. Селюнин. Истоки. – *Новый мир*, 1988, № 5.

тилетия, а века. Дело еще и з том, что различные показатели абсолютно не стыкуются между собой.

В самом деле, как, например, может быть, что реальный национальный доход вырос за рассматриваемый период в 90 раз, а физический объем розничного товарооборота – только в 30 раз, т.е. в 3 раза меньше? Такое соотношение может выдерживаться в течение одного, двух, от силы – десяти лет. Но если десятилетиями реальный национальный доход растет *втрое* быстрее реального розничного товарооборота, значит, доля потребительских расходов на товары и услуги в национальном доходе катастрофически падает. В 1988 г. розничный товарооборот составил более 50% национального дохода. Простая арифметика показывает, что в таком случае в соответствии с данными Госкомстата в 1928 г. розничный товарооборот должен был почти вдвое превышать национальный доход. Такого просто не бывает.

Как вообще определяются темпы экономического роста, скажем, темпы роста промышленного производства? Принятая во всем мире практика такова: сначала сравнивают объемы производства в нынешнем и исходном году в *стоимостном* выражении, в текущих ценах (иначе невозможно сопоставить разнородные продукты), а затем делают поправку на рост цен. Например, стоимость промышленной продукции выросла за 10 лет в текущих (действующих) ценах в 6 раз, а цены за этот же период поднялись в среднем в 3 раза; следовательно, *физический объем продукции* возрос в 2 раза (6 : 3 = 2), и промышленное производство увеличилось за 10 лет в реальном исчислении на 100%.

До 1925 г. статистика в СССР исчисляла физические объемы производства именно так: объем выпуска в текущих ценах корректировался по предварительно рассчитанным индексам цен. Динамика оптовых и розничных цен по различным товарным группам, городам и районам страны фиксировалась Конъюнктурным институтом при Наркомате финансов, Центральным советом профсоюзов, ВСНХ, Госпланом, что давало обширную и разностороннюю информацию для расчета реальных показателей. Но с 1925 г. положение стало меняться: индексы физического объема выпуска начали исчислять в текущих оптовых ценах, что фактически было грубейшим нарушением элементарных принципов статистического учета. До 1929 г., однако, общий уровень цен и на промышленные, и на сельскохозяйственные товары оставался более или менее стабильным, так что крупных искажений в статистических данных о движении реальных показателей не возникало.

Но когда в 1929 г. начался бурный рост цен, исчисление реальных показателей в текущих ценах на деле превратило статистику в источник дезинформации. С конца 20-х годов рост реальных объемов выпуска в большинстве отраслей народного хозяйства постоянно завышался, причем в отдельные периоды такие искажения принимали поистине катастрофические масштабы, меняя даже сам порядок действительных цифр. В разных отраслях масштабы таких статистических искажений были неодинаковы: в сельском хозяйстве, топливной и энергетической промышленности, металлургии – меньше, в машиностроении, химии, легкой промышленности и строительстве – больше. Но сам факт значительного завышения фактических реальных темпов роста в 30-е годы несомненен. В этом сходятся сейчас практически все серьезные экономисты.

Справочники ЦСУ сообщают, что исчисление темпов реального роста национального дохода, промышленной и сельскохозяйственной продукции до начала 50-х годов производилось с использованием неизменных цен 1926/27 г. Но, поскольку индексы оптовых цен не рассчитывались, все *новые виды продукции*, появлявшиеся после 1926/27 г. (а их было большинство), учитывались на самом деле лишь в текущих ценах. Больше того, и для сопоставимых с периодом 20-х годов видов продукции принцип неизменных цен не всегда соблюдался. Об этом свидетельствует, в частности, тот факт, что даже для отраслей со слабо меняющейся номенклатурой выпуска наблюдаются значительные расхождения в динамике натуральных показателей и стоимостных. Скажем, в 1928–1940 гг. выработка электроэнергии увеличилась в киловатт-часах менее чем в 10 раз, а продукция электроэнергетики в неизменных ценах – более чем в 14 раз; выпуск чугуна, стали, проката в тоннах – в 3,8–4,5 раза, а продукция черной металлургии (в неизменных ценах) – в 6,2 раза[1]. Даже любому неспециалисту понятно, что источник этого превышения мог быть только один – воздух.

Меньше всего сомнений вызывают официальные данные, касающиеся темпов роста производства и оптовых цен в сельском хозяйстве. Это связано, отчасти, с тем, что заготовительные и закупочные (оптовые) цены на основные продовольственные сельскохозяйственные продукты долгое время – до начала 50-х годов – оставались на уровне второй половины 20-х годов и, таким образом, статистические ошибки, проистекающие из порочной практики учета физического объема продукции в текущих, инфляционных ценах, здесь были наименьшими. Что же касается промышленности и других отраслей экономики, то очевидно, что здесь расхождения официальных данных с реальностью настолько велики, что ими пользоваться просто нельзя.

Официальная статистика, например, дает следующие данные: в 1921–1928 гг. среднегодовые темпы прироста национального дохода составили 18%, промышленного производства – 23%, сельскохозяйственного производства – 11%. В период первых пятилеток, в 1928–1940 гг., эти показатели снизились до 15, 17 и 1% соответственно. Получается, что только в сельском хозяйстве снижение темпов прироста было очень значительным (с 11 до 1%), тогда как в промышленности (с 23 до 17%) и в целом по экономике (с 18 до 15%) оно было вроде бы малозаметным. Но официальные данные за 1928–1940 гг., как мы уже говорили, полностью включают в себя практически по всей обрабатывающей промышленности и частично по сырьевым отраслям инфляционную компоненту, т.е. рост текущих оптовых цен. А они повысились в этот период, как минимум, в 2–3 раза.

Расчеты В. Селюнина и Г. Ханина свидетельствуют о том, что темпы прироста национального дохода в период первых пятилеток составили всего 3–4%, т.е. снизились в сравнении с периодом нэпа в 5–6 раз[2]. Оценки Б. Болотина показывают, что среднегодовые темпы прироста промышленного производства в 1929–1938 гг. составили 9% (против

---

[1] Народное хозяйство СССР за 70 лет. М., 1987, с. 34; Народное хозяйство СССР в 1958 г. М., 1959, с. 188–215.

[2] В. Селюнин, Г. Ханин. Лукавая цифра. – *Новый мир*, 1987, № 2, с. 181–201; В. Селюнин. Истоки. – *Новый мир*, 1988, № 5, с. 176–177. См. также статьи Г.И. Ханина в журнале *Известия АН СССР. Серия экономическая*, 1981, № 6, с. 62–73; 1984, № 3, с. 58–67.

26% в 1920–1929 гг.), сельскохозяйственного – 1% (против 7%), национального дохода – 8% (против 14%)[1].

Эти расчеты, конечно, не дают ювелирной точности. Нужные для них данные крайне скудны, вследствие чего приходится прибегать к довольно громоздким статистическим процедурам. Можно сейчас спорить о том, насколько именно упали темпы реального роста после свертывания нэпа. Но одно несомненно – их падение, вопреки тому, что показывает официальная статистика, было и резким, и значительным во всех крупных отраслях народного хозяйства. В сельском хозяйстве с началом коллективизации производство стало падать и сокращалось пять лет подряд; уровень 1928 г. был достигнут только в конце 30-х годов. В промышленности темпы реального прироста производства оставались в период первых пятилеток на довольно высоком абсолютном уровне (порядка 9%), но все-таки были, как минимум, в 2–3 раза ниже, чем в период нэпа, и, что особенно важно, много ниже, чем в последние годы нэпа, когда производство уже не восстанавливалось, а расширялось.

Это заключение имеет принципиальное значение. Оно противоречит данным официальной статистики, показывающей довольно небольшое снижение темпов роста по всей экономике (национальный доход) и по промышленности – снижение, которое вполне может быть "оправдано" переходом от восстановления к расширению производства в 1926 г. На самом же деле падение темпов роста было именно резким и именно значительным не только по сравнению с восстановительным периодом (1921–1925 гг.), но и по сравнению с недолгим периодом расширения производства в условиях нэпа (1926/1927–1928 гг.). В 1927 и 1928 гг., когда промышленное производство уже превысило уровень 1913 г., темпы его прироста составили 13% и 19% соответственно, что заметно выше даже самой высокой альтернативной оценки для периода 1929–1938 гг.

А вот данные по производству отдельных видов продукции в натуральном выражении, относящиеся к тому периоду роста, когда соответствующие отрасли уже *превзошли* свой максимальный дореволюционный уровень производства и, следовательно, не имели больших свободных, незагруженных мощностей: добыча нефти в 1927–1928 гг. увеличивалась в среднем на 18% в год (против 9% в 1929–1940 гг.), производство электроэнергии в 1925–1928 гг. росло среднегодовым темпом 34% (против 21% в 1929–1940 гг.), выпуск тракторов, которые вообще не производились в дореволюционной России, расширялся в 1926–1928 гг. на 65% ежегодно (против 35% в 1929–1940 гг.), производство цемента в 1927–1928 гг. увеличивалось на 15% (против 10% в 1929–1940 гг.)[2].

При этом надо иметь в виду, что свертывание нэпа сопровождалось крутым перераспределением национального дохода в пользу фонда накопления. Отношение валовых капиталовложений к национальному доходу, составившее 27% в 1924–1928 гг., поднялось до 38% в годы первой пятилетки и оставалось на уровне 30–35% до начала войны[3]. Увеличение накопления при прочих равных условиях должно, обязано было бы вызвать пропорциональное ускорение хозяйственного развития. Но в том-то все и дело, что *прочих равных условий* уже не было. Утверждение

---

[1] *Мировая экономика и международные отношения*, 1987, № 11, с. 145–157.

[2] Народное хозяйство СССР в 1958 году, с. 188–329.

[3] *Мировая экономика и международные отношения*, 1987, № 11, с. 147.

административной системы управления экономикой повлекло за собой громадное снижение эффективности использования трудовых и материальных ресурсов, резкое падение эффективности накопления. Относительно упавшие, но абсолютно все еще высокие показатели роста в промышленности достигались, иначе говоря, только ценой неимоверного и неоправданного увеличения затрат.

Вывод из сказанного очевиден: потенциал рыночной нэповской экономики был очень высок, но он был раздавлен и разрушен экспансией командной экономики, вследствие чего темпы роста круто пошли вниз. Создание крупной промышленности в короткие сроки в нашей стране в 30-е годы произошло не благодаря утверждению административной системы и жесткой централизации хозяйственного управления, но *вопреки* этим процессам, вопреки общему снижению темпов роста и стагнации сельского хозяйства, вопреки резкому падению эффективности накопления.

Сохранись тогда нэп, мы имели бы без надрыва и сверхчеловеческого напряжения не меньше, а больше, существенно больше стали, нефти, станков и тракторов, а в случае нужды – и танков. Сохранись нэп, и мы естественным порядком имели бы больше, а не меньше таких предприятий, как Магнитогорский и Кузнецкий металлургические комбинаты, Уралмашзавод, Челябинский тракторный и Горьковский автомобильный заводы, Днепрогэс и т.д. Сохранись нэп, и мы бы, вне всякого сомнения, смогли бы превзойти фашистскую Германию по выпуску танков, самолетов и артиллерийских стволов не в 1943 г. (как это действительно было), а значительно раньше.

”Секрет” успеха

По любым историческим меркам, 20-е годы были и остаются до сих пор периодом самого полнокровного экономического развития. Никогда – ни до, ни после – советская экономика не развивалась так успешно, как во времена нэпа. К 1928 г. национальный доход на душу населения возрос на 10% в сравнении с 1913 г., что, между прочим, даже превышало увеличение аналогичного показателя в США, экономика которых не пострадала в этот период от войн. Страна вставала из руин и обновлялась, каждый день приносил что-то новое, люди чувствовали реальные перемены к лучшему, обретали уверенность в настоящем и с надеждой смотрели в будущее.

Но, пожалуй, исторически самым важным итогом нэпа стало то, что впечатляющие хозяйственные успехи были достигнуты на основе принципиально новых, не известных дотоле истории общественных отношений. Бурно росла именно социалистическая по своей природе экономика, в которой частнокапиталистический сектор хоть и существовал, но не играл решающей роли.

В промышленности на долю частного сектора приходилось около $1/4$ выпуска продукции; на долю концессионных предприятий (сданных в аренду иностранцам) в 1926–1927 гг. приходилось чуть более 1% промышленной продукции. Еще 13% промышленной продукции давали кооперативы. А все остальное промышленное производство, в основном крупное, было сосредоточено в руках нескольких сотен трестов – полностью хозрасчетных объединений однородных или взаимосвязанных между собой предприятий, обладавших широкой самостоятельностью вплоть до права выпуска долгосрочных облигационных займов. Тресты в свою очередь объединялись на добровольных началах в синдикаты (23 к началу 1928 г.), занимавшиеся снабжением, сбытом, кредитованием, внешнеторговыми операциями.

В сельском хозяйстве ключевой фигурой был середняк, уплачивавший продналог (сначала 20% урожая в натуре, а затем 10% – деньгами[1]) и сбывавший продукцию по своему усмотрению либо государственным заготовителям, либо на рынке. Роль производственных кооперативов в сельском хозяйстве была незначительна (несколько процентов), зато простейшими первичными формами – сбытовой, снабженческой и кредитной кооперацией – было охвачено к концу 20-х гг. более половины всех крестьянских хозяйств.

Транспорт, строительство, связь, – все это находилось в руках государства. В розничной торговле доля частника составляла 40–80%; в обобществленной розничной торговле 60–80% оборота приходилось на кооперативную и только 20–40% – на государственную торговлю. В оптовой торговле роль частника была очень невелика.

В обращении находился червонец, свободно обмениваемый на золото и на иностранную валюту на валютном рынке как внутри страны, так и за границей (1 червонец = 7,74 г чистого золота = 5,15 доллара). На кредитном рынке действовали конкурировавшие между собой акционерные и кооперативные банки, общества сельскохозяйственного кредита, сберегательные кассы и общества взаимного кредита. На 1 октября 1926 г. число самостоятельных банков составило 61%, а доля Госбанка в кредитовании народного хозяйства была только около 48%[2]. Был развит и коммерческий кредит одних предприятий другим, запрещенный затем в ходе кредитной реформы 1930–1932 гг.

В промышленности и других отраслях была восстановлена денежная оплата труда, введены тарифы зарплаты, исключающие уравниловку, и сняты ограничения для увеличения заработков при росте выработки. Были ликвидированы трудовые армии, отменены обязательная трудовая повинность и основные ограничения на перемену места работы. Организация труда, таким образом, строилась на принципах материального стимулирования, пришедших на смену внеэкономическому принуждению периода "военного коммунизма". Абсолютная численность безработных, зарегистрированных биржами труда, в период нэпа возросла (с 1,2 млн. человек в начале 1924 г. до 1,7 млн. в начале 1929 г.), но расширение рынка труда было еще более значительным: численность рабочих и служащих во всех отраслях народного хозяйства, исключая самодеятельных крестьян-единоличников, практически не выходивших на рынок труда, увеличилась с 8,5 млн. человек в 1924/25 до 12,4 млн. в 1929 г., так что фактически уровень безработицы несколько снизился[3].

Как, каким образом могла столь разнородная нэповская экономика развиваться так быстро и так успешно? Почему в последующем переход

---

[1] Е. Амбарцумов. Вверх, к вершине. М., 1974, с. 140.

[2] Кредитно-денежная система СССР. М., 1967, с. 303, 304.

[3] Е. Амбарцумов. Указ. соч., с. 162; Народное хозяйство СССР за 70 лет, с. 11.

к жесткому директивному планированию повлек за собой столь резкое снижение темпов роста? Ответ заключен в самом вопросе: "секрет" успеха состоял в том, что основным, доминирующим принципом организации многообразных взаимосвязей между хозяйственными агентами был рынок, рыночная самонастройка, тогда как государство только корректировало, подправляло действие рыночных механизмов. Связанные между собой через рынок и регулируемые государством ячейки социалистической экономики обнаружили способность к согласованному взаимодействию и сбалансированному стабильному развитию. *Впервые в истории была доказана принципиальная возможность успешного экономического прогресса общества, построенного на коллективистских началах и использующего в качестве основного мотора и регулятора роста контролируемый государством механизм рыночной самонастройки.*

До сих пор у нас распространено мнение, что нэп был главным образом только отступлением, вынужденным отходом от социалистических принципов хозяйственной организации, только своего рода маневром, призванным дать возможность реорганизовать боевые порядки, подтянуть тылы, восстановить хозяйство и затем вновь ринуться в наступление. Спору нет, в новой экономической политике действительно были элементы отступления. Частные фабрики и торговые фирмы, в которых используется наемный труд, но все решения принимаются одним собственником (или группой акционеров, владеющих контрольным пакетом акций), – это не социализм, хотя, кстати сказать, их существование в известных пределах при социализме вполне допустимо и неопасно. В теории не были полностью социалистическими и мелкие крестьянские хозяйства, и мелкие предприниматели в городах, хотя они-то уж определенно не противопоказаны социализму, ибо по природе своей не являются капиталистическими и могут безболезненно, без всякого насилия врастать в социализм через добровольную кооперацию.

Но разве можно сказать, что несоциалистическими были тресты и синдикаты, деятельность которых направлялась государством через регулирование цен и распределение дотаций? Разве не было социалистическим массовое кооперативное движение – производственные кооперативы в промышленности и торговле, сбытовая, снабженческая и кредитная кооперация в сельском хозяйстве? Ответ очевиден: государственные предприятия и тресты, синдикаты и кооперативы были, возможно, не идеальными, но явно социалистическими, общественными формами организации производства.

Да, Ленин действительно не раз называл нэп отступлением по отношению к периоду "военного коммунизма". Но он не считал, что это отступление по всем направлениям и во всех сферах. Уже после перехода к нэпу Ленин неоднократно подчеркивал вынужденный чрезвычайный характер политики "военного коммунизма", которая, как он говорил, не была и не могла быть политикой, отвечающей хозяйственным задачам пролетариата[1]. "В условиях неслыханных экономических трудностей, – писал Ленин, – нам пришлось проделать войну с неприятелем, превышающим нашу силу в сто раз; понятно, что пришлось при этом идти далеко в области экстренных коммунистических мер, дальше, чем нужно; нас к этому заставляли"[2].

---

[1] В.И. Ленин. Полн. собр. соч., т. 43, с. 200.
[2] Там же, т. 45, с. 9–10.

И, называя нэп отступлением, Ленин имел в виду прежде всего и главным образом масштабы частного предпринимательства; он никогда и нигде не относил термин "отступление" на счет трестов или кооперации. Напротив, если в более ранних работах Ленин и характеризовал социализм как общество с нетоварной организацией, то после перехода к нэпу он уже явно рассматривает хозрасчетные тресты, связанные между собой через рынок, как социалистическую, а не переходную к социализму форму хозяйствования.

То же с кооперацией. Еще в 1921 г. в статье "О продналоге" Ленин квалифицировал кооперацию как форму *перехода* от мелкотоварного к социалистическому производству. Но в другой статье, "О кооперации" – одной из нескольких последних, известных сейчас как ленинское политическое завещание, – он прямо говорит о кооперации как о главной социалистической форме производства. "Раз государственная власть в руках рабочего класса, раз этой государственной власти принадлежат все средства производства, у нас действительной задачей осталось только кооперирование населения, – констатирует Ленин. – При условии максимального кооперирования населения само собой достигает цели тот социализм, который ранее вызвал законные насмешки, улыбку, пренебрежительное отношение к себе со стороны людей, справедливо убежденных в необходимости классовой борьбы, борьбы за политическую власть и т.д. ...Нам осталось "только" одно: сделать наше население настолько "цивилизованным", чтобы оно поняло все выгоды от поголовного участия в кооперации и наладило это участие. "Только" это. Никакие премудрости нам не нужны теперь, чтобы перейти к социализму"[1].

Эти слова были надиктованы Лениным в начале 1923 г., когда уже был осуществлен практический поворот к нэпу и завершилось в основном трестирование и синдицирование промышленности. Впереди были еще шесть лет нэпа, шесть лет развития по пути, предсказанному Лениным, по пути добровольного массового кооперирования населения. Ленин считал, что для такого кооперирования, тождественного с ростом социализма, "требуется целая историческая эпоха". Но впереди была не эпоха, впереди было только шесть лет. История на этот раз распорядилась по-своему. В 30-е годы директивный, всеохватывающий план лег на экономику тяжелым бременем, подавил ее потенциальные способности к росту и создал многочисленные и глубокие диспропорции, закономерно повлекшие за собой огромные потери и падение эффективности.

Командная экономика

Это было в августе 1942 г., в тяжелейший период второй мировой войны, когда немцы в результате летнего наступления разгромили наши войска под Харьковом, овладели Севастополем и вышли к Волге в районе Сталинграда. Линия фронта проходила всего в двух сотнях километров от Москвы. Шли бои на Северном Кавказе: после неудачи в 1941 г. под Москвой Гитлер на этот раз рассчитывал до зимы захватить кавказские нефтяные центры – Баку, Майкоп, Грозный, дававшие 95% всей нефти, т.е. топлива для танков, самолетов, военных кораблей. Союз-

---

[1] Там же, с. 369, 372.

ники гадали, сможет ли Советская Армия удержать до зимы Кавказ: если нет, шансы на победу СССР в этой войне казались очень небольшими.

Английский премьер У. Черчилль прилетел в это время в Москву для переговоров о все еще не открытом втором фронте. На обеде в кремлевской квартире Сталина Черчилль, переменив тему разговора, завел речь о коллективизации. Вот что он пишет об этом в своих мемуарах:

" – Скажите мне, – спросил я, – на вас лично так же тяжело сказываются тяготы этой войны, как проведение политики коллективизации?

Эта тема сейчас же оживила маршала.

– Ну нет, – сказал он, – политика коллективизации была страшной борьбой.

– Я так и думал, что вы считаете ее тяжелой, – сказал я, – ведь вы имели дело не с несколькими десятками тысяч аристократов или крупных помещиков, а с миллионами маленьких людей.

– С 10 миллионами, – сказал он, подняв руки. – Это было что-то страшное, это длилось четыре года, но для того, чтобы избавиться от периодических голодовок, России было абсолютно необходимо пахать землю тракторами..."[1]

Чтобы быть точным, надо сказать, что Россия была очень близка к тому, чтобы избавиться от периодических голодовок даже и без тракторов в конце 20-х годов, накануне коллективизации, до того, как был свергнут нэп. Но после создания колхозов, несмотря на то, что землю пахали тракторами, голодовки продолжались вплоть до начала 50-х годов. Здесь, однако, более важно другое: даже тяжелейшую в нашей истории войну в один из самых критических ее периодов Сталин не считал такой же "страшной борьбой", какой была коллективизация.

Начавшееся в 1929 г. создание колхозов действительно стало переломным рубежом, разделившим нашу историю на два периода. "Великим переломом", "революцией сверху" называл впоследствии коллективизацию Сталин. Через 1929 г. проходит водораздел между нэповской, рыночной, хозрасчетной экономикой и административной системой.

До 1929 г. наша экономика, несмотря на постепенное свертывание рыночных отношений и переход к волевым методам управления, в целом все-таки еще оставалась хозрасчетной. Но в 1929 г. количественные изменения перешли в качественные – господствующей, доминирующей стала административная система, явившаяся, по существу, возвратом к политике "военного коммунизма", к командной, сверхцентрализованной экономике. Свои развитые законченные формы административная система приобрела не сразу, но очень скоро: к концу первой пятилетки, к 1933 г., фактически уже полностью сложился тот хозяйственный механизм, который с весьма незначительными модификациями просуществовал у нас более полувека.

Сталин "принял Россию с сохой, а оставил оснащенной атомным оружием" – эти слова тоже принадлежат У. Черчиллю, и в них зафиксирован очевидный факт, оспаривать который невозможно. Историческая правда состоит в том, что тяжелая индустрия действительно шла вперед быстрыми темпами. В предельно сжатые сроки – чуть больше, чем за 10 лет – Советский Союз превратился из отсталой аграрной в мощную индустриальную державу. Данные о динамике объема промышленного

---

[1] У. Черчилль. Вторая мировая война. Т. IV. М., 1955, с. 493.

производства в целом, как уже говорилось, ненадежны, но вот каково было увеличение объемов производства отдельных видов продукции в натуре: добыча угля возросла в 1928–1940 гг. почти в 5 раз, нефти – почти в 3 раза, производство электроэнергии – почти в 10 раз, минеральных удобрений – почти в 3 раза, автомашин, тракторов, комбайнов, станков и машин разного рода – в десятки и сотни раз.

В 1913 г. Россия занимала 5-е место в мире по величине экономического потенциала после США, Германии, Великобритании и Франции; к 1940 г. Советский Союз вышел на второе место по объему национального дохода, почти догнал Францию по объему промышленного производства и существенно сократил разрыв с США, Германией, Великобританией.

В 30-е годы в необжитых районах страны поднялись сотни новых городов, вступили в строй тысячи новых заводов. В городах царила обстановка массового трудового энтузиазма, миллионы людей чувствовали себя первопроходцами, воспринимали успехи и заботы страны как свои собственные, были воодушевлены сознанием сопричастности к судьбам страны и жизни планеты. Миллионы людей не по приказу и не по команде, а сознательно поступались самым необходимым, шли на жертвы во имя будущего, ибо верили, что эти жертвы необходимы, что, жертвуя, именно они и именно сегодня творят историю и строят новый мир.

Но есть и другая сторона этой исторической правды: сверхцентрализация и принудительная мобилизация ресурсов на накопление в 30-е годы были оплачены неимоверно дорогой ценой. И, думается, нам никуда не уйти от признания трагического факта нашей недавней истории: эта цена не стояла ни в каком соответствии с теми результатами, которые благодаря ей удалось получить. Мы говорим не только о многих миллионах погубленных зазря людей. Мы говорим о, может быть, менее эмоциональных, но не менее страшных вещах: о разрушенных производительных силах, о загубленных попусту ресурсах, о потерянном для страны времени, о разочаровании многомиллионных народных масс, чья жизнь ушла на то, чтобы оплатить потом и кровью амбиции Сталина и кучки безграмотных и безнравственных его приближенных, узурпировавших власть.

В 1924–1928 гг., в тот период нэпа, когда промышленное производство уже в основном расширялось, численность занятых в промышленности увеличивалась примерно на 10% ежегодно, а объем выпуска продукции – на 30%, т.е. производительность труда повышалась, грубым счетом, на 20% в год. В 1928–1940 гг. занятость в промышленности по-прежнему росла примерно на 10% в год, но темпы прироста продукции резко снизились – до 9–10%, т.е. производительность труда повышалась крайне медленно, если она повышалась вообще. И это при стремительном росте капиталовложений и основных фондов, при огромных закупках новейшей техники и целых заводов за рубежом, при том, что в промышленности и на стройках работали квалифицированные иностранные специалисты, при массовом трудовом героизме, сверхурочных, субботниках, стахановском движении!

В сельском хозяйстве создание колхозов обернулось трагедией для многих миллионов жителей. В 1928 г. Сталин неожиданно объявил, что кулаками являются 5% всех крестьян (1,2 млн. крестьянских хозяйств и 6,2 млн. тогдашнего сельского населения), причем 2–3% из них (500–700 тыс. крестьянских дворов) – особенно зажиточные, подлежащие индивидуальному налогообложению. Обследование 1927 г., к слову сказать, выявило, что только 3,2% крестьянских хозяйств являются кулацкими[1]. Но в ходе коллективизации даже эти явно выдуманные Сталиным цифры были перекрыты, как минимум, вдвое. По расчетам академика ВАСХНИЛ В. Тихонова, фактически было ликвидировано не менее 3 млн. крестьянских хозяйств, т.е. 11–12% всех дворов. Иными словами, значительно более 10 млн. деревенских жителей подверглось репрессиям: были высланы, направлены в лагеря, уничтожены физически, умерли от голода.

Объем производства в сельском хозяйстве в первой пятилетке, когда проводилась коллективизация, упал на 20%, и восстановился только к началу 40-х годов. Огромный урон был нанесен основным фондам аграрного сектора, ибо единоличники не желали передавать свое имущество колхозам. Так, установка на полное обобществление скота привела к тому, что его попросту вырезали – поголовье крупного рогатого скота сократилось с 1928 по 1933–1934 гг. почти вдвое (с 60 до 33 млн. голов), лошадей и свиней – более, чем вдвое (с 22 до 10 млн. и с 33 до 15 млн. голов соответственно), овец и коз – втрое (с 97 до 33 и с 10 до 3 млн. голов соответственно)[2]. Никогда – ни во время первой мировой войны, ни в годы революции и гражданской войны, ни во время Великой Отечественной войны – поголовье скота в стране не сокращалось так значительно.

Из сельского хозяйства систематически и безвозмездно изымалась значительная часть создаваемого там продукта. Четверть века, с 1929 по 1953 г. деревня фактически жила на грани голодной смерти. И финансировала индустриализацию, войну и послевоенное восстановление именно деревня, финансировала прежде всего через ножницы заготовительных и розничных цен на сельхозпродукты.

До 1953 г. заготовительные цены на основные продовольственные продукты, поставляемые сельским хозяйством, изменялись очень незначительно. Скажем, зерно все эти 25 лет заготавливалось по цене конца 20-х годов – примерно 80 коп. за центнер (в нынешнем масштабе цен). Между тем, розничные цены поднимались все выше и выше: индекс розничных цен даже не рыночной, а государственной и кооперативной торговли, если принять их уровень 1928 г. за единицу, составил в 1932 г. – 2,6, в 1940 г. – 6,4, в 1950 г. – 11,9. В 1947 г. этот индекс поднялся даже до отметки 20,1, но затем снизился почти в 2 раза в результате проведения денежной реформы, в ходе которой значительная часть денег была изъята из оборота.

Стремительное повышение розничных цен на фоне стабильных закупочных означало, что заготовительные организации получали колоссальный доход от перепродажи приобретавшейся у колхозов продукции. Всесоюзное объединение "Заготзерно" – монопольный скупщик зерна у колхозов и совхозов – в 1935 г., сразу после отмены карточек, закупало, точнее сказать, заготавливало пшеницу во II поясе, включавшем основные зерновые районы, по мизерной цене (80 коп. за центнер), а продавало ее по 10,4 рубля, из которых 1,5 рубля шло на покрытие расходов самого "Заготзерна", а 8,9 рубля направлялось в бюджет в виде налога

[1] Экономическая энциклопедия. Т. 2. М., 1975, с. 304.
[2] Народное хозяйство СССР за 70 лет, с. 253.

с оборота[1]. "Заготзерно" стало в те годы важнейшим плательщиком налога с оборота и фактически главным источником средств для индустриализации.

Заготовительные цены на другие продовольственные товары повышались, но очень медленно. Если индекс государственных розничных цен на все товары возрос больше чем в 10 раз с конца 20-х до начала 50-х годов, то за то же время заготовительная цена на картофель повысилась в 1,5 раза, на крупный рогатый скот – в 2,1 раза, на свиней – в 1,7 раза, на молоко – в 4 раза. Только на технические культуры, в расширении производства которых нуждалась промышленность, заготовительные цены повышались вровень с розничными. Дорожали хлопок, сахарная свекла, лен, пенька, табак и проч. Заметно увеличивалось производство только этих, технических, культур, тогда как экономика деревни в целом деградировала.

Крестьяне получали по трудодням за работу в колхозном хозяйстве копейки, а порой и вообще ничего не получали, тогда как нехитрые промышленные товары, которые они покупали – соль, сахар, керосин, ситец и др., – все дорожали и дорожали. Был установлен минимум трудодней, который колхозники обязаны были отработать в общественном хозяйстве, а нарушители подлежали уголовному преследованию. Потом кара была "смягчена" – виновные лишались приусадебных участков, которые фактически и были основным, главным источником продуктов для крестьянских семей. Уйти в город колхозники не могли – при введении в 1932 г. паспортной системы паспорта были выданы только населению городов, рабочих поселков и новостроек, а беспаспортные крестьяне, чтобы сменить место жительства, должны были получить справку сельсовета, выдача которых была ограничена. Долгие годы многомиллионное сельское население было крепостнически прикреплено к земле и за принудительные, "барщинные" отработки в общественном хозяйстве получало разве что право кормиться со своего небольшого приусадебного участка.

Последствия такой политики по отношению к деревне были предельно разрушительны и полностью не преодолены до сих пор. Четверть века сельское хозяйство фактически либо шло под откос, либо стагнировало, топталось на месте. Соха заменялась на трактор, но ощутимого роста производства не было. Только в 50-е годы мы смогли превзойти уровень производства сельскохозяйственной продукции на душу населения, достигнутый в 1913 г., и только со второй половины 50-х годов валовый сбор зерна, поголовье крупного рогатого скота и производство мяса стали устойчиво превышать уровень 1913 г. Такова была только чисто "экономическая", "коммерческая" цена политики развития промышленности за счет сельского хозяйства, политики обескровливания деревни. А ведь были еще потери, которые не поддаются никакому экономическому счету...

Зачем миллионы людей гибли в деревнях и в лагерях для спецпереселенцев от непосильного труда, голода и болезней, ради чего крестьянские восстания жестоко подавлялись войсками НКВД, во имя каких сверхзадач сельские труженники раскулачивались и насильно сгонялись в колхозы? Где она, эта высшая цель, оправдывающая якобы погром деревни, приобретший масштабы национальной трагедии?

---

[1] А.Н. Малафеев. История ценообразования в СССР (1917–1963). М., 1964, с. 179.

Репрессии против крестьян, принудительный характер коллективизации, раскулачивание, выселение осуждают теперь все. Но у многих, наверное, в глубине души остается все-таки убеждение, что жертвы и лишения, выпавшие на долю деревни в 30-е годы, были, если не целиком, то в какой-то своей части, оправданы. Ведь именно сельское хозяйство финансировало индустриализацию; ведь вся тяжелая и оборонная промышленность была построена на средства, изъятые из деревни; только экспорт зерна сделал возможным закупки иностранной техники для индустриализации; и только резкое расширение государственных хлебозаготовок худо-бедно, но все-таки позволило прокормить строителей, а затем и рабочих Магнитки и Сталинградского тракторного.

При ближайшем рассмотрении, однако, и эти аргументы, какими бы привычными и убедительными они ни казались, рушатся как карточный домик. Здесь, по сути дела, двойной обман – во-первых, предположение о том, что без перекачки средств из деревни провести индустриализацию было бы невозможно; и, во-вторых, утверждение, что бедствия, переживаемые деревней в 30-е годы, были вызваны главным образом изъятием средств на нужды индустриализации. Ни то, ни другое неверно.

Во-первых, как уже говорилось, если бы в промышленности и строительстве не утвердилась командно-административная система с ее безумной расточительностью, просто не понадобилось бы ничего изымать из сельского хозяйства сверх того, что изымалось через налоги в период нэпа. Тресты, синдикаты и кооперация могли и далее, после 1928 г. обеспечивать высокие приросты производства преимущественно за счет повышения производительности промышленного труда, а не за счет неимоверного расширения занятости (т.е. экстенсивного роста), как это в действительности имело место в 30-е годы, в придавленной директивным планом экономике. Судя по темпам роста в период нэпа и в годы первых пятилеток, сохранись тогда рыночные отношения, мы могли бы построить нормально, без надрыва, *как минимум, вдвое больше* заводов, фабрик и электростанций без всякого ограбления деревни.

Во-вторых, если даже и существовала какая-то высшая необходимость безвозмездно изъять из сельского хозяйства часть произведенного продукта (скажем, ту самую часть, которая и была фактически изъята в 30-е годы), при отсутствии колхозов это никак не привело бы к тяжелейшему кризису деревенской экономики. Насильственная коллективизация разрушила основные фонды сельского хозяйства и резко снизила эффективность аграрного производства. Принудительный, подневольный труд государственных крепостных – прикрепленных к земле колхозников – оказался, как и следовало ожидать, существенно менее производительным, чем труд свободных крестьян-единоличников. И деревня фактически пострадала не столько от изъятий на нужды индустриализации, сколько от сокращения производства в результате создания колхозов.

В самом деле, сколько хлеба изъяли из сельского хозяйства на экспорт? Вот цифры: 1928 г. – 89 тыс. т, 1929 – 280 тыс., 1930 – 4,8 млн., 1931 – 5,2 млн., 1932 – 1,8 млн. т. Всего за первую пятилетку было вывезено 12 млн. т. зерна, или в среднем 2–3 млн. т в год. В последующем экспорт снизился и только к концу 30-х годов снова вышел на этот уровень. Много это или мало – 2–3 млн. т. в год? Сейчас, когда мы импортируем по нескольку десятков миллионов тонн ежегодно, вопрос кажется чисто риторическим. А тогда? Тогда этот объем экспорта – всего 3% производства – тоже никак нельзя было назвать огромным. В 1913 г. царская Россия без напряжения и чрезвычайных мер вывезла более 9 млн. т зерна[1].

А сколько хлеба дала коллективизация для рабочих городов? Существенно больше, чем на экспорт, но тоже не очень много. В целом государственные заготовки зерна (для экспорта, государственного карточного снабжения городов и проч.) возросли с 9–12 млн. т в 1925–1928 гг. до 32 млн. т в 1938–1940 гг.[2], т.е. примерно на 20 млн. т. Эта самая прибавка в 20 млн. т могла бы быть получена в 1928–1940 гг. при весьма умеренном, двухпроцентном ежегодном приросте производства зерна. В конце нэпа, в 1926–1928 гг., среднегодовой сбор зерна приближался к 75 млн. т и при увеличении только на 2% в год должен был бы составить порядка 95 млн. т в 1940 г. Деревня при таком развитии событий лучше бы жить не стала, но и не стала бы жить хуже – она смогла бы прокормить индустриализировавшуюся страну без тех ужасающих потерь, которые в действительности понесла.

Смогла бы, даже если б в эти 12 лет происходил только *умеренный* рост производства. Смогла бы, если бы сохранился нэп, единоличные крестьянские хозяйства, широко охваченные сбытовой, снабженческой и кредитной кооперацией. Смогла бы, вне всякого сомнения, ибо такое сельское хозяйство давало значительно более высокие приросты производства, чем упомянутые 2%, – реальный прирост в период нэпа был 11% в год.

Еще одно, последнее возможное возражение: деревня давала бурно растущему городу не только продовольствие, но и рабочие руки, так что произвести больше продукции с меньшим числом занятых она была просто не в состоянии. Это еще одно расхожее представление, не подтверждаемое фактами.

Во-первых, если рост производительности труда не замедлился бы резко и значительно с переходом от нэпа к администрированию, промышленность смогла бы выйти на даже более весомые результаты без того быстрого расширения занятости, которое фактически имело место. А во-вторых, прирост занятости в промышленности и строительстве был очень высоким относительно, т.е. в сравнении с низкой исходной базой, но довольно скромным в абсолютном выражении – прибавка в несколько миллионов человек. Вопреки распространенному убеждению этот прирост был обеспечен в основном за счет естественного увеличения трудоспособного населения в городах, расширения женской занятости и других факторов, а не за счет притока крестьян в промышленность и на стройки. Численность занятых в сельском хозяйстве в этот период, по оценкам Б. Болотина, изменилась незначительно: сократилась с 37 млн. человек в 1929 г. до 35 млн. в 1938 г.[3] Деревня, другими словами, хоть и давала городу рабочие руки, но не в таком масштабе, чтобы в самом сельском хозяйстве совсем уж некому было работать.

Все, таким образом, сходится к одному, с какой стороны ни подходить к проблеме: ко времени войны мы могли бы иметь куда более мощный экономический потенциал, чем в действительности имели, без того

---

[1] Народное хозяйство СССР в 1958 году, с. 802.

[2] А.Н. Малафеев. Указ. соч., с. 112; Народное хозяйство СССР в 1958 году, с. 352.

[3] *Мировая экономика и международные отношения*, 1987, № 12.

неимоверного напряжения и тех тяжелейших потерь, которые до сих пор списываются на необходимость индустриализации страны. На самом же деле индустриализация здесь ни при чем. Все потери лежат "на совести" сталинской административно-хозяйственной системы, снизившей коэффициент полезного действия нашего экономического механизма и в промышленности, и в сельском хозяйстве до такого уровня, который существовал разве что у паровоза Стивенсона. Не будь этого снижения, мы могли бы в нормальных, человеческих условиях провести, как минимум, две индустриализации вместо одной.

На смену нэповскому, рыночному, эффективному и конкурентоспособному по мировым стандартам хозяйству пришла, по сути дела, "лагерная экономика", крайне расточительная и неэффективная с чисто экономической точки зрения. Это вовсе не преувеличение: на момент смерти Сталина в лагерях, по некоторым оценкам, находилось 12 млн. заключенных, т.е. пятая (!) часть всех занятых в то время в отраслях материального производства. В 30-е годы заключенных было, вероятно, меньше, но уже тогда, Гулаг превзошел по объему производимой продукции все наркоматы, т.е. лагерная система еще в то время превратилась в один из столпов всего народного хозяйства. Добавьте к этому 35 млн. прикрепленных к земле крестьян (более $3/5$ всех занятых в отраслях материального производства), условия труда которых мало отличались от лагерных, и получится, что едва ли не $4/5$ всей экономики зиждилось в те годы на прямом внеэкономическом принуждении – наименее эффективном способе организации хозяйства из всех известных истории.

В социальной области административно-командная система привела к падению жизненного уровня огромных масс населения. Реальные доходы в первые 10 лет индустриализации снизились, ухудшилось качество жизни, особенно в деревне. Быстрый рост денежных доходов, вызванный непомерной денежной эмиссией, перекрывался еще более быстрым ростом цен; в городах и на стройках распространилась карточная система снабжения.

Были сняты все ограничения на пути бесконтрольной эмиссии денег. Масса денег в обращении увеличилась с 1,3–1,4 млрд. в 1926–1928 гг. до 11,2 млрд. рублей в 1937 г. На свободном рынке, естественно, начался головокружительный рост цен: в частной торговле к 1932 г. они выросли по сравнению с 1927–1928 г. почти в 8 раз, в том числе на промышленные товары – более, чем в 5 раз, на сельскохозяйственные – почти в 13 раз[1]. Государственные оптовые и розничные цены поначалу удерживались на стабильном уровне, что вызвало острейший товарный голод. Со второй половины 1928 г. поэтому вводится карточная система нормированного снабжения – сначала в отдельных городах, потом во всех городах без исключения, сначала на хлеб, потом на основные продовольственные товары и далее – на мануфактуру. К 1934 г. карточным снабжением из централизованных фондов было охвачено 40 млн. человек и еще 10 млн. снабжались из местных фондов.

На одни и те же товары существовало несколько уровней цен: для тех, которые отпускались по карточкам, – самые низкие, для товаров коммерческого фонда (сверх карточной нормы в городах) – повыше, и для продаваемых на рынке – самые высокие. Разрыв между рыночными и государственными ценами все время увеличивался: если в

---

[1] А.Н. Малафеев. Указ. соч., с. 404, 407, 408.

1927/28 г. первые были выше вторых в 1,3 раза, то в 1932 г. – в 5,9 раз[1].

Деревня, не охваченная карточной системой, приобретала товары в основном в плохо снабжавшихся магазинах потребительской кооперации по ценам так называемого нормального фонда, которые мало отличались от цен коммерческого фонда в городах, а также на рынке. Только в 1935 г. карточки были отменены при одновременном резком повышении государственных розничных цен.

В деревне, где карточное снабжение отсутствовало, каждый неурожайный год вызывал страшный голод, возросла смертность, замедлился естественный прирост населения. Вместо того, чтобы стать "одной из самых хлебных стран, если не самой хлебной страной в мире" "через каких-нибудь три года", как обещал Сталин в 1929 г., Советский Союз превратился в страну с сокращающимся населением. Так, в голодном 1933 г. не только в деревне, но даже в городах страны число рождений уступало числу смертей, хотя 1932 г. не был неурожайным. И если после этого население и увеличилось к концу 30-х годов, то лишь крайне незначительно. Иными словами, эти годы были периодом фактической стабилизации численности населения из-за резкого, неестественного повышения уровня смертности. Увеличивался выпуск угля и стали, поднимались новые города, но роста населения почти не было: люди умирали едва ли не так же быстро, как и рождались.

Наши прямые потери во время Отечественной войны составили официально 20 млн. человек. Исходя из этой оценки, сегодня можно примерно представить себе действительный и потенциальный ущерб в человеческих жизнях от политики 30-х годов. Подсчеты показывают, что в течение двух десятилетий (1930–1950 гг.) население СССР в границах до 17 сентября 1939 г. не увеличивалось, тогда как при сохранении естественного прироста середины 20-х годов (2%, или 3 млн. человек в год) оно должно было возрасти за это время на 60 млн. человек. Должно было, но не возросло. Иными словами, убыль реальных и потенциальных 40 млн. – это не война, это другое. Жаль, что отсутствие данных не позволяет сейчас точно сказать, в какой мере это объясняется снижением рождаемости, а в какой – повышенной смертностью из-за голода и репрессий.

Такими потерями расплачивалась страна за триумфальное шествие сталинской административной системы. Четверть века все, даже самое необходимое, откладывалось на потом, насущные потребности приносились в жертву долгосрочным приоритетам. Четверть века экономика работала на износ, на пределе своих возможностей, нити хозяйственных взаимосвязей были натянуты как струна, страна жила в обстановке поистине невозможного, сверхчеловеческого напряжения сил. Ни один успех тех лет, будь то хозяйственный или военный, не был легким, все они оплачены сполна по немыслимо высокой ставке.

Однако с точки зрения наших сегодняшних задач самое, возможно, трагическое состоит в том, что долгие годы администрирования оставили неизгладимый след в общественном сознании. Командная экономика, по существу, создала адекватный себе тип социальной психологии, специфическую систему жизненных ценностей и приоритетов.

Ф. Энгельс в свое время писал, что умирающее римское рабство "оставило свое ядовитое жало в виде презрения свободных к производи-

---

[1] Там же, с. 137, 173.

тельному труду"[1]. Такое же ядовитое жало оставила нам в наследство и "лагерная экономика" – система принудительного неэффективного труда и уравнительного распределения.

Продолжавшееся из года в год физическое истребление цвета нации, наиболее талантливых, инициативных и трудолюбивых, ограничение до предела возможностей для самовыражения и творческого труда, насаждение единых для многомиллионной страны шаблонов, стандартов и стереотипов во всех сферах общественной жизни, стремление подстричь всех под одну гребенку, – все это способствовало формированию особого типа работника: непрофессионала-середняка, не умеющего и не желающего делать что-то лучше, чем другие, пассивного, безынициативного, утратившего уважение к себе и с готовностью голосующего "как все".

Среди населения широко распространились настроения апатии и безразличия, паразитическая уверенность в гарантированной работе и социальной безопасности и в то же время твердая убежденность в том, что "выкладываться", работать с полной отдачей сил бесполезно и даже зазорно ("как вы нам платите, так мы вам и работаем"). Немалая часть нации физически и духовно деградировала на почве пьянства и безделия; произошли упадок этики и резкое снижение моральных критериев; развились массовое воровство, неуважение к честному труду и одновременно – агрессивная зависть к любым повышенным трудовым доходам. Все более ощутимым стало неверие в провозглашаемые цели и намерения, в том числе и в возможность более разумной, более рациональной организации экономической жизни.

Сдвиги в массовом сознании – это, пожалуй, самое труднопреодолимое наследие командной экономики, построенной "по указаниям" Сталина. Изменить хозяйственный механизм, как свидетельствует исторический опыт, при должной решимости "верхов" и поддержке "низов" можно довольно быстро. А вот создать нового "экономического человека", нового работника, новую культуру деловых навыков и взаимоотношений – для этого потребуются годы и годы, а возможно, и поколения.

История не знает сослагательного наклонения. Прошлого не вернешь, и раз случившемуся уже навсегда суждено остаться таким, каким оно было в действительности. Но мысль сегодня вновь и вновь возвращается к периоду конца 20-х годов, к одному и тому же вопросу, без ответа на который вряд ли можно понять сущность нынешней перестройки: можно ли было не сворачивать нэп и почему он все-таки был свернут?

Теперь, с высоты наших сегодняшних знаний о том далеком периоде, можно с уверенностью сказать: сохранись тогда нэп – и мы достигли бы куда больших хозяйственных успехов, в том числе и на поприще индустриализации. Но это, строго говоря, еще никак не доказывает, что тогда была реальная альтернатива свертыванию нэпа.

Надо объяснить все, что случилось, исходя из *тогдашних реальностей*, той специфической обстановки, надо попытаться взглянуть на вещи глазами людей того поколения. "Задним умом", как известно, сильны все. А вот тогда, в тех конкретных исторических условиях, когда мы были единственной социалистической страной в полном капиталистическом окружении, когда опыта проведения социалистических преобра-

---

[1] К. Маркс, Ф. Энгельс. Соч., т. 21, с. 149.

зований почти что не было, когда отнюдь не одни только лидеры, а большинство в партии и миллионы трудящихся искренне верили, что только жесткой централизацией можно создать позарез необходимую индустриальную мощь в кратчайшие сроки, – не был ли тогда переход к командной экономике неминуемым и предрешенным? Ошибка или даже злой умысел одного исторического лица могут быть названы трагической случайностью, ошибка большинства – это уже историческая необходимость.

Соотношение исторических сил было тогда не в пользу сторонников сохранения нэпа, пишет И. Клямкин. Даже большинство крестьян примирилось с коллективизацией, ибо видело в кулаке своего врага, ибо не успело еще "обуржуазиться", было в основе своей патриархальным, питало сильные иллюзии в отношении общинной коллективности. Поэтому-то и всеобщего крестьянского восстания, ожидавшегося лидерами западноевропейской социал-демократии, не последовало, и страна получила ту хозяйственную и политическую систему, которая соответствовала запросам тогдашнего населения. Отсюда, кстати, всего один шаг до известного утверждения, что народ имеет то правительство, которое заслуживает.

Этот аргумент очень серьезен. Можно ведь рассуждать и так: да, свертывание нэпа было ошибкой, но это понятно нам только теперь, а *тогда* избежать этой "ошибки" не было никакой возможности. Сегодня, когда у нас есть оплаченный дорогой ценой опыт, мы, возможно, и не повторили бы тех ошибок. А тогда искренне заблуждались все, по крайней мере большинство – и руководство, видевшее выход только в сверхцентрализации, и рабочие, убежденные, что в условиях капиталистического окружения жертвы и лишения необходимы, и крестьяне, посчитавшие коллективизацию меньшим злом в сравнении с фермерской конкуренцией, к которой они еще не были готовы. Кто-то, конечно, преследовал свои корыстные цели, но разве смогли бы эти относительно немногие столь резко повернуть развитие огромной страны, если бы за ними не стояло большинство? Не на одних же штыках в конце концов держалась политическая власть, сталинский режим, установившийся после 1929 г.! Пусть большинство заблуждалось, не осознавало тогда своих истинных интересов – разве это что-то меняет? Историю делают народные массы, и в те годы они в большинстве своем не считали нужным "сделать" ее как-то иначе. А если бы считали, что надо иначе – ни лидеры, ни аппарат подавления, ни репрессии не смогли бы навязать стране другой вариант развития.

Но не будем спешить с выводами, обратимся к историческим фактам. Посмотрим, как проходило свертывание нэпа, как утверждалась командная экономика, какие силы стояли за драматическими переменами в хозяйственной жизни конца 20-х – начала 30-х годов.

Все началось с регулирования цен

Наверное, многим это покажется парадоксальным, но мы убеждены: конец нэпа начался не с решений 1929 г. Он начался в недрах самого нэпа. С одного из важных элементов его экономического механизма – с регулирования цен. Играя в основном служебную, вспомогательную, но в целом положительную роль в период нэпа, этот элемент во второй половине 20-х годов сначала исподволь, а потом вдруг приобрел решающее значение и лег в основу всей командно-административной системы, пришедшей на смену социалистическому рыночному хозяйству.

Переход от "военного коммунизма" к нэпу в 1921 г. сопровождался внедрением рыночных, свободно колеблющихся в зависимости от спроса и предложения цен. В сельском хозяйстве крестьяне получили возможность продавать хлеб по ценам базарной торговли, в промышленности формировавшиеся тресты и синдикаты, равно как и частный сектор, и кооперативы, стали устанавливать цены самостоятельно, в зависимости от рыночной конъюнктуры. Созданные в 1921–1922 гг. Комитет цен при Наркомате финансов и Комиссия внутренней торговли при Совете Труда и Обороны практически не занимались прямым нормированием (планированием) цен: устанавливаемые цены были в основном ориентировочными и до декабря 1923 г. охватывали только базисные товары. Однако механизм рыночного ценообразования, на который была сделана ставка, не сработал в полной мере, привел к возникновению крупных ценовых неувязок, что в конце концов вынудило государство вмешаться.

Важнейшей диспропорцией стал опережающий рост цен на промышленные товары в сравнении с ценами на сельскохозяйственные – так называемые "ножницы цен". Начиная с 1913 г. возрастали цены всех товаров – и промышленных и сельскохозяйственных, причем с 1917 г. такой рост резко ускорился. Но при этом более или менее выдерживалась главная обменная пропорция – к 1922 г. цены промышленных товаров выросли только в 1,2 раза больше, чем цены сельскохозяйственных. Это, кстати сказать, было вполне объяснимо, ибо промышленность была разрушена сильнее, чем основанное на рутинной технике сельское хозяйство. С конца 1922 г. картина в корне меняется: цены промышленных изделий постоянно обгоняют в своем росте цены сельскохозяйственных, так что к осени 1923 г. "раствор" "ножниц цен" достигает уже более 300%, или, другими словами, относительная дороговизна промтоваров в сравнении с сельскохозяйственным сырьем возрастает против 1913 г. больше, чем в 3 раза[1]. Чтобы купить плуг, в 1913 г. хватало 10 пудов ржи, в 1923 г. требовалось 36.

Тогдашние и современные исследователи "ножниц цен" 1923 г. называют в качестве причин их образования многие факторы, в частности, более медленное восстановление производительности труда в промышленности, острую нехватку промышленных товаров, кредитование городской промышленности через выпуск червонцев, почти не поступавших в деревню, и др. Представляется, однако, что решающую роль сыграл здесь все-таки другой фактор, слабо изученный тогда экономической наукой, но приобретавший всевозрастающее значение в хозяйственном развитии стран Запада и в полной мере проявивший себя в Советской республике в первые годы нэпа.

Речь идет о закономерностях ценообразования на олигополистическом, т.е. контролируемом несколькими крупными поставщиками, рынке, и в частности о том, что эти закономерности существенно отличаются от тех, которые действуют на рынке с атомистической структурой, где конкуренция является совершенной. Если в отрасли господствует

---

[1] А.Н. Малафеев. Указ. соч., с. 377–385.

небольшое число крупных фирм, так что конкуренция со стороны аутсайдеров ограничена, то они непременно договариваются между собой о повышении цены за счет ограничения предложения (производства), ибо это позволяет увеличить прибыль.

Именно такое, олигополистическое по своей природе повышение цен за счет ограничения производства произошло в широких масштабах в 1923 г. в советской промышленности после образования трестов и синдикатов. Эти мощные объединения стали, по сути, монополистами в своих отраслях, а наша промышленность после их создания оказалась самой монополизированной в мире. При слабом тогда еще регулировании цен тресты и синдикаты, вполне естественно, встали на путь их повышения всеми правдами и неправдами. Они отказывались их снижать, несмотря на очевидную невозможность реализовать произведенную продукцию по таким завышенным ценам, поскольку продажа даже части изделий по искусственно вздутым ценам сулила большую прибыль, чем продажа всех изделий по равновесным ценам, обеспечивающим клиринг рынка. Возникли кризис сбыта, затоваривание, выглядевшее особенно нелепо и парадоксально в стране, только-только начавшей восстановление хозяйства и испытывавшей острую нужду в самых необходимых товарах.

Уже в конце 1922 – начале 1923 г. цены на промышленные изделия были повышены настолько, что ранее убыточные тресты стали работать с прибылью. Но даже и размер прибыли не отражал действительных масштабов монопольного завышения цен, ибо прибыль сплошь и рядом упрятывалась в себестоимость – издержки производства: в калькуляциях себестоимости завышались трудоемкость изделий, затраты на сырье и материалы, амортизационные списания и т.д., что позволяло укрывать прибыль от налогообложения и, главное, представлять дело таким образом, будто производство малоприбыльно, оправдывая этим дальнейшее повышение цены.

Скажем, Резинотрест в конце 1923 г. настаивал на том, что себестоимость пары производимых им галош составляет 5,22 червонных рубля и потому установленная отпускная цена в 5 руб. убыточна. При проверке же в Госплане оказалось, что обеспечивающая 10%-ную прибыль цена составляет всего 3,35–3,9 рубля[1]. Государственное управление топливной промышленности (ГУТ), монополизировавшее добычу угля в стране, повысило цены на уголь до уровня, ставившего на грань банкротства всех потребителей, и не желало их снижать, несмотря на явное перепроизводство. Когда же по требованию Наркомата путей сообщения – одного из главных потребителей угля – ему были переданы два угольных района, выяснилось, что фактические издержки производства угля значительно ниже тех, которые фигурировали в калькуляциях ГУТа.

В полной мере использовала к своей выгоде монопольное положение и Конвенция металлосиндикатов, объединявшая тресты металлургической промышленности, машиностроения и металлообработки. Благодаря действиям Конвенции по искусственному ограничению сбыта металла и повышению цен на него, на Урале возник металлический голод. Один из участников конвенции – синдикат Сельмаш, в который входили

---

[1] А.Л. Вайнштейн. Цены и ценообразование в СССР в восстановительный период 1921–1928 г. М., 1972, с. 66.

заводы сельскохозяйственного машиностроения, в 1922/23 финансовом году реализовал только $1/4$ произведенной продукции, тогда как $3/4$ пошло на склад.

К осени 1923 г. запасы уже были в 2 раза больше, чем предполагалось реализовать в предстоящем году[1]. Иначе говоря, отношение запасов на момент времени к среднемесячному объему продаж (показатель, широко используемый в западной статистике для оценки состояния конъюнктуры и колеблющийся, например, в обрабатывающей промышленности США в последние десятилетия в довольно узких пределах – 1,4–1,9), это отношение в советском сельскохозяйственном машиностроении в момент кризиса сбыта 1923 г. составило 24! Сельмаш, тем не менее, не снижал цены, сознательно сдерживая сбыт, чтобы реализовать монопольную прибыль.

Ф. Дзержинский, более известный как глава службы безопасности (ВЧК–ОГПУ), но бывший, кроме того, и выдающимся хозяйственным руководителем (с начала 1924 г. он – председатель ВСНХ, а до этого – нарком транспорта) и, вероятно, крупнейшим теоретиком и практиком ”хозрасчетного социализма” после Ленина, особенно усердно боролся с монополистическими поползновениями отдельных ведомств и синдикатов. Во время кризиса сбыта 1923 г. он прямо сравнивал политику Конвенции металлосиндикатов с действиями существовавшего до революции монополистического объединения ”Продамет”. ”Это, – писал Дзержинский о Конвенции, – не государственный орган удешевления и увеличения массового производства, а орган вздувания цен, пользующийся своим монопольным положением”[2].

Из общего правила, как и всегда, были, конечно, исключения. Всесоюзный текстильный синдикат (ВТС), возглавлявшийся энтузиастом синдицирования В. Ногиным, начал снижать цены по собственному почину, еще до решения правительства. Но в данном случае ВТС действовал в соответствии с общегосударственными интересами, благодаря сознательности своих руководителей и вопреки своей чисто коммерческой выгоде. Кроме того, монополия Текстильного синдиката не была абсолютной, подрывалась частником и кустарным крестьянским производством на дому пеньковых, льняных и шерстяных тканей, возраставшим по мере повышения синдикатских цен.

Осенью 1923 г., когда все склады были уже забиты, объем производства в государственной промышленности прекратил возрастать и почти год держался на этом искусственно заниженном уровне. Возникло исключительное для периода нэпа, да и для всей истории советской экономики, явление – цены частного рынка на промышленные товары оказались *ниже* цен государственного и кооперативного секторов, использовавших возможности их монопольного повышения. Все это явно требовало вмешательства государства, и оно действительно вмешалось. Сверху, из центра, стали устанавливаться цены на промышленные товары, так что тресты и синдикаты лишились возможности монопольного давления на рынок. Снижая цены, государство оказывало нажим на производителей, заставляло их изыскивать внутренние резервы увеличения прибыли, мобилизовывать усилия на повышение эффективности производства, которое только и могло теперь обеспечить рост прибыли.

---

[1] О.Р. Лацис. Искусство сложения. Очерки. М., 1984, с. 45–46.
[2] Там же, с. 47.

Широкая кампания по снижению цен была начата правительством еще в конце 1923 г., но действительно всеобъемлющее регулирование ценовых пропорций началось в 1924 г., когда обращение полностью перешло на устойчивую червонную валюту, а функции Комиссии внутренней торговли были переданы созданному Наркомату внутренней торговли с широкими правами в сфере нормирования цен. Принятые тогда меры оказались успешными: оптовые цены на промышленные товары снизились с 1 октября 1923 г. по 1 мая 1924 г. на 26% и продолжали снижаться далее; запасы рассосались, рост производства возобновился.

Весь последующий период до конца нэпа вопрос о ценах продолжал оставаться стержнем государственной экономической политики: повышение их трестами и синдикатами грозило повторением кризиса сбыта, тогда как их понижение сверх меры (при существовании наряду с государственным частного сектора) неизбежно вело к обогащению частника за счет государственной промышленности, к перекачке ресурсов государственных предприятий в частную промышленность и торговлю. Частный рынок, где цены не нормировались, а устанавливались в результате свободной игры спроса и предложения, служил чутким барометром, стрелка которого, как только государство допускало просчеты в политике ценообразования, сразу же указывала на непогоду.

Трудно было ожидать, что у правительства, впервые в мире приступившего к всеобщему регулированию цен и не имевшего в этой области вообще никакого опыта, получится все и сразу. Даже сейчас, когда экономическая наука продвинулась в области анализа цен далеко вперед и разработаны математические модели движения цен, существуют большие сомнения в практической способности центрального органа обоснованно и эффективно регулировать не то что все, но даже главные ценовые пропорции. Тем более это верно в отношении того времени: сам председатель ВСНХ Дзержинский называл нажим на предприятия с помощью низких цен "топорной работой". На практике дело выглядело таким образом, что центр, будучи просто не в состоянии проверить правильность калькуляций цен отдельных изделий, представлявшихся в Наркомат внутренней торговли трестами и синдикатами, все-таки терял контроль над обстановкой, пропуская то там, то здесь необоснованные повышения цен. Поэтому периодически проводились кампании по снижению цен на промтовары (кампании 1924, 1926, 1927 гг.), в ходе которых, вероятно, не всегда снижались только те цены, которые были искусственно завышены. Однако в целом и в общем регулирование цен было, несомненно, успешным.

Главные ценовые пропорции выдерживались. Общий уровень цен после того, как в оборот в 1922 г. был введен червонец, хотя и колебался довольно сильно, но в целом не повысился. Государственная экономическая политика с помощью специфических, неизвестных ранее методов – через изменение цен и распределение субсидий на расширение производства – обеспечила в общем успешное регулирование объема выпуска в рыночном хозяйстве с сильными элементами монополии. Это – исторический факт и важнейший экономический итог нэпа.

Но в регулировании цен была и другая, не очень заметная на первых порах тенденция. Ценообразование осуществлялось бюрократическим аппаратом, обладавшим собственными интересами, отличными от интересов рабочего класса и крестьянства, и использовавшим любую возможность для расширения своей власти. Чем дальше, тем больше аппарат превращал регулирование цен в рычаг установления своего господства над экономикой.

Трагизм ситуации состоял в том, что тогдашняя рыночная экономика не могла ничего противопоставить экспансионистским устремлениям бюрократии. Адекватного рыночной экономике эффективного политического механизма, блокирующего ненасытное стремление аппарата к узурпации не только политической, но и экономической власти, не было. Развитой системы политического контроля над аппаратом со стороны низов, непосредственных производителей, не существовало.

Отсутствие демократизма в процессе принятия решений, касающихся ценообразования, стало в конечном счете ахиллесовой пятой рыночной социалистической экономики и сыграло роковую роль в судьбе нэпа. Начав с нужного – с регулирования важнейших ценовых пропорций с целью поддержания сбалансированного хозяйственного роста, неподотчетная трудящимся массам высшая бюрократическая прослойка в конце концов использовала делегированные ей полномочия в сфере установления цен для реализации своих амбициозных политических замыслов и разрушения нэповской экономики.

Некоторое время все еще держалось на честности, идейности, принципиальности авторитетных руководителей. До тех пор пока в партии и правительстве сохранялась еще здоровая демократическая атмосфера, можно было противодействовать наступлению бюрократии, и регулирование цен проводилось все-таки прежде всего и главным образом в интересах дела, для обеспечения сбалансированного хозяйственного роста. Но силы набиравшей ход бюрократической машины и отдельных партийцев, в полной мере осознававших надвигавшуюся угрозу, были явно неравными.

К середине 20-х годов обнаружились противоречия между Наркоматом внутренней торговли, осуществлявшим регулирование цен, и ВСНХ. Руководимый с 1924 г. Дзержинским ВСНХ оставался самым демократическим органом хозяйственного управления. Созданный в первые месяцы после революции, он опирался на профсоюзы, выдвигавшие в ВСНХ своих выборных представителей. К концу 1920 г. в президиуме ВСНХ и губернских советах народного хозяйства около 60% всех членов были рабочие. Ленин не раз писал, что именно профсоюзы создали Высший совет народного хозяйства, а в перспективе неизбежен переход в руки профессиональных союзов дела строительства крупного производства и, таким образом, слияние профсоюзов с органами государственной власти[1].

Хозяйственная бюрократия концентрировалась и росла после смерти Ленина в основном не в ВСНХ (хотя и о "своем" аппарате Дзержинский не раз отзывался далеко не лестно), а в Наркомвнуторге, который подчинялся Л. Каменеву, сначала как председателю Совета Труда и Обороны, а затем и непосредственно – как наркому внутренней торговли. ВСНХ регулировал хозяйственную деятельность трестов с помощью субсидий, выдававшихся на расширение производства, Наркомвнуторг – через установление цен.

В 1925–1926 гг. ВСНХ и Наркомвнуторг разошлись по двум принципиальным вопросам. Дзержинский считал невозможным проведение индустриализации за счет крестьянства, Каменев требовал "раздеть мужи-

---

[1] См.: В.И. Ленин. Полн. собр. соч., т. 42, с. 284; т. 37, с. 448.

ка". Дзержинский, далее, решительно возражал против планов "жестких завозов" товаров, предлагавшихся Каменевым, которые, по сути, означали переход к прямому директивному планированию произодства. Наркомвнуторг, в полном согласии с законами внутреннего развития бюрократического аппарата, начав с регулирования цен, теперь требовал расширения своего влияния, предоставления ему права планировать производство в натуре, невзирая на цены.

Широкие полномочия по регулированию цен были предоставлены аппарату (Комвнуторгу) осенью 1923 г., во время кризиса сбыта: это было необходимостью, ибо рыночная монополизированная экономика не могла нормально функционировать без регулирования цен из центра. Со временем, однако, аппарат регулирования, образованный в интересах трестов и синдикатов, стал выходить из-под их контроля и работать против тех, кто его создал; из слуги аппарат превращался в господина, все больше и больше покушаясь на породившую его рыночную экономику. Рынок мешал Наркомвнуторгу, как он мешает бюрократии вообще, не терпящей рядом иных механизмов регулирования, кроме своего собственного бюрократического, командно-административного. По сути, Наркомвнуторг стремился подменить рынок собственным планированием производства, распределения и потребления, так, чтобы он, Наркомвнуторг, мог сам решать, какие, куда и сколько ресурсов направлять. Особенно мешало Наркомвнуторгу, конечно, море неподвластных ему крестьянских хозяйств, имеющих возможность выбирать, кому продавать хлеб – государству или на свободном рынке.

ВСНХ сопротивлялся наступлению Наркомвнуторга. Дзержинский просил дать ему отставку или передать в его подчинение Наркомвнуторг, ибо дальше работать так было нельзя; любой вопрос увязал в бюрократических согласованиях.

Как и Ленин, Дзержинский слишком хорошо понимал, чем чревато дальнейшее вмешательство Наркомвнуторга в рыночные связи, его попытки изменить народнохозяйственные пропорции вопреки рыночным силам. Главное, считал он, не делать крупных ошибок в хозяйственной политике, не дать оппозиции возможности сыграть на экономических промахах правительства. Если мы не возьмем правильной линии в руководстве народным хозяйством, не найдем правильного темпа, писал он в июле 1926 г. В. Куйбышеву, сменившему его затем на посту руководителя ВСНХ, "оппозиция наша будет расти и страна тогда найдет своего диктатора – похоронщика революции, какие бы красные перья ни были на его костюме..."[1]. Эти слова, написанные Дзержинским незадолго до смерти, оказались пророческими. Он ошибся разве что в одном – оппозиция использовала даже не промахи ВСНХ в экономической политике (таких крупных промахов практически не было). Она воспользовалась политической ситуацией, в которой отсутствовал контроль снизу над аппаратом.

Свертывание нэпа

Шел 1925 г. Народное хозяйство успешно и быстро восстанавливалось, было уже ясно, что в следующем году по большинству показате-

---

[1] Цит. по: О.Р. Лацис. Искусство сложения. Очерки, с. 129.

лей страна выйдет на уровень 1913 г. и начнется собственно расширение производства, строительство новой социалистической экономики. Какой она должна стать, куда, в какие отрасли направить средства в первую очередь – эти вопросы превращались из чисто абстрактных в практические, осязаемые и злободневные. Необходимость индустриализации, широкого обновления производственного аппарата в промышленности, перевода предприятий на новый технический базис понимали все. Но где взять современное оборудование в огромной крестьянской стране с архаичной промышленностью? Произвести его на отсталых машиностроительных заводах внутри страны было невозможно. И поэтому выход был один – закупить технически совершенное оборудование для станкостроительных заводов за границей, построить эти заводы и с их помощью перевести на новую техническую основу всю промышленность и все народное хозяйство. Нужна была валюта, а валюту давал хлеб и еще раз хлеб – традиционный экспортный товар, главная статья экспорта дореволюционной России.

Все упиралось, таким образом, в хлебозаготовки, от увеличения которых зависели сроки и темпы превращения Советской России из отсталой аграрной в передовую промышленную державу. По вопросу о том, как проводить эти хлебозаготовки – а фактически по вопросу о путях индустриализации, – мнения в партии разошлись еще в 1925 г. К XIV съезду, собравшемуся в последние дни 1925 г., оформилась "новая оппозиция" во главе с Г. Зиновьевым и Л. Каменевым, требовавшая расширить сельскохозяйственный экспорт за счет наступления на "зажиточные элементы" в деревне. Считая, что крестьянское накопление представляет угрозу для социализма, они фактически настаивали на изъятии сельскохозяйственного прибавочного продукта в пользу города, на замене, как выразился Ф. Дзержинский, лозунга "лицом к деревне" лозунгом "кулаком к деревне".

Через год с аналогичными требованиями выступил Л. Троцкий. Предсказывая неизбежность разрыва союза с крестьянством, он настаивал на максимально высоких темпах индустриализации, финансируемой за счет деревни, – через увеличение налогообложения крестьян, повышение цен на промышленные товары и пр.

Между тем хлебозаготовки, с которыми связывались все надежды на будущую индустриализацию, шли не слишком гладко. Осенью 1925 г. план закупок зерна для экспорта, который должен был дать валюту для закупки зарубежного оборудования, выполнен не был. В 1926 г., правда, государственные заготовки увеличились до 11,6 млн. т против 8,9 млн. т в 1925 г., но и этого было мало. А потом началось даже снижение объема заготовок – до 11,0 млн. т в 1927 г. и до 10,9 млн. т в 1928 г.

Страсти вокруг хлебозаготовок накалялись; чисто хозяйственный вопрос превращался в важнейший политический, от принимаемых решений зависело будущее политики нэпа, будущее "хозрасчетного социализма". По существу, речь шла о том, чтобы повысить долю фонда накопления в национальном доходе, обеспечив таким путем ускоренное расширение инвестиций в техническую реконструкцию основных фондов. По существу, речь шла о крутой ломке важнейшей пропорции воспроизводства – между потреблением и накоплением. Но в конкретной ситуации того времени все упиралось в государственные заготовки зерна.

Экономический, хозрасчетный, естественный путь к увеличению государственных заготовок зерна лежал через повышение заготовитель-

ных цен и одновременное повышение налогообложения сельскохозяйственных производителей. Высокие заготовительные цены стимулировали бы продажу крестьянами хлеба государству, а не на свободном рынке. Высокие налоги в свою очередь нужны были для того, чтобы покрыть расходы государства на заготовки зерна по повышенным ценам и вместе с тем изъять часть полученных крестьянами от продажи хлеба денег, которые промышленность не могла обеспечить товарами, – к 1925–1926 гг. кризис сбыта сменился уже товарным голодом, спрос на потребительские товары превышал предложение, и обеспечить сбалансированность рынка при одновременном расширении фонда накопления можно было только путем повышения налогов.

Другой вопрос, нужно ли было резкое повышение нормы накопления, – ведь темпы экономического роста и так были в 20-е годы самыми высокими в мире при умеренной доле фонда накопления в национальном доходе. Нужно ли было тогда подгонять историю, форсировать естественное развитие событий? С позиций сегодняшнего дня ответ очевиден. А тогда... тогда экономические стимулы и хозрасчетные методы не были использованы для повышения нормы накопления через увеличение хлебозаготовок. Был выбран другой путь – государство приступило к внеэкономическому принудительному изъятию зерна у крестьян.

Ломать об коленку Сталину и его окружению казалось проще, привычнее. Для организации эффективной налоговой системы, способной обеспечить государству потребные масштабы накопления и столь необходимые ему ресурсы хлеба, нужны были знания, умение и, конечно, какой-то минимум терпения. Ни того, ни другого, ни третьего у тогдашнего руководства не было.

Заготовительные цены повышены не были – на основные сельскохозяйственные продукты они оставались на стабильном "нэповском" уровне. Скажем, пшеница заготавливалась в конце 20-х – начале 30-х годов так же, как и в середине 20-х, по цене 6–8 рублей за центнер "старыми деньгами", т.е. по 60–80 коп. за центнер в нынешнем масштабе цен, "новыми деньгами". Между тем с 1928 г. начинается бурный рост розничных цен на все товары – и промышленные и сельскохозяйственные. Разрыв в ценах государственных и частных заготовок хлеба достигает 100%. Крестьяне, конечно, предпочитают продавать зерно частнику – по более высоким ценам, что и создает трудности с государственными заготовками. В 1926/27 и 1927/28 гг. плановые заготовительные цены едва покрывали себестоимость зерна. В 1928/29 г. они, правда, оказались выше себестоимости на 23%[1], но вследствие роста розничных цен на предметы потребления реальные доходы крестьян стали сокращаться.

Для увеличения хлебозаготовок начинают применяться методы продовольственной разверстки. В апреле и июне 1928 г. пленумы ЦК партии еще осуждают обходы дворов с целью конфискации хлебных "излишков", незаконные обыски, заградительные отряды, запреты на базарную торговлю и пр., но машина разверстки уже запущена и набирает обороты. Осенью 1928 г. к кулакам, да и ко многим середнякам, начинают применяться чрезвычайные меры – за сокрытие хлебных излишков привлекают к суду, хлеб конфисковывают, причем $1/4$ его часть отдается деревенской бедноте. Возрождается общинный принцип круговой поруки – крестьянам самим предоставляется право разверстывать план хле-

---

[1] А.Н. Малафеев. Указ. соч., с. 122.

бозаготовок между отдельными хозяйствами. Развивается контрактация – заключение договоров с крестьянскими хозяйствами на поставку им средств производства только в обмен на зерно. Нередко условием контракта было объединение крестьян в колхоз. Государственные заготовки фактически превращались из добровольных, объем которых регулировался экономическими рычагами (ценами, налогами), в обязательные, принудительные, во внеэкономическое изъятие произведенного продукта. С лета 1929 г., когда началось форсированное создание колхозов, принудительные заготовки становятся правилом и резко расширяются – до 23 млн. т в 1930 г.

Вновь созданные колхозы строили свои отношения с государством на основе контрактации – договоров об обязательной поставке сельскохозяйственной продукции в обмен на промтовары; в 1933 г. контрактация была заменена системой обязательной сдачи продукции государству по твердым нормам – с каждого гектара плановых посевов – и по твердым ценам. Колхозы, таким образом, остались кооперативами только по форме, точнее – по названию, а по сути превратились в государственные нехозрасчетные предприятия, главной задачей которых было выполнение плана сдачи продукции. Немногим оставшимся единоличникам также вменялось в обязанность сдавать государству мясо, молоко, картофель, рис, шерсть.

В конечном счете зерно все-таки было заготовлено и вывезено. В конечном счете именно экспорт хлеба обеспечил валюту для индустриализации: в годы первой пятилетки 40% экспортной выручки дал вывоз зерна. В 1931 г. на СССР пришлось $1/3$ мирового импорта машин и оборудования, а 80–85% всего установленного в этот период на советских заводах оборудования было закуплено на Западе[1].

Индустриализация на деле осуществлялась в полном соответствии с рецептами разгромленной незадолго до этого "новой оппозиции" и троцкистов – за счет выкачивания средств из далеко не зажиточной деревни, экономика которой только-только превзошла довоенный уровень. На бумаге, в официальных документах, это отрицалось, но фактически, на практике, это было именно так. Н. Бухарин и его сторонники, пытавшиеся остановить введение разверстки в деревне и свертывание нэпа в 1929–1930 гг. были сняты с ответственных постов в партийном аппарате.

В конце концов за счет принесения в жертву сельского хозяйства было достигнуто крутое перераспределение национального дохода в пользу фонда накопления. Отношение валовых капиталовложений к национальному доходу возросло почти в 1,5 раза. Но столь резкая ломка главной пропорции воспроизводства была фактически достигнута ценой разрушения хозрасчетной экономики. Смычка города и деревни, союз пролетариата и крестьянства, которые Ленин считал первейшим и главнейшим залогом успеха российской революции, трансформировались в организованную систему внеэкономической эксплуатации деревни городом, в систему принудительного выкачивания не только прибавочного, но и необходимого продукта из сельского хозяйства в пользу промышленности.

В дополнение к этому широким фронтом шло свертывание нэпа и по другим направлениям. В промышленности, в соответствии с поста-

---

[1] *Мировая экономика и международные отношения*, 1987, № 11, с. 146.

новлением Совнаркома 1927 г., трестам стали устанавливаться производственные планы. В конце 1929 г. тресты были преобразованы из мощных хозрасчетных предприятий в посредническое звено в управлении промышленностью, а в начале 30-х годов они фактически прекратили свое существование. Синдикаты, напротив, из органов сбыта и снабжения были в том же 1929 г. преобразованы в отраслевые промышленные объединения (главки), взявшие на себя функции планового регулирования деятельности предприятий. Фактически восстанавливалась жестко централизованная система управления промышленностью периода "военного коммунизма". С 1928 г. синдикатская торговля стала заменяться распределением ресурсов сверху по фондам и нарядам: к концу 1930 г. только 5% промышленной продукции поставлялось по договорам поставщиков с потребителями против 85% в предыдущем году.

Частник последовательно вытеснялся из всех отраслей. К 1933 г. приходящаяся на частный сектор доля производства сократилась по сравнению с 1928 г. с 18 до 0,5% в промышленности, с 97 до 20% в сельском хозяйстве, с 24% до нуля в розничной торговле. Начавшееся по инициативе государства в 1927 г. свертывание концессий фактически закончилось к 1933 г., когда были аннулированы все концессии, за исключением нескольких рыболовных.

Налоговая реформа 1930 г. заменила 63 вида различных налогов и платежей, с помощью которых государство ранее регулировало развитие экономики, двумя основными платежами предприятий – налогом с оборота и отчислениями от прибыли (для колхозов ту же роль играл подоходный налог). С введением обязательных плановых заданий фискальные рычаги регулирования производства утратили свое значение, и у налогов осталась только одна функция – обеспечивать доходы казны. Разнообразие налоговых платежей, ставшее в сложившихся условиях своего рода декоративной надстройкой, сочли ненужным излишеством, создающим путаницу, и ликвидировали.

В 1930–1932 гг. прошла кредитная реформа, фактически заменившая кредит плановым банковским финансированием. Коммерческий кредит – одних предприятий другим – был запрещен и заменен прямым централизованным банковским кредитованием. Было упразднено вексельное обращение. Долгосрочный кредит – на инвестиции – для государственных предприятий и организаций вообще отменялся. Вместо него вводилось безвозвратное финансирование, производившееся несколькими банками долгосрочных вложений, которые, по сути, уже не являлись кредитными учреждениями: на счетах этих банков, подчинявшихся Наркомату финансов, только концентрировались собственные финансовые ресурсы предприятий и бюджетные ассигнования, предназначенные для капитальных вложений, причем расходовать эти ресурсы банки могли только в соответствии с планами предприятий. Долгосрочный кредит в собственном смысле этого слова (предоставление требующих возврата ссуд под процент) был сохранен только для колхозов, промысловой и потребительской кооперации.

Краткосрочный кредит был сосредоточен в Госбанке: кооперативные банки были упразднены, а их операции перешли к Госбанку. К 1933 г. на долю Госбанка приходилось уже 97% всех краткосрочных кредитов[1]. Немногочисленным оставшимся частным предприятиям кредит был за-

---

[1] Кредитно-денежная система СССР. М., 1967, с. 304.

крыт. Ко времени войны осталось только 7 банков – Госбанк, Внешторг-банк и банки долгосрочных вложений (последние в 1959 г. были объединены в Стройбанк, так что число банков сократилось до трех).

Таким было становление и утверждение административной системы. К исходу первой пятилетки командная экономика стала доминирующей во всех сферах хозяйственной жизни. Рынок, товарно-денежные формы связи между хозяйственными агентами повсеместно были вытеснены директивным плановым распределением ресурсов и продукции. Закончился тяжелейший период в истории советского народного хозяйства, содержанием которого стало свертывание социалистической рыночной экономики и переход к жесткой централизации при одновременном крупномасштабном перераспределении средств из фондов накопления и потребления деревни в фонд накопления города.

Если это и был троцкизм на деле, то троцкизм в такой грубой, "азиатской" форме, которая, наверное, и не снилась никому из левой оппозиции 20-х годов. Как совершенно справедливо отмечал В. Данилов, "не станем отнимать у Сталина и его группы право на авторство насильственной экспроприации в отношении крестьянских масс"[1]. Добавим от себя: и на все другое.

Бюрократия и рынок

"Не дано нам историей тише идти!" – доказывал В. Куйбышев, архитектор первых пятилеток, страстно боровшийся за ускорение развития тяжелой промышленности на постах председателя ВСНХ и Госплана в 1926–1935 гг. Это предчувствие войны, постоянное ощущение развития под дамокловым мечом внешней угрозы пронизывало тогда все общественное сознание снизу доверху.

Сейчас, наверное, бесполезно спорить, насколько обоснованными были в те годы предсказания о скорой неизбежной войне. Однако не следует обманывать самих себя: главное заключалось все-таки не в этом, особенно в 1929 г. *Так* вопрос тогда не стоял – Гитлером в то время еще и не пахло. Угроза войны была только предлогом, хотя и предлогом, находившим в людских душах вполне естественный отклик. И если бы такой угрозы в действительности не было, ее бы наверняка выдумали, как выдумали, например, в 60-е годы в Китае, которому никто не угрожал. Свертывание нэпа только *оправдывалось* необходимостью быстрой индустриализации в преддверии надвигавшейся войны, но на деле, в жизни было вызвано совсем иными причинами. Решения о форсировании хлебозаготовок внеэкономическими методами, об отказе от хозрасчета, о ликвидации валютного рынка и т.д. принимались в те годы отнюдь не потому, что кто-то предвидел необходимость создания второй металлургической базы на Урале, без которой мы бы не выстояли во второй мировой войне.

Смена хозрасчетной экономики командно-административной объяснялась не внешними, а внутренними причинами. За свертыванием нэпа стояли влиятельные социальные силы именно внутри страны, а не

---

[1] *Правда*, 2 августа 1988 г.

за ее пределами. Главной такой силой был бюрократический аппарат, узкая, но постоянно расширявшая свою власть прослойка высших чиновников-совслужащих.

Очень эффективная и динамичная, бившая все рекорды по темпам роста, полная сил и энергии социалистическая рыночная экономика оказалась фактически беззащитной перед экспансией ведомственного регулирования. Сталинская административная система не свалилась с неба, как снег на голову, не была лишь плодом злого умысла отдельных людей. Она вызрела в недрах политической надстройки, венчавшей нэповскую рыночную экономику, она явилась логическим следствием развития бюрократического аппарата при отсутствии действенного контроля снизу. Рыночная экономика 20-х годов, обнаружившая такие способности к росту, которые никогда не возникали в административной системе даже в лучшие периоды ее истории, экономика, доказавшая всему миру возможность стремительного хозяйственного прогресса в обществе, построенном на коллективистских началах, – эта социалистическая по своей природе экономика была враждебна бюрократической машине. И она была побеждена этой машиной, не встретившей на своем пути достаточного сопротивления.

Уже вскоре после революции обнаружилось, что прослойка чиновников-совслужащих обладает собственными далеко идущими интересами, в том числе и экономическими, отличными от интересов рабочего класса и крестьянства и нередко даже прямо противоположными им. Аппарат, призванный только исполнять волю трудящихся, на деле стал жить по своим законам, проявляя растущее стремление к узурпации власти, к подчинению себе всей политической и экономической жизни страны. В период "военного коммунизма" эта имманентно присущая аппарату тяга к разрастанию и расширению своего влияния в известной мере ограничивалась постоянно существовавшей опасностью военного поражения, чреватого для бюрократии потерей вообще всей власти. Аппарат вынужден был как-то себя сдерживать, отклоняться порой от принципов бюрократического регулирования в интересах дела, поступаться своими текущими интересами во имя сохранения главного. После победы в гражданской войне аппарат, в общем недовольный нэпом, ограничивавшим его бюрократические полномочия, все же принял его как объективную необходимость, ибо антоновщина и кронштадтский мятеж наглядно показали, во что может обойтись упорная приверженность командным методам управления. Но далее, в период нэпа, аппарат постоянно укреплялся и расширял свое влияние. Свертывание нэпа стало, по существу, победой аппарата над народным государством, над властью рабочих и крестьян, бюрократическим перерождением, от которого предостерегал Ленин задолго до этого.

До революции в теоретических построениях классиков марксизма будущее государственного аппарата рисовалось довольно определенным: берущий власть рабочий класс ломает буржуазную государственную машину, заменяя ее новым управленческим аппаратом. Две простые меры должны были гарантировать новый аппарат от бюрократического перерождения. "Полная выборность, сменяемость в *любое время* всех без изъятия должностных лиц, сведение их жалованья к обычной "заработной плате рабочего", – писал Ленин за два месяца до революции, – эти простые и "само собою понятные" демократические мероприятия, объединяя вполне интересы рабочих и большинства крестьян, служат в то же время мостиком, ведущим от капитализма к социализму"[1]. Эти меры, наряду с повышением культуры населения до такого уровня, который бы позволил *каждому* участвовать в управлении государством, должны были, по мысли Ленина, послужить основой отмирания всякого бюрократизма.

Жизнь, однако, оказалась сложнее. Простые меры не сработали. В полуграмотной крестьянской стране введенная всеобщая выборность всех должностных лиц снизу доверху не смогла стать гарантией от бюрократизации. Столоначальники, большие и маленькие, жалованье которых действительно установили после революции на уровне зарплаты среднего рабочего, изыскали многочисленные способы увеличения своих реальных доходов путем использования служебного положения. Не так просто оказалось дело и с политической культурой населения, умением и привычкой участвовать в общественных делах, способностью простых людей видеть связь между конкретными каждодневными заботами и общей политической ситуацией, между правительственной политикой и ее отдаленными последствиями. Для создания такой культуры в стране со слабым развитием элементарных демократических навыков и привычек (где только в 1917 г. прошли первые по-настоящему свободные выборы) требовалась целая историческая эпоха. А без такой политической цивилизованности демократия превращалась в фикцию, вырождалась.

К борьбе с "бюрократическим извращением советской организации" Ленин призывал уже в апреле 1918 г., т. е. менее чем через полгода после того, как такая организация возникла. После перехода к нэпу данная тема занимает все большее и большее место в ленинских работах, его тревога и обеспокоенность обюрокрачиванием власти нарастают буквально день ото дня. Сплошь и рядом не мы контролируем наш аппарат, а он контролирует нас, пишет Ленин, очень часто аппарат работает "не для нас, а против нас". "Все у нас потонули в паршивом бюрократическом болоте "ведомств", – констатирует он. – Большой авторитет, ум, рука нужны для повседневной работы с этим. Ведомство – говно; декреты – говно. Искать людей, проверять работу – в этом все"[2]. Опасность, исходящая от бюрократии, расценивается Лениным как смертельная для социализма: "Без "аппарата" мы бы давно погибли. Без систематической и упорной борьбы за улучшение аппарата мы погибнем до создания базы социализма"[3].

В одной из последних работ – "О кооперации" – Ленин называет две главные задачи, каждая из которых составляет эпоху. Первая – переделка аппарата, вторая – кооперация. При условии успеха на этих двух направлениях, пишет он, мы бы уже стояли двумя ногами на социалистической почве. Самая последняя работа – "Лучше меньше, да лучше" – опять-таки посвящена перестройке госаппарата: Ленин предлагает объединить Наркомат рабоче-крестьянской инспекции, занимавшийся как раз борьбой с бюрократизмом в советских учреждениях, с Центральной контрольной комиссией – органом внутрипартийного контроля, рассчитывая, вероятно, таким образом предотвратить бюрократизацию партийного аппарата. Но это не было сделано ни до, ни после смерти Ленина.

---

[1] В.И. Ленин. Полн. собр. соч., т. 33, с. 44.
[2] Там же, т. 45, с. 250, 290; т. 44, с. 369.
[3] Там же, т. 43, с. 381.

Впрочем, даже осуществление этого плана вряд ли могло, наверное, что-то изменить. Политическая надстройка в целом явно не соответствовала рыночному экономическому базису. Однопартийная система с жестким контролем над советскими, профсоюзными и другими организациями, над средствами массовой информации, судами, церковью не обеспечивала свободного волеизъявления для большинства населения, зато давала в руки бюрократии необходимые для захвата всей полноты власти рычаги, которыми она не преминула воспользоваться.

Сначала непосредственных производителей лишили права самостоятельно устанавливать цены, а затем и права самостоятельно определять объем и номенклатуру производства. Фактически это означало, что производители в ходе свертывания нэпа были лишены прав собственности – прав владения, пользования и распоряжения своими средствами производства. Собственность из коллективной и частной превратилась в ведомственно-бюрократическую, а реальная хозяйственная власть перешла к партийным органам, наркоматам, ведомствам, которые стали разверстывать планы и фонды по отраслям, регионам и предприятиям.

Именно этот вопрос о власти был коренным вопросом переходного периода. Двоевластие периода нэпа, т.е. политическая власть – у аппарата, а хозяйственная – у непосредственных производителей (трестов, синдикатов, кооперативов, единоличников), завершилось победой аппарата. Само же свертывание нэпа было не ошибкой отдельных лидеров и даже не ошибкой большинства. Это был переворот, та самая "революция сверху", возглавленная Сталиным и совершенная узкой бюрократической прослойкой, *против* большинства населения, *против* непосредственных производителей – рабочих, крестьян, интеллигенции.

И большинство населения отнюдь не заблуждалось тогда насчет истинных своих интересов. Это большинство, причем абсолютное большинство, было решительно против "великого перелома".

Стомиллионное крестьянство в массе своей не приняло коллективизацию. Оно лишь вынужденно подчинилось ей. Как мог крестьянин, получивший в 1917–1918 гг. землю, освобожденный в 1921 г. от разверстки и поднявший свое хозяйство за 8 лет нэпа так, что в среднем производил на целую четверть больше продукции, чем в урожайном 1913 г., – как мог этот крестьянин примириться с тем, что у него отнимали все – и землю, и скот, и инвентарь? Разве можно сказать, что деревня приняла коллективизацию, если от половины до $^2/_3$ дворов вырезало свой скот, даже лошадей, чтобы только не сдавать их в колхозы? Наконец, разве около двух тысяч крестьянских восстаний только за январь–март 1930 г. – это свидетельство того, что крестьянин примирился с колхозом? Или таким свидетельством является сокращение уровня коллективизации с 50 до 21% всех хозяйств только за март–август 1930 г.?[1]

И ссылки на то, что в российском крестьянстве-де сильны были общинные настроения, в данном случае просто не относятся к делу. Община – это одно, а колхоз начала 30-х годов нынешнего столетия – совершенно другое. "Патриархальный" русский крестьянин ко времени революции уже более полувека пользовался личной свободой; более трети крестьянских хозяйств европейской России уже находились вне общины, а те хозяйства, которые в ней оставались, имели собственный надел,

---

[1] *Правда*, 26 августа 1988 г.

скот, инвентарь. Все это допускалось предреволюционной частно-общинной системой землепользования, но все это пропало в одночасье с образованием колхозов и фактическим прикреплением крестьян к земле. Принять добровольно, без сопротивления такой разгром мог только безумец. Крестьяне в массе своей и не приняли его – даже неполная информация о тех событиях позволяет считать этот вывод историческим фактом.

Сопротивление крестьян коллективизации фактически поставило страну на грань гражданской войны. "Расплачиваться "атакующему классу" приходилось не только жизнями комиссаров, чекистов, деревенских большевиков, комбедовцев, "двадцатитысячников", – писала в известной статье в "Советской России" Нина Андреева, – но и первых трактористов, селькоров, девчонок-учительниц, сельских комсомольцев..." Все верно, но надо сделать по меньшей мере два уточнения. Во-первых, "обороняющийся класс", в данном случае – крестьянство, нес несравнимо большие потери: тысячи подавленных крестьянских восстаний, более 10 миллионов раскулаченных, миллионы спецпереселенцев и увенчавший коллективизацию страшный голод 1933 г. – этим расплатилась за наступление "атакующего класса" деревня. Во-вторых, "атаковал" в ходе коллективизации совсем не тот класс, о котором писал Маяковский, не рабочий класс, а бюрократия. Рабочие ничего не получили от коллективизации, кроме карточного снабжения и мобилизации в заградительные отряды.

Кроме того, происходило и прямое наступление бюрократии на завоевания рабочего класса. Жизненный уровень его резко снизился. В ходе свертывания нэпа в промышленности рабочим пришлось поступиться многими своими правами: введение планов для трестов, ужесточение трудовой дисциплины, ограничение прав производственных коллективов и профсоюзов, переход к прямому установлению зарплаты "сверху" вместо прежней практики ее регулирования с помощью коллективных договоров, – все эти меры, начавшие осуществляться с конца 20-х годов, означали свертывание хозяйственной демократии. Фабричные и заводские комитеты, обладавшие столь значительным влиянием в 20-е годы, что в ходу даже был термин "двоевластие" (администрация–профсоюз), к началу 30-х годов потеряли всю свою самостоятельность. Профсоюзное руководство полностью сменили, а сами профсоюзы превратили, по сути дела, в придаток разраставшегося бюрократического аппарата.

Это – малоизвестная страница нашей истории. Обычно считается, что, в отличие от крестьян и интеллигенции, рабочий класс не подвергся репрессиям. На самом же деле репрессии были, и начались они еще в конце 20-х годов, когда ликвидировались независимые профсоюзы. О репрессиях же против интеллигенции и говорить нечего.

Короче, атаковала, наступала именно бюрократия, наступала решительно и на всех фронтах – и против крестьянства, и против рабочих, и против интеллигенции. В самой "наступающей армии" тоже практиковались репрессии, часто – "профилактические", так сказать, для поддержания порядка. Однако в целом, как класс, бюрократия явно выигрывала и в конце концов выиграла битву: в ее руках оказалась вся полнота власти, а также сопутствующие ей материальные привилегии. Но главное, конечно, именно власть.

И сегодня еще нередко приходится слышать мнение, что свертывание нэпа и переход к жесткой централизации хозяйства можно было осуществить бескровно, что репрессии никак не связаны с чисто экономическими переменами конца 20-х – начала 30-х годов, а объясняются лишь злоупотреблениями властью. Это в лучшем случае успокоительный самообман, по крайней мере, если говорить о репрессиях именно того периода, т.е. периода первой пятилетки. Обтекаемый термин "жесткая централизация хозяйства" не фиксирует в данном случае главного, а именно – социального содержания всего процесса, политического смысла "великого перелома". А смысл состоял как раз в перераспределении власти в пользу бюрократии за счет трудящихся. Централизация осуществлялась *вопреки* интересам подавляющего большинства населения, *вопреки* потребностям экономического развития, *вопреки* национальным приоритетам страны. И сопротивление централизации было закономерным, так же как закономерным было использование репрессий для подавления этого сопротивления.

Сказанное не относится, разумеется, к репрессиям 1937–1938 гг. и позднейшего времени. Тогда административно-бюрократическая система уже утвердилась, оппозиция во всех слоях населения была в основном разгромлена, и тогдашние масштабные и особенно изощренные репрессии уже не только не были необходимы захватившей власть бюрократии, но порой и прямо вредили ей. Здесь вступила в силу порочная логика развития сталинского бюрократического организма, начинающего выдумывать "оппозиционные блоки" и "заговоры", после того как реальные силы, противостоящие режиму, уже уничтожены. Распространив свою власть на всю страну, аппарат стал пожирать сам себя. Неуемная жажда власти, имманентное стремление к расширению своего влияния во что бы то ни стало даже тогда, когда расширять его было уже вроде бы и некуда, часто толкали бюрократию на путь парадоксальных эксцессов, на то, чтобы фактически рубить сук, на котором она сидела. Лишь в критических ситуациях, когда сук был готов вот-вот обломиться, наступало некоторое отрезвление и верх брал, если можно так выразиться, здравый смысл в его бюрократическом понимании.

Примеров, подтверждающих это, множество. Можно, в частности, сказать о том, как в критический период войны, когда немцы стояли под Москвой, из лагерей в действующую армию возвращались репрессированные военачальники. Или о том, как была во время войны децентрализована хозяйственная система – исключительный случай в мировой истории! Ибо столь дорогая сердцу бюрократа, но крайне неэффективная жесткая централизация не позволяла наращивать производство вооружений быстрыми темпами.

Но, думается, нет нужды продолжать перечень примеров, чтобы сделать простой вывод: внутренней пружиной становления и развития административной системы является стремление бюрократии к установлению режима неограниченной власти, к всемерному расширению этой власти, даже если это противоречит элементарным требованиям хозяйственной целесообразности и жизненным интересам трудящихся. Только в критических ситуациях, угрожающих самому существованию системы, бюрократия, преодолевая себя, обнаруживает готовность поступиться малой долей своей власти – не столько в интересах дела, как это порой выглядит со стороны, сколько в целях долгосрочного упрочения своего господства.

Об исторической альтернативе
и упущенных возможностях

Так все-таки – была ли реальная альтернатива свертыванию нэпа? Если замена рыночной экономики повсеместным администрированием была не ошибкой, а естественным, логическим следствием развития бюрократического аппарата, сосредоточившего в своих руках сначала всю полноту политической власти, а затем – через регулирование цен – закономерно добравшегося и до монополизации хозяйственной власти, то где же она, эта реальная альтернатива, существовавшая тогда? Неразвитость демократии, низкий уровень политической культуры населения, слабость механизмов, призванных обеспечить подчинение бюрократического аппарата подлинным интересам трудящихся, – все эти факторы, сыгравшие тогда роковую роль в судьбе нэпа, были объективной реальностью, имели солидное историческое основание, корни которых уходили в глубину веков. Разве могло сложиться в такой ситуации что-то иное, отличное от командно-административной системы?

Сделаем еще одно – на этот раз последнее – отступление, прежде чем дать ответ на этот главный вопрос. Попробуем уточнить, что же следует считать альтернативным вариантом развития, что является необходимым, а что – случайным в историческом процессе. Думается, в таких вещах без помощи философии не обойтись.

Если следовать важнейшему материалистическому тезису об объективном и всеобщем характере причинности (каждое явление имеет свою причину, существующую вне и независимо от сознания), то надо признать, что необходимыми, строго говоря, оказываются *все* явления, ибо каждое из них обусловлено каким-то уникальным стечением причин, каждая из которых в свою очередь тоже имеет свою причину, и т.д. Случайностью в таком контексте иногда предлагают называть еще не познанную, не изученную причину, т.е. не известную нам необходимость: по мере расширения нашего знания об обществе, в котором мы живем, по мере раскрытия причинной связи явлений события, казавшиеся прежде случайными, получают точные объяснения и расцениваются уже как необходимые.

Но есть и другое толкование этих философских понятий, и, по нашему мнению, оно более отвечает задачам настоящего анализа. Случайностью называется такое событие, которое не является необходимым в *рамках данной* системы при нормальном, свободном ее развитии, а происходит потому, что данная система взаимодействует, пересекается с другой. При альтернативном варианте развития (если системы не взаимодействуют или взаимодействуют по-другому) такое случайное событие не может и не должно наступить. Скажем, если динозавры действительно вымерли от изменения климата вследствие столкновения Земли с каким-то космическим телом (как утверждает одна из гипотез), то это именно случайность, порожденная взаимодействием двух систем – астрономического движения космических объектов и биологического развития живой природы. Если бы такого пересечения систем тогда не произошло, если бы метеорит и наша планета разминулись в космическом пространстве, возможен был бы альтернативный вариант развития земной фауны – не исключено, что динозавры как биологический вид здравствовали бы до сих пор.

Так же и с развитием общества. Здесь взаимодействует множество систем: экономика, политика, общественное сознание, психология, культура, традиции разных социальных слоев. Каждая из этих систем имеет свои, во многом автономные внутренние пружины развития, а варианты взаимодействия этих систем бесконечно разнообразны.

Если рассматривать цепь событий 20–30-х годов в нашей стране в таком ключе, в рамках такого понимания исторической необходимости, надо признать, что свертывание нэпа отнюдь не являлось неотвратимым, предрешенным и неизбежным. Наоборот, это была случайность – воплощение в жизнь такого варианта развития, который, наверное, в то время, вплоть до середины 20-х годов, был едва ли не самым маловероятным из всех возможных.

Социалистическое рыночное хозяйство времен нэпа требовало адекватной себе демократической политико-правовой структуры, адекватного типа политического сознания – плюрализма мнений, свободы печати, широкого участия всех и каждого в государственных делах. Но благодаря довольно редкому в истории стечению многих обстоятельств, благодаря в буквальном смысле этого слова игре случая все сложилось не в соответствии с закономерностями экономического развития, а вопреки им. Нормальное, естественное развитие социалистической рыночной экономики было прервано и обращено вспять вмешательством чужеродных факторов из сферы политики. Это было, во-первых, нежелание правительства возродить после гражданской войны демократические институты и, во-вторых, снижение политической активности народных масс. Причем (что особенно важно) появление этих факторов, с точки зрения логики развития самой политической надстройки и самого общественного сознания, нельзя считать абсолютно закономерным и необходимым.

С общественным политическим сознанием в то время дело обстояло отнюдь не так плохо, как принято считать. Верно, что здесь особенно ощущался груз вековой отсталости, неграмотности, отсутствия элементарных демократических навыков. Но верно и другое: ни одна другая страна не пережила в первые два десятилетия XX века трех революций, каждый месяц которых равнялся, как писал Ленин, "в смысле обучения основам политической науки – и масс, и вождей, и классов, и партий – году мирного "конституционного" развития"[1]. А 1917 г. по степени реальной демократизации общественной жизни, вовлеченности самых широких слоев населения в грандиозные социальные преобразования вообще нельзя сравнить ни с одним другим периодом отечественной истории. Февральская и Октябрьская революции всколыхнули огромные массы людей, втянули их в политическую борьбу, сделали активными участниками исторического процесса и действительными хозяевами своей судьбы. Повсеместно развивалось самоуправление. Выборные органы – Советы рабочих и крестьянских депутатов – взяли в свои руки *реальную* власть в центре и на местах. Застой и сползание в пропасть при агонизировавшем царском режиме сменились приливом энтузиазма и созидательной энергии.

Гражданская война и политика "военного коммунизма" вызвали естественный в подобных чрезвычайных условиях спад демократической активности. Но после того, как напряжение ослабло и был осущест-

---

[1] В.И. Ленин. Полн. собр. соч., т. 41, с. 9.

влен поворот к нэпу, к нормальной хозяйственной жизни, существовали уже все условия для возрождения прежних традиций полноценного участия широких масс в общественных делах. И то, что эти традиции в значительной своей части были тогда преданы забвению, не восстановились в полном объеме, выглядит в этом контексте как историческая случайность, *аномалия*, нарушение логики поступательного развития, противоестественный прерыв постепенности, вызванный превходящими, в основе своей не необходимыми обстоятельствами. Речь идет, конечно, о том, что политический механизм предельной централизации власти, вызванный к жизни чрезвычайными условиями гражданской войны, после ее завершения не был подвергнут серьезной переделке, но в основе своей так и остался жесткой однопартийной диктатурой. Радикальнейшие изменения в экономике – новая экономическая политика – не были подкреплены столь же радикальными изменениями в политике, хотя традиции, опыт недавнего прошлого толкали страну по пути именно такого развития событий.

Политическая система, сложившаяся в период нэпа, была явным шагом назад не только в сравнении с 1917 г., когда демократизация всей общественной жизни достигла пика, но и – по многим позициям – даже в сравнении с предреволюционным периодом, с теми демократическими завоеваниями, которые были вырваны у самодержавия в ходе революции 1905–1907 гг. Все оппозиционные партии к началу 20-х годов прекратили существование. Советы, бывшие до Октября "силой без власти", во время нэпа фактически превратились во "власть без силы", ибо все важнейшие вопросы и в центре, и на местах решались партийными органами и только ими. После того как партия стала действовать в легальных условиях, да еще превратилась в правящую, должна была бы, по идее, получить развитие внутрипартийная демократия. Но и этого, к сожалению, не произошло. На руководящие посты продолжали выдвигать только по одному кандидату, так что реальной возможности выбора фактически не было и здесь. Возвышение бюрократии и захват ею власти, сначала политической, а потом и хозяйственной, стали в такой недемократической обстановке вопросом времени.

А ведь все могло сложиться иначе! Больше того – все шло к тому, чтобы сложиться иначе. В 1922 г., когда нэп стал приносить желанные плоды, народное хозяйство восстанавливалось, смычка города и деревни, рабочего класса и крестьянства крепла, антоновщина и Кронштадт остались позади, и авторитет большевиков был высок, как никогда, Ленин, между прочим, думал о возможности легализации меньшевиков, понимая, видимо, чем может обернуться монопольное право партии на власть. Это соответствовало прошлым демократическим традициям, соответствовало логике развития российских политических структур, наконец, соответствовало проведенным тогда масштабным экономическим преобразованиям. Но государственная власть в данном случае действовала вопреки всем этим императивам: ей удалось преодолеть демократические традиции, повернуть вспять процесс развития политической системы и в конце концов раздавить социалистическую рыночную экономику. После смерти Ленина ни один из тогдашних лидеров вопрос о радикальной реформе политической системы всерьез не ставил, хотя и во второй половине 20-х годов было, вероятно, еще не поздно остановить посредством последовательной демократизации разжимавшуюся пружину аппаратно-ведомственной экспансии.

Тогда мы стояли на развилке дорог. В истории наций и государств, как и в жизни отдельных людей, такие развилки не редкость. Часто один путь мало отличается от других, но иногда различия оказываются огромными, и выбор пути предопределяет исторические судьбы народа на многие годы. Такой ключевой развилкой, вне всякого сомнения, был период нэпа, особенно его первые годы. Если бы мы тогда не остановились только на экономических реформах, а пошли дальше, по пути демократических политических преобразований, если бы тот высокий уровень демократизации всей общественной жизни, на который вывел страну 1917 г., даже не повышался далее, а был хотя бы только восстановлен в полном объеме после вынужденной диктатуры "военного коммунизма", – убеждены, никогда бюрократический аппарат не смог бы захватить власть и свернуть нэп.

Огромное значение имеют, конечно, отдельные личности. Проживи Ленин еще 20 лет, и никакого свертывания нэпа, принудительной коллективизации, репрессий не было бы – таков еще один распространенный довод в пользу наличия альтернативного пути развития. Что же, вероятно, так оно и есть: даже при недемократической политической системе только одного авторитета Ленина, вероятно, хватило бы, чтобы заблокировать экспансионистские устремления бюрократического аппарата. И, кстати сказать, то, что болезнь лишила Ленина работоспособности именно в начале 1923 г., уж никак нельзя назвать исторической необходимостью.

Важнейшее значение имели, несомненно, и состав партийных кадров, настроения в правящей партии. О. Лацис справедливо обращает внимание на резкий рост численности членов партии в 1924–1927 гг. (с 350 тыс. до 1,2 млн. человек – более чем в 3 раза всего за 4 года) за счет притока новых членов с минимальным политическим опытом и теоретическим багажом. Молодое незрелое пополнение к концу 20-х годов с лихвой перевесило партийцев с подпольным стажем, что и позволило Сталину получить поддержку большинства партии и направить затем репрессии против меньшинства[1].

Но в данном случае речь даже не об этом – не о личностях и не о составе партийных кадров. При развитой системе демократического контроля над партийными и правительственными органами Сталин и его ближайшее окружение никогда не сумели бы привести бюрократию к абсолютной власти. Был бы Сталин, не было бы Сталина, была бы у него поддержка партии или нет, но при демократической политической системе, при реальной власти Советов чрезвычайное управление и репрессии оказались бы не то что не необходимыми, но и просто невозможными.

Попробуем теперь помечтать и хотя бы в общих чертах представить себе, куда вела та, другая дорога, с которой мы свернули в 20-е годы. По некоторым оценкам, в реальности к концу 30-х годов мы несколько опережали Германию по величине национального дохода, отставая при этом примерно вдвое по объему промышленного производства. Еще и в 1950 г. объем промышленного производства у нас был несколько ниже, чем даже в ФРГ, а не во всей Германии[2]. При сохранении же нэпа и его средних темпов развития индустрии советская промышленность к концу 30-х годов *как минимум превзошла бы* немецкую по объему производ-

---

[1] О. Лацис. Перелом. – Знамя, 1988, № 6.
[2] *Мировая экономика и международные отношения*, 1987, № 11, с. 148, 151.

ства, в том числе и по объему производства военного.

Представим себе, что не было бы нелепой сталинской установки на борьбу с социал-демократией, "как с опорой нынешней фашистской власти", установки, принимавшейся Коминтерном как руководство к действию в период до 1935 г. и после 1939 г. (после пакта о ненападении с Германией). Возможно, представляется несколько преувеличенным мнение, что эта установка, расколовшая рабочее движение на Западе, привела фашистов к власти в Германии, как это утверждалось Э. Генри в недавно опубликованном письме к И. Эренбургу[1]. Но то, что такая политика облегчила усиление фашизма в мире, – бесспорно.

Представим, далее, что не было бы бессмысленных чудовищных репрессий в стране. Предположим, что не было бы безумного избиения кадров Красной Армии, так что после такого избиения дивизиями стали командовать даже капитаны. Допустим, что Тухачевский, Уборевич, Якир и другие, отстаивавшие концепцию ускоренного развития танковых соединений, не оказались бы "врагами народа", а сама концепция не была бы расценена как вредительство; что Ворошилов не расформировал бы воздушно-десантные войска, поразившие иностранных наблюдателей на украинских маневрах 1935 г.; что наши авиация и авиапромышленность не испытали бы на себе всю разрушительную силу бессмысленного сталинского террора.

К концу 30-х годов мы имели бы тогда на политической карте, с одной стороны, куда более мощный как в экономическом, так и в военном отношении Советский Союз, по меньшей мере не уступающий по своему военно-экономическому потенциалу Германии, а с другой – более слабый, чем это было в действительности, фашистский блок. Как бы тогда развивались события в августе–сентябре 1939 г., сказать, конечно, трудно. Англия и Франция явно вели двойную игру, потворствуя Гитлеру в надежде направить его основной удар на Восток, – отказ от серьезной помощи Испании, ставшей одной из первых жертв фашистской агрессии, и Мюнхенское соглашение навсегда останутся на их совести. Но ведь и Гитлер делал выбор, стараясь вначале расправиться с самыми слабыми противниками, оставляя более сильных "на потом". Сначала это была Чехословакия, за ней Польша, в мае 1940 г. в соответствии с этим принципом в качестве объекта агрессии была избрана Франция (производившая тогда почти вдвое меньше промышленной продукции и вчетверо меньше стали, чем Германия), в июне 1941 г. – Советский Союз, но не Англия: в конце 30-х годов промышленность Англии производила почти столько же продукции, сколько германская (т.е. почти вдвое больше, чем советская), ее отделял от континента труднопреодолимый Ла-Манш, и, кроме того, за ее спиной стояли США. Кто знает, если бы фашистской Германии противостоял более сильный Советский Союз, если бы финская война 1939–1940 гг. не обнаружила для всего мира очевидной неподготовленности СССР к отражению агрессии, Гитлер, возможно, напал бы сначала на Англию. И тогда, возможно, советские техника и продовольствие поставлялись бы в Англию по ленд-лизу, а второй фронт был открыт не союзническими войсками в Нормандии, а советскими – в Польше.

Может быть, и наши союзники были бы в этом случае сговорчивее накануне самой войны, и литвиновская дипломатия, направленная на со-

_____
[1] *Дружба народов*, 1988, № 3, с. 234–235.

здание антигитлеровской коалиции с Англией, Францией и США, увенчалась бы успехом еще до августа 1939 г. При такой расстановке сил совместными усилиями мы смогли бы, вероятно, поставить эффективный заслон фашистской экспансии еще на самых первых ее этапах.

Что же дальше? А дальше снова быстрый экономический прогресс социалистической рыночной экономики, в ходе которого мы бы как минимум к настоящему времени догнали основные страны Запада по уровню развития, т.е. по таким качественным показателям, как производительность труда и доход на душу населения. По абсолютным экономическим показателям (объем национального дохода, промышленного производства и т.п.) мы бы, вероятно, существенно, в 1,5–2 раза, опережали бы сейчас США, ибо население нашей страны на конец 80-х гг. должно было бы составить 400–500 млн. человек (400 млн. – это при том крайнем предположении, что естественный прирост населения, составлявший в конце 20-х годов 2%, снизился бы затем до 1,5%). Иначе говоря, сегодня обладали бы крупнейшим в мире экономическим потенциалом, а не имели бы впереди себя три страны, а в близкой перспективе – и еще несколько государств.

После того как фашизм в конце 30-х – начале 40-х годов был бы повержен политическими средствами или в результате непродолжительной войны, геополитическое равновесие, даже если бы Германия осталась нерасчлененной, конечно бы, изменилось. На место прежнего традиционного военно-политического баланса (Англия, Франция, Россия против Германии) неизбежно пришел бы новый, биполярный, основанный на соотношении сил СССР и США, Востока и Запада. Это наверняка случилось бы еще в 40-е годы, когда Советский Союз и Америка по размерам своей военно-экономической мощи оставили бы позади все остальные страны. И даже если бы взаимное недоверие толкнуло бы поначалу две сверхдержавы на путь гонки вооружений и холодной войны, разрядка началась бы никак не позже 50-х годов, когда сложился бы военно-стратегический паритет (включая ядерное оружие). А он непременно бы сложился, ибо экономика СССР, не обремененная издержками и чудовищным наследием сталинской эпохи, росла бы в 2–3 раза быстрее, чем это было в действительности: так что уже к началу 50-х годов, коли была бы в этом нужда, мы могли бы иметь без надрыва, не жертвуя ради этого самым необходимым, нужное нам количество боеголовок и носителей.

И сегодня мы бы имели стабильный безопасный мир, свободный от ядерного оружия или с небольшим контролируемым международными договоренностями его количеством. И мы имели бы высокоэффективную, конкурентоспособную экономику, интенсивно взаимодействующую с мировым хозяйством и играющую в нем подобающую нашим возможностям роль. А каким высоким мог бы быть авторитет нашей страны повсюду в мире, если бы реальный социализм в глазах международной общественности ассоциировался бы не с бедностью и подавлением политических свобод, а с благосостоянием и демократией! И если бы народы всей планеты убедились не в теории, а на практике, на нашем примере, в преимуществах социализма – общества, основанного на самоуправлении трудовых коллективов и достигшего высшего расцвета демократизма.

Это только некоторые из наших упущенных возможностей. Теперь мы уже никогда не узнаем *всего* того, что было потеряно. Не узнаем неродившихся гениев и не прочтем ненаписанных книг. История необратима, и в наших силах только начать все заново, осознав ошибки прошлого.

Храм несбывшихся возможностей, храм вечной памяти мученикам нашего народа – такой была мечта Андрея Платонова. "И встанет к жизни, что должно быть, но не свершено, – писал он. – Творчество, работа, подвиги, любовь – вся картина жизни несбывшейся. И что было бы, если бы она сбылась... Великая картина жизни и погибших душ, возможностей... мир, каков бы он был при деятельности погибших, – лучший мир, чем действительный..." Есть только один способ воздвигнуть этот храм – вступить наконец на тот путь, с которого мы свернули тогда, шесть десятилетий назад, на развилке дорог. Сегодня у нас тоже есть выбор, и мы не должны упустить шанс. Лучше поздно, чем никогда.

* * *
*

Движение вперед неизбежно связано с переосмыслением пройденного пути, с переоценкой прошлого. Трудно, неимоверно трудно признать сейчас, что многие из потерь тех лет были напрасны, что можно было обойтись без голода и лишений, без сверхчеловеческого напряжения и беспредельной самоотдачи. Ведь если оставить в стороне возглавленную Сталиным узкую бюрократическую прослойку, манипулировавшую национальным хозяйством и общественным сознанием в собственных узкокорыстных интересах, речь идет о миллионах людей, искренне, всей душой веривших в необходимость жертв и лишений, беспредельно убежденных в своей исторической правоте. Это целые поколения, вынесшие на своих плечах все тяготы индустриализации и коллективизации, войны и послевоенного восстановления. Да, они не знали всей правды – не по своей вине. И кто сейчас решится упрекнуть их в политической незрелости и близорукости?

Но как бы ни было трудно, нам надо пройти и через это – через осознание того, что была альтернатива, был другой путь, не сопряженный с трагическими потерями и бесполезной растратой ресурсов, с подавлением стимулов к труду, подрывом моральных устоев, падением международного авторитета и дискредитацией социалистических идеалов. От того, насколько глубоко осознаем мы сегодня эти уроки нашей собственной истории, зависит в конечном счете успех начавшейся, перестройки.

В. Лапкин, В. Пантин

ЧТО ТАКОЕ СТАЛИНИЗМ?

I

Новизна нынешней ситуации заключается во все более и более широком обнародовании самых тяжелых, вопиющих и не укладывающихся в сознании фактов того периода нашей истории, который неразделимо связан с именем И.В. Сталина и уже более тридцати лет зовется периодом "культа личности".

Но, осуждая культ личности как воплощение трагедии той эпохи, мы часто забываем, что само представление о такого рода культе есть неоправданное возвеличивание роли отдельного индивида в человеческой истории, в объективных процессах общественного бытия, – забываем основы не только материалистического, марксистского, но и вообще здравого понимания истории. Роковым образом при многочисленных попытках оценить причины и смысл исторических коллизий того периода, понять сущность того, что вошло в историю под именем *сталинизма*, мысль исследователей и очевидцев вновь и вновь упирается почти исключительно в фигуру *Сталина*. В результате История, так же как и понятия исторической необходимости, общественной закономерности, становятся второстепенными, выполняющими вспомогательную функцию в решении "главной задачи" – выяснении вопроса о Нем, об отношении к Нему, изучении Его психологии, оправдании или осуждении Его деяний.

Так, защитники Сталина требуют "объективной оценки прошлого и нашей героической истории, истории борьбы нашего народа за светлое будущее", они напоминают о коллегиальности решений того периода, утверждают, что охаивание Сталина "равносильно охаиванию всего того, что *Мы* достигли во главе" с ним, что отречение от Сталина есть отречение от всех предшествующих "шестидесяти советских лет". Они обращают внимание на то, что Сталина умышленно представляют "злым гением, вампиром, который уничтожает людей"...

Это *Мы* во главе со Сталиным построили наш социализм – вот решающий аргумент "защитников", фактически снимающий проблему "культа". Сталин укрывается в тени "объективных обстоятельств", которые на то и "объективны", что не подлежат якобы критическому осмыслению. Миф о Сталине скрывается под сенью мифа о "познанном объективном законе". Что же противопоставляют этому критики "культа личности", выдвигающие обвинения Сталину? Как они воспринимают эту эпоху и роль Сталина в ней?

"Сталин произвел переворот на собственный лад", "отбросил необходимость целой исторической эпохи", "сконцентрировал в себе...", обрушил репрессии "поочередно на различные слои советского общества". Он "мерил народную судьбу миллионами", взрастил "особый аппарат власти". Ему было свойственно "глубокое презрение к людям". Он "творил произвол". Его личные качества "привели нашу страну к неисчислимым бедствиям". И задача литературы в том, чтобы понять, как, будучи соратником Ленина, он дошел до жизни такой, выявить его ошибки, заблуждения, его "преступные наклонности", сформировавшиеся в раннем возрасте и чуть ли не заложенные от рождения![1]

Вот ведь парадокс: защитники Сталина апеллируют к объективной необходимости, "я" Сталина сменяют на "мы" тех общественных сил, которые участвовали в созидании нового общества, а его обвинители фактически реставрируют его "культ", сводят проблему к Его личной деятельности, Его личной ответственности, Его участию, Его инициативе, приписывают Ему создание и аппарата, и государства, наделяют его всеведением и всесилием в осуществлении общественных переворотов, коренных переломов в истории и т.п...

Поистине удручающая дилемма: оправдывать Сталина, ссылаясь на историческую необходимость, или осуждать его, превращая историю в детище его аморальной натуры, в игрушку в руках "злого гения".

И если сторонники первой, более прямолинейной позиции не находят причин отказаться от своего кумира и интуитивно ощущают закономерность его появления в соответствующую эпоху, его "выстраданность" всем строем жизни породившего его Времени, то их более искушенные оппоненты склонны предать анафеме всякие рассуждения об "объективной необходимости" такого явления, как сталинизм в процессе исторического развития России. Они не теряют надежду свести всю трагедию, всю боль целой исторической эпохи к проискам "темной личности" и, значит, снять ответственность с себя, оправдать и себя, и близких себе по духу, по способу мышления и действиям предшественников и современников. И поныне во многих выступлениях ощущается стремление отделить сущность явления от его внешней формы, спасти сталинизм как социальное явление, пожертвовав Сталиным как кумиром вчерашнего дня. Поэтому, вероятно, Сталин столь часто видится сейчас той фигурой, с избытком наделяемой "демоническими чертами", на которую удобно списать все "издержки" коллективизации, индустриализации, "кадровой революции", всех внешне- и внутриполитических катастроф соответствующего периода отечественной истории.

Поэтому и само понятие сталинизма невольно расщепляется в представлении многих авторов на некую теоретическую концепцию "сталинизма" и на порочную практику "сталинщины", так что целая эпоха, оказавшая влияние на ход мирового развития и с необходимостью связанная с предшествующим, сводится к локальному "вывиху", ошибке на правильно избранном магистральном пути, а ключевые проблемы исторического развития нации переносятся в плоскость дискуссий о том, кто из теоретиков социализма предложил более точную модель его построения.

Что же такое сталинизм – некое умственное течение, предначертавшее ход построения нового общества, сотворившее его согласно

---

[1] В качестве примеров обеих точек зрения процитированы выдержки из писем читателей и статей, опубликованных в журнале *Огонек* во второй половине 1987 г. При желании этот перечень можно легко продолжить за счет новых многочисленных публикаций на эту тему.

своим не вполне правильным схемам? Или же с этим именем связан трагический период, этап российской истории, характеризуемый вполне определенным способом решения проблем национального развития?

Если понимать сталинизм как идейную подоплеку сталинщины (по А. Ципко), то все сводится либо к поиску тех пунктов, где Сталин "не понял" или извратил К. Маркса[1], либо к поиску тех пунктов теории социализма, которые послужили-де точками роста сталинской идеологии[2]. В обоих случаях анализ истории ограничивается анализом действия только лишь пресловутого "субъективного фактора", важнейшей задачей для авторов представляется еще раз напомнить о том, что случайность играет роль в истории, "событие... во многом зависит от самих участников исторического процесса"[3]. Более того, А. Ципко в первой части статьи четко формулирует: "...анализируя прошедшее, надо, наверное, все же начинать с начала, начинать со слова[4], с проекта, с наших теоретических основ. Ибо социализм как раз и является тем уникальным в истории обществом, которое строится сознательно, на основе теоретического плана"[5].

Тем самым исторический материализм Маркса трактуется как догматическое учение, как некий "проект здания социализма", "генеральный план", подлежащий централизованному претворению в жизнь, а эпохальная новизна подхода А. Ципко в том, что он резервирует право на повторную экспертизу этого "проекта". "Что нам стоит дом построить, нарисуем – будем жить..." – таков широко распространенный взгляд на проблемы отечественного послеоктябрьского развития, но, добавляет философ эпохи гласности, надо иметь право убедиться в добротности этого плана строительства. Само же представление о возможности централизованного проектирования жизни общества сомнению не подвергается, как не возникает и вопрос: а достаточно ли одни догмы заменить на другие, новые, не поняв самой исторической действительности, которая их порождает?

Так попытки преодоления идеологии сталинизма вскрывают более глубокие проблемы, побуждают всерьез затронуть вопрос о соотношении стихийности и субъектности в историческом процессе и тем самым выявить наиболее глубокие и труднопреодолимые корни сталинизма.

II

"Он создает общество?? Нет, простите, сначала ОНО его создает; и он, всесильный диктатор, не столько навязывает себя стране, сколько угадывает ее нужду: он убежден, что он ей нужен, он исходит из ее нужды, из ее судьбы, как он эту судьбу понимает. В сущности, он удивитель-

---

[1] Т. Лисичкин. Мифы и реальность. – *Новый мир*, 1988, № 11, с. 160.

[2] А. Ципко. Истоки сталинизма. – *Наука и жизнь*, 1988, № 11–12; 1989, № 1–2.

[3] Там же, 1989, № 1, с. 56.

[4] Обратим внимание, что это пишет автор, немного ниже сетующий на то, что, к сожалению, "нашему русскому рабочему движению не удалось избежать христианизации марксизма". – Там же, с. 55.

[5] Там же, 1988, № 11, с. 48.

но осторожен и осмотрителен, этот "всесильный бог", он моментально исправляет всякую неточность своей линии, он боится ошибок и все время уступает по мелочам... Сталин все время словно бы боится нарушить некоторый общий закон реальности, для которой он, скромный, простой работник в фуражке и сапогах, не более чем олицетворение.

Дело не в нем, дело в самой реальности, закон которой он угадывает"[1].

Авторы, идеологизирующие понятие сталинизма, решительно игнорируют тот факт, что сталинизм тесно связан с некоей линией исторического развития, а именно с историей российской индустриализации. Между тем сталинизм осуществил в законченной форме те тенденции, которые проявились уже в эпоху дореволюционного развития крупной индустрии. Уникальный механизм российской индустриализации заключался в том, что при неразвитости капиталистического рынка, поверхностном развитии товарно-денежных отношений роль проводника политики индустриализации взяло на себя самодержавно-деспотическое государство, в свое время возникшее для эксплуатации дотоварных укладов. Тем самым это государство подменяло собой рынок – путем создания концентрированного, не зависящего от конъюнктуры государственного спроса, и прямо стимулируя монополизацию возникавшей крупной промышленности. Государство же и "оплачивало" индустриализацию за счет выкачивания огромных средств из патриархально-дотоварного и мелкотоварного крестьянства. Не случайно форсированная индустриализация 1890-х – начала 1900-х годов, связанная с именем министра финансов Витте, – при котором, по словам современника, государство сделалось главным и единственным банкиром, экспортером, хозяином торговли и промышленности, – была названа одним из критиков Витте "государственным социализмом".

Отличительная особенность такого развития состояла в том, что растущая крупная индустрия уже по самому способу своего возникновения оказывалась заинтересованной не в развитии рынка и товарно-денежных связей, а в сохранении и воспроизводстве дотоварных укладов для неэквивалентного и концентрированного выкачивания из них ресурсов. К 1917 г. обнаружилось (особенно это показала первая мировая война, обострившая все противоречия), что в процессе форсированной индустриализации Россия не только не преодолевает, а, напротив, усугубляет неорганичность национальной системы накопления и народного хозяйства в целом, ведущую к социальному взрыву.

В условиях глубокого кризиса мирового хозяйства, сильнее всего затронувшего Россию с ее противоречиями, в условиях стихийного распада рынка и финансовой системы, оказавшихся наиболее уязвимым местом, политическая ситуация после победы революции обусловила полное подавление товарно-денежных, рыночных отношений во имя спасения государства рабочих и крестьян, национальной консолидации. Союз революционного пролетариата с общинным крестьянством определил ориентацию на построение нетоварного, внерыночного хозяйственного и политического механизма, совпавшую с представлениями большинства активных деятелей революции о нетоварном социализме.

Эпоха "военного коммунизма", с которой связан генезис сталинизма, сопровождалась полным уничтожением товарно-денежных отноше-

---

[1] Л. Аннинский. Отцы и сыны. – *Октябрь*, 1987, № 10, с. 173.

ний и рынка , вместо которых возникла единая хозяйственная монополия, "единый трест", проект которого выдвигался рядом политических и промышленных деятелей еще до Октября 1917 г. Но утверждение этой государственной монополии неизбежно было связано со стихийным ростом хозяйственного и политического аппарата, уже к 1921 г. раздувшегося до нескольких миллионов человек. Было ли это заранее запланировано кем-то, например Сталиным, или какой-нибудь доктриной? Нет. Было ли это случайным отклонением, а не общественной необходимостью, пробивавшей себе дорогу через сложное и противоречивое взаимодействие различных сил? Тоже нет.

Анализ периода нэпа и его противоречий имеет непосредственное значение для понимания причин так дорого стоившей "победы" сталинизма. Объективно переход к нэпу был связан прежде всего с необходимостью восстановления хозяйства, и прежде всего государственной крупной промышленности, стянутой в "единый трест", но почти бездействующей. Для этого необходимо было прежде всего восстановить связь промышленности с сельским хозяйством, аграрным сектором. После поворота к нэпу уцелевшие элементы рынка в лице мелкотоварных производителей деревни и города начали стихийно пробивать себе дорогу, вместо планировавшегося "товарообмена" развивалась торговля сельскохозяйственными продуктами. Во многом благодаря этому в течение всего лишь нескольких лет были восстановлены сельское хозяйство и государственная крупная промышленность. Однако по мере их восстановления вновь возрождалось и ключевое противоречие неразвитого, "частичного" рынка и централизованного планирования индустриализации – то самое противоречие, которое способствовало "взрыву" дореволюционной экономической и политической системы.

Развитие элементов рынка в условиях нэпа уже было ограничено прочно утвердившейся монополией крупной промышленности. Уже осенью 1923 г., после кризиса сбыта, связанного с политикой повышения цен, которую проводили синдикаты и тресты, опиравшиеся на фактическую монополию, развитие все больше и больше пошло в сторону нового разрастания хозяйственного и политического аппарата, централизованного регулирования хозяйства. В этом отдавали себе отчет некоторые современники событий. "Первоначальный толчок ко всем этим процессам, ограничивающим самостоятельность предприятия, был дан кризисом сбыта осени 1923 г. – писал известный советский экономист А.М. Гинзбург, репрессированный еще в начале 30–х годов (вполне вероятно, Сталин не простил ему беспощадно-трезвого анализа) по делу Промпартии. – Политическое значение кризиса оказалось гораздо большим, чем его непосредственные экономические результаты. При СТО была создана специальная комиссия по регулированию цен. Но, как это часто бывает, действительное регулирование цен оказалось невозможным без самого активного вмешательства во все стороны процесса производства и обращения товаров. Регулирование цен превратилось в детальную регламентацию всего процесса воспроизводства... Скромный аппарат комиссии по регулированию цен разросся в обширный Наркомат внутренней и внешней торговли, который призван был проводить на практике смычку между социализированной промышленностью и товарной стихией крестьянского хозяйства, распределять дефицитные массы промышленных товаров по всем уголкам страны в соответствии с классовой политикой государственной власти и стягивать в распоряжение последней все виды сырья и продовольствия, производимые в стране"[1]. Тем самым стихийно рынок снова вытеснялся централизованным распределением "всех видов сырья и продовольствия, производимых в стране" с соответствующим разбухающим аппаратом.

Отнюдь не случайно, что процессам нового "свертывания" и так уже ограниченного рынка соответствовали и процессы в политической жизни, прежде всего в партии. Уже к 1923 г. утвердилась новая форма выдвижения на ответственную руководящую работу (вместо делегирования партийной массой) путем "назначенчества", через созданный в рамках Секретариата Оргаспред, ставший отделом по распределению партийных постов[2]. Начала возникать номенклатура. И этот процесс вопреки распространенным представлениям диктовался не столько злой волей, сколько стихийно происходившим вытеснением рыночных элементов, разворачиванием нового организационно-идеологического аппарата, связанного с аппаратом хозяйственной монополии.

По мере того как происходило восстановление хозяйства, нарастала и волна форсированной индустриализации. Сначала планы "сверхиндустриализации" выдвигались Троцким, затем его вчерашними противниками Зиновьевым и Каменевым, чтобы затем осуществиться под руководством их общего противника – Сталина. Все эти планы в качестве основной меры содержали требование черпать из деревни для нужд индустрии как можно больше, не останавливаясь ни перед чем; во всех этих планах явно или неявно крестьянство рассматривалось как чуждая социализму и опасная для него масса, годная лишь на то, чтобы извлекать из нее любые, ничем не ограниченные средства для развития социалистической индустрии; все эти планы исходили из того, что индустрия является целью, а крестьянство – средством. Не является ли это доказательством того, что дело не столько в конкретном лице и конкретном плане, сколько в общей логике событий, в которых участвовали и которые творили многие миллионы людей?

Две другие, критические даты нэпа – 1925 и 1927 гг. – связаны с принятием программы индустриализации и бурным ростом новых строительств, с форсированным ростом капиталовложений, вызвавшим роковой для нэпа хлебозаготовительный кризис 1927–1928 гг. Судьба нэпа была предрешена захлестнувшей страну волной форсированной индустриализации. "Процесс быстрой индустриализации приводил в напряжение все живые и материальные ресурсы страны. Строить новую индустрию приходилось в обстановке "товарного голода", недопроизводства важнейших материалов, недостатка капиталов, при крайней перегрузке всего руководящего состава, при наличии противоречий между отдельными секторами народного хозяйства... Как и в период военного коммунизма, рост регламентации и централизации планового руководства питался потребностями классовой борьбы и недостатком снабжения. Вся эта обстановка вела к усилению централизованного руководства промышленностью..."[3] – так характеризовал ситуацию накануне "великого перелома" тот же А.М. Гинзбург, бывший одновременно и активным участником, и свидетелем, и жертвой начавшегося форсирования индустриализации. Анализ событий в руководстве нака-

[1] А.М. Гинзбург. Очерки промышленной экономики. М.–Л., 1930, с. 264.

[2] В. Костиков. Блеск и нищета номенклатуры. – Огонек, 1989, № 1.

[3] А.М. Гинзбург. Указ. соч., с. 265.

нуне 1929 г. показывает, как отдельные руководители – Бухарин, Рыков, Калинин, Ворошилов и другие, вначале выступая против форсирования индустриализации и коллективизации, постепенно как бы отступали под натиском "стихии" форсирования, охватывавшей партию и страну, пока, наконец, полностью их не одобряли. В итоге к 1932 г. практически все руководители и рядовые члены партии, за исключением участников "рютинской платформы"[1], одобряли и поддерживали форсированную коллективизацию и индустриализацию, ставшие уже фактом.

"Механизм" победы сталинизма был прост: форсированная, подхлестываемая индустриализация любой ценой автоматически требовала гигантских концентрированных капиталовложений, бравшихся из деревни, по словам самого Сталина, "почти даром", для чего нужен был огромный, время от времени тасуемый аппарат, проводивший чрезвычайные меры, и такой же чрезвычайный сверхцентрализованный аппарат командного управления крупной промышленностью и всем народным хозяйством. Ключевым здесь было взятие ресурсов деревни "даром", обеспечившее быстрый рост индустрии, несмотря на все провалы первой пятилетки, снижение производительности труда в промышленности, падение жизненного уровня и т.п. Говоря о сталинизме, часто разделяют принудительную коллективизацию, форсированную индустриализацию и "кадровую революцию", вылившуюся в репрессии 1937–1938 гг. Но все это неразделимые звенья одной цепи, следующие друг за другом; отделять одно из них и тем более противопоставлять другим звеньям – значит не понять ни отдельного звена, ни всей цепи событий.

В итоге в 30-е годы сложилось дотоварное по своей сути общество, развивавшее крупную индустрию без рынка, на основе использования материальных и живых ресурсов колхозной деревни. Но при этом неизбежно, не по воле отдельных "злых" лиц, формировался и механизм хищнического потребления природных и человеческих сил, о котором сейчас пишут экономисты: "Нет, как хотите, а исправному хозяйственному механизму и тормоза нужны – иначе мы оставим после себя пустыню, так и не насладившись плодами своих трудов праведных. Самоедская экономика навряд ли снизойдет когда-нибудь до человека, до наших с вами нужд... Экономика во все большей степени работает не на человека, а на самое себя"[2]. Бесчеловечная система хозяйствования, утвердившаяся в 30–40-е годы, во многом не преодолена и сейчас, в 80-х; она связана с самыми глубокими корнями сталинизма и является его самым труднопреодолимым следствием.

III

Вернемся еще раз к генезису сталинизма как общественного явления. Еще до революции Россия избрала в противовес традиционному буржуазному пути индустриального развития, основанному на товарно-денежном, рыночном механизме капиталистического накопления, иной

---

[1] М.Н. Рютин был одним из немногих, кто уже в то время увидел центральную роль форсирования индустриализации в утверждении сталинизма и указал на грубое извращение учения Маркса.

[2] В. С е л ю н и н. Реванш бюрократии. – В сб.: Иного не дано. М., 1988, с. 195–197.

путь, отдаленно напоминающий бисмарковский, но по сути – невиданный до того путь индустриализации, основанный на псевдорыночном отчуждении продукта натурального и мелкотоварного укладов с помощью механизмов централизованного государственного накопления. К переломному моменту своей истории, к 1917 г., российское общество подошло, имея, с одной стороны, высочайшую по мировым меркам концентрацию и централизацию крупной промышленности, а с другой – многомиллионное крестьянство, отвергающее в массе своей идею частной собственности на землю, привязанное к институту общинного землепользования, к практике переделов и круговой поруки.

Самодержавие пало, и вместе с ним пал механизм социального опосредования, заменявший традиционный для буржуазного пути индустриализации рынок. Россия вновь оказалась перед выбором пути своего будущего развития. Что избрать: жертвенность факела, сгорающего в пламени классовых боев во имя победы мировой революции, или размеренность построения своего особого "крестьянского рая", упраздняющую чужеродную мужицкому духу городскую цивилизацию во имя торжества общинно-кооперативного начала, или?.. Увы! В общественной жизни послереволюционной России решающим аргументом оказалась экономическая организация возрождающейся монопольной, теперь уже единомонопольной индустрии.

Идеи новой революционной индустриализации, казавшиеся многим утопией в период наибольшей хозяйственной разрухи конца гражданской войны, становятся неотвратимой реальностью по мере того, как индустрия возрождается. Задача выбора пути отходит на второй план, выбор оказывается практически предрешенным, "запрограммированным" где-то на более ранних стадиях национального развития. Речь идет уже о том, каким образом создать новый механизм, обеспечивающий расширенное воспроизводство монопольной индустрии, и как справиться со стихией "мелкобуржуазного", а на деле полунатурального, мелкотоварного крестьянства, как превратить это крестьянство в объект, средство для индустриального накопления. В процессе решения этой последней задачи и вызревал сталинизм как "классический" пример социального механизма осуществления форсированной индустриализации на неорганичной, нерыночной основе.

Сталинизм, таким образом, представляет собой этап развития общества, в ходе которого проводится форсированная индустриализация, осуществляемая без рынка, с помощью аппарата принуждения и чрезвычайных мер за счет выкачивания ресурсов из дотоварных укладов. Этот этап развития проходила не только наша страна, но и ряд других государств, где существовали дотоварные уклады и где правящие круги которых, беря курс на форсированное развитие индустрии, ориентировались на модель "реального" социализма.

Видимо, не случайно, что во всех этих странах, при огромных различиях в национальной специфике между ними, со временем начинали проявляться общие черты и закономерности, часто негативного свойства.

В этой связи одним из наиболее болезненных вопросов, возникающих при обращении современного исследователя к анализу противоречий общественного развития той эпохи, является мера всеобщности сталинизма, вопрос о его объективной необходимости. Болезненность его заключается в том, что из тех же "сталинских времен" исходит и поныне широко распространенный предрассудок о том, что признание объективной необходимости той или иной тенденции естественно-исторического процесса равносильно его оправданию и даже, более того, готовности и обязательству "засучив рукава" споспешествовать ее торжеству.

Но ведь даже знание закона всемирного тяготения не лишило человечество жажды полета...

И данный предрассудок сталинской эпохи, стремление навязать оппоненту свою "бескрылую философию", позволяет разглядеть в логике "обличителей" исторического материализма логику социального проектантства, логику, стремящуюся навязать обществу некий спасительный путь развития и нуждающуюся для своего воплощения лишь в одном – в наличии в общественной жизни тенденций к монополизации – и поэтому связывающую свои надежды с развитием и укреплением такой монополии как системы, организующей всю общественную жизнь из единого центра. Тем самым, за обличением материалистического понимания истории, за обвинениями его в "оправдании" сталинской эпохи, угадывается не преодоленное и поныне стремление обличать сталинизм с позиций сталинской же идеологии.

Исторический метод Маркса вызывает особое раздражение выразителей этой идеологии, ибо он не удовлетворяется обличением персонификаторов тех или иных социальных сил, но вскрывает бесчеловечную сущность самой этой отчужденной общественной силы, хищнически эксплуатирующей порождающее ее и подавляемое ею общество...

В этой связи необходимо обратить особое внимание на то, что понимание экономики как некоего, пусть весьма сложного, орудия в чьих-то руках, весьма далеко от ее истинного содержания: системы отношений, возникающих в обществе между людьми по поводу воспроизводства материальных основ их существования. Экономика не есть инструмент в руках политиков или в руках общества, тем более она не есть инструмент преобразования общества; экономика есть лишь определенный аспект общественной деятельности, т.е. само общество является субъектом экономики (а не наоборот), преобразуя тем самым самое себя, само общество есть "задающий элемент" своего бытия, в т.ч. и экономического.

Точно так же не реорганизация экономики (кем?) решает назревшие проблемы общества, а общество, поставленное перед экономическими проблемами, т.е. проблемами, возникшими в одной из компонент его деятельности, само решает эти проблемы.

Суть же экономики есть накопление общественного труда в виде его омертвелого, но способного к воспроизводству все в новых и новых формах воплощения (посредством "впитывания" новых порций труда живого), – того, что в зрелом виде именуют капиталом.

В основе существующей системы накопления лежит феномен разделения деятельности, воплощенный в господстве принципа разделения труда. Современная экономика, основанная на разделении, разложении труда, по своей природе предназначена накоплять живую человеческую деятельность в омертвелых формах и тем самым отчуждать от производителя как его продукт, так и саму способность к человеческой деятельности, превращая его в "частичное орудие частичной машины".

Именно этому отчуждению мы и обязаны тем, что отчужденные продукты общественной деятельности предстают в виде господствующих над обществом стихийных сил. Вместо того чтобы понять происхождение и природу этих сил, современный исследователь часто удовлетворяется лишь указанием на случайное имя той "внешней силы", которая сковывает и подчиняет себе общество.

Попытки оградить феномен сталинизма как общественно-историческое явление от материалистического понимания и критики, попытки списать историческую трагедию той эпохи на неправильно выбранную "модель построения", так же как и попытки списать все на ту или иную личность, выдают все ту же логику, оправдывающую (и более того, оправдывающую от имени марксизма) претензии той или иной отчужденной общественной силы на руководство обществом, подчинение общества своим целям и планам.

Сталинская индустриализация – и здесь ее социальная роль никак не сводится к персональному злодейству тех или иных политических фигур – прямо продемонстрировала расхождение, вопиющее противоречие интересов монопольной индустрии, равнодушной к цене, которой эти интересы оплачиваются – даже если в уплату идут миллионы человеческих жизней, – и интересов общественного развития, интересов социализма, демократии, культуры.

В нынешнюю революционную эпоху, эпоху критического переосмысления обществом приоритетов своего развития, "пережитки" сталинизма тем опаснее, что монополистические механизмы общественного материального производства сохраняются и, более того, остаются определяющими, предоставляя жрецам идеологии и политики социального проектантства соблазнительную возможность испробовать какой-либо обновленный вариант подчинения общества монопольному интересу "единого центра".

Практика, противостоящая такой тенденции, есть практика, провозглашенная как цель и средство осуществления сегодняшней перестройки: Больше демократии! Больше социализма!

Но не менее важно сейчас отстаивать теоретическую альтернативу сталинской идеологии, видеть за внешней формой мифа общественно-историческую реальность, его порождающую. Следовать культурной традиции в исторической науке (резко оборванной в эпоху сталинизма) означает понять ту трагическую эпоху нашей истории, к осмыслению которой обращается сейчас каждый, небезучастный к будущему Отечества, – понять ту эпоху как исторический выбор российского общества, подготовленный всем предшествующим отечественным и мировым развитием, понять ее как элемент мирового естественно-исторического процесса самосозидания человечества, процесса, закономерности которого еще предстоит познать.

КУЛЬТ ВЛАСТИ

Структура тоталитарного сознания

Ужасное требует объяснений. Сталин и Пол Пот. Гром оваций в стране, превращенной в филиал НКВД. Миллионы жизней, утративших смысл и цену. И смерть, ставшая обыденностью, универсальным способом решения проблем между человеком и властью.

Был ли смысл в этих кровавых спектаклях? Почему они пользовались таким успехом у современников? Есть ли граница террора, зайдя за которую тиран перестает привлекать сограждан, или у геноцида, как у совершенства, нет пределов? О чем думали, что чувствовали те, кто голосовал за диктатора, не зная – или зная? – что завтра окажутся в камере пыток? Во что верили десятки миллионов, которые ждали своей участи, в то время когда миллионы уже были уничтожены на глазах у всех? Мыслим ли другой конец диктатуры, кроме смерти самого диктатора? И, наконец, самый важный и самый трудный вопрос: где искать гарантии, что все это не повторится вновь?

Мысль, пытающаяся понять, что случилось с нашей (да и не только с нашей) страной, как завороженная, застывает перед подробностями кровавого террора, многозначными цифрами потерь и зловещими фигурами убийц. Гнев и страх парализуют нас, и вместо анализа мы слышим проклятия. Здесь нужна не наука, здесь нужен Нюрнберг. Но осудить террор и поставить памятники его противникам и жертвам недостаточно. Памятники можно уничтожить, можно забыть, кому они поставлены. Только анализ и понимание могут сорвать с тоталитарной власти ее мистический покров и дать если не гарантию, то шанс на то, что прошлое не вернется.

Любая стабильная власть потому и стабильна, что психологически она устраивает многих. Чтобы понять власть, а не только обвинять ее, необходимо осознать, какие наши потребности удовлетворялись столь патологическим образом. Без этого какой-нибудь новый энтузиаст тоталитаризма сможет воскресить его под непривычным обличьем, и мы слишком поздно поймем, что запреты на алкоголь и курение могут не так уж сильно отличаться от знаменитой трубки и любви к хорошим грузинским винам. Безусловно, важно понять, что "Сталин умер вчера", но еще важнее распознать, почему Сталин "жив" и сегодня.

Абсолютная ценность

Официальная версия советской истории была выработана на XX съезде КПСС и в общих чертах остается в силе сегодня. Культ личности – так была охарактеризована суть политической системы 30–50-х годов. Н.С. Хрущев и его коллеги видели в обожествлении руководителя не только идеологическое обоснование террора, но и прямую его причину. Исторические события были объяснены психологическим феноменом. Сейчас многие исследователи пытаются найти ответ на вопрос, были ли у этих процессов хоть какие-то объективные социально-экономические причины. Ученому, а тем более марксисту, трудно поверить в то, что механизм гибели миллионов и неисчислимых материальных потерь был сугубо духовным, произвольным и субъективным, как культ личности, созданный по желанию этой личности... Но так или иначе, слово было сказано и оказалось удачной идеологической находкой. "Культ" – это значит миф, мистификация, нечто вроде "опиума для народа". "Культ" – это что-то варварское, языческое, нехристианское. Культ затмевает реальность и наполняет сознание фантомами. Все это ставит простую и ясную задачу – рассказать народу все как есть, разоблачить миф, разобрать культ личности на кирпичи, построив на его месте светлое здание коллективного руководства.

События, которые не заставили себя ждать, показали, что идеологическая проблема, поставленная десятилетиями советской истории, не была решена XX съездом. Тиран умер, миф о нем развеян, труп его вынесен из Мавзолея... Крови и страха стало в тысячи раз меньше, а лжи и лицемерия, подлости и зависти, унижения и зависимости? Дело не в том, что политическая реформа, захлебнувшись, остановилась на полпути – разговоры о ее неудаче отражают лишь то, что она не оправдала ожиданий интеллигенции. Дав свободу заключенным, паспорта колхозникам, квартиры горожанам, Н.С. Хрущев с удивительной эффективностью выполнил именно те задачи, которые ставил. Империю смерти он разрушил, созданную в ней систему власти – и не собирался.

Снова принимались произвольные и бессмысленные решения; снова рукоплескала им пресса и единогласно голосовали собрания; снова несогласные оказывались за решеткой тюрем и психбольниц; снова те, кто стоял у власти, пользовались баснословными привилегиями; снова – геронтократия, и, кажется, одна смерть в силах лишить вождя его власти.

Личность Сталина на деле оказалась частным предметом культа, имеющего куда более широкую природу.

Политическая система сталинизма действительно создала культ. Любая тоталитарная система создает этот культ. Но подлинным и главным объектом его выступает не человек по фамилии Джугашвили или Шикльгрубер, а власть как таковая. Культ власти – в этом состоит сущность сталинизма, как, впрочем, и других авторских версий тоталитарной системы.

В условиях тоталитарного режима власть оказывается сверхценностью – ценностью абсолютного, высшего порядка. Кто имеет власть – имеет все: роскошную жизнь и подобострастие окружающих, лучших женщин и свободу делать с ними что хочешь, возможность высказывать суждения по любому поводу, удовлетворить каждую причуду, защитить себя от врагов и от подозрений... А кто не имеет власти, не имеет ничего – ни денег, ни безопасности, ни уважения, ни права на свое мнение, вкусы, чувства. Все, чего может достичь человек, он достигает, получая это от власти и в виде власти. Талантливый ученый может делать свое дело, лишь став заведующим лабораторией или директором института. Хороший рабочий, врач, учитель может заработать немного больше плохого только по особому разрешению начальства, а много больше – только если сам станет начальством. Работник аппарата и сейчас знает: чтобы лучше жить, надо суметь занять место своего начальника – любое другое перемещение будет означать падение жизненного уровня и самоуважения.

Заботы власти о собственном могуществе и сейчас явно превышают пределы разумного. Зачастую складывается впечатление, что носителей власти не волнуют результаты их деятельности, выраженные в экономических и социально-демографических показателях, но они готовы платить любую цену за доказательство своей вездесущности; точнее, они готовы, чтобы народ эту цену платил. Поныне здравствует бессмысленная паспортная система, самим своим существованием нарушающая права человека. Многие экономические начинания были погублены просто потому, что соответствующие службы не могли гарантировать стопроцентный контроль, существование же чего-то неконтролируемого или контролируемого лишь частично является само по себе оскорблением власти.

Субъекты стремления к абсолютному контролю никак не поймут, что их цель недостижима. Расходы на тотальный контроль с удручающей неизменностью превышают потенциальные выгоды от такого контроля. Сама необходимость в нем порождается теми самыми процессами, которые он же и вызывает к жизни. Отлично сформулировал эту непростую мысль полтора века назад один из наиболее глубоко мысливших декабристов М.С. Лунин: "Народ мыслит, несмотря на глубокое молчание. Миллионы издерживают на то, чтоб подслушивать мысли, которые запрещают ему выражать". Контроль, в каких-то пределах безусловно необходимый, оказывается самоценной манифестацией власти.

Определяющим признаком тоталитарного общества является контроль над всеми – всеми без исключения – областями социальной жизни. Ни одна сфера жизни не остается непрозрачной для власти. Все просвечено ее лучами и охвачено щупальцами. Блокируется любая возможность ухода человека от контроля государства, будь то семейные, дружеские, интимные отношения, личные вкусы, мнения и привычки. В утопии Замятина человек живет за прозрачными стенами, занавешивая их лишь на время одобренных властью свиданий. Подавляющая человеческую сексуальность практика коммунальных квартир и общежитий, раздельного обучения в школах и запретов на аборты, доносов и персональных дел за аморалку лишь технически отличается от кошмара Замятина. Действуя на пределе своих технических возможностей, власть вторгается и в детско-родительские отношения. Доносы членов семьи друг на друга – лишь один из множества примеров такого вмешательства. Впрочем, сохраняющиеся и сегодня доминирование школы над семьей, отсутствие института экстернатуры, лишение ребенка и родителей права выбора – ходить или не ходить в школу, в какую школу ходить, какие предметы учить, у какого учителя учиться – продолжают практику тоталитарного вмешательства в частную жизнь. Вмешательство государства в духовную жизнь граждан ограничивается только техническими возможностями власти, юридических или этических норм для тоталитарного контроля не существует. Скажем, прослушивать телефонные разговоры можно, но не все – для этого не хватит слушателей. Можно регулярно промывать мозги советским писателям, но делать это на столь же высоком и всеобъемлющем уровне для советских колхозников затруднительно. Тут достаточно продразверстки, паспортной (или беспаспортной) системы, алкоголя, да и те же писатели сделают все, что в их силах.

Один из многих парадоксов тоталитаризма состоит в том, что, имея все, носитель власти не имеет ничего, по крайней мере ничего своего. Роскошные дом, машина, дача, паек принадлежат не ему, а власти, и, лишаясь власти, он лишается всех значимых для него ценностей. У него нет друзей, близких – любые межличностные связи опасны для вышестоящего начальства, и от них следует отказаться. Возможно, по этой же причине у него нет семьи – супруги многих сталинских сатрапов, в том числе главы Советского государства, были в лагерях. Рассказывают, что секретарь Сталина Поскребышев собственноручно оформил документы на арест своей жены, а придя домой, нашел там незнакомую женщину, с которой и прожил оставшуюся часть жизни. Все, что только может быть дорого человеку, эти люди обменяли на власть.

Власть оказалась универсальным эквивалентом, источником и носителем всех жизненных благ. Те немногие ценности, которые даже в тоталитарной системе власть не может дать человеку, – здоровье, талант, счастье – обесцениваются, лишаются смысла и привлекательности. Власть может дать все, а то, что она не может дать, – и не нужно. Власть – это и есть жизнь. Отстранение от власти – это смерть, оно и возможно только через смерть, естественную или иную.

Власть мистификаций

Создавая свой культ, тоталитарная власть мистифицирует все властные функции, безгранично преувеличивая их значение, засекречивая обеспечивающие их огромные средства и отрицая роль любых объективных обстоятельств. Вся страна знала, что Сталин в своей заботе о ней работает ночами, но никто, кроме его окружения, не знал, что он спит до обеда. Сверхчеловек может властвовать надо всем, в том числе и над своим телом, своей физиологией. Сталин – строитель Днепрогэса, Сталин – победитель в войне, Сталин – лучший друг советских писателей... Та же практика – и в других странах с тоталитарными режимами, независимо от их знака. Так и сегодня иной партийный функционер приписывает своему умелому руководству аграрные достижения региона, в котором по сравнению с промышленными областями страны лучше климат или больше пашня. Для него, а точнее, для власти не существует ничего объективного, ничего, что происходит само собой, без ее руководства, вмешательства и контроля.

Поэтому тоталитарная власть столь враждебна науке – физике, географии, биологии, не говоря уже о психологии и социологии. Нормальная наука ведь говорит о том, каковы явления и люди сами по себе, а власти нужно описание того, какими они могут стать благодаря ее вмешательству. Так вместо науки о сущем появляются "учения" о должном, неповторимая смесь народных суеверий, хозяйственных навыков, утопических мечтаний и особых, вызывающих почтение слов, бывших ранее терминами нормальной науки. Примерно такой же характер имела алхимия – не наука о веществах, какие они есть, а учение о том, как сделать из них золото. Генетика, наука о наследственности, отрицается, а на ее месте расцветает учение о переделке наследственности – агробиология. Психология становится в 1936 г. первой жертвой произвола, обращенного на целую науку, а вместо нее активно и успешно институционализируется педагогика, которая только в СССР рассматривается как самостоятельная наука, а в странах Запада отсутствует за ненадобностью: дело науки – изучать реальность, а не учить практиков их делу. Социология, безусловно противопоказанная любому тоталитарному режиму, исчезает под бременем научного коммунизма или учения о расах. Даже физика может оказаться партийной или буржуазной, арийской и неарийской.

Насилие над человеком плавно переходит в насилие над природой. Любые явления рассматриваются как успех лидера или сознательно нанесенный ему вред, вредительство. Говорят, Берия накануне испытаний первой ядерной бомбы говорил Курчатову, что, "если эта штука не взорвется, он сам ему голову оторвет". Безусловно, он верил, что таким способом он влияет на ход испытаний, а может, и на процессы в самой этой "штуке". Бесконечные реорганизации сельского хозяйства основаны на той же самой вере, что власть может непосредственно влиять на объективные процессы, происходящие между людьми и природой. Бесплодность этих реорганизаций так же мало действовала на власть, как неудачи очередного опыта по перевоспитанию овощей действовали на агробиологию: любой неуспех можно снова объяснить субъективными факторами – вредительством, плохой организацией, недостатком энтузиазма и, как это с замечательной проницательностью делал Лысенко, слабой верой в успех.

Тоталитарная власть сочетает уверенность в безграничности своего могущества ("и на Марсе будут яблони цвести") с отрицанием всего, что от нее не зависит. Еще маркиз де Кюстин, описывая Россию времен Николая I, обратил внимание на удивительное для европейца и столь знакомое нам явление – цензура не пропускает в печать сообщения о катастрофах и стихийных бедствиях на территории империи. Взяв на себя абсолютную власть, царь принял и абсолютную ответственность, в том числе и за наводнения, землетрясения и тому подобное. Подданным надлежит знать лишь две причины любых явлений – воля государя и, в некоторых случаях, козни его врагов. Поскольку ураган не может считаться результатом заговора темных сил, лучше считать, что никакого урагана не было. В противном случае ответственность за него может лечь на самого монарха.

Мистика власти является неотъемлемым элементом тоталитарного режима. Но даже тогда, когда режим рухнул, те же шаманские приемы применяются для его объяснения. Говорить, что миллионы погибли вследствие дурного характера или фаз болезни Сталина – значит предаваться точно такому же культу его личности, как и объявлять его гением всех времен и народов.

Тоталитарный режим представляется естественным явлением в жизни общества, естественным точно в такой же степени, в какой естественна болезнь организма. Болезнь надо лечить не изгнанием злых духов, а терпеливым исследованием и точным и аккуратным воздействием на ее причины. Причины, а не симптомы. Это не такая болезнь, как чума, которой заражаются извне, а такая, как рак, который является нарушением внутреннего развития организма. Хирургическое вмешательство может быть полезным, но недостаточным. Агрессивный поиск внешних причин болезни – например, какого-нибудь очередного выдуманного внутреннего или внешнего "врага" – избавляет общество от моральной ответственности. Вера в безграничную способность верхов или чужаков навязать народу свои порядки выражает старые предрассудки культа власти.

Тоталитарный режим, способный к навязчивой пропаганде своего культа и полному контролю над всеми без исключения подданными, невозможен без высокого технического развития средств массовой коммуникации, армии и транспорта. Как говорится в известном анекдоте, рожденном в недавние времена, будь у Наполеона наша пресса, никто не узнал бы о Ватерлоо. Поэтому, хотя идеология и эстетика тоталитаризма существовали с незапамятных времен, последовательная его реализация стала возможной лишь в XX веке. Сталин и здесь шел неизведанным путем. Его предшественники могли лишь создавать отдельные тоталитарные анклавы – императорский двор, военные поселения, католические монастыри, – но не могли распространить такую систему на всю страну. М.С. Лунин упрекал царя в том, что вместо "культа законов", который исповедовали декабристы, он создал "культ личности" (так и было написано в сибирской каторге полтора века назад!). Но помещение царских одежд в храмы в качестве реликвий по масштабу своего воздействия так же мало сравнимо со всепроникающей пропагандой режимов нашего столетия, как методы работы III отделения – с возможностями гестапо или НКВД.

Культ власти оказался гораздо жизненнее культа личности. Мы давно уже научились критически относиться к самовосхвалениям власти, понимая незначительность или относительность ее реальных успехов. Но считать, что наши беды объясняются только тем, что руководство недоглядело, ошиблось, виновно или даже преступно, – значит все еще оставаться в плену культа власти. В этом, собственно, и состоят иллюзии XX съезда: власть была плохой, теперь власть будет хорошей, но она как была, так и останется всесильной. Избавление от тоталитарной мифологии в другом – в понимании ничтожности реального значения власти в сравнении с процессами самоорганизации общества. В доверии к этим стихийным, но разумным и подлинно человеческим процессам и в принятии личной ответственности за эти процессы видится психологическая альтернатива культу власти.

Мифология тоталитаризма

Объективно жизнь в тоталитарном обществе тяжела и опасна. Человека пугают внешними и внутренними врагами, ему действительно угрожают голод и внезапный арест. У него нет дома, имущество его сведено к минимуму, его связи с миром от него не зависят, и ничто в его жизни не гарантировано от вмешательства государства.

Осознать мир тоталитарной системы таким, каков он есть на самом деле, означает навсегда потерять спокойствие и уверенность в завтрашнем дне. Конечно, несмотря на глобальную ложь пропаганды, наиболее интересные и внутренне независимые люди сохраняют собственную точку зрения на общество и свою судьбу в нем. Как сказал О. Мандельштам, "я не смолчу, не заглушу боли, но начерчу то, что чертить волен". Сознание людей бесконечно труднее сделать одноукладным, чем их бытие. Несогласные есть при любой диктатуре. Перед ними два пути – героический путь борьбы с системой и своего рода аутизм, когда человек, вполне понимая, с кем имеет дело, старается уйти от любых контактов с обществом.

Но большинство избирает иной путь защиты – психологический. Чтобы избегнуть страха и боли, достичь внутреннего равновесия, человек готов идти на глубокие и радикальные искажения реальности. Разделив с властью ее картину мира, человек обретает не только надежду на выживание, но, что гораздо более важно, возможность счастья. Такой человек способен увидеть себя столь же абсолютным и всемогущим, как сама власть, частицей которой он себя чувствует: "Я знаю – город будет, я знаю – саду цвесть, когда такие люди в стране в советской есть!". Этот специфический опыт восторженного слияния с властью является, видимо, столь ценным и неповторимым, что и спустя десятилетия людям, его испытавшим, трудно отстраниться от этого переживания и отнестись к нему с критикой. Извне радостный энтузиазм тоталитарной личности кажется слепым и неразумным. Изнутри же он совершенен, полон смысла и не нуждается ни в каком рациональном обосновании, ни тем более в критике. Точно в такой же степени, в какой не нуждается в них детская игра.

Действительно, тоталитарное сознание, позволяющее человеку не видеть очевидного и верить в невероятное, во многом напоминает сознание ребенка. Фиксация чувств на родительских фигурах и неустойчивость эмоциональных оценок всего остального мира, некритичная зависимость симпатий и антипатий к людям от отношения к ним родителей – все это вполне естественно для маленьких детей. Собачка хорошая, пока не укусила; укусила – и стала плохой. Мальчик плохой, потому что дерется. Перестал драться, дал конфету, и стал хорошим. У взрослых этого быть не должно. Но подданные тоталитарных империй с легкостью и частично искренне проклинают как заклятого врага того, кто еще вчера был сторонником, соратником вождя. Они готовы видеть друга в том, от кого вчера ожидали нападения, и врага в потенциальном союзнике, как это случилось в СССР и в Германии в 1939 г.

Однако сводить тоталитарное сознание к отсталости и инфантилизму, как это порой делается, было бы слишком большим упрощением. В отличие от инфантильного сознания, которое постепенно выходит на реальность и потому со временем становится взрослым, тоталитарное сознание с реальностью не связано вовсе и, следовательно, не несет внутри себя возможности к изменению. Ребенок, которого пугают собаками, боится их не потому, что собака его когда-то покусала, а потому, что верит маме. Но, приобретя свой опыт общения с животными, он может выработать собственную оценку, независимую от отношения родителей. У взрослых, живущих при тоталитарном режиме, такой возможности нет: с объектами своей любви и ненависти – с вождями и врагами народа – они практически не соприкасаются. Серьезным исключением являются чрезвычайные обстоятельства. Во время войны или при иных чрезвычайных обстоятельствах (например, во время крупных стихийных бедствий), когда возникает мощное стихийное движение человеческой солидарности и требуется концентрированная организация исполнительной власти, тоталитарное сознание волей-неволей становится более реалистичным и потому частично разрушается. Не пониманием ли опасности этого процесса для власти была вызвана послевоенная волна сталинских репрессий?

Картина мира тоталитарного сознания не ограничивается отношениями между народом и властью. Она включает в себя и глубинные представления о причинности, о природе вещей, о времени, о человеке... Принятие этой мифологии – не только следствие пропагандистских манипуляций. Обеспечивая существенную психологическую выгоду, будучи кратчайшим путем к счастью в наличных условиях существования, тоталитарная мифология принимается добровольно и с благодарностью. Более того, даже когда от нее отказывается сама власть, носители мифологии, подобно наркоману, который уже не может жить без наркотика, держатся за привычные представления о мире.

Никакая мифология не имеет конкретного творца. Картина мира тоталитарного сознания тоже не имеет автора. Тираны не могут претендовать на это авторство. Скорее наоборот, сами они, какими мы их знаем, являются ее порождением. Являясь самой простой картиной мира из всех возможных, тоталитарная мифология не нуждается для своего создания ни в таланте, ни в специальной работе. Ее носители воспроизводят ее каждый для себя. По отношению к более развитым идеологиям – авторитарным, либеральным, демократическим – она как эмбриональная поза, которую мы иногда принимаем во сне. И при столкновении с неопределенностью или опасностью любое общество рискует регрессировать до этого уровня подобно тому, как каждый из нас, столкнувшись с трудностями жизни, не прочь снова оказаться маленьким мальчиком, о котором позаботятся отец и мать.

Носителями мифологии тоталитаризма являются люди, как принадлежащие, так и не принадлежащие к властной элите. Конечно, на каждом уровне социальной иерархии эта система представлений приобретает свои специфические оттенки. Однако мы постараемся описать основные элементы тоталитарной картины мира, не останавливаясь на специфике представлений различных социальных групп.

Вера в простой мир

Центральной характеристикой тоталитарного сознания представляется вера в простоту мира, в то, что любое явление может быть сведено к легко описываемому, наглядному сочетанию нескольких первичных феноменов. В психологии личности есть понятие когнитивной комплексности. Это мерность той системы координат, в которой человек описывает для себя других людей и все окружающее. Чем больше осей в этой системе, тем более сложную, противоречивую (а значит, тем более реалистичную) картину мира способен отразить субъект. Простая, одно-двухмерная модель приводит к тому, что случайные и многозначные связи между явлениями произвольно закрепляются, один вариант их объявляется правильным, все остальные – девиациями. Классическим следствием веры в простой мир являются национальные предрассудки, очень, кстати, характерные для тоталитарного сознания. Немец – значит, методичен и аккуратен, но педант. Китаец – значит, терпелив, трудолюбив. Русский – значит, добрый, великодушный, но пьет. Таких схем – немало, они широко известны.

Стереотипы могут быть позитивными или негативными – это зависит от конкретно-исторической ситуации и от носителя стереотипа, – но они всегда представляют собой фатальное обеднение реального многообразия мира, в том числе – любого этноса. Вера в простой мир не позволяет почувствовать ни собственную индивидуальность, ни индивидуальность близкого человека – попытка категоризации всех человеческих свойств и поступков по какой-либо несложной схеме сводит и сами отношения между людьми к реализации таких схем. Однако упрощение мира имеет не только очевидные нравственные, но и, может быть, менее очевидные политические последствия.

Вера в то, что мир в основе своей прост, приводит к распространению характерной для всех тоталитарных режимов негативной установки по отношению к знанию вообще и к интеллигенции как к его носителю, в частности. Если мир прост и понятен, то вся работа ученых является бессмысленной тратой народных денег, а их открытия и выводы – попыткой заморочить людям голову. Широчайшее распространение получает примитивная научно-популярная литература и просветительские лекции, которые, иллюстрируя архаичные стереотипы никому не нужными сведениями, способствуют выработке у читателя уверенности, что ему все ясно, за исключением того, почему в столь очевидных вопросах не могут разобраться специалисты. Представления о законах общественного развития приобретают просто карикатурный характер.

В отличие от рационалистической науки, которая отрицает непознаваемость, тоталитарное сознание не приемлет и непознанности. Мир не только прост, но и уже понятен. Любое непонятное есть злонамеренное запутывание стройного, не таящего уже никаких существенных тайн мира. Это не только стремление к тотальному контролю, но и своеобразная эстетика. Вспомним прозрачные слова в утопии Замятина, навязчивое повторение слова "светлый" в описании новых цехов, городов и т.д. (будто человек не нуждается, помимо света, и в полумраке, да и в полной темноте). Кстати, и герой набоковского "Приглашения на казнь" был осужден за страшное преступление – непрозрачность.

Ученый, да и любой грамотный человек, самим своим существованием отрицает эту примитивную "победу разума". Даже если он и не является политическим противником режима, к нему все равно относятся как к врагу, к чужому – он противник в вещах более серьезных, чем сегодняшние политические споры. С ним, хоть и приходится сотрудничать, надо всегда быть настороже и никогда нельзя доверять полностью. Недаром Сталин у Искандера презрительно и раздраженно называет Бухарина "нашим грамотеем". Для всех тоталитарных режимов характерна навязчивая апологетика "простого" человека, который "в университетах не обучался", но именно поэтому является носителем подлинной нравственности и добра.

Вера в простой мир ответственна за принятие катастрофических по своим последствиям управленческих решений. Носители этой веры не способны увидеть явление в единстве его положительных (например, полезных для человека) и отрицательных черт и тяготеют к однозначным оценкам, которые далеко не всегда уместны. Если уж что-то плохо, то оно во всем плохо, если хорошо – то тоже во всем. А следовательно, любое социальное событие или природный феномен должны быть объектами всемерной поддержки либо бескомпромиссной борьбы. Так, сторонники ленинградской дамбы не хотят видеть в столь многомерном явлении, как периодический подъем невской воды, ничего положительного, а в прекращении его – ничего отрицательного. Отсюда и вывод о борьбе с наводнениями любой ценой, причем борьба эта, как и во многих других ситуациях, видится не в поиске своего рода компромисса, возможности компенсации негативных последствий позитивными, а в уничтожении явления как такового.

Если мир прост, то действия, направленные на его улучшение, должны быть так же просты, если и не технически, то по идее. Нехватка воды решается поворотом рек, недостаток денег – печатанием новых, демографические проблемы – запрещением абортов, распространение инакомыслия – переполнением психбольниц.

И вполне закономерно, что из всех возможных решений тоталитарная власть, за редкими исключениями, с завидным постоянством выбирает наихудшие. Здесь, конечно, нет злого умысла – критерием выбора наряду со стремлением еще раз подтвердить величие власти (отсюда многочисленные циклопические сооружения и разнообразные "проекты века") была ориентация на простой вариант, не превышающий по степени сложности сложность картины мира тех, кто принимает решение. За простыми решениями стоит примитивное представление как о причинах проблем, так и о последствиях действий властей. Взаимосвязанность и взаимозависимость мира практически во всех его природных и социальных проявлениях игнорируются.

Иллюзия простоты создает и иллюзию всемогущества – любая проблема может быть решена, достаточно лишь отдать верные приказы. Результат, правда, обычно противоположен тому, к которому стремились, да и цена проводимых мероприятий во много раз превышает возможные выгоды, но и тут есть объяснение – козни врагов. Простая картина мира касается не только природы, но и общества. Она диктует особый способ решения социальных проблем, последовательно разделяя социум на наших и ненаших, хороших и плохих. К бесконечной борьбе между ними сводится фактически все историческое развитие. "Кто не с нами, тот против нас" – это не простая фраза, которую хотелось бы оставить в прошлом, это афористическое выражение идеологии простого мира. Ну, а если в мире нет ничего, кроме не допускающего полутонов, персонифицированного добра и зла, то неизбежны и те социальные эксперименты, которыми ужаснул нас XX век: целые народы объявлялись "ненужными" или вредными, одна группа населения уничтожалась для того, чтобы другой группе или ее отдаленным потомкам жилось лучше, а "неабстрактный" гуманизм сводил ценность человеческой жизни к нулю.

Эти кошмары в прошлом. Но и сегодня стремление видеть мир максимально простым деструктивно влияет на общество. Вместо анализа подлинных причин наших трудностей идет активный поиск врагов. Бюрократы и гидростроители, сионисты и кооператоры, масоны и неизвестно кто еще. Мы ни в коем случае не хотим сказать, что у перестройки нет противников или что они не представляют опасности. Однако возврат к детективно-романтическому способу объяснения социальных процессов не даст ничего, кроме повторения истории, и хорошо еще, если не в виде фарса!

Вера в простой мир проявляется и в отношении людей к политической системе, в предпочтении того или иного способа организации общества. Если мир прост, то нет нужды в неизбежно сложных и даже неповоротливых демократических процедурах. Характерно, что утописты предлагали не только предельно простую систему управления обществом, но и архитектура придуманных ими городов тоже тяготела к простым формам: в центре – дом правителя, остальные дома расположены по концентрическим окружностям, пересекаемым радиальными дорогами и т.д. Эстетика здесь явно подчинена политике – таким городом проще управлять, он доступен тотальному контролю, он красив при взгляде сверху.

Даже собственные структуры тоталитарная власть упрощает до предела. Задуманный как двухпалатный и, естественно, независимый, существовавший у нас в прошлом Верховный Совет СССР превратился в нечто предельно простое и безоговорочно подчиняющееся подлинной власти...

Простота власти означает и ее единство. Пропагандистское клише, декларирующее единство народа и власти, столь же обязательно в тоталитарной системе, как и портреты диктатора. Принцип разделения властей и прочие сложности чужды носителю тоталитарного сознания; подобно этому, для ребенка в детском саду добрая воспитательница есть гарантия от всех неприятностей. Объединение всего и вся представляется универсальным рецептом в лечении любой болезни.

Демократия – выборы, голосования, обсуждения – нужна тогда, когда мир сложен, а значит, решение как минимум неоднозначно. Когда же оно ясно и безальтернативно, нужен лишь вождь, мудрость которого позволит избежать ошибки, а сила – обеспечит претворение решения в жизнь. Может быть, если бы в конце 1979 г. структура афганского кризиса не казалась бы нашему руководству столь очевидной (тут друзья, там враги – поддержать друзей войсками), то были бы задействованы хотя бы зачаточные формы демократического обсуждения – по крайней мере толковая экспертиза!

Вера в неизменный мир

И власть, и народ тоталитарной системы изменяются, как и весь остальной мир. Социальное, культурное, техническое развитие можно затормозить или ускорить, но в общем оно идет, что бы с ним ни делать. Официальная идеология всех, кажется, тоталитарных обществ ориентируется на бурное развитие экономики, науки и техники, она подхлестывает это развитие всеми доступными ей пропагандистскими средствами. И однако обиход тоталитарного общества поражает своим консерватизмом. Это хорошо известно на примере советского общества прошлых лет. Все элементы общественной жизни – лидеры, институты, структуры, нормы, стили – застыли в неподвижности. Новации быта и культуры игнорируются до тех пор, пока не импортированы в таких количествах, что воспринимаются как давно известные. Изобретения не используются, открытия засекречиваются. Паспортная система привязывает людей к месту жительства, а трудовое законодательство благоприятствует тем, кто всю жизнь провел еще и на одном и том же рабочем месте. Стабильность цен и доходов вопреки здравому смыслу преподносится как достижение власти. Нелегко понять, как все это сочеталось с экономикой насильственного рывка и "преобразующей мир" теорией социальной революции.

Явное противоречие между непрестанной борьбой за торможение прогресса и провозглашаемыми целями всестороннего развития убеждает нас в том, что борьбой этой движет глубоко бессознательная, иррациональная система верований, надежд и предпочтений. Вера в неизменность мира, подобно вере в его простоту, не ограничивается искажениями социальной реальности, а активно навязывает себя, формирует реальность по усвоенным раз и навсегда эталонам. Вера в то, что власть и общество неизменны, что они были созданы раз и навсегда в нулевой точке великой революции, ведут, естественно, к систематической подчистке истории. Реальные изменения, которые претерпело общество, отрицаются или же объясняются, подобно нэпу, временным отступлением от генеральной линии, которая всегда была одной и той же. В романе Оруэлла "1984" Министерство правды занято тем, что изменяет все экземпляры правительственной газеты "Таймс" за все годы выпуска в соответствии с каждым новым изменением политического курса. Когда Истазия из противника стала союзником, а Евразия, наоборот, противником, то газеты прошлых лет стали рассказывать, что всегда было так, как сейчас.

Название правительственной газеты у Оруэлла символично. Режим чувствует себя полным хозяином самого времени, хранящего правительственную правду в соответствии с желаниями правительства. Время оказывается иллюзорным, тягучим, обратимым и циклическим, в нем все повторяется, все имеет свои прототипы. Хорошо то, что уже было. Сталин – это Ленин сегодня. Нынешняя "Память" является запоздалым пережитком этого средневекового отношения ко времени.

Прошлое в тоталитарном сознании имеет точное начало, отмеченное приходом к власти действующего режима. Будущее, наоборот, неопределенно и отложено в бесконечность. Благодаря отсрочке в будущее далекие цели и несбыточные планы совмещают идеалы общественного прогресса с окостенелой нравственностью. Жизнь сегодня объявляется несущественной в сравнении со счастьем будущих поколений.

В 1983 г. ленинградский социолог А.Н. Алексеев был исключен из партии за то, что проводил среди рабочих опрос на тему "Ожидаете ли вы перемен?". Сам вопрос о переменах был недопустимым нарушением молчаливого соглашения между привыкшими друг к другу властью и обществом. Все существующее разумно; как было, так и будет; лучшая новость – отсутствие новостей... Именно такое отношение к переменам, времени, истории было и у многих из нас. Даже естественное понимание того, что вожди-долгожители тоже смертны, не связывалось с возможностью изменений. Да и было ли оно, это понимание?

Вожди, видимо, старели, но их портреты не менялись. Фантастическая история Дориана Грея сотни раз осуществлялась в нашей действительности в перевернутом виде. Там портрет, старея, расплачивается за грехи человека; у нас же символ оказывается настолько важнее реальности, что совершается новое чудо и человек воспринимается как вечный нестареющий символ. С Брежневым это не удалось – телевидение помешало, – а Сталина люди десятилетиями воспринимали как человека одного и того же, 50-летнего возраста зрелости и мудрости.

Все, что мы знали о вождях, было направлено на то, чтобы внушить нам если не уверенность в их бессмертии, то максимально отсрочить в нашем сознании этот досадный источник нестабильности, – кажется, единственный, который не смогла преодолеть система. Евгения Гинзбург в "Крутом маршруте" вспоминает, что, услышав по радио бюллетень о состоянии здоровья Сталина, она испытала странное чувство: у него, оказывается, есть моча... Шок, охвативший тогда страну (сейчас демографы вполне серьезно говорят о том, что спад рождаемости в 1954 г., возможно, объясняется реакцией на смерть отца народов), связан с полной неожиданностью этой смерти после десятилетий правления, казавшегося вечным. В тоталитарном сознании неизменность мира может обеспечить только бессмертие вождя. Эта абсурдная вера лишь продолжает культ власти, доводя до логического предела идеи исключительности и всемогущества первого руководителя. Не исключено, что сами лидеры разделяют эти идеи, хотя никто не узнает о том, до какой степени они осознают их. Не случайно, наверное, что мало кто из руководителей тоталитарного толка позаботился о преемнике.

Вера в неизменность мира влечет недоверие к переменам. Сейчас мы наблюдаем этот феномен и слева, и справа. Для одних реформы – это иллюзия, кажимость, косметика, а на самом деле все остается по-старому. Для других перемены – искривление все той же линии, и рано или поздно все опять пойдет как было. Психологи знают, что обыденное сознание вообще склонно переоценивать инвариантность и предсказуемость человеческих поступков, недооценивая в то же время влияние ситуации и внутреннюю способность к развитию. Подобные установки действуют и в политике. От человека, бывшего не более чем аппаратным работником и, вероятно, причастного к мерзостям старой власти, ждут повторения того же. Подобные ожидания, являющиеся прямым следствием веры в неизменный мир, повисают тяжелыми гирями на ногах тех, кто пытается изменить его, и могут стать оружием в руках противников. Дурную службу сослужили они Н.С. Хрущеву, разоблачения которого поневоле ограничивались собственной его причастностью к террору.

Каждый человек имеет право на раскаяние, на изменение самых коренных своих установок, на развитие. Не отказывая в этом праве преступникам, общество тем более не может отказывать в нем политическим деятелям.

Вера в справедливый мир

Вселенная тоталитарной личности подобна яйцу и состоит из двух резко отличных друг от друга частей, вложенных одна в другую[1]. Во

---

[1] Читатель, знакомый со структуралистской мифологией К. Леви-Строса, увидит здесь ассоциацию с характерной для нее оппозицией природы и культуры и с

внешней царствует первичный хаос: дикость, агрессия, эксплуатация, безработица, стихия конкуренции и чистогана, нищета хороших людей и пороки денежных тузов. Внутренняя часть, наоборот, упорядочена и мудро организована. В ней был бы совсем идеальный порядок, если бы внешнее окружение на нарушало его своими постоянными, но всегда неожиданными вмешательствами. Имен у порядка много: мудрость вождей, советские плановая экономика и социальная защищенность, немецкие превосходство расы и Ordnung über alles...

Интегральным понятием для обозначения этого социального порядка является справедливость. Царство справедливости, бывшее предметом тысячелетних утопических мечтаний, осуществляется в каждом тоталитарном режиме. Коммунизма еще нет, построить его мешает окружение, но социальная справедливость уже достигнута. Справедливость – для всех! Правда, сразу находятся люди, которые по специальным причинам не достойны воспользоваться плодами всеобщей справедливости. Их выделяют в особую вакуоль, в которой действуют особые законы и особые совещания. Вакуоль разрастается, все больше подпирает границы самого желтка... Но нас интересуют те, кто живет в пространстве тотальной справедливости, между внешним окружением, где царствует хаос, и ядерной вакуолью, в которой правит закон концлагеря.

Озабоченность людей справедливостью по своей силе и всеобщности трудно сравнить с каким-нибудь другим человеческим мотивом. Даже о самосохранении или о продолжении рода многие люди, общества, целые исторические эпохи проявляли куда меньше заботы. Именем справедливости совершались самые добрые и самые чудовищные дела.

Как правило, массовое сознание, и не только в тоталитарных системах, рассуждает так: раз человека настигло несчастье, значит, он сам в этом виноват. Для обоснования этого убеждения могут отрицаться очевидные реальности. Вера в справедливый мир – так назвал этот феномен канадский психолог М. Лернер. В одной из его работ испытуемые наблюдали опыты, которые проводились с другим человеком. Для подкрепления обучения применялись удары тока, которые доставляли студенту очевидную боль (на самом деле, конечно, эти реакции разыгрывались). Одни испытуемые могли по своему усмотрению изменить процедуру обучения, заменив наказания током на определенные вознаграждения, и все они, в самом деле, воспользовались такой возможностью. Другим же она не была предоставлена, и жертва "обучения" продолжала страдать у них на глазах. После завершения процедуры испытуемые выражали свое мнение о характере, взглядах и способностях обучавшегося. Те испытуемые, которые смогли облегчить участь жертвы, относились к ней лучше и описали более благоприятно, чем те, которые были бессильны ей помочь. Последние в своих оценках продемонстрировали довольно резкую антипатию к жертве эксперимента, как будто она действительно заслуживала свою судьбу.

Подобная вера ведет к признанию справедливости любого наказания, фактически к оправданию любого проявления силы и власти.

мифом о мировом яйце. Вероятно, в тоталитарном сознании, действительно, всплывает архетипический материал, выполняющий в нем структурообразующую функцию. Более серьезная разработка этих аналогий могла бы составить предмет специальных исследований.

Известно, что в годы фашизма многие немцы либо отрицали факты массовых убийств, либо же верили в то, что люди, которых посылали в лагеря смерти, этого заслуживали. Однако опросы, проводившиеся в те годы в США, показали, что и американцы в определенной степени придерживались сходных оценок, хотя и подвергались противоположной пропагандистской обработке. Так, преследования нацистами евреев породили в США не сочувствие к их жертвам, а определенный рост антисемитизма. Вероятно, подобной же причиной, наряду с другими факторами, объясняется вспышка государственного антисемитизма в СССР после уничтожения гитлеровского нацизма. Как сказал В. Тендряков, "давно замечено – победители подражают побежденному врагу". Социологи отмечали сходные механизмы в восприятии американцами сообщений о жестокости своих солдат в годы вьетнамской войны: их соотечественники, не считаясь с логикой, полагали, что, "во-первых, этого не может быть, а, во-вторых, вьетнамцы этого заслуживают".

Образ справедливого мира неизбежно централизован, он предполагает наличие высшей инстанции, которая осуществляет справедливость независимо от личной воли и усилий конкретных лиц. Идея "справедливости для всех" по логике вещей предполагает разделение общества на мудрых и всесильных субъектов этой справедливости, которым дано ее осуществлять, защищая своих подданных от первичной несправедливости окружающего мира, и рядовых граждан, на долю которых остаются вера и идеи. Так "справедливость для всех" оборачивается несправедливостью для большинства.

Искусство дает множество примеров того, как в желании достичь нереальной всеобщей справедливости осуществлялись акты конкретной личной несправедливости. В Книге Бытия друзья Иова в своем желании доказать справедливость Господа были несправедливы к Иову. Сальери отравил Моцарта ради восстановления правды на земле "и выше". Точно такие же, только в сотни и миллионы раз более масштабные действия осуществляли диктатуры всех времен и народов. Как бы ни представляли себе будущее общество тотальной справедливости Робеспьер и Гитлер, Сталин и Пол Пот, для ее достижения все они одинаково считали себя вправе осуществлять "отдельные" ее нарушения. Сегодня даже массовое сознание начинает критически относиться к этому праву власти. "Революция, ты научила нас верить в несправедливость добра", – поет рок-группа "ДДТ".

И действительно, вера в справедливость – поистине трагическая для человеческой истории особенность массового сознания. Не этой ли верой объясняется непостижимое отсутствие сочувствия к жертвам политических процессов и массовых репрессий 30–50-х годов, которое до сих пор не находит у историков более разумного объяснения, чем "сталинский гипноз"? Вера в доброго царя – политическая разновидность веры в справедливый мир – обостряется тогда, когда власть становится особенно жестокой, политика – непонятной, а жизнь опасной. Для того и завинчивают гайки, чтобы винтики не болтались, а твердо сидели на своих местах. Твердо и – добровольно.

Если моего отца или мою жену, друга или соседа, любимца партии или точно такого же мужика, работягу, студента, как и я сам, – если их всех убрали из жизни несправедливо, если они ни в чем не виноваты, то ведь то же самое в любую минуту может случиться со мной! Нет, этого не может быть; значит, они в чем-то виноваты, их наказали справедливо, и, следовательно, меня не накажут, потому что я-то знаю, что ни в чем не виноват. Вера в доброго царя тем больше, чем больше страх перед его карающей дланью. Как писал Некрасов:

Люди холопского званья
Сущие псы иногда.
Чем тяжелей наказанье,
Тем им милей господа.

Дело здесь не только в страхе, но и в действительной невозможности или крайней трудности любого адекватного действия. Ведь несправедливость, происходящая на моих глазах, призывает вмешаться, помочь страдающему, бороться за справедливость. Восприятие несправедливости – один из важнейших стимулов социальной активности. И наоборот, вера в то, что все происходит правильно, законно, в соответствии с высшими и с моими собственными интересами, освобождает человека от личной ответственности – чувства, которое в условиях тоталитарной власти наказуемо более всех остальных.

Увы, непредсказуемая жестокость может быть надежным способом вызвать веру в справедливость власти. Складывается чудовищный круг, в котором жестокость власти вызывает доверие народа, а всеобщая вера в справедливость репрессий влечет все большую их жестокость. Чтобы вырваться из него, раз в него попав, нужны необычные мудрость и мужество. Вспомним библейского Иова...

Надеяться на всеобщую справедливость Бога или власти куда проще, чем осознавать личную ответственность за собственную позицию, за то, что происходит в непосредственном окружении каждого из нас, за то многое или немногое, на что мы реально можем влиять. При этом дополнительные "затраты" на то, чтобы видеть жизнь как она есть, вовсе не должны окупаться. Думать, что более трудная жизнь человека, не разделяющего иллюзий большинства (например, веру в справедливость), в конце концов будет вознаграждена, что ему "воздастся сторицей", – значит, подпасть под ту же самую ошибку, от которой он хотел бы быть свободен. Мужество и реализм имеют самостоятельную ценность, они не вознаграждаются и не нуждаются в вознаграждении.

Вера в чудесный мир

В наибольшей степени оторванность тоталитарного сознания от реальности проявляется в вере в чудесные свойства мира. Исчерпывающий образ мира, в котором чудеса сбываются наяву, нечто появляется из ничего, а причинно-следственные связи нарушаются, подчиняясь воле энтузиастов, дал А. Платонов в "Ювенильном море". Пастухи в пустыне, не имея даже гвоздей, строят ветряную электростанцию, которая разом решит все их проблемы. Ветряк строится с помощью чуда и должен творить чудеса. Только таким образом можно выполнить план по мясу и молоку, который настолько не связан с реальностью, что сам фактически является планом чудес. Планирование чудес было заурядной практикой сталинских пятилеток. Завышенные планы корректировались в сторону увеличения и после провала констатировался успех. "Мы рождены, чтоб сказку сделать былью".

Осуществляя индустриализацию, власть была кровно заинтересована в создании культа техники. Чудесам прогресса придавались магические свойства, которые должны были разом оправдать вложенные в них более чем реальные затраты, превосходящие всякие разумные границы. Заурядные для XX века технические явления становились некими сакральными предметами, напрямую связанными с величайшими святынями культа власти. Лампочка Ильича, Беломорканал им. Сталина, самый большой в мире самолет "Максим Горький", который недолго летал... Нужные и ненужные, завоевания технического прогресса несли в каждый дом веру во всемогущество власти и должны были восприниматься людьми именно в этом магическом качестве.

Конечно, индустриализация, внедрение невиданной техники при любой системе порождают психологические проблемы. Встречались в истории и страх, и недоверие, и агрессия. Где-то разрушали машины, где-то отказывались от них, видя в технике воплощение сил зла. Однако американский фермер находился в совершенно иных, чем советский колхозник, отношениях с машиной, даже если они оба в равной степени не понимали ее устройства. Фермер сам покупал и распоряжался ею, сам был потребителем произведенных с ее помощью благ. Он был хозяином, у него были свои цели, а машина была всего лишь средством. В таких условиях обожествление техники, а значит, и возлагание на нее неоправданных надежд было маловероятным чудачеством. Русскому же мужику предлагалось увидеть в тракторе возмещение всех понесенных им безмерных потерь, а сам он оказывался одушевленной деталью этого трактора. В этой ситуации ему ничего не оставалось делать, как либо протестовать против навязанного ему божества, либо поверить в него. Выживали те, кто поверил.

Однако кредит этой веры небесконечен. Вот уже трактора есть в каждом колхозе, а изобилия не видно. Власти приходится обещать новые чудеса. Электрификация, химизация, яровизация, мелиорация... В значительной части рациональные, вполне оправданные в иных условиях, дела эти неизменно превращались в свою противоположность, когда использовались в качестве средств легитимизации власти, а не повышения эффективности земледелия.

Власть стимулирует и эксплуатирует веру в чудесный мир, но вера эта существует и вне культа власти, и вне культа техники. Искренний утопизм Циолковского и Федорова, Хлебникова и Филипова, Чаянова и Вернадского стал памятником этой вере, лежащей в самой глубине революционной идеологии и вовсе не чуждой научному взгляду на мир. Человек-творец, сливаясь с новой властью, строит невиданное общество. Фантасмагория Булгакова донесла до нас образ разложения этой мажорной веры. Всемогущество властной силы сопоставлено с беспомощностью реального человека, абсолютно отчужденного от современной ему социальной жизни и надеющегося лишь на вовсе абстрактное, никак не соотнесенное с реальностью чудо: "Рукописи не горят". Удивительное ощущение узнавания, которое пережили в конце 60-х годов читатели "Мастера и Маргариты", было связано не с бытовой стороной романа, а с сущностными характеристиками тоталитарной системы, где постоянно происходят чудеса столь страшные, что добра и справедливости можно ждать не от Бога, который, видимо, отвернулся от людей, но от дьявола.

Сами мы застали поздний этап перерождения веры, когда уже и власть, и техника, и официальная культура не только потеряли свою чудотворную силу, но вообще перестали привлекать к себе внимание и надежды. Распад тоталитарного сознания, шедший в брежневскую эпоху, был отмечен необыкновенным расцветом иррациональных верований – йоги, кришнаизма, столоверчения и пр. Ходили слухи об экстрасенсах, выполняющих функции Распутина при дряхлеющих диктаторах последнего поколения, и все мы верили этим слухам. Разрушение монотеистического культа власти при сохранении инфантильной потребности в чудесах имело закономерным следствием появление множества самых замысловатых суеверий и легковерий. Нынешняя охота на масонов представляет собой воспалившийся рудимент этой мифологии.

Надо сказать, что в карикатурно-мистическом виде описывалась и роль партии в жизни общества. Постоянное противопоставление ошибок и преступлений руководителей некоей имманентной правоте, присущей линии партии, превращает саму партию из политической организации в магическую силу. Она вездесуща, как божество, анонимна, таинственна и всесильна. Ее вмешательство должно автоматически решать все проблемы. "Советские люди знают: там, где партия, там успех, там победа!"

Но у веры в чудесный мир есть и более тонкие проявления, отнюдь еще не преодоленные. Во многих культурах древности огромное значение придавалось самому имени божества. Некоторые народы верили, что произнесение имени нечистой силы дает власть над ней. Другие, наоборот, считали, что безопасность гарантируется умолчанием, неназыванием определенных имен и слов. За всем этим стоит представление о том, что слово само по себе может изменить реальность. Как это ни удивительно, с чем-то подобным мы то и дело встречаемся в обыденной жизни. Замалчивание одних сюжетов и навязчивое повторение других отражало примитивную веру тех, кто ведал пропагандой, что частота употребления определенных слов влияет на граждан больше, чем все остальное, что они видят. Достаточно молчать об Афганистане, и война в нем станет как бы несуществующей. Пожалуй, и некоторые иллюзии всем нам дорогой гласности имеют сходный источник. Рассказать о дурном, хотя это и необходимо, так же недостаточно для того, чтобы изменить его, как недостаточно молчать о нем для того, чтобы его не стало.

Вера, надежда, любовь

Вера определяет характер воспринимаемого мира. Если мир оказывается все же иным и исказить его в соответствии с верой невозможно, в дело включаются иные механизмы. Вера тоталитарного сознания дополняется надеждой и любовью. Когда в определенной эмпирической ситуации мир является человеку пугающе сложным, непонятно меняющимся, несправедливым, не производящим нужных чудес, остается надежда на то, что все это лишь временное и случайное отступление от подлинной сущности бытия. С другой стороны, вере и надежде сопутствует любовь – высокая и пристрастная оценка именно тех вариантов бытия (т.е. форм человеческого поведения, общественных институтов, художественных произведений и всего остального вплоть до явлений природы), которые соответствуют первичным верованиям. Простое предпочитается сложному, старое – новому, чудесное – обыденному. В результате действия этих усиливающих друг друга социально-психологических механизмов верования тоталитарного сознания не просто искажают реальность, они преобразуют ее. Считая, что мир должен быть именно таким, каким он видится – простым, справедливым, неизменным и чудесным и никаким иным, – носители тоталитарного сознания подгоняют реальность под свои представления. Система имеет для этого массу возможностей.

Легче всего реализуется любовь к простоте. Мир – теперь уже реальный мир, а не представления о нем – катастрофически упрощается, становится везде одинаковым. Города, строящиеся по единому плану, похожи друг на друга. Национальное своеобразие объявляется выдумкой реакционеров, на деле подавляется. Сельское хозяйство регионов становится монокультурным, во всех озерах бескрайней страны акклиматизируется один и тот же сорт рыбы.

Осуществить тотальную справедливость разумным управлением обычно не удается. Тут, чтобы подогнать реальность под нормативные представления о ней, власть идет на прямое насилие. Несправедливы увечья и нищета тех, кто стал инвалидом, защищая Родину, – Сталин предает их забвению. Несправедливы привилегии начальства в разоренной войной стране – дачи обносятся заборами, зато упоминание о пайках и распределителях становится государственным преступлением. В результате таких хирургических операций факты несправедливости в сознание не попадают и эмпирическая реальность на самом деле кажется более справедливой. Сейчас видно, насколько глубоко укоренились подобные представления. Многие люди даже сообщения о железнодорожных катастрофах воспринимают как доказательство разрушения царства справедливости, когда поезда с рельс не сходили, а ураганы и тайфуны обращали свою разрушительную силу исключительно против наших классовых врагов.

Мы уже говорили о том, что вся практика тоталитаризма направлена на превращение динамичного и меняющегося мира в неизменный, застывший. Приходится признать, что в известных пределах это удается – жизнь не меняется, кошмар вечен. Символично, что на бутафорской железнодорожной станции, сооруженной гитлеровцами на въезде в Треблинку, висели бутафорские же часы. Нарисованные стрелки всегда показывали одно время – время в Треблинке остановилось!

Однако никакая власть не может отменить законы природы, сделать мир чудесным. Представление о волшебстве мира и о главном волшебнике – власти разрушается при столкновении с действительностью. Сталин обещал выиграть войну "малой кровью, жестоким ударом", то есть чудом. За победу же пришлось заплатить цену, сравнимую лишь с масштабностью преступлений самого Сталина. Чудо есть нарушение законов сохранения, из ничего делается нечто. На какое-то время чудо можно заменить фокусом. Однако обман не может быть долговременным – цифры потерь в войне, несмотря на их засекречивание и преуменьшение генералиссимусом, в конце концов обнародуются. Чуда не было, была некомпетентность, трагедия, был и есть мир, законы которого сильнее воли любого сверхчеловека.

Стремление упростить мир, создав удобную для обзора сверху экономическую систему, в которой все запланировано и контролируемо, приводит на деле к невероятному хаосу, в котором не могут разобраться не только вожди, но и самые компетентные специалисты. Конечно, чем более замкнут мир тоталитарного режима, тем дольше можно морочить людям голову. Главное – лишить их возможности проверить то, что им говорит вождь, соотнести это с реальностью. Там, где есть тайна, возможно чудо. Делая тайну из всего, власть делает чудо возможным всюду. Рудименты этого порядка сегодня, к сожалению, встречаются на каждом шагу. На соках, например, пишут не тот состав витаминов, которые в них есть, а тот, который должен быть в соответствии с инструкциями, едиными для всех заводов всей страны. Это не только обман – лабораторные анализы вообще не делаются, их считают ненужными. Точно так же воспроизводятся без всякой связи с реальностью установленные когда-то курсы валют, которым должно, видимо, верить население. Но оно не верит. Главным врагом тоталитарной власти являются не агрессоры, заговорщики и диссиденты, а сама природа. Природа вещей и природа людей.

Тоталитарная личность

И все же власть меняет и природу, и людей. Избирательные репрессии, подбор и расстановка кадров, воспитание народа ведут к тому, что новая политическая система создает новый психологический тип, который становится доминирующим в обществе[1]. Ключевые посты в партии, в управлении страной, в армии, в органах информации, в школах занимают люди, более всего соответствующие практике тоталитаризма, поддерживающие ее и готовые ее осуществлять. Кадровая политика диктатуры способна в исторически короткий период времени сменить людей, стоящих на многочисленных уровнях власти, и привести их типаж в соответствие идеологии, а в еще большей степени – практике руководства в новых условиях. Одновременно наблюдается и обратное влияние – люди, сформированные властью, требуют от властной элиты соответствия тоталитарному канону. В условиях стабильности это влияние вряд ли существенно, но в период социальных изменений, особенно реформ сверху, это консервативное давление может оказаться мощным фактором торможения.

Любовь к власти, столь характерная для тоталитарного сознания, не есть властолюбие. Если бы кадры режима стремились к власти, они извели бы друг друга в конкурентной борьбе. Это характерно для смут-

---

[1] Вскоре после крушения нацизма группа психологов и социологов, собравшаяся вокруг Т. Адорно и ставшая известной под названием франкфуртской школы, ввела в науку понятие авторитарной личности. Характерными для этого типа личности признавались преклонение перед властью, отсутствие сомнений в ее правоте, привычка и любовь к подчинению вышестоящим наряду с жестокостью и нетерпимостью к нижестоящим. В свете того, что мы знаем теперь о тоталитарных режимах Запада и Востока, идеи франкфуртской школы представляются недостаточными. Существующее в политологии различение авторитарной и тоталитарной власти дает возможность более полного понимания психологического, т.е. в конечном счете кадрового обеспечения режима.

ных времен начала и конца режима, но не для ясного дня его расцвета. Тут лидер – вне конкуренции. Тоталитарная личность при всей привлекательности, которую имеет для нее власть, к ней не стремится. Режим подбирает и воспитывает такие кадры, которые совмещают страстную любовь к власти с полным отсутствием собственного стремления к ней. Культ власти включает в себя глубокое убеждение подданных, что власть настолько сложная, ответственная и прекрасная вещь, что справиться с ней может только человек необыкновенных, нечеловеческих способностей. Если власть представляет собой сверхценность, то обладать ею достоин только сверхчеловек. Простые же люди, т.е. все члены общества, кроме вождей, обязаны отказаться от всяких притязаний и мечтаний о власти. Любые проявления такого рода рассматриваются как карьеризм и амбиции. Они подлежат наказанию и являются безусловным противопоказанием к тому, чтобы проявивший их человек был бы повышен по службе. Преступлением Троцкого были именно притязания на власть, и до сих пор властолюбие ставится ему в вину, хотя, казалось бы, в нормальной политической системе нет ничего естественнее для деятеля такого масштаба[1].

Идеологический код, как мы видим, не отличался разнообразием...

В начале нашего столетия один из первых реформаторов психоанализа А. Адлер признал влечение к власти основной движущей силой человеческого поведения. У тоталитарной личности стремление к власти вытесняется в бессознательное. Тем сильнее ее восторг и вера в божественность тех, кто обладает властью. В этом коренное психологическое отличие тоталитарного режима от других типов власти. Любая политическая система, озабоченная своей эффективностью, позволяет человеку открыто выразить свое стремление к власти и поощряет конкуренцию за нее, основанную на сравнении деловых качеств претендентов. В противоположность этому для кадровой политики тоталитарного режима главным достоинством человека оказывается скромность. "Скромность" была великолепным штрихом в парадных портретах Сталина и Брежнева, она почти неизменно фигурировала в восхвалениях и некрологах больших и малых вождей, путь и образ жизни которых были, конечно, более всего далеки именно от скромности. Культ власти оказывается и культом скромности.

Скромностью в данном случае называется поведение, создающее у вышестоящего начальника уверенность в том, что нижестоящий не хочет занять его место. Не просто притворяется, а искренне не хочет, считает себя недостойным. Человеку трудно притворяться, тем более что начальник не глупее подчиненного, сам был на его месте и имеет богатую информацию о его поведении. Поэтому при прочих равных условиях преимущество получает тот, кто действительно или по крайней мере на уровне своего сознания не желает повышения по службе.

Создавая культ "скромности", власть играла на этических принципах, восходящих к крестьянской общине. До сих пор мы не осознали полную неприемлемость этих принципов для современных производственных отношений. И сейчас еще самовыдвижение в профком или в

---

[1] Мы не хотим оценивать здесь ни идей, ни личности Троцкого, но считаем, что уважения заслуживает уже сам факт многолетней борьбы против сталинского режима всеми доступными ему средствами.

совет трудового коллектива раздражает и шокирует, а самовыдвижение в депутаты, ставшее реальным при новой избирательной системе, оказалось не самым верным способом победить на выборах. И сейчас способного человека, стремящегося продвинуться, мы порой осуждаем более строго, чем бездаря, занимающего чужое место. И сейчас человек, которого рассматривают как претендента на повышение в должности, делает все, чтобы никто не подумал, что он что-то для этого сделал, что он этого хочет и даже что он это знает: решение начальства должно упасть как дар с небес.

Министерство любви

Любовь к вождю представляется нам наиболее последовательным воплощением тех искажений картины мира, которыми живет тоталитарная личность. Чары еще живы. Немалое число наших современников, несмотря на все разоблачения, продолжают испытывать по отношению к Сталину чувства поклонения и любви. А еще важнее то, что есть люди, равнодушно относящиеся к личности генералиссимуса, но готовые отдать свою преданность новому тирану, под каким бы обличьем он ни появился. Это не просто мечта о сильной власти, это мечта о любви к ней.

Конечно, искать рациональные объяснения любви одного человека к другому бессмысленно, вопрос: "за что ты ее (или его) любишь?" – не имеет ответа. Однако в межличностных отношениях крайне редко встречаются случаи, когда страстную и устойчивую любовь вызывает тот, кто постоянно унижает, грабит, избивает и эксплуатирует тебя. Такого рода случаи скорее относятся к компетенции психиатрии. Любовь же народа к диктатору – явление слишком распространенное, чтобы просто отмахнуться от него, отнеся к "таинственным явлениям человеческой психики" вроде гипноза или массового психоза.

Любовь является исключительно важным механизмом установления и поддержания тирании. Вождя не просто боятся, не просто признают его власть разумной и целесообразной – его любят, боготворят. Если насилие предстает в качестве необходимого условия утверждения диктатуры, то любовь составляет основу ее стабильности. Власть основывается уже не только на развитой системе слежки и подавления, не только на усилиях идеологов. Граждане, несущие на себе весь груз последствий некомпетентной (а в отсутствие обратных связей она неизбежно становится таковой) и жестокой политики диктатора, сами и охраняют его и всю его систему от малейших проявлений недовольства и тем более от враждебных действий. Охраняют фактически от самих себя. Обеспечив себе любовь народа, вождь получает индульгенцию за любые преступления и ошибки, априорную благодарность за все, что бы он ни совершил. Иными словами, он получает абсолютную власть. Гнев народа может обратиться на внутренних или внешних врагов, на бояр или чиновников, но никогда – на его священную особу. Ему не грозит восстание, ему грозит только дворцовый переворот.

Понимая, что любовь – основа их власти, диктаторы заботятся об отношении к себе больше, чем об экономике, жизненном уровне населения и даже обороноспособности, вместе взятых. Здесь и старательное формирование соответствующего образа – от сусальных рассказов о юношеских годах кровавого палача и его портретов с ребенком на руках до эпических полотен, повествующих о его неустрашимости, гениальности, прозорливости. Здесь и прямые требования любви. Вспомним, что гитлеровские юристы объявили любовь к фюреру юридической категорией. Нелюбовь к нему стала преступлением. Оруэлл в "1984" недаром назвал свой вариант НКВД или гестапо Министерством любви. Это не только смешение всех понятий в условиях диктатуры, это и демонстрация того, что тираны требуют не столько послушания, сколько искреннего и страстного чувства.

Гигантский аппарат, созданный Сталиным, как к делу государственной важности относился к уничтожению тех, кто, не планируя никаких действий или не имея возможности их совершать, мог просто не любить вождя и созданное им государство. Об этом говорят многочисленные случаи репрессий не только за анекдоты и критические высказывания, но даже и за случайные описки и оговорки в газетах. Возможно, в этом и впрямь независимо от воли субъекта прорывалось его подлинное, не всегда даже осознанное отношение к окружающему. Объектом "работы" органов, таким образом, было не поведение – с ним в большинстве случаев все было в порядке, – а именно чувства людей, о которых они судили с изощренностью доморощенных психоаналитиков. Собственно, и преступлением жен и детей "врагов народа" было то, что у них были основания не любить лучшего друга всех на свете.

Любовь народа дает власти куда большую уверенность, чем бронированные автомобили и неразвитость политических структур, лишающая людей возможности вмешаться в диалог диктатора с историей. Лившийся на Брежнева поток наград, развлекавший нас в 70-е годы, был, может быть, не только данью его тщеславию, но и наивной и смешной попыткой убедить его и всех нас в том, какой он великий человек, "уговорить" полюбить его. То же требование любви находим мы и на нижних этажах социальной иерархии. Любви добиваются – и, главное, карают за нелюбовь – декан и бригадир, учитель и завбулочной: каждый, имеющий власть над людьми. И если подчиненный не хочет неприятностей, он должен убедить начальника не только в своей дисциплинированности, квалификации и прочих полезных качествах, но и в положительных чувствах по отношению к нему, начальнику.

От магии к реализму

Объективно тоталитарная власть одна и та же для всех. Подданные равны в бессилии и бесправии. Но восприятие власти, психологический смысл государства для индивида мог быть разным: более реалистическим или, наоборот, более культовым и магическим. В субъективном образе власти, формирующемся у каждого человека, которому довелось жить в тоталитарном обществе, сосуществуют три способа объяснения своих взаимоотношений с властью: любовь, согласие и насилие.

Полного успеха в манипуляции сознанием, а значит, и всеобщей любви к диктатору, власть добивается далеко не всегда. Люди живут не в инкубаторах, совсем перекрыть контакты человека с миром не удается, а значит, и вера тоталитарного сознания в большинстве случаев не абсолютна. Характерно, что люди физического труда, непосредственно сталкивающиеся с непреложными законами природы, в целом более устойчивы по отношению к тоталитарной демагогии, чем многие интеллигенты, умудрившиеся прожить в мире текстов и без особого стыда говорящие о своей прошлой вере в вождя. Крестьянин поверит в таинственных вредителей на заводах или в правительстве, в хаос, царящий за пределами священных рубежей, но он никогда не согласится с тем, что урожай может удвоиться благодаря мудрым указаниям сверху. Чем больше реальности, тем меньше любви к вождю.

Но и только на силе режим стоять не может, во всяком случае, не может стоять долго. Недаром Наполеон говорил, что на штыках можно прийти к власти, но на них нельзя сидеть вечно. Даже оккупационные режимы стремятся создать структуры власти, включающие частичное самоуправление, чтобы хоть немного сузить зону применения прямого насилия.

Аппарат насилия может быть задействован в любой момент. Но власть всегда заинтересована в том, чтобы люди не сопротивлялись. Хлебные поставки начала 30-х годов, разорившие крестьян не меньше продразверстки, осуществлялись в большинстве случаев без использования войск. На любое сопротивление предусмотрен свой механизм функционирования тоталитарной системы. Даже "работа" Треблинки была организована таким образом, чтобы максимально оттянуть момент понимания, – люди осознавали, что их ведут на смерть, лишь непосредственно перед дверьми газовых камер. При малейшем сопротивлении, нарушении ритма Треблинка просто захлебнулась бы в потоке обреченных. Одного насилия не хватало – оно сочеталось с обманом.

Если цели власти не сводятся к уничтожению, ей необходимо строить и другие механизмы, кроме насилия. В основе государственной власти, мечтал еще Руссо, должно лежать согласие граждан на то, чтобы ими управляли определенным образом. Но для такого согласия нужны аргументы, а аргументы – дело рискованное. Их можно подвергнуть сомнению, оспорить, даже отвергнуть. Тоталитарная власть никогда не вдается в обсуждение своих действий. И все же один довод в ее пользу на всякий случай есть всегда – опасная ситуация, грозящая самому существованию народа и общества: либо внешняя угроза, реальная, вымышленная или спровоцированная; либо тяжесть стоящих перед страной экономических и социальных проблем, которые приписываются внутренним врагам или чрезвычайным обстоятельствам; либо, наконец, отсталость, неразвитость населения. Все это, с точки зрения сторонника диктатуры, требует бдительности, единства, резких рывков в развитии и безусловного доверия к власти. Нарушения прав человека рассматриваются как неизбежная, соразмерная и чуть ли не справедливая плата за безопасность и прогресс.

Зона согласия распространяется не столько на методы, сколько на провозглашаемые властью цели. Для многих жертв тоталитарных режимов цели эти стояли столь высоко, что они готовы были простить власти использование любых средств для их достижения, в том числе и насилия над собой. Такое выделения чего-то одного как сверхценного и объявление всего остального несущественным являются одной из форм упрощения мира, характерных для тоталитарного сознания. Режим не зря озабочен тем, чтобы подданные искренне верили в базовые идеологические постулаты, никогда не подвергали их сомнению, – выстраивается иерархия ценностей, в которой все, даже и собственная жизнь, стоит ничтожно мало в сравнении с чем-то вроде родового тотема, которым распоряжается власть. Это блестяще описал Артур Кёстлер в романе "Слепящая тьма", герой которого, не испытывая никаких теплых чувств по отношению к своим палачам, понимает их, одобряет их действия и в конечном счете становится соучастником собственного убийства. Сегодняшние утверждения об объективной ценности сталинского геноцида для достижения высших целей являются не только оправданием прошлых преступлений, но и идеологическим обоснованием преступлений будущих. Откровенный бред фашиствующих поклонников твердой руки не столь опасен, как эти вполне интеллигентные рассуждения.

Идеологи тоталитарных режимов потратили массу сил на то, чтобы в каждом конкретном случае доказать, что ситуация является чрезвычайной. Правда, их противники считали и считают, что сами эти чрезвычайные обстоятельства создаются властью в ее собственных интересах. Но и те, и другие согласны, что чрезвычайные ситуации, коль скоро они возникли, требуют чрезвычайных мер. А чрезвычайные меры – это и есть тотальная власть над человеком. Следовательно, есть обстоятельства, в которых тоталитарный режим более эффективен, чем демократический.

Мы считаем, что это представление есть один из тех мифов, которые в изобилии создает тоталитарная система в поисках самооправдания и устрашения. Миф этот нередко разделяют и те, кто стоит вне этой системы и является ее противником. По-видимому, вера в эффективность тоталитаризма и страх перед ним объясняют, как Чемберлен и Даладье, несмотря на имевшиеся в их распоряжении разведданные и донесения послов, поверили гитлеровской пропаганде и катастрофически переоценили военную мощь Германии. Это, как известно, привело к мюнхенским соглашениям – одной из многих позорных уступок демократии тоталитаризму.

Если авторитарный способ управления, т.е. принятие решений без обсуждения с подчиненными, в определенных обстоятельствах является эффективным и потому оправданным, то тоталитарная власть, стремящаяся к полному контролю над всеми сферами человеческой жизни, прагматических обоснований не имеет. Доказательством является судьба тоталитарных режимов во всех частях света. Чрезвычайные ситуации приходили и уходили, а итогом во всех случаях были упадок культуры, развал экономики и разочарование народа. Последнее представляет самую большую опасность для тоталитарной системы: режим, как будто бы игнорирующий чувства и мнения своих подданных, на самом деле более всего опирается не на танки и идеологию, а на любовь и согласие народа.

Правда, бывает, что те, кто захватил власть, удерживает ее оружием и устрашением и является носителем чуждой населению идеологии и культуры, не стесняются признавать, что их власть навязана народу и держится на силе. Достаточно вспомнить рассуждения Сталина о партии как об ордене меченосцев. Положение вульгарного марксизма, согласно которому всякое государство есть аппарат насилия (а не координации, влияния, согласования интересов и пр.), тоже хорошо поработало на оправдание тоталитарных режимов.

Но признание насилия насилием имеет совершенно разный смысл для его субъекта и объекта, для палача и для жертвы. Вспомним прекрасную фантазию Набокова о том, как рассыпается тоталитарный мир от того, что один несчастный человек увидел его таким, каков он есть, – увидел палача палачом, топор топором и себя – бессмысленной жертвой. Это, к сожалению, лишь мечта, тоталитарное общество пережило поколения несогласных. Однако осознание насилия по отношению к себе есть единственно верная картина социальной реальности.

Тоталитарная власть день за днем и час за часом творит насилие над человеком. Даже если ты не подвергся аресту или пыткам, твое поведение определяется постоянной их угрозой. Ты никогда не был за границей не потому, что не хотел, а потому, что не пускали. Ты не читал еретических книг потому, что они были недоступны, ты не менял специальность потому, что это было невозможно, и, быть может, не развелся потому, что это отразилось бы на карьере. Ты почти ничего не делал в жизни по своему выбору. Признать то, что ты подчиняешься власти исключительно по физической необходимости, – значит сделать первый и очень трудный шаг на пути к сохранению моральных ценностей, к гражданскому достоинству, а может быть, и к активной борьбе против тоталитарного режима. Но это означает также потерю спокойствия и счастливого чувства растворения себя среди других таких же, как ты. Расплата за реализм, за отказ от тоталитарных верований тяжела: это одиночество, страх и, очень возможно, прямая встреча с насилием. Реалистическое восприятие власти как источника насилия – самый трудный выбор для подданного. Чтобы перерасти и взломать внутренний панцирь тоталитарной личности, нужны мужество и интеллект, доступные немногим.

Но герои – были

Кинохроника, официальные документы, многие воспоминания убеждают: Сталина боготворили, ему и за него молились, с его именем бросались на амбразуры, славу ему провозглашали те, кого убивали по его приказу. Жуткая картина всеобщего поклонения тирану выбивает почву из-под ног у критиков режима, придавая правлению Сталина что-то вроде законности: люди сами хотели, чтобы он правил ими.

Возможно, мы никогда не узнаем, как обстояло дело в действительности, кто искренне любил, а кто ненавидел, выполняя ритуалы поклонения из соображений безопасности. Однако элементарная логика говорит, что отношение к Сталину не могло быть однозначным. У нас нет никаких оснований доверять официальным источникам информации – не верим же мы и не верили победным реляциям и всенародному чувству глубокого удовлетворения брежневского периода. Можно быть уверенным, что сталинская пропаганда была еще дальше от реальности. Можно лишь представить (а в последние годы мы кое-что и узнали), как относились к Вождю миллионы "спецпереселенцев", согнанных со своей земли и выброшенных из теплушек в степь или в тайгу; что думали о нем крестьяне, умиравшие в 1933 г. от голода на способной прокормить полмира Украине; каким представал он в сознании простых, далеких от политики людей, которые вели тяжелейшую борьбу за выживание под сенью самой демократической в мире конституции?

А кто проводил опрос общественного мнения в Гулаге, население которого было сравнимо по численности с населением целой страны?

Похоже, что пропаганда культа в лагерях была поставлена неважно. Мы по крайней мере ничего не знаем о торжественных собраниях, политинформациях или других организованных формах возбуждения любви к вождю, которые были столь характерны в это время для другой половины страны. Видимо, механизмы функционирования власти в лагере и в гражданской (по крайней мере в городской) жизни были резко различными, так что страна оказалась поделенной на две зоны – зону прямого насилия и зону видимой любви. Там, где царило насилие, в любви необходимости не было. Там, где демонстрировалась любовь, насилие всячески скрывалось. В четкости этой границы, пересекавшейся только в одну сторону, подобно границе между тем и этим светом, кроется, вероятно, один из секретов стабильности режима.

В последнее время опубликована масса свидетельств неоднозначности отношения к вождю. Так, Виктор Астафьев утверждает, что с криком "За Сталина" в атаку не ходили, этот лозунг был более характерен для политработника, но не для солдата. Евгения Гинзбург описывает ликование, которое охватило ее и ее близких 5 марта 1953 г. Представление о всеобщей любви к Сталину является одним из вариантов мифа о монолитном единстве советского общества. Даже после XX и XXII съездов официальная пропаганда соглашалась признать лишь то, что Сталин "обманул" народ, заставив поклоняться себе, но не то, что эта манипуляция сознанием людей далеко не всегда ему удавалась. С точки зрения сталинского аппарата, отнюдь не уничтоженного Хрущевым, ничто в стране не происходило и не должно происходить без его, аппарата, воли. Народ просто не имел права относиться к Сталину иначе, чем с обожанием, пока другая концепция не была дана ему от имени той же силы, которая ранее прославляла диктатора.

Идея всеобщей, не знавшей исключения любви к Сталину унизительна для народа. Нам непонятно, как некоторые публицисты и писатели, столь озабоченные защитой народной культуры от всего чуждого и недостойного, спокойно признают, что некрасивому и не слишком умному человеку удалось не просто захватить власть с помощью интриг и преступлений, но и заставить *весь* народ полюбить себя. Еще совсем недавно в иных публикациях, даже и весьма прогрессивных, жертвы Сталина представали исключительно как жертвы, невиновные не только перед законом, что несомненно, но и перед самим диктатором. Преданность вождю, пронесенная через все страдания, вера в него, несмотря ни на что, подавались не как ограниченность, усугубляющая трагедию, а чуть ли не как нравственный подвиг.

Варварская и бессмысленная жестокость власти, фантастическая некомпетентность и бьющие в глаза отовсюду, кроме газетных страниц, провалы в экономике не могли не вызывать агрессию и гнев против того, кто был первопричиной всего на одной шестой части суши. В лагерях были не только невинные жертвы Сталина, были и его враги, которые, хоть и не смогли сокрушить его режим, обязательно сделали бы это, будь у них малейшая возможность. Многочисленные оппозиции в партии, группы Рютина, Антонова-Овсеенко, военных прокуроров, Тухачевский и Гамарник в армии, Капица и Рапопорт в науке, Троцкий и Раскольников за границей, поджоги и убийства колхозных активистов в деревне, организации вроде Коммунистической партии молодежи в Воронеже...

Конечно, число противников режима было неизмеримо меньше числа его жертв. К тому же часть из них выступала не против антидемократического режима как такового, а лишь против его эксцессов и главного выразителя этой линии, противопоставляли свою профессиональную позицию мнению безграмотного руководства. И все же сопротивление Сталину и его режиму – не только плод параноидального бреда диктатора и корыстная выдумка его приспешников, но и историческая реальность.

К тем немногим, кто действительно был виновен перед Сталиным и его режимом, к тем, кто оружием или словом противопоставляли ему – к ним обращена сегодня наша благодарность. И если говорить о "Мемориале", то их имена хотелось бы видеть не на стене плача, а на обелиске славы и мужества. А память о миллионах наших сограждан, павших обманутыми жертвами террора, должна стать вечным предостережением против веры в любого благодетеля.

Австрийский ученый Виктор Франкл, прошедший гитлеровские лагеря, говорил, что главное и неотъемлемое право человека – свобода формировать свое собственное отношение к происходящему. В нашей стране – и в кошмаре лагерей, и в условиях тотального страха "вольной" жизни – были люди, сохранившие эту свободу. Они ненавидели Сталина и его систему, без их ненависти был бы невозможен наш сегодняшний день.

Яд и противоядия

Внутри любого общества сосуществуют и как-то взаимодействуют разные типы политического сознания. Доминирующий – тоталитарное сознание в сталинском Советском Союзе, например, – определяет основные формы общественной жизни. Но даже сталинская система не в силах полностью подавить иные, нетоталитарные типы сознания, иное отношение к жизни. В тоталитарном обществе выжили и не потеряли себя Ахматова и Бродский, Сахаров и Лихачев. Солженицын сочинял и учил наизусть свои романы, стоя на многочасовых лагерных поверках. В отличие от экономического уклада политическое сознание – феномен субъективный, и оно, прячась или маскируясь, оказывается резистентным к действиям власти.

Искаженный мир тоталитарного сознания выгоден власти, обеспечивая ее стабильность. Он выгоден и индивиду, являясь самым удобным способом выживания. Но такое "удобное" сознание возникает тем не менее не у всех. Существуют индивидуально-психологические особенности людей, определяющие степень их сенситивности к тоталитарной демагогии и внутреннюю склонность к формированию тоталитарного сознания.

Тоталитарный мир беден и однообразен, в нем нет места непредсказуемости и неожиданности. Идеальный подданный такое однообразие не просто принимает как данность – оно его радует, нравится ему. Для объяснения таких предпочтений недостаточно анализировать политическую практику тоталитаризма. Скорее наоборот – сформированные вне политики, в семье, в обыденной жизни, эти предпочтения поддерживают тоталитарное сознание, делают его развитие более легким и вероятным. Предпочтение единообразия и нелюбовь к разнообразию могут проявляться в эстетических представлениях, в быту, вообще в широком круге совершенно безобидных вопросов.

Кому-то нравится, чтобы все книжки на полке были одинакового формата. Кто-то предпочитает всегда одеваться более или менее одинаково. Кто-то живет изо дня в день по одному и тому же, избранному им самим расписанию. Кто-то не понимает, как это у людей могут быть разные мнения по таким простым вопросам... В тех случаях, когда склонность к единообразию становится доминирующим эстетическим и нравственным предпочтением, ее влияние на политические ориентации очевидно. Недаром в армии слово "единообразно" часто употребляется как синоним слова "красиво". Демократия – это всегда разнообразие, многовариантность идей, экономических укладов, причесок, наконец. Поэтому установка на единообразие резко повышает вероятность позитивного отношения к тоталитарной системе правления и комфортного самочувствия в ней.

Сходное значение имеет и отношение человека к изменениям – предпочтение стабильности, неизменности или ориентация на перемены и развитие. Мебель, например, может всегда стоять так, как ее поставили когда-то, а может переставляться чуть ли не каждый день. Конечно, любовь к изменению тесно связана с любовью к разнообразию. Отличия лишь в том, что, если в одном случае объектом предпочтения выступает наличное положение дел – одинаковость или разнообразие сейчас, то в другом – развернутый во времени процесс, изменение или отсутствие такового. Говоря о любви к стабильности, бессмысленно оценивать это свойство как плохое или хорошее – свои плюсы и минусы есть и у сохранения, и у изменения. Однако тому, кто везде и во всем предпочитает неизменность, легче жить в условиях тоталитаризма.

Нам кажется правомерным предположить существование общей характеристики когнитивных процессов, проявляющейся в склонности к единообразию и постоянству и нелюбви к разнообразию и изменению. Будем называть такую обобщенную интегральную характеристику монофилией. Она является общей базой для формирования всех вер тоталитарного сознания, включает в себя не только веру в простой и неизменный мир, но и веру в справедливость как реализацию единого, не знающего исключений закона, и веру в чудеса – единственный способ перехода от одного класса однородных явлений к другому[1]. Историческое развитие, например, предстает в виде серии мгновенных и, по сути дела, сверхъестественных скачков – революций, а всякое эволюционное развитие внутри интервала между двумя революциями фактически отрицается. При этом путь постепенных реформ осуждается не только идеологически, но и этически и даже эстетически. Между тем любое социальное изменение, повышая разнообразие общества, никогда не происходит мгновенно. Люди не корабли, которые перестраиваются по флотской команде "все вдруг". Тоталитарное сознание не видит гибкости и упругости общества, оно относится к нему как к абсолютно твердому телу, которое либо выдерживает давление без деформаций, либо ломается, мгновенно переходя в иное качественное состояние. Поэтому монофи-

---

[1] Свойственное тоталитарной личности преувеличение сходства между предметами одного класса и различий между классами может рассматриваться как следствие подробно описанных в психологии ассимиляционно-контрастных иллюзий.

лия по логике вещей ведет либо к стагнации, либо к революции. Тоталитарная идеология в своем радикальном (ранний Сталин) и консервативном (Брежнев) вариантах одинаково часто освящала оба пути.

По образу сухой палки, которая не гнется, но ломается, строится не только история тоталитарного общества, но и судьба тоталитарной личности. Ролевой репертуар, вообще крайне ограниченный, характеризуется полной невозможностью гибкой смены ролей, обратимого перехода из одного состояния в другое. Тот, кто сломался и изменил, уже никогда не может быть прощен; другой может творить бездну ошибок, но, пока он не перейдет некий неизвестный порог, он не потеряет ни должности, ни веса: палка держится, а потом ломается разом.

Один бог, одна идеология, один народ – монофильные группы разных времен и народов, от монашеских орденов до нашей "Памяти", требовали устранения всего, что хоть как-то выбивается из ряда, и закрепления достигнутого единообразия навечно. Власть рушит все до основания, а затем строит и удерживает единообразие на контролируемой территории. Радикальные взгляды неизбежно уступают место консервативным. Экстремизм либо исчезает вовсе (не без помощи репрессивного аппарата), либо переориентируется на внешний мир, где должный порядок пока не установлен. Тоталитарные режимы, даже совершенно закостеневшие внутри, долго сохраняют революционную фразеологию во внешнеполитических декларациях.

Монофилия вовсе не бессмысленна. Можно предположить, что единообразный, одинаковый мир обеспечивает носителю тоталитарного сознания понимание окружающего, контроль за ним и, главное, возможность предсказывать дальнейшее развитие событий. Лучше всего этим целям отвечают военно-феодальные отношения с четкой системой прав и обязанностей по отношению к "низу" и "верху". Каждый участник такой пирамидальной системы в обмен на беспрекословное подчинение получает и свою зону контроля, в которой он является полновластным хозяином (если не выходит "за рамки", разумеется). Право вассала распоряжаться собственными вассалами тщательно охраняется сюзереном. Старший командир практически никогда не вмешивается во взаимоотношения с подчиненными командира младшего, взыскание сержанту объявляется в присутствии других сержантов, но ни в коем случае не в присутствии солдат. Это объясняется необходимостью поддерживать авторитет командира и армии в целом. В действительности же этим поддерживается только возведенная в принцип тотальная зависимость младшего от старшего.

Из трех названных следствий монофилии – понимания, контроля и предсказуемости – последнее представляется наиболее важным. Недаром словами "непредсказуемые последствия" в наших газетах до сих пор обозначают наиболее ужасный из всех возможных исходов тех или иных социальных конфликтов. Но результаты использования демократических процедур по определению непредсказуемы. Высокой же степенью предсказуемости характеризуются тоталитарные системы. Интересно, что высока по сравнению с поведением здорового человека и степень предсказуемости поведения невротика. Превращение предсказуемости в сверхценность, конечно, свидетельствует о неуверенности, низкой самооценке и незрелости субъекта. Цивилизованный человек принимает социум таким, каков он есть – не всегда понятным, часто неподконтрольным и почти всегда непредсказуемым. То же можно сказать и о развитом сообществе людей, не нуждающихся в тоталитарном наркотике для того, чтобы жить в разнообразном и непрерывно меняющемся мире.

Монофилия воспитывается с детства. Информационно бедная среда, режим и униформа, обстановка муштры, отсутствие опыта близких отношений способствуют формированию любви к единообразию. Последующие встречи с реальной сложностью мира могут вызвать у таких людей реакцию шока с разнообразными последствиями вплоть до клинических. И наоборот, воспитание в разнообразной среде, богатой яркими людьми и неожиданными событиями, формирует у человека способность видеть мир таким, каков он есть, и адекватно действовать в самых сложных обстоятельствах.

К сожалению, доминирующая в школе и в дошкольных учреждениях эстетика солдатского строя подавляет любые ненормативные действия и даже мысли. Кроме того, жизнь ребенка, да и взрослого, так расписана, что у человека просто нет физической возможности стать другим, не таким, как окружающие. Безальтернативный мир не дает сформироваться любви к разнообразию – нельзя любить то, чего никогда не видел. Если на все вопросы может быть только один правильный ответ, то те, кто предлагает нестандартные решения, априори не правы. Не правы и те, кто иначе одевается, верит в другого бога или слушает другую музыку.

Возможности профилактики монофилии видятся прежде всего в сознании более богатой и разнообразной среды для ребенка. Необходимо отменить наконец школьную форму, ввести, начиная с первых классов, предметы по выбору и возможность выбирать учителя. Нужно максимально сузить применение балльных оценок успеваемости поведения, делающих всех детей одинаковыми или делящих их на очень малое число групп. Ребенок должен видеть, что вокруг него разные люди и что быть не таким, как все, – это еще не значит быть плохим.

Любовь к единообразию приведет к недооценке всех и всяческих различий между людьми – интеллектуальных (отсюда у нас такая ненависть к тестам на интеллект), характерологических, национальных и даже возрастных. Архетипические герои сталинского киноискусства – питерский рабочий, горячий комсомолец, рассеянный ученый – являются не индивидуальностями, а лишь персонификацией классов и социальных групп. Именно классовая принадлежность определяет все особенности их поведения, вкусов и даже темперамента. Границы между группами, которые они представляют, принципиально непреодолимы. Более того, различия между героями не выходят за пределы очень узкого круга бытовых ситуаций, по которым не существует четких указаний – по бытовым проблемам все едины. Преданность вождю, патриотизм, вера в грядущие победы присущи даже младенцам: "Я Сталина не видел, но я его люблю".

В опасной ситуации – базовой для общества, ориентированного на чрезвычайное положение, – все, вне зависимости от пола и возраста, ведут себя одинаково – бесстрашно, мужественно, без сомнений и колебаний. Слабость одинаково невозможна для юной девушки, старика-академика или опытного обстрелянного бойца. Индивидуальные различия отбрасываются, как маскарадные костюмы, обнажается сущность, одна на всех. В обществе прорабатывалась только одна модель поведения – взрослого мужчины. Всем остальным – детям, старикам, женщинам –

предлагалось стать такими же. Женщины должны были быть столь же мужественными и не знающими преград, как мужчины, детские организации в точности копировали структуру взрослых, старость была чем-то неприличным и, может быть, даже политически ошибочным. Все должны были уподобиться вождю, который не старел, не менялся, не имел человеческой индивидуальности.

Если все мы, в общем, одинаковы, нам не нужны ни представители, выражающие наши интересы, ни законы, защищающие наши права. Вождь, заботясь о благе всех, обеспечивает и благо каждого. Защита прав отдельной личности вообще невозможна без понимания важности индивидуальности каждого. Соответствующие механизмы просто не могут сформироваться, не получают нравственного обоснования. Отсутствие же механизмов приводит к тому, что у людей нет опыта конструктивного разрешения конфликтов с представителями власти, от нянечки в детском саду до секретаря обкома. Фактически человеку некуда пожаловаться на начальника или представителя системы, не говоря уже о том, что это и рискованно, и осуждается большинством. Решение любой проблемы зависит не от закона, хотя бы неписаного, а от воли того, кто сильнее. Естественно, защита от несправедливости видится не в законности – фантоме, о котором человек слышал, но никогда с ним не встречался, – а в наделении абсолютной властью достойного человека.

Свой вклад в формирование тоталитарного сознания вносит и распространенный образчик магизма маскулинности – стереотип настоящего мужчины как человека, важнейшими качествами которого являются сила и решительность. Такой мужественный, стреляющий первым супермен в максимальной степени отвечает требованиям, предъявляемым к лидеру носителями тоталитарного сознания, и частично формирует эти требования. Не случайно Ленин вопреки очевидности часто изображался на портретах высоким человеком атлетического сложения. Стереотип настоящего мужчины функционален в весьма узком круге ситуаций, он вступает в противоречие с требованиями реальности, как только человек попадает в условия интеллектуального напряжения и особенно выбора. Именно такими являются ситуации принятия ответственных управленческих решений. Однако и здесь чаще всего подчеркиваются не индивидуальные особенности руководителя, обеспечивающие ему успех, а все та же сила и решительность. Так, в произведениях, посвященных маршалу Жукову, рельефно изображаются его личная смелость, способность к мгновенному принятию решений, даже жестокость, но за кадром остается то, без чего он не мог бы стать – в реальности, а не на экране – зрелым полководцем: умение понять точку зрения другого, будь то враг или подчиненный, доверие к мнению по крайней мере ближайших помощников и т.д.

Жестокость правителя и эффективность управления государством кажутся нерасторжимой целостностью. Такое представление, как блестяще показал недавно В.И. Селюнин, бесконечно далеко от исторической правды, однако оно продолжает тиражироваться учебниками истории и бесчисленными псевдоисторическими произведениями. Характерно, что тоталитарный лидер чаще всего предстает без какого-либо аппарата помощников, полководец – без штаба, царь – без министров. Он непосредственно выходит "на народ", минуя какие-либо опосредующие структуры. Это и дает ему успех. Постоянно преувеличивается роль первых лиц (всех, а не только диктаторов): все знают о роли Кутузова в войне двенадцатого года, но кто, кроме специалистов, помнит о вкладе Барклая де Толли? Александр Невский и Иван Грозный, Петр Первый и венчающий пирамиду гениев отец народов не нуждаются в помощниках, разве что в экспертах по частным локальным проблемам. Стратегические же вопросы вождь решает единолично. Причем решения как процесса, развернутого во времени, фактически нет. Истина изрекается без сбора данных, анализа и, главное, без сомнений. До самого последнего времени в нашей литературе не было сомневающихся руководителей. Сталин, судя по его романтизированным биографиям, всегда, по-видимому с младенчества, знал, как надо поступать, кто прав, кто виноват и прочее. Сомнения чужды вождю, советник, высказывающий сомнение или неуверенность, – враг. Складывается такое впечатление, что для большинства кинополководцев штаб, если уж он появляется на экране, не более чем помеха, без него они бы действовали куда успешнее. Рекламируется, таким образом, и тоталитарная личность, и тоталитарная власть. Для решения всех проблем нужен мудрый, несомневающийся вождь, обладающий полнотой всемогущества.

Мы и сегодня находим массу свидетельств того, что люди ведут себя крайне пассивно, не используют даже те возможности для осуществления свободного выбора, которые у них есть. Свободный выбор требует определенной внутренней работы – сравнения вариантов, анализа, может быть, и эксперимента. А для этого у человека должно быть свободное время, в которое он не занят зарабатыванием денег, покупками, торжественными собраниями. Это время, в котором он не должен ни перед кем отчитываться, позволяет ему думать, общаться, видеть мир во всех его противоречиях, вырабатывать свое собственное отношение к действительности и сопоставлять свою позицию с позицией других людей. Время должно быть свободным не только от бытовых забот, но и от усталости, желания согреться, выспаться, нормально поесть. Это должно быть не просто незанятое время, но время, в которое человек действительно чувствует себя свободным делать что хочет, думать о чем хочет, говорить с кем хочет...

Свободное время является хотя и недостаточным (его можно занять водкой, например), но необходимым условием свободного выбора. Если свободного времени нет, контакты с реальностью минимизируются и неизбежным становится формирование наиболее примитивной из всех возможных моделей мира – простого, неизменного, справедливого и чудесного. При отсутствии времени даже внешне демократические процедуры вырождаются в откровенное манипулирование людьми. Так, если выборы в совет трудового коллектива объявляются накануне собрания и люди не успевают ничего обсудить, то почти наверняка проходят кандидатуры, предложенные администрацией. Диктаторы всегда понимали, что свободное время – предвестник политической свободы. Поэтому тоталитарные режимы не знают досуга – регламентированные развлекательно-просветительские мероприятия столь же обязательны, как труд и участие в пародирующих политическую жизнь ритуалах.

Полноценная, а не по-сталински убогая политическая жизнь требует объективации в больших и малых группах – общественных движениях, формальных и неформальных организациях, фронтах и партиях. В обществе сталинского типа групповые формы политического сознания выживали только в подпольных организациях вроде той, которую описал в романе "Черные камни" Жигулин, а также в небольших группах поддержки, образующихся вокруг нестандартных людей. Весь чудовищный механизм подавления был направлен на разрушение таких горизонтальных межличностных структур. Именно такие структуры, как семья, соседская община, религиозная общность, любительский клуб, профессиональный союз, политическое объединение, являются основным противоядием тоталитаризму, и на их разрушения направлен основной его удар. Человеческий материал должен быть мелко раздроблен и хорошо перемешан – тогда он готов к лепке.

Варианты пути

Мы уверены, что большинство наших сограждан хочет гарантий того, что прошлое не вернется ни кошмаром лагерей, ни трагикомедией чувства "глубокого удовлетворения". Что тот путь, по которому мы идем, пусть иногда и спотыкаясь, будет пройден до конца, что мы не свернем с него в угоду чьей-нибудь глупости, фанатизму или трусости. Но и сегодня разные люди в нашей стране живут в разных мирах – от тоталитарного до демократического. Неравномерность, гетерохронность развития политического сознания столь же велика, как и гетерохронность развития экономических укладов и организационных структур власти.

Призывы к изменению сознания бессильны. Важнее увидеть конкретные пути этих изменений. Изменения идут – или хотелось бы, чтобы они шли, – не только на уровне государственной власти, но и в управлении цехом, лабораторией, кооперативом.

От литургии к работе. Принципиально важным является демистификация любых отправлений власти, превращение ее из священнодействия в обычную квалифицированную работу. Для этого необходимо добиваться гласности осуществления власти на всех уровнях, бороться как с незаконной и противоречащей здравому смыслу секретностью в работе учреждений и ведомств. Нужно добиваться юридической регламентации всех властных функций, составления ясных и проверяемых должностных инструкций для руководства всех уровней. Нужно высмеивать любые торжества и ритуалы, связанные с отправлениями власти. Проявления культа власти должны встречать общественное осуждение, а их авторы, будь то писатель, политик или журналист, должны подвергаться остракизму.

От безопасности к ответственности. Власть должна перестать быть источником привилегий как материальных, так и духовных. Последнее особенно важно. До сих пор носитель власти защищен от негативной оценки снизу. Его психологическая безопасность является предпосылкой неэффективности и коррупции. Публичная критика нужна не только для исправления конкретных недостатков. Критика самоценна. Она делает руководителя если не юридически, то морально зависимым от подчиненных и от общества. Возможность гражданина критиковать представителя власти препятствует благоговению перед ней.

От монополии к конкуренции. Личная независимость граждан повышается благодаря самому существованию конкурирующих структур. Если специалист может работать лишь в одном институте, его судьба полностью определяется его отношениями с директором и он оказывается заведомой жертвой культа власти. Возможность выбора места работы ослабляет зависимость от организации, даже если она остается такой же тоталитарной, как была. Поэтому создание альтернативных структур – кооперативов, хозрасчетных фирм, совместных предприятий – важно не только экономически, но и психологически.

От должности к человеку. Необходимо организационно обеспечивать возможности карьеры, не связанные с выполнением властных функций. Верхние ступени социальной лестницы должны перестать ассоциироваться с властью. Академики не обязательно должны быть директорами, знаменитые режиссеры – секретарями союза. Целесообразно законодательно ограничить возможность получения почетных званий, орденов и т.п. во время нахождения на административном посту. Необходимы новые системы статусов и престижных рабочих мест, не связанных с должностью (стипендиаты фондов, почетные советники и пр.).

От вертикали к горизонтали. Исключительно важным является выведение из-под монопольного контроля государственной власти всего того, что не связано с обеспечением безопасности. Первыми шагами на этом пути были бы кооперативные и частные школы, а также университеты и научные учреждения. Нужно наполнить реальной жизнью существующие общественные организации, например профсоюзные комитеты, прежде всего низовые. Создание новых горизонтальных структур и систем общения между людьми – клубов, гильдий, ассоциаций, – вообще любых демократически управляемых и не связаных с государством организаций способствует сдвигам в политическом сознании.

От вечности к очередности. Культ власти исключает смену вождя, будь то главный фюрер или управдом. Любая регламентация сроков и процедуры смены руководителя разрушает тоталитарное сознание подчиненных. Божество не может быть регулярно сменяемым. Кроме того, чем больше людей побывают в роли руководителя, пусть даже на самых низших уровнях, тем с меньшим почтением будут они относиться к власти как таковой. Следует приветствовать и освобождать от формализма любые механизмы ротации кадров и работы с резервом руководителей. Регулярная и быстрая сменяемость приведет к тому, что с властью будут связываться только те обременительные функции координации, согласования и пр., которые она действительно должна выполнять.

От борьбы к сосуществованию. Борьба за смену коррумпированного или не оправдавшего доверия руководителя компетентным и порядочным человеком, безусловно, важна. Но есть и другой путь. Создание любых демократически управляемых организаций или даже подразделений в уже существующих организациях разрушает тоталитарное сознание более эффективно, чем кадровые перестановки. Успешно функционирующие альтернативные организации приводят к перераспределению власти в условиях мирного сосуществования с обветшавшими социальными структурами. Надеяться на то, что смена руководителя сама по себе приведет к позитивным изменениям, – значит оставаться в плену культа власти.

М. Капустин

К ФЕНОМЕНОЛОГИИ ВЛАСТИ
Психологические модели авторитаризма:
Грозный – Сталин – Гитлер

Приступаем к описанию ужасной перемены в душе царя и в судьбе царства... Вероятно ли, чтобы государь, любимый, обожаемый, мог с такой высоты блага, счастия, славы низвергнуться в бездну ужасов тиранства? Но свидетельства добра и зла равно убедительны, неопровержимы; остается только представить сей удивительный феномен в его постепенных изменениях.

Н.М. Карамзин. История государства Российского, т. IX, гл. I

В XX веке история выбрала Россию в качестве невиданной человеческой "гекатомбы" – колоссальной жертвы за все всемирно-исторические "поиски Пути" и социальные ожидания человечества.

"Мы повернули истории бег" (В. Маяковский) – за что и последовала чудовищная расплата. "На нашу страну... падают теперь особенно тяжелые муки первого периода начавшегося акта родов"[1] – родов нового общества.

Этот "первый период" – гражданская война – унес более 15 млн. человеческих жизней (плюс около 2 миллионов эмигрантов, кои сами остались живы, но для которых родина умерла, так что это тоже смерть наполовину).

Некогда, в эпоху Троянской войны, в изображении Гомера (в "Илиаде") река Ксанф, огибавшая холм, где происходила долгая битва, вдруг потекла... человеческой кровью; поэт же "нового общества" Советской России отмечает, что сам "чернозем потек болотом от крови и пота" (Э. Багрицкий). Это, так сказать, второй период – ужасы "сплошной коллективизации" (число жертв которой не менее 8 млн.) и страшного голода 1933 г., унесшего не меньше, вызванного не только засухой, но и отнятием у крестьян семенного фонда (т.е. последствиями все той же "коллективизации")[2].

Третий – конец 30-х годов, когда массовыми репрессиями был замучен и погублен цвет нации во всех слоях партийной, государственной, военной, общественной, научной и культурной интеллигенции (по данным Р. Медведева, всего около 40 млн.).

И, наконец, Отечественная война, поистине Великая – в том числе и по масштабам понесенных человеческих потерь.

Все эти гигантские исторические жертвы взыскуют нашей памяти, немо, но неумолчно требуют искупления нашей – невольной – вины перед ними. Конечно, не чисто личной: "Я знаю, никакой моей вины..."

---

[1] В.И. Ленин. Полн. собр. соч., т. 36, с. 477 (сказано 29 июня 1918 г.).
[2] См.: Интервью с Роем Медведевым. – *Аргументы и факты*, 1989, № 5.

(А. Твардовский); тут вина историческая, мировая, тут трагедийность самой Истории.

Освобождение человека и человеческого, развитие "человеческой силы как таковой, как самоцели истории" (К. Маркс) – для осознания этого принципа гуманизма как величайшей из всех ценностей человеческого бытия понадобилась вся история мировой культуры, начиная с выработки "золотого правила нравственности".

Как же так могло получиться, что именно тогда, когда эта ценность была осознана передовыми нациями, их общественно-культурным сознанием – в XX веке, когда осуждено и, казалось бы, навсегда отринуто извечное противопоставление "своих и чужих", даже такого глобального, как "культурный Запад" и "азиатчина Востока", – именно на XX век и приходится *тотальное уничтожение человека*, всего человеческого, удушение гуманизма, как на почве "азиатчины", так и на почве культурных "вечерних стран" (Abendlandes). Поистине о таком апокалиптическом "Закате Европы", как Закате Человека не мог думать и сам автор этой идеи – Шпенглер, несмотря на провидчески предсказанную им вторую мировую войну.

Да, именно в XX веке и именно в цивилизованных странах происходит в беспрецедентных масштабах попрание, глумление и уничтожение человеческого – всего, что было накоплено, любовно и беззаветно созидаемо всемирной культурой.

Самые страшные акции были совершены против целых народов немецким фашизмом – гитлеризмом, а против собственного народа – сталинизмом.

На древних (реальных и условных) архитектурных сооружениях значились надписи-символы тех эпох: в античности – "Познай самого себя" (храм Аполлона в Дельфах); в эпоху Ренессанса – "Делай, что хочешь" (телемская обитель в романе Рабле).

В середине XX столетия сердце Европы обогатилось чудовищной иронией-перевертышем "Jedem das Seine" – "Каждому свое" (ворота в Бухенвальде). Вот три соответствующих сему девизу лозунга-директивы нацистской ксенофобской доктрины: "Техника обезлюживания" (Гитлер); "Ставка на негодяя" (Геринг), "Вперед по могилам" (Геббельс).

В наших лагерях, как правило, не было подобной издевательской символики, потому что у сталинизма была своя "тайная доктрина" (в отличие от явной у нацизма). Суть ее в том, что макиавеллиевский лозунг "разделяй и властвуй" был здесь тайно, скрытно проведен сверху вниз по социальной вертикали (партия, государство, все этажи социального управления) и по горизонтали (семья, социальные группы, классы, этносы).

Сегодня все более становится очевидным, что нацизм и сталинщина – это, так сказать, два лика Сатаны-XX, пришедшего растоптать все шесть тысяч лет цивилизации, опрокинуть и изнасиловать Историю, сотворившую немыслимыми усилиями и бесчисленными жертвами ЧЕЛОВЕКА, Homo Humanus потенциально в каждом экземпляре рода.

Смысл истории середины XX столетия поразителен и страшен – это обессмысливание самой себя, подвергание предельному сомнению самое себя как истории Рода Человеческого, параллельную ходу другой великой эволюции всего Живого. Это было макабрическое покушение на гуманизм: под маской Революции, доведенной до конца, погубить "творческую Эволюцию" рода.

Это настолько ужасающее и грандиозное преступление, что его смысл ("тайная доктрина") до сих пор, спустя более четырех десятилетий, не вмещается в нормальной голове...

Сегодня на волне широчайшей критики тоталитаризма возникает возможность уяснить не только исторические, но и психологические причины его возникновения.

Сталин и Грозный

"Тень Грозного меня усыновила..."

А. Пушкин

Пусть судят те, кто вырастет позже, кто не знал этих людей... Пусть придут молодые, задорные, которым ЭТИ ГОДЫ (30–50) будут вроде царствования Иоанна Грозного – так же далеки и так же непонятны, и так же странны и страшны. И вряд ли они назовут наше время прогрессивным. И вряд ли они скажут, что оно было на благо Великой России...

С. Аллилуева. 20 писем другу. (М. 1963)

Для проникновения в психологический механизм сталинизма, пока еще совершенно не изученный, попытаемся прибегнуть к помощи моделей авторитарной власти, могущих послужить некоторыми аналогами, более изученными. В этом случае, конечно, придется поневоле абстрагироваться (на время) от социально-политического и социально-исторического контекста, сосредоточив внимание всецело на психологическом.

Для большей полноты картины целесообразно использовать не одну, а, по меньшей мере, две модели, взятых одна диахронически, а другая синхронно. И если, несмотря на существенную дистанцию в пространстве и времени, на резкие различия в социальных режимах и т.п., все же окажутся какие-то сходные признаки, значит, в своей психологической основе феномен тоталитаризма (или в личностном плане – авторитаризма) универсален, так что самые различные его представители могут в известном смысле взаимно характеризовать друг друга; они, следовательно, взаимно репрезентативны.

Я выбираю две модели: диахроническую – Ивана Грозного и синхроническую – Адольфа Гитлера. К каждому из них у Сталина было свое положительное отношение.

Учитывая это последнее, то есть тонко судя о другом по себе самому, Гитлер, например, не раз точно предугадывал психологическую реакцию Сталина и потому провоцировал таковую в нужном ему самому направлении.

Что же касается фигуры Ивана IV, то к ней со стороны Сталина было особо положительное отношение, о чем можно судить по тому, как специально им поощрялись писатели – исторические романисты, кино-деятели и профессиональные историки в том направлении, чтобы они реабилитировали перед сталинскими современниками его, Иосифа, грозную фигуру – фигурой исторического Грозного.

А реабилитировать было что: со времени появления 9-го тома "Истории государства Российского" Карамзина годы правления Ивана IV наводили ужас на образованное общество. Митрополит Филарет так вспоминал о пережитом потрясении на лекции Карамзина: "Читающий и чтение были привлекательны, но читаемое страшно. Мне думалось тогда, не довольно ли исполнила бы свою обязанность история, если бы *хорошо осветила лучшую часть* царствования Грозного, а *другую более покрыла бы тенью*"[1].

Не так ли точно рассуждали до сих пор и наши историки про эпоху Иосифа Кровавого, как митрополит про царствование Иоанна Грозного?

А вот деятели общественной мысли и культуры рассуждали иначе. Так, например, А. Чаадаев писал А.С. Хомякову в 1844 г.: "Спасибо вам за клеймо, положенное вами на *преступное чело царя, развратителя своего народа* (!), спасибо за то, что вы в бедствиях, постигших после него Россию, узнали *его наследие*... В наше, народною спесью околдованное время, утешительно встретить строгое слово об этом славном витязе славного прошлого... Я уверен, что вы со временем убедитесь и в том, что точно так же, как кесари римские возможны были в одном языческом Риме, так и это *чудовище возможно было в той (только) стране, где оно явилось*. Потом останется только показать, прямое его исхождение из нашей народной жизни, из того семейного, общинного быта, который ставит нас (якобы) выше всех народов мира..."

По свидетельству дочери, Сталин во всех отношениях считал себя русским царем, только коронованным не церковью, а марксизмом (к истинным апостолам которого на нашей Земле он сумел втереться в доверие).

Это видно и в замашках того безмерного самодурства в традиции отечественной власти, что покоятся на столь же традиционном отсутствии каких-либо гражданских прав у личности в этом социуме, кое равно проявлялось и в иоанновском средневековье, и в сталинском. Собственно, именно это обстоятельство (отсутствие правовой охраны гражданина) и не давало на Руси пробиться росткам ренессанса, которые не раз обнаруживались в культуре.

Так, не говоря уж об Иване IV, который вместо возможного хотя бы проторенессанса фактически способствовал созданию института крепостного права (его же фактически возродил в XX веке Сталин), даже Иван III, увлекаемый своей византийской супругой Софьей Палеолог к ряду контактов с мастерами итальянского Ренессанса, все же в "экстремальной ситуации" обнаруживал свое нутро грубого, "медвежьего" цезаризма. Так, когда приглашенный по контракту замечательный мастер, архитектор из Италии Аристотель Фиораванти после постройки гениального Успенского собора в Кремле и завершения других славных дел стал настаивать на своем возвращении на родину, царь, взбеленившись, распорядился: "На чепь его, на чепь!". И зодчего посадили в темную, на цепь...

---

[1] Цит. по: Н.П. Вацуро, М.И. Гиллельсон. Сквозь "умственные плотины". Очерки о книгах и прессе пушкинской поры. М., 1986.

Не аналогичный ли социально-психологический механизм действует и в сталинском средневековье? Вот характерный пример. В начале 1952 г. профессор В.Н. Виноградов, блестящий клиницист – личный врач Сталина, – обнаружил резкое ухудшение состояния здоровья своего пациента и сделал запись в истории болезни о необходимости строгого режима с полным *прекращением всякой деятельности* (диагноз полностью подтвердится потом, при вскрытии). Однако его рекомендация была расценена чисто по-самодурски, а именно как попытка *устранения* Сталина от всякой активной деятельности, в том числе, естественно, и политической. Когда Берия, курировавший врачебное наблюдение над "цезарем", сообщил ему о заключении профессора Виноградова, тот пришел в неописуемую ярость, закричав: "В кандалы его! В кандалы!" И профессор был арестован и посажен, так сказать, "на чепь".

И на подобную "чепь" сажали не только отдельных неугодных людей, но целые группы, с широко масштабным для духа XX века воображением, измышляя целые "заговоры", "террористические центры" и т.п.

Так индивидуальная психология смыкается с социальной, образуя весьма оригинальный феномен социальной паранойи, общественного психоза (мании) преследования, которая является специфическим признаком сталинского и в сущности любого тоталитарного режима.

Да, "чудовище" XX века стало вновь возможным, особенно на той почве, на какой оно впервые явилось четыреста лет назад.

Один из крупнейших революционеров в истории – Михаил Бакунин, проницательный знаток народной психологии (недаром специально изучавший Россию Маркс проштудировал основной труд Бакунина, сделав подробнейший конспект), отмечал в качестве главнейших (негативных) национальных черт у русского народа *веру в царя* и *веру в бога*, разумеется, не формальную, а истовую.

Очевидно, что на такой почве, закосневшей в веках, для громадных масс неграмотного или полуграмотного народа изгоняемая и уничтожаемая религия (массовое взрывание церквей, сожжение икон, расстрелы и преследования священнослужителей) требовала неукоснительной замены. Ею и стал адаптированный к этим массам марксизм. Проводил же эту адаптацию (т.е. своеобразную "христианизацию" марксизма, превращая его в символ веры) Сталин, он и занял постепенно опустевшее место бога – с тем большей естественностью, что уже был "царем", занявшим опустевший "трон", извечно почитаемым за наместника бога на земле. Произошла лишь трансформация: говоря языком психоанализа, вытесненная религия сублимировалась в обожествление "отца народа".

Веру надобно было чем-то подкреплять – необходимы эффекты "чуда"; таковыми и стали – в позитивном плане – чудеса индустриализации: гиганты-каналы, гиганты-заводы, новые города, возникающие на пустом месте поистине почти чудесным образом. (Отсюда берет истоки наша гигантомания.) А все средства агитации и пропаганды всемерно раздували и поддерживали огонь этих "эффектов", создавая массовую эйфорию.

Оборотная, негативная сторона "чуда" – жестокость, явленная в столь же массовых гигантских формах и потому внушающая вселенский страх, священный ужас.

Тут-то и понадобится исторический опыт, опыт великого предшественника, чтобы, выбрав его и трансформировав, можно было его превзойти. Наиболее подходящей фигурой был, без сомнения, Грозный.

Вот почему Сталин относился к автору опричнины принципиально иначе, чем русская интеллигенция. По его заказу С. Эйзенштейном был поставлен фильм, за первую серию которого его наградили Сталинской премией, как и одноименный роман В. Костылева в 1948 г., который выполнил "социальный заказ" на изображение жестокого царя как выдающегося деятеля славной русской истории.

Но вторая серия эйзенштейновского "Ивана Грозного" (из трех задуманных) активно не понравилась Сталину и при его жизни не увидела света. В отличие от первой, романтизирующей и Ивана, и опричнину ("внутренние войска" Малюты Скуратова), она не понравилась за то, что в ней художественная логика привела великого режиссера к обратному по отношению к тому, что замышлялось в соответствии с "социальным заказом", а именно: "прогрессивное войско (?) опричников получилось чем-то наподобие американского ку-клукс-клана", – как было оценено в официальном постановлении о киноискусстве в сентябре 1946 г.

В феврале 1947 г. Сталин вызвал к себе на беседу Эйзенштейна и Черкасова. В воспоминаниях последнего "Записки советского актера", написанных еще при жизни Сталина (что между прочим легко ощутимо даже по характеру мышления и стилю изложения – на нем лежит тягостная печать сталинского стиля – поистине "ох, тяжело пожатье каменной десницы"), сказано: "Тов. Сталин заметил, что Иван IV был великим и мудрым правителем, который ограждал страну от проникновения иностранного влияния и стремился объединить Россию. (Здесь очевидна прямая экстраполяция собственного образа, навязываемого окружению и народу, – и проекция – для усиления – на всю его историческую фигуру. – М.К.)... И.В. (т. е. Иосиф Виссарионович, а не Иван Васильевич. – М.К.) отметил также прогрессивную роль опричнины, сказав, что руководитель опричнины Малюта Скуратов был крупным русским военачальником, героически павшим в борьбе с Ливонией (в действительности же тот прославился как чудовищный насильник и палач. – М.К.).

...Коснувшись ошибок Ивана Грозного, И.В. отметил, что одна из его ошибок состояла в том, что он не сумел ликвидировать пять оставшихся крупных феодальных семейств... если бы он это сделал, то на Руси не было бы смутного времени..."[1].

Поразительно откровенная экстраполяция: Грозный-де не всех, не до конца истребил потенциальных противников, отсюда смута: чего не удалось ему, то мне удалось – поэтому у нас нет оснований для смуты. (Все тираны любят сравнивать себя с аналогичными предшественниками, ища себе оправдания, теша себя надеждой, что, уяснив "ошибку" предшественника, ему-то самому удастся ее преодолеть: так Гитлер высказывался о Наполеоне, не сумевшем "совладать" с Россией – кстати, не случайно окончательная дата вторжения была выбрана 22 июня – день наполеоновского нашествия.)

---

[1] "Сталину... кажется, что до сих пор мы были слишком сентиментальны и пора одуматься. Петр I уже оказывается параллелью неподходящей. Новое увлечение (зима 1941 г. – М.К.), открыто исповедуемое (!), – Грозный, опричнина, жестокость. На эти темы пишутся новые оперы, драмы и сценарии (добавлю – и романы. – М.К.)."

После романа и пьесы о Петре I А.Н. Толстому была заказана пьеса "Иван Грозный", а Эйзенштейну и Прокофьеву (с перспективой оперы, очевидно) одноименный фильм (по свидетельству Б. Пастернака. – Новый мир, 1988, № 6, с. 218).

О бескомпромиссно-безжалостной натуре Сталина, чуждой какой-либо не то что человеческой, хотя бы биологической эмпатии, говорит следующее его замечание, в пользу объективности которого лучше всего свидетельствует его мрачный юмор: "Тут Ивану помешал бог: Грозный ликвидирует одно семейство феодалов, один боярский род, а потом целый год кается и замаливает "грех", тогда как ему *нужно было бы действовать еще решительнее!"* (что же касается Иосифа, то, как явствует отсюда, *покаяние* ему самому было абсолютно не свойственно).

Все летописцы отмечают, что царь Иван Васильевич "громил Великий Новгород".

А ведь поводом для этой страшной акции, как указывают историки, был *ложный донос* о том, что новгородцы якобы хотят перейти под власть польского короля, а самого царя Ивана "известить" и на его место посадить старицкого удельного князя Владимира Андреевича[1].

Погром продолжался более пяти недель – с 6 января по 13 февраля 1570 г., когда ежедневно "ввергали вводу (под лед) пятьсот или шестьсот человек", в иные же дни до полутора тысяч.

"Новгородский погром – быть может, самый зловещий, но все же лишь эпизод в той вакханалии зверских, садистски изощренных казней, которая продолжалась добрых полтора-два десятка лет"[2]. То же и у Сталина – с 1934 по 1953 г. (два десятка лет, а к ним бы следовало приплюсовать и Великий перелом, ликвидацию среднего крестьянства "как класса").

Жестокость нужна была не для дела, даже не во имя пресловутого тезиса, оправдывающего безнравственность, внеморальность деятеля ("цель оправдывает средства"); она нужна была как *репрезентант силы,* поскольку в обыденном сознании гневливость, суровость и жестокость являются как бы синонимами Силы, ее ликами. Вот что говорит историк, специально исследовавший этот вопрос: "Власти Ивана IV хватало, чтобы срубить голову любому подданному, но в его руках не было главного – *правительственного аппарата, разветвленного, имеющего своих преданных агентов на местах* (!) Поэтому многие реформы оставались на бумаге, правительство оказывалось *не в силах провести в жизнь собственные указы.* Опричнина была попыткой *компенсировать слабость власти ее суровостью...* Печальны результаты царствования Ивана Грозного – как непосредственные, так и отдаленные... Массовый террор, непосильный рост налогового бремени..."[3].

У опричнины были и более отдаленные последствия. *Террористическая диктатура,* установленная в стране, *обстановка страха* позволили уже при Грозном сделать первые шаги к установлению в России крепостного права. При его наследниках оно утвердилось[4]. Можно спорить,

---

[1] Сей исторический "блик" не высвечивает ли аналогичный случай якобы с "заговором" Тухачевского и других маршалов и генералов, возжелавших "известить царя Иосифа"?

[2] В. Кобрин. Посмертная судьба Ивана Грозного. – *Знание – сила,* 1987, № 8, с. 57.

[3] Там же, с. 59.

[4] Разве отмена паспортов для крестьян, обложение их непосильной "данью" (против чего тщетно протестовал Бухарин) не явились новым введением "крепостного права" в России в середине XX века?! И, следовательно, сталинский режим – это, так сказать, *феодальный социализм.*

было ли крепостничество неизбежным для России... но в любом случае оно не было фактором прогресса, ибо консервировало феодальный строй и тормозило процесс складывания в его недрах нового исторически более прогрессивного уклада; к тому же "своими особенно варварскими, рабовладельческими формами русское крепостничество ("барство дикое", Салтычиха и т.п. – М.К.) обязано и опричнине... Не только ей, но и ей... ибо закрепощение крестьянства тесно связано с закрепощением всего общества. Холопство российского дворянства перед царской властью остается непонятным без учета особо деспотического характера русского самодержавия. Опричнина была одним из факторов, придавших отечественному самодержавию его отвратительную форму. А в итоге: гений и злодейство, и в самом деле, несовместны, не дано тирану и палачу быть двигателем прогресса"[1].

Оправдывая тиранию Сталина и его "опричнину"[2] (ежовщина, бериевщина и т.д.), многие, как известно, кивают на то, что "время было такое", и что безмерное разрастание аппарата НКВД и дикое расширение и ужесточение репрессий, дескать, было "исторически необходимым" – "врагов народа" надо было подавлять! Первая надобность подавления "врагов" очевидна, а вот вторая – их искусственного создания – спущена "под лед" истории, как это было некогда с новгородской "крамолой".

Опять-таки напрашивается историческая аналогия, подсказываемая нашим историкам сегодня. Долгое время было распространено удобное для оправдания тиранства заблуждение: опричнина-де была *исторически необходима*, поскольку Руси нужна была централизация (чтобы выжить), а бояре, дескать, были ее противниками, вот и "приходилось" их уничтожать...

Но, оказывается, бояре вовсе не были противниками централизации (как убедительно показали историки). На самом деле Иван Грозный отнюдь не с боярами боролся, "хотя не раз демагогически проклинал их за "измену". Состав жертв его террора ныне изучен и оказалось, что среди них было, конечно, более всего тех, *кто ближе всего стояли к тирану, а потому и скорее других навлекали его гнев*. Но на каждого боярина или дворянина приходилось по меньшей мере несколько (трое-четверо) рядовых *служилых* землевладельцев, а на каждого последнего (из привилегированных) приходилось по десятку лиц из низших слоев населения (С.Б. Веселовский).

Наконец, среди самих опричников было немало отпрысков аристократических родов и, кроме того, опричники... в свою очередь нередко становились жертвами созданного ими же самими орудия тотального террора, и их казнили, как и всех других. Бумеранг насилия возвращается к самому насильнику, поражая его.

Сталин, рассуждая об Иване IV, проецирует на него тот образ, который желанен для него самого, его обычный образ должен вобрать в себя лучшие (если же таковых не было – создать идеализированные!) черты своих исторических предшественников, потому что молчаливо предполагается: тот, кто познает ошибки в другом опыте, освобождается

---

[1] В. Кобрин. Посмертная судьба Ивана Грозного. – Там же, с. 59.

[2] Опричнина, по Далю (от "опричь" – особо, отдельно) – особое войско, телохранители и каратели; также часть государства, подчиненная дворцовому правлению, с особыми правами. Вспомним наших "особистов", т.е. сотрудников "особых отделов".

от них в собственном. "Ошибку" же Грозного, по Сталину, мы видели только в одном: что он при всей своей беспрецедентной на русском троне лютости и зверстве, оказывается, был еще *недостаточно грозным* и "недобил" несколько феодальных семейств.

Наиболее чудовищные вандальские акции при правлении и того, и другого были совершены против лучших людей по *ложному доносу* (у Сталина уничтожение цвета нашей партии, армии и литературы)[1]. Не на это ли указывали в своих гневно возмущенных посланиях каждый к своему тирану вынужденные эмигранты – князь Курбский и дипломат Ф. Раскольников?

Потомков восхищала якобы стальная твердость характера по отношению к единокровному детищу своему: Грозный в гневе убил собственного сына, Сталин фактически сделал почти то же самое (хотя, как и все, что он делал, – чужими руками), отказавшись обменять своего сына на военнопленного немца[2].

Чем же тут восхищаться: бесчувственностью, твердокаменностью истукана? Легко быть твердым, будучи бесчувственным; и с каких это пор в отечественной нравственной традиции бесчувственность стала возводиться во "врожденные заслуги"? Помнится, прежде к таковым относили прежде всего доброту и милосердие ("долго любезен" народу русскому доселе бывал лишь тот, кто "милость к падшим призывал", а вовсе не тот, кто "расстреливал несчастных по темницам").

Это план имперсональный, субъективный – личная бесчувственность как врожденное качество. Что же касается интерперсонального, социального, то тут безмерность жестокости выступала как бы репрезентантом безмерности силы, которая является своего рода "верой навыворот". Вера как таковая живет, питаясь энергией надежды, любви и ищет подтверждения в перманентном "чуде" – сериях чудесных таинств или таинственных чудес, время от времени возобновляемых.

Жестокость – это вера навыворот: она живет, питаясь *энергией страха и подобострастия* (лести), и ищет потверждения в перманентном "чуде-навыворот" – бесчеловечных акциях (преступающих норму обычной человечности), сериях тайных преступлений, время от времени возобновляемых (психологическая суть таинства остается, только чудесность заменяется жуткостью).

Для осуществления этих перманентных акций нужен специальный государственный аппарат, разветвленный, имеющий своих преданных агентов повсюду на местах, связанный друг с другом круговой порукой и кровью жертв, а также и "внутриведомственным страхом" – время от времени необходимо заменять агентов, убивая тех, кто убивал. Сталин

---

[1] По последним данным, все еще не полным, более 40 тыс. офицеров; литераторов же погублено более 1200, а сверх того еще 600 репрессированных выжило. – См.: *Книжное обозрение*, 1989, № 1. По данным Л. Белтова.

[2] Дочь Сталина свидетельствует: "И так как отец относился к нему (сыну Якову. – *М.К.*) незаслуженно холодно, а это было всем известно, то никто из высших чинов военных не стал оказывать ему протекцию, зная, что это встретило бы ярость отца. Яша всегда чувствовал себя возле отца каким-то пасынком... Первый брак принес ему только трагедию. Отец не желал слышать о браке... и вообще вел себя, как самодур. Яша стрелялся у нас на кухне, ночью. Пуля прошла навылет, он долго очень болел. Отец стал относиться к нему после этого еще хуже...". – С. Аллилуева. 20 писем другу.

создал такую "опричнину", какая и не снилась Грозному, вот уж тут он поистине научился на "ошибках" (то есть недостаточной последовательности) своих предшественников.

"Опричнина" же с неизбежностью порождает *доносительство как социальный институт*, опутывающий весь народ, всю массу снизу доверху железной паутиной страха и взаимного недоверия, растлевающий мораль легкостью расправы руками опричнины практически с любым человеком, который тебе мешает или кому завидуешь и просто хочешь завладеть чем-то, ему принадлежащим. Так, предательство, ложь (лжесвидетельство), воровство и убийство, осужденные христианской моралью и социально закрепленные многовековым опытом истовых подвижников, получают своего рода узаконение, поскольку именно эти ценности перманентно стимулируются. Происходит нравственное растление общества в принципе, а коль скоро это существует более двух десятилетий (то есть возраст целого поколения), то эти моральные завоевания закрепляются достаточно прочно.

Таковы отдаленные следствия института "опричнины", придавшей традиции отечественного "самодержавия" поистине отвратительную форму.

Что же касается личности автора и полновластного хозяина этого института, то нельзя не согласиться с историком, уместно вспомнившим крылатую пушкинскую формулу о гении и злодействе, – да, тирану и палачу не дано быть двигателем общественного прогресса, с необходимостью включающего в себя и нравственную сторону. Поэтому, на мой взгляд, период сталинского социализма (как и последующего постсталинизма) следует признать не развитием революции и уж тем более не эволюцией, а *инволюцией*, развитием с обратным знаком – регрессом[1].

Сталин, нерусский на русском революционном престоле[2], явился лицом, вполне отвечающим духу национальной истории, где "володеющие и княжащие" сей землей "великой и обильной", начиная с призванных для наведения "порядка" варягов, в течение столетий были чужеземными деспотами.

Итак, сталинизм принципиально чужд гуманизму, всему тому, что дорого человеку, человеческой культуре, – доброте, любви, милосердию, надежде, вере, мечте.

Тут мы еще раз должны вернуться к возникавшим предложениям видеть параллели между коммунизмом и христианством.

Думается, параллели возможны и не случайны: в конце концов, суть христианского вероучения сводится к тому, чтобы сделать *всех людей*, всех без исключения членов социума, счастливее и лучше, чем они есть ("приидите ко Мне *все* страждущие и Я утешу вас"), открыть людям глаза на ад вокруг себя и в собственной душе; правда, рай на земле не возможен, пусть же человека согревает хотя бы мечта об этом – прекрасные люди на прекрасной земле.

Суть марксизма – в переустройстве мира; коммунизм и есть "рай", то есть равноправный для всех без исключения членов социума

[1] Автор посвятил этому вопросу специальную статью. – См.: сб. Института военной истории. М., 1989.

[2] По воспоминаниям А.М. Лариной-Бухариной, известный в Грузии большевик-литератор Тодрия однажды сказал Н.И. Бухарину в 1928 г.: "Вы, русские, Сталина не знаете так, как мы, грузины. Он всем нам покажет такое, чего вы себе и вообразить не можете". – *Знамя*, 1988, № 11, с. 161.

("свободное развитие каждого является условием свободного развития всех"); и он возможен на земле, считают марксисты-ленинцы, по крайней мере как идеал, а идеал есть не только прекрасный призрак, с коим "должна сообразовываться действительность, но и реальное движение" (Маркс).

Это "движение" превратилось в историческую реальность после Октября, и тот, кто стоял во главе его, обозревая первые ростки становления этой реальности, был не только реальнейшим политиком и стратегом, но и человеком глубочайшей веры в правоту своего дела и высокой мечты. Футуроориентированность передовой русской мысли вылилась в мировоззрение Владимира Ульянова, в котором нерасторжимо сливалось *знание* научного коммунизма и *вера* в будущее своего народа. По мудрому наблюдению Горького, Ленин настолько хорошо знал историю прошлого, что мог и умел смотреть на настоящее из... *будущего. Смотреть на настоящее из будущего* – вот credo ("верую") "кремлевского мечтателя", вызывающее уважительное изумление у западноевропейца, – воззрение, в той или иной степени характерное для всей ленинской гвардии и переданное живой эстафетой другим поколениям.

Вот этими – ленинскими, футуровидящими – глазами лучшая часть советского общества смотрела на свое настоящее – сирое, бедное, отверженное, трудное и горькое, пыталось провидеть его будущее, и во имя этого светлого образа не то чтобы просто жило (как, например, люди на Западе), а *боролось за жизнь*, то есть за настоящую жизнь, словно как в бою, отбивая от косных сил свое возможное светлое будущее. Вот в чем смысл положительной стороны жизни и наших 30-х годов – *вера в счастливое будущее*, вполне возможное, кое обязательно наступит. В этом, пожалуй, всемирно-исторический смысл и назначение России, русской культуры, которая, начиная с декабристов и Пушкина, жила более всего *верой в свое историческое будущее*: "Товарищ, *верь!* Взойдет она – звезда пленительного счастья..." Мечта – чрезвычайно дорогое для Владимира Ильича понятие (недаром его самого проницательный зарубежный наблюдатель-фантаст назовет "кремлевским мечтателем", прозревающим возможный советский "рай" сквозь образ тогдашней России, пребывающей "во мгле" ада), и все гиганты ленинской гвардии – это "героические энтузиасты" (конгениальное определение этого типа личности, данное еще Д. Бруно), исполненные более и прежде всего ВЕРЫ, ВЕРЫ В БУДУЩЕЕ, – Дзержинский, Фрунзе, Куйбышев и др.

Великая революция выдвинула целую плеяду героев, ленинских сподвижников, блестящих личностей своего времени, в полном и глубоком, отрешенном смысле "отчизне посвятивших души прекрасные порывы".

Четкую направленность такой личности, ее пронизанность "ветром истории" ясно выражает сжатая автохарактеристика Валериана Владимировича Куйбышева: "Я – весь в происходящей борьбе, весь без остатка. Не только приемлю ее всю, с ее грубостью, жестокостью, беспощадностью ко всему, что на пути, не только приемлю, но и сам в ней весь, *всем своим существом, всеми помыслами. Все надежды, вера, энтузиазм в ней, в борьбе. Все, что не связано с ней, чуждо мне, я люблю, мне близко то, что с ней слито...*"[1].

---

[1] Цит. по: Партия шагает в революцию. Рассказы о соратниках В.И. Ленина. М., 1964, с. 250.

Впечатляет и поражает цельность такой натуры, глубинная страстность, подчиненная единой цели – сквозной, то есть сквозь жизнь: Куйбышев буквально сгорел на работе, умерев в 47 лет, выйдя на перерыв перед очередным ответственным заседанием – так же точно, как десятью годами раньше его друг Феликс Дзержинский. И не просто поражает, но и ЗАРАЖАЕТ и ЗАРЯЖАЕТ других своей верою.

Всякая вера, чтобы не иссякнуть, должна иметь некоторое пресуществление; ее постоянный источник питания – это ОЛИЦЕТВОРЕНИЕ в ком-то (наглядное, живое созерцание – подтверждение "собственными глазами") и ОВЕЩЕСТВЛЕНИЕ в чем-то (деяния, поступки, плоды деятельности).

В ленинское время идеалы коммунизма еще никак не могли быть *овеществлены* – гражданская война, интервенция, разруха и голод не оставляли тогда места для их реализации; не оставалось ничего, кроме святых *надежд и чаяний.*

Ленинская гвардия – блистательные личности – была носителем этой *веры,* ее *олицетворением,* которое "можно пощупать" и удостовериться, что коммунизм – не химера, что он хотя бы отчасти есть уже сегодня, если не для всех, то хотя бы в лице такого человека, пусть одного, но живого, простого, живущего вот здесь, сейчас, с нами рядом. Отсюда это желание "пощупать", то есть удостовериться своими глазами, – ведь согласно пословице, русский глазам не верит ("ходоки" к Ленину).

Олицетворением и единственным символом светлого будущего, человеком-символом, воспринимавшимся как солнце, был Ленин, вот почему столь трагично народ воспринял его уход из жизни. Казалось, солнце нашего будущего закатилось, померкло, или, как сказано многим тогда еще памятном Апокалипсисе, "стало мрачно, как власяница".

В 30-е годы эта эстафета веры была продолжена в энтузиазме – героическом и трагическом – индустриализации; а в 40-е годы – энтузиазме защиты своих кровных (увы, в буквальном смысле) завоеваний от смертельной внешней опасности, надобно было отстоять свое будущее от вероломного и кровожадного врага, покусившегося к тому же и на самое заветное – на социальные идеалы.

Поэтому и кончина Сталина – этого, по Барбюсу, "Ленина сегодня"[1] – воспринималась народом столь же трагично; солнце нашего будущего померкло, говоря пушкинскими словами, "как нам теперь жить будет?!" Отсюда это – тоже не менее странное для европейцев – желание всюду, во всех без исключения сферах труда и общественной деятельности и даже отдыха видеть напоминание о дорогом и единственном образе – олицетворении: многомиллионное тиражирование – графическое, живописное, скульптурное, плакатное, текстильное; монументальное и миниатюрное; всюду – в городе и в селе, на каждом без исключения предприятии – перманентная лениниана – в искусстве и т.д. – все это необходимо опять-таки как неусыпное соприсутствие ленинского

---

[1] Коммунисты всего мира хотели бы тогда верить в то, что подвиг первого поколения русских революционеров-ленинцев не пропал, и борьба и понесенные жертвы были тоже не напрасны. Долорес Ибаррури на XVII съезде провозгласила Сталина "любимым и непоколебимым, стальным и гениальным большевиком, вашим и НАШИМ (!) вождем пролетариев и трудящихся всех стран и национальностей всего мира!". – XVII съезд ВКП(б). Стенографический отчет. М., 1934.

образа в наших текущих буднях, как если бы Он, всевидящий, зрил нас всечасно и вездесущно и напутствовал: "Верной дорогой идете, товарищи!"

Это наша, советская святыня и – не слушайте брюзжания профессорского атеизма – наша, советская *икона*, необходимая в каждом социально неравнодушном доме, ибо в ней олицетворенно опредмечена была наша вера в возможное светлое будущее, будущее человека как самоценности, как самоцели истории. А *не винтика в бездушной, бесчеловечной бюрократической машине!*

Поскольку все было сделано так (и на это работала вся колоссальная машина тотальной пропаганды, в основном и созданная для данной цели), что у Ленина якобы был соратник, а потом и преемник – Сталин, то все это громадное социальное чувство, *любовь масс*, жаждущая живого (а не мумифицированного) олицетворения, обратилась, естественно, на него, и многое, очень многое было сделано для того, чтобы этот "вечный огонь" постоянно поддерживать. Сталин недаром любил свои изображения в профиль, чтобы "та" сторона его лица – злодейская, как оборотная сторона Луны, не была видна. Власть и злодейство в тени, а Любовь снаружи.

Но те, кто покинул родину хотя бы внутренне (внутренняя эмиграция!) и смотрел на нее, так сказать, в перевернутый бинокль, провидели негативные следствия авторитаризма задолго до того, как они развернулись в 30-е годы, – этим "людям будущего" Советов, людям, сгорающим в огне своей мечты и почти радостно принимающим безвинную смерть, Н. Гумилев завещал:

Издавна люди уважали
Одно старинное звено,
На их написано скрижали:
"Любовь и Жизнь" – одно.

Но *вы – не люди*: вы живете,
Стрелой мечты вонзаясь в твердь.
Вы слейте в радостном полете
Любовь и смерть.

Поразительным образом это поэтическое предчувствие трагических социальных событий перекликается с мыслью Сталина – одной из немногих, высказанных им вполне самостоятельно и потому "исторической", – по поводу поэмы раннего М. Горького "Девушка и Смерть"; на первый взгляд, в особенности литературоведческий, она почти нелепа, но зато она обрастает страшным смыслом в политическом контексте, о каковом Сталин не забывал нигде и никогда и поэтому ничего не говорил зря; и, конечно же, эта фраза – тоже с двойным дном, фраза о том, что эта маленькая поэма сильнее "Фауста" Гёте – "Любовь побеждает Смерть!" Он втайне надеялся и хотел бы этой своей надеждой заразить засомневавшихся современников, что *любовь к Нему* со стороны Массы (десятков миллионов) *все же побеждает* ужас, внушаемый смертью, которой он столь щедро одаривает эти миллионы (имеется в виду смерть не только физическая, но и гражданская – отлучение от нормальной человеческой жизни, в кое были повергнуты "ЧСВН" – члены семей этих поверженных[1]. Гумилев же тут выступает как провидец, потому что и та Масса, что была за колючей проволокой, и та, что еще оставалась по эту сторону, в сущности, по высшему человеческому счету, разделяла участь "нелюдей", лишенных истинной свободы и истинной любви.

Сталин, конечно, не был гением, как Ленин, до этого ему было бесконечно далеко, но сказать, что он явился только "злым гением", наподобие фюрера, было бы, наверное, тоже несправедливо. Ему были присущи, по крайней мере, два незаурядных качества – "жало мудрыя змеи" и поистине стальная сила воли, магнетически действующая на людей, властно подчиняющая себе (даже такую незаурядную личность, как, скажем, Черчилля, по его собственным воспоминаниям), поэтому Сталина можно было и люто ненавидеть и панически бояться, но его невозможно было презирать – что, несомненно, указывает на масштаб его личности[2].

Что касается первого качества, то он, может быть, единственный из всех понял, что для данного народа необходимо создать новое конкретное олицетворение светлого будущего в облике вождя, необходим "Ленин сегодня", и он понял, что именно ему это может вполне удаться. Конечно, у него не было ленинского всеобъемлющего ума, образованности и человеческого обаяния, но первое можно было возместить прямыми заимствованиями и цитатами, что подается как непосредственное продолжение дела Ленина, к тому же предельно скромное, никаких собственных идей – только ленинизм в развитии. Постепенно придется незаметно переписать историю партии, выставив себя всегдашним прямым соратником Ленина, его правой рукой или еще более определенно: изобразить дело так, что вождей до революции было два – как два крыла у орла революции, по ту сторону – Ленин, за границей, в эмиграции, и Сталин – по эту, в России, в большевистском подполье. Но этому грандиозному плану, конечно, помешал бы ряд лиц, таких как Троцкий, с одной стороны, сам рвавшийся к руководству соперник, притом блестящий, и Киров, Бухарин, которые не потерпели бы лжи и подтасовок. Поэтому всех их необходимо было убрать... Но для осуществления страте-

---

[1] Те же, кого по разным причинам не казнили, нередко казнили себя сами: Есенин, Маяковский, Цветаева, лучшие из лучших... Посмотрите, как повесившаяся в 1941 г. на родине в Елабуге Марина Цветаева довела до логического конца мысль расстрелянного в Петрограде в 1922 г. Николая Гумилева: "С волками площадей отказываюсь выть, в *бедламе нелюдей* отказываюсь жить!"

[2] У. Черчилль вспоминал об "исполинской, несгибаемой силе воли" в этой личности, "импонирующей нашему жестокому времени", в 1959 г., а за двадцать с лишним лет до него о том же писал Ф. Раскольников, как известно, настроенный против Сталина и его политики резко критически. В мемуарах Раскольникова сохранился фрагмент "Психологический портрет Сталина", где, в частности, отмечалось: "Основное психологическое свойство Сталина, которое дало ему решительный перевес, как сила делает льва царем пустыни, – это необычайная, сверхчеловеческая сила воли. Он всегда знает, чего хочет, и с неуклонной, неумолимой методичностью постепенно добивается своей цели. "Поскольку власть в моих руках, я – постепеновец", – сказал он однажды мне... Сила воли Сталина подавляет, уничтожает индивидуальность подпавших под его влияние людей... он не нуждается в советниках, ему нужны только исполнители... Он не любит людей, имеющих свое мнение, и со свойственной ему грубостью отталкивает их от себя". – Ф.Ф. Раскольников. Мои записки. Из Архива.

гии зла нужна машина зла, ее осуществляющая, и она была шаг за шагом создана, а чтобы никому не закрадывалось в голову какое-либо сомнение – эта мать размышления, – нужна атмосфера страха, тотального Страха, связывающего буквально всех, каждый винтик в Системе, как в разбойничьей банде "вяжут кровью", создавая монолит благодаря такой круговой поруке[1].

"Страх – обязательный элемент более или менее жесткого механизма администрирования. И трудно сказать, какая доля в беспредельной четкости и исполнительности... связана с этим страхом, а какая сформулирована верой в правоту Хозяина. И так ли уж оторваны друг от друга и эта вера, и этот страх?

... Сама внутренняя логика Административной Системы требует подсистемы страха, требует права Верха в любой момент сместить любого нижестоящего без объяснения причин этого смещения. И это право может – в силу ряда условий – вырасти в право вообще устранить подчиненного из жизни. Вопрос о конкретных формах этой подсистемы – сам по себе важный – для нашего вывода не столь существен. Важно, что такая *подсистема была нужна для обеспечения эффективного администрирования.* Поэтому *необходимость Берии заложена в сути Административной Системы* (!), а реализоваться эта возможность может и в относительно культурном, и в наиболее варварском виде"[2].

Когда казнили выдающихся личностей по его прямому или косвенному указанию, Сталин как всякий умный человек, естественно, не мог не соотносить факт гибели другого, тем более потенциального конкурента, с такой возможностью и для себя самого – со времен Гамлета, когда человек видит "чужие кости", его собственные не могут "не ныть при мысли об этом".

Шекспирову догадку замечательно развивает современный писатель-психолог, Нобелевский лауреат Элиас Канетти в тонком по наблюдениям социально-психологическом трактате "Масса и власть" (1960)[3]: "Центральный феномен власти – это триумф выжившего... Момент выживания есть момент власти. Ужас при виде мертвого (для человека, обладающего неограниченной властью, для властителя. – *М. К.*) разрешается удовлетворением при мысли о том, что мертв не я сам. Этот лежит, а выживший стоит. Как будто бы произошло сражение и будто бы я сам сразил того, кто сейчас мертв. В деле выживания каждый враг другому, и по сравнению с этим элементарным торжеством любая боль невелика. Важно, однако, что выживший *один* противостоит множеству мертвых. Он видит себя одиноким, он чувствует себя одиноким и, когда речь идет о власти, которую он ощущает в этот момент, то оказывается, что именно из его *единственности*, и только из нее, вытекает власть... Ощуще-

---

[1] "На первом же московском "открытом" судебном процессе в августе 1936 г. Троцкий был заочно приговорен к смертной казни... Едва в Москве завершился (этот) процесс, Сталин поставил перед НКВД задачу – уничтожить Троцкого. Для убийства Троцкого, а также для расправы с некоторыми дипломатами и разведчиками, оставшимися в 1936–38 гг. за границей, в системе НКВД был создан специальный отдел". – Р о й М е д в е д е в. О Сталине и сталинизме. – *Знамя*, 1989, № 2, с. 213.

[2] Г. П о п о в. С точки зрения экономиста. – *Наука и жизнь*, 1987, № 4, с. 62.

[3] C a n e t t i E. Masse und Macht. Frankfurt am Main. Fischer, 1981, S. 249–250, а также см.: Л. Г. И о н и н. Фашизм – патология истории. – *Социологические исследования*, 1986, № 6.

ние силы, когда живой стоит среди мертвых (например, оглядывая в воображении своем образы убиенных, поверженных "врагов". – М. К.), в основе своей сильнее, чем любая печаль. Это чувство *избранности* из числа многих, чья судьба одинакова. Каким-то образом, человек начинает чувствовать, что он – ЛУЧШИЙ... Тот, кто побеждает часто и многих, тот ГЕРОЙ. Он сильнее, в нем больше "жизни" и т.д."

Таким образом, получается, что у подножия трона власти лежат трупы, и чем их больше, тем больше, сильнее власть. Поэтому "масса убитых взывает к ее умножению". Приращение массы убиенных усиливает власть и в ее собственных глазах и в глазах толпы (массы), расширенных от ужаса. Так тот, кто поначалу был обозначен как *просто герой*, постепенно превращается в *великого героя*, так что, наконец, ровно по мере утоления этой, так сказать, онтологической кровожадности, возрастает мера его всеужасающего величия, так что в конце концов – в исключительных обстоятельствах – он может оказаться и богоравным. Таковы основы феноменологии власти.

Вот в чем тайна того, что масса полупрезрительно относилась к "добрым царям" (вроде Федора Иоанновича или Бориса Годунова), но в священном ужасе чтила "грозных".

Именно социализм, по мысли великих марксистов и прежде всего Плеханова, призван был покончить с этой исторически сложившейся чудовищной, бесчеловечной "привычкой" и счастливо взаимоуравновесить роль масс и личности в истории. На живом индивидуальном примере вождей научного социализма – Маркса, Энгельса, Плеханова, Ленина – это уже и происходило, и здесь марксистская теория оказалась подтвержденной в реальной социальной практике.

Но феномен Сталина отверг марксизм в этом пункте; более того, именно на моменте культа личности ярче, чем где бы то ни было, виден резкий отход сталинизма от исконных идеалов социализма. Он настолько велик, что в ряде психологических моментов культ личности Сталина во многом походит на культ фюрера.

СТАЛИН И ГИТЛЕР

В нашу задачу не входит анализ личности Гитлера; для наших целей вполне достаточно воспользоваться уже имеющимися результатами такового, дабы сравнить с ними черты той фигуры, что нас интересует непосредственно.

Известно, что за договором о ненападении последовал еще один – договор *О ДРУЖБЕ* с немецкими фашистами, что, вообще говоря, должно было поставить в тупик любого приверженца ленинизма. Сталин и вторящий ему, как эхо, Молотов в своих речах и тостах почти в открытую славили гитлеровскую Германию, Италию и нашу дружбу с ними. Печать, развивая сию идею, толковала о том, что западные демократические государства – такие как Англия и Франция (где, между прочим, легально действовали компартии), следует считать более враждебными рабочему классу, чем гитлеровский рейх, где "ликвидирована безработица".

В ответ Риббентроп заявлял, что идеологию Германии, Италии и... Советского Союза роднит одна *общая черта* (?!) – оппозиция капиталистическим *демократиям* (!) Запада. Фашистская дипломатия горячо одобряла Сталина, "поступившего очень мудро, сняв еврея Литвинова и назначив на его место арийца Молотова".

Недавно впервые опубликованные донесения наших секретных сотрудников[1] проливают свет на отношение высшего немецкого руководства к тогдашнему советскому. Вот что говорил, например, один из высших дипломатических гитлеровских чинов фон Б.: "Что Сталин – великий человек – для всех очевидно. Чемберлена и Даладье фюрер называл "червячками", но Сталина он уважает ... Сталин – блестящий политик и стратег! Буду до конца откровенным – напав 30 ноября 1939 года на Финляндию, он поставил нас в тяжелое положение ... ведь с Финляндией нас, немцев, связывала давняя дружба! Но мы принесли финнов в жертву ... ибо именно в союзе со Сталиным черпал фюрер силу и уверенность! И, разумеется, мы бесконечно благодарны ему за миллионы тонн хлеба и нефти, за хром и марганец..."[2]

Иосиф Джугашвили отвечал Адольфу Шикльгруберу столь же трогательной привязанностью и редкой для себя – хитрого политикана и интригана – доверительностью.

В конце июня 1940 г. Черчилль прислал Сталину письмо, предупреждая его против германской экспансии. Но Сталин не только не ответил на это письмо, но передал его содержание через Молотова ... кому бы вы думали? – Гитлеру.

В ответ на это "Берлин был просто растроган благородной лояльностью Сталина, проявленной им в инциденте с письмом Черчилля", – как отметил этот же высший чин фон Б.[3]

Именно по причине глубокого личного доверия к фюреру советский вождь не поверил ни единому из многочисленнейших донесений об истинных планах вермахта (результатом чего и явилось подписанное 21 июня Берией решение стереть наших разведчиков в "лагерную пыль").

Один из секретных сотрудников 20 июня 1941 г. приводит весьма характерное высказывание ответственного лица: "... война, которая разразится через день-два, не будет внезапной. Никогда ни одно государство в истории войн не знало, благодаря своей разведке, столько о планах врага и о его силах, сколько Россия. Почему же Сталин так мало делает, видя, как перетирается нить, на которой висит дамоклов меч?"[4]

В самом деле – почему?

Поразительно, что даже когда трагедия нашествия разразилась, поистине неожиданная разве только для одного нашего Верховного Главнокомандующего, он и после этого, в сущности, не изменил своего положительного отношения к Гитлеру. Так, например, свидетельствует министр иностранных дел Великобритании Антони Иден, большой поклонник Сталина: в декабре 1941 г. Сталин во время разговора вдруг заметил, что Гитлер проявил себя исключительным гением. Он сумел в невероятно короткий срок превратить разоренный и разделенный народ в мировую державу. Он сумел привести немецкий народ в такое состояние, что тот беспрекословно подчиняется его воле. Но, добавил Сталин, "Гитлер показал, что у него есть фатальный недостаток. Он не знает, когда нужно остановиться"[5].

---

[1] См.: О. Горчаков. Накануне, или трагедия Кассандры. – *Горизонт*, 1988, № 3.

[2] Там же.

[3] Там же.

[4] Там же.

[5] М. Геллер, А. Некрич. Утопия у власти. История Советского Союза с 1917 года до наших дней. 1917 года до наших дней. London, 1986, p. 328.

Поразительно – и это вполне в натуре Сталина, – что свое отношение к фюреру и созданной им империи он сохранил до конца. Из воспоминаний С. Аллилуевой: "Эх, с немцами мы были бы непобедимы", повторял он, уже когда война была окончена"[1].

Двух крупнейших тиранов XX века определенным образом тянуло друг к другу, только каждого из них по своей причине.

Гитлеру мешал большевистский социализм, который заявлял, что будущее мира принадлежит коммунизму, и, следовательно, первый – по логике рассуждений фюрера – воплощенный уже в сегодняшнем сталинизме претендует на роль распорядителя Мира. Но именно на эту роль жадно претендовал гитлеровский национал-социализм, и лично для Адольфа Первого Иосиф Первый был "вторым медведем" в одной берлоге; тут он, как проницательно заметил его соперник, поистине "не знал, когда нужно остановиться", зарывался и на том сорвался.

Сталин же, не забывавший о "мировой революции" и ликвидировавший наряду с главным автором "перманентной революции" всех своих возможных и невозможных конкурентов внутри страны, реального властителя вне ее пределов рассматривал, по-видимому, уже не как соперника, а как *напарника*, близкого по духу, вкупе с которым можно со всем миром сделать то же, что сотворил он со своим народом. В одиночку же сия задача не под силу никому – он это отлично понимал в отличие от своего проигравшего партнера с "фатальным недостатком" (потому-то, кстати, и проигравшего, что "не мог остановиться").

Поэтому само собою напрашивается сопоставление этих двух личностей друг с другом. Полагаю достаточным для наших целей взять аргументы из далекого зарубежного источника, у вышеназванного Канетти, который провел специальное социально-психологическое исследование личности Гитлера[2]. Мы приведем здесь некоторые из его наблюдений, и читатель – в меру своего опыта – может сам судить, насколько они сопоставимы с личностью Сталина. Для удобства рассмотрения сгруппируем черты личности этого типа в определенном нами порядке.

1. "Жажда строительства и жажда разрушения жили рядом в его натуре, проявляясь одинаково остро. Империя, создавая которую немцам ... предстояло поработить весь мир, должна была внушать ужас, много крови ДОЛЖНО БЫЛО пролиться".

Сталин, по-видимому, тоже и создавал и разрушал одновременно в гигантских, глобальных масштабах: любой его поступок – "размером с шар земной" (эти стихи Пастернака о нем пришлись ему весьма по вкусу).

Он созидал нечто беспрецедентное в истории (сверхценная идея) – Новое общество, завещанное и обещанное гениями марксизма-ленинизма; идеи построения были не его, но он должен стать "Лениным сегодня". Это возможно сделать в исторически краткий срок, то есть соизмеримый с продолжительностью человеческой жизни (его собственной, чтобы успеть пожать плоды), только при беспредельном накале, на пределе всех человеческих возможностей, при мощном порыве энтузиазма, которым должна быть охвачена вся многомиллионная масса. Именно Он один и призван историей *воодушевить ее*, с одной

[1] С. Аллилуева. Только один год. Нью-Йорк, 1970, с. 339–340.
[2] Canetti E. Die Yespeltene Zunuhft Aufsätze und Yeschpreche. München, 1972, S. 7–39.

стороны, а с другой – *заставить* (поскольку энтузиазм толпы не очень надежен и в случае провалов или неуспехов может легко иссякнуть).

Поэтому *для воодушевления* нужна программа, действительно величественная и авторитетная, абсолютно беспроигрышная, – таков ленинизм, идеи и планы которого он и будет проводить в жизнь (это на словах, для слуха Массы, а на деле под этим флагом можно протащить собственные личные замыслы, в случае провала которых их можно будет легче списать на чей-то счет, ибо они не значатся за НИМ).

Для того, чтобы заставить, нужно добиться беспрекословного подчинения всех без исключения; для этого конкурентов и строптивых убрать, а остальных держать в узде страхом за свою судьбу и самую жизнь; ну и, наконец, в довершение всего необходимого, иметь колоссальный резерв бесплатной рабочей силы, которой можно располагать по усмотрению; причем, чтобы народ не смотрел, как это бывало прежде, при царе, с сочувствием на узников, надо наложить на них клеймо проклятия, "доказать" народу, что они – его собственные враги (вредители и т.п.). Но для того, чтобы страх был ощутимым, необходимо не просто "пугать", нужно уничтожить, только очень Большой террор действительно способен устрашать – так что *крови должно будет пролиться много*, беспредельно много. Соединив титанические усилия миллионов и "по страху, и по совести", можно своротить горы. И их действительно своротили – таковы все гигантские сталинские стройки, стройки века, ошеломившие мир своим размахом и невиданной быстротой созидания. Он торопился не для потомков, а для себя; к тому же все это – определенный образ силы, могущества Его власти.

Программа *индустриализации* для самого Сталина была не столько социальная (хотя и это тоже, поскольку ее осуществляла вся Масса, вся страна), сколько *сокровенно личная* программа Его жизни, поскольку это было действительно грандиозное, исторически беспримерное опредмечивание личности Вождя. Вот почему это стало *Главным делом его жизни*, от которого его резко отвлекла война. Возможно, поэтому он столь упрямо и отмахивался от всех предупреждений о ее приближении и даже наказывал тех, кто проявлял особую настойчивость. Война (в отличие от Гитлера) никак не входила в Его планы, поэтому ее и быть не должно. По-видимому, он настолько верил в себя и, следовательно, в свою непогрешимость, себя и своих планов, что, когда это все-таки случилось, он в первые мгновения просто этому не поверил (вот почему он единственный из генералитета спал в предвоенную ночь), а в первые несколько дней скрывался на своей даче-крепости, и только спустя десять дней, которые *потрясли страну* и народ в самом прямом – ужасающем – смысле, 3-го июля он обратился к народу с почти религиозной задушевностью: "Братья и сестры...".

По-видимому, войну он воспринял как досадную помеху, отвлекающую его от Главного дела, пока колоссальные потери не заставили отнестись к этому со всей серьезностью. Тогда он начал учитывать и исправлять сделанные промахи и ошибки.

К тому же открылась возможность приспособить и эту крайне неудобную ситуацию к Главному делу: перевести индустриализацию на военные рельсы и одолеть врага, который до сих пор не был никем побежден. Победить непобедимые орды! – так переформулировалась сама собою главная задача, и с той поры он стал делу Победы уделять все внимание, с одной стороны, прислушиваясь к мнению военных специалистов (чего никогда не позволял себе прежде), а с другой – не забывая о себе и делая все для того, чтобы Масса воспринимала его как Верховного созидателя Победы (отсюда все мыслимые и немыслимые для XX века посты – вроде генералиссимуса) и, следовательно, воюя "за родину, за Сталина", вырванная любою ценою победа окажется Его Победой[1].

2. "Благодаря умению собирать массы, он пришел к власти, однако он знал, как легко они стремятся к распаду. Есть лишь два средства предупредить распад массы. Одно – это ее РОСТ, другое – ее периодическое ПОВТОРЕНИЕ. Частные средства возбуждения массы – знамена, музыка, марширующие группы, разом кристаллизирующие толпу, в особенности же долгое ожидание перед выходом важных персон".

Все это вполне относимо и к предмету нашего исследования, только мы бы добавили к средствам массового психологического соединения еще и валы аплодисментов, обвалы оваций; детские "хоры", поющие с цветами в руках осанну: "Спасибо товарищу Сталину за наше счастливое детство!". Далее это демонстрации не реже двух раз в году, лицезреющие Самого, процессии, парады, марши, спортивные праздники, в частности излюбленные человеческие пирамиды – как олицетворенный образ гигантской машины государства, состоящей из человеческих "винтиков", легко заменимых ("незаменимых людей нет!").

3. "Массы ... должны быть возбуждаемы всегда, даже когда его не станет. Поскольку наследникам это не будет удаваться, как удавалось ему самому, ибо он единственен, им останутся средства достижения этой цели – сооружения, способствующие возбуждению масс. *Построенные именно им, они пронизаны его особенной аурой*"[2].

У Сталина был такой архитектурный символ крепости и силы, какой и не снился Гитлеру, – это Московский Кремль. Но он был построен за полтысячелетия до него, к тому же не "своими", а итальянцами (и Кремлевская стена, и башни, и соборы – более других усилиями Аристотеля Фиораванти), стало быть, непосредственно лично с Ним он связывался лишь чисто внешне[3]. Необходимо нечто внешне подобное, внутренне (может быть, даже *тайно от всех*) связанное с Кремлем, являющееся как бы его развитием и продолжением в середине XX века, но построенное Им, то есть "пронизанное Его аурой".

Таковыми стали ВЫСОТНЫЕ ДОМА Москвы. Берусь утверждать, что они внутренне связаны с Кремлем.

---

[1] Когда исход войны был уже предрешен и бои вышли на территорию Восточной Пруссии и Чехословакии, он приказал переключить управление всеми фронтами непосредственно в Ставку, лично Ему. Маршал Жуков, заместитель Верховного Главнокомандующего, вспоминал: "При проведении крупнейших операций, когда они нам удавались, он как-то старался отвести в тень их организаторов, лично же себя выставить на первое место... Сталин хотел завершить блистательную победу над врагом под своим личным командованием, то есть повторить то, что сделал в 1813 году Александр I, отстранив Кутузова от главного командования и приняв на себя верховное командование..." – Г.К. Жуков. Коротко о Сталине. – *Правда*, 1989, 20 января.

[2] Canetti E. Die Yespeltene..., p. 141.

[3] Первым шагом адаптации старинного сооружения к современности стали кремлевские пятиконечные звезды, которые увенчали башни Кремля в 1937 г.

Кремль – это "внутренняя крепостца", крепость внутри города (В. Даль); Сталин и превратил его в буквальном смысле в крепость, закрытую наглухо, непроницаемую для массы и потому еще более оттенившую Его силу, особость и величие. Но, с другой стороны, нужно и как-то поддерживать, даже визуально, свою связь с массой; иными словами, Кремль должен каким-то образом иметь продолжение и зодческое подтверждение в окружающем городском пространстве, надо было визуально связать Центр, сердце страны и города, с самим городом, с его жилыми кварталами. Эту роль, как мне думается, и выполнили "высотки".

Если посмотреть на Кремль в плане, то это – неправильный пятиугольник, отороченный по всем углам разными по рисунку, но строго едиными по стилю башнями. По двум же – самым длинным сторонам (той, что вдоль набережной, и той, что вдоль Александровского сада) ярче других ровно по центру выделяются еще две – Тайницкая и Троицкая; эти семь могучих красавцев и определяют визуально архитектурную пульсацию политического сердца страны. И чтобы этот сердечный ритм ощущался зрительно всюду, то есть и в удалении от Кремля, возник как бы большой круг архитектурного "кровообращения" – Садовое кольцо, для чего пришлось вырубить сады и освободить место для наглядной пульсации в автомобильных траекториях[1], а образ главных семи кремлевских башен возникает повторно в семи "высотках", разбросанных по периметру кольца и замыкавших тогда весь громадный город в конце проспекта в колоссе – башне университета, построенного в том же стиле.

Человек, в целом чуждый сталинизму – хотя бы уже из-за своего высокого уважения к исторической памяти (кою сталинизм беззастенчиво подмял под себя), В. Чивилихин признавался: "Люблю я московские высотные дома! Не те новые высокие сегодняшние параллелепипеды, возникающие вдруг то там, то сям по городу, очень похожие на чемоданы стоймя или плашмя, а именно ВЫСОТНЫЕ дома, что в пору моего студенчества неспешно, основательно и ОДНОВРЕМЕННО (!) воздвигались семью белыми утесами над нашей столицей, стоящей, как Рим, на семи холмах... Никогда не соглашался с теми, кто, следуя моде – было же время! – почем зря ругал их"[2]. Цель достигнута. Комментарии излишни.

4. "Представление о ПРЕВОСХОДСТВЕ, пожалуй, лучшая возможность ближе понять механизмы его духа. Любое из предприятий, все его глубочайшие желания продиктованы стремлением превзойти; можно даже назвать его *рабом превосходства*. Возможно, здесь коренится объяснение его внутренней пустоты ... Он ни на минуту не допускает возможность поражения; сильнейший – лучший, сильнейший заслуживает победы. И достигнутое без пролития крови мало чего стоит".

Это сказано о фюрере, но из всего, что мы уже знаем о предмете нашего интереса, оно характеризует и последнего в не меньшей степени. Что же касается момента стоимости и цены пролития крови, то разве это не перекликается с фразой, ставшей широко известной и оттого, как все хрестоматийное, воспринимавшейся до сих пор некритично. В свете

---

[1] Бывшие деревья мешали бы этому процессу беспрепятственного скольжения взгляда, автомобильный же поток лишь способствует визуальному соединению высотных башен друг с другом и их выход внутрь кольца – к Кремлю.

[2] В. Чивилихин. Память. – *Роман-газета*, 1982, № 16, с. 6.

вышесказанного попытайтесь вдуматься: "... но кровь, обильно пролитая нашими людьми, не пропала даром, она дала свои результаты..."[1] ,

5. Это в макросоциальном плане; а в микромасштабе: "Он считал необходимым поручать двоим решение одной и той же задачи, чтобы они старались превзойти друг друга". Это – Канетти о своем персонаже.

А вот что говорит маршал Жуков о своем. Осенью 1944 г. Сталин специально смещает Рокоссовского с командования 1-м Белорусским фронтом, стоявшим на Берлинском направлении, и ставит на его место Жукова, несмотря на протест со стороны последнего. "Сталин действовал здесь неспроста. С этого момента между Рокоссовским и мной уже не было той сердечной, близкой товарищеской дружбы, которая была между нами долгие годы. И чем ближе был конец войны, тем больше Сталин интриговал между маршалами – командующими фронтами и своими заместителями, зачастую сталкивая их "лбами", сея рознь, зависть и подталкивая к славе на нездоровой основе"[2].

6. "Параноидальная натура ... непреодолимая мания величия...

Узкое окружение Гитлера ... поразительно убого ... В этом кругу он ощущал гигантское превосходство. О том, чем он, собственно, был полон – о планах и решениях, – они не знали. Он жил, не нарушая своей тайны, и потребность в этом была высшим условием его существования. Это – тайна великого государства, которой владеет он один; он мог очень хорошо объяснить самому себе необходимость абсолютной секретности. Он часто говорил, что никому не доверяет ... Целостность он видел в твердости. От своих представлений о власти не отклонялся, всю власть своих исторических предшественников вобрал в себя и в последовательном ее сохранении видел основу своих успехов".

22 декабря 1927 г. великий психиатр В.М. Бехтерев, приглашенный к Сталину как невропатолог, попутно с рассмотрением сухорукости поставил диагноз "тяжелой паранойи", за что, по-видимому, и расстался с жизнью[3].

Современный психиатр – профессор А.Е. Личко, еще двадцать лет назад проанализировавший паранойю у Ивана Грозного в мысленной проекции на Сталина, подтверждает верность бехтеревского диагноза[4].

Если это действительно так, то тогда становится ясным, почему многое из сказанного об этом заболевании и у Грозного, и у Гитлера – несмотря на громадность исторической дистанции – совпадает.

Диагноз относится к самому концу 1927 г., а уже менее чем через полгода (летом 1928 г.) Бухарин в беседах с Каменевым отметил, что Сталин окружает себя людьми тупыми и убогими, подчеркивающими его превосходство[5].

Но своя "тайная доктрина" была, несомненно, и у него, именно она и стала "высшим условием его существования", отсюда и сталинский

---

[1] И. Сталин. О Великой Отечественной войне советского народа. М., 1945.
[2] Г.К. Жуков. Коротко о Сталине. – *Правда*, 20 января 1989.
[3] См. об этом: О. Мороз. Последний диагноз. – *Литературная газета*, 28 сентября 1988.
[4] См. *Наука и религия*, 1965, № 11.
[5] Правда, в одном отношении у Иосифа Виссарионовича было несомненное и даже абсолютное превосходство – это та "сверхчеловеческая сила воли", которую отмечал Ф. Раскольников (см. выше) и которой был лишен мягкий по характеру и чувствительный Бухарин, как и другие интеллигентные вожди. Это – сила удава, глядящего на кроликов как на свои актуальные или, во всяком случае, потенциальные жер-

режим "секретности", столь же тотальный, как режим общегосударственного страха и массового уничтожения людей.

7. "Немцы, если они не побеждают, – не его народ, и он без долгих размышлений лишает их права на жизнь. *Они оказались слабее, а потому к ним нет жалости,* он желает им гибели, которую они заслужили ... Он ненавидел армию за каждый отдаваемый ею клочок земли. Покуда было возможно, он сопротивлялся, не желая отдавать ничего, сколько бы жертв это им не стоило".

Сталин лишил права на жизнь многих своих наиболее выдающихся соратников, и, если бы существовал тот "Высший Суд", каким устрашал Лермонтов палачей свободы и гения, то, мне кажется, там бы Сталин спокойно ответствовал примерно так же: "Они оказались слабее, а потому и заслужили собственную гибель". Что же касается отступлений и поражений армии, особенно в первый год войны, то не так ли он – единственный из Ставки – не позволил сдать Киев[1], из-за чего погиб или попал в плен весь Юго-Западный фронт (по данным начальника штаба Гальдера, только в плен было взято 660 тыс. советских солдат и офицеров).

8. Фюрер обладал абсолютной властью и заставлял выполнять свои приказы, даже самые абсурдные, при полном несогласии со стороны специалистов. Несогласие, выраженное вслух, жестоко каралось, а невыраженное ясно, но вполне ощутимое – игнорировалось. Только однажды человек, единственно близкий Гитлеру, – архитектор Шпеер, назначенный министром оборонной промышленности, саботировал выполнение приказа Гитлера об уничтожении германской промышленности. Наши историки подчеркивают: "Насколько нам известно, это единственный случай, когда крупный нацистский чиновник в письменной форме выразил свое несогласие с фюрером и потребовал от него отмены решения. Такая дерзость могла закончиться лишь одним – смертным приговором"[2].

К. Симонов, хорошо осведомленный относительно сталинского окружения, особенно военного, в своих мемуарах приводит следующий эпизод. На Военном Совете (незадолго до начала Великой Отечественной) командовавший военно-воздушными силами генерал Рычагов при обсуждении вопроса о возросшей аварийности позволил себе дерзкую реплику: "Аварийность и будет большая, потому что вы заставляете нас летать на гробах". Одна только эта реплика и стоила ему жизни. Сталин

твы. Она-то и действовала магнетически: "Велик, но страшен" (К. Симонов); "Велик, но злой и с ошибками" (И. Эренбург).

Но ведь сила сама по себе, как физическая, так и психическая, еще не есть достоинство; и гора мускулов может не стать И. Поддубным или в наше время Юрием Власовым, а всего лишь вышибалой; и гипнотизер или экстрасенс может пользоваться своей психической силой на горе людям и обществу. То же и со "сверхчеловеческой силой воли" у Джугашвили: когда-то она его, незаметного, выдвинула в первый ряд среди людей, сверкавших, как звезды первой величины, умом и талантом, но он обратил ее только на то, чтобы подчинить себе и приручить до собачьей преданности и покорности всех серых людей, а неподчинившихся – уничтожить.

[1] Танки Гудериана, обойдя город с севера и с юга, углубились до 400 км за Киевом; для военных специалистов было ясно, что необходимо сдать город, чтобы спасти армию; Жуков настаивал на этом, но Сталин отстранил (на время) его от командования.

[2] Л. Безыменский. Разгаданные загадки "третьего рейха". М., 1985, с. 18.

в привычной для него форме тщательно скрываемого гнева выдавил из себя медленно и тихо, не повышая голоса: "Вы не должны были так сказать!" и тут же закрыл заседание. А через неделю Рычагов был арестован и исчез навсегда[1].

9. "Фюрер приучал видеть высшую добродетель в слепом исполнении каждого его приказа. Не было других, высших ценностей: *отмена всех ценностей*, которые в ходе веков были признаны *общечеловеческим достоянием*, произошла необычайно быстро".

В "Особом назначении" А. Бека, этом романе-документе эпохи, показано, что в среде сталинизма главнейшей ценностью является умение беспрекословно выполнять приказ, не обсуждая его, скажем, этические аспекты; долгими годами воспитуемое, это умение превратилось уже в автоматическую, чуть ли не силой инстинкта дисциплину. Если смысл человеческой жизни состоит в исполнении приказов и директив или контроле за их исполнением, то это означает, что долженствующий функционировать между волей личности и ее поступками глубокий слой общечеловеческой культуры – элиминируется. Тут следует искать истоки того ОДИЧАНИЯ общественной нравственности, о котором много говорят и сегодня.

10. "Он умел орудовать ОБВИНЕНИЯМИ, в годы восхождения это было единственное средство объединить людей в массу".

В бесчисленных свидетельствах и документах, опубликованных теперь, убедительно и развернуто показано, как может работать злое воображение, поистине *творчество зла*, фантастически орудующее обвинениями против безвинных жертв, поскольку только "большой лжи присуща сила убедительности" (слова Адольфа Шикльгрубера).

К середине 30-х годов уже была создана целая государственная машина "орудования обвинениями", которая трудно постижимым для нас сейчас образом смогла вырабатывать у своих жертв как бы невольное ощущение своей "моральной вины" (первым это глубоко показал А. Кёстлер в "Слепящей тьме"). Современные исследования юристов подтвердили этот странный феномен[2].

11. Мы начали с важнейшей характеристики амбивалентного сосуществования в личности описываемого типа двух противоположно направленных устремлений – к разрушению и к созиданию. В некоторых случаях они парадоксальным образом соединялись на одном объекте, а именно на узниках концентрационных лагерей. С одной стороны, они – жертвы "инстинкта" разрушения, обуревающего властителя, поскольку рушатся судьбы и жизни многих миллионов людей, с другой – этот рабский труд XX века можно направить на созидание в качестве мощного дополнительного источника энергии. Гитлер также "использовал рабский труд в своей области" (Э. Канетти), хотя в этом случае о созидании в условиях всеуничтожающей войны можно говорить лишь весьма условно.

12. Иллюзию и действительность у фюрера трудно было разделить; мания для него была первичной и все являющееся в действительности соотносилось с целостностью мании. Единственный источник ее питания – успех, неудачи ее не затрагивали, но зато побуждали к поиску но-

---

[1] К. Симонов. Глазами человека моего поколения. – *Знамя*, 1988, № 5, с. 72–73.
[2] См.: Ю. Феофанов. Мы думали, что так надо... – *Неделя*, 1988, № 41.

вых средств достижения успеха. "Эту *нерушимость своих иллюзий* он *почитал за собственную твердость*. Что было когда-то воображено, сохранялось неизменным".

Что касается сталинского "революционизма", то его "тайная доктрина" родилась еще в пору молодости и была пронесена им сквозь всю жизнь, причем тщательно оберегаемая от посторонних глаз, прежде всего от соратников, поскольку те, будучи марксистами-ленинцами, конечно, отвергли бы его с такой доктриной. Это – источник его *интеллектуальной твердости*, которая особенно наглядно подкреплялась полной *эмоциональной бесчувственностью* (безучастное отношение к безвинным жертвам, товарищам, жене, сыну, дочери, отсутствие друзей или хотя бы привязанностей).

13. "Личность параноика всегда под угрозой; для отражения этой остро переживаемой угрозы вырабатывается в качестве спасительного метода распространение самое себя на все большие пространства, так сказать, включение последних в состав собственной личности, стремление "увековечить" себя, то есть включить в "свой состав" и самое время".

В этом плане со Сталиным едва ли кто может потягаться на всей планете и во всей истории: он поощрял распространение своей личности в бесчисленных изображениях – статуях, живописных, графических и фотопортретах многомиллионными тиражами, причем всюду – по городам и весям и на пути к ним, на службе, в общественных, бытовых, культурных учреждениях и даже дома (изображение бога – икона – и та не может конкурировать с этим поистине *вездесущим* присутствием). Таково внешнее – визуальное – обожествление. А было и слуховое и, так сказать, духовное. Ему посвящали песни и стихи, о нем слагали поэмы и романы, фильмы и спектакли, его именем – при жизни – нарекали улицы и площади, колхозы и совхозы, новые города (десятки городов с различными вариациями одного и того же имени – чтобы можно было хоть как-то отличать: Сталин, Сталино, Сталинабад, Сталинакан, Сталинск и т.д. и т.п.), переименовывали старые, даже древние – Сталинград; этим именем обозначались битвы и победы; им называли своих новорожденных, то есть вписали в "святцы", и эти шесть букв звучали везде и всюду, начиная с яслей и детских садов и школ... Для заезжего европейца это было, наверное, непостижимо – точно все вдруг на десятки лет сошли с ума, с собственного, и стали жить только Его умом: "За всех за нас Вы думали в Кремле". И то сказать: как возможно такое в здравом уме и твердой памяти целого громадного общества?! Вспоминать об этом постыдно и горько, но и необходимо – в назидание потомкам...

14. И последнее. Все это было бы, может быть, хоть как-то оправдано, будь он действительно "Лениным сегодня", но ведь в своей *человеческой сущности* о нем следует сказать, увы, не более, чем Э. Канетти сказал о своем герое: "Духовно он может быть ничтожен, *ему* – если судить беспристрастно – *не о чем возвестить миру*, но интенсивность внутренних процессов уничтожения заставляет его явиться миссионером или пророком, спасителем или фюрером", то есть Вождем.

Такова "жизнь и судьба" новоявленных вождей в середине XX века.

Созданные ими пирамиды власти – авторитарно-бюрократические (антидемократические) режимы – подчинили этому "жизнь и судьбу" (В. Гроссман) целых народов, так что "ужасная перемена в душе царя"

(Карамзин) сказывалась на жизни всего Отечества и Мира в целом, пережившего беспрецедентную по масштабам трагедию XX века.

Думается, что эта трагедия имеет не только социальные, но и свои психологические корни; остановимся теперь непосредственно на них, тем более что исторически они все еще не вполне изжиты и поныне.

Представляется, что личность властителя может послужить ключом к разгадке вековечной проблемы социального и биологического в человеке. "Великий человек" (как позитивного типа – гений, и негативного – тиран) – это человек в двойной, тройной, *n*-ной степени по отношению к среднестатистическому измерению. И если верно, что анатомия человека является ключом к анатомии обезьяны (в том смысле, что сущность низшего эволюционного витка можно разглядеть через "лупу" высшего) или, с другой стороны, и патология – ключ к норме, то и в нашем случае "великость" личности, вознесенной историей, может послужить своеобразным "увеличительным стеклом" для понимания социально-биологической сущности человека вообще.

Паранойя – это психическая аномалия, болезнь, изучаемая психиатрией, как, скажем, и шизофрения; но ведь существуют в ослабленной, не резко патологической форме параноидальные или шизофренические черты психики, определяемые психологической наукой как особенности *АКЦЕНТУАЦИИ ХАРАКТЕРА*. Они проявляются не в любых обстоятельствах жизни данной личности, а лишь при сложных психогенных ситуациях, создающих нагрузку на "слабое звено". Принято различать 11–12 основных типов акцентуации, среди которых располагаются и два названных выше. Опишем их кратко (по соответствующим энциклопедическим справочникам).

Шизоидный тип характеризуется следующими чертами: отгороженность, замкнутость, трудности в установлении контактов, эмоциональная холодность, проявляющаяся в отсутствии сострадания (эмпатии).

Параноидальный (застревающий) тип выражается в повышенной раздражительности, стойкости отрицательных аффектов, болезненной обидчивости, подозрительности, повышенном честолюбии.

В чистом виде они встречаются редко, как, скажем, химические элементы в природе; в жизни преобладают смешанные формы, с примесями. В частности, разбираемый в данной работе тип личности, очевидно, наиболее полным образом может быть описан чертами обоих названных типов.

Акцентуация характера может быть явная и скрытая и, как уже отмечалось, не постоянно проявляющаяся; если же она проявляется при любых обстоятельствах, то она переходит уже в явную патологию – психопатию.

Патологическому шизоиду присущи уход от контактов, замкнутость, скрытность, легкая ранимость (болезненное самолюбие); отсутствие эмпатии; *угловатость движений* (обратим на это внимание!).

Параноидальные психопаты склонны к образованию сверхценных идей, которые, как и в случае прямого бреда для их носителя, не поддаются разубеждению, и всякое критическое отношение к ним со стороны самого субъекта отсутствует, а на попытки критики их извне включаются механизмы психологической защиты. Кроме того, параноики упрямы, эгоистичны, отличаются отсутствием сомнений в себе и очень завышенной самооценкой.

Все вышеописанное является *биологическим* фондом личности.

Развиваясь в *социальных* условиях, под воздействием воспитания и межличностных отношений, это биологическое начало от чисто физических свойств (скажем, "угловатость движений") до регистра психологических получает разную степень выраженности.

В режиме жизни среднестатистического индивида достигается некоторый баланс того и другого начал, необходимый для жизненно важного равновесия со средой, ибо при доминанте биологических проявлений данного характера среда будет стремиться его подавить, разрушить или изолировать. Поэтому индивид, чья судьба напрямую зависит от социального окружения, стремится подавлять в себе весь негативный регистр своих биологически обусловленных свойств, чтобы не войти в конфликт со средой и не быть раздавленным ею.

В режиме же реальной социальной власти такого характера дело меняется коренным образом.

Во-первых, власть служит своего рода "увеличительным стеклом", которое, резко укрупняя (и чем больше власть, тем сильнее укрупнение), обнажает и такие скрытые черты, которые раньше вообще не были заметны для окружающих. Поэтому, скажем, бесчувственность (на почве которой вырастает грубость), капризность (идущая от завышенной самооценки) или озлобленность, являющиеся мелочами, вполне простительными в быту, в политике становятся такими "мелочами", которые смогут сыграть "решающую роль" (вспомним ленинское "завещание").

Во-вторых, отсутствие подлинной обратной связи у субъекта власти с его окружением в условиях авторитаризма (критическую оценку со стороны замещает лесть, угодничество да фискальство) приводит к тому, что под мощным "увеличительным стеклом", насильственно воздвигнутым Властью, все мелкое становится крупным, тихое – громким и т.п. Мелкий, но упрямо повторяющийся жест рукой (помните "угловатость движений"?) начинает восприниматься как нечто особо величавое именно в силу его скупости; бедность и бледность интонаций кажутся репрезентантами могучей сдержанности и скромности, а словесная скупость, убогость лексики и занудливые повторы ценятся за особую доходчивость и убойную убедительность (недаром истинный стилист Исаак Бабель отнюдь не шутя – попробовал бы он шутить! – призывал писателей учиться "блеску стиля у товарища Сталина").

В-третьих, *психологическая защита*, вполне естественная и простительная по формам в быту, в политике перерастает в *негативизм*, то есть психологическую установку на несогласие и тотальное отрицание всего, что противоречит самоутверждению подобного субъекта. И он жаждет отвержения или попросту уничтожения не только противоречащих ему, но и даже – превентивно! – всех, в ком его подозрительностью угадывается возможность несогласия с ним. (Вот, думается, каковы чисто психологические мотивы устранения Сталиным не только своих явных или потенциальных политических противников, в их числе и самых близких товарищей, но и вообще всех и всяких инакомыслящих; в принципе и насколько удастся – всех.)

Ко времени составления ленинского "завещания" описанные параноидально-шизоидные черты Сталина еще не проявились в большой политике, а лишь, так сказать, в ее интерьере, "в быту" (между товарищами), и потому никто, кроме одного разве Владимира Ильича, не мог предвидеть, во что они могут вылиться. А к тому времени, когда они проявились достаточно выпукло (что было расценено ленинцами просто как безудержная жажда власти – скажем, в "Манифесте" М. Рютина, 1932 г.), было слишком поздно – сталинское окружение уже оказалось достаточно сильным, чтобы помочь Иосифу Джугашвили реализовать его "психологическую защиту" и его "сверхценные идеи".

В заключении анализа этой стороны психологии Власти нельзя не поразиться тому, что к руководству партиями в могучих государствах Европы на ее западе (Италия – Германия и их сателлиты) и востоке (СССР) почти одновременно пришли личности именно параноидального или шизоидного типа (а не обычные нормальные люди с государственным умом). Вряд ли это можно объяснить случайным совпадением, как и то, что столкновение национал-социализма с советским социализмом было неизбежно.

Но в любом случае Власть, и без того неограниченная при авторитарно-бюрократическом режиме, будучи еще психологически усиленной описанным выше "увеличительным стеклом", привела к трагедии целых народов.

Эта трагедия, последствия которой нашим народом не изжиты и по сию пору (в отличие от Германии, познавшей и искупившей свою "немецкую вину"), взывает к всестороннему изучению ее причин, в том числе и психологических.

До сих пор мы рассматриваем черты сходства между двумя феноменами Власти. Но было и различие.

У Сталина была и официальная позитивная программа (реализующая в какой-то степени его тайные "сверхценные идеи") – в отличие от негативной установки на уничтожение национал-социализма – это программа, связывающая его с дорогой и священной для советских людей идеей социализма (чем и объяснялась его популярность в массах). Одной только войны с собственным народом было мало, на этой негативной базе страха можно продержаться не слишком долго, ведь негация есть негация, уничтожение, ничто. Ничто противоположно бытию, тут Сталин был тайно – негативистом, а явно – философом, и для того чтобы утвердить себя не в ничто, а в Бытии, у него созрел действительно гениальный злодейский план. Превратить, сублимировать уничтожение в СОЗИДАНИЕ. (Может быть, в этом и состоит его "тайна".)

Цель и четкая, глубоко продуманная программа созидания уже были до него; они разработаны его великими предшественниками (к трем профилям которых он заставил приписать и свой лик – четвертым "основоположником"); эта программа и ленинская гвардия, ее реализовывавшая, выработали у российского народа, жадного до духовных исканий, душевно глубокого и страстного, необходимую *веру* в возможность осуществления такой программы.

Оставалось только *овеществить* хотя бы некоторые из ее конкретных пунктов – например, индустриализацию и коллективизацию (кооперирование сельского хозяйства). На эти цели и была устремлена энергия всех энтузиастов, работавших действительно героически, то есть самоотверженно, до полного забвения себя и своих личных нужд, без должного отдыха и награды, – от министра и директора до рядового стахановца[1].

А с другой стороны, на ту же цель была брошена дармовая энергия многих миллионов "зэков" – этих современных рабов, число которых

---

[1] Хотя и здесь были свои накладки – истоки всех будущих "приписок".

вдвойне выгодно умножать все более и более: во-первых, не ослаблять напряжение страха, а поддерживать и усиливать, держа народ в своего рода социальном "саспенсе" (напряженном ожидании, какой и не снился его изобретателю – королю ужасов Хичкоку); во-вторых, количество рабсилы тем самым возрастает неограниченно и, собственно говоря, столько, сколько ее потребуется, может быть весьма быстро организовано. Правда, порою даже больше чем надо, и тогда ее становится трудно содержать, она начинает болеть и вымирать от невыносимых условий. Но эти досадные накладки можно было и не принимать во внимание. Так, великие сталинские стройки – Беломорбалт, Днепрогэс, новые промышленные города и т.п. – располагали практически неограниченными людскими ресурсами. Отсюда, мне кажется, берут истоки и грубые просчеты, допущенные Сталиным в начале войны: он слишком привык к тому, что людские ресурсы в его стране неограниченны и потому ими можно заткнуть любую брешь, стоит только бросить туда миллионы своей железною рукою; но он поначалу спутал войну с "врагами народа", то есть с собственным народом, и войну народа с врагом; внешний враг физически уничтожает и берет в плен целые армии, и людские ресурсы, даже многие миллионы, постепенно тают, не восполняются и, увы, становятся весьма ограниченными[1]. Только когда внешний враг, за несколько месяцев разгромив Юго-Западный фронт и почти полностью взявший его в плен, докатился до Москвы и Ленинграда, Сталин, наконец, отрезвел. Он понял, что тут уже нельзя полагаться только на собственную ничем не ограниченную волю и "сверхценные идеи", следует прислушаться к военным специалистам, иначе петля гитлеровских полчищ скоро задушит Москву, а значит, и его самого и все созданное с таким трудом рухнет в бездну. Сталин не на шутку испугался. ("Сдадим или не сдадим Москву?" – в смятении спрашивал он Жукова.)

Спрашивается, однако, почему не было оказано никакого сколько-нибудь заметного сопротивления режиму сталинизма (за редким исключением – Троцкий, Бухарин, Рютин), неужели гневная инвектива великого революционера Чернышевского о своем народе – "жалкая нация, нация рабов, сверху донизу – все рабы" все еще сохраняла свою силу? Зачем же после Великого Октября миллионы бывших забитых неграмотных людей, рванувшихся к новой жизни, упорно выводили в школах ликбеза свои первые фразы: "Мы – не рабы, рабы – не мы" (или немы?).

Индивидуальное сознание может всецело определять все поведение индивида и, так сказать, выковывать его индивидуальное бытие, конечно, вписывающееся в социальное, но все равно находящееся в отношении последнего в состоянии относительной независимости; индивидуальное бытие (в противоположность общественному) полностью детерминируется сознанием, то есть личностным самосознанием вплоть до отказа от самого физического бытия (речь идет, разумеется, только об индивиде, представляющем собой самостную личность, поскольку у конформиста бытие детерминировано поведением группы).

---

[1] Теперь стало известно (по данным академика А. Самсонова), что в первые месяцы гитлеровского нашествия погибло около 5 млн., принявших на себя первые валы удара, – около 3 млн. было взято в плен, остальные были изувечены.

Сартр ригористически заявлял: человек сам выбирает себя и несет ответственность за любое из своих проявлений, поэтому у него нет оснований для оправдания. Подобный ригоризм возможен лишь в "хорошие времена", а в худые, "чингисхановские", когда издевательства и уничтожение висят дамокловым мечом над головой каждого, – человек, чтобы выжить, вынужден идти на определенные компромиссы и со своей совестью и с общественными идеалами, коим он поклонялся до того.

В конце концов у личности всегда остается возможность сделать последний выбор в пограничной ситуации, а именно: смерть как выход из физического нежелательного бытия, если его социальные условия резко противоречат всем тем ценностям, что приняла для себя личность (не таковы ли глубинные причины "самоотвода" от жизни многих ярких личностей, прежде всего в области духовной культуры – Есенин, Маяковский, Цветаева, но так же и в политике – Орджоникидзе, Томский, Иоффе, десятки других, увы, менее известных нашей официальной истории лиц).

Но даже у социальных групп, а тем более у общества в целом, такого выбора нет, оно вынуждено жить, пребывать в физическом бытии, каким бы ни было последнее противоестественным и чудовищным для существования человека и человечности.

По мере осознания меры этой противоестественности отдельными выдающимися индивидами они сколачивают группу единомышленников и пытаются взорвать тот социопорядок, что представляется им несправедливым, – формируются партии, которые революционизируют все общественное сознание и, при наличии подходящей революционной ситуации, совершают революцию.

Но такое возможно далеко не в каждом обществе. При предельно жестко организованной социальной иерархии всякое отклонение от официальной линии становится невозможным. Сталинизм и был организован как тотальная, всеохватывающая монолитная система, чтобы исключить всякую возможность сопротивления и борьбы. Борьба могла закончиться только уничтожением – или в НКВД, или в "подвалах сознания", или, наконец, собственной рукой.

Так от психологии Власти мы переходим к психологии *социальной веры массы*, веры, *персонифицированной в образе вождя*; мы видели трансформацию этой веры в сталинизме. Думается, поскольку сталинизм – не уникум в ряду других национальных вариантов социализма (в частности, китайского, корейского, албанского), то эти наблюдения могут оказаться полезными для анализа и современного положения – там, где модель *бюрократического авторитаризма* еще продолжает функционировать.

СТАЛИН И МЫ
С РЕЛИГИОВЕДЧЕСКОЙ ТОЧКИ ЗРЕНИЯ

Термин "культ личности Сталина" отражал всю "половинчатость" породившей его эпохи – эпохи хрущевских идеологических и политических реформ. С одной стороны, он совершенно верно указывает на важнейший аспект созданной при Сталине идеологической системы. При этом "инстиктивно" найдено очень верное слово "культ", указывающее на религиозную природу этой системы. С другой стороны, термин этот явно призван был внушить людям, что то, с чем боролось хрущевское реформаторство, – относительно случайное, какая-то досадная аберрация. Один, пусть очень важный, аспект сталинской идеологической системы – культ его личности – здесь выхвачен из контекста, который Хрущев трогать не решался и даже его не осознавал.

Между тем сейчас совершенно ясно, что культ личности Сталина неотделим от целого ряда других "культов". Так, представление о непогрешимости Сталина было логически неотделимо от представления о том, что партия – всегда права (папа непогрешим только потому, что церковь – тело Христово). Культ личности Сталина неотделим от религиозного отношения к личности великого создателя нашего государства Ленина. Он исторически возник из этого отношения и базировался на нем (Сталин – это Ленин сегодня). Он неотделим от догматически-начетнического отношения к трудам Маркса, Энгельса и Ленина, и от многого другого. Одним словом, культ Сталина – лишь один из аспектов целостной и стройной религиозно-догматической системы, сложившейся в его время, а система эта, в свою очередь – лишь кульминация, крайнее и законченное выражение, расцвет религиозно-догматических тенденций в нашей идеологии, зародившихся задолго до Сталина, более того, изначально присутствующих в ней и отнюдь не исчезнувших со смертью Сталина.

Эти религиозно-догматические тенденции, этот религиозный аспект нашей идеологии требует всестороннего и пристального религиоведческого анализа. Мы должны перейти от констатации (негодующей или злорадной) отдельных элементов сходства нашей идеологии и традиционных религий к спокойному и систематическому их сравнению, вычленению как общих закономерностей, так и особого, принципиально не схожего. Без этого, на наш взгляд, мы никогда не сможем разобраться в самих себе, в логике нашего развития. Настоящая работа, естественно, не является таким полным и всесторонним анализом, но это подступ к данной теме, набросок такого анализа*.

*   *
*

Прежде чем приступить к попытке сопоставления нашей идеологической структуры и эволюции со структурой и эволюцией традиционных религий, мы должны попытаться определить основу такого сравнения. Сравнивать какие-либо явления можно лишь постольку, поскольку в каком-то своем аспекте эти явления тождественны, входят в одну категорию явлений и подчиняются общим законам этой категории явлений, по-разному проявляющихся в них. В чем же заключается глубинное тождество нашей идеологии и традиционных религий, обуславливающее их принадлежность к одному классу явлений и делающее их сравнение не метафорическим, а реальным? Это – то, что и религии и наша идеология есть объекты веры.

Вера – это то отношение к какой-либо идее (или комплексу идей), когда ценность ее – не в ее соответствии реальности, внешнему опыту, а в том, что она удовлетворяет нашим внутренним, человеческим потребностям, придает смысл и значение нашим жизням. Идеи, не обладающие такой ценностью, значение которых – чисто "инструментальное", без жалости и сожаления отбрасываются, как только выясняется их несоответствие данным опыта. Наука имеет дело с такими идеями, или, вернее, с любыми идеями, но в таком их "инструментальном" аспекте представляет собой организацию таких идей. Она постоянно критикует и постоянно проверяет. Но идеи, ставшие объектом веры, сопротивляются критике – и критике других, и "критике" реальности. По отношению к таким идеям начинают действовать совершенно иные механизмы – не механизмы их проверки, а механизмы их защиты от проверки. "Дорогую" идею человек не отдаст на поругание первому попавшемуся факту – скорее он закроет глаза на этот факт, выработает систему поведения, гарантирующую от того, чтобы подобные факты попадались ему на глаза, а если уж это никак не получается, то все равно не отбросит идею, а бережно ее переинтерпретирует. Гибель такой идеи означает личный кризис и обязательно – поиск новой идеи. И то же самое – на уровне общества, где действуют уже не личные, а социальные механизмы защиты веры (четко фиксированная догма, поддерживающая эту догму, обладающая идеологической дисциплиной организация, структурирующий чувства людей культ) и где утрата веры – кризис не личный, а общественный. И именно факт веры, а не со-

---

*Существует сильное психологическое противодействие такому анализу и сравнению. Со стороны приверженцев нашей идеологии оно связано с тем, что такое сравнение является как бы ее унижением – идеология передовая, научная сравнивается с идеологиями древними, архаичными, "реакционными". Но такое же противодействие исходит и со стороны всех тех, кто или религиозен или, во всяком случае, питает большое почтение к традиционным религиям. Для таких людей подобное сравнеие тоже оскорбительно, только оскорбительно для религий.

Автор, однако, убежден, что исследователь может добиться результатов ровно настолько, насколько он может освободиться от своих пристрастий, не давать им влиять на ход его мысли. Во всем последующем изложении он старался быть максимально объективным.

держание этой веры делают столь разные идейные явления, как, например, буддизм и христианство, явлениями одного порядка и подлежащими ведению одной научной дисциплины. Учение Христа и учение Будды едва ли не противоположны, но оба они – объекты веры, и соответственно по отношению к обоим им действуют общие механизмы защиты веры, модифицированные в каждом случае разным содержанием веры. Культ личности основателя здесь очень разный, но это – культ личности основателя, канон Священного писания разный, но это – канон и т.д.

И этот же факт веры делает возможным сопоставление нашей идеологии с христианством, мусульманством, буддизмом и т.д. Марксизм – это научная теория, ставшая объектом веры. И вера эта – не "квази-вера", а реальная вера, за которую люди героически отдавали свои жизни, не менее героически, чем христианские или любые иные мученики, и за которую они убивали не в меньших масштабах, чем те же самые христиане или мусульмане. Как научная теория, он должен рассматриваться в ряду других теорий, критиковаться, проверяться, развиваться. Но как объект веры он подчиняется общечеловеческим законам веры и должен рассматриваться и изучаться в ряду других вер с целью как лучшего уяснения этих общечеловеческих закономерностей, предстоящих перед нами в новом и очень интересном воплощении, так и лучшего уяснения наших исторических судеб.

Но если общие закономерности веры каждый раз модифицируются спецификой содержания ставших объектами веры идей, значит, первой нашей задачей является выяснение этой специфики содержания.

* *
*

Какого рода идеи могут стать объектом веры?

Очевидно, на личном, индивидуальном уровне объектами веры могут стать практически любые идеи. Что только не придает смысл индивидуальным жизням, не интегрирует (худо-бедно) человеческие личности и не защищается на индивидуальном уровне теми же защитными механизмами исключения противоречащей информации, которые в больших масштабах действуют в больших человеческих коллективах! Дикарь может верить в то, что именно данный амулет помогает ему преодолеть окружающие опасности, и это будет давать ему силу жить и бороться. Человек может верить в то, что он великий талант, который в конце концов пробьет себе дорогу. Женщина может верить в то, что ей обязательно встретится в конце концов великая любовь. Все эти разнородные идеи дают силы жить, интегрируют личности, и люди так просто их не отдадут, а будут бороться за них. Большие группы людей и надолго, естественно, могут сплотить лишь большие и общезначимые идеи, способные внести смысл в жизнь многих. Но большие ли это идеи или малые, "дикарские" или современные, любая возникшая вызывающая веру идея всегда отливается в определенную форму, обладает определенной "структурой содержания". Что же это за форма?

Рассмотрим ситуацию столкновения человека (или группы людей) с идеей, становящейся объектом веры. При всей кажущейся простоте этого акта на самом деле он обладает очень сложной структурой. Прежде всего, он делит время пополам – на время ("личное" время биографии или "общее" время истории) до него и время после. Человек не знал своего призвания – теперь он его узнал. Дикарь не имел амулета – теперь он его достал. Бог не являл людям истину – теперь он ее явил. Люди не знали закона развития человечества – теперь этот закон открыт. При этом прошлое, время до обретения веры, естественно, оценивается негативно. Это – действительно мучительное время, ибо жить без веры – трудно, но появление веры ретроспективно еще более окрашивает его в черные тона. Это – время страданий и заблуждений. Но обретение веры не только делит время на время до него и после него. Оно еще делит и прошлое и будущее.

Обретение веры – это еще не обретение счастья, это лишь обретение пути к его достижению. Вера дает жизни смысл, стройность, упорядоченность, человек знает теперь, как идти к прекрасному будущему, с чем и с кем бороться. Но это будущее – впереди. Призвание уже понято, но признания еще нет. Путь к спасению души ясен, но блаженство рая – за гробом. Путь построения счастливого и справедливого общества – открыт, но это общество должно еще быть построено. Следовательно, будущее время также членится на время от акта обретения веры до достижения счастья и время после достижения счастья. Сейчас время – всегда переходное, время борьбы и страданий.

Но также членится и прошлое. Признать прошлое просто плохим – это значит признать плохим и сам факт нашего появления на свет. Но дать смысл жизни можно, лишь утверждая ценность этой жизни. Поэтому акт возникновения веры подразумевает, что до мрачного времени, непосредственно предшествовавшего появлению веры, было еще какое-то смутное хорошее время – золотое детство, и то добро, к которому должна привести вера, – это как бы возвращение этого изначального добра "на новом высшем этапе", так что оно уже не сможет быть утрачено.

Мы видим, таким образом, четырехчастное деление времени, создаваемое обретением веры. Оно может невероятно усложниться, оно может присутствовать сразу на многих уровнях (как история души индивида и история мира), но оно возникает всегда, когда возникает вера. Был когда-то хороший изначальный период (первый рай), затем наступил очень плохой период, затем появилось знание того, как освободиться от зла, и сейчас – период переходный, будет победа и счастье (второй и окончательный рай). В религиях, не имеющих исторических основателей, возникающих эволюционным путем в туманной предыстории, как индуизм, эта схема присутствует в относительно завуалированном виде (в структуре мифов, в картинах мира, создаваемых отдельными, возникающими при свете истории, "сектами"), но в религиях, имеющих исторических основателей, она присутствует в яркой и обнаженной форме. Наличие этой общей схемы создает возможность сравнения разных религиозных учений, каждое из которых наполняет эту схему своим уникальным содержанием, по-разному определяя то "спасение", которое они сулят людям, и указуя разные пути его достижения.

Как наша идеология укладывается в эту схему веры?

Естественно, научное содержание теории (или совокупности теорий) марксизма прямого отношения к этой схеме не имеет. Эти теории должны рассматриваться в научном контексте – проверяться, уточняться, критиковаться, сталкиваться с другими теориями и интегрироваться с ними. Но марксизм с самого начала обладал не только научным значением. Титаническая научная работа, проделанная основателями марксизма, совершалась не только ради познания истины. Она совершалась еще и для того, чтобы найти смысл жизни и истории для людей, осознавших, что религиозные и философские системы прошлого – обман и самообман, оказавшихся в духовном вакууме и остро переживающих несправедливость окружающего мира, уже не уравновешиваемую идеей загробного воздаяния. Удивительно красиво и ярко, с истинно пророческой страстностью пишет об этом сам К. Маркс: "Упразднение религии, как *иллюзорного* счастья народа, есть требование его *действительного* счастья. Требование отказа от иллюзий о своем положении есть *требование отказа от такого положения, которое нуждается в иллюзиях...* Задача истории, следовательно – с тех пор как исчезла правда потустороннего мира, – утвердить правду посюстороннего мира"[1]. И далее: "Критика религии завершается учением, что *человек – высшее существо для человека*, завершается, следовательно, категорическим императивом, повелевающим ниспровергнуть все отношения, в которых человек является униженным, порабощенным, беспомощным, презренным существом"[2]. И это – идеи отнюдь не только молодого К. Маркса. Поздний Ф. Энгельс в своей работе "К истории первоначального христианства" совершенно так же рассматривает отношение марксизма и религии – христианство, возникающее при разложении античного мира – это как бы античный аналог социализма, возникающего при разложении буржуазного мира. "Дело лишь в том, что христианство, – а в силу исторических предпосылок это и не могло быть иначе, – хотело осуществить социальное переустройство не в этом мире, а в мире потустороннем, на небе, в вечной жизни после смерти, в "тысячелетнем царстве", которое должно-де было наступить в недалеком будущем"[3]. Мысль здесь выражена иными словами, но это та же мысль – "тысячелетнее царство" – это иллюзорный социализм, социализм – это реальное "тысячелетнее царство".

Это стремление к реальным, а не иллюзорным, земным, а не потусторонним счастью и справедливости для измученных людей, для "страждущих и обремененных" буржуазного общества, к земному раю и было духовным источником деятельности основоположников марксизма. Естественно, что интеллектуальные итоги их деятельности, их теория, указующая путь к этому раю, приобретала для них и их последователей колоссальное личное, экзистенциальное значение, становилась объектом веры, а следовательно, воспроизводила логику веры, общечеловеческую схему веры – с тем большей четкостью, что воспроизводилась она бессознательно[4].

---

[1] К. Маркс. "К критике гегелевской философии права". – К. Маркс и Ф. Энгельс. Соч., т. 1, с. 415.

[2] Там же, с. 422.

[3] К. Маркс и Ф. Энгельс. Соч., т. 22, с. 468.

[4] Здесь надо сделать две оговорки. Во-первых, бессознательность эта заключается не в том, что они не осознавали аналогий их учения и христианства, напротив, они осознавались прекрасно, но как аналогия реальности и ее мечтательного предвосхищения, а не как аналогия двух вер. Во-вторых, хотя воздействие христианской мифологии на их мысль очевидно (и сознательное и бессознательное, и прямое и косвенное), общность схемы все же вытекает не из этого воздействия, а из самого факта возникновения веры – ведь эта схема присутствует и там, где никакого воздействия иудео-христианской традиции быть не могло, например в буддизме.

Человечество утрачивает первобытный коммунизм (который совершенно не случайно именуется так же, как и завершающий историю коммунизм, это – "первый рай") в результате появления частной собственности (аналог грехопадения). Начинается эпоха эксплуатации человека человеком и господства ложных форм сознания. Учение Маркса и Энгельса впервые открывает законы общественного развития, показывает неизбежность конца эпохи страданий и путь к новому прекрасному обществу (аналог откровения). Начинается "переходная эпоха", когда вооруженный знанием истины пролетариат ведет борьбу с силами зла. Его победа неминуема, и уже скоро наступит время, когда частная собственность будет ликвидирована и соответственно "отпадет вся эта история с ее судорогами и страданиями"[1], появятся новые прекрасные люди, которым не нужен будет ни религиозный самообман, ни лицемерная мораль буржуазии. И если у самих Маркса и Энгельса, при всем их сознании грандиозности своих открытий, естественно, нет самовосхваления, то их ученики делают из них фигуры прямо-таки божественные. Вот поразительный по богатству религиозных мотивов и "прозрачности" религиозной схемы текст К. Каутского: "Маркс умер как раз на пороге той эпохи, когда, наконец, начали поспевать плоды, посеянные им в бурное, безотрадное время... Последовал период непрерывного подъема пролетариата, резко отличающийся от того времени, когда Маркс – *одинокий, мало понятый, но много ненавидимый мыслитель – боролся против целого мира врагов* за распространение своих идей в среде пролетариата. Эти условия могли бы привести в отчаяние и лишить надежды всякого человека, но у Маркса они не отнимали ни гордой уверенности, ни бодрого спокойствия. Он так высоко поднимался над своей эпохой, видел настолько дальше своего времени, что он *уже ясно различал обетованную землю, о которой и не подозревала громадная масса его современников.* В своей грандиозной научной системе, в своей глубокой теории черпал он всю силу своего характера... Из этого же источника должны черпать силу и мы, марксисты. И мы только этого можем быть уверены, что в предстоящей тяжелой и великой борьбе мы... разовьем максимум сил и энергии, на которую только способны... И знамя освобождения пролетариата, а вместе с ним и всего человечества, развернутое Марксом... – это знамя победоносно водрузят на развалинах капиталистической твердыни борцы, которых он воспитал"[2]. Текст этот говорит сам за себя и в комментариях не нуждается.

Новое научное содержание организуется древней и вечной схемой, как содержание современного реалистического романа организуется той же сюжетной схемой, которая конструировала древний эпос. Но как наличие общей сюжетной схемы не означает тождества романа и эпоса, так наличие общей идейной схемы не означает тождества марксизма и традиционных религий. Различия здесь очень большие, и как мы можем говорить лишь об основных соответствиях (на самом деле их значительно больше и их вычленение – задача колоссальной сложности), так же мы можем указать лишь на основные, "на поверхности лежащие" различия.

Прежде всего, став объектом веры, марксизм не перестал быть научной теорией, апеллирующей к разуму и фактам, делающей, как лю-

[1] К. Маркс и Ф. Энгельс. Соч., т. 46, ч. II, с. 123.
[2] К. Каутский. Карл Маркс и его историческое значение. М., 1923, с. 46–47. Курсив мой. – Д.Ф.

бая теория, эмпирические верифицируемые предсказания. Его существование – двойственно. Как научная теория, он подлежит верификации, зависим от верификации, он должен обогащаться и развиваться – все эти идеи непосредственно заложены в нем, четко проговорены его основателями и отказаться от них нельзя. В отличие от христианства или мусульманства, учений о загробном, потустороннем мире, делающих относительно неверифицируемые предсказания, он не может провозгласить свою независимость от опыта и требовать веры. Как объект веры, он наоборот, должен защищаться от верификации и всегда оставаться неизменным, самому себе равным. Две его "ипостаси" находятся в постоянном и разительном противоречии друг с другом. Между ними – постоянное напряжение и соответственно – постоянное напряжение существует между ним и реальностью.

Во-вторых, марксизм не просто научная теория, а теория социального развития. Он не мог стать верой, требующей индивидуальной перестройки, борьбы с самим собой и обещающей за это индивидуальную же награду. Он мог стать лишь верой, требующей социальной перестройки, социальной борьбы и обещающей не индивидуальное, а социальное "спасение", причем победа в этой социальной политической борьбе – это подтверждение его истины.

* *
*

Как есть общечеловеческая "схема веры", каждый раз наполняемая разным содержанием, так есть и общие законы социального бытия и эволюции веры, модифицируемые разным содержанием веры, разной "средой обитания" и разными историческими обстоятельствами.

Любое победоносное учение всегда возникает на фоне определенного духовного движения. Его основатель – один из многих учителей, проповеди которых схожи. Гаутама Будда был один из многих индийских проповедников того времени, как и он, противопоставляющих свой путь к спасению, открытый для всех, ритуализму и кастовости традиционного брахманизма. Иисус – один из многих учителей, бродивших по Палестине, имена большей части которых канули в Лету. Магомет появляется на фоне широкого пророческого движения в арабских племенах. Учение марксизма также возникает на фоне более широкого движения к коммунизму, принимавшего самые разные формы, классифицированные в "Манифесте Коммунистической партии". Упадок традиционных религиозных вер порождает стремление к новым идейным системам, основанным на науке и стремящимся положить конец нищете и бесправию народных масс и установить "рай на земле". Ф. Энгельс писал, сравнивая коммунистическое движение и раннее христианство: "...борьба с всесильным вначале миром и вместе с тем борьба новаторов между собой – одинаково присущи как ранним христианам, так и социалистам... массовые движения на первых порах по необходимости сумбурны: сумбурны в силу того, что всякое мышление масс вначале противоречиво, неясно, бессвязно; сумбурны они, однако, и в силу той роли, какую на первых порах еще играют в них пророки. Эта сумбурность выражается в образовании многочисленных сект, борющихся друг с другом по меньшей мере с такой же ожесточенностью, как и с общим внешним врагом..."[1] И как Гаутама, Магомет, Иисус – это одни из многих, но ока-

---

[1] К. Маркс и Ф. Энгельс. Соч., т. 22, с. 478.

завшиеся лучше других, наиболее адекватно воплощающие общие духовные потребности своего времени, так и Маркс и Энгельс, очевидно, выше своих "конкурентов", не обладавших их уникальным сочетанием пророческой страстности и высокой энциклопедической научности.

Когда из массы схожих проповедников выделяется один, привлекающий к себе внимание, духовное движение начинает кристаллизироваться вокруг него, он становится как бы центром притяжения. Раньше люди искали веру, теперь они обретают ее. И здесь начинается процесс, происходящий с любой ставшей объектом веры религиозной системой – процесс "рутинизации харизмы".

Основатель учения – никогда не "догматик". Это – пророк, творческая личность, нонконформист. И его учение в своем первоначальном виде, естественно, носит на себе отпечаток его личности. Его слова ярки, мощны, но не образуют логически четкой и непротиворечивой догматической системы. Это – слова "имеющего власть", а не "книжника" и "фарисея". Из слов Иисуса с одинаковыми основаниями выводились самые разные следствия. В них зародыш не одной, а всей суммы последующих христианских теологических систем. К основоположникам марксизма это применимо ничуть не меньше. Маркс и Энгельс были живые люди с сильной творческой мыслью, "бьющей ключом", обуреваемые переполнявшей их страстью, выливавшейся в ярких пророческих образах. Естественно, что очень многие положения их многочисленных работ противоречат друг другу, очень многие положения допускают самые разные истолкования. В этом богатстве мысли – их сила, но именно это богатство – то, что должно быть "изжито" и утрачено. Свобода и сила их мысли вызывают веру, но вера эту же свободу и силу мысли уничтожает. Вера предполагает, что истина – одна, создатель учения обладает ею в полном объеме и не допускает мысли, что он может противоречить сам себе (истина сама себе не противоречит). Следовательно, она ставит задачу – превратить интуицию основателя в четкую, ясную, не допускающую разных толкований догму, которая должна строиться на основании его слов, поэму превратить в школьный учебник, недвусмысленно ответить на вопрос: "Что хотел сказать поэт в этом стихотворении?" В случае с марксизмом задача эта еще более усложняется тем, что Маркс и Энгельс – ученые, их теории – научные теории, предполагающие верификацию и развитие. Поэтому процесс догматизации может происходить лишь бессознательно. Догма ни в коей мере не должна называться догмой. Тем не менее еще при жизни основателей этот процесс начинает идти полным ходом, вызывая ужас их самих перед их последователями, добросовестно стремящимися свести их интуиции к четким и ясным формулам. Начинается тот великий процесс, который превратил сочинения Маркса и Энгельса в учебник диамата и истмата.

Процесс догматизации неизбежно должен иметь свой организационный эквивалент, ибо создание догмы – это создание идеологической дисциплины и, следовательно – создание организации, способной установить такую дисциплину. Авторитет основателей – харизматический авторитет, люди верят им не потому, что они занимают какие-то места в иерархиях, а, наоборот, потому, что они – вне иерархий, бросают вызов всем иерархиям. Но догматизация их учения предполагает создание бюрократических иерархий. Аморфные кружки учеников должны также перерасти в иерархическую церковь, как страстная проповедь основателя должна превратиться в догму. При этом характер этой иерархической организации, естественно, каждый раз модифицируется характером догматизирующегося учения. Мусульманская община – это не христианская церковь и не буддийская сангха. Естественной организационной формой, которую принял марксизм, учение о социальном переустройстве, предполагающее приход к власти и проведение социальных преобразований, был международный союз партий. И как марксизм – это и научная теория, имеющая инструментальное значение, и объект веры, так и марксистские партии – это и "инструментальные" организации, цель которых – проведение определенной политики, и организации сакральные, цель которых – укрепление и защита веры, марксистский аналог церкви.

Процесс "рутинизации харизмы" – догматизации и построения обладающей идеологической дисциплиной организации – общий процесс, совершавшийся везде, куда попадали семена революционного марксистского учения. Но различные национальные условия по-разному модифицировали этот процесс.

*   *
*

Марксизм возникает в Западной Европе, и его основатели видели в нем прежде всего учение, выражающее интересы пролетариата наиболее развитых стран. Между тем именно в этих странах условий для победы марксизма и его превращения в "государственную церковь" не сложилось. Процесс догматизации здесь быстро сменяется процессом "размывания" догматического марксизма. Процессы эти могут быть переплетены: Каутский одновременно и "догматизатор", один из "отцов церкви", и "ревизионист". Это связано с рядом факторов. Во-первых, не произошло того абсолютного обнищания пролетариата, которое казалось неизбежным в середине XIX века, и соответственно отступают эсхатологические настроения, страстное ожидание "конца света", вызываемое невыносимыми жизненными условиями. Во-вторых, дехристианизация также не развивалась такими быстрыми темпами, как это можно было представить в середине века. Западные формы христианства смогли приспособиться в той или иной мере к новым обстоятельствам, обрести относительную устойчивость и соответственно – тот религиозный вакуум, который мог бы быть заполнен новой верой, оказался не так велик. В-третьих, парламентские режимы этих стран и возможность легального функционирования марксистских партий неизбежно вызывают идейные сдвиги – упор на мирную и легальную борьбу, постепенное отступление "эсхатологии", замена идеи "внезапного" революционного наступления справедливого общества идеей его постепенного построения, усиление прагматизма и идеологической терпимости. Эта трансформация марксизма имеет свою параллель в аналогичной трансформации, которую претерпевали в странах буржуазной демократии христианские церкви. (Путь от раннего марксизма к Миттерану, германским социал-демократам и английским лейбористам аналогичен, например, пути католической церкви от Пия IX к Иоанну Павлу II или от мрачных кальвинистских и лютеранских догматиков к современному либеральному протестантизму.) Таким образом, "церковные" тенденции здесь оказываются относительно слабыми и быстро уступают место другим тенденциям.

410

Совершенно иначе пошло развитие марксизма в России – стране, где нищета и бесправие народных масс были неизмеримо больше, чем на Западе, где не было парламентских институтов и где ригидность и нетерпимость господствующей (и одновременно подчиненной самодержавию) церкви привели к фактической дехристианизации народных масс. Здесь естественно развиваются именно революционно-эсхатологические тенденции марксизма, здесь сильнейшая тенденция к догматизации и построению сплоченной железной дисциплиной и "железной" догмой партии. В построенной на аналогах социалистического движения и раннего христианства работе "К истории первоначального христианства" Энгельс пишет, сравнивая будущую революцию с принятием христианства Константином I: "... вопреки всем преследованиям, а часто даже непосредственно благодаря им, и христианство и социализм победоносно, неудержимо прокладывали себе путь вперед. Через триста лет после своего возникновения христианство стало признанной государственной религией римской мировой империи, а социализм за каких-нибудь шестьдесят лет завоевал себе положение, которое дает ему абсолютную гарантию победы"[1]. Но "ирония истории" заключалась в том, что эта победа пришла не там, где ожидали ее Маркс и Энгельс, – не в передовых странах Запада, а в России (а затем и в таких странах, как Китай, Албания, Вьетнам, Эфиопия). Марксистской "государственной и народной церковью" суждено было стать не большим легальным и богатым марксистским партиям Запада, а маленькой, раздираемой внутренней борьбой и преследуемой российской партии.

И как христианство, став государственной и общенародной религией, претерпело громадные идейные изменения, так же преобразовался марксизм, создав формы, отличающиеся от раннего марксизма не менее разительно, чем христианство римских пап XVI века или их современника Ивана Грозного отличалось от христианства катакомб. Процесс этот шел также незаметно, без видимых разрывов с прошлым и крайне быстро – во много раз быстрее, чем эволюция христианства.

* *
*

Важнейшим фактором эволюции марксизма в СССР было его быстрое превращение из веры незначительного меньшинства в веру всего народа. Толпы народа хлынули в партию, но число приверженцев марксизма отнюдь не ограничивается членами партии. Партия – это только наиболее сознательные, избранные, а основные положения религиозно интерпретированного и догматизированного марксизма очень скоро были усвоены подавляющим большинством населения. Почему это произошло?

Прежде всего – потому что революционный марксизм соответствовал думам и чаяниям народа, фактически утратившего веру в божественную справедливость и загробное воздаяние, ненавидящего угнетателей и мечтающего о земном рае. Народ "созрел" для религиозного усвоения марксизма. И как это много раз бывало в истории, страстная вера сама создает эмпирические доказательства своей правоты. Люди верят в неизбежность победы революции, которая откроет путь к построению

───────────
[1] К. Маркс и Ф. Энгельс. Соч., т. 22, с. 467.

счастливого и справедливого общества, рая на земле (при этом в период революции никто не мыслил категориями десятилетий построения социализма и коммунизма: государство, деньги, – все это должно исчезнуть очень скоро). И эта вера дает им силы совершить немыслимое, ибо победа Советской власти над всеми – белогвардейцами и петлюровцами, интервентами и басмачами, эсерами и махновцами (и это несмотря на безумную экономическую политику военного коммунизма) – это именно подвиг веры. Но одновременно это "эмпирическое доказательство" того, что вера эта истинная, что вожди революции действительно владеют чудодейственной истиной, что учение, под знаменем которого оно совершалось, действительно "всепобеждающее". Вера сама исполнила свои пророчества.

Но массовый приход народа к марксизму-ленинизму объясняется, конечно, не только этим. Дело еще и в том, что победители постепенно начинают ставить "неверующих" во все более невыносимое положение. В действие включается механизм террора и соответственно – механизм конформизма, люди начинают поддаваться не только идейным убеждениям, но и страху, убеждая себя, что самая безопасная идейная позиция и есть самая правильная. Нам, находящимся на совершенно ином этапе идейного развития, в ином духовном мире, очень легко осуждать чекистов и комсомольцев, разрушавших храмы. Но для того, чтобы судить их справедливо, надо понять их мир, мир веры. Ведь то, что они делали, делали всегда и везде те, кто верил "по-настоящему"! Если вы действительно убеждены, что проповедь христианства – это спасение человеческих душ, а язычество губит души, вы не будете спокойно смотреть, как в языческих храмах поклоняются демонам. И если вы глубоко убеждены, что знаете путь "социального спасения", быстрого достижения всеобщего счастья на земле, вы не будете спокойно смотреть, как невежественных людей совлекают с этого пути на дорогу, ведущую к безмерным страданиям, снова в тот ад, из которого люди только что начали выходить. Вера всегда имеет два лика, две "ипостаси" – мученика и палача, причем мученик и палач легко и даже незаметно "переходят один в другого", "меняются местами".

Иногда кажется, что, например, декрет о свободе совести и тут же – ожесточенная и даже кощунственная атеистическая пропаганда (пропаганда, на которую ответить было невозможно) – это проявление лицемерия. Но это не так. Просто вера – слепа, она настолько убеждена в том, что она – истина, что насилие видится ей иначе, чем оно видится со стороны. Ведь это насилие педагогическое, это раскрытие людям глаз на правду, это снятие с их глаз пелены, это – не насилие над совестью, а освобождение совести[1]. Поэтому проблема чисто внешнего, формаль-

---

[1] До сих пор в некоторых атеистических работах можно встретить утверждение, что истинная свобода совести – это свобода совести от религии, а свобода совести в юридическом смысле – лишь условие достижения этой подлинной свободы.

В XVII веке в пуританские колонии Новой Англии начали усиленно проникать квакеры. Пуритане изгоняли их и кое-кого даже повесили. "Либералы" в их среде начали кампанию против этих насилий, говоря, что это – насилие над совестью. "Ортодоксы" в своих памфлетах отвечали, что это не так, поскольку ни один нормальный человек не может по совести говорить такую чушь, какую говорят квакеры. Совесть квакеров – явно несвободна.

ного, конформистского принятия доктрины не предстает как проблема важная, вера не замечает этой проблемы.

И так же не замечается проблема поверхностного усвоения доктрины, связанного с низким культурным уровнем. Для "элитарного", высокообразованного, но абсолютно, догматически убежденного в своей правоте марксиста 20-х годов различие между его пониманием марксизма и идейным миром неграмотного красноармейца – лишь различие в разной степени усвоения той же самой истины. Для элитарной веры "бесхитростная вера" простых людей, естественно – выше, чем элитарное неверие или даже элитарные сомнения. "Классовое чутье" – выше интеллигентской рефлексии.

А. Платонов гениально раскрывает чисто религиозное восприятие марксизма народными массами. Вот как, например, представляется мир после революции одному из героев "Чевенгура": "Теперь жди любого блага, – объяснял всем Чепурный. – Тут тебе и звезды полетят к нам, и товарищи оттуда спустятся, и птицы могут заговорить, как ожившие дети, – коммунизм дело не шуточное, он же светопредставление"[1]. Это – миф, народная сказка. Но какой-нибудь Луначарский мог бы лишь добродушно улыбнуться простодушию товарища Чепурного. Ведь Чепурный верит в то же, во что верит Луначарский, хотя воспринимает это на своем уровне. Отношение его к Луначарскому – это то же отношение, что у блаженного Августина и ставшего христианином германского варвара. Марксизм Чепурного – это народный марксизм, и в конце концов то, что он говорит, – это лишь изложенное на "варварском" языке Марксово предисловие к "Критике гегелевской философии права".

Вера может совершать чудеса, "двигать горами". Но она не может сопротивляться собственной формализации, догматическому окостенению и вульгаризации, варваризации. Толпы, которые хлынули к марксизму, не могли не восприниматься как свидетельство его победоносности, как его триумф. Но они неизбежно несли с собой его крайнюю примитивизацию. Миллионы искренних, убежденных, но безграмотных марксистов не могли не свести марксизм к простой мифологической сказочной схеме, ради реализации которой ("мы рождены, чтоб сказку сделать былью") они готовы были умирать и убивать. Вызванные "прагматическими" соображениями отсрочки в реализации этой схемы – нэп – были им непонятны и их нетерпение было важнейшим фактором, срывавшим все разумные планы. Если сразу после революции рая на земле не получилось – ничего, они готовы на новые муки. И они не могут воспринимать своих вождей – прежде всего Ленина, совершенно спонтанный, полностью противоречащий воле этого скромного человека, культ которого достигает колоссальных размеров (вплоть до того, что чувство народа не могло допустить тленности его тела), иначе, чем полубогов, святых и пророков, ведущих их "железной рукой", как Моисей из рабства египетского через пустыни в землю обетованную, "где течет молоко и мед".

* *
*

Пока был жив Ленин и у власти стояла небольшая группа высокообразованных марксистов (фантастическим сейчас выглядит факт, сообщаемый в мемуарах Г.Л. Разгона, что некоторые члены ЦК могли гово-

---

[1] *Дружба народов*, 1988, № 4, с. 90.

рить друг с другом по-латыни), варваризация марксизма не могла торжествовать. Но был один фактор, очень способствовавший ускорению этого процесса, – это борьба за власть во время болезни и затем после смерти Ленина.

Процесс догматизации всегда связан с борьбой за власть в идеологической иерархии, ибо победа в идейном споре означает занятие победившей группой командных постов и догматическое закрепление ее позиции. Естественно, что, когда религия побеждает, этот процесс ускоряется, ибо власть становится более реальной и по отношению к еретикам можно уже употреблять силу. Не случайно, что победа христианства в Римской империи сопровождается резким усилением борьбы догматических партий, созывом соборов, разрешавших споры, и репрессиями против тех, кто оказался в меньшинстве. Но у нас этот процесс невероятно ускорился. Поскольку христианство учит о "царствии не от мира сего", церковная иерархия всегда была отделена от государственной и борьба за власть в государстве не совпадала с борьбой за власть в церкви. У нас же эти иерархии совпадали и борьба за "трон" сливалась в единое целое с борьбой догматических партий. При этом эта борьба в громадной мере есть борьба за признание со стороны темной массы новых марксистов, которая предъявляет совсем иные требования к личности лидера, чем небольшая интеллигентская дореволюционная партия.

Для того чтобы лучше понять, что происходило в это время, обратимся вновь к А. Платонову. Один из его героев, безумный революционер, страстно преданный великой идее и не щадящий никого, в том числе и себя, приходит в Кремль к Ленину. "Упоев, увидев Ленина, заскрипел зубами от радости и не сдержавшись, закапал слезами вниз. Он готов был размолоть себя под жерновом, лишь бы этот небольшой человек, думающий две мысли враз, сидел за своим столом и чертил для вечности, для всех безрадостных и погибающих свои скрижали на бумаге... "Ты гляди, Владимир Ильич, – сказал Упоев, – не скончайся нечаянно. Тебе-то станет все равно, а как же нам-то". Ленин засмеялся – и это радостное давление жизни уничтожило с лица Ленина все смертные пятна мысли и утомления. "Ты, Владимир Ильич, главное, не забудь оставить нам кого-нибудь вроде себя – на всякий случай"[1]. Этот эпизод прекрасно иллюстрирует то, что происходило в 20-е годы. Народные массы, в сознании которых Ленин превратился в фигуру божественную, ждут, что Ленина сменит такая же "сверхчеловеческая" личность, которая поведет народ дальше – к социализму. Но кто это может быть? Естественно, что это должен быть самый верный ленинец, человек, который также правильно понял ленинскую мысль и может применить ее к новым условиям, как Ленин понял и правильно применил мысль Маркса и Энгельса. Это должен быть "Ленин сегодня". Борьба за власть в государстве, за наследие Ленина в этих условиях превращается в борьбу за то, кто может утвердить себя большим ленинцем. Те же люди, которые очень часто спорили с Лениным и, более того, не очень-то считались с ним в период его болезни, начинают, соревнуясь друг с другом, раздувать культ его личности и делать из его наследия новое "священное писание" – как бы второй после Маркса и Энгельса пласт нашего "священного писания".

---

[1] А. Платонов. Впрок (бедняцкая хроника). Повести и рассказы. 1928–1934. М.,1988, с. 265.

Этот процесс с поразительной отчетливостью виден в материалах XIV съезда, где разворачивается второй раунд борьбы за ленинское наследие (Сталин и Бухарин против Каменева и Зиновьева). В выступлениях на съезде есть одно поразительное по своей "прозрачности" место. Это – конец выступления Камила Икрамова. Он говорит: "В заключение одна просьба: вы, старые большевики, себя называете учениками Ленина; мы, молодняк, просим и требуем преподнести нам учение Ленина как оно есть, в чистом виде"[1]. Это – "социальный заказ" на догму. А вот как этот заказ выполняется буквально "на глазах". Сталин в политическом докладе полемизирует с Зиновьевым (мы сознательно опускаем то, что относится к сути полемики, нас интересует ее логика). "Тов. Зиновьев пишет... (цитата. – Д.Ф.). Тов. Бакаев спрашивает, что тут страшного? А я вас попрошу сравнить статью тов. Зиновьева с тезисом Ленина (цитата. – Д.Ф.)... и ответить, отошел тов. Зиновьев от тезиса Ленина или не отошел... (Возглас с места: "Подразумеваются другие страны, кроме России". Шум.) Не выходит, товарищ, ибо в статье тов. Зиновьева говорится о "задачах, которые *совершенно* общи *всем* партиям Коминтерна". Неужели вы будете отрицать, что наша партия есть тоже часть Коминтерна. Тут прямо сказано: *всем партиям*". (Возглас со стороны Ленинградской делегации: "В определенные моменты!" Общий смех.) Сравните эту цитату из статьи тов. Зиновьева о ... с цитатой из речи Ленина ... и вы поймете, что между ними нет ничего общего"[2]. И это отнюдь не только Сталин. Такой стиль полемики становится общим стилем у всех этих людей, только что отвергших прямые указания умирающего вождя. Вот как нападает на Зиновьева Бухарин: "Товарищ Зиновьев в своей книжке не понимает одного места из Владимира Ильича, или понимает его формально, как некоторые персонажи, которые читают по складам, но не вникают в смысл"[3]. А вот Рыков: "Я не буду опровергать этого лозунга... своими словами, а прочту маленькую цитату из того, что писал Владимир Ильич"[4]. А вот сам третируемый как не ленинец Зиновьев: "... ленинградцы – ни "левые", ни "правые", они просто ленинцы"[5]. Буквально на наших глазах "бешеными темпами" сочинения Ленина превращаются в "священное писание" и создается ленинистская догматика.

И такими же темпами параллельно с этим идет процесс "сакрализации" партии.

---

[1] XIV съезд ВКП(б). Стенографический отчет. М–Л., 1926, с. 177.

[2] Логика догматизма всегда одна, о чем бы ни шла речь. На XIV съезде партии речь шла об отношении к середняку. На I Никейском соборе она шла об отношении Бога-Отца и Бога-Сына. Но посмотрите, как схожи логики, как одинаково идет процесс уличения еретиков. Православные епископы отвечают защитнику арианской ереси: "Оставаясь так долго... в вере апостольской, каким образом ты позволяешь себе уклоняться...? Вот вот только слышал ты от нашего святого собора пророчества великого Иеремии, который, как бы перстом указуя, говорит: "Сей Бог наш и не вменится ин к нему" и пр. и прибавляет еще: "По сем на земле явися и с человеки поживе". Ты помнишь... что на вопрос св. епископов: "Кто явился на земле и жил с людьми, Отец или Сын?" ты отвечал, что Сын, как и священное писание свидетельствует – ведь так ты сказал. Зачем же опять повергаешься в глубину нечести Ариева, или, лучше сказать, погрязаешь в ней?". – Деяния вселенских соборов, т. I. Казань, 1887, с. 55.

[3] XIV съезд ВКП(б), с. 147.

[4] Там же, с. 411.

[5] Там же, с. 707.

Совершается очень интересный "диалектический" процесс перехода понятий в свою противоположность. Идея, что есть единая марксистская истина, и партия, вооруженная этой истиной, естественно, будет партией победоносной, постепенно перерастает в идею, что победоносная марксистская партия всегда обладала и обладает истиной, она не может ошибаться, как не может ошибаться церковь, движимая Святым Духом. Если до революции объектом веры революционеров был сам марксизм, а не партия как таковая, они не боялись расколов и ухода из партии (ибо если партия ошибается, она – немарксистская), то теперь ситуация меняется. Партия сама становится объектом веры. Догматическое сознание начинает прямо-таки панически бояться раскола и вообще любых разногласий, ибо разногласия подрывают веру, порождают сомнения. Есть одна истина – ленинизм, и есть одна партия, обладающая этой истиной. Борьба за право быть наследником и интерпретатором ленинского "священного писания" – это одновременно борьба за то, кто установит железное единство в партии, ибо "партия есть единство воли, исключающее всякую фракционность и разбивку власти..."[1].

В этой борьбе побеждает Сталин. Его победа, как исход любой борьбы, в какой-то мере случайна. Но очевидно, все же, что в значительной степени это было "выживание наиболее приспособленного", причем "наиболее приспособленного" именно к создавшейся тогда духовной ситуации ожидания как можно более четкой догмы и как можно более ясного указания ленинского пути. В этой ситуации оригинальность мышления, творческое начало, слишком большая образованность, и, уж, конечно, способность к самокритике и мягкость скорее были помехами. Требовалась не творческая фигура, а "железный ленинец". А у Сталина даже фамилия – Сталин. Он невозмутим и уверен в себе. И стиль полемики и мышления у него идеально догматический, недаром он учился в семинарии. Он не блестящий оратор, но у него "железная логика", вернее – то, что воспринималось массой полуграмотных марксистов как "железная логика" – бесконечные цитаты из Ленина, "катехизические" вопросы и ответы, постоянные "во-первых, во-вторых, в-третьих". От него исходит та непоколебимая уверенность в знании правильного пути, в которой так нуждалась масса Чепурных и Упоевых, оставшихся без Ленина. Вот прекрасный образец "железного" сталинского стиля, завораживающе действующего на народ: "Историческое значение XIV съезда ВКП(б) состоит в том, что он сумел вскрыть до корней ошибки новой оппозиции, отбросить прочь ее неверие и хныканье, ясно и четко наметил путь дальнейшей борьбы за социализм, дал партии перспективу победы и вооружил тем самым пролетариат несокрушимой верой в победу социалистического строительства"[2].

Ленин для массы верующих российских марксистов был пророком, приведшим их в обетованную землю. Но когда до этой земли дошли, выясняется, что это – не совсем та земля, где "текут молоко и мед". До этой земли еще идти и идти. И как раз в это время пророк умирает. Но появляется новый пророк, "Сталин – это Ленин сегодня", и движение продолжается. Люди готовы на новые страдания, вновь готовы умирать и

---

[1] И.В. Сталин. Об основах ленинизма. Вопросы ленинизма. М–Л., 1926, с. 75.

[2] Там же, с. 68.

убивать, лишь бы дойти до земного рая, до царства добра и справедливости. В сознании людей возникает как бы "триада" – Маркс и Энгельс (слитые воедино) – Ленин, истинный ученик Маркса и Энгельса, единственный из их учеников, который смог до конца овладеть их учением, творчески применить его и в силу этого совершить революцию, – а также Сталин, истинный ученик Ленина, миссия которого – привести народ к социализму (что он совершает к 1937 г.) и затем – к коммунизму. И это движение одновременно является движением к крайней догматизации и к немыслимым масштабам культа личности Сталина. Культ Ленина возник спонтанно, против его воли (и лишь затем сознательно раздувается его учениками). Ленин – вождь раннего периода развития марксистской "церкви", когда была живая мысль, когда люди спорили друг с другом. Он не хотел и не мог делать из себя живого Бога. Но Сталин выдвигается в совсем иной атмосфере, он улавливает новые психологические потребности и строит в соответствии с ними свой образ, свою политику и свою идеологию. Это – идеология предельно догматизированного марксизма-ленинизма, в которой, как во всех догматизированных системах, верность форме сочетается с отходом от духа и сути.

* *
*

Любая догматическая идеология имеет своим источником некое "священное писание". В сталинской идеологии мы можем говорить о наличии трех "пластов" "священных писаний".

Самый первый пласт – это сочинения Маркса и Энгельса. Это – сакральные тексты людей, которые вообще не ошибались (Сталин в своей "сатанинской гордыни" несколько раз уличал или почти уличал в ошибках Энгельса, но это – лишь Энгельса и лишь Сталин)[1]. И как всегда бывает с сакрализованными и догматизированными текстами, другой стороной сакрализации и догматизации является крайний произвол их толкования. Ведь если подразумевается, что и "Капитал" и написанные не для публикации письма, и тексты 40-х годов, и тексты 90-х годов содержат одну и ту же и полную истину, толкование просто не может не быть произвольным. При этом внутренние противоречия текстов "выпрямляются", словам, явно употребляемым в буквальном смысле, придается

---

[1] Одной из важнейших проблем нашего догматического сознания была защита непогрешимости текстов Маркса и Энгельса от того самоочевидного факта, что многие их предсказания явно не исполнялись. Здесь догматическая мысль подсказывает совершенно гениальный ход – использование для догматизации текстов основоположников марксизма, для "ухода" от верификации, саму, имманентную марксизму как научной теории, идею развития учения. Те предсказания, которые явно не исполнились, объявляются абсолютно истинными, но для своего времени. Например, Маркс и Энгельс говорят о том, что победа революции произойдет в развитых европейских странах и после нее произойдет отмирание государства. Этого не произошло. Значит ли это, что они ошибались? Нет, говорит Сталин, они были правы для своего, домонополистического периода и для условий победы социализма в группе стран, ибо если бы тогда произошла революция, то она произошла бы в группе самых развитых стран и тогда государство отмерло бы. Несбывшееся предсказание объявляется все равно верным.

небуквальное значение[1], наоборот, явно литературные образы, вроде "религия – опиум народа", становятся чуть ли не точными определениями. Возникает очень характерная для любой догматической системы двойственность отношения к сакральному тексту. Он – абсолютно истинен, но понять эту абсолютную истинность крайне сложно. В конце концов ведь все марксисты читали Маркса, но ни Плеханов ни Каутский не могли его правильно понять. Правильно понять его мог лишь Ленин. А раз так, значит самостоятельное изучение его – опасно. Изучать его без руководства, не сквозь призму экзегетики – значит наверняка впасть в ошибки. Происходит то же самое, что в средневековом христианстве происходило с Библией – сакральный источник доктрины становится опасен для доктрины. И не только опасен, но в некотором роде и не очень нужен. Ведь если марксизм уже применен единственно правильным путем к нашим условиям, то и естественно обращаться не к этим трудным текстам, повествующим о делах, давно минувших, а к текстам Ленина и Сталина. Как средневековое христианство "отодвигало" Библию, запрещая переводить ее на живые языки, так у нас "отодвигался" Маркс и Энгельс, полного собрания сочинений которых у нас до сих пор нет. Фактически реальная роль их произведений весьма невелика, и просто невозможно себе представить, например Сталина, изучающего "Капитал".

Второй пласт "священного писания" – произведения Ленина. Ленин – ближе по времени, понятней, и, кроме того, – важнейшим элементом легитимации положения Сталина является то, что он – самый верный ученик Ленина. Поэтому роль его произведений – больше. Но объективно с ними происходит то же самое, что и с текстами Маркса. Опять-таки догматическая экзегетика делает немыслимое. В 1939 г. Сталин, обосновывая на XVIII съезде партии созданную им бюрократическую машину, ссылается на "Государство и революцию". И не просто ссылается – все это обоснование мыслится развитием этих идей. И если искренность самого Сталина еще может возбуждать сомнения (хотя я вполне допускаю его искренность), то искренность миллионов советских людей, которые это "Государство и революцию" бесконечно сдавали на разных экзаменах и никакого противоречия между идеями этой книги и идеями и реальностью сталинизма не видели, не может вызывать сомнений. Это – безумие, но это обычное безумие догматизированной идеологии. Это не большее безумие, чем то, что люди эпохи инквизиции и утопающего в роскоши папского двора не замечали противоречий этой реальности и обосновывающих ее текстов и евангельского учения. И, как и Маркс, Ленин тоже отодвигается на задний план. В конце концов, ведь его тоже можно интерпретировать по-разному, оппортунисты тоже на него ссылались, и есть единственно верная его интерпретация – тем, кто есть Ленин сегодня.

Сталин – единственно верный интерпретатор Ленина, который в свою очередь – единственно верный интерпретатор Маркса и Энгельса.

---

[1] Пример этого "выпрямления" – создание в сталинское время "пятичленной" схемы формаций. У Маркса была идея "азиатского способа производства", не очень-то вяжущаяся с идеей единого процесса смены формаций – не локальных, а всемирных. Наша экзегетика "распрямляет" эту "кривизну", объявляя, что "способ производства" здесь употребляется в ином значении, чем в других местах, а реальная история подгоняется под схему так, что в Китае и Индии обнаруживаются эпохи рабовладения и феодализма.

Авторитет Сталина, таким образом, производен и вроде бы меньше авторитета Маркса–Энгельса–Ленина. Но, с другой стороны, он как бы включает в себя их авторитеты, он – живое воплощение марксизма[1]. И его тексты начинают образовывать как бы третий слой "священного писания".

Но культ Сталина имеет и иное происхождение, иную идеологическую основу – в культе партии. Партия мыслится совершенно "мистически" – как не способная ошибаться организация, вся история которой – это история "отметания" различных "ересей". "История развития внутренней жизни нашей партии есть история борьбы и разгрома оппортунистических групп внутри партии – "экономистов", меньшевиков, троцкистов, национал-уклонистов"[2]. Из этой борьбы она каждый раз выходит все более очищенной и монолитной. Это – ленинская партия ("Мы говорим – Ленин, подразумеваем – партия, мы говорим партия, подразумеваем – Ленин" – наш вариант учения о церкви как теле Христовом). И если эта партия поставила во главе себя Сталина, то уж, наверное, она не ошиблась. И здесь снова происходит догматический "переход противоположностей". Партия, абсолютно единая и не способная ошибаться, превращается из реальной силы в институт, функции которого в громадной мере ритуальны. Если при Ленине и сразу после его смерти на партийных съездах идут ожесточенные бои, то на XVIII съезде читаются стихи, прославляющие Сталина. Все ереси уничтожены, правильный курс проложен, и в общем-то делать на съездах уже нечего.

Сталинский культ вырастает из всей догматической системы – и из представления о текстах Маркса–Энгельса–Ленина как о текстах, содержащих полную и высшую истину, и из представления о партии как организации, не способной ошибаться. Сталин – как бы воплощение марксизма и партии. И это позволяет ему выступать оракулом по всем вопросам. Если марксизм-ленинизм дает методологию, позволяющую правильно разобраться во всех сферах науки (и не только в социальных науках, но и в естественных, где тоже есть свои метафизические и идеалистические тупики, выбраться из которых можно лишь при помощи марксистской материалистической диалектики) и в сфере искусства, а "Сталин – это Ленин сегодня", то Сталин получает "логическое право" вмешиваться во все проблемы наук и искусств. Создается единая всеохватывающая догматическая культура.

---

[1] Вот очень характерное место в полемике Сталина с Троцким: "Интересно, что тов. Троцкий фыркает даже на слова "народ", "революционная демократия" и т.п., встречающиеся в статьях большевиков, считая их неприличными для марксиста. Тов. Троцкий, очевидно, забывает, что Ленин, этот несомненный марксист... писал": (далее цитата. – Д.Ф.). "Тов. Троцкий, очевидно, забывает, что Ленин, этот несомненный марксист..., пишет (опять цитата. – Д.Ф.). Этих слов Ленина забывать нельзя". (И.В. Сталин. Вопросы ленинизма, с. 197). Обращение к авторитету Маркса здесь не прямое, а опосредованное текстом "несомненного марксиста" Ленина. Но так как Сталин абсолютно верен ленинскому тексту, он оказывается как бы воплощением и Ленина и Маркса.

[2] История ВКП(б) в кратком курсе. М., 1948, с. 343. Для иллюстрации единства догматического сознания приведем цитату из послания папы Либерия: "А несогласающиеся ... извергнуть яд злоучения, отбросить всякие хулы Ария и анафематствовать их, пусть знают, что вместе с Арием, учениками его и прочими змеями, как-то савелианами, патропассианами и всякою иною ересью, они отчуждаются и лишаются общения с церковными собраниями, так как церковь не принимает сынов блуда". (Сократ Схоластик. Церковная история. Саратов, 1911, с. 250).

27*

Создается своя, марксистско-ленинская, каноническая живопись, архитектура, литература, музыка. И не только содержание художественных произведений должно быть правильным, но правильной должна быть и форма (находящаяся в диалектическом единстве с содержанием).

Как в средние века христианство догматизирует не только свое собственное учение, но и науку, Аристотеля, так и у нас создается своя марксистско-ленинская биология (Мичурин, Лысенко)[1], физика (отрицающая Эйнштейна) и чуть ли не математика.

Создается своя агиография, свои святые – Николай Островский, Стаханов, Чапаев и т.д.

Складывается своя обрядовая система, система праздников – литургический год.

Все это связано в единое целое и поддерживается грандиозной системой пропаганды – постоянным прохождением всех советских людей через обучение марксизму-ленинизму – от школы до аспирантуры, средствами массовой информации, оценивающими текущие дела с точки зрения догмы, тысячами книг, статей, картин. Фактически создается законченная цивилизация догматического марксизма-ленинизма, и создается с головокружительной скоростью. Но и падение ее происходит с такой же удивительной быстротой. Человек, которому в 1960 г. было 70 лет, мог во взрослом, сознательном состоянии наблюдать крушение одной цивилизации, не только зарождение, становление и расцвет, но и упадок – другой.

Христианство, мусульманство, буддизм создали цивилизации, которые держались века. У нас же все шло с головокружительной быстротой, и на самом пике нашего расцвета, не успела цивилизация принять законченные формы, как в ней обозначились признаки упадка. Она оказалась эфемерной. Почему?

* *
*

Прежде всего, потому, что два аспекта марксизма – марксизм как вера и марксизм как научная теория – находятся в противоречии, и научный аспект марксизма "взрывает" его религиозный аспект.

Традиционные религии, как и марксизм, делали предсказания, и выполнение этих предсказаний мыслилось подтверждением их истинности. Но эти предсказания – частичное раскрытие Богом будущего – всегда были достаточно неопределенны. Ранние христиане, гонимые римскими властями, верили в очень скорое, "со дня на день", второе пришествие Христа. Второе пришествие не наступило – вместо этого христианство стало государственной религией и его лидеры, занявшие "достойное положение" в обществе, уже не имели оснований мечтать о

---

[1] Очень интересен параллелизм между социальной логикой догматизированного марксизма и логикой лысенковщины. Овладение марксистской истиной позволяет находить правильное решение социальных проблем и путь к земному раю, при этом вера важнее образования, "классовый инстинкт" важнее формальных знаний. Но ведь марксизм – не только единственно верный метод социального знания, это – вообще единственно верный метод научного знания. И применение этой логики к биологии "автоматически" дает лысенковщину, где "ветвистая пшеница" играет роль биологического эквивалента коммунизма.

его скорой гибели. Идея "второго пришествия" отодвигается на задний план. Когда-нибудь оно произойдет, но когда – неизвестно и много думать об этом не стоит. Но то, что "второго пришествия" не произошло, не нанесло удара вере – ведь предсказание здесь не устанавливало жесткой связи между реальными человеческими действиями и "вторым пришествием", не говорило: "Если вы сделаете то-то и то-то, Христос придет во славе". Это неверифицируемое предсказание, как неверифицируемы утверждения типа: "Если вы будете делать то-то и то-то, вы попадете в рай". Но марксизм, став религией, объектом веры, не перестал быть научной теорией, делающей верифицируемые предсказания. Он говорит о конкретных реальных социальных действиях, после которых должно наступить вполне земное счастье, земной рай. Действия совершаются, но рая не наступает. Как в этой ситуации должны действовать "защитные механизмы" веры, как "уйти от верификации"? Есть два основных пути "ухода от верификации", и религиозный марксизм идет сразу по обоим этим путям.

Первый путь – "отодвижение" рая. До революции победа революции, социализм и коммунизм сливаются в сознании революционеров воедино. Революция есть вступление в мир свободы и справедливости, и достаточно прочесть "Государство и революция", чтобы увидеть весь масштаб ожиданий революционеров-марксистов. Революция побеждает, но рая не наступает. Для некоторой части революционеров это означает кризис веры, и приход нэпа сопровождался даже самоубийствами людей, оказавшихся не в силах вынести расхождения между ожиданиями и реальностью. Но веру большинства спас простой и естественный ход мысли. Рай – это не просто победа революции, а построение социализма, который можно построить и в одной стране (сталинское развитие марксизма), но ценой невероятных усилий. Рай отодвигается и начинается строительство социализма – претворение мифологии в жизнь. Догма дает ясную и четкую картину того, что такое социализм, и ценой полного разорения страны при героическом энтузиазме и кровавом терроре в 30-х годах социализм построен. Но это означает лишь увеличение разрыва между верой и реальностью. С одной стороны, рай вроде бы уже создан, с другой стороны – есть нищая страна, где живут голодные и запуганные люди. И начинается новое "отодвижение рая". Социализм – это уже почти рай (первая стадия коммунистической формации), но все же не полный рай. Полный рай – это коммунизм. Начинаются "великие стройки коммунизма". Люди с невероятным упорством, преодолевая немыслимые лишения, идут через пустыню к миражу. Путь им ясен, отчетливо виден – надо дойти вот до того бархана и сразу же за ним – прекрасный оазис, но когда они до него доходят, оказывается, что оазис – впереди и до него еще идти и идти.

Постепенное отодвижение рая – первый путь "ухода от верификации", но есть и второй путь – путь изображения реальности как бы раем. По мере увеличения разрыва между реальностью и ожиданиями усиливается страх перед реальностью и ее уже не только бессознательное, но и сознательное искажение. Постепенно складывается система, наглухо закрывающая страну от мира иноверцев – и уже не только для того, чтобы не проникла "идейная зараза", но и для того, чтобы не проникли факты, не проникла реальность. Мир иноверцев изображается все более карикатурно, а наш собственный – все более приукрашенно, пока в послевоенный период не создается картина мира, уже вообще никакого отношения к реальности не имеющая, когда в кинотеатрах, романах, живописных полотнах нищая, голодная и терроризированная страна изображается царством изобилия, окруженным миром нищеты и бесправия.

Очевидно, в какой-то мере этой же потребностью сохранить догму от столкновения с реальностью объясняется и сталинский террор. Естественно, что этот террор — и "нормальный" для догматической системы террор против еретиков и потенциальных еретиков, и террор тирана против всех, кто может попытаться ограничить его власть или просто не подчиниться ему. Но в нем есть и еще один аспект. Шпионы и вредители в сознании людей сталинской эпохи выполняют функции средневекового дьявола: на него списывается все зло этого мира, которое не может исходить от всеблагого Бога. Все плохое, что не может быть объяснено хорошей системой, объясняется действием жуткого и "внесистемного" фактора. Ясно, что по мере все большего расхождения реальности и мифа на дьявола должно списываться все больше и больше — очевидно, отсюда и теория усиления классовой борьбы по мере приближения к социализму и коммунизму.

Параллельно идут взаимосвязанные процессы — страна разоряется, выполняя основанную на мифологической и догматической схеме сталинскую программу. Но чем более она разоряется, тем более — в теории — приближается земной рай. Реальность и ее идейное осмысление все более расходятся, и образующаяся между ними пропасть должна все больше заполняться кровью и ложью. Но чудовищное напряжение террора, великих строек и энтузиазма начинают спадать. Вера все отчетливее "выдыхается".

Она "выдыхается" и потому, что сил уже больше нет, и, как ни закрывай глаза на расхождение реальности и догмы, оно проникает в сознание; и потому, что происходят громадные социальные сдвиги, несущие за собой важные изменения в сознании. Триумф религиозного марксизма был связан с подъемом низов русского общества, с приходом к социальной активности, к культуре, к власти темной неграмотной массы — платоновских героев. Но постепенно ликвидируется неграмотность, города "переваривают" миллионы хлынувших в них крестьян. Платоновский полуграмотный фанатик отходит в прошлое.

Победа ранее гонимой веры и ее догматическое окостенение означают выдвижение на первый план другого типа личности. Мученики и герои "катакомбного" периода, страстные и потому недисциплинированные, уже не нужны и даже опасны. На поверхность выходит совершенно иной тип — бюрократически-иерархического политика и карьериста. Не случайно, что с победой христианства совпадает возникновение монашества — страстным религиозным "энтузиастам" не было места в новой церкви, они стремились уйти от нее, и иерархия давала им возможность уйти, самоизолироваться и использовала их колоссальный авторитет. Но у нас при социальной заостренности нашей веры не было места монастырям. Место монастырей заняли концлагеря, в которых систематически уничтожаются все действительно горящие марксистско-ленинскими идеями идеалисты. Одновременно слияние государственной и идеологической иерархий вело к тому, что прагматические критерии при оценке статуса в ней и при карьере (хороший работник) подтачивали критерии идеологические: наверх шли не столько догматики-идеалисты, сколько, в худшем случае — карьеристы, в лучшем случае — просто честные работники, преданные Родине и партии, т.е. Сталину, верящие в марксизм, но видящие в нем скорее просто символ этой преданности, чем действительно источник вдохновения. Эти люди более или менее довольны существующим, и марксистская эсхатология мало говорит их уму и сердцу. Они тоже устали от террора и мечтают о стабильности.

В результате при формально-тотальной победе идеологии она очень быстро становится "внутренне пустой". Но "природа не терпит пустоты", и пустота начинает заполняться идеологией, прямо противоположной марксистской, – идеологией русского великодержавного шовинизма с сильными "традиционалистскими" оттенками. Если христианство, мусульманство и другие религии развиваются медленно, постепенно, то наша идеология проходит цикл своего развития с невероятной скоростью. Сталин – деятель еще "катакомбного" периода нашего идеологического развития, человек, проводивший экспроприации и бежавший из ссылки, так сказать один из "первых христиан". И он же – ренессансный папа, обратившийся к античному наследию, ибо он тоже на самом пике догматизации нашей идеологии обращается (бессознательно, не видя здесь противоречия) к идеологии побежденной, отринутой и, в отличие от еретических форм марксизма, не угрожающей его власти. Великий марксист сам ощущает пустоту своей догматизированной идеологии и начинает рядиться в одежды Ивана Грозного, а патриарх и митрополиты становятся постоянными участниками всех кремлевских торжеств. Это "опустошение" идеологии, неверие самого вождя и "классика марксизма" в свои собственные догмы видно и во внешней политике, где эпоха "крестовых походов" кончилась и чисто государственные соображения все более превалируют над интересами "веры и церкви". Если изначально наше государство мыслилось всего лишь ядром будущего всемирного государства, то Сталин при всей своей агрессивности, даже тогда, когда может, не выходит за рамки старой российской империи. Сталин ищет новые "подпорки" для своего трона и созданной им социально-политической системы, но это лишь усиливает идеологическое напряжение, ибо к противоречиям мифа и реальности добавляются противоречия между различными компонентами сталинской идеологической эклектики и противоречие его образа, его идеологии и его культуры с ленинскими идеологией, образом и культурой, которые уже нельзя "замазать" никакой экзегетикой. "Сталин – это Ленин сегодня" все более начинает выглядеть "анти-Лениным".

Мы еще плохо знаем сталинскую эпоху, и нам трудно сказать, в какой мере можно говорить о нарастании в 40-е и в начале 50-х годов идеологического кризиса. Но очевидно, что "на верхах" было всеобщее ощущение, что так дальше нельзя, и смерть Сталина с облегчением восприняли все его соратники (вплоть до его главного палача Берии, от которого, возможно, исходили первые попытки бросить тень на фигуру Сталина). Логика нашего догматического развития прерывается. По этой логике после периода борьбы за право считаться истинным учеником и наследником Ленина и Сталина должен был победить "икс", который стал бы "Сталиным сегодня", как Сталин был "Лениным сегодня" и который должен был осуществить переход к коммунизму[1]. Вместо этого наступило "разоблачение культа личности".

---

[1] Для этого он должен был бы отменить деньги, перейти к каким-то формам распределения "по потребностям", объявить репрессивный аппарат не государством, а каким-нибудь общественным самоуправлением и т.д. – задача, разумеется, трудная, но в принципе реализуемая.

Эпоха Хрущева – крайне противоречива. В какой-то мере при нем продолжает действовать механизм догматизации. Он, если и не воплощение Ленина, то все же "истинный ленинец". Его доклады изучаются как идеологический источник. И он строит коммунизм, который должен наступить "при жизни этого поколения" (хотя строит без особого напряжения). Но одновременно при нем возникает сильная тенденция к тому, что можно назвать "реформацией" нашей марксистской веры. В какой-то мере происходит движение от "предания" к "писанию", движение назад, к источнику идеологии, Ленину (а в относительно узком круге "интеллектуалов" – и к Марксу, Энгельсу и к Гегелю). И как в христианской реформации, в форме движения назад осуществляется движение вперед и к большей свободе, ибо источник идеологии освобождается от позднейших интерпретаций и вновь допускает разные прочтения, "Разоблачение культа личности" расшатывает идею единого правильного пути и партии, которая не может ошибаться. Возникает относительная терпимость – и "внутриидеологическая", и к другим идеологиям. При этом тенденции к возрождению элементов дореволюционной символики и идеологии, характерные для 40-х – начала 50-х годов, отходят на задний план и относительная идейная терпимость сопровождается гонением на церковь (как бы возвращается антиклерикализм 20-х годов).

Но достаточно посмотреть на фотографии Никиты Сергеевича, чтобы понять, что марксистский Лютер из него выйти не мог. Он был порождением той бюрократической идеологически-государственной иерархии, которая не могла создать никакого института, сохраняющего индивидуалистических, самостоятельно мыслящих и чувствующих, преданных идее людей, и систематически уничтожала их. И слой, который поддержал Хрущева и принял его идеологию, стремился не столько к возрождению революционного духа ленинской эпохи, духа преобразований, строительства нового общества, сколько к стабильности. Он отверг Сталина не столько потому, что тот объективно возрождал ценности, противоречащие идеалам революции, сколько потому, что при сталинском терроре его представители не могли ощущать себя в безопасности. За словами о возрождении ленинских идеалов скрывалось стремление к олигархизации и спокойному наслаждению жизненными благами. Хрущевская реформация была "вялой", бессильной, и 1963, а затем 1968 г., наносят ей роковые удары.

70-е годы проходят под знаком полной деградации марксистской мысли, превращающейся в набор формул, смысл которых давно и прочно утерян. Реальные духовные процессы идут помимо марксистской традиции и скорее являются продолжением и развитием той тенденции к возрождению дореволюционной идеологии, которая возникает еще при Сталине, но теперь от создания эклектического привеска к догматизированному марксизму переходит к выработке относительно ясных и четких, противостоящих официальной догме идеологических форм. Формально господствующая идеология становится такой же дряхлой, склеротичной, по-старчески добродушной и бессильной, но так же держащейся за свою формальную власть, как воплощающий ее лидер.

Перестройка вновь в какой-то мере возрождает реформационную линию развития, прерванную в 1968 г., естественно приводит к обращению к Ленину, к той эпохе развития нашей идеологии, когда была живая партийная жизнь и живая марксистская мысль. XIX партконференция, на которой изумленная Россия впервые слышала споры и где впервые за многие годы решения принимались большинством, а не единогласно – это как возвращение к ленинским партийным форумам. И одновременно, через такое возвращение, осуществляется процесс, через который в XX веке проходят (разными темпами и в разных формах) все догматические системы – процесс дедогматизации, усиления терпимости, подключения к экуменическому диалогу. XIX партконференция – возвращение к партийным форумам ленинской эпохи и одновременно – это как бы наш аналог 2-го Ватиканского Собора. Но здесь нас подстерегают очень большие трудности и опасности.

*   *
*

Будем смотреть правде в глаза – у нас осталось не так много сил, чтобы выполнить громадную идейно-теоретическую работу по критическому анализу нашей идеологии. Для этой работы нужна реальная заинтересованность. Но для большинства – и народа и интеллигенции – формулы догматического марксизма уже утратили какой-либо смысл и привлекательность. И действительно, утверждение, что мы олицетворяем тот высший формационный уровень, к которому должно прийти все человечество, – социализм, который должен сменить капитализм, – очевидный бред. О пролетарской революции и говорить не приходится – уже нет того пролетариата, который мог бы ее произвести. Куда проще и естественнее просто отбросить всю эту ветошь, из-за которой были пролиты реки крови, чем разгребать авгиевы конюшни нашей догматики. Но разгребать их все-таки нужно. И нужда эта – как политическая и социальная, так и духовная и интеллектуальная.

Интеллектуальная и духовная – прежде всего потому, что марксизм – это не просто система догматических и устаревших ответов на разные вопросы. Это еще и система вопросов, которая в некотором роде имманентна современному человечеству. И как христианские исходные понятия обладают значением независимо от их мифологической оболочки (пусть Адама и Евы не было, но первородный грех все-таки есть), так же обладают великим значением идеи марксизма, который недаром стал в XX веке верой чуть ли не половины человечества. Пусть нет "пятичленки" формаций. Но есть глубочайшая потребность современного человека найти логику и стадиальность (и эта стадиальность, несомненно, есть) всемирно-исторического процесса, понять, откуда и куда мы идем. Пусть обобществление средств производства (если это можно назвать обобществлением) ни к чему хорошему не привело, и мы не столько сейчас мечтаем о коммунизме, сколько мечтаем о заимствовании различных элементов западной капиталистической экономики. Но мы не можем не стремиться к строю, в котором не будет противоречий между человеком и социумом, где человек не будет во власти "объективных" и нечеловеческих законов социума (и не можем не соотносить этого стремления с постижением логики всемирно-исторического процесса). Все это может не очень волновать американцев, которые (худо-бедно), но черпают духовные силы в религии и имеют право свысока смотреть на весь остальной, более бедный и менее свободный мир. Но в нашей стране, где даже децентрализация может совершаться лишь централизованно и освобождение от господства плана – планомерно, эти вопросы – реальные и животрепещущие. Мы не можем не строить некоего нового мира и, следовательно, должны тщательно изучать, что в предшествующем строительстве привело к тому, что здание, пока оно не рухнуло, пришлось срочно перестраивать. Без этого тщательного анализа всего плана строительства мы рискуем, по Салтыкову-Щедрину, разрушить старое здание, построенное на песке, и начать строить новое на том же песке.

И это – вторая причина, по которой старая догма заслуживает не отбрасывания, а тщательного анализа, цель которого – извлечение из нее "рациональных зерен". Когда старая догма просто "выкидывается на помойку", признается печальным заблуждением, досадной аберрацией, возникает очень реальная опасность повторить все "по новой". Оказавшийся в идейной пустоте человек начинает судорожно искать, за что ухватиться, и вновь попадает в "ловушку веры". Не разобравшись в прошлом, он не может увидеть, как это прошлое возвращается к нему в новом облике. Протестантские общества, в которых шла глубочайшая и всестороннейшая критика средневековой религии, обошлись без новых форм религиозности и сопутствующих им инквизиции, "крестовых походов" и т.д. Но там, где христианство было просто отброшено, как чепуха, опровергнутая современной наукой, средневековье вернулось в новом и неожиданном наряде "научной идеологии".

Но это же – и политическая опасность. Самое страшное, что может у нас произойти, – это отнюдь не возрождение старого сталинизма, который давно и прочно мертв; самое страшное – это если люди, не выдержав открывающейся духовной свободы и неопределенности, потянутся за новыми прочными ориентирами и все повторится еще один раз. И пусть это повторение будет уже в очень ослабленном (в стране – другой уровень образования, в мире – другой духовный климат и т.д.) виде, но зато оно будет в стране, до отказа наполненной ядерными боеголовками, а к чему это может привести – лучше не думать на ночь. О том, что такая опасность реальна, говорит мощь начавшихся националистических движений, в которых можно ощутить всю слепоту и силу веры, которая, казалось бы, исчезла в нашем обществе.

На разных этапах своей эволюции идеологии могут выполнять очень разную роль. Сейчас, во времена Иоанна Павла II и борьбы протестантских церквей за мир и демократию, мы забываем, что христианство в период своего тотального господства в средневековом обществе – это религия инквизиции, религиозных войн, изгнания евреев и мусульман из Испании и т.д., и т.п. И, как это ни парадоксально, сейчас идеология, создавшая Гулаг, не только может стать важнейшим инструментом демократизации, но более того – ее сохранение и оживление представляется автору единственным путем, на котором мы гарантированы от новых Гулагов. Но оживить ее – это значит развернуть ее тотальную и всестороннюю критику.

Культ личности
во времени истории.
Поиски подходов

Л. Седов

И ЖРЕЦ, И ЖНЕЦ...

К вопросу о корнях культа Вождя

Мы переживаем время, когда смелые истины, дерзкие постановки вопросов услышишь скорее от публицистов, художников, просто людей с улицы, чем от маститых ученых. Пока наша общественная наука, наморщив лоб, ждет, когда перед ней распахнут двери архивов и она обретет под собой твердую почву фактов, люди искусства включают свою интуицию, чтобы проникнуть в тайны нашего не столь отдаленного прошлого глубже, чем это допускала "концепция" культа личности.

"Вот это очень свойственно русскому человеку – сваливать вину на тех, кто обладает властью... Вот сейчас то, что происходило, сваливают на Сталина и Брежнева. А я задаю себе вопрос: где же были русские-то люди? Кто стучал? Кто расстреливал? Евреи? Иностранцы? Очевидно, что не только Сталин виноват в отсутствии свободы, но и сами люди, которые не сумели ее защитить"[1]. В этом эмоциональном заявлении кинорежиссера А. Михалкова-Кончаловского больше методологического смысла, чем в тысячах "научных" рассуждений о том, что пока, мол, Сталин злодействовал, народ строил и воевал; что Сталин, мол, – одно, а партия совсем другое. Нет. Пора уже давно признать за изречением "всякий народ заслуживает того правительства, которое он имеет" достоинства математической формулы и начать разбираться в том, как образ богоподобного Вождя народов, сталинский кумир, творился коллективно, как бы вырастал из архетипических глубин "коллективного бессознательного" и лишь доделывался самим "великим кормчим" и его аппаратной камарильей в соответствии с народными вкусами и запросами. "Вождь выносится коллективом, вынашивается массами, а когда родится, массы видят в нем сверхчеловека. Иногда кажется, что вся сила иного вождя в сосредоточенной в нем вере, энергии миллионов воль, что предоставленный самому себе он сразу свернется, как умирающий чертик вербного базара, сдохнет без воздуха", – писал в 1928 г. русский философ Г.П. Федотов[2].

К сожалению, в подобного рода проблемах наша наука чувствует себя крайне неуверенно, так как в ней напрочь отсутствовали такие направления, как изучение национальной психики, массовых структур сознания, культурно заданных ментальных стереотипов и т.п. Лишь в самое последнее время начинают появляться работы[3], в которых предпри-

---

[1] Остаюсь советским... – *Огонек*, 1988, № 51.

[2] Г.П. Федотов. Carmen Saeculare. – *Путь*, 1928, № 12.

[3] См. например: Л.Н. Дэрназян. Культ и раболепие. – *Социологические исследования*, 1988, № 5; Л.Г. Ионин. ... И воззовет прошедшее. – *Социологические исследования*, 1987, № 3.

нимаются попытки осмыслить феномен сталинизма в терминах культурологии и социальной психологии, без которых понимание нашей истории всегда будет оставаться на уровне признания "отдельных ошибок и недостатков" и истолковывания культа Сталина как насаждавшегося извне и сверху.

Результатом коллективного творчества был сложный образ Вождя, сочетающий в себе черты солярного божества, отца-бога и непогрешимого носителя всей мудрости мира – верховного жреца богини Науки, сверхъестественным образом постигающего тайны философии и лингвистики, экономики и истории. В настоящей работе нас будет интересовать именно эта последняя ипостась и социально-психологические и культурно-исторические корни, из которых она произошла.

Для понимания той атмосферы, в которой создавался культ Учителя и Корифея, полезно обратиться к произведениям, пожалуй, наиболее проницательного летописца эпохи А. Платонова, в особенности к "Чевенгуру" и "Ювенильному морю". Мы обнаружим здесь умопомрачительную картину захлестнувшей страну подростковой ("море юности") утопической стихии, в бурных потоках которой явственно различается мощная струя наукопоклонства. Из конца в конец мечется по степи на своей кобыле Пролетарская Сила, сея смерть, "интернациональный большевик" Копенкин, уверенный, что "Роза Люксембург заранее за всех продумала все" и "теперь остались одни подвиги вооруженной руки ради сокрушения видимого и невидимого врага". Томится смутной верой в науку и коммунизм Чепурный ("Это – упавшая звезда... Мы возьмем ее в Чевенгур и обтешем на пять концов. Это не враг, это к нам наука прилетела в коммунизм"), в сознании которого сплелись и "обломки когда-то виденного мира и встреченных событий", и буквальное знание учения Ленина, но все это плавало "в его уме стихийно и никакого полезного понятия" не составляло. Летает в своей таратайке по совхозу старуха Федератовна, несущая наукообразную белиберду, возмущающаяся "нерациональной ненаучной жизнью деревень" и готовая кинуться на любого, кто попытается "обидеть науку". Едва вкусивший начал технических знаний инженер Вермо мечтает о переделке мира с помощью невиданных научно-технических побед, а пока что увлекает "малых сих" на ломку существующего (пастух Кемаль: "Пришел инженер Вермо, открыл нам пространство науки, и я улыбнулся на твой совхоз из землянок!"). Уверенно выступает от имени науки невежда Прокофий, который, "имея на столе для справок задачник Евтушевского", доказывает, что силы солнца определенно хватит на всех и солнце в 12 раз больше земли и, следовательно, "зачем шевелиться человеку, когда это не по науке?".

Замечательно схвачен Платоновым религиозно-фанатический характер этой всеобщей заклиненности на науке. Вот Алексей Алексеевич ("Чевенгур"), который сначала "признал бога заместителем отца", а потом "нашел свое святое дело и чистый путь дальнейшей жизни в кооперации" и "почувствовал, как своего умершего отца", Ленина. Вот Кирей, у которого при попытке думать "от усердия и прилива крови" закипает сера в ушах, соображает, что звезды на небе "наука вместо бога держит". Тонкими штрихами, отдельно брошенными замечаниями Платонов ведет нас к пониманию преемственности некоторых структур сознания, особенностей менталитета, присущих определенным широким слоям русских людей и остающихся неизменными, несмотря на любые повороты истории. "Закрытая дверь отделяла соседнюю комнату, там посредством равномерного чтения вслух какой-то рабфаковец вбирал в свою память политическую науку. Раньше бы там жил, наверно, семинарист и изучал бы догматы вселенских соборов, чтобы впоследствии по законам диалектического развития души придти к богохульству".

Мы назовем это свойство сознания идеологичностью, подразумевая наличие в структуре сознания такой "клеточки", которая по необходимости заполняется определенной идеологией, т.е. некоторым зачастую бессвязным и противоречивым множеством слов и словесных формул, понятий, представлений и образов, отгораживающих сознание от непосредственного восприятия реальности, и не только прагматического, но и чувственного с ней соотнесения. От прозорливого взгляда Платонова не укрылась эта черта. В "Ювенильном море" директор "глядел через одинарное окно в тьму лесов, слушал голоса полуночных птиц и ожидал от тишины природы смирения своих тревожных чувств; но и тут он не мог успокоиться, поскольку такое отношение к природе есть лишь натурфилософия – мировоззрение кулака, а не диалектика".

Назначение идеологии – не постижение мира, а интеграция коллектива на основе веры в обладание средствами обретения коллективного счастья и сознания своей "лучшести" по сравнению с другими коллективами, таковыми средствами не обладающими.

Идеологичным русское общество стало отнюдь не с появлением на сцене марксистской идеологии и ее победы в Октябре 1917 г. Такой взгляд на русскую историю представляет собой серьезное заблуждение, присущее не только "апологету" добольшевистской России А. Солженицыну, но и такому объективному исследователю, как французский историк А. Безансон. Оба явно смешивают вопрос о содержании идеологии с проблемой идеологичности как таковой. Для жизни общества во многих отношениях решающим обстоятельством является само наличие какой-то системы идей, воспринимаемой членами этого общества как ключ к коллективному спасению, а не то, в чем состоят эти последние, хотя, конечно, и содержание не вовсе безразлично к общественной структуре и способам взаимодействия людей. Нам важно, однако, подчеркнуть, что марксистская идеология в России наложилась на уже готовые ментальные и организационные структуры, подготовленные ранее православной идеологией. Соответственно, в марксизме совершился отбор тех элементов, которые наиболее отвечали культурно заданным стереотипам.

* *
*

Ниже мы можем предложить краткую и по необходимости упрощенную схему эволюции России как идеологического по своему характеру общества.

Христианство здесь приобрело свойства идеологии, т.е. средства коллективной самоидентификации и коллективного спасения, в XIV–XV веках, когда национальное самосознание, опирающееся на православную веру, организовывало великое противостояние татарским поработителям. В православной вере и ритуале русское сознание видело как практическое оружие для одоления врага, так и фундамент, на котором будет построено царство Божие на земле, причем под этим царством подразумевалась именно Русь как этническая общность[1]. Этот период становится временем мощного развития "индустрии спасения" в виде разветвленной и стремящейся к широкой территориальной экспансии сети монастырей. Монастыри – это, образно говоря, заводы по производству благодати для всего православного мира. В развитии такого представления о роли монастырей решающую роль сыграла исихастская доктрина, согласно которой Божья благодать есть удел немногих избранных, особых "сосудов Божьего духа", совершающих "умное делание" и обеспечивающих свое спасение и спасение остальных грешных и слабых духом верующих, предстательствуя за них перед Богом. По словам американского историка Биллингтона, "православная теория занималась больше драмой космического искупления, нежели личного спасения... Восточные отцы (Климент и Ориген) заповедали православию склонность к вере в то, что восточная христианская империя может быть преобразована в окончательное небесное царство. Исихастский мистицизм укрепил православную веру в реальную возможность такой трансформации посредством духовной интенсификации собственных жизней мистиков, а в конечном счете, и всей христианской империи"[2].

В подобной схеме представлений за церковью остается роль формально-бюрократической организации, ведающей формальным распределением харизмы среди духовенства и благодати в ее "ширпотребном" виде среди мирян. Любопытно, что на русской почве произошло столкновение двух тенденций в понимании устройства "индустрии спасения", отдаленно напоминающих последующую борьбу идей в области реальной экономики. Преимущество "частных предпринимателей" в производстве благодати, независимых от мира и от церкви старцев, отстаивали нестяжатели. Централизованно-бюрократический способ организации "индустрии спасения" защищали иосифляне. Отметим как одну из особенностей идеологических построений, тяготеющих к сильной авторитарной власти, их заземленность. Характерно, что иосифлянскую ветвь православия, как и представителей социалистических централизованных тенденций, отличает глубокий разрыв между потусторонним и посюсторонним в пользу последнего. Иосифляне рисовали загробный мир красками эсхатологического ужаса. Иосиф Волоцкий писал: "Век мой сканчивается и страшный престол готовится, суд меня ждет, претя мя огненною мукою и пламенем негасимым". Он не допускает, чтобы даже "великие светильники и духовные отцы", даже святые мученики "страшный час смертный без истязания проидеша бессовского мытарства...". Федотов отмечает огромную противоположность между нестяжательским и иосифлянским мироощущением, одно из которых исходит из любви, другое – из страха Божия. В страхе смерти и предпочтении жизни – глубочайший источник рабства, ибо, как отмечали многие фило-

[1] Здесь можно видеть прямую противоположность тому, что при одинаковости вселенских притязаний произошло в Византии. Как пишет Аверинцев, "византийские греки отреклись от своего этнического самоназвания", назвав себя ромеями, т.е. римлянами, и тем самым "променяв имя народа на имя принятой из чужих рук вселенской государственности". Русские же, напротив, распространили на весь православный, по их понятиям, мир свое этническое самоназвание – Святая Русь. – См.: С. Аверинцев. Византия и Русь. – Новый мир, 1988, № 7.
[2] J. Billington. The Icon & the Axe. London, 1966, p. 20–21.

софы, от Эпикура до Монтеня, тот, кто признает высшую ценность жизни, тот за бесценок продает свою свободу[1].

Важно не упускать из виду, однако, что и иосифляне, и нестяжатели, несмотря на все свои различия, представляли восточную "идеологическую" разновидность христианства, резко противостоящую западной индивидуалистической (особенно в протестантизме) разновидности. И те, и другие, следуя учению Григория Паламы, исходили из принципиальной недоступности понимания догматов веры и достижения святости для большинства верующих. Вопросы веры исключались из круга проблем, подлежащих обсуждению, – отсюда практически полное отсутствие философского богословия в восточной церкви. Восточная вера отправлялась от существования всеобщего отца-спасителя и сотрудничающих с ним ("синергия") посредников-святых. Остальным, "малым сим", отводилась роль пассивно ожидающих спасения, восхищенных красотой божественных деяний зрителей. В западном христианстве, напротив, возобладало "взрослое" августинское ощущение богосоставленности. Человек лишился отца. Он предоставлен самому себе, чтобы жить в мире, лишенном божьей благодати и не имеющем шансов на коллективное спасение. Каждый спасается сам и сам ищет Бога и разгадывает его помысел.

В России победа иосифлянских централизованных тенденций в построении "индустрии спасения" привела к слиянию представлений о земном рае с верой в могучее православное государство, в "третий Рим", сокрушающий политических противников, противостоящий враждебному окружению инаковерующих, заблуждающихся, злокозненных иноземцев и коварных отщепенцев и отступников. От одних из них надо обороняться, другим необходимо помочь обрести истинную веру. Во имя этих задач русский человек во все века был готов терпеть любые невзгоды и приносить любые жертвы, включая самою жизнь. Тем, кто руководит им в этой борьбе, он не прощает только внешние неудачи и военные поражения.

В XVI веке, при Иване Грозном, церковь и государство слились под эгидой государства, образовав тоталитарное идеологическое обществомонастырь. Бытовавшие в народной и монастырской среде представления о князе как вожде органической христианской цивилизации воплотились в жизнь. Сам Иван IV полагал себя не просто политическим или военным руководителем, а главой монолитного религиозного сообщества. Все его действия обставлялись как религиозные мистерии. Так, поход на Казань был своего рода религиозной процессией, спектаклем на сюжет взятия Иерихона. Утверждению идеи о божественном происхождении русских царей от римских императоров и святых чудотворцев была посвящена составленная монахами – советниками Ивана Грозного "Степенная книга", в которой жизнеописания русских князей, правителей и митрополитов выдержаны в духе житий святых. Венцом тоталитарно-идеологической активности Грозного был Стоглавый собор – церковный собор (с участием светских представителей), регламентировавший все стороны жизни, от стиля иконописания до бритья и пития, "по правилам святых отец, которые следовало во святых книгах обыскати и утвердити". Вообще, все земские соборы времен Ивана IV были не столько органами сословного представительства, сколько совещательными, а еще более "освещательными" органами, которым самодержец

---

[1] Г.П. Федотов. Россия, Европа и мы. Париж, 1973, т. 2, с. 101–102.

объявлял свою высочайшую волю, получая от них религиозную санкцию. Это решающим образом отличает русские соборы от сходных по внешнему виду западных институтов, в которых духовенство играло роль одного из сословий среди прочих, отстаивающих свои сословные интересы, а не выступало как "освященный собор", дающий идеологическое обоснование принимаемым самодержавной властью решениям.

Тогда же, при Грозном, были созданы "Четьи минеи" – грандиозный свод религиозного чтения, и "Домострой" – полумонастырский устав поведения в быту. Опричники были связаны обетами и правилами монашеского типа (что, конечно, не исключало фантастического разгула в их среде). Как бы подчеркивая безблагодатный характер земель, не взятых в опричнину, Грозный посадил здесь царем хоть и крещеного, но татарина.

Следствием этого тотального омонашивания общественной жизни было почти полное исчезновение в XVI веке светской культуры. Как писал Г. Померанц, все произведения этого времени пахнут костром, дыбой либо же монастырем. "Московская Русь Ивана Грозного тотальностью своих исторических претензий и религиозным характером своей культуры поставила себя в изолированное положение даже по отношению к другим православным славянам", – отмечает Биллингтон[1].

Для тоталитарного идеологического общества характерно стремление подавить все очаги независимой политической активности и влияния, в том числе и непосредственных носителей идеологии (церковь, духовенство), и расправиться с любыми идеологическими отклонениями. Грозный расправляется с боярами-вотчинниками, остаточным явлением удельной эпохи, с независимыми городами вроде Новгорода, со своими ближайшими друзьями, стремящимися в своем качестве советников ограничить самовластие тирана, с церковной иерархией в лице митрополита Филиппа.

Борьба с религиозным инакомыслием велась с особым рвением, причем наиболее опасными считались веяния с Запада. В тоталитарном идеологическом государстве по самой логике тоталитарного мышления никто не может быть застрахован от обвинений в инакомыслии. В конечном итоге инакомыслием почитается просто размышление, поэтому даже самостоятельное, без должной на то санкции чтение Библии в христианской Руси считалось опасным делом. "Прямо нигде не говорится о запрете Библию читать, а попробуй без спросу – сразу же на подозрении, а то, пожалуй, из рук вырвут", – думает один из персонажей рассказа С. Наровчатова "Диспут"[2], достоверно передающего атмосферу тоталитарного режима России Грозного. Самостоятельное раздумье над элементами идеологической системы неизбежно приводит к обнаружению разрыва между воплощенным в этой системе идеалом и реальностью. Вольнодумство героя рассказа "Диспут" Башкина именно и состояло в попытке привести реальность в соответствие с Писанием – в отпущении холопов на волю, в требовании к священникам, чтобы они показывали нравственный пример, и т.п. Но никакая идеология не выдерживает и потому не допускает выхода за границы ее системы в реальную жизнь. Поэтому любые попытки "умствования" или привнесения добра и других православных добродетелей в реальность безжалостно караются.

---

[1] J. Billington. Op. cit., p. 69.
[2] *Новый мир*, 1981, № 4.

Русский философ Г. Шпет писал: "Если к концу XV в. письменность выходит за пределы монастыря в борьбе с еретиками, – коих "вся сожещи достоит", – то готовая скорее отнести к еретичеству всякое проявление ищущей мысли, чем поддержать и удовлетворить духовные искания". Все это лишь усугубляло изоляцию идеологии от действительности, приводя, с одной стороны, к окостенению мысли, к бездумному ритуализму, с другой стороны, к падению нравов, лишенных идеального основания. Если монастырский устав в какой-то мере проник в жизнь общества, то жизнь с ее реальными, а не идеальными устоями ворвалась в монастырские ограды. Тот же Шпет отмечает: "...между тем умственный и культурный уровень низшего духовенства неуклонно опускался до полной безграмотности и нравственной распущенности, вызывавших серьезное беспокойство в верхах церкви (например, Геннадий Новгородский), впрочем, тоже иногда попрекаемых в "ненаказании, и небрежении, и ленности, и пьянстве"[1].

В этой ситуации тоталитарная идеологическая мысль всего охотнее узревает источник неблагополучия во внешних причинах и "наваждениях". Борьба с космополитизмом отнюдь не была изобретением Сталина. Уже во времена Грозного Запад выдвигается на роль главного носителя "поганой веры" и совратителя умов. Происходят гонения на западные влияния в живописи, в церковном пении, на книгопечатание. "В воздухе повисла новая волна ксенофобии, и период относительно гармоничного, хотя и небольшого по масштабам контакта с разносторонней культурой ренессансной Италии сменился более широкой и тревожной конфронтацией, начавшейся в последние годы царствования Ивана"[2].

Весьма примечательно, что в Москве все западные влияния, в том числе исходящие из некатолических источников, интерпретируются как католицизм, "латинство". Тоталитарная идеология склонна приписывать и внешнему миру то единообразие и целостность, которыми она сама отличается. Никакие оттенки веры и даже организационный раскол западной церкви не принимаются в расчет, просто не могут быть осмыслены, как не может быть осмыслено подростком многообразие мира взрослых. "Латинство", "латинский мир" становятся для всех слоев русского общества универсальным объяснением несовершенства самого этого общества, подобно тому как еще недавно нам для этого же служило слово "империализм". В антикатолицизме был найден громоотвод, куда направлялась народная оппозиция изменениям, которые вводились на Руси торжествующей победу партией иосифлян. Никто не решался выступать против небывало возвеличенной персоны царя и его церковного окружения, но многие консервативные элементы русского общества чувствовали глубокое, хотя часто и не выраженное, отвращение к иерархической дисциплине и догматической жестокости, вводимых иосифлянами. Соответственно росла "тенденция взваливать на далекую римско-католическую церковь вину за то, что люди тайно ненавидели в себе самих"[3].

Многое заимствуя в идеалах и практике римско-католической церкви, иосифлянская иерархия находила в критике этой церкви удобный способ отвести от себя внутреннее недовольство населения страны.

[1] Г. Шпет. Очерки развития русской философии. Пг., 1922, ч. I, с. 4.
[2] J. Billington. Op. cit., p. 95.
[3] Ibid., p. 96.

Оппозиция концентрации власти в руках московских царей, росту тоталитаризма также носила еще смутный, невыявленный (как позже во времена раскола), несформулированный характер, и ее тоже легко было направить на западного козла отпущения. Сгибаясь под бременем собственного самодержавия, русский народ создавал скоморошьи пантомимы против императора Св. Римской империи – "царя Макса Емельяна".

Но козлы отпущения не дают молока. Тоталитаризм сам выращивает ростки своей гибели. Уже при Иване Грозном страна корчится в спазмах от произвола и жестокости властей, коррупции в монастырях, экономической разрухи, военных неудач и непомерных расходов. И, как часто бывает, расхлебывать последствия тоталитарных эксцессов приходится преемникам тоталитарных владык. Попытки Годунова сочетать продолжение политики Грозного с решением реальных нужд государства при помощи более мягких и рациональных средств были непоследовательными и лишь обострили все аспекты кризиса. XVII век был для России веком острейших социальных и экономических потрясений. Дважды – в Смутное время и в период Северной войны (1654 –1967 гг.) – страна теряла $1/3$ населения от войны, чумы и голода. Происходило массовое перемещение людей в территориальном и социальном пространстве, резко изменялась социальная структура общества. В условиях тоталитарного сознания подобные ситуации, когда вместо чаемого "царства божия" приходится иметь дело с суровой правдой жизни, переживаются особенно остро. На смену благодушию и детскому оптимизму приходит эсхоталогическое чувство отчаяния, вера в скорый конец света и пришествие антихриста. Запад на рубеже средних веков пережил аналогичные потрясения, но там они привели к повзрослению личности и культуры. В европейской культуре произошла деидеологизация, поворот сознания к пессимистической, но трезвой оценке земного существования, к реализму, к чувству личной ответственности, уважения к собственному достоинству и достоинству других. В России следствием кризиса стала смена содержания идеологии, поиск нового ключа к коллективному спасению.

* *
*

Перед Россией открывалось два пути. Один состоял в исправлении старой "экономики спасения", в возвращении к благочинию. Другой – в заимствовании у иноверцев их "хитрости", каковым термином обозначались на Руси все виды деятельности, выходящие за пределы религиозного ритуала. В эпоху господства православной идеологии ее адепты уже подозревали, что наука, "цифирная мудрость", являет собой вызов священной мудрости. Иосифляне проявляли крайнюю жестокость и нетерпимость в борьбе с первыми материалистами в лице секты жидовствующих.

Аналогичное столкновение религии и науки происходило несколько ранее и на Западе, но там эти две формы миропонимания нашли способ сосуществовать как в социальных отношениях, так и в сознании отдельного человека. В России, в условиях идеологичности самой структуры сознания людей, такое сосуществование оказалось невозможным. Одна идеология должна была вытеснить другую. Ключ к спасению мог быть только один.

И Годунов, и лжеДмитрий, и первые Романовы пытались действовать одновременно в обоих направлениях – и по линии благочиния, и в плане заимствования. После Смутного времени, однако, казалось, что фундаменталистская реакция окажется сильнее. Унижения смутных лет были восприняты массовым сознанием как свидетельства гнева Господня. Открытая и довольно массовая вестернизация, проводившаяся Годуновым и лжеДмитрием, была приостановлена. Рядовые россияне видели в Московском государстве страдающего слугу Божьего и в поисках остатков праведности обращались к монастырям. Религия, церковь, монастыри переживают в это время свое "бабье лето". Однако позиции фундаменталистов оказались подорванными в результате исторического недоразумения, известного под именем раскола.

Два главных ревнителя благочестия – Никон и Аввакум – оказались в разных лагерях и беспощадной борьбой друг с другом обескровили возможность сопротивления православия наступлению новой идеологии. Сторонники Аввакума, восставая против всяких вообще "новизн", не смогли отличить действительно новые веяния западной цивилизации, начавшие распространяться в среде дворцовой элиты и подрывавшие самые корни православия тем, что на место веры и ритуала продвигали рассудок и догмат, от нововведений Никона, целью которого было возрождение тоталитарного православного государства по образцу царства Ивана Грозного, но во главе с патриархом. Борьба развернулась вокруг культовых подробностей, которые в "подростковом" сознании обеих борющихся партий заслонили более существенные идеологические проблемы.

Здесь уместно вспомнить о шпенглеровском различении античного (аполлоновского) и европейского (фаустовского) богочувствования. Аполлоновское сознание – а именно на этой стадии мы застаем русских фундаменталистов XVII века – может простить любые догматические отклонения, но стоит насмерть в вопросах "пластического оформления богопочитания". Русские в отличие от греков при этом были менее свободны и в догматических вопросах, поскольку отвергали всякое вообще умствование. В школьных прописях они усваивали следующие принципы: "Братия, не высокоумствуйте! Если спросят тебя, знаешь ли философию, отвечай: еллинских борзостей не текох, риторских астрономов не читах, с мудрыми философами не бывах, философию ниже очима видех; учуся книгами благодатного закона, как бы можно было мою душу очистить от грехов". А украинский старец Иван Вышенский писал в 1621 г.: "Ты, простая, невежественная и скромная Россия, оставайся верной ясному, наивному Евангелию, в котором обретается вечная жизнь, а не словоблудливому Аристотелю и не заумностям языческих наук".

Разумеется, раскол был гораздо более сложным явлением, чем это явствует из даваемого здесь истолкования. В частности, уже с самого начала в нем проявились те черты народной политической оппозиции тоталитарному государству, которые стали доминирующими в XVIII веке, когда в среде раскольников и сектантов стал преобладать совсем иной человеческий тип, нежели консервативные ретрограды XVII века.

Как бы то ни было, будущее казалось делом рук не ревнителей благочиния, а русской дворянской элиты во главе с Алексеем Михайловичем, а затем Петром. Вот как описывает этот процесс Биллингтон:

"Последние годы Алексея были годами революционными. "Он воспринял претенциозную созидательную программу Никона и дерзкую ксенофобию Аввакума, но отбросил религиозные убеждения обоих. Начатый им путь был долог и мучителен, но в каких-то отношениях прям и неизбежен: от Коломенского и Измайлова XVII века к паркам культуры и отдыха века XX...

Разрыв с фундаменталистами и теократами означал конец каких-либо серьезных попыток сохранить цивилизацию, совершенно отличную от западной. Религиозная идеология Московии была отвергнута как непригодная для современного государства, и жесткие барьеры против западного влияния, которые пытались воздвигнуть как Никон, так и Аввакум, после 1667 г. были по большей части сняты...

В конце XVII века Россия встала на путь отказа от любых чисто религиозных ответов на свои проблемы... Для историка культуры, однако, подлинная драма XVII века проистекает из решимости многих русских, несмотря на все перемены и вызовы века, остаться благочестивыми, т.е. горячо преданными святому прошлому... Детство русской культуры оказалось слишком прочным, а первые контакты с Западом слишком беспокойными для того, чтобы изощренный взрослый мир Западной Европы мог быть мирно воспринят"[1].

На долю Петра I выпало крестить Русь в новую веру – веру в науку и технику[2]. Он совершал этот обряд в виде стрижки бород и обрезания кафтанов. Петр не низвергал при этом идолов старой веры в Неву или Москву-реку, но удары, нанесенные им православию и церкви, были достаточно ощутимы[3]. На уровне же сознания он, оставаясь, по-видимости, православным христианином, и не подозревал, что совершает идеологический переворот. По-настоящему мощная экспансия институтов новой веры происходит при Екатерине II. По всей стране закрываются сотни монастырей и открываются светские учебные заведения, издаются журналы и энциклопедии.

Процесс вытеснения одной идеологии другой затянулся на два столетия. Так же, постепенно и с трудом, в свое время христианство вытесняло язычество[4]. Как и последнее, древнее "благочестие" было загнано в народную толщу староверов. Разница, однако, состоит в том, что пра-

---

[1] J. Billington. Op. cit., p. 149, 163, 164.

[2] "Снилось ли вам, братцы, все это тридцать лет назад? Историки говорят, что науки, родившиеся в Греции, распространились в Италии, Франции, Германии, которые были погружены в такое же невежество, в каком остаемся и мы. Теперь очередь за нами: если вы меня поддержите, быть может, мы еще доживем до того времени, когда догоним образованные страны". (Речь Петра в 1713 г. при спуске на воду российского корабля).

[3] "Благочестивейший разбойник, убийца, который кощунствовал над Евангелием", – так писал о Петре Лев Толстой.

[4] Здесь уместно привести тонкие соображения на этот счет Н. Ключевского из его работы "Западное влияние и церковный раскол": "(Русский человек) шел в новую науку, как в солдаты, покорно, но скрепя сердце, зная, что это нужно царю, но не уверенный, угодно ли это Богу.

Стоит отметить этот момент в нашей духовной жизни: он наводит на одно предположение. Может быть, именно этот момент сообщил одну особенность всему дальнейшему ходу нашего образования, придал, как бы сказать, некоторую нерешительность научной поступи русского ума, сказывавшуюся в припадках недоверия к образованию. Позже мы встречаем поразительные примеры самоотверженного подвижничества русского ума, беззаветной любви его к просвещению, благоговей-

вославие вплоть до революции 1917 г. сохраняло роль официальной идеологии, национального символа и оправдания русской миссии в мире. Вместе с тем, постепенно выхолащиваясь и догматически, и организационно, оно уже все меньше отвечало новой ситуации развития национального сознания. Догматически оно не содержало космологического или иного знания, способного удовлетворить растущую любознательность, организационно – потеряло всякую тень самостоятельности.

В душах людей еще долго сохраняется что-то вроде доверия, но образованные слои все более отходят от ортодоксальной веры либо в область мистицизма, либо в полный рационализм, либо, как Новиков и иже с ним, пытаясь сочетать и то и другое. В сознании все большего числа людей место средства спасения и могущества занимает научно-техническое знание. Петр I мечтал с помощью технических заимствований одним махом "догнать, перегнать" и победить Европу. Ломоносов – этот светлый и бескорыстный миссионер новой веры, ее Сергий Радонежский, – видел Россию рождающей собственных Платонов и Ньютонов. Пушкин вполне годится на роль ее Андрея Рублева. Невольно приходит на ум трактовка образа монаха-художника в фильме А. Тарковского, где тот, страстно веруя в Христа, готов посочувствовать и красоте старинных языческих обрядов, и гонимым за старую веру. Не так ли Пушкин, будучи человеком нового времени, и просветителем и атеистом по преимуществу, пишет и произведения, исполненные глубокого религиозного чувства или сочувствия Пугачеву и другим борцам за старую Русь.

Начавшись при Екатерине, победное шествие новой веры ведет ко все более тотальным ее проявлениям. Нигилистически мыслящие интеллигенты 80-х годов XIX века – это поистине ее святые и апостолы. Основная масса служилой интеллигенции и духовенство сохраняют лишь внешнюю оболочку православия. Место веры в Бога занимает чистый национализм, готовый к иным обоснованиям своей правоты, нежели "правая вера". Вот как описывает состояние умов чиновничества и духовенства накануне революции один из наблюдательнейших людей своего времени В. Розанов:

"Чиновники, люди, которые прежде всего в Бога не верят, и потому лишены самого органа восприятия в данной сфере (речь идет о секте хлыстов. – Л.С.). Я сказал – "в Бога не верят". Конечно, это слишком крепко... Чиновники, сколько я их знавал вообще, т.е. многие сотни, почти тысячи людей, без какого-либо единого исключения, "верят", но только по очень краткому катехизису: "есть там что-то такое, о чем лучше не думать; а которые об этом думают – мешаются в уме и называются еретиками"...

...Никогда решительно страстных разговоров на религиозные темы я не слыхал среди чиновников. Лирики, религиозной нервозности – ни тени! Точно это где-то "за морем", о чем приходят "глухие вести" – вся область религии. Говорят иногда о Западе, что вот он "возвращается к язычеству"; и не замечают, что собственный служилый и грамотный люд, потихоньку да полегоньку так радикально "возвращается к язычеству",

---

ного уважения к науке. Но в массе обыкновенных, заурядных умов, даже очень просвещенных и здравомыслящих, пристальное наблюдение часто, – по крайней мере, чаще чем желательно, – открывает едва заметную темную полоску научного скептицизма или маленькую складку – не скажу равнодушия или антипатии к научному знанию, а скорее грусти об ограниченности и тщете пытливого человеческого разумения".

притом времен угасания мифов, что, пожалуй, начать в нем опять христианство, живое, с "верой, надеждой и любовью" – чуть ли не тяжелее и безнадежнее, чем было начать его при Плинии и Таците"[1]. О духовенстве он пишет: "Замечу вообще о свободе в духовенстве: вопрос не маловажный для будущего. Нет состава людей, в одной половине которого было бы столько глухого и какого-то добровольного, любовного рабства, а в другой столько внутренней, изысканной и деликатной свободы. Как это сочетается – не постигаю.

...Духовенство терпеливо, вдумчиво; оно способно глубоко искать. В некоторых отношениях оно стояло выше светских по самой интеллигентности (речь идет о религиозно-философских собраниях 1903–1904 гг. – *Л.С.*), и, если бы не каменный риф схоластики, спутавший несчастным образом ум этого духовенства, то сколько возможно было бы с ним соглашений... Но о "каменный риф" их школьного образования разбивалась мысль светских; самое трудное было заставить духовных просто *понять, о чем говорят и плачутся светские.* И здесь выступали великие преимущества светских: вечно свободные и подвижные, они вносили в собрание *лицо* свое, *имя* свое, *биографию* свою, *сердце* свое. Все – категории, вовсе неизвестные в духовенстве: последнее – *стояло сословием.* Говорило каждое лицо от имени той семинарии, где оно выучилось, и ничего – от себя!! Ничегохонько!! Светские прямо ненавидели это "общее", эту "схему", этот трафарет благочестия и мысли. Ненавидели, что им приходится говорить со схемою, которая в себе ничего не чувствует, не мыслит, не сострадает ничему, ни о чем не скорбит, не остается тем "кимвалом звенящим и медью бряцающей", о котором их же авторитет выразился, что это – "ничто, если в нем не содержится любви". Явно, что глухота духовенства есть в основании умственная, а уж потом сердечная"[2].

Так обстояло дело с правящими сословиями. Разумеется, настроения безверия или формализм веры проникали и в народную толщу, подтачивая устои самодержавного государства, все еще черпавшего свою легитимность в символах православия. Военные поражения наносили ему в глазах народа окончательный удар, лишая его последнего raison d'etre. Проходит еще немного времени, и место православия занимает "всепобеждающее Учение", а к власти приходит научно-техническая (она же партийная) идеократия со своими обещаниями коммунистического рая на земле.

Еще раз отметим в заключение, что в отличие от Запада, который некогда пережил сходные по внешности перемены, связанные с переходом от религиозного к научному сознанию, Россия при этом не изжила монистической установки сознания[3], не отделила проблем спасения души от проблем мироустроения (дифференциация сфер нравственного и материального), а значит, не нашла способа сосуществования религии и науки. В России спасение и мироустроение понимаются как одна задача: в исихастском варианте религиозное спасение обеспечит лучшее миро-

[1] В. Розанов. Апокалиптическая секта. Спб, 1914, с. 44.

[2] Там же, с. 80–82.

[3] "Вся русская история обнаруживает слабость самостоятельных умозрительных интересов. Но сказались тут и задатки черт положительных и ценных – жажда целостного миросозерцания, в котором теория слита с жизнью, жажда веры... В требовании целостного отношения к миру и жизни можно разглядеть черту бессознательной религиозности". – Н. Бердяев. Вехи, М., 1909, с. 7.

устройство, в материалистическом – лучшее мироустройство породит нового лучшего человека. Соответственно, совесть и богатство в России не принадлежность индивида, как на Западе, а вручены коллективным органам спасения и мироустроения. Спасение мыслится как спасение всем миром; индивидуальное "благочестие" рядового человека мало чему может помочь. Это функция святых, откуда необычайный культ заступников перед Богом – пресвятой Богородицы и Николая Божьего Угодника в эпоху православия и культ "гениального вождя и учителя", знающего толк во всех науках, в эпоху научного коммунизма.

Таким образом, неразвитость личностного начала, примат группы предопределили то, что Россия шарахнулась от одной формы идеологического тоталитаризма к другой. Со свойственной ему проницательностью Н. Бердяев писал: "Россия никогда не могла принять целиком гуманистической культуры нового времени, его рационалистического сознания, его формальной логики и формального права, его религиозной нейтральности, его секулярной серединности. Россия никогда не выходила окончательно из средневековья, из сакральной эпохи, и она как-то почти непосредственно перешла от остатков старого средневековья, от старой теократии к новому средневековью, к новой сатанократии. В России и гуманизм переживался в предельных формах человека-божества в духе Кирилова, П. Верховенского, И. Карамазова, а совсем не в духе западной гуманистической истории нового времени..."[1].

Сосуществование христианства и науки оказалось возможным в Европе. В России одна идеология должна была победить другую. Роковой характер этой борьбы разглядели лишь немногие из либеральных мыслителей конца XIX века. Так, ныне забытый публицист Евгений Марков обвинял русских интеллигентов в новом фанатизме, совершенно противоположном прагматизму и позитивизму западных мыслителей, на которых они ссылаются. Он писал, что Россия нуждается не в идеологах, а в ответственных гражданах, не в "журнальном талмудизме" и "крикливых суждениях", а в подлинной критике. Больше всего Россия, по его мнению, нуждалась в преодолении разрыва между книгами и жизнью, нежелания заниматься местными интересами и фактами. "Всякий гимназист у нас тянется прежде всего к конечным целям, первичным причинам, к судьбам государств, к мировым вопросам целого человечества". Он призывал: "Станем взрослыми людьми опыта и силы, а не ребятами, начитавшимися книжек"[2].

Овладевшее русским образованным слоем наукопоклонство означало превращение науки из средства овладения миром в объект почитания и ритуальных манипуляций. Таковое ее положение не укрылось от взгляда внимательных западных наблюдателей, остро чувствовавших, как при всем внешнем подобии "научное мировоззрение" русских интеллигентов отличается от миропонимания европейцев. Особенно интересна в этой связи почти неизвестная у нас книга английского журналиста Д. Уоллеса, наблюдавшего русскую жизнь в 70-е годы прошлого века[3]. В ней на многочисленных примерах продемонстрировано это несродство "современного научного духа Запада" и его заимствований в

---

[1] Н. Бердяев. Новое средневековье. Размышление о судьбе России и Европы. Берлин, 1924, с. 34.

[2] Е. Марков. Литературная хандра. – *Русская речь*, февраль 1879.

[3] D.M. Wallace. Russia. N.Y., 1961 (1st ed. 1877).

России, часто вызывающих у европейца снисходительную улыбку, а порой и раздражение. Так, у либералов – сторонников реформ Уоллес подмечает пристрастие к болтовне "о применении к обществу современных научных принципов при полном вместе с тем нежелании засучить рукава и заняться практической работой". Конец XIX века был в России временем высокого теоретизирования, но Уоллеса, с его английским реалистическим складом ума, это не увлекало[1]. Знакомясь с различными сторонами жизни послереформенной России, Уоллес повсюду сталкивался с проявлениями нереалистичности, подмены реальности словами. В отсутствии реализма он усматривает одну из главных черт русской общественной жизни и сознания русского человека, коренным образом отличавшую их от европейских. Талмудизм, или, как он сам его называет, педантизм русских он сравнивает с китайским формализмом, отмечая, однако, ту разницу, что в Срединной империи практические соображения приносятся в жертву преувеличенному поклонению мудрости предков, а в царской империи это происходит благодаря преувеличенному почитанию богини Науки, привычке апеллировать к абстрактным принципам и научным методам тогда, когда требуется обыкновенный здравый смысл.

В то же время на русской почве возникает и своеобразный пантеон наук, в котором все науки вспомогательны по отношению к социальной философии, а социальное переустройство является конечной целью научного исследования. Наблюдая это поразительное для человека, приехавшего в Россию из страны самой передовой в то время науки, явление, Уоллес понял, что в России идет не просто процесс усвоения научных знаний, а становление одной веры на месте другой, смена идеологий. Он пишет: "Англичанин с трудом может вообразить, какова связь между естественными науками и революционной агитацией. Для него это полярные противоположности. Что может быть общего между математикой, химией, физиологией и другими подобными предметами и политикой? Когда молодой англичанин приступает к изучению какой-либо области естественной науки, он изучает свой предмет с помощью лекций, учебников, музеев и лабораторий и, овладев им, стремится практически применить свое знание. Не то в России. Немногие студенты ограничивают себя своей специальностью. Большинство из них не любят трудоемкую работу постижения деталей, и с самонадеянностью, часто свойственной молодости и полузнайству, они мечтают стать социальными реформаторами и воображают себя особенно подготовленными к такого рода деятельности...

Поверхностно усвоив начала химии, физиологии или биологии, они воображали себя способными переделать человеческое общество сверху донизу, а с таким убеждением им было, конечно, не до деталей"[2].

---

[1] Совершенное отсутствие прагматического настроя у русских студентов того времени, незрелость, "невзрослость", "восточность" их философии отмечает и современный американский исследователь А. Гершенкрон, говоря об их нежелании готовить себя к практической работе в промышленности, их презрении к "карьеризму" и предпочтении, отдаваемом чистому знанию, не запачканному даже намеком на денежное вознаграждение. Это ли не приметы культа обожествленной Науки?

[2] D.M. Wallace. Op. cit., p. 461. Ср. у Н. Бердяева: "...наша интеллигенция всегда интересовалась вопросами философского порядка, хотя и не в философской их постановке: она умудрялась даже самым практическим общественным интересам

Из такого человеческого материала кроились в России и революционеры, и либерал-доктринеры, рисуя портрет одного из которых Уоллес пишет, что он обитает в сферах оторванной от конкретных фактов "политической метафизики", в мире абстрактных понятий, таких как аристократия, буржуазия, монархия, – понятий, жонглируя которыми можно доказать все, что угодно, поскольку и к фактам он приходит не непосредственно через наблюдение, а дедукцией из общих принципов. В глубине души он ждет прихода тысячелетнего царства, когда верховной владычицей станет беспристрастная Наука, как он ее понимает. На самом же деле его абстракции не только не беспристрастны, но затрагивают самые глубинные ценностные и эмоциональные слои его личности. Раз уж наука – божество, то и порождаемые ею понятия превращаются в сонмы ангелов и дьяволов. "Своим абстрактным терминам, – заканчивает автор, – он не придает уж очень точное значение, но он ненавидит совокупности, которые им надлежит обозначать, с таким фанатическим пылом, как если бы это были его личные враги"[1].

Не избежали недуга фетишизации науки и наукообразной ритуализации процедур принятия решений и российское чиновничество, и либеральные земские деятели. Характеризуя реформы 60-х годов и сравнивая их с реформаторской практикой в Англии, Уоллес пишет: "Говоря образно, мы занимаемся ремонтом и достройкой нашего политического здания в соответствии с меняющимися нуждами нашего образа жизни, не обращая особого внимания на абстрактные принципы или последствия для отдаленного будущего"[2]. В России же институтам не была дана возможность спонтанно вырастать из народных нужд; их изобретали бюрократические теоретики для удовлетворения нужд, о которых сам народ часто не догадывался. Поэтому административная машина извлекала из народа мало энергии и всегда работала за счет энергии предоставленного самому себе центрального правительства.

С иронией описывает Уоллес, как любой пустячный вопрос, касающийся реформы каких-либо учреждений, предполагает создание комиссии, готовящей глубокомысленный доклад, в котором история вопроса излагается от Адама до наших дней, и приводятся данные по всем странам Европы. Это называется "пролить на дело свет науки". В докладе по поводу реформ системы социального вспомоществования Уоллес обнаружил ссылки на литературу от Талмуда и Корана до современного законодательства великого княжества Гессен-Дармштадт – все это втиснуто в 21 страницу малого формата и выдается за "последние результаты науки". По сравнению с подобным цитатничеством практическая сторона дела, связанная с местными условиями и особенностями, занимала жалкое место. "В этой части документа, – пишет Уоллес, – я пытался отыскать информацию о реальном положении дел в стране, но всякий раз терпел горькое разочарование. Туманные общие фразы, основанные скорее на априорных суждениях, чем на собственных наблюдениях, плюс некоторое количество статистических таблиц, от которых осторожному исследователю надлежит шарахаться, как от засады, – вот все, что

придавать философский характер, конкретное и частное она превращала в отвлеченное и общее, вопросы, аграрный или рабочий, представлялись ей вопросами мирового спасения, а социологические учения окрашивались для нее почти что в богословский цвет". – Н. Бердяев. Вехи, с. 4.

[1] D.M. Wallace. Op. cit., p. 155.

[2] Ibid., p. 47.

в большинстве случаев удавалось обнаружить"[1]. В результате Государственный Совет, состоявший из таких же оторванных от реальных практических нужд псевдоэрудитов, принимал совершенно не работающие законы.

* * *

Начиная с 1905 г. наукопоклонство, бывшее доселе верой интеллектуалов, проникло в толщу народных масс и обрело тот огрубелый примитивный вид, о котором мы писали в начале статьи, опираясь на наблюдения Платонова. Тот же Платонов подметил два очень важных для данного рассуждения процесса, с виду разнонаправленных, но на самом деле имеющих один источник и один результат. Первый процесс – это "демократизация" и мистификация науки, распространение инфантильного представления о том, что носителем научного знания, способного преодолеть все противоречия реального мира, таинственным образом является некий коллектив – класс, партия и т.д. "Иль мы сами физики не знаем, – отчитывает инженера Вермо старуха Федератовна. – Ученый какой! Что ты при капитализме, что ль живешь, когда одни особенные думали". В результате возникало отношение к "классовой" науке как к чуду, способному преобразить мир. В "Ювенильном море" секретарь райкома испытывает по поводу окружающей его убогой действительности такие вот чувства: "Он вообразил красоту всего освещенного мира, которая только добывается из резкого противоречия, из мучительного содрогания материи, в ослепшей борьбе, – и единственная надежда для всей изможденной косности – это пробиться в будущее через истину человеческого сознания – через большевизм, потому что большевизм идет впереди всей мучительной природы и потому ближе всех к ее радости; горестное напряжение будет ненадолго".

Пропасть, которая пролегает между обожествленной "наукой" и подлинно научным миропониманием, вырастает из изначальной противоположности инфантильно оптимистической "метафизической интуиции" россиян[2] и взрослого европейского мироощущения, согласно которому, как это выразительно сформулировал польский философ Лешек Колаковский, "единство, уверенность и цельность остаются недостижимыми идеалами". С неумолимой логикой, считает Колаковский, жизнеутверждающая мечтательность ведет к тоталитарным эксцессам: "Мы живем и всегда будем жить в мире, разрываемом противоречиями, в котором все временно, все неуверенно, все под риском опровержения; человеческие знания не дают нам критериев, обеспечивающих идеальную

---

[1] D.M. Wallace. Op. cit., p. 25.
[2] Психологи отмечают легкость, с которой подростковое сознание переходит от светлого идеализма к скепсису или цинизму – и то, и другое суть защитный механизм, помогающий подростку возвыситься над реальностью. Рассуждая о русском скептицизме, В. Соловьев писал, что "он мало похож на здравое сомнение Декарта или Канта, имевших дело с внешнею предметностью или границами познания; наш "скепсис", напротив, подобно древней софистике, стремится поразить саму идею достоверности и истины, подорвать самый интерес к познанию: "все одинаково возможно, и все одинаково сомнительно" – вот его простейшая формула". – В. Соловьев. Национальный вопрос в России. – Собр. соч., 2-е изд., вып. I, т. 5. Спб., 1911–1913 гг., с. 98.

уверенность; в человеческих действиях нет ситуаций, в которых все ценности идеально согласуются; опасной иллюзией является вера в возможность достижения единства знания и веры, свободы и необходимости, государства и общества, фактов и ценностей"[1]. Так обстоит дело с точки зрения действительно научного сознания, и Маркс, будучи европейцем, старался отмежеваться от чересчур ретивых последователей, стремившихся превратить его научные постижения в религиозные догмы. Однако вся марксистская традиция последователей Маркса "десятилетиями была одержима стремлением к идеальному единству, которое "научный социализм" многократно обещал реализовать, но которое могло быть реализовано только в карикатурной форме деспотизма. Гротескный ужас сталинизма был идеальнейшим воплощением этой веры в идеальное единство, а не его отрицанием"[2].

Становясь объектом почитания, наука утрачивает свойства средства поиска истины и превращается в грозное оружие расправы с инакомыслием. Еще Бердяев в "Вехах" предупреждал: "К науке и "научности" наша интеллигенция относилась с почтением и даже с идолопоклонством, но под наукой понимала особый материалистический догмат, под научностью особую веру... Ученые никогда не пользовались у нас особенным уважением и популярностью, и если они были политическими индиферентистами, то сама наука их считалась не настоящей"[3]. На самом же деле ложным подобием науки является сам идеологический идол, преступивший все присущие научному знанию границы и сферы приложения. Чудовищные издержки во всех областях развития нашей отечественной науки в сталинский и последующий периоды не требуют того, чтобы их здесь иллюстрировать. Ясно, однако, что идеологическое паразитирование и умерщвление науки должно стать предметом внимательного изучения современным науковедением.

Второй чутко уловленный Платоновым процесс – это выдвижение на роль носителей сокровенного знания тех, кто выступал от лица коллектива, т.е. людей, занимающих властные позиции. Излишними и даже опасными становятся действительные критерии, определяющие способность к научному творчеству. Подозрением и презрением окружаются даже внешние атрибуты интеллигентности – очки, шляпа. Искореняются такие непременные для научной деятельности качества, как критичность, скептицизм, скромное осознание ограниченности возможностей познания. Их место занимает начальственная интуиция, которую услужливо оформляют в нечто наукоподобное полуинтеллигенты типа изображенного Платоновым Прокофия (академики Митины, Юдины, Константиновы):

"Прокофий, имевший все сочинения Карла Маркса для личного употребления, формулировал всю революцию, как хотел – в зависимости от настроения Клавдюши и объективной обстановки.

Объективная же обстановка и тормоз мысли заключалась для Прокофия в темном, но связном и безошибочном чувстве Чепурного".

Сам Чепурный, правда, "томится" и "чувствует в себе жжение стыда" от того, что он "от должности умней всего пролетариата", но это не мешает ему опять же по должностной иерархии вглядываться вверх,

[1] Л. Колаковский. Похвала непоследовательности. Фиренци, 1974, с. XIII.

[2] Там же, с. XV.

[3] Н. Бердяев. Вехи, с. 11.

где, по его понятиям, должен находиться всеведущий верховный "формулятор" его смутных переживаний. "Не то у нас коммунизм исправен, не то нет! Либо мне к товарищу Ленину съездить, чтоб он лично мне всю правду сформулировал..." "Одно успокаивало и возбуждало Чепурного, есть далекое тайное место, где-то вблизи Москвы или на Валдайских горах... называемое Кремлем, там сидит Ленин при лампе, думает, не спит и пишет". Как Афина из головы Зевса, так из миллионов изнуренных думами голов Чепурных рождался образ Великого Мыслителя, совпадающий с фигурой высшего начальника.

Власть становилась синонимом мудрости. На это работала и вековая российская традиция, в соответствии с которой светские владыки, начиная с Ивана Грозного, воплощали в себе и духовную власть. Итальянский иезуит Антонио Поссевино писал о русских времен царя Ивана: "Они говорят, что Богу и их Великому Государю ведомо все. Одним словом он может распутать все и разрешить все трудности. Нет такой религии, с обрядами и догматами которой он не был бы знаком. Все, что у них есть, даже доброе здоровье – все это благодаря милости Великого Государя"[1]. Аналогичным образом отзывались западные дипломаты и путешественники и о последующих русских царях, подчеркивая, что, в отличие от государей европейских, они сочетают в себе власть цезаря и папы. (Наполеон говорил Александру: "Вы одновременно император и папа. Это очень удобно".)

Сталину в его восхождении к абсолютной власти оставалось только подыграть этой исторической тенденции, изобразив из себя философа-марксиста. Преподнося своему народу "Вопросы ленинизма", потом "Краткий курс истории ВКП(б)", а затем "Вопросы языкознания" и "Экономические проблемы социализма", он мог быть уверен, что эти книги обретут в глазах людей свойства вершины человеческой мудрости, ибо к этому их предрасполагало их вековое преклонение перед властью и их идеологичное сознание. Но он "пошел дальше императоров, являясь в то же время как бы незримым духовником и цензором *каждого* мыслящего члена общества[2]. В этом ему также способствовала сложившаяся в русском обществе задолго до Сталина и Октября и описанная Бердяевым тяга делить науку на "левую" и "правую", "пролетарскую" и "буржуазную", в чем философ справедливо усматривал признак умственного, нравственного и общественного декаданса[3].

В свете вышесказанного становится очевидным одно: чтобы избежать новых провалов и перегибов в нашем дальнейшем путешествии по извилистым дорогам истории, нам надо взрослеть, а значит – преодолевать наше извечное увлечение утопиями, поисками универсального ключа к спасению, веру в непременно светлое будущее. Необходимо вырабатывать трезвый прагматический взгляд на вещи, больше задумываться не о будущем, а о будничном. Поэтому, когда читаешь, да еще в таком сборнике, как "Иного не дано", призывы А. Нуйкина к переходу нашей идеологии в новое "перестроечное" качество, его сетования на кризис безыдейности (и безыдеальности), его рецепт – "мечтать, верить, желать (свободы, равенства, братства, чистоты, красоты)", становится

---

[1] Цит. по: А. Поссевино. Исторические сочинения о России XVI века. М., 1983, с. 23.

[2] Б. Сарнов. Заложник вечности. – *Огонек*, 1988, № 47.

[3] Н. Бердяев. Вехи, с. 10.

немножко не по себе. Уж чего чего, а мечтать и верить мы умели превосходно, а вот жить согласно элементарным нормам человеческого общежития что-то не получалось. Так не лучше ли вместо провозглашения очередного лозунга, допустим "Красотой спасется мир!", и ожидания прихода к власти Величайшего Эстета всех времен и народов сосредоточиться на прозаическом устроении жизни – предприятии далеко не романтического свойства? И нет же, не неважными, а очень даже важными коммунистами выросли у нас несколько поколений людей. И не в том дело, что про коммунизм в Доме детской книги брошюр маловато. И не с пылом Федератовны осаживать бы нам тех, кто "рьяно ополчается во имя "научности" на веру". А запасшись "мудрым скептицизмом", встать на почву реальности и увидеть наконец жизнь не сквозь идеологическую призму, а в ее подлинном обличии, со всеми конфликтами и противоречиями, во всем ее величественном и трагическом многообразии.

СТАЛИНСКИЕ АЛЬТЕРНАТИВЫ

...Почему "сталинские", а не "Сталина"? Этот вопрос кажется столь важным, что следует начать с него. В одном случае речь идет о с т и л е , м е т о д е (может быть, даже своего рода "философии", хотя этим термином не хотелось бы разбрасываться). В другом – о конкретном ч е л о в е к е, великом тиране, злодее и т.д. Конечно, можно рассматривать и человека через его стиль, и стиль через его создателя или носителя. Выражаясь несколько фигурально, перед нами две парадигмы: одна – "Каков поп, таков и приход", другая – "Было бы болото, а черти найдутся". Но они не равномощны, ситуация с "болотом" – первичнее, изначальнее, что ли.

Дело не в том, что сделал или чего не сделал этот человек, а в том, к а к   э т о   с т а л о   в о з м о ж н о (было возможным или остается возможным?). Такая постановка вопроса слишком широка, почти в духе универсальных постановок Кантовых проблем. В данном случае для анализа достаточно лишь некой толики подобного подхода.

Он был груб, необразован, недальновиден, абсолютно лишен нравственных критериев и сомнений. Об этом написано много и, вероятно, будет написано еще. больше. Сегодня, когда последние истлевшие остатки священной пелены спали с глаз, кажется совершенно очевидной примитивность его аргументов, полемических приемов, языка. И молодые и средние поколения уже не помнят, даже не могут себе представить, как эта примитивность казалась мудрой простотой – не всем, разумеется, но достаточно большому числу (достаточному, чтобы составить некую "критическую массу" среди тех, кто вершил делами в стране).

И – победил, одержал верх в "своей" среде. Подчинил себе, унизил, заставил каяться и отрекаться от самих себя изощренных догматиков, фанатиков революционной идеи, отчаянно смелых борцов подполья и гражданской. Притом ведь еще задолго до всеобщего террора, без прямого насилия и даже без прямых угроз.

Как справедливо отметил И. Клямкин, во внутрипартийной борьбе за "ленинское наследство" Сталин неизменно выступал от имени "большинства" (не населения, конечно, и не "партийной массы", о которой иногда говорят, но правившей иерархии). Он пришел к власти не как герой на белом коне, а как малозаметный "аппаратный" игрок (именно поэтому потом, в годы всевластия, он так усердно пририсовывал "белого коня" к своей биографии).

Чтобы объяснить истоки этой все еще удивительной победы, нет нужды обращаться к тайным глубинам психологии, или тайным силам "аппарата" (соперниками были такие же, в принципе, "аппаратчики"), или еще к чему-то социально-мистическому. Может быть, достаточно было бы рассмотреть поближе все ту же пресловутую сталинскую "простоту". Не в ней ли таилась истинная сила? Ведь он переиграл своих оппонентов не какой-то особенной хитростью, а именно простотой, примитивностью, грубостью. Он рубил гордиевы узлы, не пытаясь их развязывать. Он выдавал схваченную рукой синицу за журавля в небе. Он резал кур, ничуть не заботясь о золотых яйцах. Так было в селе, на транспорте, в индустрии и военном деле, в дипломатии и науках, – плоды этого всепобеждавшего метода мы пожинаем и сегодня, потому что "стиль" переживает "стилиста".

Не один он знал, что невежество и грубость могут быть реальной силой. "Я убедил их тем, что предельно упростил все вопросы" – это сказал не он, а Гитлер, его главный контрагент времен постыдных "пактов". Но эти слова достаточно точно выражают способ всех властителей, которые господствовали над массами, опираясь на сами эти массы, точнее, на определенные уровни массового сознания.

И все же – почему соблазн "простоты" оказался (или оказывается) столь действенным и столь долгоживущим?

В определенном смысле, при определенном уровне запросов "синица" в руке всегда привлекательнее "журавля" в небе. Скажем, реальное благосостояние может быть привлекательнее надежд на всеобщее счастье. Реальность могущественного военно-индустриального общества действеннее мечтаний о равенстве и братстве, мировое влияние весомее утопий мировой революции. Все это как будто до банальности верно, но все же не совсем и даже не в главном. Сам упомянутый уровень запросов нуждается в объяснении. "Синицы в руках" на самом деле не было: уровень жизни в стране лишь в 60-е годы приблизился к излюбленной нашей статистикой отметке 1913-го. Могущество государственной машины в испытаниях войны оказалось не слишком надежным. А уж неэффективность индустриальной системы, аграрной системы, административной системы сегодня и пояснять не требуется.

По-видимому, дело в другом.

Во-первых, Сталин предложил свои "простые" варианты политического строительства тогда, когда исчерпали себя и оказались в тупике все "сложные" – назовем их, скажем, революционно-романтическими. Других же вариантов в середине 20-х годов ни у кого не было; шумные споры о "режиме" или о "возможности победы в одной стране" преимущественно прикрывали борьбу за власть (а отчасти – тот же дрейф к "реализму"). Сталин смог переиграть, опозорить, а потом и просто уничтожить всю "старую" партверхушку потому, что она уже проиграла спор с историей и лишилась своего лидерского потенциала.

Во-вторых, "простота" сталинских альтернатив оказалась близка определенным структурам традиционного, архетипического массового сознания. "Оказалась" не случайно, хотя дьявольская изобретательность будущего великого вождя в данном случае состояла лишь в том, что он ничего не изобретал. Привычное ведь всегда кажется простым. Расставаясь с революционными фантазиями элиты, Сталин практически – возможно, не сразу или не полностью осознавая это – стремился искать опору в чувствах и помыслах низших струй революционного потока. Здесь он находил тоску по железному порядку, сильной власти, готовность к расправе с "врагами" и бесконечное презрение к интеллигентским мечтаниям, культуре, праву и т.д.

Исследователи фольклора давно обнаружили, что "сказочному" сознанию всех народов мира присущ набор однотипных структурных единиц, например "герой", "враг", "вредитель", "перевоплощение", "измена". В искусственно создававшейся сталинской мифологии легко обнаружить весь набор фольклорных стереотипов – причем не потому, что она так уж искусно конструировалась, а прежде всего потому, что налицо имелся готовый "естественный" план такой конструкции, как бы готовая канва для соответствующего "узора".

Таков, например, сам архетип (или мифологема) "великого вождя", забота которого "с нами всюду и всегда" (из популярной детской песни). Апелляция к заботе и мудрости вождя не только "проще" и "реалистичней" поисков истины в анналах марксистской классики, она потому и кажется "простой", что архетипична. Сталин, как известно, правил страной с помощью громадного, неэффективного и неизбежно коррумпирующегося аппарата чиновников, строго иерархически организованного, с соответствующим распределением власти и привилегий. Но в точном соответствии с мифологическими канонами конструировался – и не без определенного успеха – облик непосредственной связи "вождя" и "народа" (этому, кстати, способствовало и периодическое принесение в жертву функционеров разного ранга). В той или иной мере образ "вождя народа" воспроизводится в идеологии и самом менталитете всякого популизма – этого объемистого букета социальных ожиданий, оценок и политических настроений, которые и в прошлом и в нынешнем веке (преимущественно все же в политически слаборазвитых регионах и странах) связывают лидера и массы "поверх барьеров" госаппарата... и всяких демократических институтов вместе с ним.

В арсенале мифологического сознания – образ "врага". Он не имеет ничего общего с "нормальным" (для другого типа и уровня развития общественного сознания) понятием идейного или политического оппонента, зато у него много общего с традиционным стереотипом "врага рода человеческого", "изверга", в политическом лексиконе квазиреволюционной мифологии – "врага народа" (понятие, впервые опробованное, по-видимому, во времена Великой Французской революции). В этом лексиконе нет полутонов и тем более нет "обычного" состояния мысли и действия, вне полярных оппозиций типа "священное – проклятое". Всякий, кто сделал или мог сделать "шаг влево – шаг вправо", естественным образом (для такого типа сознания естественным) попадал в разряд "врагов". Если такая судьба постигала вчерашних лидеров и соратников, то это нельзя объяснить только изощренно-циничным коварством Сталина: действовали "правила игры", а точнее – каноны мифологического сознания. Согласно тем же канонам, в разряд "врагов" неизбежно попадали "изменники" (апостаты, отступники, отщепенцы и прочие "ревизионисты"). И только в эпоху сумерек этого сознания размываются священные границы "абсолютных" крайностей и половинчатые категории (тех же "отщепенцев") получают самостоятельное существование – это уже относится к недалекому прошлому.

Реальные или мнимые носители "вражеского" клейма могли меняться, неизменным оставался сам "образ врага" как средоточие всех возможных и, в основном, невозможных злодеяний и происков, как не могла подвергаться изменениям или сомнению абсолютная противоположность козней "врагов" и благодеяний "героя". Вскоре после начала войны появился и облик "народа-врага" – сначала для обозначения противника (считалось, что классовое обличение фашизма в первые недели войны не оказалось эффективным), а уж затем и для чисто "внутреннего" потребления, причем число "народов-врагов" непрерывно росло (на эвфемистическом языке политической мифологии это, как известно, именовалось "обострением классовой борьбы"). Те же архетипы активно работали в ходе грязных кампаний против "космополитов", "заговора врачей" и т.п.

"Народ требует, народ не поймет иного" – этой присказкой неизменно прикрывались (иногда – стыдливо, чаще просто бессовестно) соучастники нескончаемых расправ над всякого рода "чуждыми". Это был не только метод поддержания ситуации "осажденной крепости" и соответствующего ей "крепостного" состояния сознания. Это был еще и способ отбора, просеивания и продвижения своих "кадров" по принципам угодливости, цинизма, некомпетентности. Пестуя "образ врага", конструировали столь же символический "образ народа", а главное – создавали и охраняли ту реальную пирамиду власти, которая выступала от имени и по поручению народа...

Помните, как чёрт говорит Карамазову: "Я часть твоя, только самая худшая..." Примерно т а к соотносилось э т о с народом, уже не символическим, а исторически реальным, пережившим войну и запутавшимся в кровавых лабиринтах постреволюционной страны. То, что предложил ему Сталин, – все эти "простые" и "естественные" альтернативы, – не означало выхода, но было в своем роде скольжение по наклонной плоскости, к тупику, к трясине. Колоссальные затраты и растраты человеческой энергии и крови поколений, обилие грандиозных проектов и еще более грандиозных обещаний создавали иллюзии конструктивности происходящего. Когда развеялся туман всех этих фальшивых обещаний и искренних заблуждений, стало ясно, что речь шла о строительстве Великого Тупика...

Некоторые современные критики Сталина и его эпохи утверждают, что было совершено коварное и гнусное насилие над историей, контрреволюционный переворот и т.п. Мне кажется полезным предложить для рассмотрения несколько иную трактовку событий и лиц. Он не нарушил, но исполнил – довел до логического абсурда "естественный" ход событий, не будучи способным ни подняться над ними, ни действительно "повернуть" их течение. Ни к чему другому метод и мировоззрение циничного реализма привести не могли.

Рассмотрим поближе, как справлялся Сталин (или сталинизм, который, как мы уже отмечали, может существовать и без Сталина) с различными ситуациями исторического порядка. Результаты деятельности чаще всего принято рассматривать через призму решения неких з а д а ч. При этом молчаливо предполагается, что сами задачи уже существуют и требуется лишь правильно и с наименьшими возможными потерями их решить. Но ведь люди сами себе не только ищут решения, но и ставят "задачи" в меру своего понимания среды и самих себя. Возможности анализа будут больше, если говорить не просто о задачах, а о проблемных с и т у а ц и я х.

Остановимся на трех таких, возможно, наиболее существенных ситуациях, с которыми сталинизм пытался справиться – теоретически (в смысле осознания) и практически: завершение революции, модернизация общества, самоопределение в мире.

Всякая революция, если рассматривать ее социологически, как тип социального перелома, радикальной трансформации общественных структур, имеет свое начало и свое завершение. Определенные требования, выдвинутые в ходе революции – если, конечно, они реальны, – могут ставиться и решаться вновь разными методами на протяжении десятков или сотен лет. Европейская, и в частности французская, история дает тому предостаточно примеров. Но это уже будут другие ситуации, другие методы и другие действующие лица, да и сама сцена действия может быть совершенно иной. В некотором подобии военных ситуациям, где важно вовремя остановиться в продвижении, чтобы закрепить возможный успех, необходимо трезво оценить уровень реальных притязаний и в ситуациях социальных переворотов. Неизбежные в ходе "бури и натиска" иллюзии должны уступать место трезвой оценке результатов, возможностей, собственных сил и стремлений.

Революционное насилие, как и революционные иллюзии, разлагает самого себя, если длится слишком долго (это "слишком" трудно определить заранее; вряд ли здесь возможен срок, превосходящий возможности действия одного поколения, одной когорты). От романтики революционных взрывов с большим или меньшим трудом приходится везде и всюду переходить к будничной прозе "мирного" политического и экономического развития. Если же гражданская война не сменяется гражданским миром, а превращается в перманентное состояние общества, происходит неизбежное разложение всех его структурных элементов, в том числе и вчерашних революционных сил.

Все эти проблемы возникли уже в самом начале 20-х годов, и именно они были главными во всех политических спорах десятилетия. Согласно "доктрине" (или, может быть, наличному на тот период ее толкованию), революция обязана была продолжаться до полной и всемирной победы своих идеалов; сама мысль о необходимости поставить точку в революционном процессе представлялась пораженческой, "термидорианской". Абсолютистское толкование "доктрины" подкреплялось предельным накалом страстей в ходе мучительно-кровавого перевоплощения "империалистической" войны в гражданскую.

В этой ситуации переход к внутреннему миру казался нарушением "естественного" хода вещей, требовал теоретической и практической смелости. Он был провозглашен и начат вместе с нэпом, но никогда не был ни додуман, ни довысказан, ни доведен до конца. Сталинское руководство тем более не было способно это сделать.

Как это ни парадоксально звучит, но именно Сталин и сталинизм немало поработали над ликвидацией всяческого революционного экстремизма – разумеется, при помощи единственно доступного им орудия, топора. По мере того как устранялись иллюзии и горячие головы фанатиков и доктринеров революционной романтики ("мирового пожара", "нового искусства" и пр.), сама революционная идея сменялась куда более реалистической и привычной идеей д е р ж а в н о й. Причем речь шла о государственности, построенной по образу и подобию – вплоть до чиновничьей иерархии – предреволюционной самодержавной империи. Но "революционная" символика и словесность сохранялись не просто для красного словца: классовыми, интернационалистскими и т.п. лозунгами прикрывался великодержавный (и "великовождистский") произвол. Утратившая революционность государственная машина оставалась аппаратом прямого, вплоть до террористического, насилия. Террор же всегда – орудие слабости, тем более когда он используется для самооправдания. Перестав быть революционным, общество осталось террористическим, деспотическим, лишенным нормальных экономических, социальных и политических структур. И главной особенностью такого п о с т р е в о л ю ц и о н н о г о общества стала нескончаемая, самоубийственная и саморазлагающаяся гражданская война с самим собой. Звеньями той же цепи были непрерывная "охота на ведьм" и попытки обличить в революционно-освободительные одежды топорную политику державного шовинизма и экспансии.

Как ни странно, все еще живуче представление о том, что сталинизм грешил "левизной" и "догматизмом". Можно как-то понять, если это взгляд издали, например исходящий от радикального нетерпения латинского образца. Но "вблизи"-то давно видно, что, скажем, расправа с крестьянством и деревней была продиктована вовсе не доктринерскими соображениями, а "просто" стремлением быстро и дешево получить хлеб... Революционная фразеология столь же "просто" прикрывала государственный терроризм, превратившийся в некую норму, образ жизни государства и общества. И происходило это не из-за личных пороков Сталина и его окружения, а прежде всего потому, что пирамида власти, построенная на внеэкономическом и внеюридическом подчинении массы "аппарату" и через него – всемогущей "верхушке", узкой клике, не связанной никакими правовыми и нравственными нормами, просто не могла быть никакой иной. Она нуждалась в произволе ("указаниях", "телефонном праве") и устрашении, потому что у нее отсутствовали какие-либо иные механизмы самосохранения и контроля над обществом.

Революционизированное 1917-м г. общество, и в прошлом не имевшее соответствующих традиций, не обрело стабильности, не стало правовым, демократическим, закоснело в оковах автократической квазиреволюционной диктатуры. По-видимому, это самый важный и самый тяжелый итог господства сталинизма. На почве этой самой тяжелой из всех "незавершенностей", которыми страдает наше общество, расцвела впоследствии и вся иерархия коррумпирующейся бюрократии.

Каинова печать этой пирамиды, свойственных ей методов оценки ситуации, характерных для нее средств "простых" решений – на всех без исключения делах и событиях нашей истории этих трудных десятилетий.

Наиболее острая проблемная ситуация России с XVIII века до сего дня – модернизация общества, иными словами, процесс формирования общественных, экономических и технологических структур, характерных для современных цивилизованных обществ. Принципиальные задачи модернизации общества за все это время не только не были решены, но и не были адекватно поставлены. Первый из великих неудачников российской модернизации, Петр I, увидел в ней только одну проблему: создание военно-государственного могущества. При всей его крайней сумбурности петровский государственный эксперимент задал своего рода классическую парадигму "российского" типа модернизации. Суть ее в том, чтобы получить скорейший выигрыш в одной области (военной), перекрасив фасады (государственные реформы) и сохранив, даже усилив экономические и социальные основы традиционалистского, не способного к развитию общества (крепостничество, деспотизм). Выигрыш неизбежно оказывался временным, фасады обваливались (коррупция), а реформы дрейфовали в сторону лихорадочного возведения потемкинских деревень.

И вот эта парадигма повторилась в иной ситуации, двести лет спустя, когда была предпринята попытка заимствовать некую толику "верхушек" европейской промышленной цивилизации (электрификация, металлургия, автотракторотанкопром...), привив ее на ростки не вполне, может быть, определенного поначалу политического древа российско-революционного происхождения. Первоначальная неясность была связана была с иллюзиями относительно "коммунарской" природы этого древа и опять же с иллюзиями относительно возможностей самой этой природы. Когда утренние сны и туманы рассеялись – тогда, собственно, и вышел на историческую арену сталинизм, – стало ясно, что речь идет об очередной попытке традиционалистской модернизации; замысел состоял в том, чтобы взять некие плоды чуждой цивилизации, не задумываясь, на каком социально-экономическом "дубе" произрастают такие "желуди". Как известно, с "прививками" и "пересадками" в социальных экспериментах нам везло не больше, чем потом в аграрных экспериментах лысенковского образца.

Но когда модернизацию общества свели к индустриализации экономики, а последнюю – к насаждению гигантов тяжелой промышленности (да еще, как теперь мы хорошо осознаем, оснащенных привозным оборудованием), стало ясно, что и самая последняя из "упрощенных" таким образом задач ни надежного, ни современного решения не может получить. Довольно долго, уже в "послесталинском сталинизме", вопреки всякой очевидности, вопреки мировому и собственному опыту, пытались поддерживать в обществе иллюзию относительно того, что советская система якобы способна обеспечивать хотя бы техническое развитие, хотя бы пресловутый "вал" промышленного роста чисто неэкономическими методами – административным планированием, принуждением, устрашением, а также циничной эксплуатацией остаточного молодежного энтузиазма. Вплоть до недавнего времени циничные расчеты на военно-промышленный рост "любой ценой" в некоторой мере подкреплялись наивными иллюзиями относительно того, что рано или поздно, через одно-два поколения, форсированная индустриализация в должном соответствии с канонами исторического материализма приведет к развитию более современных социально-экономических и политических структур.

Сама постановка вопроса была принципиально ошибочной, и история не только показала нам эту ошибку, но и жестоко покарала за нее. Оказалось (вернее, в тысячный раз подтвердилось), что нельзя, никому и нигде не удается сконструировать прогрессирующую общественную систему "любой ценой" и в "любых" условиях. В конечном счете социальная "цена" (затраты, потери, не только экономические) всегда полностью сказываются на результатах. Пиррова победа равносильна поражению. На внеэкономическом принуждении не может стоять и развиваться современная индустрия. Не может прочно стоять на ногах город, разоривший деревню.

Сталинская индустриализация, индустриализация (к тому же частичная, "тяжелая") как самоцель, требовавшая неимоверных жертв и страданий, – все эти "великие стройки", сооружаемые на базе дешевого и принудительного труда по необоснованным проектам, – заведомо не могла создать эффективной экономики, эти стройки заведомо были антиэкономичны, антиэкологичны, можно даже сказать, антисоциальны.

Сталин любил повторять, что под его руководством страна стала "металлической". Страну действительно заставили добывать больше всех руды и выплавлять больше всех в мире стали – однако нехватка металла от этого только возросла. Деревню действительно заставили – опустошив предварительно ее человеческие ресурсы – пересесть "с сохи на трактор". Экономические и аграрные результаты такой пересадки сейчас известны всем: самый большой тракторный парк, самое низкое качество его использования, самые большие закупки хлеба за рубежом. Никакая – даже если бы она была достаточно качественной – технология не может работать эффективно вне эффективной экономики.

Черчилль когда-то, оценивая заслуги советского диктатора, писал, что тот застал Россию с сохой, а оставил ее с атомной бомбой (кстати, излюбленная сегодняшними сталинистами фраза). К утверждениям такого рода мы можем и обязаны подходить вполне серьезно: уж теперь-то мы знаем, во что обошлось обществу создание военно-промышленного комплекса, сравнимого с американским. Возможность "прорыва" к бомбе за счет консервирования отсталости всего остального, ценой разорения хозяйства уже давно продемонстрировал Китай (а сегодня и некоторые еще менее процветающие страны из "третьего эшелона"), так что предмета для исключительной гордости здесь не имеется.

Стоило бы подчеркнуть: дело даже не в "прорыве" к бомбе или индустрии, не всегда и не во всем следует винить национализацию или кооперирование. Вопрос в том, в рамках какой социально-экономической и хозяйственной системы это происходит, при каком соотношении сфер, стимулов, интересов и т.д. Многие страны показывают, что кооперация в городе и селе бывает эффективной, что и национализированная промышленность может успешно развиваться в согласии с другими формами хозяйства, да и пресловутые военно-промышленные комплексы – при всех опасностях милитаризации – способны стимулировать прогресс других отраслей и обеспечивать занятость, а не только высасывать соки народного хозяйства и всего общества.

Практически ничего этого у нас не было. Можно и нужно, наверное, было покупать технологии, и любое руководство страны или экономики наверняка делало бы что-либо в этом духе. Но вот привить их к неэкономической системе хозяйства, к неподходящему "древу" никому и нигде не удавалось и не удалось бы.

Нет и не может быть – а потому таких примеров не имеется – успешно развивающейся и плодоносящей индустриальной системы вне экономического механизма, который дает стимулы движения, вне рынка, который соотносит спрос и предложение, производство и потребление, вне денежной системы, дающей универсальную меру экономической деятельности, наконец, вне мировых экономических связей. Более того: без всего этого, без современных экономических институтов не бывает, как сегодня стало очевидным, ни реального планирования, ни действенной социальной политики, ни эффективных гарантий интересов и прав работников.

Сталинский вариант индустриализации, если рассматривать его в целом (трудно судить, да и не так уж важно, пытались ли сами организаторы и исполнители грандиозных директив это делать), представлял собой серию попыток "варварскими", доэкономическими средствами обеспечить развитие тех отраслей, которые считались решающими. Иначе говоря, традиционалистскую индустриализацию, не столь уж отличную от абортивной крепостнической "индустриализации" петровских времен. Получилась попытка закрепить "варварство" с помощью индустриальных средств, которая на протяжении нескольких десятилетий даже казалась довольно успешной.

В многообразии стимулов, которые действовали в "строительстве" Великого Тупика, можно выделить послушание и страх, этику элементарного выживания и – во всяком случае, для некоторой части новых общественных сил – вдохновение, рожденное ожиданием завтрашнего социального чуда, тот самый коллективный энтузиазм, который доселе умиляет трезвых историков. Возможно, когда-нибудь удастся ретроспективный социальный анализ, который позволит разделить компоненты и взвесить относительные доли разных факторов. Сейчас отметим одну общую для всех этих движущих сил черту: это традиционалистские, досовременные, доэкономические двигатели человеческого действия. Когда-то немецкий социолог Макс Вебер показал, что на заре Нового времени религиозный энтузиазм – протестантская этика – выступил в роли пускового механизма капиталистической системы, которая в дальнейшем привела в действие собственные стимулы труда. В нашем развитии чего-либо подобного не произошло. Когда неэкономические стимулы дешевого труда, иллюзий и страха исчерпали себя, на смену им не пришел механизм самодвижения, пришли апатия и незаинтересованность в результатах труда. И это тоже было неизбежным результатом "варварского", сталинского подхлестывания модернизации.

Кстати, сейчас довольно убедительно показано, что давняя пропагандистская легенда о сверхвысоких темпах, которые якобы дала индустриализация, – всего лишь легенда. Реальные темпы роста экономики были значительно ниже, чем считалось согласно "лукавым цифрам" официальных отчетов. Если бы развитие происходило в тех рамках, которые сложились во второй половине 20-х годов, удалось бы достичь значительно более крупных показателей. Можно вспомнить еще и расчеты американского экономиста К. Кларка, опубликованные в 1940 г. У него получилось, что народное хозяйство России более ста лет, если исключить конвульсии военных перерывов, движется вполне плавно с одной и той же скоростью...

Но дело все же не в темпах развития, какими бы они ни были, – дело в качестве этого развития, в социальном наполнении темпов роста. Здесь сталинизм проиграл, а точнее, проиграли мы, – от того скольжения по наклонной плоскости, которое воплощал сталинизм.

История отчаянных усилий России "выйти в свет" длинна и исполнена взаимных разочарований. Вспоминать же ее приходится, потому что самые запутанные узлы истории имеют свойство повторяться в череде исторических трагедий и фарсов ("свойство" это не случайно, так как именно сложные узлы составляют основу всей сети истории).

Разве нет какой-то предзаданной, дьявольской зависимости друг от друга спесивого всемирно-масштабного мессианизма и агрессивной убогой миробоязни? Каждый раз, когда не удавалось принести окрестным "бусурманским" народам (на штыках, разумеется) спасительное ярмо собственного образца, Россия пряталась за стены "православной" обособленности, проклиная всяческих иностранцев и инородцев, уходила в бесконечные пустоты своей географии и культуры – и оставалась страной "не от мира сего". И разве не видим мы в судьбах новой, пореволюционной России действие той же закономерности, того же исторического архетипа?

Если не искать логику великих мировых исторических катаклизмов, а ограничиться просто непосредственно наблюдаемой "логикой вещей", то мы увидим такие же колебания между глобальным миссионерством и глобальной замкнутостью. Начинали с ожиданий всемирного освободительного вихря, который должен был захватить и заброшенную в дальний угол цивилизации великую страну. Все западники и все марксисты за ними долго ждали зарниц "света с Запада", но так и не дождались их. Мировой пожар как будто сильно запаздывал – а теперь мы знаем, что для него просто не было горючего материала, он и не мог состояться – и тогда, видимо, в отчаянные головы пришла отчаянная мысль: раздуть желанный пожар своими силами. Эта мысль бросала конные армии на Варшаву в 20-м: маятник качнулся в сторону миссионерского спасения мира. Но опять не оправдались надежды, никто не ждал освободителей, а до навязывания спасения силой было далеко – сил не хватало.

В такой кризисной ситуации происходила борьба за ленинское наследство. Сделать еще одну попытку перевернуть мир вооруженной рукой уже никто не решался предлагать. Вариант "нормального", как мы сказали бы сегодня, сосуществования проводить не решались или не умели (само слово тогда, правда, произносилось). В результате остался некий простейший, "средний" вариант – без мира и войны, но зато на перманентном осадном положении "окруженной крепости". Сталин как будто его не выдумал, этот вариант уже реально существовал в период триумвирата (1923–1925 гг.), он лишь торжественно окрестил его "социализмом в одной стране" и представил как некий идеал. Между тем ведь до конца 30-х годов не было видно никаких сил, способных эту крепость осаждать. Близлежащие государства не имели для этого ни сил, ни желаний, а бесконечные истории с "происками" и "агентами" если даже они не были стопроцентными изобретениями, то раздувались многократно – на потребу поддержания того же осадного положения.

А оно оказалось очень удобным, хотя бы потому, что облегчало Сталину "простыми", столь излюбленными или единственно известными ему методами справляться со страной. В частности, это был способ преодоления той фрустрации, которая возникла в правящей элите после крушения надежд на "свет с Запада" (и надежд принести его на "Восток"). Внутрипсихологическая сторона ситуации "осажденной крепости" – перепуганно-озлобленное "крепостное" (во всех смыслах этого термина) сознание, готовое видеть вокруг себя бесчисленные полчища "врагов", готовое объяснять их кознями любые собственные неудачи и просчеты, а главное, готовое довериться "твердой руке". И еще изоляционистский комплекс, который, кратко говоря, сводится к ряду противопоставлений вроде "свое–чужое". Свое всегда хорошо, чужое плохо или по крайней мере подозрительно; иностранец, чуждый, инакомыслящий – заведомый враг; "связь с иностранцами" – преступление; "преклонение перед иностранной техникой" – неписанная, но действовавшая статья кодекса, путевка в Гулаг.

Имел ли этот истерический изоляционизм какое-либо отношение к реальным или хотя бы воображаемым интересам круговой обороны "крепости"? Если судить об эпохе не по ее иллюзиям и предрассудкам (того и другого хватало), то совершенно ясно, что это был продукт для чисто внутреннего пользования, для удобства властвования и разделения. Исторический маятник продолжал, правда, колебаться: освободительный (но уже с явным великодержавным привкусом) мессианизм конца войны, дойдя до предела возможного расширения зоны своего влияния, уступает место испуганно-злобному изоляционизму.

Трижды за время сталинского правления была упущена возможность открыть и нормализовать отношения с окружающим миром: в 20-х, 30-х и 40-х годах.

Исключительно удобную ситуацию второй половины 20-х решились и сумели использовать только по самой примитивной (и самой традиционно-архетипической!) схеме: вывезти побольше хлеба ("цена голода" позже, в 1932-м) и импортировать побольше оборудования, благо последнее подешевело в годы мирового экономического кризиса. Но все это на фоне ликвидации обратимости рубля, закрытия границ и разрыва связей, в частности концессионных. "Крепость" и крепостничество устояли.

В середине 30-х – возможность действенного антифашистского фронта и межгосударственной коалиции, вполне реальное, действительное предотвращение войны, мирное подавление фашистской угрозы, нормальное сотрудничество с остальной Европой. Для этого требовалась определенная трезвость мысли, умение преодолеть проклятый узел мессианизма-изоляционизма, похоронить идею "осажденной крепости". И снова такая альтернатива оказалась слишком сложна для сталинского руководства. После некоторых колебаний (линия Литвинова, последний конгресс несчастного Коминтерна) государственный корабль снова вернулся на курс изоляции, подкрепляемой бесконечной "охотой на ведьм" в стране и вокруг нее. Появились, правда, и существенно новые (по большому историческому счету – существенно старые!) моменты: знамя державного патриотизма над пресловутой "крепостью" и примитивная тактика территориальной экспансии под сенью "пакта". Тактика и политика "близких" выигрышей (цена их оказалась неизмеримо большой, и она еще не выплачена), без дальних расчетов и, разумеется, без нравственных границ – словом, квинтэссенция сталинского стиля и мировоззрения.

Третий шанс – послевоенный союзнический мир. Пожалуй, более слабый, поскольку слишком большую роль в мировой игре получили силы и спесь победителей. Но был бы разум, была бы доброта и сила воли, и можно было бы реализовать надежды на единство в мирном сотрудничестве – восстановлении Европы, использовании ядерной энергии, подготовке деколонизации. Пришлось бы поступиться той же ситуацией "осажденной крепости", а именно этого, судя по всему, Сталин боялся больше всего. Он выбрал снова вариант для себя простой и привычный: изоляция, милитаризация, ксенофобия. Плюс, разумеется, освоение "трофейных" регионов – что тоже оказалось трудным, дорогостоящим, а в конечном счете и неосуществимым даже по критериям внешнего спокойствия.

"Шел в комнату, попал в другую". Шли вперед, оказались позади. Прокладывали путь, построили тупик. Если, подводя итоги, оглянуться на пройденный трудный путь, можно представить, что из всех возможных вариантов на каждом повороте сталинизм выбирал самый худший, самый примитивный, самый неэффективный. Как нужно было постараться, чтобы разорить материальные и человеческие ресурсы богатейшей страны, поставить сильную державу на грань военной катастрофы, фундаментально подорвать хозяйство и жизнь деревни! Это не было плодом замысла, заговора, плана. Просто выбирался самый простой и топорный вариант, и неисчислимые силы уходили на неудачные попытки его реализовать.

Так представляются сегодня предложенные или закрепленные Сталиным альтернативы нашей истории. Долгое время их влияние было связано с традиционностью, колоссальной и мертвящей инерцией стиля. Чтобы выйти из Великого Тупика, требуются усилия не традиционные и решения не простые.

Л. Гордон, Э. Клопов

СТАЛИНИЗМ И ПОСТСТАЛИНИЗМ: НЕОБХОДИМОСТЬ ПРЕОДОЛЕНИЯ

Сегодня, в момент перестройки и обновления нашей жизни, неизбежным оказывается отказ от некоторых привычных и многим из нас дорогих представлений о прошлом, о том, что мы считали своей славой и гордостью. Отказ этот необходим, без него не будет здорового социального и нравственного развития общества. Однако переосмысление традиционных исторических представлений, ценностей, символов никогда не бывает легким, безболезненным делом. Более того, чтобы это болезненное переосмысление оздоровило общественное сознание, чтобы его итогом явилось не циничное отрицание всякого добра и величия в прошедших эпохах, но именно выявление подлинного добра, отделение его от зла, лжи, ошибок, рядящихся в одежды добра, для всего этого очень важно самостоятельное участие каждого из нас в подобном переосмыслении.

Смысл сталинских 30—40-х годов

Необходимо осмыслить прежде всего место 30—40-х годов в перспективе последующего общественного развития. Ибо именно стремление понять, как воздействует эта эпоха на нашу жизнь, что в ее наследии можно безоговорочно или с оговорками принять, а что следует с раскаянием и ужасом отринуть, есть, наверное, самое главное, зачем, собственно, надо ворошить грязное и кровавое белье сталинских десятилетий. Да и сами сталинские преобразования в те годы, сами сочетания слагающих их зерен и плевел становятся гораздо более четкими в свете дальнейшего хода истории.

Логически представляются возможными и очевидно ясными два подхода к решению вопроса о том, как соотносятся процессы сталинского периода с проблемами нашего времени. Оба эти подхода нашли достаточно широкое отражение в общественном сознании последних лет. В простейшем из них предполагается (иногда явно, иногда неявно), что события 30—40-х годов лишь косвенно связаны с сегодняшними проблемами. То, что произошло в сталинские времена, рассматривается здесь как дела давно минувших дней, так или иначе "перекрытые" последующим тридцатилетием. Потребность в перестройке и ускорении экономического роста (которому придается первостепенное значение) выводится в этом случае в основном из застойных процессов 60–70-х годов. Что касается сталинизма, его разоблачение считается необходимым преимущественно в качестве средства предотвращения крайностей культа личности и политических эксцессов вроде предвоенных и послевоенных репрессий.

В рамках другого подхода сегодняшняя перестройка прямо и непосредственно связывается с деформациями сталинского периода. Застой последующих лет толкуется тут почти буквально, чуть ли не как бы полная неизменность. Согласно этой точке зрения, в 50–70-е годы не было серьезных сдвигов, и советское общество пришло к повороту середины 80-х годов в качественном смысле примерно таким же, каким оно сложилось на исходе сталинского правления. Соответственно все преобразования, назревшие в обществе, все его обновления связываются главным образом, если не исключительно, с необходимостью устранить экономические и политические порядки, возникшие при господстве сталинского режима. Процессы 50–70-х годов выступают здесь как нечто малозначащее, не оказавшее и не оказывающее серьезного влияния на ход перестройки.

Оба эти взгляда кажутся нам упрощением, хотя, конечно, мысль о связи перестройки с преодолением сталинского наследия, по нашему убеждению, содержит в себе несравненно больше правды, нежели мнение о том, что суть перестройки исчерпывается в основном борьбой с последствиями экономического застоя и разложения верхов в послесталинское время. Помимо всего прочего, ни один из этих взглядов не объясняет того поразительного факта, что при явной полярности отношения различных социальных сил, групп, личностей к тем или иным коренным вопросам перестройки практически никто не отрицает необходимости перестройки как таковой. Подавляющее большинство общества хочет глубоких изменений, и в этом смысле у нас действительно нет или почти нет противников перестройки. Единственно возможное объяснение подобной ситуации в том, что речь идет о разных, подчас диаметрально противоположных, истолкованиях перестройки.

Но такое положение не может возникнуть в условиях, при которых главные противоречия нашей общественной жизни объясняются по преимуществу чем-то одним: либо процессами 30–40-х годов, либо процессами 50–70-х. В каждом из этих случаев должны были бы существовать и проявляться силы, заинтересованные в сохранении существующих порядков. То же, что составляет реальное противоречие сегодняшней социальной ситуации – всеобщая поддержка требований коренных изменений при совершенно различном понимании конкретных мер, образующих их содержание, – может возникнуть лишь в том случае, если сама эта ситуация является итогом соединения очень различных процессов.

Современная социально-экономическая и историческая обстановка в советском обществе сложилась, как мы думаем, в результате взаимодействия, своего рода сложения и переплетения последствий того, что произошло в условиях сталинизма, с тем, что случилось в последующие десятилетия.

В самом деле. Несмотря на еще не оконченные споры относительно суммарной оценки итогов того, что случилось в эпоху Сталина, можно, по-видимому, считать очевидным следующее.

С точки зрения народнохозяйственного, технико-экономического прогресса, в стране осуществлялся в это время один из вариантов индустриализации, перехода от доиндустриального и раннеиндустриального технико-технологического типа производства (технологического способа труда по К. Марксу) к развитому индустриальному типу производства; вариант этот носил форсированный характер в том смысле, что все усилия общества концентрировались на ускоренном развитии тех элементов производительных сил, наращивание которых в глазах политического центра имело первостепенное, приоритетное значение (особенно в плане укрепления оборонной мощи), независимо от того, как сказывалась такая концентрация на остальных сферах общественной жизни.

С точки зрения социально-экономической, происходила смена классической многоукладной экономики переходного типа специфическим вариантом одноукладной раннесоциалистической или деформированной социалистической экономики; подобная смена означала не только уничтожение частной собственности и основанных на ней форм эксплуатации, но и переход от преимущественно экономического к преимущественно внеэкономическому способу регулирования хозяйственной жизни; в существовавшей у нас многоукладной экономике переходного типа действовало множество относительно независимых экономических субъектов (государственных и частных предприятий, кооперативов, мелких единоличных хозяйств), связанных друг с другом товарно-денежными, рыночными отношениями, находящимися под регулирующим воздействием государства, державшего в руках "командные высоты" хозяйства; вместо этой экономики сложилась нерыночная, фактически бестоварная экономика, где почти все элементы полностью подчинены государству (находятся в государственной собственности) и управляются, главным образом, с помощью внеэкономических, командно-директивных методов (административно-хозяйственная система). Иными словами, произошел переход от саморегулирующейся экономики нэповского типа к регулируемой из политического центра монопольно-государственной экономике[1], в которой имелась возможность сосредоточить народные силы на том, что этот центр считал приоритетным как в тех случаях, когда подобное сосредоточение поддерживалось трудящимися, так и тогда, когда народные массы не принимали приоритетов власти; впрочем, большую часть периода 30–40-х годов следует считать даже не переходом к административно управляемой монопольно-государственной экономике (такой переход завершился сравнительно быстро), а временем функционирования этой экономики.

В политическом смысле шло складывание и развитие беззаконного авторитарно-деспотического режима, подчинявшего общественную жизнь не правовой, а произвольной, командно-приказной власти. Подобный режим обеспечивал, правда, возможность директивного управления экономикой и концентрации ресурсов общества на любых участках, в том числе и на тех, от которых действительно зависело само суще-

---

[1] В прошлом мы использовали выражение "государственно-монополистическая экономика социализма". Более удачный термин – монопольно-государственная экономика, – подчеркивающий отличие нашей экономики 30–40-х годов от экономической системы государственно-монополистического капитализма, предложен Ю.А. Васильчуком.

ствование страны и исход ее столкновения с внешним врагом (в этом видели конечную правоту режима многие современники); но тот же режим уничтожал в зародыше малейшие ростки демократии и правового государства, душил всякую народную самостоятельность, губил почти любую инициативу и потому зачастую вызывал бессмысленное, неоправданное расходование народных сил; одновременно авторитарно-деспотический режим выступал в качестве главного средства поддержания необъятной личной власти Сталина, давал возможность ему и его окружению осуществлять непрерывные репрессии, направленные на сокрушение реальных или мнимых противников и еще больше – на поддержание атмосферы всеобщего страха, нужной не столько для защиты общественных интересов, сколько для господствующего положения правящей верхушки, ее абсолютного всевластия в обществе; деспотический политический режим позволял тем, кто стоял тогда у руководства страной, творить любые беззакония и любой произвол, избегая ответственности за совершение и повторение самых страшных преступлений, самых губительных ошибок и промахов; репрессии, стоившие жизни миллионам людей и исковеркавшие судьбы десяткам миллионов, есть наиболее страшное выражение политической сущности сталинизма.

В социальном отношении уничтожение остатков капиталистической и докапиталистической эксплуатации, ликвидация безработицы, укрепление социальных прав и социальной справедливости, увеличение равенства в отношении возможностей общественного продвижения, приобщения к творческим видам труда, получения минимальных жизненных благ противоречиво сочеталось с падением или стагнацией жизненного уровня, ухудшением питания и обострением жилищной проблемы. Подобное сочетание было проявлением более общей деформации социалистического развития в рамках форсированной индустриализации и деспотического политического режима; соединение этих экономических и политических особенностей социалистического строительства в 30–40-е годы предопределяло решение проблемы накопления за счет благосостояния народа, свертывание самодеятельности и демократии, превращение основной массы трудящихся в подчиненных работников, а руководителей – в специфический слой, обладающий чертами особой социальной группы; в целом происходило одновременное нарастание определенных элементов социализма (преодоление частной собственности, становление планирования, формирование начал общественного равенства) и элементов, характерных лишь для самых худших вариантов социализма, а то и прямо враждебных ему (всеобщее огосударствление, уничтожение демократии, лишение трудящихся хозяйских функций и т.п.).

Наконец, в культурном, идеологическом, социально-психологическом смысле происходил цивилизационный сдвиг, в котором продолжали развертываться противоречия социальных отношений: десятки миллионов людей осваивали начала современной городской культуры, получали образование, приобщались к основам цивилизованного здравоохранения, но при этом грубое и бессмысленно поспешное разрушение устоев традиционного образа жизни и традиционной морали далеко опережало складывание и усвоение нового жизнеустройства. Место еще не развившихся, не усвоенных массами людей, тонких и сложных механизмов городской культуры, зрелой социалистической нравственности, идейного богатства демократической цивилизации занимали грубые формы казарменной псевдосоциалистической идеологии, в которой элементы гуманистических и подлинно социалистических ценностей подавлялись идеями упрощенной коллективности, примитивного единства, бездумного подчинения приказу; массовое распространение двоедушия, противоестественное соединение энтузиазма и героического отношения к жизни с падением общественных нравов, с ослаблением роли совести и ощущения личной ответственности, с ростом жестокости и политической бесчестности оказывалось следствием подобного положения.

В общем, как бы ни оценивать систему, сложившуюся в 30–40-е годы, в целом ясно, что эта система несла в себе самой необходимость изменения, своего рода потребность в самоотрицании. Похоже, правда, что эту необходимость не все люди, жившие в то время, четко ощущали. По-видимому, большинству их них – и тем, кто управлял тогдашним обществом, и тем, кто был его "винтиками", – существовавшие порядки казались чрезвычайно прочными, рассчитанными если не навеки, то на очень долговременную перспективу. Но объективно, вне зависимости от состояния массового сознания, дело обстояло иначе.

В конечном счете необходимость перемен вытекала из самой внутренней противоречивости экономических, социальных, политических порядков 30–40-х годов. В мире XX столетия экономический рост, распространение основ современной цивилизации, принципиальное признание социалистических и гуманистических ценностей нельзя бесконечно сочетать с репрессивным политическим режимом, основанным на произволе и беззаконии, с подавлением свободного развития культуры и идеологии, с отрицанием нравственной независимости и личной ответственности человека. Что-то в этой антиномии рано или поздно должно было измениться.

Собственно, само соединение, казалось бы, несоединимых элементов в советском обществе при Сталине в 30–40-е годы произошло в значительной мере потому, что оно, это соединение, первоначально воспринималось как временное, вызванное чрезвычайными обстоятельствами. Кажется, впоследствии представление о временности установленных порядков ушло из народного сознания. Однако в действительности подобные порядки продолжали существовать в громадной мере потому, что общество годы и десятилетия должно было решать чрезвычайные задачи: стремительно развивать промышленность, вести страшную войну, восстанавливать страну, наполовину превращенную в руины. Все-таки никакой террор и никакая тоталитарная идеологическая обработка не смогли бы обеспечить прочность сталинского режима, если бы они не дополнялись воздействием чрезвычайной ситуации. Режим этот по своей природе был режимом чрезвычайным, приспособленным к преодолению особых чрезвычайных проблем форсированной индустриализации и войны, и в этих проблемах он находил свое оправдание. Недаром подчеркивание небывалых трудностей составляло одну из доминант пропаганды 30–40-х годов, а военная лексика пронизывала все ее расхожие клише, даже когда они касались вопросов, очень далеких от войны (культурная жизнь была в этих клише культурным фронтом, а ежегодная жатва – вновь и вновь повторяющейся битвой за урожай).

Еще раз оговоримся, что мы не утверждаем, будто общественно-политический режим сталинистского типа лучше всего соответствовал задачам времени. Возможно, иной общественный механизм, иная стратегия оказались бы уместнее и эффективнее, не говоря уж о том, что едва ли не любой другой механизм был бы более гуманным. Тем не менее, хорошо ли, плохо ли, административно-командная система периода 30–40-х годов справлялась с чрезвычайными проблемами войны и форсированной индустриализации, что и обеспечивало возможность ее относительной стабильности. Однако тот же чрезвычайный характер системы, ее ориентация на решение строго определенных чрезвычайных задач делали объективно необходимым изменение данной системы по мере того, как эти задачи оказывались решенными или по крайней мере переставали быть главными, определяющими самое существенное в жизни общества.

Тяготение к переменам проявлялось даже в годы, когда сталинизм находился на подъеме – стоило лишь чуть-чуть ослабнуть элементам чрезвычайности в объективном положении страны. Так было, например, после того, как осталась позади первая пятилетка со всеми ее экономическими и социальными потрясениями. Значительное число голосовавших против Сталина на XVII съезде партии (1934 г.) и широкое распространение надежд на смягчение режима в 1935 – начале 1936 г. говорят об этом с достаточной ясностью. Однако в 30-е годы время от времени слабели только частные элементы чрезвычайности, тогда как общие военно-индустриализационные условия, делавшие существование чрезвычайной системы возможным, сохранялись. К тому же ослабление это бывало в то время очень кратковременным. История предвоенного десятилетия с неуклонным нарастанием военной опасности снова и снова возвращала общество в чрезвычайную обстановку. Да и сама сталинская политика также вела – судя по всему, вполне сознательно и намеренно – к нагнетанию моментов чрезвычайности в советском обществе.

Действительно необратимый и действительно всеобщий характер изменения условий, в которых сформировалась и могла функционировать чрезвычайная система сталинистского типа, стали приобретать лишь после войны. Победа над фашизмом, снявшая непосредственную военную угрозу, и преодоление наиболее катастрофических разрушений военного времени устранили многие моменты чрезвычайности, сильно влиявшие на ситуацию предшествующей четверти века. Самое же главное – в послевоенные десятилетия начало меняться коренное содержание социально-экономического развития и перед обществом возникли новые, отсутствовавшие в прошлом производственные, социальные, культурные проблемы. Общественное производство подошло к рубежам нового этапа, где чрезвычайная стратегия форсирования индустриализации теряла всякий смысл.

Суть этого этапа определяется тем, что в 40–50-е годы в решающих сферах экономики завершился индустриализационный переход. В ключевых точках народного хозяйства СССР (правда, тогда еще только в них) возобладал индустриальный технологический способ труда, индустриальный тип производства. Соответственно на первый план постепенно стали выдвигаться процессы следующей ступени технико-технологического и социально-культурного прогресса – процессы развертывания современной научно-технической революции и зарождения того, что можно назвать научно-индустриальным, научно-техническим технологическим способом производства. В общеисторической перспективе ведущей тенденцией общественно-экономического развития становилась

465

уже не индустриализация, не переход от доиндустриального и раннеиндустриального к развитому индустриальному производству, а НТР, переход от индустриального к научно-индустриальному производству.

Переход этот, образующий следующую за индустриализацией большую, охватывающую десятилетия стадию экономического развития, означает коренное изменение соотношения живого и овеществленного труда в процессе производства, т.е. труда рабочих и функционирования средств производства, а также природы самих этих средств. Система машин, характерная для индустриально-фабричного и конвейерного производства, требует, чтобы ее действие постоянно и непосредственно дополнялось и поддерживалось живым трудом рабочего. В новом научно-индустриальном производстве прежняя техника, где живой труд прямо "встроен" в производственный процесс, где каждый такт этого процесса, так сказать, подталкивается, направляется руками рабочего, такая техника начинает замещаться автоматическими или аппаратурными производственными системами, в которых технологические циклы протекают без прямого вмешательства человека. Эти системы управляются средствами автоматизации или течением сложнейших природных процессов (химических, физических, биологических и т.п.). Важнейшие черты подобного производства были предсказаны К. Марксом, писавшим о стадии, когда "вместо того, чтобы быть главным агентом процесса производства, рабочий становится рядом с ним" и все чаще "относится к самому процессу производства как его контролер и регулировщик[1].

Как и индустриализация, переход к научно-индустриальному производству ведет к переменам не только в процессах материального производства. Его влияние ощущается во всех секторах народного хозяйства: переход от индустриальной системы машин к научно-индустриальной организации производства сопровождается существенными сдвигами в соотношении производственной и непроизводственной сфер, небывалым переплетением производства материальных благ и научных знаний, информации, духовных ценностей. Автоматизация, кибернетизация, химизация производства, внедрение робототехники и биотехнологии, связанное с ними изменение энергетической и сырьевой базы производства на основе использования новых источников энергии и применения искусственных материалов с заранее заданными свойствами, – все это неотделимо от успехов науки. Становление производства научно-индустриального типа поэтому прямо "совпадает с развитием науки как самостоятельного фактора производства"[2]. Наука в полной мере превращается в производительную силу, а труд информационного и научно-технического характера становится составным элементом практически всех форм производственной деятельности. В свою очередь, повышение значимости науки и информации требует расширения места образования и всей социальной сферы в жизнедеятельности общества[3].

Становление подобного производства, образующее суть перехода от индустриальной к послеиндустриальной, научно-индустриальной эко-

---

[1] К. Маркс и Ф. Энгельс. Соч., т. 46, ч. II, с. 213.
[2] К. Маркс и Ф. Энгельс. Соч., т. 47, с. 553.
[3] Подробнее наши взгляды на природу научно-индустриального производства изложены в книге: Л.А. Гордон, А.К. Назимова. Рабочий класс СССР. Тенденции и перспективы социально-экономического развития. М., 1985, с. 91–116.

номике, несовместимо с сохранением социально-экономических и политических порядков, установившихся в 30–40-е годы, когда в обществе главную роль играли иные, индустриализационные процессы и связанные с ними процессы тотальной политической централизации.

Прежде всего, развертывание НТР и развитие научно-индустриального производства невозможно в рамках абсолютной государственной монополии и системы преимущественно бестоварных, административно регулируемых хозяйственных отношений, на базе которых осуществлялась у нас форсированная индустриализация. Для производства, рождающегося в ходе НТР, необходимы гораздо более высокие темпы технического прогресса, внедрения новой техники, нежели те, что характерны для индустриального производства. Ускоренное обновление производственных процессов, их постоянная перестройка, своего рода перманентная подвижность, гибкость, изменчивость – суть не только возможности, но и непременные условия воспроизводства в экономике научно-индустриального типа. К тому же в отличие от индустриализации научно-индустриальное преобразование экономики нельзя осуществлять с помощью ударного развития отдельных секторов хозяйства. Здесь нужен комплексный и сбалансированный рост всех отраслей и всех сфер народного хозяйства – тяжелой и легкой промышленности, машиностроения и производства предметов потребления, сельского хозяйства, производственной и бытовой инфраструктуры, социального и культурного обслуживания.

Экономика таких масштабов, интенсивности, подвижности, разнообразия, которые характерны для научно-индустриального производства (и которые не были характерны для периода индустриализации), не может строиться на иерархически-ведомственной основе, сформировавшейся при Сталине в 30–40-е годы. В этой системе предприятия ставятся в положение полной зависимости от вышестоящих органов и потому лишаются возможности экономического маневра и серьезной хозяйственной инициативы. Одновременно по отношению к потребителям они оказываются своего рода монополистами, так что всякая их продукция будет принята. Ведомственность оборачивается монополией, малосовместимой с научно-техническим и общественным прогрессом. Между тем научно-индустриальная экономика будет эффективно функционировать лишь в том случае, если основные хозяйственные единицы – государственные предприятия и объединения, кооперативы, индивидуальные производители – получат значительные полномочия и реальные возможности самоорганизации в рамках обеспечивающей необходимые макропропорции системы планового руководства. Только на основе гораздо большей, чем в административном хозяйстве, самостоятельности, на базе реального соревнования и реальной конкуренции трудовые коллективы и их руководители способны развивать инициативу и предприимчивость, мобилизовать резервы, учитывать местную специфику в той степени, которая отвечает условиям народного хозяйства научно-индустриального (а не просто индустриального) типа. И лишь при самостоятельности, соревновании, конкуренции предприятий можно перейти от примата производителя (более или менее допустимого, если достаточно развития немногих ключевых точек) к примату потребителя, без которого нельзя обеспечить всесторонний научно-технический прогресс.

Отсюда, естественно, вытекает необходимость повсеместного утверждения полного хозрасчета и эффективно действующего социалистического рынка, многообразия форм собственности, широкого развития товарно-денежных, подрядных, арендных отношений. Ибо именно такие эквивалентные, планово-товарные, планово-рыночные отношения образуют единственно возможную взаимосвязь и взаимодействия хозяйственных единиц, действительно обладающих высокой степенью самостоятельности. Без них либо происходит полный развал хозяйственной жизни, либо единство хозяйства восстанавливается административно-директивными средствами и экономическая самостоятельность неизбежно превращается в фикцию. Точно так же, только в рамках хозрасчета рыночных отношений, предполагающих соревнование и конкуренцию, можно преодолеть тенденцию к монополизации и создать экономические условия, при которых предприятия и объединения заинтересованы и – что не менее важно – вынуждены производить многообразную общественно необходимую и контролируемую потребителем продукцию таким образом, чтобы издержки производства не превышали средний общественно необходимый уровень.

Разумеется, в социалистической экономике самые развитые товарные, хозрасчетные, рыночные отношения действуют (и всегда должны действовать) в органическом единстве с отношениями планомерности, при централизованном определении приоритетности стратегических целей и главнейших макропропорций народнохозяйственного роста. Однако планирование в том хозрасчетном варианте социалистической экономики, который отвечает нуждам перехода к научно-индустриальному производству, осуществляется не вместо товарных, рыночных отношений (как это бывает в административной хозяйственной системе), а вместе с ними, в значительной мере через них, с помощью экономических рычагов, действующих на их основе.

Короче, в 30–40-е годы, пока главный поток экономического развития страны определялся индустриализацией, административный хозяйственный механизм давал возможность (вернее, одну из возможностей) решения узловых проблем экономики. Когда же и поскольку первостепенное значение в стране стали приобретать задачи перехода к научно-индустриальному производству, тогда и постольку сталинистская модель хозяйственного управления, сталинистский вариант монопольно-государственной социалистической экономики перестал играть хоть какую-то позитивную роль. Если в период индустриализации, в тех чрезвычайных условиях, в которых она проходила в нашем обществе, этот вариант был одним из возможных способов форсирования экономического роста (способом не обязательно лучшим, но возможным), то затем, по мере завершения индустриализации, он стал все более явно превращаться в абсолютное препятствие научно-технического прогресса, в механизм его торможения. Обозначилась необходимость перехода от бестоварной командно-директивной экономики к социалистической экономике последовательно хозрасчетного, т.е. планово-товарного, планово-рыночного типа.

Точно так же – даже в гораздо большей мере – несовместимыми с потребностями общественного развития в послеиндустриализационную эпоху оказались политические порядки, утвердившиеся в 30–40-е годы. Собственно, если иметь в виду те конкретные формы тиранической и репрессивной власти Сталина, какие она приобрела со второй половины 30-х годов, они никогда не отвечали потребностям общества; они с самого своего возникновения были извращением и деформацией политической системы социализма ради удовлетворения личных интересов, личного властолюбия Сталина и его окружения. Уничтожение кровавого сталинского деспотизма в любой момент, на любом этапе было бы благом для народа и общества. Но, как отмечалось выше, этот деспотизм был одной из разновидностей авторитарной политики, обеспечивавшей функционирование административно-директивного хозяйственного механизма, а значит, и осуществление всей стратегии форсированной индустриализации. В этом смысле политическая авторитарность в условиях индустриализации, при том уровне общей и политической культуры, который был характерен для большинства трудящихся в 30–40-е годы, несла в себе определенные элементы функциональности. С точки зрения ключевых моментов социально-экономического развития, командно-директивная политика (конечно, в своих упорядоченных, сталинских формах) могла бы, как и командно-директивная экономика, стать если и не оптимальным, то по крайней мере допустимым способом организации общественной жизни.

Вот этот элемент функциональности, экономической допустимости авторитарной политики стал слабеть (а в перспективе – исчезать) с завершением форсированной индустриализации и началом движения к научно-индустриальному производству. Наоборот, на новом этапе социально-экономического развития авторитарные политические порядки становятся все более дисфункциональными. Подобные порядки препятствуют формированию правового общества, того уровня законности и тех гарантий от произвола, которые необходимы для успешного функционирования самостоятельных предприятий и эффективности планово-товарного хозяйственного механизма в целом.

Причем авторитарная политическая система мешает поддержанию централизованного планового начала в хозрасчетном варианте социалистической экономики чуть ли не сильнее, чем самостоятельности производителей и развитию товарных отношений. Ведь в обществе с такой экономикой централизованное установление основных целей и пропорций (что является здесь главным проявлением планомерности) может быть успешным только, если оно осуществляется демократическим образом. Если эти цели и пропорции открыто и всесторонне обсуждаются, если высказываются различные точки зрения, если приоритеты определяются в соответствии с волей большинства (но при том, что меньшинство, подчиняясь большинству, сохраняет вместе с тем возможность отстаивания своих теоретических взглядов), если принятые решения подвергаются свободному критическому анализу в ходе исполнения и в случае необходимости изменяются, дополняются, переделываются. Иной, авторитарный метод принятия решений относительно стратегических целей и пропорций в социалистическом обществе с подвижным научно-индустриальным производством и сложной планово-товарной экономикой слишком часто будет сопряжен с кардинальными просчетами и потерей народной поддержки. (Заметим в скобках, что в условиях индустриализации, осуществляемой в чрезвычайной международной обстановке, положение было иным: сравнительная ясность приоритетов или хотя бы более или менее всеобщее согласие в этом вопросе делали возможным принятие верных и пользующихся доверием большинства решений на авторитарной основе.) Многообразие экономики, построенной на хозрасчете и самостоятельности предприятий, требует многообразия, плюрализма и в политике.

Понятно, что политический плюрализм в свою очередь невозможен без свободной культурно-идеологической атмосферы, без плюрализма мнений в идейно-теоретической области. В этом смысле социально-экономический прогресс в послеиндустриальную эпоху требует демократизации не только собственно политической, но и идеологической системы, сложившейся у нас в сталинские годы.

Наконец, завершение форсированной индустриализации диктует необходимость коренного изменения социальных отношений и социальной политики. Напомним, что непосредственный индустриализационный рывок, обеспечивший создание материально-технической базы индустриальной экономики, в значительной мере представлял собой перенесение на нашу почву (подчас буквальное импортирование) уже имеющейся в мире техники и технологии. На этой, так сказать, репродуцирующей, воспроизводящей ступени индустриализации нужен был, конечно, работник, по преимуществу не традиционно патриархального, но индустриального типа. Но в рамках этого типа тогда было допустимо преобладание работников не слишком квалифицированных и не слишком образованных. Абсолютной необходимостью было лишь относительно небольшое ядро действительно высококвалифицированных индустриальных работников, подпираемое массой менее квалифицированных индустриальных работников и широким кругом работников вообще доиндустриального типа. Последние, правда, были совершенно не подготовлены к работе непосредственно в современном производстве, но могли огромной массой своего ручного труда осуществлять большую часть исходного строительства, рыть "котлован" для фундамента этого производства, возводить стены и крышу. Подобно тому, как в начале войны миллионами солдатских жизней удалось замедлить каток фашистского наступления и дать время эвакуированным заводам запустить на полную мощность производство боевой техники, подобно этому, на начальных стадиях форсированной индустриализации дешевый труд миллионов доиндустриальных работников – по преимуществу бывших крестьян или "заключенных-рабов" (по выражению В.И. Вернадского) – оказался одним из средств замещения недостающего капитала и квалификации.

Однако по мере того, как индустриальное производство достигало зрелости, и особенно с началом перехода от индустриального к научно-индустриальному технологическому способу производства, строение общественного труда, при котором немногочисленное ядро высококвалифицированных индустриальных работников сочеталось с преобладанием массы менее квалифицированных индустриальных и доиндустриальных работников, становилось все менее и менее пригодным для поддержания хозяйственной жизни. Для развитого индустриального производства, не говоря уж о производстве научно-индустриальном, нужно не малое ядро, но большинство культурных, хорошо образованных, профессионально подготовленных, высококвалифицированных работников. К тому же это должны быть работники добросовестные, дисциплинированные, ответственные и вместе с тем творческие, инициативные, ощущающие себя хозяевами своих предприятий.

Работник с подобными свойствами может стать ведущей фигурой общественного труда не иначе как при условии (помимо прочего) подъема благосостояния и реального преодоления создаваемых авторитарной политикой форм отчуждения. Поэтому радикальное изменение социальной политики сталинистского типа, т.е. политики, в которой господствует остаточный подход к социальной сфере, обрекающий рабочих, крестьян, рядовых интеллигентов на понижение жизненного уровня, и где основная часть трудящихся фактически лишена возможности участвовать в распоряжении собственностью, в управлении ею, составляет такую же общественную потребность постиндустриальной эпохи, как и устранение административной, государственно-монопольной системы хозяйствования, антидемократических политических порядков, тоталитарных извращений социалистической идеологии.

Разумеется, нужды, вытекающие из смены этапов социально-экономического развития, не единственная причина, вследствие которой коренное преобразование и радикальная демократизация хозяйственных, политических, культурных порядков, установленных в 30–40-е годы, стали настоятельной общественной потребностью. Свобода, возможность распоряжаться своим трудом, богатство материального существования и многообразие духовной жизни нужны не потому (или, вернее, не только потому), что они образуют условия, без которых нельзя обеспечить переход от индустриального к научно-индустриальному производству. Они – суть, благо, добро, ценности сами по себе. Именно поэтому следует уничтожить все, что мешает их реализации, сталинизм в том числе. И в обществе, сделавшем социалистический выбор, принявшем социалистические идеалы и цели, сделать это надо решительнее, чем где-либо еще. В конечном счете несоответствие общественного устройства 30–40-х годов социалистическим и демократическим ценностям является главным, почему такое общественное устройство должно быть изменено. Этот фактор действовал на протяжении всей советской истории, и потому, как мы убеждены, всегда имелась определенная возможность иного, более демократического развития.

В данной связи было бы неправильным утверждать, что исчерпание задач индустриализации и военного противостояния фашизму породило прежде всего отсутствовавшую потребность в демократизации и устранении сталинистских деформаций социализма. В принципе подобная потребность существовала и ранее. Но пока стране приходилось совершать индустриальный рывок, совершать его после всего, что этому предшествовало, и в той обстановке, которая складывалась тогда в мире, при том уровне культуры, при тех политических традициях, которые существовали у нас, а затем еще вести войну и восстанавливать хозяйство, – пока все это имело первостепенное значение, вероятность реализации нефорсированного, несталинистского варианта оставалась достаточно слабой. Нарастание постиндустриализационных процессов тем и существенно, что по мере их развертывания стали действовать – и чем дальше, тем сильнее – новые, дополнительные факторы, постепенно меняющие соотношение сил, способствующих и препятствующих сохранению порядков, появившихся в 30–40-х годах. На новом этапе социально-экономического и культурного развития возможность демократической перестройки этих порядков начала приобретать реальные черты, превращаться в реальную вероятность, определяющую генеральную перспективу общественного развития.

Здесь, однако, надо остеречься упрощений. Возможность, даже если обстоятельства становятся более благоприятными для ее претворения в действительность, все-таки остается только возможностью. Она не реализуется автоматически. Как не было совершенной неизбежности в выборе форсированного варианта индустриализации и в дальнейшем торжестве сталинской тирании, так и устранение сталинщины по мере завершения индустриализации не происходило и не могло происходить с абсолютной обязательностью механически детерминированного движения. Чтобы благоприятные возможности нового этапа воплотились в жизнь, изменения объективных обстоятельств недостаточно. Нужны еще решимость и умение политических деятелей, способных осознать веления времени, равно как и готовность больших общественных групп, классов, народов поддержать таких деятелей, принять политику демократического обновления социализма (со всеми неизбежными сложностями такой политики) и осуществлять ее.

Надо сказать, что формирование реальных общественно-политических предпосылок и сил демократизации советского общества было сопряжено с немалыми трудностями. Изменение устоявшихся порядков всегда представляет собой очень нелегкое дело, хотя бы уже потому, что долго функционирующая система становится привычной для народа, воспринимается им как норма, образец не только сущего, но и должного. Здесь как раз и проявляется инерция истории, та "страшная сила привычки", о которой не раз говорил Ленин. К тому же преобразование существующих порядков неизбежно связано с изменениями в составе руководящих групп общества, так что определенная часть людей всегда воспринимает радикальные сдвиги как перемену к худшему. В случае изменения порядков сталинистского типа трудности перемен особенно велики. Пожалуй, это самый трудный род преобразований из тех, с какими приходилось сталкиваться советскому обществу.

Помимо того что административно-командная система сосредоточивает чрезвычайно сильные рычаги власти в руках групп, не заинтересованных в переменах, огромное значение имеет монопольная природа подобных порядков, то обстоятельство, что они тяготеют ко всякому ограничению любых элементов самоорганизации. Исторический смысл и самооправдание системы, сложившейся у нас в 30—40-е годы, состоит в том, что ею создается (или кажется, что создается) возможность форсированной индустриализации на основе безграничной, не считающейся ни с какими жертвами, концентрации народных сил в тех точках, которые политический центр считает приоритетными. Самоорганизация, рождающаяся из непосредственных интересов различных людей, почти всегда противоречит политике форсирования (во всяком случае, в сколько-нибудь длительной перспективе). Ибо сама нужда в такой политике появляется лишь тогда, когда естественный, определяемый текущими интересами людей ход жизни не ведет к сосредоточению сил и ресурсов общества там, где, по мнению руководства, это необходимо. Естественно, что в процессе форсированной индустриализации возникает тенденция к всемерному подавлению множества веками складывавшихся самоорганизующихся социальных механизмов – таких, например, как товарные отношения, рыночное саморегулирование, многообразные формы общественного самоуправления и политической самодеятельности, обычаи, традиции, ценности, наполняющие живым содержанием гражданское общество, и т.п. У нас, в условиях четвертьвекового существования сталинистской разновидности форсированного развития, эти механизмы были даже не подавлены, а чуть ли не полностью уничтожены, буквальным образом выкорчеваны, вырваны из социальной почвы.

Это практически почти полное уничтожение всех элементов рыночного хозяйства, социально-экономической самоорганизации вообще резко затрудняет переход от административно-директивных, чрезвычайных методов управления к методам нормальным – экономическим и правовым. Приходится не развивать имеющиеся в обществе элементы таких методов, но фактически создавать их заново. Причем создавать быстро, хотя в прошлом они формировались десятилетиями и веками. В этом отношении преобразование системы, приспособленной к нуждам форсированной индустриализации, является делом гораздо более тяжелым, чем переход от нэпа к данной системе или даже от военного коммунизма к нэпу. В рамках нэпа были элементы директивного управления, в военном коммунизме (из-за непродолжительности его существования) сохранялись традиции, привычки, культурные механизмы рынка. И в начале 20-х годов, когда вводился нэп, и на рубеже 20–30-х, когда он заменялся административной системой, можно было опираться на реально существующие (пусть и ограниченные) зародыши, ростки того, что стремились развить в новых условиях (т.е. рыночную экономику с командными высотами, принадлежащими социалистическому государству, в первом случае, директивную экономику – во втором). Административная система в ее сталинском варианте таких ростков практически не оставила. Те самые мобилизационные свойства данной системы, ради которых она вводилась и благодаря которым было до известной степени ускорено прохождение начальных ступеней индустриализации, эти самые свойства становились препятствием и тормозом на последующих стадиях, когда пришла пора изменения директивных порядков.

Чрезвычайная трудность исправления деформации социализма в нашей стране связана также с некоторыми специфическими чертами политического и идеологического развития в условиях сталинского режима. Десятилетия господства страха и двоедушия – сознательного или бессознательного, неважно – создали в стране идейно-нравственную атмосферу, благоприятствовавшую конформизму и консерватизму. Искреннее стремление следовать раз и навсегда установленным образцам, почитать догмы, с опаской относиться к любым новациям возникало в подобной атмосфере, так сказать, органически, почти автоматическим образом. Наоборот, способность проявлять политическую инициативу, самостоятельность, вкус к новому и оригинальному появлялись здесь гораздо реже, чем это бывает в обществах, не исковерканных десятилетиями террора. Нужно было время, и время немалое, чтобы житейский опыт "непуганых" поколений преодолел свинцовую тяжесть прежнего страха.

К тому же кровавые чистки 30–40-х годов, физическое уничтожение "цвета нации" и вообще деятелей, воспитанных в демократической культуре, знакомых с ее практикой или хотя бы практикой реального (а не мнимого) демократического централизма, имели своим следствием пресечение нормальной политической преемственности, перерыв традиций, передачи опыта, исторической последовательности. К 50-м годам, т.е. ко времени, когда возможность демонтажа сталинизма приобрела серьезный характер, подавляющее большинство политических, хозяйственных, идеологических кадров составляли люди, просто не знавшие, что такое настоящая демократия или что такое отвечающее условиям второй половины XX века планирование с учетом рынка и товарных отношений. В общественном сознании преобладали искаженные, очень далекие от действительности представления о многообразии возможностей социализма и о реальном развитии несоциалистического мира. Порядки, сложившиеся в нашей стране, казались подобному сознанию наилучшим, если не единственно возможным воплощением социализма. Как и подсознательный страх, политическая ограниченность, обусловленная нарушением нормальной политической преемственности и отсутствием нормальных связей с заграницей, затрудняла и затрудняет осознание необходимости радикальных перемен.

Наконец, следует принять в расчет еще одно обстоятельство. Завершение индустриализации и переход к следующей большой стадии народнохозяйственного развития – становлению научно-индустриального производства – представляет собой отнюдь не одномоментный сдвиг. Определенное время развертывание, нарастание новых процессов происходит параллельно с завершением, затуханием прежних. В подобных условиях смена ведущих процессов далеко не сразу и не полностью становится ясной современникам.

В нашей стране замещение процессов индустриализации в качестве ведущих, определяющих процессами перехода к научно-индустриальному производству отличалось и отличается особой сложностью. Форсированный характер индустриализации, связанный с первоочередным ростом отдельных участков экономики, считающихся главными, определил ее (экономики) существенную неравномерность.

Объективно в послевоенные десятилетия нашей стране предстояло начинать развертывание НТР и переход к научно-индустриальному производству, одновременно завершая, так сказать, попутно "доделывая" индустриализацию там, где она еще не закончилась.

В этих условиях почувствовать перелом процесса, начало новой стадии экономического развития было не так-то просто. Во всяком случае, ни Сталин, ни его окружение, т.е. люди, многие из которых на рубеже 20–30-х годов сумели в сплетении общественных потребностей различить важность ускоренной индустриализации, не смогли после войны понять качественное отличие новой экономической эпохи от прежней. В 1931 г., когда Сталин говорил о необходимости за десять лет преодолеть промышленное отставание в России, "или нас сомнут", он так или иначе "схватывал" – пусть не точно, искаженно – одно из самых повелительных требований эпохи. После войны, на вершине могущества генералиссимус не ощутил меняющегося течения истории. В 1946 г., формулируя общие задачи страны на послевоенную перспективу, и в частности задачи обеспечения безопасности, Сталин снова выдвигал, в качестве основного, необходимость увеличения производства стали, чугуна, угля, нефти и т.п. Он говорил об этом так, словно не появилась возможность использования атомной энергии, как будто не носились в воздухе идеи кибернетики и небывалой информационной техники, не набухала вся атмосфера общественной жизни предвестиями новой научно-технической революции.

Разумеется, суждения, содержащиеся в речи в 1946 г., свидетельствуют о недостаточной проницательности Сталина, о том, что гением он все-таки не был, и не только в военном деле, но и в области социально-экономической политики, социальной теории, там, где он подвизался дольше всего и где чувствовал себя наиболее уверенно. Гений тем и отличается, что в главном и решающем видит то, что скрыто от среднего и даже сильного (но не гениального) ума. Как свидетельство невозможности относить Сталина к числу истинных гениев, его неспособности уловить принципиальную перемену перспектив народнохозяйственного развития в 1946 г. вполне сопоставима с ошибочной оценкой военно-политических перспектив в 1940–1941 гг. Но ведь если не гением, то все же выдающимся и опытнейшим политиком Сталин был. И потому его ошибка есть подтверждение объективной трудности отделения основного от второстепенного при анализе экономических проблем конца 40-х годов.

После Сталина

Результатом сложения множества факторов, действовавших в очень сложной и трудной обстановке, явилось преобладание на протяжении еще трех десятилетий после смерти Сталина внутренне противоречивых, непоследовательных и в этом смысле ложных форм общественного развития. Полное сохранение сталинистской системы стало совершенно невозможным, и потому некоторые ее существенные элементы были изменены. Но поскольку изменения проводились под руководством людей и групп, не осознававших необходимости именно коренных преобразований (да и не очень заинтересованных в подобном осознании) и так как большинство народа не ощутило еще нужды в сдвигах всеохватывающего типа, перемены, происходившие с середины 50-х годов, оставались неполными, однобокими, затрагивающими одни стороны административно-командной системы и не касавшимися других. В определенных отношениях развитие общества стало напоминать течение слоновой болезни – тяжкого недуга, при котором отдельные части тела начинают непомерно разрастаться, тогда как другие остаются неизменными. Все пропорции организма, все его строение грозит в этом случае приобрести уродливый, нежизнеспособный характер.

Спору нет, односторонность и внутренняя противоречивость развития в течение этих тридцати с лишним лет проявлялись очень неодинаково. В одни годы делались попытки осуществления сравнительно радикальных реформ, в другие – пресловутое стремление к стабильности приводило едва ли не к полному отказу от каких-либо перемен. Точно так же осознание необходимости подобных сдвигов, формирование их идейных предпосылок в разное время и у разных людей проходило с различной интенсивностью. В общем, весь период, когда руководство страной возглавлял Хрущев, отличалось от тех лет, в течение которых высшая власть находилась в руках Брежнева. Но в нашем рассмотрении, нацеленном на то, чтобы "выстроить" общую схему, отражающую связь итогов сталинистского периода (т.е. преобразований 30–40-х годов) с нынешней перестройкой (преобразованиями 80-х), нет нужды разбирать конкретный ход событий в промежуточные десятилетия, лежащие между ними. Достаточно сказать, что в целом именно неполнота, несистемность, непоследовательность изменений и вытекающая отсюда всеобщая фальшь составляли характерные свойства общественного развития в 50–70-е годы. Как раз эти свойства в первую очередь важны для понимания того, как соотносится данное развитие с наследием

30—40-х годов, почему перестройка сегодня не сводится к одному лишь преодолению сталинизма.

Односторонний, половинчатый характер сдвигов 50-х — начала 80-х годов яснее всего проявился в изменении экономического и политического устройства советского общества в этот период. Возрастающее несоответствие директивного планирования, вообще административных, внеэкономических методов хозяйствования требованиям развитого индустриального и зарождающегося научно-индустриального производства заставляло вновь и вновь предпринимать попытки изменить экономические порядки, сложившиеся в 30—40-е годы. Однако по причинам, о которых шла речь выше, попытки эти не затрагивали основ административно-директивной системы. По большей части они имели организационно-технический или технико-экономический характер. Создавались и ликвидировались министерства, отраслевая организация заменялась территориально-совнархозной, совершенствовались нормативы и системы оплаты труда. Общие же принципы преимущественно директивного управления оставались нетронутыми.

Эти принципы сохранялись и в тех немногих случаях, когда пробовали внедрить в народное хозяйство механизмы, которые, вообще говоря, могли бы стать частью радикальных социально-экономических преобразований: ввести хозрасчет, расширить сферу действия товарно-денежных отношений и рыночных регуляторов, поставить заработки в прямую связь с конечными результатами труда. Ибо ни один из планов преобразования экономики в то время не был ни всеохватывающим, ни последовательным. Все они предполагали лишь частичные перемены, при которых товарные, хозрасчетные механизмы должны были непонятным образом сочетаться с сохранением в экономике примата административных принципов, директив, приказа, централизованного ценообразования. Даже самая решительная из попыток изменения экономики в 50—70-е годы — реформа 1965 г. — исходила из того, что одновременно с провозглашением экономической самостоятельности предприятий министерства, ведомства продолжают нести главную ответственность за выпуск той или иной продукции и потому за ними фактически остается верховная экономическая власть.

Стремление "задействовать" хозрасчетные и товарно-денежные механизмы, ничуть не ослабляя административно-приказное начало, всегда имеет ничтожно малые шансы на успех. В 50—70-е годы безнадежность подобных намерений усугублялась крайней недостаточностью их политического и идеологического обеспечения.

Конечно, и в стране в целом, и в системе хозяйствования кое-что переменилось. Расширение масштабов экономики сделало невозможным столь же высокую концентрацию экономической власти в центре, как это было в 30—40-е годы. Директивный по преимуществу характер экономических отношений сохранился, но фактическое принятие решений в несколько большей мере распределялось по разным уровням хозяйственно-политической иерархии. Основа хозяйственной жизни по-прежнему определялась директивой, но теперь директивы больше, чем раньше, приходилось согласовывать, "увязывать" в различных инстанциях и на различных ступенях управления. Сильно централизованная, командная, административно-директивная экономика в чистом виде сменилась чуть иной разновидностью административно-директивного хозяйствования – своего рода экономикой согласования (может быть, точнее сказать – согласовывания)[1].

Усложнение хозяйственных связей сделало неизбежным и некоторый рост товарно-денежных отношений. Но раз уж административно-директивные факторы остались решающими в экономике, товарно-денежные отношения могли развиваться только в ограниченных и во многом уродливых формах. Они неизбежно вытеснялись на периферию хозяйственной жизни, образуя там теневую экономику, полулегальное дополнение экономики согласования. Понятно, что развивающиеся в этих формах товарные отношения, выполняя объективно необходимые функции, одновременно становились фактором разложения, источником злоупотреблений, хозяйственной преступности, разрушения традиционных форм морали.

Так же, как и перемены в хозяйственном механизме, глубокой непоследовательностью и противоречивостью отличалась в 50–70-е годы эволюция политической системы, унаследованной от предшествующего периода. Наиболее существенным изменением здесь явилось прекращение массовых многомиллионных репрессий, составлявших важнейшую часть сталинистских политических порядков. Политические репрессии в послесталинскую эпоху не совершенно ушли из нашего быта; появились даже некоторые новые их виды – знаменательны, например, неоднократно выдвигавшиеся обвинения в злоупотреблении психиатрией. Но общий масштаб использования репрессий в качестве средства решения политических задач и поддержания политической стабильности сократился во много раз. "Подсистема страха" была перестроена таким образом, что ее функционирование потеряло прежний, если так можно выразиться, необузданный размах.

Вместе с сокращением репрессий и в значительной мере вследствие этого в политической системе и политической атмосфере советского общества изменилось и многое другое. Работа высших органов власти – Верховного Совета, Центрального Комитета партии и т.п. – приобрела большую упорядоченность и регулярность, стала несколько более открытой. Несмотря на официальную враждебность, в обществе стали появляться элементы инакомыслия, зародыши плюрализма мнений. В общем и целом политический режим перестал быть таким произвольно-тираническим, каким он был при Сталине.

Однако устранение деспотизма в чистом виде не вылилось тогда в развертывание демократической политической системы социалистического народовластия. Впрочем, при отсутствии коренных экономических преобразований на демократизацию советского общества вряд ли можно было рассчитывать всерьез. Пока и поскольку экономика в основе своей сохраняла преимущественно административное, нехозрасчетное строение, директивное планирование и командное, преимущественно внеэкономическое управление хозяйством (пусть и связанное с согласованием команд на разных уровнях) оставалось столь же настоятельной необходимостью, как и в сталинские времена. Между тем, такая необходимость почти неизбежно ведет к господству авторитарных, недемократических порядков в политике.

---

[1] См. подробнее: П.О. А в е н, В.М. Ш и р о н и н. Реформа хозяйственного механизма: реальность намечаемых преобразований. – Известия СО АН СССР. 1987, № 13, сер.: Экономика и прикладная социология. Вып. 3, с. 33–37.

В этих условиях нежелание и невозможность продолжать репрессии в сталинских масштабах имело результатом не отказ от авторитарного строя политической жизни, а переход от одних форм авторитарности к другим. Последние не были кровавыми и не отличались такой беспощадной жестокостью, как прежние. Однако авторитарную систему управления они поддерживали весьма эффективно. Строго иерархическое построение органов власти, сохранение в силе введенных в 30—40-х годах тайных инструкций относительно пополнения номенклатурных кадров и порядка ведения дел, полувоенная дисциплина в управленческих учреждениях, господство традиций, ставящих политические органы, политические решения выше закона, вытекающее отсюда "телефонное право", наконец, ограничение гласности, – все это создает очень мощные средства неправового управления и ограничения социалистической демократии. Оказалось, что подобных средств вполне хватает (по крайней мере в обществе, только выходящем из гражданского анабиоза, порожденного десятилетиями необъятной личной власти), чтобы и без массовых репрессий обеспечить авторитарность политической жизни.

В итоге в политической системе, пришедшей в 50—70-е годы на смену сталинизму, сохранились порядки, при которых управление строится на указаниях и директивах, спускаемых сверху, а реальная власть сосредоточивается в руках работников партийно-государственного аппарата, особенно у сравнительно узкого круга первых руководителей.

Спору нет, ослабление роли политических репрессий означает несомненное смягчение политического режима. В этом смысле политическое положение подавляющей части народа определенно улучшилось. Кроме того, переход к нетеррористическим, несколько более либеральным (хоть и далеко не демократическим) методам политического управления, как и в экономике, потребовал передачи больших властных полномочий из центра на места, на республиканский, областной, районный уровень. Причем дело здесь не столько в формальном распределении функций, сколько в фактическом распределении власти. Ослабив репрессии и в то же время не проведя глубокую демократизацию, политический центр практически может продолжить командное управление обществом, только будучи подкреплен более сильными органами местной власти. Поэтому формально оставаясь столь же всевластным, что и в 30—40-е годы, центральные органы на практике должны были считаться с местными властями много больше, чем в прошлом. В реальной жизни произошло некоторое расширение того слоя, который на деле оказывает воздействие на принятие политических решений.

Однако в отдельных областях общественной жизни и в некоторых регионах уменьшение концентрированности власти в центре обернулось усилением произвола местных органов в отношении большинства населения. В общей недемократической атмосфере элементы децентрализации, частичное делегирование полномочий в нижестоящие органы отнюдь не превращало последние в демократические учреждения. Эти органы, как и раньше, оставались вне действенного народного контроля снизу; слабела лишь жесткость контроля за ними сверху. Громогласно провозглашаемая демократическая направленность подобных мер только увеличивала атмосферу фальши и лицемерия, и без того достаточно сильную в обществе.

Положение усугублялось тем, что постепенный рост теневой экономики приводил в ряде случаев к сращиванию отдельных работников и даже отдельных звеньев аппарата управления с преступными элементами. Прежде власть обычно осуществляли – пусть и недемократическими, жестокими методами – люди, по большей части честные, ставившие интересы партии и государства (как они их понимали) выше личных. Теперь рядом с честным большинством стали все чаще появляться бесчестные и беспринципные чиновники, злоупотреблявшие своими должностными полномочиями. "Пока действовала параллельная властвующей иерархии система централизованного устрашения, возможности произвола были сконцентрированы в основном на верхних этажах бюрократической пирамиды, а условия для круговой поруки локального и ведомственного порядка оставались ограниченными; и когда эта система рухнула – при сохранении основных устоев командно-бюрократической системы, – локальные клики, кланы, мафиеподобные организации получили простор для своего распространения"[1]. В коридорах власти, на самых разных ее уровнях, подчас очень высоких, начало ощущаться смрадное дыхание организованной преступности, запах того, что сегодня обозначают понятием "коррумпированные группы"[2].

Еще и еще раз повторим: все это не идет в сравнение с кровавым самовластьем сталинского режима. Никакие коррумпированные кланы, никакую организованную преступность, никакую связанную с нею местную власть нельзя сравнить с преступностью государственной, с ужасом массовых преступлений, организуемых и осуществляемых карательными органами сильного государства. Если уж выбирать, согласимся со словами поэта, сказавшего однажды: "Но ворюги мне милей, чем кровопийцы"[3]. Однако почему мы должны выбирать? Произвол, коррупция, лицемерие не перестают быть злом оттого, что мы знавали и худшие беды.

В общем, сколь ни благотворно прекращение массовых репрессий и как ни прогрессивна в долговременной перспективе децентрализация политической власти, перемены этого рода в 50–70-е годы не привели к преодолению возникшего в сталинские времена отстранения масс от политики, отчуждения человека труда от управления обществом[4]. Даже среди тех рядовых тружеников, кто тогда числился избранным в партийные, государственные, общественные органы (а число таких людей в 50–70-е годы сильно выросло, достигнув чуть ли не трети взрослого населения), основная масса была фактически "отстранена от реального участия в решении государственных и общественных дел"[5]. Что ж говорить об остальных? В 50–70-е годы большинство советского народа по-прежнему не имело политической возможности воздействовать на главные решения, касающиеся его судеб.

---

[1] Л. Гудков, Ю. Левада, А. Левинсон, Л. Седов. Бюрократизм и бюрократия. Необходимость уточнений. – *Коммунист*, 1988, № 12, с. 82.

[2] М.С. Горбачев. О практической работе по реализации решений XIX Всесоюзной партийной конференции. Доклад на Пленуме ЦК КПСС 29 июля 1988 года. – *Правда*, 30 июля 1988 г.

[3] И. Бродский. Ниоткуда с любовью. – *Новый мир*, 1987, № 12, с. 161.

[4] См.: Материалы XIX Всесоюзной конференции Коммунистической партии Советского Союза. М., 1988, с. 36–37.

[5] Там же, с. 36.

Так что в политической системе, как и в экономическом устройстве, вместо радикального обновления в 50—70-е годы осуществлялись лишь половинчатые, односторонние сдвиги. Деформации социализма не были преодолены, они только видоизменились и прикрылись позолотой лицемерия. Если в экономике один вариант административного, внерыночного управления огосударственным хозяйством — жестко-командный и безоговорочно-директивный — сменился другим, согласовательно-бюрократическим, то в политике произошел переход от одних форм авторитарного регулирования огосударственной общественной жизни к другим. Вместо тиранической, кровавой и необъятной власти единоличного вождя утвердилась некровавая, но в конце концов почти столь же необъятная власть верхушечных аппаратных групп, в ряде случаев олигархических и коррумпированных. При этом близость корневых, базовых структур обоих вариантов определила половинчатый характер самой смены одного варианта другим. Огромные части, целые пласты прежних порядков не устранялись, но в практически неизменном виде включались, встраивались в новый механизм. Послесталинская система 50—70-х годов не уничтожала сталинизм, она как бы надстраивалась над его глубинными основами.

То обстоятельство, что административно-авторитарная природа хозяйственных и политических механизмов, сложившаяся в 30—40-е годы, не изменилась принципиально, что общественные отношения так и не пришли в соответствие с требованиями послеиндустриальной эпохи, в свою очередь обусловило половинчатость и недостаточность конкретных результатов функционирования этих механизмов на протяжении тридцатилетия, последовавшего за смертью Сталина. Рост производства, социальное развитие, повышение благосостояния, движение культуры не прекратились. Но ход прогресса стал диспропорциональным, внутренне противоречивым, быстро затухающим. Слегка подновленный, а не преобразованный общественный механизм обеспечивал относительный успех только на отдельных направлениях роста, преимущественно там, где можно было экстенсивно продолжать незавершенные индустриализационные процессы, более или менее поддающиеся административно-директивному регулированию. Там же, где дело касалось потребностей новой эпохи, преобладали тенденции торможения и застоя.

Некоренные перемены в экономических и политических механизмах оказались достаточными, чтобы некоторое время расширять и продлевать ранее начатые процессы. Но таких ограниченных изменений мало там, где завершение той же индустриализации ставит более сложные проблемы, требующие не экстенсивных, а интенсивных подходов. Скажем, проблему обеспечения при малой занятости в сельском хозяйстве не минимального ("карточного") достатка продовольствия, а его настоящего изобилия, характерного для большинства стран с индустриальным производством. Или проблему поддержания отвечающего мировым стандартам качества продукции, развертывания сложной современной инфраструктуры, гарантированной системы обслуживания и т.п.

Самое же главное, одной лишь смены вариантов в пределах административно-авторитарной системы общественного устройства оказалось совершенно недостаточно для решения главной объективной задачи нынешнего этапа народнохозяйственного развития — общей интенсификации экономики, развертывания научно-технической революции, перехода от индустриального к научно-индустриальному производству. Вариант административно-авторитарной системы, сформировавшейся в 50–70 годы, продвинул экономику вперед по сравнению с предвоенным и послевоенным уровнем, но он же во многих отношениях отбросил нас назад в сравнении с уровнем, достигнутым научно и промышленно наиболее развитыми странами.

Половинчатость отказа от сталинистских порядков очень заметно сказалась и в движении уровня жизни. Правда, в некоторых отношениях перемены в области благосостояния оказались значительнее многих других. На завершающем этапе индустриализации и тем более при переходе к научно-индустриальному производству требуется такое изменение квалификации, культуры, личностных свойств работника, которое достигается только на базе обогащения материального и духовного потребления масс. Одновременно смягчение политического режима делало всегдашнее и естественное стремление масс к улучшению жизни более действенным фактором общественного развития. Определенное повышение благосостояния становилось в этих условиях абсолютной и при том очевидной необходимостью. Эта необходимость, в отличие от необходимости глубоких экономических реформ и политической демократизации, была осознана руководством партии и государства еще в 60–70-е годы[1]. Административный и хозяйственно-политический механизм перестраивался таким образом, что проблемы благосостояния если и не превращались на деле в главную цель развития, во всяком случае поднимались на более высокие места в ряду приоритетов, определявших функционирование экономики. Рост производства – пусть и экстенсивный – давал на определенное время практическую возможность больше, чем в прошлом, учитывать эти приоритеты в практике хозяйствования и распределения ресурсов.

Сравнительно с прямой нищетой сталинского времени материальное положение основной части населения в 60–70-е годы существенно улучшилось. Заработная плата большинства рабочих и служащих, а затем и доходы колхозников перестали тяготеть к абсолютному прожиточному минимуму и постепенно поднялись до уровня, обеспечивающего значительным слоям трудящихся некоторый достаток. Возникла и охватила десятки миллионов людей система пенсионного обеспечения по старости – обеспечения довольно скудного, но все-таки не совершенно фиктивного, как это было до середины 50-х годов.

Улучшились жилищные условия. В народную жизнь вошла сложная современная техника. Телевизор, радиоприемник, холодильних, бытовой газ и другие коммунальные удобства составляют теперь обыденный, привычный элемент повседневного быта (а не элемент быта небольшого меньшинства, какими они были еще четверть века назад). Коренным образом улучшилась одежда, исчез отпечаток бедности, столь характерный для платья и обуви, которые приходилось носить основной массе советских людей в довоенный и послевоенный период.

Улучшилось – вопреки расхожим представлениям – даже питание. Мясо и молоко – хоть и с перебоями, в совершенно недостаточных размерах – появились на столах большинства советских людей. Между тем, в 30–40-е годы дело, в отличие от того, что чудится нам сегодня, обстояло гораздо хуже. Представление о прилавках, ломящихся от снеди, воз-

---

[1] См., в частности, Материалы XXIV съезда КПСС. М., 1972, с. 41, 149.

никает на основе распространения на всю страну ситуации, существовавшей только в некоторых крупных городах. Но основная часть народа жила тогда вовсе не в больших центрах, а в средних и малых городах, в рабочих поселках и деревнях. Как-никак среднедушевое потребление мяса в СССР выросло примерно с 20 кг в конце 30-х годов и 25–30 кг в начале 50-х до 50–60 кг в 70-е[1]. Это явно недостаточно, тем более, что официальные цифры приукрашивают фактическое положение. Но все же мы едим сегодня больше мяса, чем в предвоенные годы и годы перед смертью Сталина. Сравнительно с концом 30-х и началом 50-х годов (не говоря уже о первой пятилетке, годах войны и послевоенной разрухи) уровень нашей жизни изменился качественно, кардинально. В таком сравнительном смысле (а также в смысле роста потребностей, о чем речь дальше) можно утверждать, что вместе с видоизменением хозяйственно-политической системы в нашей стране началась своеобразная революция благосостояния, наверстывание той стагнации жизненного уровня, посредством которой решалась проблема накоплений в рамках форсированной индустриализации[2].

Однако наверстывание, осуществляемое в рамках недостаточно измененной административно-авторитарной системы, так и не завершилось на протяжении трех десятилетий. Революция благосостояния осталась незаконченной, неполной. Более того, ее растягивание на тридцать лет означает, что подъем жизненного уровня лишь временами принимал подлинно революционный характер; с годами он все чаще переходил в медленную эволюцию, полную диспропорций и противоречий, мало кого удовлетворяющую.

В то же время отсутствие решительной демократизации крайне затрудняло существенное изменение пропорций распределения национального дохода в сторону увеличения фонда потребления и уменьшения фонда накопления в его составе. Как и в сталинские времена, порядок принятия соответствующих решений строился таким образом, что в нем активно участвовали организации, отражающие непосредственные интересы обороны, внешней политики, хозяйственных ведомств, но не участвовали организации, которые были бы способны столь же эффективно отстаивать непосредственные интересы трудящихся. Да подобной организации в условиях, когда фактическая роль профсоюзов оставалась сильно приниженной, попросту не было. Баланс складывался отнюдь не в пользу потребления, так что в определении доли средств, направляемых в социальную сферу и на подъем благосостояния, продолжал действовать остаточный принцип. Сначала отделялось то, чего требовало производство и оборона, а затем уже из остатка формировался фонд потребления.

Подъем благосостояния в 50–70-е годы выглядит внушительно только в сравнении с нищетой 30–40-х. Даже по сравнению с положением народа в 20-е годы основные результаты этого подъема не кажутся очень существенными. По части питания, например, немногое оказалось

---

[1] См.: Социальное развитие рабочего класса СССР. М., 1977, с. 282–283.

[2] О взглядах авторов относительно подъема благосостояния в 50–70-е годы подробнее см.: Л. А. Гордон. Единство многообразия: социальное развитие рабочего класса в странах социализма. М., 1981, с. 37–63; Э. В. Клопов. Рабочий класс СССР. (Тенденции развития в 60–70-е годы). М., 1985, с. 112–125; Советские рабочие в условиях ускорения социально-экономического развития. М., 1987, с. 121–162.

заметно лучше того, что было перед началом форсированной индустриализации. Нечего и говорить о международных сопоставлениях: целый ряд показателей материального уровня жизни – оплата труда, жилье, автоматизация быта – у нас, как и раньше, гораздо ниже, чем на Западе или в ГДР, ЧССР, ВНР[1].

Однако основное противоречие не в сравнениях с другими странами и периодами. Практически и политически важнее иное. На протяжении десятилетий после смерти Сталина реализация возможных планов поворота в сторону повышения благосостояния ограничивалась отсутствием экономических реформ и последовательной демократизации. Но ничто в эти годы не сдерживало развития народных потребностей. Вот уж где произошел действительно революционный скачок. Рост образования и квалификации, урбанизация, ослабление всенародного страха и оцепенения, увеличение открытости общества и проистекающее отсюда постоянное распространение знаний о положении за рубежом, – все это создавало почву для стремительного взлета запросов, для коренного изменения представлений о нормах и идеалах повседневной жизни. Начавшийся – пусть и недостаточный – подъем благосостояния дополнительно подстегивал, ускорял процесс обогащения потребностей.

Иными словами, на протяжении тридцати лет реальное повышение уровня жизни шло ограниченно, притом с замедлением, тогда как потребности у десятков миллионов людей нарастали естественными, неограниченными, постоянно ускоряющимися темпами. Фактически по большинству объективно измеряемых показателей условия жизни улучшались. Но потребности выросли в гораздо большей мере. В среднем советские люди стали зарабатывать к исходу 70-х годов 150–200 руб. в месяц, а не 30, как перед войной или 50–60, как в начале 50-х. Но для удовлетворения нормальных сегодняшних потребностей средней советской семьи из двух взрослых и двух детей нужно, чтобы каждый работник в ней зарабатывал не менее 400 руб. в месяц[2]. Значительные слои народа (если не большинство его) удовлетворены сейчас своим материальным положением в меньшей мере, чем предшествующие поколения. Ибо за последние два-три десятилетия увеличился разрыв между реальными, существующими условиями жизни и жизненным стандартом, жизненным уровнем, который большинство населения стало рассматривать в качестве нормального и необходимого. Фактическое потребление большинства повысилось, но степень удовлетворения потребностей понизилась. В субъективном восприятии такое понижение нередко ощущается как прямое ухудшение жизни.

Недовольство обостряется инфляционными явлениями, при которых у населения оказались большие массы денег, не имеющих товарного покрытия. Спекуляция и торговые злоупотребления возникают в таких условиях с абсолютной неизбежностью. В сочетании с отмечавшимся выше общим расширением теневой экономики злоупотребления становятся механизмом систематического перераспределения доходов в обществе. Возникают не предусматриваемые планом и непривычные для

---

[1] См.: Развитие рабочего класса в социалистическом обществе. М., 1982, с. 429–449; Л. А. Г о р д о н. Социальная политика в сфере оплаты труда. – *Социологические исследования*, 1987, № 4, с. 12–14.

[2] См.: Л. А. Г о р д о н. Социальная политика в сфере оплаты труда. – *Социологические исследования*, 1987, № 4, с. 9–13.

нас формы доходной и имущественной дифференциации. Большая часть трудящихся весьма резко реагирует на подобную дифференциацию, считая ее несправедливой и необоснованной. У очень многих людей – по некоторым данным, чуть ли не у половины – возникает не только ощущение абсолютной нехватки материальных благ, но и сомнение в справедливости распределения того, что имеется[1].

На уровне более общих, так сказать, социэтальных данных противоречивый характер развития в 50–70-е годы – улучшение сравнительно с прошлым и разительное несоответствие улучшений глубине назревших противоречий – выявляет перемены в социально-культурном облике народа. За это время решительно изменился состав и структура советского общества. В течение 30–40-х годов рабочий класс по численности сравнялся с крестьянством и даже чуть превзошел его. (В последний период сталинского правления на долю рабочих приходилось 40–45% занятого населения, крестьянства – около 40%.) В 50-е годы рабочие стали самой большой общественной группой в стране, в 70-е – они составили абсолютное большинство трудящихся. На рубеже 70–80-х годов рабочий класс охватил $2/3$ народа, если не больше. Рабочие составляли в это время 60–65% занятого населения.

В социальной структуре приметой влияния зарождающегося научно-индустриального производства может служить превращение служащих и массовой интеллигенции во вторую по численности прослойку занятого населения. В 30–40-е, даже в 50-е годы на долю служащих и специалистов приходилось 15–20% работающих, из них на долю специалистов с высшим или специальным образованием – 5–10%. К концу 70-х годов служащие и специалисты составляли 25–30% трудящихся, в том числе специалисты – едва ли не 20%[2]. Служащие и интеллигенция, бывшие в период форсированной индустриализации очень небольшой частью советского народа, сегодня по своей численности в 2–3 раза превосходят крестьянство и составляют примерно половину рабочих.

При этом технико-технологические сдвиги, рождаемые НТР, ведут к тому, что многомиллионные слои инженерно-технической интеллигенции включаются в рабочие коллективы, подчиняются их дисциплине, живут с ними едиными интересами. Миллионы других инженеров, техников, конструкторов, программистов, научных работников образуют крупные коллективы конструкторских бюро институтов, вычислительных центров, научно-производственных объединений, экспериментальных предприятий. По степени коллективности труда и характеру его организации объективное положение большинства работников в этих коллективах мало чем отличается от положения рабочих на промышленных предприятиях, тем более, что в составе традиционных рабочих профессий формируется особый слой рабочих-специалистов, людей, имеющих среднее специальное, а то и высшее образование. Число их равняется ныне (в зависимости от критериев) 5–10% рабочего класса и, несомненно, будет расти по мере развертывания научно-технической революции.

---

[1] По данным специального опроса, проведенного в 1988 г., 44% москвичей не считают, что в настоящее время в стране господствует социальная справедливость. (См.: В. Третьяков. Социальная справедливость и привилегии. – *Московские новости*, 3 июля 1988 г., № 27, с. 11.

[1] Численность и состав населения СССР. По данным Всесоюзной переписи населения 1979 г. М., 1984, с. 157; Социальное развитие рабочего класса СССР, с. 226.

Оба процесса – и охват индустриальной, рабочей организацией труда многих интеллигентов, и приближение образованности, интеллектуальности многих рабочих к уровню массовой интеллигенции – объективно ведут к сближению, а то и к прямому слиянию больших групп интеллигенции и рабочего класса. В обществе возникает, по сути дела, единая рабоче-интеллигентская социально-культурная среда, создающая немаловажные предпосылки для того, чтобы в ней быстрее и теснее, чем когда-либо ранее, соединялись, по ленинскому выражению, "лучшие элементы, которые есть в нашем социальном строе, а именно: передовые рабочие, во-первых, и, во-вторых, элементы действительно просвещенные"[1].

В 50–70-е годы наша страна впервые в своей истории перестала быть преимущественно крестьянской, сельской по составу населения, но стала в этом смысле страной урбанистической, рабочей и интеллигентской. К добру или к худу, не мужик теперь главный сеятель и хранитель народной жизни, а в первую голову рабочий, инженер, ученый. В конечном счете, без подъема образованности, без урбанизации и формирования рабоче-интеллигентского большинства в стране нельзя преодолеть сталинское наследие, осуществить реальную демократизацию нашей жизни. Несчастье, однако, в том, что социальные и культурные перемены последних десятилетий, будучи сами по себе необходимыми и неизбежными, не были достаточными, полными условиями прогресса. Социально-культурное развитие, не подкрепленное экономическими и политическими реформами, как и развитие экономики, выливалось в изолированное, половинчатое изменение отдельных сторон общественной жизни, зачастую только усиливавшее ее диспропорции, не способствовавшее настоящему росту глубинной культуры.

Кандалы непреобразованной административной экономики и недемократизированной политической системы сковывали развитие сельского хозяйства, препятствовали его современной интенсификации. Пока сохраняется административная, внерыночная аграрная экономика, сокращение занятости в аграрном секторе, какое произошло у нас, становится источником дефицита труда в сельском хозяйстве.

К тому же гнет административных порядков, их несоответствие естественному стремлению человека к разумной работе и самовыражению в труде ощущались в сельском хозяйстве сильнее, чем где бы то ни было еще. Вымывание лучших крестьянских сил, начатое в 30-е годы раскулачиванием, продолжалось в других формах и в последующие десятилетия. Энергичный, инициативный, культурный крестьянин современного фермерского склада, умеющий производить вдесятеро против прежнего и притом жить цивилизованной жизнью, не стал в этих условиях ведущей фигурой нашего села. Чуть ли не единственной нравственной и в большей степени хозяйственной опорой деревни продолжают быть немногие, обычно пожилые люди, еще сохранившие старую крестьянскую закваску, – герои В. Распутина и В. Белова. Но сегодня на одних традициях село стоять не может. Да и не может оно только на этих традициях давать столько продукции, чтобы кормить многократно и необратимо выросший город.

Те же обстоятельства, которые обусловили неблагополучные итоги естественных перемен в деревне, придали нездоровый характер тече-

---

[1] В.И. Ленин. Полн. собр. соч., т. 45, с. 391.

чению ряда социальных процессов и за ее пределами. С 50-х годов административно-авторитарная система настолько не соответствовала главным потребностям общества, что ее функционирование – даже в смягченном варианте – повсюду искажало нормальный ход прогрессивных в принципе социальных сдвигов. В обстановке ее продолжающегося господства эти сдвиги вели к частичным, иной раз уродливо-болезненным результатам не только в деревне, но и в городе.

Положение усугубляется тем, что хорошо образованный, лучше информированный и высококвалифицированный человек наших дней, который остро ощущает унизительность нехваток и отсутствие социальной справедливости, часто воспринимает свое подчиненное положение в труде и общественно-политической жизни острее, чем ощущал его пресловутый "винтик" сталинского времени. Тем более, что социально-психологическое действие отчуждения при прочих равных нарастает со временем так, что оно как бы само собой усиливается год от году.

"Накопительный эффект" объясняет, кстати, и то обстоятельство, что в последние десятилетия явственнее выступили негативные следствия некоторых других социально-культурных процессов, которые, казалось бы, сравнительно благополучно развивались в 30–40-е годы. В частности, с продолжительностью воздействия связано, скорее всего, обострение проблем повседневной нравственности, морали каждодневного труда и быта. Столетиями определенный уровень соблюдения исходных требований нравственности – честности, добросовестности, верности долгу и обязательствам, соблюдения коренных норм общения с близкими, соседями, товарищами по труду, уважения к закону – поддерживался с помощью взаимодействия традиций и государственного порядка. (Разумеется, государство поддерживало и многие другие нормы, но не о них сейчас речь.)

В принципе социализм в своих цивилизованных и демократических формах способен создать систему социалистической морали и социалистического нравственного воспитания. Эта система не исключает, а включает, вбирает усвоение главнейших, фундаментальных истин относительно добра и зла, дополняя их нормами коллективизма и методами передачи из поколения к поколению, пригодными для образованных и информированных людей. Однако в условиях сталинщины с ее жесткой авторитарностью, в обстановке нищеты и двоедушия разрушение традиционных форм поддержания нравственности шло гораздо быстрее создания новых этических механизмов.

В подобной ситуации легко возникала опасность появления нравственного вакуума. Опасность эта первоначально смягчалась инерцией традиций, революционно-романтическим энтузиазмом веры в будущее, патриотическим воодушевлением Великой Отечественной войны. Но действие указанных факторов по самой их природе было временным. К концу сталинского правления разрыв между уничтожением старых форм нравственности и складыванием новых стал приобретать вполне ощутимый характер.

К сожалению, "зона морального вакуума" продолжала расширяться и в послесталинские десятилетия. Время и дальнейшее повышение образованности делали традиционные формы морали (подчеркнем – главным образом, именно формы) все менее и менее действенными. Вместе с тем недемократизм административно-бюрократической системы 50–70-х годов, фальшь ее лозунгов, пропаганды, идеологии и лицемерие многих ее деятелей, прямое сращивание ряда звеньев бюрократии с преступным миром по-прежнему тормозили складывание новых, адекватных современным условиям форм нравственности. Как и раньше, параллельно с подъемом образования и развитием цивилизации шло нарастание элементов нравственного распада.

Как видно, развитие на основе половинчатого видоизменения административно-авторитарной системы, характерное для послесталинских десятилетий, имело своим итогом нарастание противоречий и диспропорций во всех сферах жизни общества.

Расплата за столь противоречивый ход общественного прогресса "оказалась суровой – равнодушие, ослабление социальной активности масс, отчуждение человека труда от общественной собственности и управления"[1]. Да и сам прогресс, связанный с подобными противоречиями, не мог быть постоянным или хотя бы долговременным. Во второй половине 60-х годов заглохли всякие попытки преобразования политических институтов и политическая жизнь надолго пришла в состояние застоя. С 70-х годов отчетливо обозначились застойные явления в экономике, культуре, социальном развитии. В конце 70-х – начале 80-х годов эти тенденции стали преобладающими. Противоречивый, односторонний, непоследовательный прогресс сменился застоем.

Говоря языком традиционных марксистских понятий, народнохозяйственное развитие Советского Союза в 50–70-е годы подняло производительные силы на такой уровень, настолько приблизило их к переходу на стадию научно-индустриального производства, что они пришли в коренное противоречие с экономическими (прежде всего производственными) и политическими отношениями деформированного, монопольно-государственного социализма как такового, независимо от тех или иных особенностей различных его разновидностей. В 70-е годы всякий прогресс нашего общества остановился потому, что он уперся "именно в окостеневшую систему власти, в ее командно-нажимное устройство"[2]. Общество пришло в предкризисное, а во многих сферах прямо кризисное состояние.

В этом отношении развитие советского общества в течение трех десятилетий, после того как умер Сталин и сталинщина в буквальном смысле перестала существовать, не сделало менее острой необходимость уничтожения сталинизма, устранения деформаций реального социализма, возникших в 30–40-е годы. В 70–80-е такая необходимость стала еще более настоятельной, ибо исчезли возможности хотя бы половинчатого, противоречивого движения, которые имелись двадцать-тридцать лет назад. В 50-е годы следствием неспособности решительно покончить со сталинизмом и последовательно идти по пути XX съезда явился половинчатый прогресс, через два-три десятилетия закончившийся застоем и предкризисной ситуацией. Теперь, если говорить о перспективе десятилетий, попытки обойтись без радикального обновления, без перехода от административно-авторитарной системы к хозрасчетному и демократическому, гуманному социализму обрекают страну на застойное существование, грозящее закончиться экономической и социальной катастрофой.

---

[1] Материалы XIX Всесоюзной конференции Коммунистической партии Советского Союза, с. 37.
[2] Там же.

Перестройка: есть ли гарантии?

Разумеется, возникшее в стране рабоче-интеллигентское большинство, рост образованности и информированности народа, постепенная "отвычка" от страха сами по себе не дают никаких окончательных гарантий преодоления административно-авторитарных деформаций социализма и его демократического обновления. В общественном развитии окончательных гарантий вообще не бывает. Объективные социальные возможности реализуются тогда, когда они осознаются народом, слагающими его классами и группами, когда общественные потребности трансформируются в живые человеческие действия. Но появились новые, отсутствовавшие в прошлом условия, в рамках которых легче, чем раньше, добиваться массового понимания необходимости преодолеть сталинизм, легче вести борьбу за обновление нашего общества.

Вместе с тем именно потому, что мы стремимся реалистично оценить предпосылки борьбы со всем тем злом, которое обозначается понятиями "сталинизм и сталинщина", необходимо остановиться и на некоторых других последствиях перемен, происшедших в стране. Честный и трезвый анализ этих перемен приводит к выводу, что в социальной ситуации, возникшей в результате противоречивого развития 50–70-х годов, имеются не только факторы, способствующие ликвидации сталинистских порядков, но также серьезные факторы, затрудняющие их преодоление.

И дело не только в том, что половинчатые сдвиги последних десятилетий отнюдь не устранили в социальной структуре общества бюрократические группы, многие условия жизни которых, как уже отмечалось, создают и поддерживают у них консервативные настроения, заинтересованность в возможно менее быстром, менее полном преобразовании административно-авторитарной системы. Помимо этого, противоречия перемен, происходивших в 50–70-е годы, формировали определенную заинтересованность в сохранении такой системы у немалых категорий трудящихся. Еще чаще они создавали обстановку, мешающую многим из тех, чьи объективные интересы явно требуют полного преодоления сталинистского наследия, осознать эти свои интересы, обратить их в общественную активность.

Даже те процессы урбанизации и становления рабоче-интеллигентского большинства, которые в конечном счете лишают сталинизм надежной социальной и культурной почвы, другими своими сторонами как бы "унавоживают" эту почву. Ибо понятно, что противоречия социально-культурного прогресса, например, распространение явлений пассивности, отчуждения, расхлябанности, привычки к уравнительности, безнравственности, нисколько не помогают росту массового сознания и массовой активности, ориентированных на демократизацию и обновление.

Противоречия 50–70-х годов создали и более глубокие, труднее устранимые факторы, обуславливающие возможности появления широких настроений, не связывающих перспективу будущего страны с очищением от сталинистского наследия. Половинчатость перемен, происшедших в послесталинские десятилетия, таким образом осложнила проблему перестройки и обновления нашего общества, что сама эта сложность благоприятствует возникновению иллюзорных представлений о возможности улучшить жизнь народа и предотвратить сползание страны к кризису без устранения сталинизма, а то и с помощью возрождения порядков сталинистского типа. Сегодня, после того, как в течение тридцати с лишним лет функционировала не сталинская – откровенно деспотическая, – а бюрократизированная, полуолигархическая разновидность административно-командной системы, перестраивать нужно не только то, что сложилось в 30–40-е годы, но и то, что наслоилось (и разложилось) в 50–70-е.

Радикальное улучшение нашей жизни действительно требует устранения не только того, что родилось в годы сталинщины. Трудности, появившиеся через много лет после смерти Сталина, в иную эпоху, при иных руководителях, реально, на самом деле существуют в обществе. Миллионы людей каждодневно сталкиваются с ними, ощущая эти столкновения как проявления сегодняшнего, а не вчерашнего зла.

Во многом так оно и есть на самом деле. Нераспорядительность, произвол, коррупция местных и ведомственных руководителей, недисциплинированность, распущенность, пьянство рядовых работников, организованная преступность и вправду встречаются сейчас чаще, чем в 30–40-е годы. Кроме того, многие социально-экономические болезни, возникшие и вполне проявившиеся тогда, теперь выступают в несколько иных, непривычных формах. Так обстоит дело с недостаточной эффективностью и плохой организацией производства, бытовыми трудностями, повседневными дефицитами, социальной дифференциацией и социальными привилегиями. Новые формы того, что бывало и раньше, нередко воспринимаются как новые явления, как нечто, чего в прошлом вообще не было и что возникло только в последние десятилетия.

К тому же массовому сознанию вообще свойственна известная идеализация прошлого, способность вырабатывать убеждения, что в прежнем быту было гораздо меньше плохого, чем в наши дни. Наоборот, в этом сознании далеко не всегда ясной оказывается причинно-следственная связь сегодняшних негативных явлений с прошлым. Не в каждом случае легко уяснить, что многие беды, с которыми мы сталкиваемся сейчас, зародились раньше и лишь не успели тогда развиться, что их сегодняшний размах есть простое наращивание, продолжение процессов, появившихся в прошлом. Так, например, обстоит дело с пьянством и коррупцией. Еще труднее надеяться на то, что в массовом сознании само собой, так сказать, стихийно сложится представление о том, что главные противоречия 30–40-х и 50–70-х годов при всех их различиях в конечном счете растут из одного корня – основных деформаций социализма, присущих административно-авторитарной системе во всех разновидностях.

Острота проблем в нашем обществе способствует утверждению всеобщего убеждения в необходимости перемен. Но неоднородность этих проблем, их непосредственная обусловленность разными видами административно-авторитарных порядков вызывают появление неодинаковых подходов к переменам. Ибо очевидно, что при общенародном ощущении невозможности жить по-старому (да и управлять по-старому) выход из трудностей существующего положения (именно вследствие их многослойности) может видеться на очень различных путях. На путях обновления корневых структур социализма, что связано с перестройкой как того, что осталось от деформации сталинской эпохи, так и того, что добавилось к ним в брежневские времена. И на путях борьбы в первую очередь с бюрократизацией, расхлябанностью, распущенностью последних десятилетий во имя иллюзорного восстановления административного порядка, якобы существовавшего в прошлом. И даже на путях одной только критики сталинщины, ее идейно-нравственного разоблачения принципов, достаточного, дескать, чтобы возобновить эффективную работу нашего хозяйственно-политического механизма.

В научном анализе (и опыт дискуссий последних лет подтверждает это практически) в общем удается доказать, что в большой исторической перспективе только первый путь ведет к преодолению кризиса. В этом смысле альтернативы обновлению и всеобъемлющей перестройке действительно нет. Но общественное и тем более массовое сознание движется не по законам научного анализа. Уже чисто логическая возможность существования различных подходов к решению сегодняшних задач делает чрезвычайно вероятным их фактическое проявление как в более или менее рационализированных взглядах различных групп общественности, так и в эмоциональных настроениях различных слоев массового сознания. Если же существование гносеологических предпосылок (в данном случае сложность и неоднородность актуальных проблем) сочетается с наличием социальных предпосылок возникновения разных подходов к решению имеющихся проблем, реальное появление таких подходов и развертывание общественной борьбы вокруг них становятся неизбежными.

Социальные предпосылки такого рода в нашем обществе имеются. Объективно (да и субъективно) все классы, группы, слои, слагающие наше общество, заинтересованы в радикальном изменении положения, к которому пришла страна после десятилетий форсированной индустриализации и половинчатого прогресса последующего периода, под воздействием "того, что деформировало социализм в 30-е годы и что привело его к застою в 70-е годы"[1]. Но заинтересованы в этом различные общественные силы не вполне одинаково.

Объективный интерес основных слоев народа, в первую очередь его наиболее развитых квалифицированных, теснее всего связанных с ростом научно-индустриального производства групп состоит в возможно более быстрой и полной перестройке, в преобразовании экономики на основе самостоятельности предприятий, кооперативов, индивидуальных производителей, в демократизации политического устройства и культурной жизни. Для большинства рабочих и служащих подобная перестройка создаст возможность хорошо организованного и дающего удовлетворение труда, участия в управлении производством и общественными делами, позволит честно добиваться высоких заработков и высокого уровня жизни, приобщит их к благам гласности и правового государства. Крестьянам сверх того она откроет путь к тому, чтобы стать действительно эффективными работниками, подлинными хозяевами своей земли и своего труда. Научная и художественная интеллигенция получит простор для свободного творчества. Политическое руководство общества после экономических реформ, демократизации, обновления идеологии (и только после этого) сможет по-настоящему успешно обеспечить внутренний прогресс страны и защиту ее международных интересов, в главном – достижении прочного мира – совпадающих с интересами человечества.

---

[1] Материалы XIX Всесоюзной конференции Коммунистической партии Советского Союза, с. 86.

Однако в обществе имеются определенные группы, для которых переход к планово-товарной экономике, демократии в политике и плюрализму в идеологии чреват немалыми трудностями. Менее квалифицированным трудящимся, особенно в отраслях и сферах, где еще не чувствуется влияние НТР, работникам, привыкшим к неинтенсивному труду и уравнительному распределению, будет непросто приспосабливаться к условиям соревновательной, хозрасчетной экономики, к высокой дифференциации заработков при последовательной ориентации на оплату за конечные результаты труда. Малокультурным слоям населения не слишком нужна гласность, а непривычный плюрализм мнений лишь раздражает их. Бюрократизированной части аппарата экономические реформы и демократизация грозят потерей влияния и власти, необходимостью переучиваться, иной раз заново искать место в жизни.

И эти группы тоже не удовлетворены нынешним положением. Недовольство одних – менее квалифицированных работников – вызывает главным образом низкий уровень жизни, коррупция и дефицит товаров и услуг; другие – некоторые работники управления, аппарат ведомств – очень остро ощущают отсутствие элементарного порядка на производстве и в обслуживании, неэффективность непрерывного согласования, невозможность обеспечить четкое выполнение решений центра, добиться дисциплины и качественной работы подчиненных. Однако жизненные обстоятельства, обуславливающие сложность их положения в случае проведения радикальных хозяйственно-политических преобразований, делают их заинтересованными в устранении именно и только тех трудностей, которые выявились преимущественно в 50–70-е годы и которые, как им кажется, могут быть устранены на базе совершенствования административной системы. (Разумеется, в сознании подобного типа порядки, подлежащие совершенствованию, выступают не в качестве административной системы, а как фундаментальные устои социализма.)

Таким образом, и социальная структура нашего общества, и состояние его сознания ведут к возникновению не слишком часто появляющейся в истории ситуации, когда сохранения существующего порядка не хочет никто или почти никто. Противоречия и борьба, определяющие ход общественного прогресса, выступают в подобной ситуации не столько в виде столкновения сторонников и противников перемен, сколько в форме борьбы сторонников различных вариантов перемен. У нас практически нет явных противников перестройки. Но у нас нет (да и в нормальном обществе его и не может быть) полного единодушия и единомыслия в отношении содержания перестройки. По существу, разворачивается открытая и скрытая, осознанная и неосознанная борьба людей и групп вокруг различных, подчас диаметрально противоположных вариантов перестройки. Речь идет не об одной, а как бы о нескольких перестройках. И от того, какая из них воплотится в жизнь, зависит будущее страны.

Более ясное представление о содержании различных подходов к перестройке дает характеристика этих подходов в зависимости от того, как решаются в них две основные проблемы, с которыми сталкивается наше общество. Это, во-первых, проблема наиболее эффективной экономической организации, экономического устройства, обеспечивающего наивысшие хозяйственные и социальные результаты, и, во-вторых, проблема политической организации, политического устроения, гарантирующего людям сочетание свободы и порядка. Анализ общественных дискуссий последних лет, материалов прессы и телевидения свидетельствует, что в современном советском обществе предлагаются самые разные решения этих проблем. Если отбросить промежуточные варианты, в каждом случае дело сводится к достаточно четким альтернативам, своего рода дихотомическим позициям.

Так, экономическая эффективность, по мнению одних, может быть достигнута только на путях осуществления коренных реформ, ведущих к развертыванию планово-товарной экономики, к сочетанию рынка с плановым регулированием. В конечном счете речь идет об изменении всей системы социалистических производственных отношений. По мнению других, задача состоит прежде всего в ускорении научно-технического прогресса, в достижении нового уровня все того же директивного планирования, в совершенствовании хозяйственного механизма на основе внедрения современной информационной техники, повышении плановой и исполнительской дисциплины.

Точно так же в политической жизни одна часть общества стоит за последовательную демократизацию, социалистический плюрализм, преодоление власти бюрократии и бюрократических привилегий. Вместе с тем имеются люди, искренне убежденные в том, что при социализме политическая власть может быть организована только монолитно-иерархическим образом. Лишь такая авторитарная по сути дела политическая система может, по их мнению, защитить интересы народа, обеспечить социальные гарантии и социальную справедливость.

Возможные сочетания этих вариантов решения политических и экономических проблем позволяют систематизировать основные стратегии перестройки, борьба и взаимодействие которых определяют сегодня реальный ход революционных преобразований в нашем обществе.

Прежде всего, это стратегия демократического обновления. Подобная стратегия предполагает осуществление глубоких экономических и политических реформ, имеющих целью внедрить планово-товарный тип социалистических производственных отношений и обеспечить решительную демократизацию общественной жизни. Необходимым элементом стратегии демократического обновления является одновременность экономических реформ и политической демократизации. Укрепление самостоятельности хозяйственных единиц лишает государство его положения монопольного работодателя и распорядителя ресурсов. В свою очередь, политическая демократизация облегчает проведение экономических реформ, ослабляя влияние сил и групп, заинтересованных в сохранении прежних социально-экономических порядков.

Вместе с тем одновременное проведение экономических и политических реформ связано с немалыми трудностями. Ибо проведение любых преобразований неизбежно нарушает привычное течение жизни, создавая в переходный период очаги социальной напряженности. Понятно, что такая напряженность ощущается тем острее, чем более широкие области общественной жизни охватываются преобразованиями в каждый данный момент. К тому же чрезвычайную сложность представляет само поддержание одинаковых темпов изменений в столь разных сферах, как политика и экономика.

Ориентации на демократическое обновление противостоит, если так можно выразиться, стратегия порядка. Суть ее – в убеждении, что советскому обществу не нужны коренные социально-экономические и общественно-политические перемены. В соответствии с этой стратегией для выхода из кризисного состояния, в котором оказалось общество, необходимо и достаточно навести четкий порядок в хозяйственном и политическом управлении. Для этого, по мнению сторонников стратегии порядка, теперь появились благоприятные условия. Развитие вычислительной техники дает возможность охватить учетом и прямым директивным планированием экономику любого масштаба. Возросший образовательный уровень позволяет обеспечить все отрасли управления кадрами нужной квалификации. Надо лишь усилить идейно-воспитательную работу, повысить требовательность, укрепить дисциплину, обеспечить контроль и неотвратимость наказания нарушителей порядка – и ускорение научно-технического прогресса, качественно новое состояние общества будут достигнуты.

Привлекательность подобного подхода – в простоте, ясности и привычности предлагаемых мер. К этому добавляется могучая сила инерционности, вера в возможность двигаться к намеченным переменам любыми темпами, пусть произвольно выбранными. Готовность части народа подчиняться командам центральной власти и укоренившаяся уверенность, что такой метод управления будет привычно принят исполнителями на всех этажах иерархии, активность общественных групп, от чьего имени была опубликована статья Н. Андреевой, – все это вместе взятое убеждает в жизненности стратегии порядка, в том, что она имеет немалую поддержку в обществе. Тем более, что практика показывала – устранение наиболее вопиющих нарушений производственной, трудовой и общественной дисциплины неоднократно позволяло добиться решения тех или иных конкретных проблем. Беда, однако, в том, что попытки навести порядок без глубоких экономических и политических реформ, бывая иной раз успешными в отдельных точках, на протяжении последних десятилетий не приводили к улучшению положения в целом. Причем попытки такого рода с развитием вычислительной техники и повышением квалификации кадров не становились сколько-нибудь эффективнее. К тому же в стратегии порядка совершенно игнорируется, что такой порядок представляет зло сам по себе, независимо от того, способствует он хозяйственным успехам или нет. Ибо сколь угодно упорядоченная, отлаженная административная система, приводимая в движение самыми квалифицированными работниками и использующая самую современную технику, все равно остается системой несвободы. В этом смысле стратегия наведения порядка без реформ и демократизации есть стратегия неоконсерватизма, утопическая попытка перестроить сталинскую систему таким образом, чтобы ее сущность осталась неизменной, а были бы устранены лишь ее наиболее одиозные проявления. А так как разоблачение злодеяний сталинизма крайне затрудняет прямое использование сталинистской идеологии, неоконсерватизм все чаще пытается использовать наименее развитые, наименее цивилизованные формы национализма. Знаменательно, что пресловутая платформа антиперестроечных сил, вызвавшая столь острую реакцию общественности весной 1988 г., представляет собой смесь сталинистских и националистических положений.

Стратегия демократического обновления и неоконсервативная стратегия порядка, при всей их противоположности, имеют то общее, что представляют собой внутренне непротиворечивые соединения ответов на основные вопросы современности. Однако политическая жизнь редко исчерпывается логическими построениями. В годы кризисов и революционных преобразований менее, чем когда-либо. В такие эпохи, наоборот, противоречивые политические ориентации приобретают очень широкую популярность. Да и практически они могут сыграть важную роль на промежуточных этапах перехода от одной последовательной стратегии к другой.

Неудивительно, что в ряду подходов, определяющих возможное направление перестройки, противоречивые ориентации занимают достаточно значимое место. В частности, широкое хождение имеют взгляды, выражающие стратегию поверхностной политической демократизации, демократизации без экономических реформ планово-товарного типа. Этот вариант перестроечных преобразований обусловлен реальными трудностями перехода к экономике планово-товарного социализма. Подобный подход требует резкого повышения интенсивности труда, перестройки экономических отношений на основах состязательности и конкурентности, прямой зависимости доходов от результатов труда, утверждения непривычных для нас форм экономической дифференциации.

Планово-товарный социализм, как и социализм административно-директивного типа, может обеспечить полную занятость. При этом он способен дать народу несравненно более широкие возможности в труде и творчестве, более высокий жизненный уровень. Но чтобы реализовать потенциальные возможности планово-товарной экономики, нужны гораздо большие усилия и гораздо большая ответственность. Зажиточная жизнь и свободный труд не даются даром. Понятно, что перспектива подобных трудностей далеко не всем кажется привлекательной. В обществе, десятилетиями питавшемся иллюзиями примитивной уравнительности, утопическими представлениями о том, что свободного труда и высокого жизненного уровня можно добиться без трудовой состязательности, в условиях автоматически гарантированной занятости, вне зависимости от качества работы, в таком обществе неизбежность экономических реформ принимается нелегко и не сразу. Во всяком случае, гораздо медленнее, чем складывается убеждение в необходимости политической демократизации, по крайней мере, в ее простейших формах, связанных с требованиями ослабить власть бюрократии, лишить аппарат привилегий, расширить гласность и т.п. Сочетание подобных устремлений как раз и рождает стратегию демократизации (в данном случае неизбежно поверхностной), но не сопровождающейся экономическими реформами.

Надо подчеркнуть, что глубокая внутренняя противоречивость такого подхода приводит к тому, что он редко находит развернутое выражение в идеологических и научно-теоретических построениях. Однако в массовых настроениях и в отдельных элементах идеологии устремления к демократизации без тягот и трудностей экономических реформ получают широкую поддержку и широкое распространение.

В определенном смысле внутренне противоречив еще один подход к перестройке, противоположный стратегии демократизации без реформирования экономики. Это симметричная ей установка на авторитарную модернизацию, на экономические реформы без демократизации или, по крайней мере, с демократизацией, откладываемой на сравнительно отдаленное будущее. В таком случае предполагается, что сначала должны быть проведены преобразования, создающие условия для развития экономики планово-товарного типа, обеспечен качественный рост эффективности производства, повышения благосостояния и лишь затем развернут переход к широкой демократии, политическому плюрализму, подлинно правовому государству. Длительное сохранение авторитарной системы управления, как кажется сторонникам подобных взглядов, гарантирует политическую стабильность в период осуществления экономических реформ с их неизбежными осложнениями. В дальнейшем же ослабление авторитарных порядков также не поведет к дестабилизации, так как в это время наиболее тяжелый период экономических преобразований останется позади, и экономические реформы начнут приносить плоды. Подобная стратегия отчасти напоминает последовательность общественно-политических преобразований в Западной Европе, где, как известно, на протяжении XIX века социальный прогресс концентрировался по преимуществу в сфере экономики и лишь в XX веке, да и то не сразу, демократия приобрела массовый характер.

Понятно, что стратегия авторитарной модернизации, несмотря на логичность ее рационально-технократических обоснований, столь же плохо согласуется с принципами подлинного социализма, как и открыто сталинистская стратегия порядка. Но технократическая рациональность авторитарной модернизации лишает ее наивной искренности, присущей консервативным идеям, идеям порядка, в какой бы форме – неосталинистской или националистической – последние ни выступали. Авторитарная модернизация, как и устремления к демократии без экономических реформ, редко выступает в развернутом виде. Однако в обосновании хозяйственной практики, и еще больше – в ее практическом осуществлении, проявление подобных подходов встречается достаточно часто.

В нашем обществе, таким образом, существует, по меньшей мере, четыре подхода к решению нынешних общественных задач:

во-первых, стратегия социалистического обновления (ориентация на экономические реформы и демократизацию);

во-вторых, стратегия порядка (ориентация на повышение дисциплины и ускорение научно-технического прогресса без принципиальных изменений в экономическом и политическом устройстве);

в-третьих, стихийное стремление к поверхностной демократизации (ориентация на борьбу с бюрократизмом и привилегиями без экономических реформ);

в-четвертых, стратегия авторитарной модернизации (т.е. ориентация на экономические реформы и ускорение научно-технического прогресса без последовательной демократизации).

По нашему убеждению, в большой исторической перспективе только стратегия социалистического обновления, предполагающая демонтаж всех основ административно-авторитарной системы – и в сталинистской и в послесталинистской ее разновидностях, – открывает путь к выходу из тупика и дает реальную надежду на ускорение общественного прогресса. Иные подходы рано или поздно обнаружат свою утопическую, иллюзорную природу, однако сегодня они представляют реальный и значимый фактор общественной жизни.

Для сторонников обновления социализма, для тех, кто стремится придать ему гуманистический и демократический облик, наличие в обществе многих подходов к перестройке представляется явлением нормальным и позитивным. Плюрализм мнений и идей есть норма демократизации, и именно через развертывание, сопоставление, соревнование различных идей пролегает лучший путь перестройки нашего общества, движения к его новому качественному состоянию. Но ясно, что успех подобного движения, обеспечение победы в идейном соревновании линии, выдвинутой руководством КПСС, требует борьбы, трудовой и общественной активности миллионов и миллионов людей.

В этой борьбе отношение к преобразованиям 30–40-х годов и к наследию сталинизма предстает не как проблема далекой истории. Половинчатые сдвиги послесталинских десятилетий не уничтожили сталинизм. Он еще не умер, не ушел в прошлое. Сталинистское наследие, сталинистские традиции все еще участвуют в нашей общественной жизни. И как существующая до сих пор реальность многих экономических, политических, идеологических порядков, в основе своей сохранившихся со сталинских времен. И как обозначение главного в системе тех деформаций социализма, которые должны быть устранены в итоге перестройки. Но одновременно и в качестве символа, идеала, программы антиперестроечных сил – как тех, что стоят за возрождение сталинизма из корыстных интересов, так и тех, чьим интересам отвечает перестройка, но кто по незнанию думает, что можно избежать ее сложностей посредством воссоздания смягченной разновидности сталинизма. Разоблачение сталинской системы, разъяснение того, что такая система ведет общество в тупик, что она и в прошлом больше сковывала страну, чем развивала ее, а в настоящем представляет абсолютное препятствие общественному прогрессу, составляют поэтому непременное и немаловажное условие идейно-теоретического обеспечения перестройки.

М. Гефтер

ОТ АНТИ-СТАЛИНА К НЕ-СТАЛИНУ:
НЕПРОЙДЕННЫЙ ПУТЬ

1

> Сказать, что человек состоит из силы
> и слабости, из разумения и ослепле-
> ния, из ничтожества и величия, – это
> значит не осудить его, а определить
> его сущность.
>
> *Д. Дидро*

Так обозначали человека в век Просвещения. Разумеется, не все на
один лад. Дидро – из умнейших. Согласимся ли с ним сегодня? Что человек состоит из силы и слабости – никто, вероятно, возражать не станет,
однако еще предстоит выяснить: о какой силе и о какой слабости у нас,
нынешних, идет речь. Но ничтожество и величие *вместе* – в одном сово-
купном, разъединенно-всеобщем лице? Загадка. И не в том ли она, что
ощущаем недостачу в фактах, это подтверждающих? Нет, с избытком их.
Трудность – в объяснении. Откуда берется, чем держится сцепка ничтожества с величием, почему столь многое значит она в человеческих
судьбах? Главная же загадка – природа превращений, переворачивание
ничтожества в величие, и наоборот. Не исключено, что этими-то перево-
рачиваниями и запомнится дольше всего наш уходящий век.

На глазах моего поколения ничтожество достигло верха распо-
рядительства – и не только обстоятельствами, но и душами и умами людей. Ничтожество слыло величием, но не станем обманываться задним
числом: оно и было им, если измерять величие масштабом событий, которые затронули всех и наложили свою печать на все, включая смерть
или даже – начиная с нее. Не здесь ли разгадка? Не оттого ли казалось и
признавалось ничтожество величием, что заново сделало смерть мери-
лом всех вещей?

Я употребляю прошедшее время не в виде одной лишь дани профессиональной ограниченности историка. Оно рождено и надеждой. Ибо
смертный человек – человек, которого обрекали (миллионами!) на
досрочную насильственную гибель, все же нашел в себе силы, чтобы
надломить эту страшную обманную сцепку ничтожества и величия. Если
и не разорвал ее до конца, то ослабил, поставив под сомнение ее непре-
ложность. Признавши "ослепление": завороженность могуществом отделенной от человека и поставленной над человеком власти, ужаснулся
этой своей завороженностью – и ужасом, охватившим его, и действием,
рожденным этим ужасом, словом и поступком, вдохновленными им, – сделал шаг навстречу новому "разумению". Навстречу *другой* жизни. Еще
нетвердый шаг, однако столь высокой ценой оплаченный, что как не зачислить его в одно из величайших из человеческих свершений?!

497

...Сюжет статьи вроде и не об этом. Он конкретнее, имея отечественную прописку и сравнительно узкую календарную рамку. Но автора, когда он стал писать этот текст, писать в лихолетье – последыш самого свирепого лихолетья, одолевали именно те вопросы, те воспоминания и надежды, которые он сейчас изложил со сжатостью преамбулы.

Писал о только что умершем Никите Хрущеве, думал же и о нем, и о Сталине. О том, можно ли уйти из-под власти последнего, тени его, не уяснив, чем же был его преемник, уже также тень.

Две тени, не спутаешь, но две ли власти? Или все-таки одна, та, что по-прежнему притязает на все в человеческом существовании, обещая взамен попечительство о нем – от колыбели до предсмертного вздоха? Сегодня мы видим, что этому попечительству пришел конец. С каждым днем все явственней его несостоятельность, неисполнимость некогда принятых и возведенных в догмат обязательств. Больше того, неисполняемость их, проистекающая из самой химеры *всеобъемлющей, всепроникающей опеки*, которая, в свою очередь требует для себя *власти без очерченного предела*. В подспуде нынешних наших напастей и тревог он, этот вопрос, хотя не всегда этими словами выговаривается и еще реже осознается в полном объеме. Оно и понятно. Тут барьер. Тут мозаика из родословных, где неизжитое и обновленное рабство в причудливом соседстве с неутраченной верой в наш "золотой век". Тут неявный сплав убеждений и предрассудков, существенное и даже радикальное несовпадение которых перекрывается вошедшим в плоть и кровь ожиданием перемен – по мановению чьей-то руки, какая и неизменно уполномочена и неизменно в силах производить эти перемены – и, конечно же, к лучшему, к желаемому, к искомому.

Пожалуй, в самом глухом уголке самой религиозной страны на нашей планете не встретишь такого упования на чудо, как в великой державе, в которой атеизм многими десятилетиями служил одной из непременных опор государственного мировоззрения. "Не бог, не царь и не герой..." – давно уже только слова из гимна, разжалованного Сталиным.

Значит ли это, что у нас нет инициаторов, искателей, фантазеров и смельчаков, нет людей, готовых любой ценой добиваться успеха правого дела, людей, способных работать, не считаясь со временем, в азарте штурма, ради благородного почина или нужд коллектива? Спору нет, такие люди были и есть, и их не так уж мало. Эпоха революции, изживания разрухи и отсталости породила их в числе, трудно поддающемся подсчету; но со временем потребность в них не то чтобы исчезла, она менялась в самом существе своем: чем больше их становилось (если держаться определенного набора признаков), тем дальше уходила в прошлое первоначальная естественность той человеческой разновидности, которую можно назвать собирательным именем *энтузиаста*. Мы говорим "собирательным", поскольку наличие общих черт и сходство проявлений не исключали множества различий, порождаемых прежде всего тем обстоятельством, что поток революции захватил и понес самый разный человеческий "материал", создав в результате столь пеструю картину, что по сравнению с ней экономическая многоукладность могла бы показаться одноцветной.

Доказано, что чем разнообразнее любое сообщество, чем больше оттенков внутри даже одной человеческой разновидности, тем более они жизненны: имеют больше стимулов к *развитию*. В этом, кстати, коренное отличие общности от стада – состояния, из которого, считалось, вышло человечество и к которому (теперь это чересчур хорошо известно) оно способно возвращаться при непредсказуемых условиях и в весьма цивилизованных странах. Огромное сообщество энтузиастов, рожденное революцией, как бы его ни судили спустя без малого век, не было стадом. Однако и в своем первичном состоянии оно содержало зародыш иного; само многообразие его несло в себе собственный надлом. Пестрота характеров и побуждений, привлекавшая и ныне еще привлекающая людей искусства, стала помехой, когда возникла – и не в один присест – нужда *в подвижной стабильности отношений собственности и власти.* Нужду эту можно было удовлетворить, в свою очередь, сугубо по-разному, но считать ее искусственно привнесенной было бы отклонением от истины. Достижение такой упорядоченности в главной сфере жизни стало проблемой еще при Ленине и составило наиболее глубокую подоплеку всей последующей внутрипартийной борьбы, втянувшей в себя и соподчинившей себе жизни миллионов. Проблема же была не только теоретической и деловой, она вдобавок – и это, быть может, самое важное – была человекосущностной, "антропологической".

Что и говорить, опасность анархии множества воль, вкусивших от свободы самоутверждения, опасность растворения мозгового авангарда в стихии эгалитарности, распределительного коммунизма, ищущего себе кумиров и накладывавшего свою печать на слова и дела даже самых мыслящих, самых рафинированных лидеров революции, – эта опасность была вполне реальной. Не менее реальным был и ее близнец-антипод: опасность эксплуатации неосознанных (не доведенных до уровня саморефлексии, самоконтроля, самоограничения) социальных устремлений и импульсов человеческой толщи, эксплуатации их честолюбцами, уверенными в своей способности подчинить стихию, именно не овладеть стихией, а подчинить ее себе, встав над разными волями и интересами в качестве их верховного арбитра. Как вырастали одна за другой обе тенденции, как вторая из них впитывала в себя и губила первую, еще предстоит изучить и понять. Тогда яснее станет, мог ли энтузиаст-преобразователь удержаться в исходном, "неиспорченном" виде. Может ли он вообще где-либо удержаться, если его стихийная разнородность не замещается разнообразием личностей: более стойкими различиями, вырастающими в обстановке повседневного "институциализированного" социального творчества?

Современный человек, оглядываясь на опыт истории, вправе усомниться в этом. Но если возможность эта существует, то первейшее условие ее – демократизм, пропитывающий все сферы публичной и частной жизни, и действенное равноправие, охраняемое обществом. Однако откуда взяться *такому* демократизму и *такому* обществу? Они, в свою очередь, созидаются людьми и требуют определенных человеческих свойств и наклонностей, а не только "объективных предпосылок". Круг замыкается на личности.

Это, вероятно, самая сокровенная тайна постоктябрьской истории: судьба энтузиаста, сплетенная из подвигов и падений. Она и мартиролог, и список людей, окруженных загробными и прижизненными почестями. Частично этот человеческий тип выродился в чудака, одинокого искателя истины и справедливости, в подавляющей же своей части усреднился. Жизнь разделяла его по роду занятий и по месту во все более сложной, разветвленной системе руководства и подчинения. "Каждый сверчок знай свой шесток". Но именно потому, что каждый должен был знать свой "шесток", он неприметно и неумолимо превращался в стороннего для других "сверчков" – и все выравнивались по отношению к отделенной от человека цели, которая, сужаясь кверху, воплотилась в конечном счете в Единственном. Энтузиазм рассредоточивался по ступеням этой персонификации, переставая, по сути, быть энтузиазмом – двуединством добровольности и бескорыстия. Разумеется, не в один год и день это совершилось. Были и откаты, и новые взлеты. Да и весь процесс, ведущий к тому, что отлилось в сталинизме, – асинхронен. Не забвение ли этого – одна из причин, в силу которой нам по сей день не дается понять, и не столько даже откуда взялась дьяволиада, а почему не встретила достаточного и своевременного отпора, отчего так легко заполнила все поры жизни?

В исходном пункте большевик-функционер и движимая им масса были едва ли не слитны. Дальше же – подспудное расщепление, затрагивающее обе ипостаси энтузиаста. Функционерство растет в "номенклатуру", а место безымянных рядовых занимает "знатный человек". Что здесь в перв— двигателях: хрупкость и недолговечность коллективного самоотождествления в революции, на смену которому приходит потребность в индивидуализации, чье поприще – жизненная проза, быт? Или это все-таки вторично, а в основе, в глубине – разрастание власти, втягивающей в себя и побуждения и судьбы, и с каждым витком этого разрастания воздвигающей как вне, так и внутри человека препоны превращению его в личность, сохранения в нем суверена самого себя?.. Симптоматический штрих: автор "Броненосца Потемкина", вернувшийся на родину после всемирного успеха и долгого заграничного вояжа, не принял нового советского кино, достигшего тогда своего рода пика всенародного признания. Отчего же, по крайней мере сразу, не принял его Сергей Эйзенштейн? Потому ли, что оставался верен своим ранним критериям художественного постижения Мира – в тех его критических точках, субъектом которых является охваченный идеей и страстью действия многоликоединый человек? Расходился с молодыми в эстетической технологии кинематографа, в принципах монтажа? Вероятно, и то, и другое.

Но поиски причин, способные разъяснить тернистый путь Мастера (начальным и финальным рубежами которого явились "Бежин луг" и вторая серия "Ивана Грозного"), уводят историка за пределы биографии Эйзенштейна. В новом кино и узнавал себя, и утверждал себя новый зритель: *однозначный человек в "отдельно-взятой" однозначной стране*. Героический пафос Исхода не исчез, но он, вначале неприметно и лишь затем в виде господствующей тенденции, замещался ритуалом вхождения в единственное русло, каким ставились вне истории все остальные русла, все "неукладывающиеся" формы бытия; и сама отечественная история, которой вернули, казалось, права гражданства, не просто "национализировалась", с включением в *героическое прошлое* событий и лиц, еще недавно числившихся в отторгнутых, подлежащих забвению, – она в целом и с той же неприметностью и непременностью "освобождалась" от всего, что *не нужно* обновленной державности, что могло бы послужить помехой однозначной единственности.

Замечал ли эти превращения вокруг себя и в себе самом энтузиаст? Тиражируемый искусством, печатью, школьным и внешкольным воспитанием, вытесненный из "большой политики", он все более нуждался для своего сохранения и воспроизведения в материальных подпорках и административно-пропагандистских инъекциях. Именно нуждался, был заинтересован в них, заинтересован не из одних эгоистических соображений (хотя чем дальше, тем в большей мере из них), но также, и даже раньше всего, из интересов дела, которое *иначе не могло делаться*. Страшно признать, но нельзя не признать, что лишь война своим трагическим течением поставила под вопрос законченность описанной метаморфозы, сделав и необходимыми, и возможными действия вне регламентаций и субординаций "мирной" предвоенной жизни. Вне – и вопреки им! Ибо в тяжких испытаниях войны возродился – вместе с чувством личной ответственности за судьбы отечества – и личный взгляд, вернее, зародыш личного взгляда на то, каким ему, отечеству, надлежит стать уже сейчас и тем паче в будущем. Не этого ли так боялся Сталин, когда со свойственной ему проницательностью во всем, что касалось потенциальных угроз его власти, принялся раскалывать поколение победителей и, подавив вспышку "личностного", загнал его в привычное русло догматического послушания и инициативы в исполнении?

Удивительно ли, что и *смысл* (смысл как таковой) стал у нас крамолой из крамол как раз тогда, когда ход общечеловеческого развития уперся в потребность перемен, затрагивающих коренные начала всей прежней жизнедеятельности? Этот сюжет также ждет еще своей разработки. Были ли, в частности, памятные "дискуссии", проработки и разгромы конца 40-х – начала 50-х годов лишь новым проявлением безумного страха властителя, добравшегося и до сфер, далеких от политики, или то обстоятельство, что сами сферы эти стали внушать ему опасность, равносильную "покушениям" на его жизнь, свидетельствовало о том, что патологии власти не чуждо своего рода перевернутое опережение?!

Но там, где новейшая инквизиция вершит суд и расправу над жаждущим независимости и сеющим сомнение духом, там не на что и надеяться, кроме как на чудо, но там и нет места для "чудотворцев": правило, подтверждаемое исключениями... Что может быть убедительнее и драматичнее в этом отношении, чем судьба Хрущева, особенно если к началу ее возвратиться от ее конца?

В течение одних суток человек, ареной деятельности которого был чуть ли не весь Мир, превращается в пенсионера, чей кругозор ограничен забором персональной дачи. Никаких промежуточных ступеней, ибо их нет, не существует вообще. Вчера еще каждое его слово тщательно изучалось дипломатами всех держав и комментировалось журналистами всех направлений. На другой день ему некому, и уже потому одному, нечего сказать. Мемуары его, судя по дошедшим до нас отрывкам, представляют собой пестрое собрание экскурсов в прошлое, где существенное перемежается со случайным и мелким в еще большей степени, чем в его публичных выступлениях с теми красочными вставками "от себя", которыми он обильно оснащал связывавший его натуру заготовленный текст. Лишенный власти, о чем он размышлял и способен ли был разглядеть горизонты времени, близ центра и в самом центре которого находился десятилетиями? Говорят, что в последние годы Хрущев много читал и, вкусив от настоящей литературы, открыл для себя, что это не только хороший отдых, но и нечто большее, и заключил из этого открытия, что его руководство отечественной словесностью было далеким от совершенства; в особенности же жалел, что поддался искушению или внушению учинить гражданскую казнь над Б.Л. Пастернаком.

Хрущевский "фольклор" изобилен. Приведу лишь один из отрывков его, поскольку он тоже касается отношения Хрущева-отставника к литературе. Томящийся от одиночества, столь болезненного для него, по сравнению с эйфорией его недавней деятельности, он искал встреч и, выходя на прогулку, вступал в разговоры с отдыхающими в пансионате, расположенном недалеко от его дачи. Одна из случайных собеседниц рискнула навестить его и на дому. У них завязалась беседа о недавно прочитанном, в частности о произведениях, посвященных войне. Я записал тогда же, в пересказе, две любопытные реплики Хрущева. "Это все вранье, – сказал он, – я не читаю, вот Нина Петровна, та читает. Симонов лучше других, но и он врет". Вторая реплика в ответ на рассказ гостьи, только что освоившей текст, где живописалась в деталях измена Власова: "А что мы знаем о Власове? Это темное дело". В подтверждение услышанного – фрагмент из воспоминаний Хрущева. Рука правщика не касалась этого текста, и запечатленная магнитофоном орфоэпия – примета подлинности: "Сталин поднял вопрос вдруг, значит. Почему, говорит, да, вот Власов предателем стал? Я говорю: да теперь уже бесспорно, что предателем. А вот вы его хвалили, говорит. Вы хвалили его, вы его и выдвигали, значит. Я говорю: верно. Я его и выдвигал, назначил его командующим 37-й армии, и была ему поручена защита Киева, и он блестяще справился со своей задачей. И немцы Киева не взяли, значит. А Киев пал уже в результате окружения войск, и значительно восточнее Киева. Это и потом Власов, я говорю, вышел, значит. И я его действительно хвалил и вам <...> Но потом, значит, я говорю, сколько раз вы его хвалили? Вы его награждали, я говорю, товарищ Сталин, за Московскую операцию. <...> Вы, я говорю, мне же предлагали, когда, значит, Сталинг... подбирали Сталинградский, командующего Сталинградским... Вы от меня требовали, чтобы я назвал командующего фронтом, но тут же говорили, что если бы вот или же Еременко, который в госпитале больной, или Власов... Я бы Власова, говорит, рекомендовал, он Власова бы назначил. Но Власова нет". Читатель! Надеюсь, смех, порожденный хрущевскими междометиями и словесным шлаком, застрянет в горле при чтении этих строк. Абсурд? Да, разумеется. Но и абсурд не простой, не от склерозированной памяти, переставляющей события местами. И не один абсурд, а два, дополняющих, догоняющих друг друга. Абсурд, воплощенный в Сталине, в этом абсолютном солипсисте, для которого все вокруг, все на белом свете – это то, что он принимает за действительное, принимает или уничтожает и, вычеркивая из жизни, возвращает вычеркнутых в свой сценарий, которым живет сам и жить которым принуждает других. Хрущев уже привык к этому, если к этому можно привыкнуть. Спустя без малого три десятилетия ему также не хватает слов, как не хватало их тогда, в том странном и страшном "воландовом" разговоре. Он оправдывается – и он отстаивает себя, не боясь вернуть упрек упрекающему, не страшась сказать: "Я говорю, не раз говорил о его (Власова. – М.Г.) достоинствах, значит"... А мы с тобой, читатель, отважились ли бы на это заикание, на это "значит"?

Предоставим будущему неторопливому, взыскательному биографу проверку достоверности этих и других признаний и свидетельств, слухов и легенд, окружающих деятеля, который, что бы ни говорилось о его манерах и стиле поведения, способах выражаться, как и способе действовать, был нестандартен и, оставаясь в пределах *системы*, раз за разом выпадал из той жестко регламентированной и в то же время все более безумной официальности, которая представлялась неотъемлемой от "советского образа жизни", – и всем, что он делал (во благо и даже не во благо), нанес ей едва ли поправимый урон. Парадоксально, однако, что многие современники Хрущева не склонны чересчур высоко ценить этот итог. И еще в меньшей мере улавливают и принимают они связь между изменением обстоятельств собственной жизни и индивидуальной "мутацией" Хрущева. Напротив, как раз индивидуальность эта была и остается поводом к активной враждебности со стороны одних и к скептическому равнодушию других. Нечего уж говорить о тех сравнительно немногих, для кого деятельность Хрущева была бы неприемлема в любой форме и окраске, о тех, кто не может не жалеть о режиме, который приносил возможность командовать и насильничать во имя вящей государственной необходимости, просто по привычке и из шкурного рвения. Правда, никто не считал, сколько было волковых и русановых; возможно, произведи такой подсчет лет тридцать назад комиссии, составленные из людей, прошедших пыточные тюрьмы и каторжные лагеря, то изуверов неограниченной власти оказалось бы больше, чем представляется нам. Хочется думать, однако, что тип эсэсовца по призванию и вдохновению все-таки не укоренился в благоприятной атмосфере сталинского апогея. Этому как-никак мешали и нравственная традиция России, и традиция завоевания свободы, неотделимая от трех русских революций.

Можно возразить, конечно, что любая традиция, если ее не уберечь обновлением, угасает и может вовсе отмереть, тем более что многовековая история имперской, властвующей России, России собственных конкистадоров и многоразовых опричников, создала и совсем иные, противоположные традиции, в свой черед влившиеся в русло, проложенное насилием самой революции (остающееся насилием со всеми атрибутами, психическими сдвигами и нравственными утратами даже в том случае, когда доказана его историческая неизбежность). Спор об истоках *той* и *этой* трагедии, столь же упорный, как и спор о средствах и силах для предотвращения новой, непохожей и вместе с тем родственной прежним, – по сути, один и тот же спор с несводимым воедино предметом. Я не собираюсь вторгаться походя в этот страстный спор, где каждая сторона слышит лишь себя, хотя я понимаю, что обойти его вовсе значило бы уклониться и от заявленной темы.

Не сбрасывая со счетов тех, у кого самое имя Хрущева вызывает скрежет зубовный, тех, у кого он вырвал сотни тысяч оставшихся живыми жертв, но не лишил "права" вторгаться в повседневную жизнь советских людей, калеча либо вовсе обрывая ее, – нам следовало бы уберечься от соблазна отнести всех, кто так или иначе, полностью или частично, не приемлет наследства Хрущева, к разряду сталинистов. Прямодушным из них (прямодушным в кавычках и даже без оных) и впрямь сдается, что у них едва ли не миллионы единомышленников, что с ними по крайней мере всякий, кому близко к шестидесяти или свыше того. К этому бреду, однако, примешана явь. Что-то весьма земное заставляет немалое число людей, переживших страх и кровь, творить миф о добром старом времени. Но разве до конца свободны от этого и люди, мироощущение которых, казалось бы, исключает приверженность к любым мифам?

Лукавый, обряженный в правоверного марксиста, подсказывает им: так это ж яснее ясного – рассечь целое, о котором речь, на две неравные "половинки", из каких одна будет соответствовать историческому закону, неумолимо прокладывающему – сквозь все и вся – путь к совершенному финалу, а другая, заведомо меньшая, будет как раз состоять из временных отклонений на этом пути, которые тоже естественны, поскольку также находятся во власти *этого самого закона* ("читайте мудрого Гегеля!"). Такое философское рассечение могло бы умиротворить и даже воодушевить, если бы не особые свойства – кровь и могилы "отклонений", размер и стойкость того, что "по дороге" к финалу, – всего, что заставляет усомниться в самом законе и искать объяснения за его пределами. Может, Марксу, который как истинный ученик оспаривал учителя, и удалось бы написать другую дилогию – из "Классовой борьбы", но уже не во Франции, а в России, и из нами подсказанного "Восемнадцатого брюмера". Может, он поставил бы эпиграфом к такому исследованию-памфлету (или уже и исповеди?) собственные, оброненные некогда слова: "Нынешнее поколение напоминает тех евреев, которых Моисей вел через пустыню. Оно должно не только завоевать новый мир, но и сойти со сцены, чтобы дать место людям, созревшим для нового мира". Однако небезынтересно, как бы прокомментировал он в середине либо в конце советских 20-х эту свою мысль: признал бы химерой самую готовность поколения "завоевателей" уступить по доброй воле место непохожим на них наследникам и продолжателям или повторил бы свое пророчество, лишь отдалив сроки исполнения его?

...Сцена, правда, очистилась, но вот вопрос: для кого и в каком отношении к ним находится искомый *новый мир*? Впрочем, Сталин дал ответ на вопрос прежде, чем он возник; дал своим "Кратким курсом", призванным разъяснить и затвердить в качестве непреложного итога совпадение в одной временнóй точке кульминации измен социализму с кульминацией его завоеваний, принадлежащих народу. Поверит ли кто в эту "истину", кроме фанатиков и властителей, запутавшихся в староновых проблемах и ищущих заново козлов отпущения? Однако не выдумка, а действительный и тяжкий для сознания факт – совпадение апогея убийств, жертвой которых стали в первую очередь "руководящие", но далеко не только они (особенно если отодвинуть границы времени и назад и вперед), – и все-таки совпадение: "внезапного" террора с выходом – наружу и вверх! – целого пласта вчера еще руководимых людей, вкусивших поздние плоды революции. Если же спуститься еще ниже и даже туда, где недавно бушевал смерч "сплошной коллективизации", то и там совпадение нескончаемого потока гибелей с гигантским выбросом из полупатриархальной, еще и заново общинной деревни миллионов людей, заполнивших, хотя и не сразу, но все-таки в небывало короткий срок все поры индустриальной, городской, политической и культурной жизни. Не самый ли это прихотливый и трагический из парадоксов нашей истории? Фактическая отмена Декрета о земле, уничтожение результатов аграрной революции, разграбление деревни закрепили на свой лад ее же, революции, социальный и психологический сдвиг, навсегда покончивший с делением на "белую" и "черную" кость, в том числе и в самой притягательной сфере: знания, образования, художественности, – сдвиг, который тогда, в Двадцатые и Тридцатые, потрясал самых достойных людей на земле и делал их поэтому равнодушными ко многим нашим бедам и страданиям. На стороне Сталина был результат – один из наиболее могущественных и безжалостных идолов "прогрессивного человечества"; ведь *результат* – это не в последнюю очередь признание его "результатом" под действием ли пропагандных усилий или в результате самовнушения, себе заданной близорукости.

Жуткая вещь – метафизика "осознанной необходимости"! Ее следствие не один лишь революционный конформизм (да, да, есть и такой), но и производное от него бессилие перед непредвиденным, которое обрекает на поражение в одиночку, на гибель без следа и ответа. Разве не это случилось с целым поколением марксистов до- и послеоктябрьской поры? С юности уверовавшие, что пролетарская революция шагнет разом за порог "предыстории человечества", что действительности отныне надлежит совпасть с предначертаниями теории, с тем единственно возможным ее толкованием, по отношению к которому другие толкования не что иное, как ересь, как извращение; убежденные – и в этом они опять-таки были едины, – что любые напасти могут и будут преодолены волей "железных диктаторов рабочего класса", то есть суммой решений, правильных в данный момент, а если они оказываются неправильными в следующий, то всегда правильны в принципе, поскольку исходят из одного истинного источника, – что они могли противопоставить словам, которые произносили сами, когда эти же и им подобные слова вошли в лексику обвинительных актов и всенародных проклятий?! Сталинская мифология "совершенного государства"[1] потому и взяла верх над диалектической словесностью действительных и мнимых его противников, что в глазах последних данная, от Октября идущая действительность была наперед больше, чем одно из "мгновений" человеческого существования, чем всего лишь один из отрезков прямой, проходящей сквозь всю мировую историю. А усомнись они в той самой "прямой", что сквозь все эпохи и судьбы, усомнись в природе этой прямизны, сложилась ли бы иначе их собственная судьба, их и наша?

Если поверить еще одной версии или легенде – о без малого трех сотнях, или даже больше, голосов, которые были поданы против Сталина на XVII партсъезде (и могли быть поданы в таком числе и в то время лишь в результате сговора всемогущих на местах, в областях и республиках, первых секретарей), – поданы в момент коллективно устроенного всей иерархией апофеоза Сталину (маскировка? стремление подчеркнуть единственность политики, осуществлявшейся совместно?); если подумать, что съезд этот в соответствии с этой версией смог бы закончиться смещением Сталина, а не близкой гибелью всех без малого участников апофеоза, то нельзя не спросить теперь уже не их, а себя: а дерзнули ли бы те, а способны ли были они, завтрашние мертвецы, действовать по-другому? Знали ли такой путь (вперед!), такой "возврат к ленинскому наследию", который после событий, равносильных геологической катастрофе, не был бы, уже не мог быть простым возвратом к мысли, превращенной, как и тело, в освященную мумию? И в сталинской ли редакции этого канона будущие беды и трупы или они в каноне как таковом, в "процедуре" его освящения?!

Оттого Сталин и преуспел на этом поприще, взяв верх над более искушенными и талантливыми. Оттого и удалось ему подменить Ленина

---

[1] Ср.: "История так же, как и познание, *не может* получить окончательного завершения в каком-то совершенном, идеальном состоянии человечества; совершенное общество, совершенное "государство" – это вещи, которые могут существовать только в фантазии". Так смотрели из прошлого в будущее те, кого называют классиками марксизма; в данном случае – Энгельс, которого нескрываемо недолюбливал Сталин. Впрочем, может, приверженность к троице подталкивала его к устранению четвертого "лишнего"?

саморазвития: *движения к себе и от себя и снова к себе, другому,* Ленина нэповской "парадигмы" и последнего выбора на пороге смерти, этого Ленина подменить иным, неизменно верным себе и однозначно систематизируемым. Систематизацией преемник-ненавистник и взял верх, втеснив ее в сознание графической твердостью контура, членением целого на равномерные и непротиворечивые составляющие, доступностью и... тиражами "Основ ленинизма", которые сыграли не меньшую, если не большую роль в эпопее самоутверждения (и самоуничтожения!) эпигонов Ленина, чем та роль, какую для новобранцев партии в разгар революции сыграла напрочь забытая "Азбука коммунизма" Н.И. Бухарина и Е.А. Преображенского.

Есть нечто символическое и надличное в этой подмене "коммунизма", рискнувшего *начать* и зовущего всех, к нему влекомых, – подмене его адаптированным "ленинизмом", сразившим врагов (и оппонентов!) и требующим преданности затверженному составу идей... Что же находилось в запаснике тех, кто спустя десятилетие решился бы заменить Сталина? Тот же канон? "Живой" опыт искоренения уклонов? Усилия сохранить остатки "коллективного руководства"? Но, может, и личное мужество и еще – раскаяние в совместно содеянном? Если бы последнее, если бы оно – вслух, вслух!!

Правда, и новое знание, и решимость к самоперемене приходят, когда в них остро нуждаются. Правда, началам (ежели они начала) свойственно творить собственное продолжение. А в середине 30-х еще был жив человек земли и процесс обезлюживания душ еще не достиг тогда своего края, как и выглаживание местных различий, национальных своеобразий. Одно лишь восстановление институтов Советской власти, одна лишь отмена "исключительного положения", на котором находилась страна со времен коллективизации, одно лишь устранение препон свободному социалистическому слову – осуществи и то, и другое, и третье такие деятели, как Киров, Орджоникидзе, Куйбышев, Рудзутак (при активном или даже только пассивном поначалу содействии остальных), – могло бы послужить, если *не возвратом без повторения*, то хотя бы исходным пунктом к нему.

Могло бы или нет? Открытый вопрос. Открытый по сей день. Сталин опередил. И хотя вероломному действовать много проще, чем честному, кто объяснит вероломством целую эпоху?

2

> Надобно быть человеком, а не флюгером. Это – важная вещь, это, быть может, важнейшая вещь в истории.
>
> *Н. Чернышевский*

Тем более не знал, тем более не помышлял о том, чтобы открыть или хотя бы приоткрыть дверь в другую эпоху, человек, которому суждено было это сделать спустя двадцать с лишним лет. Можно, правда, сказать, и не без основания, что не Хрущев открыл эпоху, а она нашла его и подтолкнула, прошептав на ухо: смелей, смелей, теперь уже другое время, теперь получится!

В истории, как на войне: погибнуть можно и от недолета, и от перелета. Разница лишь в том, что на войне лучше не размышлять об исходе; история же настраивает на противоположный взгляд – она сурово обходится и с не способным думать о последствиях, и с не желающим рисковать. Ее недолеты и перелеты к тому же не вычислишь заранее. И всегда останется предметом ретроспективного спора: все ли из наличных и будто наличных возможностей перешло в действительность или там, позади, в остатке, нечто весомое, нужное (и даже самое нужное!), что еще ждет своих открывателей и воплотителей? Наконец, и сам спор входит внутрь "эпохи", продлевая ее либо обрывая...

Смерть Сталина как будто за пределами такого спора. Внезапность этого события, как и последовавших за ним – вплоть до XX съезда, могла бы служить едва ли не самым сокрушительным опровержением предустановленности в делах исторических. Конечно, взгляд назад способен усмотреть в последних годах сталинского владычества если не приметы назревавшей катастрофы, то, во всяком случае, такую степень вырождения и обессмысливания власти, какая не могла не привести к саморазрушению. Но какой ценой досталось бы это саморазрушение нашей стране и человечеству? Так или иначе серьезность намерений Сталина упростить не поддающийся упрощению послевоенный Мир и увековечить свое господство над всем "лагерем социализма" с помощью новых судорог вряд ли может быть поставлена под сомнение. Правда, Сталин умел и отступать, но до какого предела?

Своим наследством он не успел распорядиться. Да и пришло ли бы это в голову человеку, равно страшившемуся смерти и убедившему себя, что его-то она обойдет? Его сподвижники, представлявшие собой лишь наиболее высоких по положению, но также обреченных на исполнение аппаратчиков, внезапно оказались вынужденными сами решать, решать все. Можно было, конечно, просто влачиться в прежней колее, следуя заведенному порядку, но ничего не менять было невозможно. На руках осталось "дело врачей" и лишь едва зашпаклеванные с помощью антиюгославских и антисемитских процессов трещины в социалистическом лагере, явно назревший раскол в коммунистическом движении, которому – после политических и духовных перемен, рожденных Сопротивлением, и после тяжелых испытаний, выпавших на долю антифашистского единства в первые же послевоенные годы, – грозила в начале 50-х новая и, не исключено, окончательная изоляция внутри воскресающей Европы. К этому следует добавить открытый (и неизбежный) кризис в отношениях с Китаем Мао. О том, что делалось в глубинах собственной страны, вероятно, ведал лучше других в силу своего положения Берия. Весьма возможно, что он был единственным, кто не только радовался смерти Сталина, но и имел план действий на этот случай. Для других же именно Берия, активно и поспешно действующий Берия, был наследством, от которого следовало раньше всего освободиться.

Шли ли помыслы Хрущева дальше этой ближайшей цели, сказать трудно. Во всяком случае, он не побоялся взяться за ее осуществление. Взявшись же, оказался вынужденным делать один шаг за другим. И будем справедливы: не только вынуждался к этому "извне", что бесспорно, но каждый следующий шаг делал со все большим азартом и с уверенностью, которые приходят в настоящем бою. И тут открылась маленькая тайна сталинской иерархии: в ее среде удивительным образом сохранилось подобие человека. Может быть, то, что Хрущев сохранился во время прошлых "чисток" и как будто не намечался в новые жертвы во время явно подготавливаемой Хозяином и уже в чем-то близкой к осуществлению перетасовки в верхах, было причудой Сталина; он любил соединять несоединимое, а как иезуит властвования нуждался в том, чтобы в его окружении постоянно клубились интриги и конфликты, питаемые предчувствием разности в судьбах.

На первый взгляд Хрущев мало отличался от других соратников. Как и другие, и в меру занимаемого им положения, он был во многом повинен, в том числе и прежде всего в человеческих жертвах (Сталин зорко следил, чтобы никто из его окружения не уклонялся от законов круговой поруки и связанности сообща содеянным). А то, что отличало Хрущева до 1953 г., могло бы даже рассматриваться как недостатки его по сравнению с другими, более высокопоставленными членами иерархии. Он не был теоретиком и даже не в состоянии был казаться им. В качестве первого секретаря ЦК Украины он, правда, подписывал дежурные статьи о сталинской дружбе народов, но ни малейших новшеств себе не позволял по сравнению, например, с Берией[1]. Хотя Хрущев был хитер и искушен в правилах аппаратной игры, эта хитрость все же не убила в нем непосредственности, которая не принадлежала к числу качеств, позволявших подняться на самый верх. Хрущев был, безусловно, смелым человеком, но это качество казалось избыточным в политике, пока не пришел его, хрущевский, час.

...Карьера Никиты Хрущева развернулась сравнительно поздно. Его место в номенклатуре находилось где-то между деятелями, поднявшимися накануне революции или в начале ее и достигшими достаточно высоких постов во время "войны диадохов" после ухода Ленина, и совсем новыми людьми, взращенными в тиши сталинских аппаратов, а то и взлетевшими наверх в одночасье 1937-го. Это его срединное положение многое объясняет. Родословная большевизма если и не была ему вовсе не известна, однако не сливалась полностью с его собственной биографией, потеснив, но не вытеснив до конца ее "беспартийные" страницы и воспоминания. Вместе с тем он успел пригубить от романтики первых постреволюционных, военно-коммунистических лет. И его позднейшая ностальгия по общежитиям вряд ли была только словесным украшением его градостроительных прожектов. Различие между ним и остальными из ближних бояр состояло в том, что он – и не только в силу занимаемых постов (в Москве и Киеве), но и по самому складу – принадлежал к категории массовиков. Таковых к началу 50-х годов осталось не слишком много среди партийных деятелей высокого ранга, но их было немало в толще низовых кадров, и им Хрущев всем своим обликом был ближе, чем вельможи-холопы старого закала и типичные карьеристы третьего призыва.

Сказанное выше, разумеется, далеко не портрет Хрущева. Для портрета нужно неизмеримо более близкое знакомство с натурой. Но спросим, добавит ли оно что-то принципиально новое, нечто особое и исключительное в его человеческие свойства, что способно было бы само по себе разъяснить ту роль, какую ему довелось сыграть после

---

[1] Имеется в виду статья Л.П. Берии "Великий вдохновитель и организатор побед коммунизма", опубликованная в день 70-летия Сталина (1949); особое внимание привлек тогда раздел, посвященный национальному вопросу, он слыл творческой новинкой.

5 марта 1953 г.? Я сомневаюсь в этом. Остается если не загадкой, то, во всяком случае, темой для философско-исторического размышления: почему при данных обстоятельствах простота или даже простоватость (либо то и другое в прихотливом сочетании) сумели стать детонатором событий, которые отнюдь не обязательно должны были получить такой именно разгон и тем более такой масштаб?

Началось же, как известно, с того, что Хрущев бросил вызов Берии. Вероятно, он хотел поначалу немногого: отвести опасность от самого себя и себе подобных. Но становится ли меньше подвиг солдата, который на поле боя спасает свою жизнь, поворачиваясь при этом к противнику не спиной, а лицом? Тут же, на кремлевском поле боя, в считанные месяцы после смерти Сталина, было не до диспозиций. Сторонники вербовались на ходу и далеко не по идейным признакам, само же действо способно расположить нас к себе лишь результатом. Поучительно бы сегодня перечесть обвинительное заключение против Берии – документ, в котором крохи кошмарной правды соседствовали с очевидной напраслиной: в разряд преступлений, например, была зачислена попытка посредством контакта с Ранковичем замириться с Югославией; что уж говорить о таких пикантных подробностях, как вменявшееся в вину Берии покровительство "англофилу" Майскому, находившемуся тогда в заточении.

Впрочем, стоит ли удивляться: ведь спустя несколько месяцев давнишнему союзнику и пленнику Берии – Георгию Маленкову, сыгравшему немаловажную роль в коллективном самоосвобождении от него, будут инкриминировать уже не наспех изготовленный букет разоблачений, а нечто по-своему цельное и этой цельностью характеризующее господствующее умонастроение в нестройном высшем эшелоне тогдашней власти. В вину Маленкову вменялся не столько былой комплот с Берией, сколько идейное и политическое отступничество в считанные месяцы его (Маленкова) премьерства: тут и стремление развивать группу "Б" в ущерб группе "А", и демагогические уступки крестьянству, и, наконец, или раньше всего, антимарксистский тезис о том, что в атомной войне не будет победителей. Многим ли в таком случае отличался Хрущев от своих обезвреженных врагов и соперников, да и в лучшую ли сторону, если взять в расчет и конечный результат его деятельности? Этот вопрос неприятен, но законен. Можно бы (в ответ) указать на то, что в первую послесталинскую пору Хрущев не мог действовать один, а, стало быть, должен был, дабы добиться успеха и просто не погибнуть, сообразовывать свои шаги с образом мыслей и намерений других соучастников. Надо бы добавить, что он сам еще тогда не дозрел до *исторического* Хрущева, а когда дозрел, то стал быстро терять *самого себя*.

В этой добавке суть, и у этой сути было, пусть скоротечное, но свое развитие, а у развития – своя исходная фаза. Если не с самых первых шагов, то уже, во всяком случае, в разгар борьбы, начальным эпизодом которой явилось уничтожение Берии, Хрущев стал добиваться освобождения еще живых политических узников и восстановления доброго имени погубленных – почти всех (на всех, включая тех, имена которых поколениями зазубривались в качестве губителей революции и социализма, Хрущева не хватило ни тогда, ни позже).

Спустя годы "реабилитация" видится едва ли не самоочевидной. Последующие события отодвинули ее – и эта акция, беспрецедентная в рамках всей советской истории, в глазах многих ограничена лишь переменами в судьбе людей, большинство из которых уже ушло, теперь навсегда. Между тем речь шла о завтрашнем дне всех, хотя, быть может, так это воспринималось скорее противниками задуманной меры, чем ее автором. Собирался ли вначале Хрущев лишь ответить ударом на удар все тому же Берии, который, возглавив вновь органы безопасности, начал с демонстративного и весьма эффектного прекращения "дела врачей" – последнего из преступлений Сталина? Не располагая необходимыми документами, не станем руководствоваться поздними заявлениями и воспоминаниями самого Хрущева, рассчитанными на публику. Попробуем рассмотреть факты, доступные нам.

У "дела врачей" были конкретные виновники: конечно же, Рюмин был не единственным, как у "ленинградского дела" не был единственным виновником Абакумов. Ответственность же за все бесчисленные жертвы десятилетий сталинского террора нельзя было взвалить на одного-двух-трех или даже на много большее число непосредственных осуществителей; за это "наверху" отвечали все (не исключая и многих погибших) – все, ставившие свои подписи на списках обреченных, все, произносившие речи-призывы к расправе. Немедленная и поголовная реабилитация означала открытое признание этой общей ответственности. Она не могла обойти, разумеется, Сталина, а назвать его вслух и связать его имя с убийствами без причины и повода означало не только свергнуть кумира. Это значило также рассекретить систему, обнажив ее сокровенные механизмы, из которых механизм тайны был не менее основополагающим, чем механизм страха. Поэтому лидерам, только что успевшим распределить между собой ключевые посты, любые шаги Хрущева в этом направлении должны были казаться опасным сумасбродством.

В сложившихся условиях добиться своего можно было, лишь *овладев всей властью*. Нам могут сказать: а не наоборот ли было? Не было ли действительной целью овладение всей властью, а реабилитация только решительным средством, чтобы это сделать? Пусть так. И в этом случае правота на стороне Хрущева. Допустим даже, что Хрущев поначалу хотел лишь освободить тех, кого помнил, кому когда-то был обязан. Но железные соратники Сталина не дали бы ему сделать и этого, во всяком случае, открыто.

Чтобы освободить немногих, надо было освободить всех. Чтобы освободить всех, надо было действовать напролом.

Восстановить законность можно было только вопреки юридическим нормам и процедурам – "просто" открыв ворота лагерей[1]. То, что сделал Хрущев, было уже не очередным или даже не внеочередным дворцовым переворотом, а революцией, хотя и облеченной в привычную – верхушечную, распорядительную – форму. Впрочем, привычную весьма условно, если вспомнить, что "секретный" доклад на XX съезде оглашался на беспартийных собраниях – от гигантских заводов до домоуправлений – и тут же был переброшен за границу, сделан достоянием всего, в том числе "враждебного", мира.

---

[1] Конечно, решения, принимаемые в Кремле, диктовались не только расстановкой сил внутри правящей группы. Когда будет воссоздана во всей полноте картина тех месяцев и лет, яснее станет и связь между хрущевским поворотом и подземными толчками, исходившими из преисподней Сталина: нарастающим сопротивлением в лагерях, которое достигло своей кульминации в трагически упорном и вероломно раздавленном Кенгирском восстании (лето 1954 г.). Могло ли это остаться без последствий?

Многое, и даже решающее, в действиях Хрущева было вызвано упрямым и жестким противодействием таких полусоюзников, полупротивников, каким являлся вначале (до казни Берии и свержения Маленкова с премьерского поста) кремлевский старожил Молотов. Кто ныне осмелится сказать доброе слово о Молотове, а между тем и он не был начисто лишен желания отступить от безумия сталинского финала. Вернувшись в дом на Смоленской площади, он стал осторожно приоткрывать дверь в Мир. Не исключено, что он без колебания согласился с антибериевским замыслом. И также не исключено, что выборочная, закрытая, постепенная реабилитация не противоречила его намерениям. Впрочем, выяснение индивидуальных оттенков в замкнутой групповой политике требует особых, "интимных" источников. Но кое-что просочилось. Сам Хрущев обожал детали, а стенограммы пленумов ЦК, по крайней мере в первые послесталинские годы, зачитывались вслух в избранных парторганизациях. Из них-то мы знаем, что Хрущев вначале держался близко к Молотову, и вряд ли только из антибериевских расчетов. Маленков выговаривал ему: что вы все смотрите в рот этому старику? Речь шла в данном случае о берлинских событиях 1953 г.; после расправы с демонстрантами и с целью предотвращения повторов Берия и Маленков внесли в Президиум ЦК проект решения, которым осуждался курс на строительство социализма в ГДР (!). Молотов, естественно, не возражал против того, что будущее Восточной Германии решается строчкой московской резолюции; он внес единственную поправку, предлагая осудить лишь *форсированное* строительство социализма. Большинство, включая Хрущева, приняло его сторону.

Однако вскоре расстановка сил изменилась. Хрущев с каждым днем чувствовал себя все уверенней. Молотову же и присным просто не могло прийти в голову, что столь обязанный им Первый секретарь осмелится предъявить заявку на полноту власти. Но у этого просчета был и более широкий фон. Молотов считал себя теоретиком и выглядел таковым в глазах других. Ему, конечно же, претила самодеятельная семантика Хрущева, и хотя он сам произносил в те смутные времена речи, в которых попадались фразы вроде *наука старше марксизма*, помыслить о приведении ортодоксальной веры в соответствие со всеми опытами и уроками, в числе которых миллионы жертв, было бы сверх всяких его сил и возможностей. Отказ от публичной ответственности, таким образом, не только поощрялся великой буквой, но и служил своего рода доказательством преданности ей. Парадокс это или, напротив, жестокий закон: в эпохи кризисов догматизм не только перестает быть доброкачественной опухолью, но и со сказочной быстротой перерастает в канцер. Презренная же эклектика, если в упряжке с ней физическая смелость и толика человечности, может, оказывается, принести не только добро, но и свет.

Если схватка с деятелем, которому он еще вчера "смотрел в рот", не была для Хрущева полной неожиданностью, то менее всего он был готов к переносу ее на почву догмата. В том, что касалось "буквы", он, мало сказать, не был силен. Он был верен ей всей душой (и, надо думать, не из одних лишь практических соображений двинул в ход список обвинений, предъявленный Маленкову). Теперь пришла его очередь.

На обвинения в расшатывании основ Хрущеву следовало ответить чем-то утвердительным. Впрочем, к этому в не меньшей степени обязывала его и искомая и тем паче завоеванная полнота власти. Оглядываясь назад, мы вправе сказать, что по крайней мере дважды, сразу после XX съезда и особенно сразу после XXII, Хрущев мог сделать всё. Действительно мог или это только мнится нам задним числом?

Ответить и на этот вопрос непросто. Ведь даже обретя монополию решений, Хрущев не сделался самодержцем (где такие сейчас, разве что в джунглях?). Его ограничивало прежде всего окружение, оставленное Сталиным, а затем и созданное им самим. До известной, но не слишком большой степени его ограничивали и наличные ресурсы. Гораздо сильнее, хотя, быть может, и не столь заметно, сдерживали и мифы, и реалии коммунистического единства (с Китаем ли, как во времена венгерских событий, или против Китая, но в любом случае все-таки не в одиночку). Однако самые сильные ограничители разместились внутри него самого, причем не в качестве даже специальных стоп-кранов, не в виде сомнений, а, напротив, в оболочке непререкаемых истин и почти безусловных рефлексов.

В тот момент, когда Хрущев овладел властью, овладел в результате разоблачения Сталина и противопоставления ему, перед ним – по самой сути вещей – возникла проблема: как уберечь обретенную власть, сохранив вместе с тем первоначальный пафос своей деятельности? Проблема эта, как обнаружил последующий ход событий, была неразрешимой – и для него ли только? Она, собственно, еще не доросла до проблемы, а постольку не могла и перекочевать с "проблемного" поля в сферу *задач*, поддающихся распределению во времени, – с прикидкой последовательности отдельных действий и их предварительным взвешиванием. Всякая попытка одолеть сталинское наследство при помощи этого же наследства, главным в котором оставались бесконтрольность и "идеальность" властвования, должна была либо повернуть вспять и нового лидера и страну, либо завести его и ее в тупик. Однако, как это ни странно на первый взгляд, именно сочетание этих несовместимых начал и *открыло* эпоху, ныне связанную с именем Хрущева. Именно оно и позволило, отчасти благодаря собственной его воле, а отчасти и помимо нее, в конце же концов даже против его действий и воли, совершиться разительным переменам: не только в политике и даже не столько в политике, сколько в психологическом климате нашей страны, а благодаря ее месту в Мире – и Мира.

Это последнее утверждение может показаться спорным. Оно действительно спорно в свете ближних итогов, а о дальних, каких еще нет, говорить ли историку? С поправкой на это позволю себе высказать лишь некоторые соображения.

Деятельность Хрущева начиная с 1956 г. была чересполосицей разных стимулов, менявшихся местами причин и следствий. Многое диктовалось обстановкой, потоком событий, телеграмм, входящих бумаг. Немало перешло в наследство от программы Берии – Маленкова, которую легко было осудить, но непросто отбросить. Сомнительно, правда, чтобы вопрос стоял именно так: что "оставить", а что "отбросить". Здесь нам, кроме догадок, особенно бы нужны документальные свидетельства. Мы не знаем, например, когда и как совершился переход от югославской инвективы в адрес Берии к собственным хрущевским примирительным шагам, в свою очередь, сделавшим неизбежным открытый разрыв с Молотовым. (Перечень подобных вопросов мог бы быть, разумеется, продлен; в конечном счете он охватил бы подоплеку без малого всех событий того времени. Ужаснуло ли бы нас такое узнавание или, наоборот, приободрило картиной упущенных и возобновимых возможностей?)

Во всяком случае, мы обладаем достаточным правом предполагать, что Хрущеву было чуждо *полицейское государство благоденствия*, какое для Берии (и Маленкова?) являлось единственно возможной заменой сталинскому тоталитаризму, точнее, сохранением тоталитаризма без Сталина и даже с отлучением его. Сделав же следующий шаг, начав расшатывать самую систему, притом в наиболее незыблемом ее пункте, воспрещающем сострадание к человеку, Хрущев оказался перед дилеммой: поставить во главу угла человека же – с его утраченной, но не исчезнувшей вовсе потребностью (жаждой!) распорядиться собственной жизнью и судьбой, или же сделать "руководством к действию" унаследованный комплекс могущества с его жесткими правилами, диктующими каждому народу и каждому человеку место и границы дозволенного, и с его иллюзиями, позволяющими миллионам находить смысл и даже счастье в несвободе?! Почти все прошлое Хрущева тянуло его ко второму из мыслимых решений. Но все-таки не все прошлое, поскольку существовал феномен реабилитации, звавший к продолжению, но уж за пределами сталинских лагерей, поскольку вместе с обретенной властью Хрущев сам впервые почувствовал себя свободным человеком. Вскоре выяснилось, что он был едва ли не единственным ("при Хрущеве"), кто располагал свободой, и уже одно это делало сомнительной и недолговременной его собственную свободу. Но пока он пользовался ею всласть.

Человек, каждый шаг которого находился под надзором пекущейся о его безопасности охраны, открыл для себя целый мир. Его заграничные вояжи далеко не всегда диктовались политической нуждой, но и в этом последнем случае он явно нарушил традицию: бронированные поездки Сталина в Тегеран и Потсдам наперед исключали общение с кем-либо, кроме жрецов высшей власти. Хрущев же рвался ездить и смотреть. Он не скрывал удовольствия от своих путешествий по Европе, Азии и Америке. Он не просто раскланивался и произносил подобающие случаю речи, он еще и искренне поражался: древностям Индии, равномерному благоденствию Франции, масштабам американской предприимчивости. Он сделал открытие, капитально важное для нашего общества, – признал *непохожесть* нормальным состоянием, притом сделал это опять-таки в форме, наиболее отвечавшей его натуре.

Поистине символична стычка его с Молотовым, комическая окраска которой лишь заостряет значительность смысла. Посетив Финляндию, Хрущев позволил себе воспользоваться баней – о, ужас! – вместе с премьером Кекконеном. Кроме вежливости (приглашен ведь был), тут, несомненно, сработала и хрущевская любознательность вкупе с постоянной прикидкой мастерового человека: что бы там, у других, позаимствовать, будь то та же финская сауна или секрет оконных рам (посещению Хельсинки мы обязаны в числе прочего упразднением форточек во всесоюзных Черемушках). Но одно дело – державные забавы в жанре Петра Великого и совсем другое – столь легкомысленно нанести "урон" советскому первородству. Мог ли проглотить это без осуждения непроницаемый и скучный Молотов?

Когда я вспомнил этот эпизод, фигурировавший в баталиях одного из тогдашних пленумов, на память невольно пришла совершенно другая сцена. Дело было в конце мая 1942 г., Молотов находился с визитом в Соединенных Штатах. Поездка была сугубой важности, заинтересованность в Рузвельте – максимальная. Кроме деловых разговоров, устраивались, само собою, и обеды, и завтраки. На одном из них Рузвельт поинтересовался впечатлением, какое на Молотова произвел Гитлер, – из всех присутствующих советский нарокоминдел был последним по времени, кто общался с фюрером. Сэмюэл Кросс, профессор славянских языков в Гарвардском университете, служивший переводчиком президента, записал: ''Молотов подумал минуту и затем сказал, что в конце концов договориться можно почти со всеми''. Он добавил также, что ему ни разу не приходилось иметь дело с более неприятными людьми, чем Гитлер и Риббентроп. Биограф Молотова мог бы расценить его ответ как образец дипломатического совершенства, особенно если учесть, сколь деликатен был сам сюжет (Берлин, осень 1940-го, советско-нацистский альянс, утряска территориальных вожделений, прерванные там и возобновленные затем в Москве и длившиеся многие месяцы переговоры о разделе мира, об условиях присоединения СССР к ''антикоминтерновскому пакту''). Однако Рузвельт, похоже, ни на что подобное не намекал. Вероятно, он хотел понять нечто, что могло бы быть принято во внимание как психологический фактор при глобальных политических и военных решениях. Скорей же всего его занимал – сам по себе – вульгарный антихрист, которому удалось невесть каким образом поставить человечество на грань самой страшной из исторических катастроф. Он спрашивал о том человеке (каков бы он ни был) у человека же и не вполне сознавал, что такая плоскость общения наперед исключена для деятеля, к кому он обратился с этим вопросом.

Описавший позднее этот случай Р. Шервуд, автор замечательной книги ''Рузвельт и Гопкинс'', замечает: ''...Рузвельта вовсе не пугала новая и необычная для него проблема в области человеческих отношений, какую представлял собой Молотов. Напротив, это было для него вызовом, заставившим Рузвельта не щадить усилий, чтобы найти общую почву, которая, как он не сомневался, должна существовать''. Молотов тоже искал общую почву и тоже, надо полагать, не жалел сил для этого. Но являл ли Рузвельт для него ''проблему в области человеческих отношений''?.. Согласиться с этим было бы равносильно тому, чтобы признать, что для Молотова, как и для его патрона, антигитлеровская коалиция представлялась непредуказанной попыткой преобразования характера всей человеческой истории, а не только известного рода необходимостью, наподобие неудавшегося или только частично удавшегося сговора с Гитлером. Правда, в 1942 г. об этой частичной удаче, резко продвинувшей границы СССР на Запад, говорить не приходилось; шла война не на жизнь, а на смерть, и от исхода ее зависела и возможность вернуть доставшееся без ''своей'' крови в 1939-м и 1940-м; путь к возврату лежал через победу, для которой требовался теперь совсем иной союз.

Чему удивляться больше: тому, что Сталин, едва вышедший из прострации памятных июньских дней, оказался готовым к коалиции с ненавистными западными демократиями, или тому, что Черчилль, не теряя ни минуты, первым протянул руку России, которая еще вчера наполняла своей нефтью баки немецких бомбардировщиков, бравших курс на Лондон и Ковентри?! Английский премьер не страдал отсутствием честолюбия. Британская империя и ''я'' являлись для него едва ли не синонимами, но вряд ли он подписал Атлантическую хартию лишь оттого, что к этому вынуждало его партнерство с Рузвельтом. В сталинском же ''я'' страсть миродержавия и исконное презрение к людям сплетались с приспособленным к себе марксизмом, который и в исходной, и в ленинской версиях не мыслил полноты осуществления цели иначе, как в масштабах Мира. На это нетрудно возразить: между Лениным и Сталиным – пропасть, на дне которой превеликое множество трупов. Пропасть – да. Но все-таки особенная, с мостками, которыми пользовались так или иначе все из выживших единоверцев. Немаловажное, сугубо немаловажное *так или иначе*, но дотягивает ли оно даже в лучшем случае до отклонения императива борьбы "двух миров – двух систем"?

Этот вопрос может показаться наивным лишь задним числом, да и сегодня он не реликт. Помудрев по части форм борьбы с мировым капитализмом за всемирный социализм, переступили ли разноязычные коммунисты (по крайней мере в то время, о котором наш рассказ) рубеж ее сущности? Бесспорно, они уходили от сталинского переиначивания того исконного, легендарного образа-зова: разрушить до основанья "весь мир насилья", от переворачивания его в образ-приказ: уничтожить все, что не *мы*, что не *наше*, – от этого уходили, но к чему шли, уходя? К новой ясности или сначала к новой неясности, проясняемой и запутываемой тактикой, злобой дня, схватками с противниками "справа" и "слева"?.. Казалось, и выученный войной Сталин отрекся от былого "социал-фашизма" и т.п., осознав если не ценность, то силу "буржуазной демократии". Не станем обманываться. Уходили одни слова, приходили другие. Место прежних перевертышей занимали другие. Неизменным оставалось одно: Мир – это *поприще*, а раз так, то могут ли быть (внутри самого себя) другие барьеры, чем соотношение сил в данный момент, чем искусство использования его в своих интересах?! К тому же Сталин обожал игру в близость с любым, в ком нуждался, и до той поры, пока в нем нуждался, был виртуозом этой игры и уже по тому одному роль эту не собирался перепоручать даже самым доверенным из тех, кто рядом, в лучшем случае им позволялось подыгрывать.

Хрущев заведомо не входил в их число. В делах внешних он был к 5 марта совершенным профаном. Легко допустить, что закордонный мир представлялся ему поначалу чем-то вроде ушестеренного своего, только с тем отличием, что тамошние "секретари обкомов" иначе одеваются и по-другому говорят. "Мы считали, – выразился он как-то в 1955 г., – что это очень сложно – заниматься дипломатией, а оказалось, что совсем просто". Переменил ли он впоследствии свой взгляд? Вероятно, переменил, но не столь радикально, как это диктовалось обстоятельствами. Не так легко переходить от изъяснений с "домашними" секретарями к разговору, регулируемому протоколом, но еще труднее согласовывать "марксистско-ленинский" словарь с общением в финской бане: человеку как-то неудобно видеть в другом голом человеке всего лишь персонификацию навсегда чуждого мира...

Если вдуматься поглубже, речь идет о самой краеугольной проблеме конца XX века. Эту проблему можно сформулировать по-разному, с разной степенью неточности, поскольку она не поддается строгому определению. Говорят ли о "сосуществовании" или о "конвергенции", взывают ли к нравственности либо к реализму в международных делах, по сути, имеют в виду (конечно, когда не притворяются, не словоблудят) невозможность достижения даже скромных, но все же продвигающих вперед результатов без установки на максимум: на избавление человечества от совокупной геополитики с ее незыблемым от века составом подходов и приемов. Слов нет, такое негативное определение выглядит и недостаточным, и непрактичным. В самом деле, допустимо ли решить сначала "чего делать нельзя", не выяснив предварительно, что именно и как именно надо и можно делать? Поскольку же последний вопрос заранее предусматривает в корне отличные ответы (сколько миров, столько и ответов), то не безрассудно ли пытаться найти *все-общее "чего не делать"*?! Кажется, что выхода из этого нет, если не считать выходом вселенское самоубийство. Но при более пристальном рассмотрении выход все-таки обнаруживается – и как раз в той самой "проблеме из области человеческих отношений", которую, по мысли Шервуда, пытался некогда решить для себя Франклин Рузвельт. В частных случаях он, по всему видно, достигал поставленной им задачи, в более широком смысле также обречен был на неуспех.

Время узнавания человека – в иных, в других (во всех иных и во всех других!) – не пришло тогда ни для кого из власть имущих. Ибо преградами на этом пути служили, да и служат поныне, не одни лишь профит и амбиции, милитаристский зуд и рвение доктринеров, но и "преждевременность" и беспрецедентность замещения прежних социальных и национальных стимулов международной политики вовсе новыми: *непосредственно* исходящими от человека и ориентированными *прямо* на человечество. Нет эпохи, когда эта надежда (и иллюзия) представлялась бы насущней, чем в эпоху, ведущую свой отсчет от 1945, 1953, 1968 гг. И, кажется, нет эпохи, когда она таила бы большие опасности. Сколько раз убеждались мы за последние десятилетия, что человек "вообще", бросающий вызов политике "вообще", обречен либо на отшельничество или даже на гибель в одиночку, либо на то, чтобы поджечь невзначай бикфордов шнур.

Правда, люди издавна научились запрягать телегу впереди лошади, неизведанным образом опознавая еще не открытую ими цель. Теперь, однако, стало рискованно открывать цель неиспытанным способом. Вот отчего столь злободневен ныне "наивный" вопрос-критерий: дано ли (и кому первому?) отказаться от себя вчерашнего во имя Завтра, которому уже не быть (никогда!) только своим?! Держась этого критерия, надо бы заново рассмотреть все аспекты внешнеполитической деятельности Хрущева, не ограничивая себя лишь рамками "его" десятилетия, ибо узлы, завязанные тогда, стали развязываться позже или, напротив, еще крепче затягиваться в уже изменившихся условиях и при других персонажах.

Сам Хрущев унаследовал от Сталина не только границы и застойные конфликты, но и неуходящие замыслы и средства, способные решающим образом влиять на ход мировых дел. Сталин, к счастью, не дожил ни до "своей" водородной бомбы, ни до первого спутника, начавшего космическую одиссею. Он не дожил и до критических рубежей в самораспаде колониальных империй, и до появления "Острова свободы" в считанных милях от США. Его преемнику фортуна явно благоприятствовала. Она избавила его от ограничений, которые накладывала на внешнюю политику СССР американская атомная монополия, тем самым открыв возможность активизации этой политики в направлении, противоположном сталинскому. Игре в опасность он мог отныне противопоставить добрую волю силы. Мы вправе сказать, что *разрядка* появилась на свет именно тогда, когда она только и могла появиться.

Но за первыми ее шагами (и как результат их) вставал вопрос: прологом к чему явится – и не только в ближнем, но и в конечном счете –

сама разрядка? Задавался ли этим вопросом Хрущев? Едва ли.

Если в качестве путешественника он позволял себе открыто восхищаться и удивляться, а в роли премьера не очень считался с дипломатическим ритуалом (своими экстравагантными выходками повергая одних в удивление, а других даже восхищая, особенно в Штатах, где политическая экзотика котируется выше, чем в странах Старого Света), то от главы державы, только что обретшей средства, способные уничтожить жизнь на Земле, требовалось большее. Много большее. Формально говоря, Хрущев располагал программой внешней политики. Достаточно перечесть для этого его доклад на XXII съезде КПСС (1961), задержавшись на разделе "Коммунизм и прогресс человечества". Перед "лицом всего человечества" он заявлял именем партии, что "она видит главную цель своей внешней политики в том, чтобы не только предотвратить мировую войну, но и навсегда исключить уже при жизни нашего поколения войны из жизни общества". Впрочем, это мог сказать, только менее категорично и менее патетично, и Сталин (что он и сделал на XIX съезде). Что уж говорить о последующем, спустя несколько абзацев, и столь же клятвенном заявлении Хрущева: "Если империалисты бросят нам военный вызов, мы не только без колебания примем его, но и со всей присущей коммунистам беззаветной отвагой и мужеством обрушим на врага удар всесокрушающей силы"! Тут, кажется, нет нужды делать и поправку на стилистику – перед нами предвоенный Сталин. Ему ли по инерции вторил Хрущев или припомнил казус Маленкова, его "кощунственную", "пораженческую" фразу, уравнявшую судьбы капитализма и социализма в ситуации "удар на удар"? Нет, полагаю. Это было для него уже позади. Теперь – всевластный – он мыслил коммунизмом при собственной жизни и этой меркой мерил все привходящее и противостоящее. К тому же то, что он торжественно провозглашал, вся эта смесь несовпадающих и несовместимых лохмотьев догмы и "собственных" его новаций была в его глазах писаниной, которую он охотно зачитывал, в делах же склоняясь к тем импровизациям, какие и раньше составляли его натуру, а теперь получили поистине безграничный простор, с тем только отличием, что во внешних сношениях он был не сам-один и существование других действующих лиц и сил не могло не накладывать печать на принимаемые им и им же переиначиваемые решения. Понятно, что для последовательности тут так же не оставалось места, как и в "программных" текстах. Так же, но все-таки на другой лад.

Абстрактный спрос дурен тем, что он крепок задним умом. Представим в роли действующего Хрущева кого-то более последовательного из тогдашних деятелей или тех, кто был на подходе, и мы, вероятнее всего, придем к выводу: "последовательный" был бы еще ближе к эпохе, которая, оборвавшись в событиях, еще продолжала (и продолжает) жить в людях. Прикинув же эти pro и contra, скажем: Хрущев хотя бы был непоследователен. Еще вчера он высмеивал "ничего не понимающего в политике" творца водородной бомбы, предлагавшего раз и навсегда прекратить ядерные испытания, опасные сами по себе для Земли и ее жителей, но пришел день, и "сахаровский" договор (запрещавший эти испытания в атмосфере, космическом пространстве и под водой) стал реальностью, войдя в актив Хрущева-миротворца. И так во многом другом.

Можно сказать, что Хрущев был последователен в своей непоследовательности. Он был верен себе, обещая снабдить Мао секретами атомного оружия, и верен себе, воздержавшись выполнить это обещание. И так же был верен себе, когда то взбадривал, то слегка осаживал друга Насера, когда поощрял манию величия Сукарно и словом, и оружием (в том числе сбывая ему устаревшие военные корабли) и тем самым невольно соучаствовал в его недалеком падении. Собственный закат Хрущева, хотя и не связанный прямо с крахом третьемирского романтизма, полагаю, находится с ним в той окольной связи, какая выдвигает подчас на мировую арену более или менее однотипные фигуры. Звездные часы послевоенной харизмы, не исключая и европейской (де Голль!), как будто уже позади. Но можем ли мы назвать их звездными?

Будущему биографу Хрущева не миновать главы, где заглавной фигурой станет другой человек – по имени Джон Кеннеди. Американо-советские отношения не входят в мою тему, за исключением все той же "области человеческих отношений", вне которой нет ни Хрущева-зачинателя, ни Хрущева-банкрота. С этой точки зрения можно сказать, что все "великое десятилетие", если смотреть на него, держа глобус в руках, ведет к карибскому кризису, к этому предфиналу, который мог бы стать и новым началом. Но раз *ведет*, значит, был и пролог. В пролог же входит и Женевская (1955 г.) встреча в верхах бывших союзников, а затем жестких противников в холодной войне: эпизод, вселивший надежду на взаимное умиротворение (и рядом с Хрущевым – маршал Жуков, боевой сподвижник президента Эйзенхауэра времен всемирной схватки с нацизмом). Но пять лет спустя произошло иное свидание: первомайская встреча отечественной ракеты с американским самолетом-шпионом, окончившаяся торжеством "советских воинов, с честью выполнивших приказ своего правительства и лично Н.С. Хрущева" (из речи маршала А.А. Гречко на заседании Верховного Совета СССР 6 мая 1960 г.). И в том же году, после срыва второй встречи в верхах, начался сенсационный вояж в Нью-Йорк турбоэлектрохода "Балтика" с Хрущевым и многочисленной свитой на борту ("корабль надежды", как его уже при отплытии нарекла услужливая команда журналистов). На этот раз Хрущев оборачивался "лицом к лицу" уже не одной Америки[1]. Теперь – с трибуны ООН – он адресовался всему миру и в первую очередь только что освободившимся странам. Современникам, правда, это событие больше запомнилось колоритными репликами "лично Н.С. Хрущева" и не имеющей, вероятно, прецедента обструкцией, учиненной им при посредстве собственного ботинка. Однако этот рубеж, а это был *рубеж*, имел и куда более существенное значение. То был "год Африки" – уходили в прошлое самые заповедные из колоний, и уже стучалась в дверь завтрашнего и более далекого дня проблема из проблем: *всеобщность суверенитета*. Чем станет она, с неожиданной силой прорвавшаяся наружу из векового мысли и векового сопротивления? Шагом к истинно человеческому, "утраченному" равенству или источником нового и самого опасного взаимного отторжения? Тогда на этот вопрос не только не было ответа,

---

[1] "Лицом к лицу с Америкой" – заголовок летописи визита Хрущева в США осенью 1959 г., которая давно пылится на полках библиотек (если не сдана в макулатуру). Между тем поучительная в некотором смысле книжка в длинном, подобном ей ряду. Не могу не вспомнить, как тогда же отозвался об этом шедевре мой покойный друг, прекрасный человек и превосходный журналист-международник (он заведовал отделением ТАСС в Нью-Йорке) Леонид Григорьевич Величанский, иронически переназвавший произведение А. Аджубея, Н. Грибачева, Ю. Жукова, Л. Ильичева и др.: "Гулливер среди лилипутов".

но и самый вопрос, если бы кто-то прозорливый и задал его себе, оказался бы в резком диссонансе с чувствами, которые испытывало множество людей в самых разных уголках мира.

Я склонен предположить: то, что происходило тогда, что звучало в ооновских речах людей, подобных Кваме Нкруме, задело если не юношеские, то, по крайней мере, раннефункционерские струны в душе Хрущева. О "мировой революции" он прямо не говорил; дома, за закрытыми дверями, строил сугубо державные планы, выслушивая советников соответствующего покроя, но фон принимаемых им решений был все же сродни песням и лозунгам, которые хранила его цепкая память. Казалось: старая, времен II Конгресса Коминтерна идея движения к заветной социалистической цели, минуя эпохи, переступая ступени, – эта идея зажила новой, второй, притом невиданной по размаху жизнью (подстрекая его к тому, чтобы и у себя дома переступать ступени).

Со спазматической быстротой меняющийся мировой пейзаж и средства, которые превосходили всякое воображение, – достаточно было проскочить между ними той или иной искре, и мы ощущаем приближение карибского кризиса. Деталь, которая была бы, вероятно, не более, чем заурядной, для былого мининдел и его питомцев, но не для Хрущева: тогда, осенью 1960 г., состоялась в Нью-Йорке первая его встреча с Фиделем Кастро; впечатление, надо полагать, было незабываемым: Фидель излучал силу, которая спустя считанные месяцы подтвердилась драматической схваткой с эмигрантским десантом. А в качестве контраста этому впечатлению пришло – с некоторым запозданием – иное, но имевшее поистине историческое значение: поселившееся в сознании Хрущева представление о слабости, более того, никчемности молодого американского президента. Объяснил ли нашему лидеру кто-либо из его советников, что самый исход операции Плайя-Хирон был вызван нежеланием Джона Кеннеди вводить в действие американские силы, а то, что только вступивший в должность, он принял на себя ответственность за эту неудачу, служило свидетельством если и не мужества его, то по меньшей мере понимания психологии соотечественников, отдавших ему предпочтение на выборах?! Думаю, что если бы такой советник у Хрущева и нашелся, он бы воспринял его предупреждение так же, как сахаровскую инициативу в момент зарождения ее.

В качестве косвенного доказательства я позволю себе поделиться маленьким воспоминанием. Дело было, вероятно, поздней весной 1961 г., во всяком случае, после кубинской осечки Штатов и до венской встречи Хрущева и Кеннеди. Академик Е.М. Жуков (мы были близки с ним со времен сотрудничества в подготовке десятитомной "Всемирной истории") только что вернулся из командировки в Японию. Там он встретился с американским коллегой, который оказался другом Джона Кеннеди еще студенческих или даже школьных лет. Он пригласил Жукова в ресторан и там "с откровенностью, свойственной американцам" (слова Жукова), рассказал ему, что собой представляет и к чему чувствует себя призванным его друг – президент. "Передайте своему руководству, – убеждал и даже умолял собеседника американец, – что Кеннеди действительно и больше всего хочет мира. После всего им пережитого в годы войны на Тихом океане он ненавидит кровопролитие. К тому же он умен и совестлив...". "Ну, и вы передали, написали?" – спросил я академика. С привычным выражением безразличия на лице он показал рукой на потолок своего кабинета и сказал: "Кому писать?" Меня это не столько удивило, сколько раздосадовало. Однако нельзя не признать, что Е.М. Жуков был прав, по крайней мере тогда.

Июньская встреча президента с Хрущевым вполне подтвердила это. Когда они остались наедине, Кеннеди сказал примерно то же, что его друг в Токио, и, судя по слышанному, с такой же прямотой. Он не только заверил советского премьера в своей приверженности миру, но и откровенно объяснил трудности своего положения и просил о встречном движении, которое бы помогло ему (не без выгоды и для советской стороны). Не читавши записи этого разговора, не станешь настаивать на дословности. И не столь наивен я, чтобы полагать, что сын своего отца, член своего клана и класса, Джон Кеннеди исчерпывался миролюбием. Да и Гарвард – вещь неоднозначная, впрочем, как и *миро-любие*. Мне трудно представить себе этого человека, симпатию к которому я испытывал еще до далласской развязки, говорящим вслух и даже наедине с собой: "Весь мир – тюрьма, а Штаты – одно из худших подземелий..." Не тот случай, не та роль. Не тот случай, но все-таки особый: индивидуальный и предвещающий "что-то", чему еще стать типичным, непременным. Но и хрущевский случай был по-своему особым, в том числе и по части миролюбия, что я пытался показать выше. Правда, он, даже сорвавшись с катушек и вымолвив невзначай (предположим такое), что "весь мир – тюрьма", об отечественном подземелье не помыслил бы либо в лучшем,и едва ли возможном, случае отнес бы его к "периоду культа личности". Однако еще считаные годы назад, во времена одной из постсталинских схваток, где речь шла о возможности выделить Австрию из заведомо нерешаемой проблемы мирного договора, которым союзники решили бы сообща все вопросы, связанные с границами и статусом бывшего "тысячелетнего рейха", Хрущев в запале спора бросил Молотову довод-вопрос: "Ты за мир или против?"

Наивность вопроса (ну, кто такое спрашивает в кругу жрецов политики, ведь не на съезде они, не на встрече с избирателями, не на международной трибуне) оттеняла его точность. Именно так, только так надо было спрашивать. Только так проламывать непарадную дверь в жизнь людей без Гитлера и без Сталина, но с ядерным запалом, с ракетной доставкой, со всем тем, с чем еще нужно было (тогда еще *нужно было*) сжиться политике, даже если не хотела она стать повторением и умножением человекоубийства. Отложим обсуждение вопроса: могла ли такая политика быть реалистической либо она была наперед обречена на то, чтобы подвести к краю пропасти уже не отдельных людей и даже не целые народы, а весь вид Homo? Не станем тревожить тень Эйнштейна. До Эйнштейна ли было Хрущеву даже лучшей его поры и даже Джону Кеннеди, реабилитировавшему Роберта Оппенгеймера?

Однако мы уже не в середине 50-х, а в начале 60-х. Крошечный отрезок времени; не только для астрофизика, но даже для историка – ничтожная вроде величина. И что переменилось? Нашему брату не пристало вводить в разбор, где властвует факт, пророческие совпадения и, обращаясь к газетам прошедших лет, тем паче к тому, что в газеты (наши!) и попасть не могло, вычитывать там свое, родное и всемирное, "мене, текел, фарес". Библейская притча сообщает о предзнаменовании, явившемся царю Валтасару: "персты руки человеческой" начертали на извести стены таинственные слова, которые смог разъяснить лишь пророк, слова, предвещавшие и конец, и раздел царства; среднее же из них гласило: "Ты взвешен на весах и найден очень легким". В наше время как будто нет места пророкам, и если оно кем-то и чем-то занято, то на языке XX века это бы следовало назвать *обратной связью*; лишающийся ее поистине "очень легок", любой сильный порыв ветра, нежданная буря способны свалить его с ног. Пишу это и думаю: поведай тогда Хрущеву пророчество Даниила как адресованное ему, он, вероятно, крайне бы удивился этой древней иностранщине, в лучшем случае рассмеялся. А зря – никакие ВЧ, "вертушки" ведь не заменяют "обратной связи", идущей и снизу, и сбоку и содержащей в себе не только то, что иначе не узнаешь, но и то, чему еще предстоит появиться – нежданным-негаданным, соединяя страшные истоки с не менее страшным предстоящим...

Случайность ли, и если случайность, то только ли календарное совмещение, что на один и тот же год – разница только в три, три с половиной месяца, – пришлись новочеркасская бойня, расстрел забастовавших рабочих и планетарный карибский кризис.

О первом из этих событий надо бы писать особо. До нас доходили слабые, едва слышимые сигналы его, сигналы человеческой трагедии – доходили и затихали, глушимые как казенным молчанием-запретом, так и тем особого рода безразличием, которое питалось еще неугасшей эйфорией хрущевского анти-Сталина. Только-только отзвучал набат XXII съезда, разоблачительные речи на нем и оглашенные во всеуслышание документы об убийствах и убийцах, которые, правда, не убивали собственной рукой, но этой – собственной – отправляли на тот свет вчерашних друзей, соратников по подполью и революции, сопровождая "визы" на арест и казнь бранью в адрес поверженных (дабы прочел, одобрительно и презрительно ухмыляясь, Сталин или уже просто по привычке?). Все ждали, что не сегодня, так завтра будет торжественно заложен первый камень в фундамент памятника жертвам сталинского террора. До Новочеркасска ли было всем нам, да и было ли там, в Новочеркасске, в самом деле нечто такое, что могло бы разом освободить нас от иллюзий, перечеркнуть надежды?

Спустя четверть века я прочитал рассказ о происшедшем, рассказ активного участника событий, которому, вероятно, удалось сохранить жизнь лишь благодаря тому, что он очутился за решеткой еще до кровавой развязки. Этот человек отбыл свое в комяцком лагере и после того многие годы собирал факты, проверял и перепроверял их, добиваясь оглашения правды и восстановления доброго имени погибших и покаранных. Преувеличивал ли он, Петр Петрович Сиуда, называя то, что случилось в его родном городе 1–3 июня 1962 г., *преступлением*, совершенным "не только против новочеркассцев, а и против трудящихся, народа"? Думаю, что он прав. Прав потому, что "местное" – сколок целого, позволяющее увидеть целое много яснее, чем когда оно предстоит в обезличенно-всеобщем виде. Так и здесь. Детали, рассказанные очевидцем-летописцем, и потрясают, и обязывают к размышлению: о причинах неуходящих преступлений власти – преступлений, имеющих не только "эпохальные" корни, но и всякий раз имя собственное.

...Прозаический зачин: совпадение очередного снижения расценок (нехитрое средство, позволяющее рапортовать о неуклонном повышении производительности труда!) с "временным" повышением цен на мясо, молоко, яйца. Город рабочих и студентов бедствовал уже не один год. Плохо питались, множество людей лишены были мало-мальски сносного жилья. Чаша терпения лопнула. Впрочем, не сразу. В прологе – попытка объясниться с "начальством". И лишь когда к протесту, имевшему ближайший житейский повод, присоединилось оскорбленное человеческое достоинство, раздался гудок на электровозостроительном заводе и волны возмущения стали накатываться – одна за другой, выливаясь из заводских стен на улицу, в город. Автор свидетельствует: ни в момент возникновения забастовки, ни в дальнейшем "не было никаких групп или органов, которые взяли бы на себя обязанность возглавить организацию и проведение выступлений рабочих". Стихия протеста действовала согласно отечественному преданию и зарубежному примеру. Забастовка переходила в митинги и демонстрации; вовлеченные в события люди искали поддержки у себя дома и за его пределами. Собирались захватить власть в городе, овладеть почтой и телеграфом с тем, чтобы обратиться к соотечественникам. Но памятны были уроки Грузии и Венгрии 1956 г. Порыв прислушался к голосу разума. Самостийность остановилась перед искусом насилия; начальственных жертв не было. Самое решительное из действий первого дня – задержка поезда "Саратов–Ростов", прерыв железнодорожного движения на новочеркасском участке. Это ли вывело из равновесия Москву или в соответствующей шифровке упоминалась еще и сделанная кем-то надпись на тепловозе – "Хрущева на мясо!"?

Тут мы подходим к наиболее специфическому в тех июньских событиях. Накал человеческого протеста своим острием был обращен, по сути, против одного человека, в котором новочеркасцы видели главного виновника своих бед, поскольку верили в то же самое, во что верил он сам: в то, что он все может. Мифы и реалии всевластия владели умами и определяли судьбы. Те самые люди, которые снимали изображения Хрущева, сваливали их в кучу перед заводоуправлением и "устроили из них большой и чадный костер", на другой день шли в колоннах к горкому партии с красными знаменами и портретами Ленина в руках и с революционными песнями на устах. Остальное – преддверие расправы и сама расправа. Не исключено, что вначале собирались лишь устрашить силою. Местный гарнизон оказался для этого непригодным: солдаты браталдись с рабочими. Введенные извне войска взяли город в кольцо, закупорив все входы и выходы. На требование квартир, мяса и масла ответили танками. Но оказалось, что труженик России, сразившей Гитлера, не боится страшной машины. "... Рабочие стали запрыгивать на танки... и своей одеждой закрывать смотровые щели, "ослеплять" их". Среди "ослепителей" были и дети. И среди погибших при расстреле демонстрации также были дети. Генерал армии Плиев приказал стрелять в людей, двигавшихся "плотной грозной массой, скандируя: "Дорогу рабочему классу!". Но ведь кто-то скомандовал и Плиеву... Число жертв кинжального огня автоматов неизвестно по сей день. Тела погибших не отдавали для захоронения близким. "Трупы складывали штабелями, а они еще агонизировали. Дергались руки, ноги".

Неизученное, сокрытое от памяти событие обрастает легендами. Мне хочется верить, что не вымысел, а факт: "Лежит девчушка в луже крови. Ошалелый майор встал в эту лужу. Ему говорят: "Смотри, сволочь, где стоишь!" Майор тут же пускает себе пулю в лоб". Да будет пухом земля и этому пока безымянному майору! Прибывшим в Новочеркасск посланцам Кремля А.И. Микояну и Ф.Р. Козлову в лужу крови вступать не пришлось. С делегацией рабочих они встретились на территории танковой части, а место событий осмотрели с вертолета. Рассказывали, будто Фрол Козлов плакал. По другим сведениям, он предлагал (в поуче-

ние всем!) расстрелять одного из каждой тысячи участников безоруж-
ного мятежа и не менее тысячи предать суду, однако согласия на это от
Хрущева не получил. Так или иначе, но к несчитанным жертвам бойни
прибавились еще семь, у которых жизнь отнял судебный приговор.
Свыше сотни получили тюремно-лагерное содержание – со сроками
чаще всего от 10 до 15 лет.

Я опустил многие подробности из прочитанного. Тщательное исследование внесет, надо думать, и уточнения, и дополнения, включающие главное – реакцию Хрущева, степень и характер причастности его к
трагедии. Узнал ли он задним числом о бойне или дал санкцию на нее?
Разница, что говорить, велика, но это различие вины. Различие *внутри*
преступления. Различие, которое показывает, сколь тесен был тот, середины 50-х – начала 60-х, *анти-Сталин*. И потому тесен, что не могли исчезнуть в мгновение ока люди, наперед исключающие какое-либо открытое несогласие, тем паче "снизу", как и любую попытку, идущую оттуда,
заявить себя стороной, *равной властвующим*. И еще потому, что на
смену тем, кому "анти-Сталин" был поперек горла, могли прийти тогда
(и это в лучшем случае!) лишь те, для кого свержение кумира служило не
началом, а концом перемен, ибо всякое продление – без жестко установленного лимита – мнилось им таящим коварную неизвестность,
рушащим устои, грозящим либо анархией... либо "реставрацией" порядков, некогда сметенных победившей революцией. Не этот ли страх перед
неизвестным и был главным действующим лицом новочеркасской
трагедии? Не он ли режиссировал ходом тогдашних событий, исподволь
отбирая на "роли" и новые жертвы и новых палачей?

Я не отвечаю сейчас на поставленный вопрос. Читатель, если у
него хватит терпения ознакомиться с этим текстом до конца, вправе
найти нелогичным, что события в одном из южных российских городов
вдвинуты автором – без всяких опосредований – прямо в мировой процесс, хотя их уместней было бы разобрать в третьей части статьи,
посвященной целиком делам домашним. Не стану возражать. И там для
Новочеркасска место. Но я убежден, что Мир присутствовал в Новочеркасске. Присутствовал и в тот час, когда взревел гудок на электровоз-
ном заводе, и когда отгремел последний выстрел. Присутствовал незримо и зримо. Незримо – родством всех человеческих страданий. Зримо
же – тем одним человеком, которому рабочие сказали: "Нет! Ты – не
наш. Ты – против нас!" А этот человек был накануне решающего испытания на решающем для всех на Земле проблемном поле – выживания в
ядерный век. Ему, этому человеку, еще предстояло спустя считанные недели вознестись на всесветную высоту. Вперед или назад он пойдет
после этого рокового года – еще не было окончательно решено.

Решено не было, но уже было предрешено.

Предрешено двумя событиями, которые сошлись во времени, хотя
и не совпали по своему характеру. Впрочем, и это спорно, если взглянуть на названные события, отступив назад – и не на годы, а, быть
может, взяв в расчет и столетия. Хотя, казалось бы, к чему они, столетия,
когда один спрашивает другого: "Ты за мир или против?" Важно, однако,
кто спрашивает и что имеет в виду. Договор с Австрией вполне уклады-
вался в рамки реальной политики, не тревожа и *светлое будущее*.
Осенью же 1962 г., в тринадцать карибских дней, затронуты были и злоба
дня, и непререкаемый идеал. Переменились и обстоятельства, и люди.
Молотов давно выбыл из игры. Теперь Хрущеву надо было адресовать

свой тогдашний вопрос самому себе. Теперь ему предстояло согласовать разрядку с идеалом, который, оставаясь без перемен, лишал и разрядку шанса, если не вывести людей из тупика, то хотя бы помешать расщепленному атому погубить в одночасье жизнь. Но оказалось, что поднять руку на "светлое будущее" куда труднее, чем на непокорных соотечественников.

Справился ли бы Никита Хрущев с этой головоломкой, не сведи его история с соперником, который добровольно взял на себя роль его союзника? Правда, у Джона Кеннеди были свои "идеальные" предтечи (если опять-таки взять в расчет столетия, отделявшие его от Томаса Джефферсона). Но предки все же помогают лишь тем, кто слышит дух времени, а этот последний производит выбор, не заглядывая в анкету... Прервем на полслове наш рассказ, предположив, что именно тогда, в том рубежном году, человек планеты Земля ощутил, *пред-понял*, что до осуществимой утопии один шаг до тотальной гибели, что и "светлое будущее" заряжено смертью.

Я слышу знакомые голоса, спрашивающие кто с грустью, а кто с завидной самоуверенностью: и это нуждалось в доказательствах? Мало ли было предсказаний и предупреждений, из которых Сталин и его наследство – далеко не первое и, сдается, не последнее. Что сказать в оправдание тех человеческих заблуждений, имя которым – *утопия*? То, что утопия – всегда впереди, манящая и недоступная, хотя ее долго видели покинутым раем? Что надежды, расплатою за которые служат жизни, признавались заблуждениями (и становились *заблуждениями*!) лишь задним числом – после того, как они, обезвреженные петлистым ходом истории, ею же облекались в плоть поступательности, входя в мировую норму? Что в этом великом последействии состояла (состоит??) суть – и только ли утопии, а может, и вообще человека? Отними ее у него, чем станет он? Оставь его при ней, и снова тот же вопрос: чем станет он? Острие бритвы! Все былое в свидетелях: и порезаться нетрудно, доступно и зарезать других. Но спасительно ли само по себе этого, пока не стало знанием, *открытым для всех*?

Загвоздка, стало быть, в открывателе: он сам из кого? Из тех, кто презрительно отправляет утопию в бред наяву, или из тех, кто, пройдя испытание утопией, не утратил веру в то, что человек в силах еще сделать невозможное возможным, т.е. сотворить из Невозможности новые, непредуказанные, очеловечивающие возможности? Оттого, видно, самые пристальные, мучительно тяжкие прогнозы "осуществимой утопии" принадлежат в нынешнем веке людям, остававшимся утопистами до последнего вздоха, как англичанин Джордж Оруэлл и русский Андрей Платонов. Другим же достался путь много длиннее – к *открытию открытого*. Тут и войны, последней из всемирных, не хватило, и Нюрнбергского процесса, и XX съезда. Тот же атом помог? Ядерная смерть, постучавшаяся в дверь? Эпизод, какой перевел "осуществимость утопии" на диалект дипломатических шифровок, на диалект двух Пентагонов, или, что то же, двух Генштабов... и язык диалога "человеческих отношений"?

Вслушаемся в показания Хрущева, сохраняя и тут без поправок стиль воспоминателя (как это и сделал издатель "избранных отрывков" В. Чалидзе). Рассказывая о том, как у него "возникла мысль" поставить на Кубе, ради превентивной защиты ее революционных завоеваний, ракеты с ядерными зарядами, способные "разрушить центры Америки", и как американцы, выявив это, сосредоточили "массу кораблей", авиацию, десантные средства и т.д., Хрущев продолжает: "Всё завертелось. Мы тогда считали, что американцы <...> пугают нас, а сами они не меньше, чем мы, боятся атомной войны. Когда американцы обнаружили наши ракеты, мы еще не успели всё туда завезти, и наши корабли шли на Кубу через эту армаду американского флота. Американцы их не трогали и не проверяли. <...> Мы поставили ракеты. Этой силы было достаточно, чтобы разрушить Нью-Йорк, Чикаго и другие промышленные города, а о Вашингтоне и говорить нечего. Маленькая деревня". Итак, их "маленькая деревня" могла в любой момент исчезнуть, оставляя на месте гору пепла и трупов. Вряд ли человек, которого осенила эта "мысль", собирался привести ее в исполнение, понимая, какая судьба ждет "большую деревню" по имени Москва. Он тоже хотел *только* напугать, а тут *все завертелось*: "нависла реальная возможность начала войны".

Но она еще не началась. Еще было время. Был шанс, но какой? "Нам писали, мы им писали. С нашей стороны <...> диктовал послания я. <...> Мы демонстрировали свое спокойствие, ходили в Большой театр. Мы хотели показать своему народу, своей стране, что мы в театре, оперу слушаем, значит, все спокойно". А тем временем в Штатах два брата, Президент и министр внутренних дел, не ходили в оперу. Может быть, потому, что их страна знала о происходящем? Советский посол, рассказывает далее Хрущев, сообщил начальству, что к нему пришел Роберт Кеннеди. "Он сказал, что уже шесть дней и ночей не был дома. Глаза красные, видно, что человек не спал". "Красные глаза" того человека так запомнились, что мемуарист и дальше возвращается к этому эпизоду: "Он (Р. Кеннеди. — *М.Г.*) оставил послу свой телефон и просил звонить в любое время. Когда он говорил с послом, он чуть не плакал: "Я, — говорит, — детей не видел (у него было шесть душ детей) и Президент тоже. Мы сидим в Белом доме, не спим — и глаза красные-красные". Нам не узнать, вероятно, какого цвета были тогда глаза у членов хрущевского Президиума ЦК КПСС и виделись ли они в те дни со своими детьми. Еще невозможнее (чур, чур!) представить себе одного из тех, кто тогда правил нашей страной, объясняющимся с американским послом по собственной инициативе и хотя бы в половинную, да что там — во много меньшую долю столь нестесненно, открытым текстом, как это сделал Роберт Кеннеди. "Он сказал: Мы обращаемся с просьбой к тов. Хрущеву, пусть он нам поможет ликвидировать конфликт. Если дальше так будет продолжаться, то Президент не уверен, что его не могут сбросить военные и захватить власть. Армия может выйти из-под контроля". Отбросим смешное, по привычке, "тов.", вернемся к сути. Хрущев комментирует: "Я не отрицал такой возможности, тем более Кеннеди — молодой президент, а угроза — безопасности Америки". Он не отрицал, что "молодого президента" могут сбросить (о себе в этом смысле, конечно же, не думал). Он не отрицал и того, что безопасность США была под угрозой. А Советского Союза, если принять за достоверное, что отношение ядерных запалов было тогда 17 : 1 в пользу Штатов?!

В качестве историка я не притязаю этой выжимкой из воспоминаний отставного лидера исчерпать историю карибского кризиса как таковую: для этого недостаточно любых "контрвоспоминаний", нужны документы – не выборочные, а все. Я не стану отрицать, что в действиях Хрущева наличествовал и расчет: стремление принудить американцев поступиться хотя бы частью военных баз, расположенных вблизи советских границ. Однако в том ли только беда и вина его, что действовал он обманно, вводя в заблуждение не только потенциального противника, но и собственных дипломатов? Или сам его обман был не просто нравственно сомнительной и дурно просчитанной уловкой, а чем-то большим, во что вошла природа домашней власти, ее застарелые навыки обращения со *своими*? Новочеркасск в карибском кризисе – вот что не уходит из сознания.

Отсюда – и законность и необходимость сопоставления. Меня занимает, мало того – мучает вопрос: что бы случилось, если бы у братьев Кеннеди не были красные от бессонницы глаза, что было бы, если бы Президент, склонившись к уговорам генералов, соблазнился реальной возможностью покончить одним ударом и с советскими ракетами, и с пригласившей их Кубой? Что было бы, если бы он, выученный поражениями – и своими, и тех, кто был до него, как дома, так и вне его, – не пришел в эти октябрьские дни и ночи 1962 г. к совсем иной мысли: опасно и оттого недопустимо ставить другую сторону конфликта в столь унизительное положение, когда она, движимая амбицией и догмой, окажется способной пойти на самоубийство, которое неминуемо втянет в свою воронку всех на свете? Иначе говоря: что случилось бы, если бы он, Джон Кеннеди, не был "генетически" готов *учиться поражениями*, переводя уроки их на язык политики, внятной и власть имущему, и тому, кто своими голосами превращает (на время!) гражданина в Президента?

Но мы ведь о Хрущеве. Да, о Хрущеве, который также сумел отступить – и кому помог отступить Джон Кеннеди, отступить без потери лица, мало того: помог обрести репутацию политика мирового класса и с этой репутацией не только уйти на недобровольный покой, но и сохранить ее в памяти... чуть не написал "целых поколений", но запнулся, ибо последнее было бы неправдой. Мы забывчивы, старый грех, в удержании которого есть также вклад, и немалый, самого Хрущева.

Судьба подготовила лидерам сверхдержав разный конец. Что предпринял бы Джон Кеннеди, которому в его, оборванное пулей, первое (и последнее) президентство не удалось провести через Конгресс ни один из крупных законопроектов? Можно гадать, читая американских исследователей и мемуаристов. В отношении Хрущева гадания как будто бесполезны. Спустя два года мировой лидер уходил с отечественной сцены банкротом. Но по сей день нам не хочется признать, что в его лице обанкротились мы сообща.

3

История не повторяется в каком-то простом круге. Она может, однако, не продвигаться вперед, а застыть на несколько более высоком уровне без всякой надежды достигнуть вершины.

М.Л. Кинг

Классическая традиция призывает проверять внешнюю политику внутренней. Сейчас члены этой формулы по меньшей мере уравнялись. Если не натяжка – считать, что нестойкие дипломатические успехи Хрущева производны от "феномена XX съезда", то вполне правомерно задаться вопросом о влиянии его дальнейших действий в мировой сфере на развитие внутренних процессов и перемен. Бесспорно, что связь тут есть, но также бесспорны и ее неоднозначность, и ее хрупкость. И дело не в том, что сам Хрущев двулик; можно бы сказать: нет, в каждый данный момент – одно лицо, один помысел. И хотя он был хитер, а до поры до времени и расчетлив, коварным его не назовешь. Но двуликой и даже коварной была *хрущевская ситуация*: ситуация надлома, которому не дано было перейти в преодоление, ситуация монолога, неспособного собственным усилием превратиться в разговор равных, в сотрудничество равных. И мы, вероятно, приблизимся к ответу, если скажем, что в отличие от дел внешних, где темы были обозначены совокупным действием разномыслящих держав и народов, открытым драматизмом коллизий, – в делах внутренних все было изначально не так. И чем дальше, тем в большей мере *не так*.

Возвращение выживших жертв сталинских "чисток" осталось, пожалуй, единственным чистым достижением Хрущева. Остальное либо было споловинено, подпорчено отступлениями и оговорками, либо представляло собою новый произвол, который, правда, был добродушней сталинской мизантропии (если произвол вообще бывает добродушен), но дорого обошелся только возникающему, делающему первые детские шажки обществу. Сказав, что индивидуальность была непредвиденным фактором перемены в обстоятельствах, мы не вправе забыть о той же индивидуальности, говоря о *незавершаемости* этой перемены – в людях. И опять-таки: где тут рубеж между виной одного и общей бедой?..

Если во всех своих проявлениях Хрущев предстает своеобразным гибридом прожектера и прагматика, то перед лицом внутренних проблем его страсть переворачивания, не сдерживаемая столкновением с достойными противниками-оппонентами, все чаще выступала как цель без цели, а его деловая хватка вырождалась в мелочность, навязываемую силой, какая не только сковывала, но и уродовала изнутри любую самостоятельность. Правда, и в этих рамках оставалось еще место для действий, подкупающих своей человечностью. То, что называют "хрущобами", конечно же, несет на себе след непродуманности и поспешности, примитива и уверенности в том, что архитектурные проблемы так же просто решать, как дипломатические. Но нельзя забывать, что "хрущобы" пришли на смену подвалам и баракам, что многие сотни тысяч семей стали впервые жить в отдельных квартирах (переворот в жизненном укладе, последствия которого уже сказались). И в иных замыслах Хрущева чувствовались щедрость и простор, противостоящие сталинскому сочетанию помпезности всех вещественных символов Державы с принудительным аскетизмом и серостью быта, предназначенного миллионам.

Но человечность, даже она, обречена быть недолгой, когда остается в первичном виде – стимула, движущего политиком, домогающимся власти и овладевающим ею. Известное выражение "власть губит человека" не лишено смысла. Мне возразят: все зависит от того, каков человек. Нет, не все. Далеко не все. Спорная тема: может ли быть политика человечной или многое, и самое, пожалуй, существенное, определяется тем – есть ли у человечности свое место вне политики, своя плоть, которая ставит предел и политике, не допуская ее включить в себя, обнять собою (надолго, "навсегда") все жизненные устремления и проявления человека?! Иначе говоря: человечности положено быть "абстрактной" и в этом качестве *оппонировать политике*, а для того иметь и свой статус, свое право, свою законную силу, активно препятствующую неудержимой экспансии неизменно конкретной политики.

Это и есть демократия? Ничто не мешает сказать: *да*. Ничто, кроме того, что мы обсуждаем эту тему у себя дома, оглядываясь не только по сторонам, но и назад. Ничто, кроме того, что обязуемся ввести в обсуждение наше прошлое – с его удивительным своей повторяемостью отталкиванием демократии в той сугубо определенной (и даже единственной) форме, какая создана не-нашей историей, и с его не менее постоянными возвратами к собственной *недемократической человечности*. Странное словосочетание, не правда ли? Но, каюсь, иного не нашел, чтобы выразить свою мысль, не уклоняясь и от того, чтобы найти этой будто побочной теме место в данном тексте. Ведь не о детали речь и даже не об одном духовном течении среди многих; нет, она, недемократическая человечность, – самое общее для сугубо разных потоков. И именно оттого самое общее, что у этого "словосочетания", восходящего, по меньшей мере, к началу нашего XIX века, есть не только свое биение мысли, своя пульсация действия, но и свой замах, своя экспансия, притязающая отнять у власти, поставлена ли она Всевышним или законом истории, все российские человеческие души (дабы из живых не стали "мертвыми") – отнять их, противостоя власти, и отнять, апеллируя к ней, пытаясь и ее ввести в свою упряжку, притом не пристяжной даже, а коренником.

И что же – гордиться нам этой, нашими предками зачатой "недемократической человечностью", либо проклинать ее, либо вовсе иначе: принять за *данное*, перестав кланяться изъянам ее и… просчитав преимущества, дабы из такого обдумывания-спора вывести некую гипотезу, некий контур жизненного и политического устройства, которое, удовлетворив нас, нынешних, не стало бы оковами для потомков и не вызывало бы опасения и у ближних к нам, и у далеких от нас народов?!

Нет работы неотложней, но и нет трудности большей, чем взяться за нее, чем начать ее ныне. Разбуди ночью современного небезразличного соотечественника, задай ему эту задачу, и он сразу заговорит об упущенных возможностях, поставив в пример и бомбу Игнатия Гриневицкого, разорвавшую вместе с Александром Вторым "почти" конституцию, и уж, разумеется, разгон Учредительного собрания; с другой стороны, будут вспомнены и пушкинское "Из Пиндемонти", и отказ Достоевского от любого всесветного прецедента (и *проекта!*) осчастливливания людей, ежели в цену войдет единственная слеза ребенка… Но зачем же так далеко уходить в воспоминаниях? Ближе, ближе, еще ближе. К совсем недавнему и столь, на первый взгляд, тривиальному эпизоду вековой российской трагедии, каков казус Хрущева.

Мы знаем, с чего он начал. Мы знаем, чем он кончил. Но что же было посредине? Тоже вроде бы известно; даже по памяти, не заглядывая в документы, нетрудно перечесть: и то, и другое, и пятое, и десятое. И пойдут беспорядочной чередой казахстанская целина со сказочными первоурожаями и с предсказанно-страшными пылевыми (а затем – и соляными) бурями, повсюдная кукуруза, сплошная химизация, отмена обязательных займов и отказ от погашения прежних, то поощрение приусадебных хозяйств земледельцев, то урезка их, миллиарды, вложенные в животноводство, и отнятая у крестьянина корова, ликвидация МТС вместе с их поборами, обеднявшими и без того скудный трудодень, и разоряющее принуждение деревни к выкупу нужной и вовсе не нужной

сельскохозяйственной техники, а еще и реформа школы, грозившая обез-
людить науку, и полусорвавшийся поход на саму Академию наук... Но
многое ли мы извлечем из такого либо еще более обстоятельного
перечня, если даже аккуратно разложим результат по полочкам, расста-
вив отметки и сосчитав общее число "плюсов" и "минусов"? Нет ничего
более противопоказанного историческому мышлению, чем арифметика
подобного рода, и, кстати, далеко не невинная, плодящая на месте
старой лжи обновленные обманы и самообманы с нарастающими издержками в мыслях и поступках.

Правда, сам Хрущев отдал дань этой домашней политологии. Да и
как могло быть иначе? Человек, родословная которого весьма подходи-
ла бы для прямой демократии, просто-напросто не знал, как "это" делается. Он не лицемерил, думая и утверждая, что не "вы для меня", а "я
для вас". Но как раз последнее уводило его все дальше от тех, вырази-
телем чьей воли и надежд он себя считал от начала и до конца. Он
обожал общение с "простыми людьми", но чем дальше, тем больше эти
выезды в народ смахивали на спектакль, на плохо скрытое лицедейство;
действовать же он умел (и мог!) только с помощью *нижестоящих*. Он
осмелился единоличным решением "открыть" существование автора
"Одного дня Ивана Денисовича", но считал себя вправе устраивать раз-
носы людям искусства, чьи творения не совпадали с его вкусами, и хотя
эти дебоши не менее тщательно подготавливались его ближним окружением, чем парадные доклады, сам же он бывал и отходчив, однако его
"меценатство" в заслугу ему не поставишь. По сути, он не успел дорас-
ти даже до свыше даруемой демократии. Он открыл ворота лагерей, но
закрыл министерство юстиции, оно показалось ему лишним. И впрямь –
для чего оно нам?

"Закон, что дышло..." – это даже несколько старомодно. Во всяком
случае, столь любившему народные поговорки Хрущеву эта вряд ли
вспомнилась, когда в мае и июле 1961 г. под его диктовку вышли в свет
два указа, расширявшие применение смертной казни в СССР: один – за
хищения в особо крупных размерах, другой – за "нарушение правил о
валютных операциях". Кто подсчитал, сколько жизней унесли эти указы,
которые мы вправе, по ассоциации, поставить в ряд с незабываемым
сталинским законом 7 августа 1932 г., согласно которому на тот свет
мог быть отправлен голодный человек, срезавший колосок. Времена,
правда, изменились. Не хлебный колосок имелся теперь в виду. Агония
сталинской системы множила действительную уголовщину. Коррупция
наглела, хотя до будущего, 70–80-х годов, апофеоза ей еще было далеко.
Но по силам ли было справиться с ней кажущемуся всесильным Хрущеву? А по нужде, по народной нужде, разрасталась и "теневая экономика", подчеркивавшая собою беспомощность власти и самой природой
своей враждебная нутру человека, мечтавшего об агрогородах и строив-
шего графики всеобщей бесплатности. Неудачи загоняли его в тупик,
провоцируя на то, что всегда было под рукой, – запреты, расправы,
тюрьмы, лагеря, "психушки". И подобно той бесконечной череде, которой
шли его реформы и контрреформы, такой же чередой шли в преступники
заядлые ворюги и деревенские бунтари, взяточники в мундирах и строп-
тивые хозяйственники, бывшие соратники Берии и первые из диссиден-
тов. И снова спросим себя: кто из советчиков, кто из идеологической
обслуги осмелился бы остановить Хрущева, кто из них дерзнул бы
сказать ему, что, кроме прав, есть еще и *право*, которое выше всякой

власти и уравнивает неправые жертвы, будь то колебнувшийся демократ Имре Надь или провалившийся валютный король Ян Рокотов (к которому, как и к его содельнику, Хрущев велел задним числом применить поспешно установленную "законом" смертную казнь).

...Я возвращаюсь к тому, с чего начал эту статью. Отношение к смерти – основа основ человеческого поведения; им с тех времен, что обозримы современниками, люди определяли и переопределяли самое *жизнь*. В нашем случае речь именно об этом, хотя не так уж очевидна эта основа основ, особенно когда пытаешься перевести ее на язык реального действия. Что глубже, исходнее в том, что именуем мы сталинизмом, чем презумпция недоверия к человеку, прямо или неявно дотягивающая до смерти? Хрущев 1953–1956 гг. бросил вызов этой презумпции, но вскорости оказался захваченным ею в плен. Иногда он вырывался из него, чтобы снова вернуться туда же. Он назвал Сталина преступником, но не рискнул опубликовать доклад партийной комиссии, выяснявшей причастность Сталина к событию 1 декабря 1934 г., – документ, который сам по себе навсегда погубил бы имя Сталина в сознании народа, не прощающего подлого, трусливого убийства человека человеком, который еще недавно называл свою жертву "другом" и "братом".

Боясь излишеств открытости умов и душ, Хрущев наносил ущерб не только тем, кто поверил в него, но и самому себе. Ведь только открытость, вошедшая в привычку, изгладила бы из сознания прежний стандарт вождя, с которым соотносили его самого – к невыгоде и для него, и для его почина. Непосредственность и дозируемая, но все же непривычная для нас откровенность привлекали, хотя далеко не всех, к Хрущеву, пока он перетряхивал реквизит прошлого, противостоя сиятельным доктринерам и бюрократам. Но когда, войдя в роль вождя, он решил, что она обязывает его к регулярному произнесению огромных речей, составленных из "нужных" слов, он стал смешон, и чем самоувереннее при этом держался, тем чаще и резче проявлялось снисходительно-ироническое отношение к нему, притом в самой разной аудитории, уже вовлеченной (им же) в неудержимую девальвацию прежних понятий, ценностей и слов. Смех был реакцией и на половинчатость освобождения, и – одновременно – на самую идею освобождения в ее хрущевской редакции. В этом смехе сошлись человек улицы с рафинированным интеллигентом.

Нет, когда речь идет о внутренних делах, тут не скажешь: он хотя бы был непоследовательным. Не скажешь, имея в виду не фрагменты, а *целое*, которое, начавшись с вторжения человечности в политику, перестало в конечном счете быть и человечностью, и политикой. Да, и политикой! Ибо, допустив даже, что едва ли не в каждой из реформ Хрущева, особенно первых лет его лидерства, можно обнаружить тот или иной сиюминутно рациональный мотив, мы вряд ли доберемся до корня банкротства всех этих мотивов, вместе взятых, сделав упор на тщету скоропалительного исполнения, на очередной спазм вековой российской нетерпеливости. И это было, безусловно – и это. Но только ли оно? Или само оно – производное от отсутствия общей связи, сквозной идеи?

Хотя человек, чья карьера началась на переломе 20–30-х годов, человек, заменивший Мартемьяна Рютина на посту секретаря Краснопресненского райкома и прошедший политическую школу у Кагановича, должен был бы держать в памяти тот переворот в сознании и нравах, который предшествовал оргии пыток и убийств, самооговоров и чудовищного фарса показательных процессов, – похоже, что как раз пролога он не то чтобы не помнил, но, скорее всего, так и не понял до самого своего конца, как не понял и *роковую связку вождя и губителя*, которую Сталин передал нам неуходящим воспоминанием и вопросом: случайно ли сцепились эти две роли, и если даже сцепка эта не была изначально бесповоротной, то не такой ли стала и уже таковой досталась последующим властителям? В свете итога как не сказать – чем бы ни началось вытеснение жизни смертью: скоропостижным ли уходом Ленина и еще более скоропостижной схваткой преемников или чем-то более основательным, что сделало уход смертного человека и свойства всякого эпигонства если не авторами, то режиссерами трагедии с многими миллионами участников, – в любом случае *это* получило собственное движение, крепко осевши и в строе, и в человеческих отношениях (да, и в них, и, поставив в кавычки слово "человеческих", мы далеко не уедем). И уже по тому одному от этого наследия не избавиться было ни свержениями монументов, ни другими жестами отлучения Сталина от "великих свершений". В свете происходящего... А в первый момент? Что упоительней первого глотка свободы? И кому поставить в укор иллюзию освобождения от Сталина, вышвырнутого из Мавзолея?

Хрущев – первый из проклинателей-наследников. Первый, но последний ли? Еще один вопрос без ответа. Да и можно ли ответить на него "заочно", не переживши тот изначальный опыт и не сделав его исходным пунктом любой попытки заглянуть в будущее? И оттого снова к тому пункту, который виделся центральным: отчего же и этот всполох человечности не перешел в политику, не стал ею? Рок ли российской истории это или, рассуждая более трезво, неизбежный возврат к прерванному ходу вещей после кажущегося полного разрыва... и затмения? Чтобы вопрос не повис в воздухе, не миновать того, чтобы "вернуться" к Сталину, переадресовав вопрос ему. А у Сталина была ли *политика* или и с нею он покончил и ее прикончил? Да что, собственно, это значит: прикончить политику? Не его вроде лексика, не на то нацеливался в 20-х, в те считанные месяцы, когда все в его судьбе (и нашей!) зависело от того, заговорит ли Ленин. Не об институтах и учреждениях, не о профессионалах выработки и осуществления политики (где их взять и как с ними быть) думал тогда Сталин, а о себе. О себе, но в контексте того, что становилось (нэп!), запинаясь о самое себя и о все прошлое России – совсем близкое и дальнее, запинаясь и ища опору в том же прошлом ради своего (и всесветного!) будущего. Так приспособиться ли было ему, Джугашвили-Сталину, к этому прихотливому, запутанному, мужицкому и мозговому "контексту"? Приспособиться либо укоротить, упростить, подогнав "под себя"?

О человечности тут говорить не приходится с первого его шага, и Царицын гражданской войны заставляет вспомнить Лион Жозефа Фуше. Заполучив пост генсека, Сталин, однако, еще далек от себя самотождественного, да и если бы и был у него тогда рассчитанный на десятилетия инфернальный график, то был ли в силах он его осуществить? Разделенная власть, популярные соперники – препятствие немалое, но главное ли? А искусство сталкивания противостоящих и даже не противо.., а просто стоящих на пути – преимущество очевидное, но опять-таки главное ли? Эпигоны получили в наследство от зачинателя победившую революцию и черновик жизненного устройства, позволяющего – по задумке Ленина – не только дождаться, когда сдвинется с места мир созревших для социализма наций, как и мир народов, только пробужденных к историческому движению, но и двинуться навстречу им всем, двинуться дома, меняя для этого и ритм, и форму собственного первоначального рывка. Между двумя слагаемыми этого наследства – зазор: "механизм" перемены ритма и формы.

Вопрос вопросов: кому под силу и кто вправе менять его? "Мы создали рынок", – говорил на XII съезде РКП(б) Л.Б. Каменев. Трактовать можно по-разному, вкладывая разный смысл в слово "создали". Создали тем, что уступили мужику (и нэпману)? Или еще и тем, что сами вступили на рыночную площадь величиной в Евразию: вступили как хозяева главных средств производства и как власть – арбитр между разными социальными волями, власть – регулятор экономической стихии? Разные вопросы – разные ответы. Разные ответы – разные действия. Ибо рынок – непокорное создание. Он жаждет развития (вширь, вглубь), делая свою заявку на соучастие в решении и собственно деловых, и общенародных судеб. И эта заявка *рынка* не совпадала с заявкой *революции*, жаждавшей – и также в людях – самопродления, самоувековечивания. Теперь модно (рука сама тянется) ставить перед коммунизмом прилагательное "казарменный". Оно, может, и справедливо в отношении второй, или исторически первой, стихии с ее уравнительной ностальгией, с ее добровольной тягой к бедности, к скоротечному порыву и самоотречению во имя Мира "без Россий и Латвий". Закрыть бы эту антинэповскую ностальгию, упразднить бы эту тягу, ибо не работала и мешала работающим, – так не давалась, тая сопротивление, прорывающееся в ненависть. А может, и имела право стать стороной диалога – коммунистической оппозицией к социализму производительного неравенства?

Тут и открывался предмет политики, которая тогда и политика, когда имеет дело с неодинаковыми, с разными. Кто ж к этому был готов? Кто из тех, кто выучился и привык лишь побеждать, быть в победителях, а не в побежденных? На многом споткнулся нэп: от неопробованности "механизмов" до неподготовленности человека у власти быть *человеком*. Первое непосредственно переходило во второе. Это понял, хотя и не до конца, немой, бессильный Ленин. Об этом "догадался" вожделением власти Сталин.

В одиночку, заимствуя и перелицовывая на ходу идущие в *его* дело идеи? Нет, у него был союзник, готовый оборвать *развитие* во имя *продления*. Вернее бы даже сказать – не союзник, а союзники: окольные и прямые. И недемократическая человечность, вовлеченная в фантом осуществимой утопии, своей вовлеченностью (и саморастворимостью!) готовила вопреки себе собственную гибель, оставляя без защиты – мыслью, словом – только поднимающуюся к сознательной жизни человеческую толщу. Но был и прямой союзник: функционер революции, не мыслящий себя вне политики. Исполнитель ее и "заказчик". Особый человеческий тип, закон бытия которого гласил: не щадя себя, не щадить других. Функционер чувствовал себя демиургом истории, в этом равным своему лидеру – кумиру. Сталин же не просто притворялся, соглашаясь с этим равенством и умело поддерживая видимость его, рождающую рвение (и беспощадность!). Самое равенство это входило в его "антропологию" генеральной линии, позволяя свергать соперников и загонять несогласных в гетто уклонов. Функционер, естественно, встал на сторону бухаринского "социализма в одной стране". Но столь же, если не более естественно, он воспринял импровизируемый Сталиным "правый уклон" в качестве своего главного антипода. Дитя Октября, подросток военного коммунизма, функционер принял нэп не по одной лишь ленинской указке, оставляя трупы свои на подступах к Кронштадту. Он смирился с нэпом-тактикой, смирился и воплотил себя в ней, но он перестал бы (в массе своей) быть собою, принявши нэп как *другой социализм*. К тому же этот человеческий тип был не сам по себе, а составлял ядро той более широкой и многоликой, множащейся формации энтузиастов, с которых мы начали размышление о судьбе Хрущева. Сужая тему, подходим к капитальной важности рубежу – году 1930-му, с его прологом и эпилогом, со всеми муками этого года и последствиями его, далеко выходящими за деревенскую околицу.

"Революция сверху", как назвал ее Сталин, "революция", острием своим направленная против середняка, против собственника-работника, навсегда вычеркнула из нашей истории этот коренной постоктябрьский социальный слой, руша тем и экономическую, и человеческую (российскую и – мировую в ленинском смысле) базу "строя цивилизованных кооператоров". В прологе – ступор нэпа, в финале – гибель функционера. А в эпицентре – последний взлет его. "Сплошная коллективизация", неотрывная от *темпа* (смысла жизни!), вернула его к своему первородству. Казалось, наступил момент, когда и Сталин получил возможность соорудить из функционерства краеугольный камень своего, своим замыслам и своей натуре отвечающего политического режима. Таков ли был его расчет? Утверждать трудно, предполагать допустимо. Но события внесли неожиданный корректив. Наступил час, когда равенство-рвение функционеров вернулось к Сталину бумерангом "перегибов". Разумеется, источником их был сам Сталин[1]. Но когда середняк стал брать в руки обрез, превращаясь в повстанца, автор генеральной линии, предупрежденный ОГПУ (другие не смели; члены Политбюро, разосланные по стране, молчали), столкнулся с непокорством функционеров. Их *не щадя себя, не щадить других* оказалось сильнее его телеграфных приказов остановиться на краю гибели. Тогда через головы "верховных" и "низовых" функционеров он обратился к мужику.

Главный виновник катастрофы предстал единоличным вызволителем. Ощутил ли функционер в этом событии сигнал приближения своего конца?

Я минаю промежуток между 1930-м и 1937-м, который, конечно же, не состоял только из тщательной подготовки расправы. Тут не прямая, тут развилка. Я допускаю, что и Сталин 1930-го еще не "знал", что он уравняет творцов коллективизации, правофланговых темпа, уравняет их даже не с вчерашними мужиками, ныне барачниками, орудующими тачкой и лопатой, возводя гиганты индустрии, – уравняет их с погубленными голодом и холодом. Тем паче не готовились к этому и не были готовы к этому – телом и духом – люди в гимнастерках. Есть много догадок (и разгадок), вводящих нас в тайну 1937-го. Если откроются все архивы (когда – в XXI веке?), найдется ли там сокровенная запись замысла, сделанная самим Сталиным? Нет, в бездны его души историк может проникнуть, выслушав не только уцелевших современников, но и себя... Рискуя ошибиться, я тем не менее убежден, что *суть 37-го не в сведении счетов с былыми солидерами, с теми, кто имел право считать*

---

[1] После публикации Б.А. Абрамовым материалов "комиссии Яковлева" ("Вопросы истории КПСС", 1964, № 1) этот вывод, напрашивающийся сам собою, получил документальное подтверждение.

себя наследниками Ленина. Да, не простой декорум – погубление тех. Месть достигла эпигонов первого поколения и дома, и за его пределами. К сладости расправы примешивался холодный расчет: инсценированная домашняя "пятая колонна" примирит с террором "победившего социализма" левый и даже отчасти правящий Запад. И антифашистская завеса, и сговор с Гитлером – в одно и то же время. Два "Мюнхена" в 1938-м: тот, где премьеры Англии и Франции принесли в жертву нацизму вместе с чужими землями и европейскую демократию, и тот "бухаринский", "рыковский" квазисуд, который, обобщив террор, сделал заложниками Сталина поколения советских людей – заложниками повального выравнивания и неуемного миродержавия. Хитрость ли это мирового духа или оборотня его – близость роковых дат? А миллионы растерзанных, заточенных в лагеря – не "перегиб" ли по шаблону 1930-го?

Есть основания для сопоставления: январский пленум того же 38-го, убранный в два приема Ежов, либеральный доклад Жданова и либеральные жесты-послабления (жесты-возвраты одиночек) присланного на Лубянку и надолго задержавшегося там Берии. Своего рода "головокружение от успехов". И параллель в итогах: там, при всех попятных шагах, необратимым оставалось уничтожение середняка, тут – уничтожение функционера. В сущности, не параллель – двуединство в судьбах. Функционер ведь не исчерпался уничтожением середняка; он еще и тем неугоден и даже опасен стал главному функционеру, что принялся опекать собственный результат, повернув свое рвение в сторону свежеиспеченных колхозов (и первые репрессии, коснувшиеся рядовых функционеров, и уже не в порядке одиночного исключения, не случайно падают на 31-й, 32-й годы, а "политотделы" – только ли против сопротивляющегося новому разорению колхозника были учреждены или также против райкомщика-опекуна?).

Трудный, требующий исследования вопрос: мог ли функционер середины 30-х дотянуться до *своей политики*, переменив главного функционера? В чью пользу шли тогдашняя "разрядка" и тогдашняя "перестройка", умиротворение интеллигенции и уступки крестьянам, новая Конституция и акты на вечное пользование землей? Казалось, в выигрыше прежде всего был Сталин, ведь все, что ни делалось, связывалось с его именем, да и осуществлялось оно не за спиной его, не в обход. Но, может быть, против его воли? Не исключено, что и это имело место. Наш долг – извлечь из небытия все факты сопротивления сталинскому *экстремизму власти*, восстановив судьбы всех, кто не совпадал, тем более тех, кто отважился на прямой протест, на попытки изменить ход вещей сменой лиц на самом верху партийной пирамиды. Само собой, Сталин не пропускал ни одного такого намерения, отвечая в соответствии со своей натурой. Однако проблема, нас занимающая, этим не исчерпывается. Ведь и реакция Сталина на действительное, а не измышленное сопротивление, состояла не только из сиюминутных, а также отложенных по необходимости расправ. "Позитив" тоже был оборотной стороной этой реакции. До известного момента социальные уступки и политические послабления не только повышали градус восхвалений в адрес вождя, не только укрепляли его положение, но и ослабляли позиции той узкой прослойки партийных работников и мыслящих людей, какая добивалась социализма без *регулярного насилия и систематического обмана*.

Убийством Кирова Сталин освободился от наиболее опасного (для него) из возможных лидеров этой прослойки, которая была и далека от организационного оформления и даже от идейной консолидации. Единство партии оставалось для нее исповедованием веры, а фракционность – страшнейшим из жупелов. Но, может быть, более всего сковывал ее волю отказ от ревизии собственного прошлого – то, с чего мог только и начаться диалог с тем человеческим большинством, которое именуется у нас "беспартийными". Отдадим должное Сталину. Он перехватил ("блоком коммунистов и беспартийных") почин этого диалога. Чутье действительной и мнимой опасности подсказало ему сверхзадачу: отвоевать у потенциальных противников гигантскую массу, испытавшую на себе все тяготы и ужасы "великого перелома". Он понял: ритуал оправданности жертв во имя будущего требует новой подкормки. Опасности извне надо было придать осязаемую близость к бытию каждого. Опасность следовало ввести в любой дом, в любую семью, стравив человека с человеком же, посеяв подозрительность, адресуемую уже не только соседу и другу, но самому себе. Прошлое России "работало" на Сталина, вернее – не все оно, но то в нем, что делало всех чужими порознь, соединяя в совокупность, в единство лишь через державу – власть. Сталин обновил и усовершенствовал традицию. Задним числом допустимо сказать, что он также стоял перед выбором. Он мог бы, сбросив вериги главного функционера, освободиться от функционерства как такового посредством популистской демократии, чистки, производимой на этот раз уже не в порядке одноразовой кампании, управляемой партией, а на регулярно-правовой основе. Но это "мог бы", конечно, не больше, чем условность. Я не стану утверждать, что он изначально собирался превратить отнюдь не плохую (сравним с брежневской) Конституцию 1936 г. в клочок бумаги. Он к этому шел или его к этому вело все, что в нем и вокруг. Менее всего он способен был допустить мало-малейшую десакрализацию власти. Атрибуты победившей и не остановленной революции подлежали сохранению. Поэтому, в частности, для него недостаточным было и избирательное вычеркивание из жизни тех, кто эту революцию олицетворял, – вычеркивание способом, подобным "ночи длинных ножей". Как бы кощунственно это ни звучало, у него не было иного выбора, чем выравнивание смертью, чем "всенародный террор", "человекоубийство с тотально фальсифицированным обоснованием" (как с исключительной точностью определил это чудище XX века Станислав Лем[1]). Но то, чего домогался Сталин, он и мог превратить из доминанты параноидального персонажа в доминанту *повседневности*. Ибо располагал не только исподволь заготовленной когортой исполнителей, не только ресурсом многоголовой сопричастности, но и свежим навыком привыкания. Обросший бытом и возведенный в апофеоз 1930-й вошел в самое тело – обиход 1937-го.

Из одной необратимости проистекала другая: атомизированный в виде ли колхозника, в виде ли новой рабочей массы вчерашний середняк тянул за собой в историческое небытие романтика и прагматика Штурма. На смену ему шел иной тип человека – иной, если даже в этом телесном обличье представал уцелевший функционер. Менее человечный? Да, хотя и не подряд, но чем дальше, тем непременнее в этом отношении, которое, в свою очередь, не просто по команде свершалось, не просто равняясь

---

[1] Правда, Лем в своем эссе "Провокация" (1980) рассматривает антропологию гитлеровского геноцида, но проблема, им поставленная, и самый подход к ней, при всей возможной спорности, подводят нас к родству несовпадающих феноменов гораздо глубже, чем прямолинейное отождествление.

на высший эталон. Увядание человечности производно с тех пор от отбора на безоговорочную исполнительность, неотъемлемую от "системы", составляющей собственность Хозяина – и осознающей себя таковой. "Ленин создал аппарат, аппарат создал Сталина" – слова Л.Д. Троцкого подкупают афористичностью, но так ли верны они? Так ли верны – и в отношении Ленина, и в отношении Сталина? Нет, полагаю я, аппарата Ленин не создал (и стоит ли так умиляться по поводу каждой из бесчисленных записок, касались ли они больших или совсем мелких дел, которые исходили от человека, привыкшего жить "письменной" жизнью, и не кажется ли странным, что, только когда смерть постучала в его дверь, задумался он о распределении обязанностей между своими замами?).

Аппарат – в том смысле, какой понятен без дальних разъяснений каждому, кто жил у нас и в 30-е, и позже, вплоть до дня сегодняшнего, – детище Сталина. Отличие аппарата от функционерства не формальное, оно не в должностях и даже не в иерархии как таковой (тут близость). Коренное отличие – непричастность аппарата к *политике*. Особенная чуждость, которая затрагивала, изменяя и переиначивая то, что суть человека: речь, семантику и лексику ее. Еще вчера над всеми словами господствовали два, произносимые как одно: *генеральная линия*. Сегодня (середина, конец 30-х) эти два слова уходят. Бесследно. Навсегда. Теперь и они – лишние, ибо ими все же подразумевалось нечто не-генеральное, но имеющее временное право на существование. Отныне такого права нет ни у идей, ни у людей. И оттого нет больше нужды и в "уклонах", и в "уклонистах", даже покаявшихся. Отныне есть и *могут быть* лишь двурушники, дозревшие предатели, затаенные и изобличаемые изменники.

Кодовые слова, слова, с тех пор управляющие речью, сознанием и судьбами: враги народа. Не белогвардейцы (класс!), не вредители (живые пережитки недоразвившейся российской буржуазности!), а именно – *враги народа*. Отсчет – от этих двух, произносимых как одно. От них – к народу. Отныне "народ" – это те, кто не враги, это то, что наперед и навсегда едино в своей единственной персонификации. И это уже не просто единство цели и средств, суммированных в политике. Это – "морально-политическое единство", возвещенное Молотовым в ноябре 1937 г. (недаром соответствующее место из этой речи завершает последнюю главу "Краткого курса", а доклад к 20-летию Октября именуется там "историческим"). Черта под *равенством-рвением* подведена. Равенство – вне закона. А рвение меняется исподволь. Суть аппарата – посредничество между единственным вождем и единым народом. Оттого у аппарата как некоего целого нет и быть не может собственного прошлого, а стало быть, и собственного будущего. Он (аппарат) не бессилен. Отнюдь. Но он – эманация всесилия Одного и потому сам по себе безлик.

Сказав это, мы имеем в виду родовую примету и конечный счет. По сути же было все сложнее и в индивидуальном смысле, и в общеродовом. Для полного искоренения племени функционеров, их свойств, их стиля требовались поколения. А на пути, до 50-х, была война. Катастрофа звала не только к рвению, но и к равенству – на этот смертельный час. (Два осколка из давнишних воспоминаний. В Ленинграде, у Адриана Владимировича Македонова, "Сократа" воркутян, встреча с женщиной, женой известного поэта, не только перенесшей, но и выстоявшей блокаду. Я допытывался: как же удалось, невзирая ни на что, выстоять? Понятно, говорило радио, слышался голос Ольги Берггольц, но в быту, в повседневности, как объединялись, через что проходила связь коченеющих, добиваемых голодом людей? Она минуту подумала, потом сказала: "Ну как, были ведь и домоуправы, и милиция, и райком"... А летом 45-го – незабываемая единственная встреча с Василием Семеновичем Гроссманом, коего возлюбил еще в студенческие годы, а фронтовые, естественно, закрепили это чувство. Встреча была случайной и недолгой. Говорили, в частности, о "Волоколамском шоссе". Я сказал: хорошо написано, но герой несимпатичен мне, а авторская симпатия к нему лишь усиливает отталкивание. Гроссман усмехнулся: "Вот и Поликарпов (тогдашний секретарь ССП) усмотрел у Бека эсеровщину". Разговор перекинулся на 41-й, на нашу – человеческую – неготовность к трагедии и на тех, кто сумел изготовиться уже в неравном бою (как герои повести Гроссмана "Народ бессмертен"). Он задумался и ответил: "Комиссары теперь ни к чему. Их пора на слом. Но в сорок первом они были на месте, без них тот год непонятен".)

...Последующее – не только продолжение прерванного. Оно вносит и новое – в обман, в страх, в обесчеловечивание. Тот, уплотненный во времени, террор уже без надобности. Память о прежнем еще свежа, но и ее надо было подкреплять. Нужен был "страх перед страхом", как с лаконичной точностью назвал эту отечественную психопатологию Василий Гроссман в своем посмертном (для нас) романе. Сталин не Макбет и даже не Иоанн Четвертый, его не преследовали тени убитых. Призрак, одолевавший его, вознесенного народом до небес, – возрожденное войною *равенство*. Равенство в страданиях, в потерях, не обошедших почти ни одну семью; равенство тех, кто победил, двигаясь по вражеским и собственным трупам с востока на запад, и тех, кого мы называли тогда "союзниками" и кто с много меньшими, но также с потерями и горем пришел с запада на конечный Запад. Равенство внутри победившего антифашизма и продление его в биографиях вчерашних мальчиков, вступающих мужами в неведомо новую жизнь, – не этот ли Бирнамский лес виделся Сталину, уединившемуся на озере Рица, чтобы, отойдя от *той* войны, открыть новую, также народную?

Вторая половина 40-х, начало 50-х – война против воскресшего равенства, еще не опознавшего себя, поселившегося в Образе и не дотянувшего до Понятия. Безумная стратегия или стратегия безумия – обрубить навсегда самые корни этого чувства, этой тяги, пробравшейся даже в аппарат? Ближний расчет был верен. Под стягом *Своего*, которому грозит Чужое (именно потому и тем грозит, что оно "чужое"), шло невидимое переиначивание стимулов жить, подымаясь вверх. И аппарату предстояло стать инструментом новой внутренней войны – и, само собой, возрос спрос на годных к "промыванию мозгов", и хотя поначалу шло скорее перетряхивание аппарата, чем чистка его (хотя в малых размерах и она также), но где-то маячило уже и замещение в более широких масштабах, замещение "приводных ремней" от единственного вождя к единому народу – замещение их теми, кто в этом же качестве вкусил и от неравенства по крови. Новые обстоятельства – новая семантика, управляющая судьбами: не из одного ли гнезда "космополиты" и "прогрессивное войско опричников" (кто, кроме Сталина, сподобился бы на такое словосочетание?!).

Правда, процесс этот был еще не вполне завершен, когда смерть Сталина приостановила его. Однако мы вправе спросить себя: сколь достижима была в конечном счете обновленная сталинская антропология? А конечный счет – это исчезновение историчности в человеке, вовлеченном в последний виток преступной власти. Конечный счет – уничтожение политики, поскольку, имея дело с "вечной" однозначностью, с одинаковыми людьми и сведенными к одинаковости народами, этносами, цивилизациями, политика лишается *предмета* (и *смысла!*), место которых, однако, не должно пустовать, заменяясь их суррогатами, рассчитанными на удержание и возобновление *той же* одинаковости, *того же* "всеобщего знаменателя". Вопрос не праздный. Это мост от Сталина к Хрущеву, от Хрущева к сегодняшнему дню. Удовлетворит ли общее, и в моих глазах не лишенное доказательности, рассуждение: если утопия оказалась в наш век почти осуществимой, то и у ее оборотня свое *почти*. Два "почти": близнецы и антиподы. Первое продолжает жить в порах второго, стиснутое, притихшее, но не исчезающее вовсе. В какой-то момент вновь возникает близость недемократической человечности с "жаберными щелями" функционера. И тогда начинается новый акт трагедии, возобновляющий своим катарсисом (или также *почти* катарсисом) надежду на жизнь без убийства и страха. И... возвращающий к убийству и страху.

В конце 1952-го, к началу 1953-го стрелки часов на кремлевских курантах замерли на без пяти минут 12. Эти пять минут не давались Сталину. Иссякло ли его воображение, брала ли верх старость или в недрах аппарата заработал инстинкт самосохранения, побуждающий к "контригре" (доступной, конечно же, лишь тому особому аппарату внутри аппарата, который был сверхсобственностью Хозяина и потому обладал экстерриториальностью, опасной для него же, гонимого страхом в закуток бронированного существования)? Отдавая должное детективу, я все же склонен слышать в финале шаги Немезиды. Впрочем (повторю): к счастью для всех на Земле, Сталин не дожил до "своей", опередившей Запад, водородной бомбы.

Хрущеву предстояло заново привести в движение кремлевские куранты. Согласимся, что это была непосильная ноша. Он выполнил *малую великую* часть ее: отодвинул стрелки назад. А дальше началась та аритмия времени, которая наполняет все десятилетие его действительного и – одновременно – мнимого полновластия. Действительное, кажется, не требует доказательств. Мнимое обнаружилось финалом, но не фигура красноречия – зачислить самого Хрущева в авторы развязки. Мы возвращаемся здесь к проблеме, поставленной выше: если всякая попытка сделать своей программой "анти-Сталина" при помощи его же наследства (бесконтрольности "идеальной" власти) должна была вернуть вспять либо загнать в тупик Хрущева, а вместе с ним и нашу *страну стран*, – имеем ли мы право, держась фактов, настаивать на том, что не только начальный, но и общий результат "хрущевского" времени внес перемену в самое Время?

Чтобы избавить вопрос от метафизичности, зададим себе испытательный тест. Освободимся от предвзятого балла, который принято ставить схватке 1957 г., из которой Хрущев, казалось поверженный, вышел не только не утратившим власть, но и приумножившим ее. Из своего торжества Хрущев извлек, как известно, уроки разного рода, в том числе и в духе Сталина. Чего стоит лишь коварное "освобождение" от маршала Жукова, чьей поддержке он немало был обязан своей победой над комплотом старой гвардии и новых, постсталинских деятелей?!

Список грехов Хрущева не менее, если не более, длинен, чем список его заслуг. Но ведь не числом и даже не умением, а смыслом стоит мерить итог. И если мы не отказываемся от предложенного теста, то по причинам, как раз относящимся к смыслу, или, иначе говоря, к возможности (или невозможности?!) возврата к нему, равнозначному возврату к политике, *возрождению политики*.

Перефразируя давнишнее каменевское "мы создали рынок", вправе ли был бы итоговый Хрущев сказать: "Мы (в единственном лице!) создали человеческое – социальное и культурное, мыслительное и трудовое – разнообразие, мы заново ввели многоукладность, наполнив и новым, современным, в политику переходящим, политику определяющим и политикой определяющимся содержанием"? Не вправе, ибо не ввел. Не помышлял ввести. Не располагал для этого ни внутренними ресурсами, ни извне приходящими побуждениями. Был бы он у власти в 1968-м, принял ли бы сахаровский вариант домашнего и вселенского "общественного договора" или дал бы, подобно преемникам, команду: вперед на Прагу?! Хочется, естественно, предположить, что остановился бы перед вторым, но повернуть "конвергенцию" внутрь СССР, *внутрь социализма*, наверняка, не только бы отказался, но и осерчал бы на свой манежный и иной манер. Да и от Сахарова бы, на этот манер, скорее всего отрекся бы. Если "там" на место ослушника Оппенгеймера нашелся свой Теллер, то у нас (где талантов не меньше), чтобы заместить ослушника в высоком ученом ранге, кандидатов с избытком.

Но опять-таки в Хрущеве ли дело или в той самой неподатливой, распятой, отлученной "многоукладности", от первой Голгофы и от вторичного хрущевского отлучения которой исходил и марш на Прагу, и лагерный диссидентский "марш", и многое из того, что составило домашние 70-е, зачавшись в славные, улыбчатые, фестивальные 50-е?!

Однако вернемся к нашему тесту: к 1957 г. Отстранимся от нравственной стороны дела. Средства, примененные тогда, что и говорить, не из лучших (на память приходит 1928-й, 29-й), но что делать было, если любое промедление, всякая щепетильность могли открыть шлюзы реваншу? Но так ли? Реванш ли грозил хрущевской цели или, напротив, возобладал бы *реализм задач*, лишь прикрытый флером цели, и был бы отодвинут в сторону отнюдь не безобидный мираж: "коммунизм к 1980 г."? Вопрос отчасти риторический (победил-то Хрущев), с другой стороны, требующий документального прояснения – чего в самом деле добивалось большинство в том анонимном "верху", который за Спасскими воротами (и что, к примеру, подвигло на присоединение к этому большинству одного из соавторов хрущевского "анти-Сталина" – Д.Т. Шепилова?).

И все-таки рискнем обозначить эту развилку, предположив, что она была именно развилкой: "местом", где заново появились первые побеги альтернативности. Не в Кремле появились, за его стенами, но не безотносительно к Кремлю. К хрущевскому Кремлю, как и к Кремлю его противников... Кому-то из зарубежных публицистов и исследователей, упорно старающихся понять нас (если не ошибаюсь, это Джузеппе Боффа), принадлежит афоризм: Хрущев пытался совместить в одном лице главу правительства с лидером оппозиции (результат очевиден!). Замечено метко, но чересчур по-европейски. Я бы рискнул отредактировать этот парадокс, заменив формальный пост на человека, желающего занять опустевшее место вождя, а "лидера оппозиции" – на последнего из функционеров. Можно было бы даже сказать – на последнего из коммунистов, если понимать под словом "коммунист" не принадлежность к правящей у нас партии, а привязанность к *конечной цели*, воспринимаемой им, "последним", в духе функционерского романтизма 1920-х: как то, до чего рукой достать, тем более если эта рука властвующая, обладающая возможностью (и правом?!) превращать желаемое в команду, за которой должно последовать исполнение и только.

"Круглый" 1980-й, конечно же, не был сколько-нибудь выверенным, напротив, он путал все расчеты и сроки. А его распределительный пафос не нуждался ни в "Капитале", ни в "Государстве и революции", да Хрущев и не утруждал себя, намечая время и размер изобилия и бесплатности, какой-либо классической книжностью (этим занималась на госдачах пишущая обслуга). Он же был гораздо ближе к самому себе, когда выговаривал свою заглавную, а по сути, и единственную идею запомнившимися с детства простыми и звучными словами: "Будет вам и белка, будет и свисток". На расстоянии – сюжет для Аркадия Райкина. Однако кто тогда осмелился бы оспорить эту не невинную блажь и не то чтобы указать на ее частные несообразности (были люди, открыто говорившие об этом), но опознать в ней источник бед, включающих наряду с новыми приступами разорения народа и новые позывы вычеркивания людей из жизни?

Говоря об этом, хочу и тут избежать упрощений. Последний функционер все-таки был не одиночкой и окружен был, если выйти за пределы Кремля и госдач, не только людьми, смотревшими (теперь) в рот ему, не только этими слугами всех господ, которым у нас, на нашу общую пагубу, несть числа и по сей день. Увлечение идеей – догнать и обогнать чванливые, удачливые, разжиревшие Штаты, притом беря в расчет не только космос, ракеты, ядерные запалы (их как – "на душу населения"?), а считая то, что действительно положено не мертвецам, а живым: пищу, крышу, одежду по вкусу, – вот по этому, новому счету догнать бы и обогнать их, разве это дурно, разве не по силам оно? Тут уж не один лишь зарвавшийся лидер в виновниках, тут даже не обман, а самообман, а *эпидемия самообмана*. И в заболевших, и в "болельщиках" мы обнаружим и самих себя, пригубивших от самого горького опыта и самых невозвратимых потерь. А может, именно потери эти, военных и послевоенных лет, память, память-победительница, память-нищенка влекли и нас к "белке и свистку"?

Не обойдем и действительных мужей совета. Перечитываю книжку С.Г. Струмилина "На путях построения коммунизма", вышедшую в 1959 г. Покойный академик был достойнейшим человеком, не боялся защищать травимых и умел, любил работать – считать без подручных. "...Элементарный расчет показывает, – писал он в названной книжке, – что при заданных условиях (т.е. исходя из темпов роста на пятилетие 1950–1955 гг. – *М.Г.*) СССР обогнал бы США по объему всей продукции уже в 1962 г., а из расчета на душу – еще через два года, не позже 1964 г." И в заключение – с полной уверенностью: у нас вскоре будет обеспеченная основа, "чтобы уже в течение примерно 5 лет после 1965 г. или несколько раньше догнать и превысить уровень производства в США на душу населения". Или несколько раньше! Тут уж Хрущев способен показаться более осторожным. Меня озадачили тогда эти расчеты, и я обратился за разъяснениями к крупному экономисту А.Е. Пробсту, который к тому же был в близких отношениях с престарелым ученым. Несколько смущаясь, Абрам Ефимович сказал: "Он убежден... и в том особенно, что ему самому удастся дожить до коммунизма". Поистине нашими благими намерениями устлана дорога в ад. И только ли *была?*

Так не лучше ли стало бы, если бы взяла верх "антипартийная группа", вернувшись к заклейменной первоначальной программе Маленкова? Ни белки, ни свистка. Малая целина и никакого рязанского эксперимента. Группе "Б" скромное, но неустанное развитие. И, конечно же, космос, совершенствование средств человекоуничтожения, хотя, может, и без ракет на Кубе. Вероятно, и без хрущевских пенсий старикам, но, может, и без хрущевской "тихой" девальвации. Без самочинного кремлевского дара Украине – передачи ей Крыма, но и без региональных экономических правительств, перешагивающих границы и пределы раз и навсегда установленной державной власти: ибо, если вдуматься, чем иным могли бы стать хрущевские совнархозы, удержись они надолго, – чем иным, как не началом перекройки на рациональных и суверенных основаниях территориального деления, завещанного Сталиным, и прежде всего – началом превращения громадины РСФСР, каждый регион которой по необходимости восходит к Москве, в связанную целостность независимых республик – земель и цивилизаций, иначе говоря: чем иным, как не прологом к другой жизни, социалистической, но другой?!.

Собирался ли сам Хрущев пойти столь далеко? По силам ли было ему, отрешившись от прожектов немедленной и безраздельной *переделки* сверху, ограничить себя содействием *самообновляющейся эволюции?* Более чем сомнительно, или, попросту говоря, – исключено. Но, может быть, это были бы вынуждены, повинуясь инстинкту самосохранения, сделать его противники? Освободившись от Хрущева, не просто вернуться назад, а испытать нечто третье, выступив в роли стражей равновесия, трезвых и расчетливых модернизаторов, не забывающих и соотнести – по шкале непременного, но не скорого мирового переворота – внутреннюю устойчивость с внешними катаклизмами и переменами. Оттого и знаменитая "хрущевская" триада – из мирного сосуществования, мирных форм революционной борьбы и многообразия вариантов "применения всеобщих истин марксизма-ленинизма в конкретных условиях", – и она, не исключено, могла бы войти в обойму допустимых новаций и при ином составе правителей. Рискнули бы они включить в эту обойму "общенародное государство"? Отчего бы нет. Ведь все дело здесь в тех самых "конкретных условиях", на какие напирал основоположник, а уж его имя безусловно склонялось бы не реже, чем при Хрущеве и его, хрущевских, преемниках. Общенародное – значит, включающее *весь* народ, неотделимый от власти в любой из своих жизненных ипостасей, равно публичных и частных. Единство народа оттого и было бы по-прежнему незыблемым и соответственно – поддерживаемым и охраняемым. Пожертвовав "жаберными щелями" последнего функционера, взявшее верх большинство, само собой, не посягнуло бы на аппарат. Не стало бы тревожить его непредсказуемыми перестройками (стабильность, стабильность!), но и не давало бы ему и распуститься, своевольничать в том, что сохранило бы этикетку "политика", оставляя в силе подспудный императив аппарата: *без собственного прошлого, без собственного будущего.*

И это двойное "без" могло бы даже раздвинуться, минуя шумные эксцессы, но и не рискуя особыми послаблениями, вроде публикации "Теркина на том свете", – раздвинуться вширь, включая в себя, в соответствии с традицией и идя навстречу веяниям времени, домашнюю технократию, врастающую в аппарат, в иерархическую субординацию с неотделимой от нее добровольно-принудительной идеологической дисциплиной. И в этом случае зачем бы, например, "почетному академику" Молотову ссориться с Академией наук, да еще вопрос: он ли, Молотов, задавал бы тон, ведь могла бы произойти и перегруппировка сил, например – блок Маленкова и Шепилова с Первухиным, Косыгиным и им близкими духом. А останься на своем посту прославленный, любимый народом маршал Жуков, то весьма возможно, что и он, даже именно он, сыграл бы самую весомую роль в последующей кремлевской перегруппировке, как и в технократизации всей системы, в приучении номенклатуры к требованиям ядерного и компьютерного века и не в последнем счете – в подтягивании "работяг"...

Близко ли к цели было все перечисленное? Соблазнительно сказать – нет. Не проверишь ведь. Я также склонен к "нет", затрудняет же меня объем и существо этого отрицания. То, что любой из наследников Сталина вынужден был бы отвести назад стрелки кремлевских курантов, – это бесспорно. Спорно же – пришли ли бы в любом случае эти часы в движение. Продолжим наш рискованный "тест", сказавши: аритмия Хрущева была если не абсолютно единственным, то близким к этому способом вернуться в лоно Времени. Его *анти-Сталин* быстро захлебнулся, и XXII съезд только кажется более высокой точкой, чем XX. Но к *не-Сталину* не было вообще прямого пути. От дальних и близких следствий опустошения в хозяйстве и культуре, в нравах и душах не было прямого пути к *другой жизни*. Особенно – от опустошений в душах. Впрочем, и это может показаться метафизикой, если не попытаться перевести сказанное, хотя бы в самом сжатом виде, на язык истории, заодно выверив самый язык, каким мы при этом пользуемся... Еще раз: "Мы создали рынок". Не слышится ли в этом "создали" приговор нэпу, пролог к катастрофе 1930-го, а от нее и через нее – к *введенному* социализму 1936-го, 1937-го? А от него, от его "введенности" (потребовавшей жертв без числа) – минуя трагический взлет и окровавленный последыш войны – *куда*? К ширящемуся все дальше на Запад и Восток пространству без душ? Конечный код сталинской державы: не средства, какие превыше цели, а цена, которая превыше всех наличествующих средств и исключает все известные людям цели. Цена как таковая. Единственность Цены – и Он в качестве ее единственного воплощения.

От этого наследия в 1953-м не был свободен никто. И никто не мог от него освободиться разом, как никто не мог от выравнивания смертью вернуться разом к равенству, воплощенному в человеческом достоинстве *каждого*, в способности *каждого* вернуть свое человеческое призвание: быть (стать!) собою. По законам "системы" – законам ее саморазрушения – вырваться из ее объятий значило либо объявить себя вне ее законов, либо попытаться встать над ними, открыто заявив себя противником "единственного воплощения", противником призрака его, его загробной власти над мыслями и поступками. Но встать *над* – значило остаться в пределах отрицаемого. Та же агония системы, те же законы ее саморазрушения влекли к еще одной попытке "введения". Последней ли? Ответом – судьба Хрущева. Вся – от освободительного первого шага до конечного минусового баланса. Признаем: не только первый шаг нам дорог. Но и минусовый баланс – общее приобретение. Нужное нам всем, не исключая никого.

Поэтому я отдаю предпочтение "великому десятилетию" с его новыми утратами и болями, с мучительными для всех шараханьями из края в край, с гротеском финала, – отдаю предпочтение перед предположительным, не исключенным, медленным скольжением и рационализацией сталинского наследия, какие могли бы проистечь из торжества "антипартийной группы". Рискованный тезис, я понимаю это. В некотором смысле – бездоказательный. Можно бы указать в виде аргумента на последышей Хрущева, на тех, кто с помощью очередного, на этот раз удавшегося заговора пришел к власти – на срок, чуть не вдвое превышающий хрущевский, оставив после себя вдребезги разбитое корыто. Но и этот аргумент сам по себе не убеждает в превосходстве Хрущева: ведь это (в большинстве своем) его же люди, им же отобранные, его вкусам отвечавшие. Это его, ожегшегося на Шепилове, ставка на затаенных иезуитов сталинской выучки типа М.А. Суслова либо на безгласных, но не безопасных ничтожеств вроде Ф.Р. Козлова, Л.И. Брежнева, Н.В. Подгорного (которого даже его не менее сиятельные партнеры по "забиванию козла" называли "пусто-пусто") привела его к фиаско. Но можно ли вменить падение Хрущева в вину ему же? Все зависит от характера спроса. Спрос ли это на чудотворца, спрос ли это на *личность*: будто бы рядом они, тот и этот спрос, на самом деле – антагонисты. Но и это последнее выясняется не сразу и к пониманию несовместимости их надо прийти, ожегшись... и опознав ожог. Его и наш – обоюдный ожог. Ведь это его, хрущевская, эйфория мнимой цели, как и "простая" неразборчивость в людях, открыли шлюзы воинственной безликости; ведь это его стремление, сохранив в себе последнего функционера, удержать и Мономахову шапку вождя, отозвались в людях, движимых сугубо разными помыслами, сделав одних из них его активными ненавистниками, а других – равнодушными свидетелями его ухода со сцены. Ненависть, совокупившись с равнодушием, вывела нас всех на новый виток агонии сталинской системы.

Достижение? Провал? Не те слова. Ибо агония – это не тихое умирание. На пороге смерти – всплеск жизни.

Его, хрущевской? В буквальном смысле – нет. Повстречайся с ним в последние опальные годы некто, не ведающий всего, что произошло в нашем отечестве между 5 марта 1953 г. и 14 октября 1964 г., этот условный пришелец не обнаружил бы в Хрущеве ни созерцателя, подводящего себе и времени, ни деятеля, лелеющего планы расширения круга сторонников и единомышленников. Нужно признать, что политиков в этом смысле, проистекающем опять-таки из самого понятия "политика", у нас давно уже нет. Самому Хрущеву вряд ли приходило в голову, что убежденный коммунист может иметь *своих* сторонников, если не занимает положения, позволяющего иметь таковых. Что допустимо в сфере, очерченной иерархическими границами, недопустимо, а стало быть, опасно, а потому должно быть наперед объявлено вне закона, – по ту сторону этих границ! Этого правила он нарушить не мог. И тем не менее преступил его – однажды, в тот решающий момент своей жизни, не будь которого, у нас не было бы и оснований его поминать, а преемникам его не пришло бы в голову (у страха глаза велики) окружать Новодевичье кладбище двойным кордоном милиционеров и солдат, оснащенных рациями. Чего, собственно, они боялись – изъявления добрых чувств или чего-то большего, о чем гласит старинная пословица: "Дурной пример заразителен"?

И впрямь: *против течения* редко когда остается в единственном числе. Чем дальше уходил Хрущев от своего начала, тем больше становилось людей (перефразируя Чернышевского, мы бы сказали: новых новых людей), готовых не только не допустить возвратного движения, но и сделать шаг вперед по сравнению с дарованным – хрущевским началом. Шаг или, точнее, шаги. Шаги – открытия, притом, что открывалось ими не только то, что в отечественном и мировом запаснике, но и то, чему еще нет прецедента. Разные и не вполне согласуемые шаги. Спотыкающиеся на том самом месте, где споткнулось все хрущевское Дело, – на переходе от анти-Сталина к не-Сталину: к иной жизни. Но это уже, как сказано другим русским классиком, "тема нового рассказа". Раскрывая его страницы, непременно поставишь все тот же мучащий поколения вопрос: неужто, как заведено у нас в России, так и задано нам менять себя чередой взлетов и падений?

Сегодня, оглядываясь на 50-е и 60-е и то, что из них выросло, и то, на чем они оборвались, как будто бы нетрудно и ответить. Но это только – как будто бы. Ответ еще ждет развернутого мыслью вопроса, накладывая запрет на "благородные умолчания": о несбывшихся надеждах и об отвергнутых, замученных людях. Да и вопрос не один, а ответов заведомо будет много больше. И не попеняешь, что Образ, как и раньше, опережает Понятие – и набросками вопросов, и черновиками ответов. Ответ ли или только вопрос, поставленный Эрнстом Неизвестным, – памятник на Новодевичьем кладбище, где отливающая позолотой голова Никиты – освобождающего, Никиты – властвующего, Никиты – топчущего им начатое, Никиты – карибского и Никиты – новочеркасского, стоит на бело-черных, разделенно-единых подставках-остриях, стоит, открывая тот пестрый ряд, который завершает могила Александра Твардовского?!

И опять же не состязание, а вопрос, ответ которому дает длящаяся жизнь: чьим именем справедливее назвать ту оконченную, но не завершенную эпоху – именем Никиты Хрущева или именем Александра Твардовского? Именем первого ослушника сталинской системы, не сумевшего совладать со Сталиным в самом себе, или именем человека, которому первый дал возможность превозмочь Сталина в себе: ту возможность, которая родила раскрепощающее Слово – дверь из смерти в жизнь?!

PRO DOMO SUA

Почему я выбрал старинную латынь вместо более привычного послесловия? И опять-таки – зачем вдогонку тексту, у основного состава фактов и мыслей которого семнадцатилетняя давность, направлять строки, навеянные заботами сегодняшнего дня?

Одна причина вполне естественная. Взяв в руки текст, пролежавший годы в ящике моего письменного стола, я не мог удержаться от того, чтобы не привести рукопись хотя бы в некоторое соответствие с переменами, которые произошли во мне самом. Рубцы "родословной", вероятно, будут замечены читателем и поставлены в справедливый упрек автору, которому остается лишь сказать, что поскольку это *его* рубцы, они ему так же дороги, как и соображения, пришедшие в голову при доделке.

Но все-таки не ради одного этого – заключительные строки и латынь в заголовке. Pro domo sua буквально значит: "за свой дом". Тут вместе личное и общее – и сам дом, и отстаивание своего права (и долга!), следуя уже отечественной традиции, связывать былое с думами, узнанное и добытое исследованием с тем, что пришлось пережить – по собственной ли доброй воле или по "чужой" недоброй. Историк к тому же – не больше, чем посредник. Не больше, но и не меньше. Без него не быть тем *встречам без встреч*, которые показаны человеческой жизни как одно из непременных условий того, чтобы она длилась и была *жизнью*. Всякое правило подтверждается исключениями. На беду нашу, у нас их накопилось слишком много, этих несостоявшихся "встреч без встречи". Слишком много оборванных нитей, на полуслове прерванных начал, преддверий, которые состоят не столько из бьющих в глаза совпадений прошедшего с нынешним, сколько из неприметных на первый взгляд уроков, какие один человек способен сообщить другому, лишь глядя в глаза и обходя тома с закладками. Вот и человека, о ком в этой статье идет речь, уже давно нет. И я не уверен, что он смог бы внятно изложить другому свой урок. Скорее наоборот – не смог бы, и это также входит в его судьбу.

Трудно соединить живые и мертвые руки, еще труднее – сблизить слова, когда утрачен словарь. В качестве посредника я не отождествляю себя с Хрущевым. На исповеди бы сказал, что, имей я даже хрущевский статус 1953–1956 гг., вероятнее всего, не дерзнул бы решиться на первый – незабвенный – хрущевский шаг. Но, зная это, знаю и иное: в той судьбе, когда читаешь ее от начала и до развязки, содержится не только неотвратимое поражение, там еще и кровь и грязь. Если я скрою это, я буду лжецом, которому не простится.

Ныне мы живем у себя дома под знаком разрастающихся перемен, тяги к очищению и обновлению. Но не смеем забыть – живем и после Чернобыля, и после Сумгаита, и после Тбилиси. Кому дано наперед измерить, что весит больше? Вспомним еще раз пушкинское: ум человеческий не пророк, а угадчик. Угадывание же требует, чтобы ум был озабочен не только собою – глаголящим, взывающим. Даже если это взывание честное, без павлиньего хвоста, даже в этом случае уму-угадчику как не озаботиться о других: чтобы поняли они, чтобы приняли "угадку" за *свою*. Нет сейчас нужды важнее. Она и день вчерашний, и день завтрашний. Вчерашний свидетельствует: начиная с нэповских 1920-х, мы терпели поражение за поражением, уходя и не доходя от братоубийственных схваток к гражданскому миру – не идиллическому, но продуктивному, к миру-работнику, работнику-хозяину.

Завтрашний же день настаивает: мы все сообща, все поколения, все языки и "уклады", должны научиться выходить из домашних невзгод и неудач непобежденными, дав ради этого зарок – отныне не должно быть ни одного человека, ни одного народа, повергнутого ниц, затоптанного и терзаемого, оставленного в одиночестве.

Только так.

СТАЛИНИЗМ: ИДЕОЛОГИЯ И СОЗНАНИЕ

От "культа личности" к истории "без сталинизма"

Уже на первом этапе легального осмысления сталинизма в нашем обществе – в период первой оттепели – главный, если не единственный, акцент был сделан на версии индивидуальной ответственности. Происшедшее рассматривалось как результат действий отдельных лиц, а сами эти действия – как одиозные отклонения в рамках однозначно правильной истории и не подлежащей критическому переосмыслению политической реальности. С тех пор сам феномен и вместившая его эпоха получили имя – "культ личности".

Такой подход впоследствии не раз уличался в поверхностности. Тем не менее не надо его слишком недооценивать. Претензии здесь, естественно, могут быть предъявлены к тому, что зона охвата этой "поверхности" была тщательно огорожена директивно заданной номенклатурой осуждаемых лиц и действий, а копать на ней вглубь и вовсе не полагалось. Но поверхность, видимость – это не то, чего нет, а лишь то, что непосредственно видимо в самой реальности. Здесь была зафиксирована выдающаяся роль, которую сыграли на данном отрезке нашей истории именно индивидуальные действия и личностные качества их авторов. Этот уровень анализа имеет свою глубину, до сих пор далеко не выбранную и даже не осознанную, хотя бы в плане понимания многих конкретных сталинских мотиваций. К тому же личностное, индивидуальное в данном случае – это отнюдь не просто нечто поверхностное, скрывающее "подлинную сущность" социального явления.

Нынешний этап десталинизации, ненадолго задержавшись на том же пятачке, затем резко расширил площади исследуемой поверхности. Темпы этого процесса подчас опережали самые смелые прогнозы, а его значение вышло далеко за рамки простой информационности. Это было не только узнавание: ставшие ритуалом повторы уже известных ужасов и проклятий были и символами консолидации сил, и актами публичного покаяния, и процедурой шоковой терапии – терапии проговаривания. Особое значение в этой работе сознания имело восстановление самой способности к речи. Сначала с трудом, а потом все более свободно выговаривая давно не звучавшие имена и понятия, осваивая криминальную терминологию в квалификации политических и государственных действий, общество как бы заново училось говорить, обретало язык. Урок был усвоен на удивление быстро: уже "Ждановская жидкость" размазала один из светлых образов без какой бы то ни было самоцензуры. Началось соревнование в силе выражений. Сейчас разговоры о сталинизме на повышенных тонах уже почти не воспринимаются, эстетика плаката в публицистике срабатывает все хуже. Но тогда эта эмоциональная встряска от первых выкриков поспособствовала раскрепощению сознания ничуть не меньше, чем само ознакомление с фактами.

Неудовлетворенность разговором на уровне персоналий и шокирующих констатаций обозначилась почти столь же быстро, хотя по этой "поверхности" нам еще шагать и шагать до ее границ, объективно очерченных содержанием до сих пор закрытых архивов. Однако в призывах "углубиться в проблему" часто звучало не столько "давайте думать!", сколько "хватит пугать!". На уровне массовых эмоций сложилось настроение, суть которого без преувеличения можно обозначить словами: "в зубах навязло!" Истоки этих настроений понятны, как очевидна и их моральная оценка. Здесь сказались и естественная утомленность шокирующими разоблачениями – и прямо противоположный эффект притупления остроты: то ли приелись рецепты нынешней переперченной публицистики, то ли сам повар готовил блюда, недостаточно острые для нынешнего задубелого вкуса. Сказалось и неприятие радикализма, эффектно упражняющегося в зоне, не просто давно отвоеванной, а уже как бы официально отведенной для громогласной критики. Но главную долю скепсиса и начинающегося озлобления вызвало явное несоответствие между смелостью известных исторических переоценок и гораздо более сдержанным характером реальных перемен: в этом увидели знакомую практику "заговаривания зубов" и поисков "козла отпущения". Это сложный синдром, но его надо снять и доделать работу "на поверхности". Если ее вообще можно когда-нибудь доделать...

В конструктивной своей части призывы к "углублению" означали переход от персональных разоблачений к критике "системы" как главного средоточия зла. Если отбросить то, что шло здесь от самодовлеющего радикализма, то в этом нельзя не обнаружить определенного методологического смысла. В самом деле, в какой-то момент сталинизм надо попытаться описать "без Сталина"; созданная им машина должна быть осмыслена в своей собственной механике, уже как бы без имен, как специфическое соотношение социальных функций, неизвестные в которых могли принимать и другие значения. Может оказаться, что в этом механизме, в котором, как известно, "незаменимых не было", в гораздо большей степени, чем это принято обычно считать, взаимозаменяемыми были не только "винтики", но и главные "винты", включая до известной степени и "номер первый". В этой же логике внутренне необходимых взаимодействий должно быть осмыслено и поведение больших социальных групп и массовидных образований, таких как "аппарат", "партия", "органы" – и "низовые инициативы", "классы" или даже "народ как целое". Это несколько убавит жесткости в дихотомии "виновных и жертв".

Примерно в этом направлении идет осмысление сталинизма как системы, которую мы при всей нынешней смелости официально именуем не иначе, как командно-административной. Речь, видимо, должна идти о *сложном социальном комплексе*. Помимо "культа" были выработаны собственная экономика, свой стиль идеологии и пропаганды, особый тип внутренней и внешней политики, характерные конфигурации сознания, специфическое мироощущение и соответствующий ему характер межсоциальных отношений. И даже своя, как выражался Ленин, "биомеханика", разросшаяся в особый тип отношения к физическому насилию, к индивидуальной человеческой телесности, наконец, просто к смерти. Все это было увязано и, если здесь уместно это слово, "гармонизировано".

В такой постановке вопроса лишний раз подчеркивается, сколько еще предстоит сделать, чтобы проработать не просто элементы этого комплекса, но и скрытые механизмы их целостного взаимодействия. Однако в перспективе возникает еще одна проблема методологического свойства: насколько в данном случае система как таковая может быть понята без учета личных характеристик своего лидера? Можно ли здесь вообще разделить системное и личностное? Не является ли в данном случае сама личность в известном смысле ключом для понимания свойств системы? Уже сейчас очевидно, что и самые резкие характеристики системы оказываются недостаточными, чтобы объяснить действительные масштабы случившегося. В результате все же срабатывает схема "козла отпущения": на структуральном уровне картина вырисовывается сравнительно безобидная, поскольку вместе с личностным из ее характеристик выносится за скобки и значительная часть всего криминального и патологического.

Такое "вынесение за скобки" срабатывает для систем с формализованной структурой власти и сравнительно стабилизированной, а главное, контролируемой политической линией. Смена лидера в западных демократиях может изменить многое, но не настолько, и уж, во всяком случае, она не затрагивает основ самой системы и фундаментальных черт политики. Что же касается режимов со слабо формализованной, а на высших этажах почти совсем не формализованной системой власти, то они не только селекционируют и воспитывают личность лидера, но и сами этой личностью воспитываются, вплоть до перехода в новое качество. Складывается как бы единый контур, в котором личность и система оказываются в состоянии взаимной раскачки. Сталин был преступником, злодействовавшим в легальном обществе, но главным звеном в структуре власти, сам способ существования которой – преступление, действие вне закона и вопреки ему, криминальная тайна. Безотносительно к вопросу о его личном психическом здоровье Сталин в известном смысле был одним из самых вменяемых в обществе, в котором идеология, пропаганда, искусство, наконец, само массовое сознание постоянно воспроизводили тексты и действия маниакального, а то и вовсе параноидального свойства. Главные проблемы таких режимов даже не в том, *что именно* совершают в них девиантные личности, а в том, что такие личности *могут* ими необратимо овладевать; в них против этого не существует сколько-нибудь надежных механизмов защиты, и девиантность в конце концов становится нормой, естественным условием продвижения к власти.

Таким образом, "вынесение за скобки" личностных характеристик представителей власти в данном случае – не более чем временный эвристический прием. Личность Сталина – это не случайная надстройка над несовершенным режимом, а полноценная характеристика самого режима.

В этой же логике анализа можно, видимо, сделать и следующий шаг – попытаться, как это ни парадоксально, представить нашу историю "без сталинизма". Достаточно очевидно, что не все в сталинизме было собственно сталинистским. В нашей истории нетрудно увидеть устойчивые структуры сознания и социальности, которые, мало изменяясь, проходят из прошлого в будущее как бы помимо сталинизма. Не являясь его уникальным достоянием, они, тем не менее, не разрушились с его утверждением, сжились с ним, даже сроднились, а во многом оказались и незаметно подпитывающей его почвой. Страшное в истории сплошь и рядом возникает из того, что кажется невинным. Рассчитываясь только с выраженным сталинизмом, мы не затрагиваем эти привычные нам "структуры повседневности", а в результате оказываемся в той же исторической колее, куда более глубокой, чем сугубо политическая и идеологическая хроника. Эта колея часто кажется безопасной. Но если режимы в полной мере характеризуются личностями, которые в состоянии ими овладевать, то всю историю общества может охарактеризовать режим, который хотя бы однажды в ней возник, и личность, которой удалось эту историю повернуть.

Особой инерцией в этом плане обладают структуры сознания, как в идеологии, так и в реакциях массы. Их внешняя изменчивость не должна скрывать потрясающей способности сознания перемалывать любые инновации, трагически возвращая их к стабильным, порой просто доисторическим ритмам и структурам. Мы уже видим сталинистское в собственном антисталинизме, но продолжаем воспроизводить целые пласты культуры, отчасти взращенные сталинизмом, отчасти им усугубленные. Ослепительные дикости сталинской идеологии мешают увидеть, что мы до сих пор живем в мире ментальностей, далеко не безобидных и сталинизму в принципе не чуждых.

Анализ истории идеологии и сознания "вокруг" и "помимо" собственно сталинизма (на который здесь, естественно, можно претендовать лишь в самом первом приближении) порождает свои проблемы. Трудности фактографии, до сих пор действительно значительные, завораживают, их преодоление отбирает слишком много сил и слишком радует. Это скрадывает частое отсутствие сколько-нибудь разработанной и сознательно применяемой методологии как в анализе сознания, так и в собственно историческом исследовании. В результате история сталинизма и его истоков зачастую пишется так, как если бы прошлое было совершенно прозрачным для обычного здравого смысла, а исследование чужого сознания не требовало никакого специального инструментария. Отсюда злоупотребление правом моральных оценок и столь нередкий у нас субъективизм, пусть даже не злонамеренный.

Ослабленность нашей методологии в исследованиях идеологии, сознания и истории вовсе не случайна, и проблема эта отнюдь не только академическая. Это наследие той самой политики, которая на протяжении десятилетий третировала все, что могло затруднить манипулирование историей, приписывание чужому сознанию и чужим идеологиям собственных кажимостей, пристрастных и заинтересованных. Но нередкое *и теперь* невнимание к методологии – это неосознаваемые рецидивы того самого сознания, которое склонно судить, не особенно соотносясь с правом и законом, юридическим или методологическим. Поэтому преодолевать сталинизм предстоит не только, а может быть, даже не столько в искаженной им историографии, сколько в самой логике исторического мышления и в подходе к анализу других сознаний – если мы хотим, чтобы наше будущее было действительно и в полной мере *без сталинизма*.

Это тем более важно, что современная методология исследований истории и сознания – лишь формализованное и операционализированное выражение гораздо более широких процессов в формировании "сознания современности", имеющее прямое отношение к перспективам и возможностям глубокой десталинизации общества. Эти перспективы видятся не столько в разрешении нашей сугубо внутриполитической ситуации традиционными для нашей же истории средствами (что отчасти неизбежно, хотя и мало воодушевляет), сколько в контексте общеисторических тенденций прежде всего глобального, цивилизационного порядка. На самом деле такого рода тенденции уже сыграли в нашей десталинизации гораздо большую роль, чем это кажется деятелям разных уровней, склонным несколько преувеличивать исторические эффекты собственной активности.

Сейчас в мире считается общепризнанным, что проблемы будущего человечеству предстоит разрешать и далее только в том случае, если ему удастся переосмыслить едва ли не всю эволюцию собственного сознания и произвести тем самым глубинные сдвиги в его самых стереотипных установках и предрасположенностях. В этом проявляется особая включенность сознания в ритмы современной истории, ставшей от него слишком зависимой. В трагедии сталинизма мы не сразу распознали один из первых звонков опасности глобального, макроисторического порядка. И в этом столкновении почти безнадежной инерционности глубин сознания и жизненной неотложности его радикального и глубокого преобразования – главные тупики и надежды подлинной десталинизации нашего общества.

Границы и структура исторического поля

С первого этапа десталинизации и до недавнего времени сталинизм как проблема был жестко локализован вначале в границах 1937–1938 гг., затем – 1929–1953 гг., вырезан из текущей истории и в таком виде представлен для дальнейшего обозрения. Сейчас основные интеллектуальные усилия в обществе направлены на то, чтобы вставить его "на место" и попытаться реконструировать нарушенные исторические связи. Но выйти с проблематикой сталинизма в ближайшие периоды не всегда просто: здесь до сих пор действует какая-то сдавливающая сила, стремящаяся так или иначе удержать проблему в предустановленных границах.

Механизм такой локализации для нас обычен: новый политический курс, обрушиваясь на своего непосредственного предшественника, одновременно проводит и более или менее явную реабилитацию периода, еще вчера бывшего под основным ударом. Эти восстановительные работы, начинаемые сразу же после переноса огня, позволяют локализовать ошибки и осуществить очередную нормализацию большой истории; тем самым поддерживается версия правильности и единства генеральной линии и иллюзия возможности быстрого, не слишком болезненного и достаточно радикального избавления от издержек текущих отклонений. Сталин, разгромив оппозиционеров и перекрасив нэп из оттепели в эпоху "гримас", одновременно полностью высветлил послереволюционный период, трагические ошибки которого еще в 20-х годах почти открыто признавались (а заодно и большую часть российской истории эпохи самодержавия). Хрущев, ударив по сталинизму, заметно снизил тональность в критике предсталинского периода. Критика Хрущева Брежневым сопровождалась явным выравниванием официальной линии в отношении к сталинизму. Происходящая сейчас особенно решительная десталинизация другим своим "плечом" как бы приподнимает 20-е годы, вызывая неосознанную потребность в известной идеализации политики и не слишком дискредитировавших себя деятелей того периода. Отчасти здесь сказывается удивительно последовательная смена точек притяжения в политической истории, но срабатывает и более универсальная схема: общая линия должна быть вне подозрений, для чего все негативное хронологически должно быть сосредоточено в своего рода концентрационных зонах – враг и в истории должен быть локализован.

Перестройка дала, кажется, небывалый для нашей истории эффект многошагового критического углубления в прошлое. Ограничившись поначалу исключительно критикой "застоя" и практически не затрагивая сталинский период, она довольно скоро вышла на неожиданные даже для самих радикалов масштабы деструкции сталинизма. Качество переоценки прошлого – критерий, по которому косвенно можно судить об основательности намерений. На настоящий момент процесс "отрастания" истории не жестко, но ощутимо блокирован в ретроспективном плане не полностью открытым ленинским периодом; в перспективном плане он ограничен нашим крайне прямолинейным и поверхностным пониманием того, что следует считать рецидивами сталинизма в настоящем. Тем не менее первые бреши пробиты: собственно сталинский период уже сейчас перестает доминировать, уступая место анализу "причин" и "истоков" происшедшего.

Внимание первоначально сосредоточилось на технологии сталинского переворота и на том, что ему непосредственно предшествовало. Однако хроника оппозиционной борьбы и искоренения уклонов была нами воспринята с таким драматизмом именно потому, что мы видели ее из современности, уже зная, кто идет к власти и что за этим последует. Кульминация была найдена, и причины всех дальнейших событий сосредоточились в одном: как оказался у власти этот.

Постепенно приходило осознание того, что далеко не все, происшедшее впоследствии, было предопределено борьбой за власть, победой Сталина и его личной волей, что многое в формах консолидации режима, штампах идеологии, стереотипах действий власти, реакциях масс и т.д. имело более глубокие исторические основания. Буквально на глазах сформировалось направление, рассматривающее сталинизм в сравнительно широких временных контекстах.

Диапазон попыток обнаружить истоки сталинизма в более или менее отдаленном прошлом уже сейчас достаточно велик. В зависимости от широты исторического видения проблемы и от того, что в ней акцентируется – репрессии, культ, содержание и стиль идеологии, политэкономическая и социальная ориентация, – выстраиваются те или иные системы объяснений, по-разному соотносящие сталинизм с общим историческим процессом и вписывающие его в разной длительности исторические периоды. Соответственно, меняются точки отсчета, и началом предыстории сталинизма оказываются самые разнообразные моменты.

Пока мы более или менее всерьез добрались, кажется, до Маркса, но уже возникает ощущение некоторой необязательности такого рода экскурсов: исторические траектории прослеживаются как нельзя более убедительно, но это в то же время как-то отдаляет нас от существа трагедии, мало что прибавляет качественно нового в понимании собственно сталинизма и даже как бы оправдывает его причастность к великим идейным системам и духовным ориентациям. Этот эффект Рой Медведев отметил, когда в нашей официальной литературе не было даже намека на какие бы то ни было "истоки": становясь на этот путь, "для объяснения сталинизма мы должны будем обращаться ко все более ранним эпохам нашей истории – едва ли не до татарского ига... Но это был бы неправильный путь – исторического оправдания, а не осуждения сталинизма"[1].

На это можно было бы возразить, что в науке надо искать истоки явления везде, где они действительно есть, независимо от соображений политического свойства и морализации в терминах "осуждения" и "оправдания". В истории понять отнюдь не значит простить, и иная привязка к прошлому может прозвучать как обвинение, не менее сильное, чем критика в контексте современности.

Но в любом случае проблема остается: где здесь пределы морально оправданного и продуктивного углубления в прошлое? И есть ли они? Вряд ли эту проблему можно решить чисто эмпирически, не обращаясь к анализу более общих представлений.

Время всякого события не вмещается в отрезок, ограниченный его "началом" и "концом": ему всегда предшествует и за ним следует нечто, более или менее непосредственно с ним связанное; "за" или "под" ним всегда можно обнаружить некоторую более длительную историческую реальность, в которую событие включено как одно из ее порождений – и как нечто порождающее. Войны начинаются не в тот момент, когда их объявляют, и не заканчиваются подписанием мира. Каждое событие – если смотреть на него с точки зрения исследователя – как бы захватывает определенную зону исторического поля, специфически ее окрашивает и организует в нашем понимании.

В зависимости от исторической значимости событий различны и территории прилегающих к ним исторических полей. Не слишком значимые, частные события без потерь описываются на языке непосредственных причин и ближайших следствий, т.е. на уровне простой событийной каузальности. И хотя именно в этом языке и сейчас осуществляется большинство наших попыток осмыслить сталинизм в истории, интуитивно ощущается, что это явление принципиально иного порядка, вмещающееся лишь в гораздо более обширные временные пространства и вписываемое в историю не простой причинностью или прямой идеологической преемственностью. Порядок этого события и его "вес" в истории принципиально несоизмеримы с тем историческим горизонтом, в котором мы его рассматриваем; мы постоянно становимся во времени слишком близко к сталинизму, чтобы разглядеть действительный масштаб этого события и его причастность к осевым тенденциям истории общества. И наоборот, мы все время оглядываем исторические горизонты где-то из середины трагедии, не решаясь подняться *в теории* на ее действительную высоту. Из тех обрезков идеологического процесса и политической хроники, которые мы сейчас готовы предпослать сталинизму, последовательно и строго можно вывести лишь его усеченное и ослаб-

---

[1] Р. Медведев. К суду истории. Нью-Йорк, 1974, с. 1040–1042.

ленное подобие, почти невинное в сравнении с действительными масштабами трагедии. Объясненным оказывается объяснимое, укладывающееся в более или менее повседневную логику, тогда как "необъяснимое" и невыводимое из ближайших предпосылок опять же остается переадресовывать деяниям демонической личности. Но и это не снимает вопросов: что произошло в истории, если общество буквально во всех сферах своей жизнедеятельности вдруг утратило всякую способность к спонтанному самосохранению и оказалось просто парализованным перед лицом индивидуального демонизма? Как долго копились силы, которые общество с такой страстной исполнительностью употребило против самое себя? Наконец, какие сознания, какие эпохи, отголоски какого варварства и какого титанизма здесь пробудились, чтобы, соединившись с энергиями XX века, произвести эту разрушительную работу?

Вопрос о границах предыстории сталинизма – проблема отнюдь не только интеллектуальная: это вопрос об исторических инерциях, которые приходится реально преодолевать. Приближенные горизонты прошлого ограничивают видение будущего и глубины сегодняшних проблем, и хотя симметрия здесь не зеркальная, но она есть, и это сильное предостережение против поверхностной десталинизации. Укороченная предыстория, поджатая к судьбам известной идеологии и конкретной политики, создает иллюзию того, что проблема решается идеологическим откровением и политическим действием – столь же революционно, как и возникла. Но сталинизм не был чисто событийным привнесением в большую историю. В первой половине XX века лишь катастрофически соединились его основные компоненты, сами же они были вынесены сюда историческими волнами другого масштаба, приведшими в движение другие глубины сознания. Фундаментальная ретроспектива перестраивает и перспективу события: с этой точки зрения, оказывается крайне наивным видеть отголоски сталинизма лишь в известных газетных статьях и судебных исках.

Для работы в этих временных масштабах нужны специальные техники – другая "оптика зрения". Выйти на большую историю обычно мешает сугубо событийно-хронологическое восприятие исторического процесса, схватывающее лишь непосредственно видимые изменения, перемежаемые выдающимися историческими происшествиями. Аналогично воспринимается и история сознаний и идеологий – как череда "событий духа", соединяемых выраженными переходами. Это сильно укорачивает историческое видение, поскольку все, уже опосредованное несколькими звеньями, начинает восприниматься как неактуальное.

Современная методология истории, прежде всего в представлениях Школы Анналов, преодолевает это отсвечивающее, порой просто слепящее воздействие событийности, столь же яркой, сколь и поверхностной. История, говорит Фернан Бродель, "учит нас бдительности в отношении событий. Мы не должны мыслить исключительно категориями краткосрочной перспективы..."[1]. Он настаивает на "особой ценности длительных хронологических единиц"[2]. Под рябью событий проходят волны медленных изменений, развиваются вековые процессы. Эти не-

<hr />

[1] Ф. Бродель. История и общественные науки. Историческая длительность. – В кн.: Философия и методология истории. М., 1977, с. 134.

[2] Там же, с. 117.

посредственно не наблюдаемые движения обнаруживаются не только в экономиках, рутинных обстоятельствах быта, одним словом, в материальных структурах, но и в истории сознаний и идеологий. Здесь также есть сверхмедленные движения и устойчивые структуры, охватывающие последовательности, казалось бы, совершенно разных или вовсе не совместимых образований. Наверное, не надо доказывать, что сталинизм не был простой реализацией свежих идей, но покоился на чрезвычайно мощных инерциях, вынесших его в современность и благополучно продолжающихся в будущем.

Но сталинизм как конкретный исторический эпизод – это во многом случайность, задавшая новую линию необходимости. Здесь представления о параллельном сосуществовании событийной и медленной историй оказываются недостаточными.

Уже ближайшие последователи Броделя видели ограниченность представлений о коллективном сознании как о "заповеднике длительных процессов" (выражение самого Броделя). "Это вело к отрицанию созидательных способностей текущего времени, внезапных резких изменений, когда прошлое и будущее подчас как бы сливаются, а настоящее бывает исключительно насыщенным"[1]. В результате этой переоценки энтузиазм в равной мере был распределен между исследованиями рутинных противостояний революционным изменениям и изучением резких нововведений. "Таким образом, создается история, которая... находит наконец в самом моменте разрыва, революционного слома великолепное поле для исследования"[2].

Однако для понимания сталинизма (как и других социальных катаклизмов, специфических для современности) недостаточно отделить рутину от слома и обозначить между ними границу. Суть происшедшего сводится здесь к такому взаимодействию рутинных и революционных тенденций, когда устойчивое и даже архаичное в сознании создавало среду для дальнейшей ломки традиционных структур, а революционное сознание вдруг впадало в немыслимую архаику. Здесь проявился особый тип взаимодействия событийной и медленной историй. Стало *важным*, что характер этого взаимодействия вообще не универсален во времени: меняется глубина этого взаимодействия, причем меняется принципиально. Медленные ритмы эпох, описываемых Броделем, и в самом деле почти не подвержены событийным воздействиям, во всяком случае это воздействие происходит на других глубинах. Но постепенно такое воздействие становится все более глубоким и в конечном счете подводит современность к ситуации, когда соединения, казалось бы, совершенно частных событий и случайных стечений обстоятельств могут резко деформировать ритмы медленной истории, а то и вовсе ее прекратить.

Здесь мы выходим на уровень своего рода *метаистории*: наряду с событийной историей и историей больших длительностей есть и история того, как они друг с другом соотносятся – эволюция характера их взаимодействий. Эта история происходит не где-то "вовне" или "сбоку", она непосредственно погружена в течение событийной и медленной историй, вероятно, это просто история тех же самых событий. Но у нее

[1] М. Вовель. К истории общественного сознания эпохи Великой Французской революции. – В кн.: Французский ежегодник. 1983. М., 1985, с. 132.
[2] Там же, с. 132.

есть *своя логика*, и именно она в наше время привела к возможности такого соприкосновения событийной и медленной историй, которое допускает необратимые последствия труднопредставимых масштабов – конструктивные или трагические.

Отнесение сталинизма как исторического события к большим временным длительностям лишь задает предельный масштаб, очерчивает *границы* исторического поля. Но внутри себя это поле оказывается неоднородным: здесь обнаруживается целый ряд промежуточных масштабов. Если исторически локальные события принадлежат только непосредственно соизмеримому с ними времени, то события, относящиеся к большой истории, не только принадлежат длительным временным ритмам, но и относятся к целому *ряду* ритмов, к множеству времён[1] разной длительности: начиная от совсем быстрых, событийных, непосредственно прилегающих и связанных с ними самым очевидным образом; включая средние ритмы, исподволь подбирающие компоненты события и создающие уникальную атмосферу, в которой эти компоненты смогут соединиться и дать эффект исторически значимого происшествия; и заканчивая макроисторическими ритмами, тенденциями цивилизационного порядка, вписывающими событие в ряд имеющих общечеловеческое значение. Большое время, в которое вписывается такое событие, оказывается внутри себя заполненным и структурированным, в нем обнаруживается множество различных, но взаимосвязанных точек отсчета, множество начал все более ускоряющихся ритмов: "некогда, позавчера, вчера"...

Это дает еще одно основание отказаться от чисто линейных представлений об истории (тем более об истории сознания) как о цепочке событий, *сменяющих* друг друга, т.е. начинающихся и *необратимо кончающихся*. Прошлое – и прежде всего прошлое сознания – отзывается в будущем не так, как толчок локомотива передается через состав последнему вагону. Настоящее, как правило, испытывает иллюзию, что достаточно отцепиться от соседнего вагона, чтобы изолировать себя и от всех предыдущих инерций. Но в истории сознания прошлое непосредственно продолжается в будущем, и всякое исторически значимое событие становится как бы фронтом, на который прямо, едва ли не "физически" проецируются предыдущие времена. То, что исчезает в событийном, непосредственно наблюдаемом времени, продолжает невидимую жизнь в более медленных временах, изменения в которых непосредственно не воспринимаются, подобно движению часовой стрелки. Поэтому переосмыслить ближайшую предысторию еще не значит отделить себя от прошлого, которое породило саму эту предысторию, а с ней и ее последствия, включая настоящее и будущее; это не значит выйти из потока, в русле которого так и событийные водовороты *бывают*, т.е. запрограммированы хотя бы как вероятные.

---

[1] Уже у самого Броделя, хотя и сосредоточившегося на изучении прежде всего больших длительностей, была идея "множественности времен": "Любая современность включает в себя различные движения, различные ритмы: "сегодня" началось одновременно вчера, позавчера и "некогда". "И разве не чрезвычайно важно знать, имеем ли мы дело с новым и бурным процессом или с завершающей стадией старого, давно возникшего явления, или же с монотонно повторяющимся феноменом". – Ф. Бродель. Указ. соч., с. 117, 129, 134.

Здесь недостаточным оказывается не только образ истории как цепочки событий, но и образ сложной системы "истоков", сливающихся в русла и разветвляющихся в устьях по поверхности времени, хотя и "пересеченной", но имеющей как бы одну глубину. В представлениях о множественности времен история сознания обретает толщу, пронизанную множеством "идееносных" слоев, пролегающих *под каждым временем*. Чем глубже они залегают, тем отдаленнее их начала, больше длительности и мощнее инерции. Но в любой момент могут произойти события, способные пробить эту толщу и выпустить на поверхность современности сколь угодно отдаленную и, казалось бы, бесповоротно ушедшую архаику.

Иллюзия укороченной и "плоской" предыстории возникает еще и потому, что преемственность сознания видят лишь в передаче *"содержаний"* – постулатов, выводов, множеств утверждений. Но на больших глубинах и в масштабах больших длительностей транслируются уже не столько содержания, сколько *логики* сознания, устойчивые схемы его работы. Еще глубже в недрах сознания – и в прошлом – залегают *фундаментальные установки* сознания, выражающие его ориентацию в мире и мирочувствие, тип отношения к действительности и предрасположенность к тому или иному способу взаимодействия с ней. ("Внешним" здесь может быть все: мир в целом, природа, общество – другие люди.) На поверхности и в короткой перспективе всегда кажется, что близкие и конкретно-содержательные установки, воспроизводимые на уровне фразеологии и готовых формул, оказывают наиболее непосредственное и сильное влияние. Но содержательные фрагменты селекционируются, просеиваются, тасуются, с изменением контекста меняется их смысл, вследствие чего "доктринальные истоки" сплошь и рядом становятся прямым обоснованием практики, совершенно им чуждой в целом. Здесь сказывается инерционное и в конечном счете определяющее влияние других логик, в свою очередь также отбираемых в зависимости от фундаментальных ориентаций. В этих слоях инерции сознания срабатывают уже не на уровне текста (в обычном смысле этого слова), а на уровне чисто эстетических предрасположенностей, интуитивных движений сознания, его стереотипных реакций – "бессознательных", но оттого не менее действенных и определяющих. Инерции такого рода относятся к длительностям поистине эпохальным.

Это заставляет нас преодолеть в себе готовность видеть истоки сталинизма лишь там, где это обозначено соответствующими вывесками, причем обозначено самой сталинской идеологией. Глубже истоков, преемственная связь с которыми непосредственна и даже декларируется, есть духовные традиции, имеющие куда более удаленные точки отсчета. С ними соотносятся "в целом", в "общекультурном плане", не замечая, как эти общемировоззренческие ориентации проникают в поры повседневной политики, освобождаются от сдерживающих культурных напластований, гипертрофируются, становятся все более опасными – и в критические моменты оказываются решающими. Еще глубже залегают структуры сознания, которые часто воспроизводят, вообще никак с ними не соотносясь или соотносясь сугубо негативно. Архаика сознания, с такой силой возрожденная сталинизмом в XX веке, будучи внешне модернизированной, тем не менее не перестает быть архаикой. Эти точки отсчета необходимо определять однозначно: одно дело сегодня преодолеть формы архаики сталинизма, впадая в новую архаику, другое – отслеживать и рефлексировать ее в многократно подтвержденной и регулярно подтверждаемой способности истории вновь и вновь воспроизводить эту архаику в самых неожиданных и ультрасовременных формах.

У исторического поля, которое мы соотносим со сталинизмом, недостаточно только отодвинуть горизонт – необходимо также существенно расширить его "по фронту". Сейчас луч, направленный в предысторию, предельно сконцентрирован: он высвечивает только те зоны, которые связаны со сталинизмом видимой преемственной связью, непосредственно генетически. В свою очередь, в этих "истоках", например в том же марксизме, анализируются только те их составляющие, которые непосредственно впадают в сталинизм, – то, что вело в других, а то и в прямо противоположных направлениях, попросту отбрасывается как несуществующее. Но без анализа этих купюр искажаются не только отношения преемственности, но и идеологический облик самого сталинизма. Сознание – индивида или общества – целостно и тотально по своей природе; представление о нем как о микрокосме – не метафора, а позитивное и работающее утверждение. Для того, чтобы понять какое-то сознание, мало знать, что для него является "своим". В не меньшей мере его характеризует и объясняет его реакции все то, что оно считает несущественным, нежелательным, неправильным, чужим и враждебным: зона отторжения не зеркальна зоне приятия, это не то же самое, только со знаком минус; поэтому анализ этой зоны не менее, а иногда и более продуктивен. Бывает и родственная враждебность: фашизм внятно выговорил за сталинизм многое из того, что сам сталинизм в своих представлениях о себе целомудренно опускал. Наконец, остается неназываемый враг – целый корпус духовных содержаний: идей, взглядов, конкретных текстов, в рамках сталинской идеологии и структуры сознания вообще как бы не существовавших, но не по незнанию или небрежению, а по причине, возможно, еще большего неприятия. Иногда для ответа на вопрос "кто ты?" необходимо знать не только тех, кто "друг" или "враг", но и тех, с кем не могут сосуществовать даже в пространстве полемики, кого не в состоянии принять даже как врага и кого как бы вообще не должно быть. То, чего в сознании нет, – тоже характеристика этого сознания: зона опущенного остается, и независимо от того, заполняется она чем-то другим или пустует, само ее место даже своей пустотой продолжает активно воздействовать на соседние зоны и на целостное поведение сознания – здесь и ноль величина значимая. Значимым здесь было бы даже "нейтральное", если бы таковое могло существовать в этом черно-белом и насквозь идеологизированном сознании.

Общие представления о границах, структуре и ориентациях исторического поля сталинизма нужны отнюдь не только для того, чтобы иметь в виду зоны, в которых можно обнаружить нечто важное для понимания. Здесь главное – *порядок задачи и качество целого*. Сейчас сталинизм лежит перед нами огромным спутанным клубком, из которого мы время от времени вытягиваем отдельные нити, редко – несколько сразу. Как этап это вполне естественно. Но независимо от претензий авторов каждый раз в большей или меньшей степени возникает иллюзия относительной полноты понимания целого. Отдельные истоки – по одиночке или сравнительно случайными группами – обособляются и, изолированные от других, хотим мы этого или не хотим, принимают на себя тяжесть объяснения того, что им в принципе несоразмерно. Тем самым искажается общая картина подготовки сталинизма в истории. По мере того, как подкладываемые основания в очередной раз не выдерживают нагрузки, незаметно облегчается сама ноша: сталинизм уже сейчас начинает казаться как-то все же доступным пониманию и объяснимым посредством не слишком сложных построений. Объясненный из ограниченного набора истоков, он неизбежно оказывается ослабленным даже по сравнению с тем, каким он предстал перед обществом в первых оглушающих, хотя и чисто событийных хрониках.

В действительном своем трагизме происшедшее не может быть осмыслено как продолжение тех или иных истоков вне целого своей предыстории. Оно может быть понято лишь как результат принципиально сверхсуммативного взаимодействия, т.е. такого соединения множества истоков, когда опасным становилось само по себе безобидное, а потенциально опасное удесятеряло свою опасность и в полной мере, на пределе ее реализовывало. Сталинизм в сути своей был ненормальным чудовищным сростком сознаний, в котором варварство и цивилизация в невозможности соединиться вызывали друг в друге худшее, и это худшее неизмеримо друг друга усиливало.

Можно предположить, что наиболее чреватым такое взаимодействие было по оси времени, в наложении истоков разных времен, и в конфликтном и усугубляющем друг друга взаимодействии. В известном смысле сталинизм был многоэтапным срывом в прошлое сознания – с сохранением пафоса и энергий современности. Последовательность этого срыва через времена и эпохи определенным образом характеризует сталинизм и как историческую структуру сознания, как нечто внутри себя организованное. Пока мы вообще обходимся без какого-либо принципа, по которому можно было бы упорядочить бесчисленное множество отдельных составляющих и свойств сталинизма как сознания, хотя этот каталог уже огромен и чем дальше, тем больше выходит из поля зрения как целое.

В известном смысле в качестве такого упорядочивающего начала может выступать генетическая программа сталинизма. Разные исторические ритмы выводят и на строго определенные слои реальности самого события: оно оказывается разобранным по уровням исторической укорененности уже самой структурой своего исторического поля. Иными словами, генетическая структура предыстории есть не что иное, как опрокинутая в прошлое структура самого события сознания. Таким образом, предыстория сталинизма, представленная как система отдельных предысторий разной длительности, уже позволяет наметить наиболее крупные и иерархически выстроенные членения.

В данном случае мы, естественно, можем претендовать лишь на самый общий набросок контуров этой задачи – без претензии на полноту, но с обозначением некоторых, на наш взгляд, существенных, акцентов.

Ретроспектива: наложение "истоков"

Критической точкой, означавшей наступление собственно сталинской эпохи, обычно считают 1929 г. (или 1928–1929 гг.). Составившие этот "великий перелом" основные его трещины также очевидны: установление личной диктатуры и резкий, катастрофический по своим ближайшим последствиям поворот в политике (окончательное свертывание нэпа; начало дисбалансно форсированной индустриализации, заданное манипуляциями с контрольными цифрами первой пятилетки; принудительная тотальная коллективизация, проведенная под политику ограбления "внутренней колонии" – крестьянства; начало методической подготовки "большого террора" – шахтинское дело, процесс Промпартии и т.д.).

Однако при всем видимом единодушии в фиксации этой точки события 1929 г. в разной степени акцентируются и наполняются разным историческим смыслом. Тем самым сталинизм ставится в разные взаимоотношения с ближайшей своей предысторией – периодом большевизма – и представляется либо действительно переломом, либо, наоборот, последовательным и логическим завершением всего предыдущего развития режима.

Первой по времени была версия, еще в 30-х выдвинутая Л. Троцким: ребенок родился вообще не от тех родителей, сталинизм есть "предательство", "термидорианское отрицание" большевизма, а 1937 г. окончательно разделил их "рекой крови"[1]. Именно эта версия – естественно, без указания ее действительного авторства – возрождается сейчас в многочисленных идеологически санкционированных попытках описать сталинизм в прямом противопоставлении предыдущему периоду.

На другом полюсе – не менее однозначный "тезис непрерывности", прочерчивающий из 1917 г. сплошную и единственную линию, прямиком ведущую в сталинизм. Этот тезис имеет почти неограниченное распространение в западной литературе: за редкими исключениями он не ставится под сомнение не только в ортодоксальной советологии, но и среди ее собственных "ревизионистов", готовых к переосмыслению многих советологических догм и стереотипов, и даже среди "инакомыслящих", изначально более или менее позитивно относившихся к нам и нашей истории. Аналогичные взгляды имеют хождение и у нас, и если бы гласность означала вседозволенность, такие публикации, несомненно, появились бы. О недавно господствовавшем варианте "тезиса непрерывности", рисовавшем омраченную "ошибками", но в целом непрерывно правильную историю, можно не говорить по причине его явной теоретической неактуальности.

Во всех этих подходах слишком очевидна их мотивированность (часто неосознанная) теми или иными политическими позициями или даже просто обывательскими настроениями. Тем не менее каждый из этих противоположных выборов реализуется в той или иной достаточно схематичной историографической методологии: либо предполагается, что такие явления, как сталинизм, могут в одночасье возникать из ничего и столь же бесследно исчезать, либо допускается сугубо линейное, жестко детерминистичное и даже однопричинное объяснение исторического процесса, игнорирующее многие существенные различия сопоставляемых периодов. И то и другое сомнительно уже чисто методологически.

Более взвешенной представлялась позиция, выраженная, в частности, Стивеном Коэном: "Большевизм 1917–28 годов действительно таил

―――――――
[1] См.: Лев Троцкий. Сталинизм и большевизм. – *Бюллетень оппозиции*, 1937, № 58–59, с. 11, 13.

в себе "семена" сталинизма; о них достаточно сказано в западной литературе, и они не нуждаются в дополнительном рассмотрении. Менее известно, но чрезвычайно важно то, что большевизм содержал в себе и иные, не сталинские "семена", а "корни" сталинизма можно отыскать не только в большевизме, но и в русской историко-культурной традиции, событиях типа гражданской войны, международной обстановке и т.д."[1].

В самом деле, послереволюционный период и гражданская война дали незабываемый урок экстремальных действий, включая прямое насилие и террор. Впоследствии "уроки Октября" и ухватки военного коммунизма многими воспринимались с ностальгией, а сама победа, достигнутая предельной концентрацией политической воли и резкости в условиях, казавшихся безнадежными, оставалась главной гордостью, самым вдохновляющим эпизодом "героического периода". Даже когда к этому духу – "нет таких крепостей, которые не могли бы взять большевики!" – взывали совершенно демагогически и беспочвенно, перед риторикой безоглядного – и беспощадного – героизма внутренне слабели и самые умеренные прагматики.

И все же образ воинственной непоколебимости не исчерпывал содержания большевизма ни в методах проведения политики, ни в целях и образах желаемого общественного устройства. Политическая резкость и приемы решительного боя, не считающегося с человеческими издержками, в основном задавались идеологией "мирового пожара", и здесь удержу порой не было никакого: "Иногда я опасаюсь, что борьба окажется настолько жестокой и длительной, что вся европейская цивилизация будет растоптана", – несколько беззаботно признавался в 1919 г. Бухарин[2]. Но характерный для большевиков пиетет перед теорией периодически напоминал о том, что в истории "не все возможно", в критические моменты умерял пафос и заставлял перестраиваться под давлением реальности. Поэтому способность организовать "жертвенный аврал", не раз позволявший большевикам удержаться, тем не менее считалась не единственной вершиной политического мастерства для партийных лидеров, постоянно теоретизировавших в категориях крупных исторических стратегий, пытавшихся провидеть объективные требования текущего политического развития. Революционная воля и представления о закономерностях процесса, общество, которое строит, и общество, которое строится, – все это причудливо перемешивалось, заслоняло одно другое и меняло удельные веса. Противоречивое соединение этих начал приводило к тому, что большевики вырабатывали крайне широкий спектр программ, то и дело полемизировали друг с другом на уровне полярных концепций, менялись позициями, опровергая друг в друге себя вчерашних, – и меняли общую линию, в которой, несмотря на обилие повторов и поворотов, все же можно усмотреть определенную тенденцию.

Сталинизм со всей очевидностью заимствовал многие положения большевистских теорий, отдельные формулировки которых были куда хлеще сталинских – хотя бы в силу большей литературной одаренности их авторов. При Сталине все же не возвышались до откровенности "Экономики переходного периода", в которой утверждалось, что "пролетарское принуждение во всех своих формах, начиная от расстрелов и кон-

[1] Стивен Коэн. Переосмысливая советский опыт. Бенсон (Вермонт), 1986, с. 56.

[2] Цит. по: Стивен Коэн. Бухарин. Политическая биография. 1888–1938. М., 1988, с. 131.

чая трудовой повинностью, является... методом выработки коммунистического человечества из человеческого материала капиталистической эпохи."[1]. Но важно видеть и общий контекст, в который вписывались эти откровения большевизма. Антиэтатистские пассажи "Государства и революции" на какое-то время возродили вполне серьезные мечтания о государстве-коммуне, лишенном аппарата государственного насилия. В 1918 г. Ленин выступает с идеями "государственного капитализма", который составил бы "три четверти социализма"[2]; левые коммунисты видят в этом "психологию мира", заигрывание с капитализмом и отказ от идей управляющегося снизу государства-коммуны; Бухарин в это же время выступает с проектом контроля преимущественно "ключевых секторов", которые во время нэпа будут названы "командными высотами". Идеология военного коммунизма – нечто существенно иное. Будучи наиболее очевидным предвестником теоретизирований сталинской эпохи, она возникает в большевизме не как результат однозначно предопределенной идейной эволюции, а скорее как теоретическое оформление неизбежностей политической практики в условиях кризиса, как один из моментов в метаниях, доходивших порой до состояния идеологической истерики. Идеология нэпа, при том, что ее радикальность в "пересмотре всей точки зрения нашей на социализм" была ограниченной и далеко не последовательной, в свою очередь, наоборот, отнюдь не является незаконнорожденным и совсем уже не любимым детищем большевизма, как это часто представляют. Такого рода политическая гибкость считалась не меньшим украшением большевистского стиля, нежели способность в критические моменты организовывать взрывы энтузиазма и всесокрушающего героизма.

Политика "гражданского мира" и в самом деле вводилась как тактический маневр, необходимый, чтобы удержать первый плацдарм мировой революции. Без победы "в мировом масштабе" устроение социализма в России в большевистской ортодоксии всерьез не мыслилось; сталинский "социализм в одной стране" – тем более в России – его сугубо личное изобретение. Прекращение нэповской сравнительно умиротворяющей и реалистической полосы развития ставилось большевиками в зависимость от события, как мы сейчас понимаем, не только неблизкого, но, мягко говоря, проблематичного. Пока же эта политика давала очевидный эффект и объективно располагала к тому, чтобы под нее подвели более серьезную идеологическую базу. При методологических возможностях марксизма и идейной лабильности Ленина сделать это было не так уж трудно, а отстоять перед соратниками – трудно, но возможно. Если бы не личная драма, мы сейчас скорее всего имели бы посвященный этому 46-й том Полного собрания сочинений.

После Ленина вновь значительно активизировался весь спектр идеологических версий большевизма, включая откровенно левацкие и милитаристские. Но разгром добухаринских группировок осуществлялся именно с позиций нэповской стратегии, несколько полевевшей, но в целом стабилизированной. События 1928–1929 гг. в самом деле были "великим переломом", сломавшим хребет процессам относительной нормализации режима, приведения его в соответствие с реальностями развития.

---

[1] Н.И. Бухарин. Экономика переходного периода. Часть I. Общая теория трансформационного процесса. М., 1920, с. 146.

[2] В.И. Ленин. Полн. собр. соч., т. 22, с. 483.

Тем не менее это не означает отрицания преемственности, а лишь переводит эту проблему в другую плоскость, возможно, более существенную. Большевистская идеология при проверке ее "на сталинизм" как бы расслаивается, в разных измерениях сталинизм по-разному с ней взаимодействует. Сталинизм есть существенно иное явление в том, что касается *политики, проводимой властью*. Но он во многом родствен большевизму в принципах понимания *самой природы новой власти*, ее устройства и взаимоотношений с обществом. Право на власть имеет чисто идеологическое обоснование: власть знает исходы мира, улавливает исторические тенденции и видит, что надо делать сейчас во исполнение этих предначертаний всемирной истории.

В понимании своего места в истории и жизни общества большевики с самого начала опирались на теоретическое откровение: есть социальная теория, истинность которой принимается как отправной факт; во имя реализации предустановлений этой теории (т.е. интенций самой истории) захватывается власть – любым доступным способом. Партия выражает интересы народа, но истинные его интересы и способы их реализации знает сама партия, внедряющая передовое сознание в массы. Поскольку все остальные политические программы заведомо неистинны, они по возможности исключаются из политической жизни. Внутренне оправданным оказывается дальнейшее удержание власти как тактическая самоцель – независимо от последствий ее деятельности и чьих бы то ни было волеизъявлений, безотносительно к средствам и временным издержкам. Не власть оказывается одним из вероятных порождений естественной политической жизни общества, а, наоборот, политическая жизнь общества – произведением просвещенной власти. Это не исключает для общества известных альтернатив, поиска, политических маневров и даже всеохватных экспериментов – но в рамках *данной* власти и стратегической программы. Вместе с политическими альтернативами, внешними по отношению к власти, исключаются и идеологические: передовая теория утверждает свою истинность в научной и идейной полемике, удаляя оппонентов, в лучшем случае, за пределы страны. Партия может даже ошибаться, но эти ошибки несущественны в сравнении с принципиальной исторической ограниченностью альтернатив, предлагаемых другими политическими силами.

В сложной структуре сознания крайне трудно отделить идущее от искренней убежденности в правоте своего дела от того, что идет от осознанных или бессознательно срабатывающих личных амбиций, естественной заинтересованности в упрочении своего статуса, вовне или в самовосприятии. Было бы неверно совершенно сбрасывать субъективные моменты в действиях большевистских вождей или полностью отрицать у Сталина приверженность каким-либо мировоззренческим стереотипам. Достаточно того, что соотношение убежденности и мотиваций личного порядка здесь несоизмеримы. Практические результаты того или иного руководства и в самом деле весьма различны, а если иметь в виду реальные последствия для судеб живых поколений, то просто несопоставимы. Но это мало что меняет в самом типе власти и способах ее обоснования. Такая власть целиком и необратимо зависит от качества "человеческого материала", ее осуществляющего. Отсюда – ленинские рассуждения о "тончайшем слое старой партийной гвардии", на котором "все держится". При полной неотработанности формального механизма смены лидерства серьезные преимущества оказывались у того, кто более других ориентирован на власть и свое политическое поведение подчиняет прежде всего этой цели.

Сталин был не обязательным, но законным порождением такого режима. Он существенно изменил политический курс, стиль, атмосферу, само направление идейной эволюции, но использовал, сохранил и довел до логического конца именно эту идеологию власти, усугубив ее соответствующей технологией. То, что интеллектуальное ядро руководства сменилось аппаратным, вожди — вождем, теория — волей, поиск исторической колеи — несгибаемой и ни с чем не считающейся генеральной линией, под конвоем ведущей страну через нечто непроходимое, — все это не отменяло главного и осуществлялось в той же структуре власти: знание как харизма и конечное оправдание политической воли — вождь (коллективный или персональный) как высший авторитет и носитель этого знания — организация, осуществляющая нисхождение этого знания в действующие органы общества и народ и обеспечивающая "претворение в жизнь" — внемлющие, впадающие в энтузиазм или подчиняющиеся массы. То же в основных функциональных свойствах режима: до Сталина и при нем политический курс в несравнимой степени допускал корректировки под воздействием обратной связи с реальностью и критики текущего опыта, но Сталин лишь воспринял уже оформившуюся ситуацию, в которой сама власть ответственна только перед собственной харизмой, не терпит вне себя идейных оппонентов, тем более оппонирующих организаций, не допускает политической конкуренции и в качестве предельного средства самоутверждения в обществе полагает прямое насилие. Было бы поверхностным видеть в этом только голый аморализм или вдруг свалившуюся на Россию злонамеренную напасть: к такому статусу власти привычно и вполне спокойно относились не только откровенные стяжатели власти, но и сравнительно приличные люди среди большевиков, искренне считавшие себя демократами. Привычно и сравнительно легко это восприняли и сами массы.

Сакрализация власти, представление о том, что она утверждается не в этом мире, не в текущей политической жизни, — традиционны для России. С этой точки зрения, власть "помазанника Божия" и неотчуждаемая власть партии, владеющей всемирно-исторической харизмой, в равной мере основаны на трансцедентальной легитимизации: они даются обществу как бы извне и свыше, их опорой является народ, но народ обращенный, по возможности изолированный от неверных идейных влияний, политически и духовно несуверенный и в критической ситуации заслуживающий усмирения. Легальные механизмы изъятия и передачи такой власти не просто отсутствуют, но принципиально не мыслятся — как противоречащие самой сути харизмы.

Некоторые оскорбительные для большевиков параллели подмечались еще до их прихода к власти. Приписывать родственные связи с самодержавием было вообще в манерах тогдашней политической борьбы. Не брезговали этим ни большевики, ни их оппоненты; ни те, ни другие не стесняли себя в тональности. Большевики, истинно русская сила, писал в сентябре 1917 г. Устрялов: "И замашки-то все старые — привычные, истинно-русские. Разве вот только вывеска другая: прежде — "православие, самодержавие", ну, а теперь — "пролетарии всех стран". А сущность все та же: заставить, арестовать, сослать, казнить... Большевики и прочие "углубители революции" — родные братья царя Николая, как бы они к нему ни относились. Их ненависть к нему есть жгучая ненависть соперников, борющихся равными средствами и обладающих одинаковым кругозором"[1].

Прямые аналогии с убиенным царем не выдерживают критики по ряду оснований. И все же в целом здесь есть не только известные параллели, но и реальные исторические связи. Сам образ такой власти был большевиками заимствован, конечно, не у самодержавия, но они наследовали вековое российское отсутствие сколько-нибудь значительного и эффективного опыта легальной политической жизни. Более того, большевизм формировался в условиях нелегальной работы, жесткой конспирации и установки на бой – "последний и решительный". Именно тогда закладывались его принципиальный иллегализм и предрасположенность к политическому монологу. Криминальность, неизбежно сопутствующая такой ситуации, впоследствии не раз проявлялась в деятельности "правящей партии", а затем стала краеугольным камнем всей системы сталинизма. В ряде случаев большевизм представал зеркальным отражением, своего рода политическим "альтер эго" полицейского режима самодержавия – к этому неоднократно возвращался в "Несвоевременных мыслях" Горький. И нет ничего удивительного в том, что после захвата власти она не была передана гражданским институтам, но оставалась у партии, сохранившей структуру и дух боевой организации. На то были и объективные причины: программа далеко не во всем вписывалась в спонтанную органику российской истории, а "стихия" постоянно грозила захлестнуть плывущий в светлое будущее корабль. Но даже чисто субъективно трудно представить себе эволюцию демократии высшего типа к банальностям обычной демократии: между стихийным самовыражением масс и политической волей авангарда промежуточных демократических институционализаций не предполагалось. Партия из института борьбы за власть сама превратилась в институт власти, что с трудом вписывается в представления о гражданском обществе и соответствующем ему праве.

В сталинизме вековые инерции самодержавия проявлялись уже не в зеркальном отображении, а в прямой проекции. Внешние признаки, такие как культ, персонализация власти, имперские представления о государственности или репрессивность по отношению к какой бы то ни было политической самодеятельности, очевидны и нуждаются скорее в фиксации различий: в худшие времена царизма не было такой централизации управления и зависимости от единоличной воли, не было такого репрессивного аппарата, такой жесткой идеологической жандармерии и т.д. – зато были попытки прогрессивных реформ, введения элементов гражданского общества и цивилизованного права. Но есть и фундаментальные черты преемственности, такие как идеологизм, перешедший в своего рода коммунистическое "православие", соединение духовной и светской власти (наполеоновский комплимент Александру: "император и папа Римский в одном лице"), народность, основанная на характерной любви-ненависти, и т.д. В скрытой форме проявлялись и более архаические черты, свойственные абсолютизму как таковому и даже отнюдь не нашему. Ненормальная жестокость репрессий, явно несоразмерных наказуемым проступкам, восходит к предельным правовым ситуациям, когда единственной и универсальной мерой наказания была смертная казнь; такая жестокость не может быть объяснена только соображения-

---

[1] И. Устрялов. Народ и власть. – *Утро России*, 9 сентября 1917 г.

ми функционального порядка (превентивный, заведомо упреждающий террор), но вполне вписывается в метафизику абсолютистского правосознания: наказывается не конкретный проступок, а сам юридически немыслимый факт нарушения предустановлений священной власти. В конце концов даже эпизоды раннего революционного великодушия, когда под честное слово отпускали смертельных и уже немало совершивших врагов, близки не столько обычному гражданскому правосознанию ("пусть свершится закон"), сколько милой нам монаршьей милости.

Но нельзя и чрезмерно акцентрировать эти и другие национальные традиции. В той же общественно-политической ситуации формировались и все другие силы, так или иначе противостоявшие российскому самодержавию. Тем не менее именно большевикам, возможно, более чем другим, был свойствен этот харизматический монологизм, теоретическая убежденность в праве быть единственной силой, представляющей в текущей политике интересы будущего совершенного общества. Остальные, за единичными исключениями, склонялись к поиску суммарного вектора политических взаимодействий.

Здесь сказались особый радикализм большевистской программы, на которую российское общество самопроизвольно, в естественном политическом равнодействии никак не выходило, и неординарный политический статус, которым наделяли себя большевики в самосознании всемирно-исторического мессианства. Это была не партия среди партий, а партия, избранная самой историей. Иными словами, к отметинам взращенного в подполье иллегализма должен был добавиться Маркс с его программой тотального освобождения и чуждыми ложному либерализму представлениями о механике перемещения человечества в "царство свободы".

То, что сталинизм это результат последовательного воплощения марксистской ортодоксии, у нас негласно подозревали всегда. Теперь это выходит на уровень теоретических обобщений. Но пока мы таким образом испытываем собственную смелость, западные советологи считают своим долгом защищать Маркса даже от Ленина: "Можно представить себе уничтожающую оценку, какую дал бы воскресший из мертвых Маркс, неспособности своего ученика с Волги понять некоторые основы того, чему "учит марксизм"[1]. Для наших разрушителей догм это, очевидно, следующий шаг в иерархии развенчаний, и если мы его вместе с ними сделаем, то придем к отнюдь не новому выводу о том, что Сталин по ряду параметров был более последовательным марксистом, чем Ленин.

Нет ничего проще, чем взять отдельные формулировки Маркса и обнаружить их "дословное" воплощение в текстах и реалиях сталинизма. Но эта простота и в самом деле не лучше некоторых менее ценимых пороков. История, хотим мы этого или нет, это всегда суд, с разбирательством и приговором. Когда скрупулезно нанизываются улики, подтверждающие причастность к преступлению, и практически игнорируется все, что может сработать в качестве алиби, такое историческое судопроизводство показывает, насколько далеко мы ушли от правосознания эпохи, о которой здесь пишется. Можно, конечно, и разделить функции

---

[1] Robert C. Tucker. Lenin's Bolshevism as a Culture in the Making. – In: A. Gleason, P. Kener, R. Stites (eds.). Bolshevik Culture. Experiement and Order in the Russian Revolution. Bloomington (Indiana), 1985, p. 11.

обвинения и защиты. Но тогда это будет нормальная публицистическая склока, каждое отдельное и заведомо пристрастное выступление в которой не надо подавать как строгий и профессиональный анализ.

Для анализа преемственности сознания недостаточно и обычного механического суммирования "за" и "против". Критики концепции "доктринальных истоков" вслед за ревнителями чистоты ленинского образа бросились отгораживать классиков от Сталина, вываливая на кучу доводов обвинения свой мешок цитат, контрпримеров и умилительных эпизодов, рисующих образ повышенной задушевности и человечности. Однако мало убеждает и это взвешивание цитат и эпизодов. Смысл терминов и высказываний вообще не существует как нечто определенное вне целого идейной системы и вне конкретного контекста: в другом вербальном и идейном окружении, в другой политической, исторической, наконец, интеллектуальной ситуации сказанное может приобретать совершенно другое значение, тем более с точки зрения реального действия. Ближайшие нововведения нашей революции и выраженный сталинизм имеют более чем опосредованное отношение к марксовым идеям отмирания рынка, введения планирования и т.п. У основоположника за этим стояли существенно иные концептуальные и нравственные соображения и мыслилось это для качественно иных исторических условий. И уж во всяком случае марксов коммунизм мыслился прежде всего как законосообразное увенчание естественно-исторического процесса, но отнюдь не как нечто внедряемое поперек наличных реальностей развития. Это было ясно с самого начала. "Характер русской революции, – писал Н. Бердяев, – был таков, она произошла в столь своеобразных условиях, что идеологически ей мог соответствовать лишь трансформированный марксизм и именно в сторону противоположную детерминизму"[1]. Еще резче это сформулировано у Х. Ортеги-и-Гасета: "Россия настолько же марксистская, насколько германцы Священной Римской Империи были римлянами... Я ожидаю появления книги, которая переведет сталинский марксизм на язык русской истории. Ибо то, что составляет его силу, кроется не в коммунизме, но в русской истории"[2].

Все это не отрицает наличия у Маркса положений, требующих критического отношения. Но коль скоро всякая система идей есть целое, в ней действует своя иерархия идейных ценностей. Есть фундаментальные положения, ради сохранения которых приходится отказываться и от множества частных, не всегда удачных конкретизаций, а иногда и от некоторых ключевых обобщений. Исходить из этого, значит отказываться от формально-логического "объяснения" отдельных высказываний и действий и становиться на позицию *понимания* – проблемы герменевтики распространимы не только на умолкшие культуры и тексты, но и на то, что живо в повседневном, в том числе и политическом, обиходе. Вообще, в марксизме надо различать философско-историческую модель, построенную на предельных теоретических основаниях и так или иначе воспринятую многими направлениями последующего развития социально-философской мысли, и ее частные разработки и приложения, пусть даже авторские. Это говорится не для того, чтобы выгораживать Маркса, который в этом, собственно, и не нуждается, а чтобы подчеркнуть необходимость видеть действительные истоки "апологетического" сознания,

[1] Н. Бердяев. Истоки и смысл русского коммунизма. Париж, 1955, с. 121.
[2] Х. Ортега-и-Гасет. Восстание масс. Нью-Йорк, 1954, с. 142–143.

частью вовсе не доктринальные, частью лежащие в более глубоких свойствах канонизированной доктрины. В конце концов, каждый сам выбирает не только то, что ему ближе в учении, но и самого учителя – и делает это по собственным основаниям, которые как раз и должны быть поняты. Этим не снимается извечная проблема – "как слово наше отзовется". Но решаться она должна не в лоб, а с учетом сложнейшего и противоречивейшего опыта таких классических коллизий, как Карамазов – Смердяков. Более того, проблемы соотношения концептуального поиска и реального социально-исторического действия могут выставить свои, особые сложности, иные, чем в обычном межчеловеческом общении.

Возможно, иногда вообще имеет смысл отказываться от представлений об однонаправленности идейных воздействий во времени – из прошлого в будущее, от идеи к ее воплощению. В известном смысле время эволюции сознания не необратимо: под поверхностью хорошо видимых идейных влияний возникают и обратные течения – "злоба дня" управляет пониманием идеи и ученик задним числом как бы оказывает влияние на учителя. В сталинизме же мы тем более имеем дело с особым, хотя и весьма распространенным типом сознания, в котором *не понимание теории определяет политическое поведение, а, наоборот, спонтанная политическая практика определяет понимание теории*.

Как бы там ни было, сталинский вариант "реализации теории Маркса" кое-что раскрывает в самом марксизме и в том, как он был у нас воспринят. Но уже не на уровне прямого и непосредственного перенесения отдельных формулировок, а в плане скорее экзистенциальном, касающемся общего мирочувствия и ощущения себя в истории.

Маркс работает в основном в двух временных масштабах: макроистория, мыслимая как последовательное наслоение формаций, и "микроистория", описывающая механизмы осуществления конкретных и локальных исторических действий. Эти масштабы эффективно соприкасаются, когда перелом, назревший в движении макроистории, разрешается в действии, по-своему субъективном – в "революционной практике". Опыт самого Маркса показал, что обладание макросхемой мало что стоит без виртуозного владения приемами микроанализа, продемонстрированными в таких работах, как "Восемнадцатое брюмера...". Но разработка методологии такого анализа была предоставлена уже последователям, часто эволюционировавшим вообще за рамки собственно марксистской традиции. Непосредственные же ученики были поставлены в крайне трудное положение: им предстояло каждому на свой страх и риск писать свое "Восемнадцатое брюмера...", но уже не в виде историографического эссе, проясняющего случившееся, а непосредственно в самой истории, практически, и по сценарию, обозначенному, мягко говоря, контурно. Там, где Маркс личной одаренностью и бескомпромиссностью в отношении фактов исправлял и конкретизировал собственную схему, марксиствующим революционерам предстояло произвести тот же нелицеприятный анализ, но уже в отношении самих себя. Маркс, хотя отчасти и участвовал в революционном движении, тем не менее, всегда сохранял известную дистанцию, обеспечивающую свободу критического отношения. В последующих революционных действиях это было исключено, точно так же, как отсутствовала эта проблема и в самом марксизме – отнюдь не случайно. Здесь в доктрине образовывалась брешь, в которую по той же марксистской логике врывалась масса возможностей вырождения марксизма в едва ли не собственную противоположность.

Кажется, именно в этот зазор между утверждением неотвратимости исторического движения и невниманием к известной случайности конкретных сил, это движение в данный момент времени направляющих, между обезличенной исторической логикой и нормальной "плоскостью" людей, берущихся ее воплотить, и входили все эти беззастенчивые манеры объявлять себя авангардом всего на свете, третировать себе подобных в политической жизни и идеологии, апеллируя к марксову детерминизму действовать вполне волюнтаристски и искренне верить в то, что партия, а впоследствии и ее славный генсек категорически не могут ошибаться уже в силу их особого исторического предназначения, освященного теорией. Те средние исторические ритмы, которые в марксизме были просто пропущены в пафосе соединения революционного действия и всемирно-исторической истины, и сказались впоследствии в реальной биографии нашего социализма: история, пренебрегши собственной макрологикой, сделала несколько чудовищной амплитуды зигзагов и мы, казалось бы, не сходя с рельсов, ведущих в светлое будущее, получили все, что получили.

У Маркса есть известная завороженность справедливостью и оправданностью борьбы со злом. Для него не существует самой проблемы принципиальной искоренимости зла в человеке – достаточно "изменить мир". Он отбрасывает весь религиозный опыт осмысления этой проблемы, для него невозможно ее освоение в терминах "природы человека", он чужд какому-либо иррационализму. Сам процесс революционной борьбы у него настолько освящен, что собственно марксов критический материализм в понимании человеческих поступков уже как бы не действует, а точнее, распространяется только на непоследовательно революционные классы. Поэтому он, мягко говоря, недооценивает ситуацию, в которой справедливая борьба может порождать новое зло, возможно, еще большее, чем то, с которым борются, не дает для этой новой ситуации специального и развернутого теоретического анализа.

В основе образования этих опасных, а возможно, и неотвратимо трагических зазоров теории лежали весьма сложные манипуляции со временем исторического процесса. Целое истории представляется как линейный, хотя и "узловатый" процесс, в принципе необратимо прогрессирующий в направлении гуманизма. Конечные определения этого прогресса прорабатываются на уровне предельных теоретических идеализаций. Но онтологически это теоретически мыслимое грядущее "царствие божие на земле" мыслится как посюстороннее, земное, свершающееся в этой истории и руками человеков. Более того, это свершение из бесконечности будущего переносится в эпоху, современную мыслителю, и даже обеспечивается конкретным исполнителем в виде класса, избранного самой историей для освобождения всего человечества. Складываются черты мессианства, которые так настойчиво подчеркивал в марксизме Бердяев. Дабы эта прогрессистская эсхатология не выглядела несколько скучноватой с точки зрения перспектив пребывания в счастливом будущем, совершается упреждающая радикальная переоценка времен: все прошедшее объявляется чем-то не совсем самостоятельным и самоценным, а именно "предысторией", за которой начинается "собственно человеческая история". Тем самым искоренение социального зла оказывается даже не идеалом, достижимым в этом мире, но асимптотически, а всего лишь промежуточным моментом в процессе, устремленном в принципиально открытое будущее. То, что составляет для нас реальную историю, перед этим развернутым в бесконечность идеалом бледнеет и оказывается достойным радикального и безжалостного преодоления, хотя и с сохранением "всего достигнутого".

Эти, казалось бы, невинные и крайне отвлеченные перестановки и переоценки во всемирно-историческом времени имели опасные и даже трагические следствия. Вместе с "предысторией" как бы не совсем полноценной оказывается и вся та часть человечества, которая слишком укоренена в прошлом, привязана к нему узами обывательщины, мещанства, не готова порвать со всем и идти до конца и балластом виснет на социальном прогрессе. Поэтому Маркс и его последователи "теоретически" не любят крестьянство ("идиотизм деревенской жизни"), ненавидят буржуазность как таковую, как тип сознания (хотя и отдают должное сделанному для развития производительных сил, завоевания свобод и глобализации человечества), последовательно третируют религиозный опыт. И наоборот, историческая правда заведомо оказывается на стороне тех, кому "нечего терять кроме своих цепей", но предстоит обрести "весь мир". Класс, как утверждается в самом марксизме, исторически и социально лишенный возможности духовного развития, класс, главными достоинствами которого являются организованность и непривязанность к этому социальному миру, класс, который, освобождая всех, должен уничтожить прежде всего себя, класс – инструмент разрушения старого мира – вдруг оказывается в роли диктатора, призванного обеспечить наступление справедливости здесь и сейчас. И дело не только в том, что класс, мыслимый как средство, на какое-то время становится классом-целью. Надлом во времени приобретает явно социологическую, в чем-то даже добуржуазно-сословную окраску. Далее легко забывается, что будущее в самой доктрине принадлежит не этому классу, а всем людям свободного труда, который как таковой есть труд за пределами "царства необходимости". Поскольку в реальной истории класс-освободитель оказывается далеко не столь прогрессивным, как предполагалось, и сам по себе не готовым не только к диктатуре, но и к ее самостоятельному завоеванию, его исторические функции естественно перекладываются на профессиональную организацию революционеров, т.е. на группу, которая сама на себя возлагает эти функции. В конце концов сама эта группа внутри себя уничтожает тех, кто недостаточно последователен в борьбе за новое счастье и слишком оглядывается на преимущества старого. Это приводит к диктатуре силы, готовые и дальше заодно с живыми людьми ломать историю, каленым железом выжигать старое, высвобождая в этой точке истории место для переносимого в современность будущего.

Так проблема времени оборачивается проблемой силы. У Маркса есть известная идеализация борьбы, но нет культа насилия как такового. Насилие и в самом деле не более чем "повивальная бабка", которая лишь помогает родиться новому, далее развивающемуся собственной органикой, на силе не власти, а большей эффективности. Сила срабатывает лишь в точках перелома, она не только не утверждает новое, но даже и не разрушает старое, а лишь сламывает его же силовое сопротивление – далее оно отмирает мирно и самостоятельно. Это и в самом деле приблизительно соответствовало опыту истории, осмыслявшейся в марксизме.

Но коль скоро в данный момент эта история необратимо заканчивалась и новому предстояло уже окончательно победить все социально оформленное прошлое, проблема насилия оборачивалась совершенно иными гранями. По мере того, как перемещение в "царствие свободы" все менее напоминало скачок, а несовершенства прошлого сохранялись и у передовой социальной структуры, включая класс-авангард, насилие неизбежно превращалось из кратковременно действующего средства, которым буквально рубится узел антагонизмов, в длительно действующий механизм поддержания жизнеспособности прогрессивнейшего режима и ломки сознания масс – "повивальная бабка" оборачивалась воспитателем, призванным довести врученную ему недоросль до совершеннолетия.

Одним из центральных пунктов этого перевоспитания было формирование коллективистского сознания. Маркс критиковал ограниченность буржуазного индивидуализма и видел в коллективизме нового, высшего типа не отрицание индивидуализма, а его восходящее преодоление, когда "свободное развитие каждого будет условием свободного развития всех". Но как только этот теоретически, в предельных идеализациях мыслимый совершенный коллективизм не становится господствующим типом сознания сразу с утверждением нового строя, его насаждение оказывается возможным только за счет ограничения и даже подавления индивидуализма как такового. Новый тип человека и социальности формируется не естественным обретением новых качеств, а силовым отсечением старых – "лишних". Новое сознание не вырастает "над" старым и из него, а как бы вырезается посредством специальной ампутационной хирургии, своего рода вивисекции над сознанием.

Нечто подобное происходит и с представлениями Маркса о государственности. Он критикует несовершенства современного ему формального права, доводит эту критику до теоретически мыслимого предела, строит соответствующую идеализацию – модель абсолютно прозрачных внутрисоциальных отношений, не нуждающихся в формальном регулировании – и переносит ее из теоретической бесконечности во вполне обозримое и даже не слишком отдаленное будущее. Первая же попытка реализации этой программы приводит к столкновению несоизмеримых исторических масштабов. Действительность, как и прежде отягощенная всеми мыслимыми несовершенствами, получает формальную структуру, уготованную обществу не иначе, как идеальному. Вполне в русле этих настроений возникают социальные состояния, в которых не нужно "ничего, кроме власти вооруженного народа", "классового чутья", "революционной совести" и т.п. От них – прямая дорога к "тройкам" и "особым совещаниям", а в более широком плане – к катастрофическому преобладанию в общественном сознании морализма над юридизмом, со всеми вытекающими отсюда последствиями.

Перечень такого рода превращений можно продолжить. Но в них срабатывает общий механизм – свертывание истории в "предысторию", событийное ее прекращение в этом качестве и перевод в новое качественное состояние, как бы в другой процесс, с принципиально иными характеристиками. Всякий реализующий эту идейную систему оказывается перед альтернативой: либо отказаться от соблазна скачкообразного, хотя, возможно, и неодномоментного, выхода из "предыстории" в качественно новое историческое измерение, в котором нет ощетинившихся друг на друга классов, рынка с его стихией и духом торгашества, отчуждения, обособившихся индивидов, несовершенств условного, формального права и т.п., либо все же вгонять страну в "царство свободы" и "собственно человеческую историю", в которой нет ничего кроме нарастающей социальной однородности, плана, собственности всех на все и на ничто конкретно, одномерного коллективизма и действующей безо всяких формальных регулятивов революционной "морали". Категории "переходных форм" ослабляют эту антиномию, но не устраняют ее как таковую – либо ведут к размыванию идеи скачкообразного и качественного преодоления "предыстории" в бесконечной последовательности переходов. К этому располагает всякое движение в сторону реализма. Уже в 20-м году Ленин писал: "Анализируя текущий политический момент, мы могли бы сказать, что переживаем переходный период в переходном периоде. Вся диктатура пролетариата есть переходный период, но теперь мы имеем, так сказать, целую кучу новых переходных периодов"[1]. То, что в свое время адресовалось отсталой крестьянской стране, сегодня может быть распространено и на динамику наиболее развитых капиталистических стран. "Социализмом, – пишет далекий от марксистских воззрений К. Ясперс, – называют в настоящее время все убеждения, тенденции... рассматривающие вопросы организации совместной работы и совместной жизни под углом зрения справедливости и устранения привилегий. Социализм – это универсальная тенденция современного общества, направленная на то, чтобы создать такую организацию труда и такое распределение продуктов труда, которые обеспечили бы свободу всех людей. В этом смысле сегодня едва ли не каждый человек социалист. Социалистические требования присутствуют в программах всех партий. Социализм – основная черта нашего времени. Однако все это еще далеко не определяет подлинную сущность современного социализма. В основе его действительно лежит принцип справедливости, но в учении марксизма (коммунизма) – также уверенность в обладании тотальным знанием о ходе человеческой истории"[2].

Марксизм отрицает в себе претензию на тотальное, всеохватное и установившееся знание. Маркс намекает на сложности перехода к новому обществу; Ленин обнаруживает, что эти сложности принципиально иного порядка, чем предполагалось. Их последователи еще менее "грешат догматизмом": Сталин, Хрущев, идеологи брежневской эпохи и эпохи перестройки – все выдвигают замысловатые периодизации вхождения в будущее, которое то сулится уже нынешним поколениям, то, наоборот, отодвигается в плохо просматриваемую перспективу. Однако проблема здесь стоит не количественно, не в категориях "раньше – позже", а качественно, если угодно, трансцендентально: теоретические идеализации будущего общества либо помещаются в бесконечности в качестве предельных регулятивов, своего рода точек притяжения истории – либо мыслятся как действительные, "посюсторонние" характеристики исторического процесса, революционно переходящего в новое качество.

В этих моделях решительно разнятся отношение к прошлому и форма самого движения к будущему: либо будущее это не более чем усовершенствуемое прошлое, по отношению к которому важно не столько обрести, сколько не потерять, либо это нечто совсем уже другое, и фундаментальные благоприобретения прошлого, будь то рыночный базис или правовая надстройка, не просто несовершенны, но недостой-

[1] В.И. Ленин. Полн. соб. соч., т. 42, с. 216.
[2] К. Ясперс. Истоки истории и ее цель. Вып. 2. М., ИНИОН, 1978, с. 51.

ны даже сопровождать процесс послереволюционного движения в бесконечное совершенство. В последнем варианте по сути дела сталкиваются история и ее вершители: либо объективная логика так или иначе заведет в рай, и тогда "все дозволено" – либо несовершенства наличного "человеческого материала" сметут все предначертания, всерьез и надолго. Гельдерлин сказал: "Всякий раз государство превращается в подлинный ад именно потому, что человек пытается сделать его земным раем".

Идея кумулятивного и делающего качественный скачок прогресса не просто подстегивает, а буквально сажает переустроителей общества на угли ежесекундным соблазном заскочить вперед. И то, что социальный идеал это не состояние, а совокупность характеристик эмансипированного процесса, лишь усугубляет ситуацию: процесс становится чем-то первичным, если не самодовлеющим, и заведомо жертвует наличным состоянием; абстрактная необратимость прогресса давит жизнь "во плоти": до сих пор полноценный советский человек однозначно не приемлет даже элементов капитализма не потому, что реальный социализм лучше (на этот счет могут быть сколь угодно серьезные сомнения), а именно в силу въевшейся чуть ли не в спинной мозг логики, главный принцип которой – "лучшее, конечно, впереди", "ни шагу назад" и "не допустить возврата".

То, что наша логика времени запросто перебарывает фактуру действительности, выглядит не по-марксистски. Но это извращение собственной сути не совсем чуждо самой доктрине, в которой, казалось бы, эмансипированное от всяких культов сознание буквально провоцирует формирование "новых" культов: прогресса, изменения, революции, знания, силы, класса, партии и т.д. Вплоть до собственной идеологии, которая, оставаясь философией и идеологией (хотя и включающей корпус научных знаний), объявляет себя новой наукой, окончательно преодолевающей идеологию и философию в классическом смысле. Маркс ввел социальную, материалистическую рефлексию над философией, но слишком крупно для реальных человеческих действий объяснил, почему результаты этой рефлексии обязательно должны быть истинными. Тем не менее, его философия – это то, что начинает жить после конца философии, точно так же, как коммунизм – это не формация в ряду формаций, а преодоление всего предшествующего развития сразу.

И все же это – лишь негативные потенции доктрины, при желании без труда преодолеваемые в рамках самого марксизма: смена формационных структур есть процесс естественно-исторический и определяемый критериями эффективности в отношении развития производительных сил и эмансипации человеческой самости; все, что не соответствует этим критериям, подлежит бескомпромиссному отрицанию, хотя бы оно и вписывалось в собственную логику преодоления докоммунистической истории. Там, где Маркс был сильно неправ, он сам себя исправляет. Поэтому проблема не в том, как иначе прочитать Маркса (другими он уже давно и не раз прочитан куда более продуктивно и ближе к реальности), а в том, почему мы его так прочли и до сих пор живем с этим, даже не читая. И все ли в нашей ортодоксии вообще имеет отношение к классику?

В анализе преемственности идей важно подходить к действительным их истокам, а не только к идеологически обозначенным. Многие идеи, пришедшие в сталинизм как бы от Маркса, на самом деле возникли гораздо раньше, неоднократно воспроизводились и через марксизм лишь транслировались. Это, в частности, относится к таким животрепещущим для нас моментам, как критика рынка, идеи плана или распределительной справедливости. Маркс вовсе не сочинил эти идеи, а лишь поместил в другой, новый контекст, большая часть которого в сталинизме как раз и оказалась отброшенной. Но в таком случае это, строго говоря, вообще не идеи Маркса. Это говорится опять же не в порядке выяснения персональной идейной ответственности. Эти идеи, а точнее представления, возникают практически во всяком контексте разговоров о гуманизме и справедливости; их исторический стаж лишь подтверждает их объективную укорененность в специфически ориентированном сознании, в том числе и современном – а значит, и в самой не столь уже изменяющейся социальной действительности. Критикуя "Маркса" по этим конкретным и вырванным из контекста поводам, мы не замечаем, что тем самым критикуем вовсе не Маркса и даже не сталинский марксизм, а наш собственный, уже сейчас сконструированный сталинский марксизм, т.е. отдельные моменты сталинского марксизма, которые по тем или иным причинам доставляют нам сегодня, как нам кажется, наибольшее неудобство. Но такая критика малоэффективна, поскольку и в истории и в современности эти представления в более или менее примитивной форме воспроизводятся в значительной мере на собственной основе, в том числе людьми, знакомыми с марксизмом лишь понаслышке, а то и вовсе с ним не знакомыми. И они воспроизводятся тем более интенсивно, что критика "Маркса" практически не затрагивает предшествующие пласты готовившей марксизм идеологии.

От утопизма – к террору

При более пристальном рассмотрении оказывается, что в сталинизме вся система образов желаемого, идеального и вот уже возникающего общества явно архаична в сравнении даже с марксизмом. О сталинизме нередко говорят как о попытке практической реализации утопии Маркса. У Маркса есть элементы утопизма в понимании макроисторического времени, но у него практически нет утопии как проработанного до осязаемости проекта. Что же до того "образа во плоти", который можно представить и реконструировать на основании наметок Маркса, то он во многом прямо противоположен сталинистскому. Социальная эстетика сталинизма в своих позитивных моментах тяготеет скорее к немарксистскому утопизму, в частности к утопии Чернышевского, который отнюдь не случайно был канонизирован в известной идеологии. И оказался гораздо ближе к массово воспринятому образу (не схеме) социализма, чем сам Маркс. И не случайно в нашей идеологии, пропаганде, системе образования утопический социализм этого толка (наряду со всем тем, что составляло один из "трех источников марксизма") до сих пор рассматривается как безоговорочно принимаемая идейно-духовная ориентация. Сам идеал беспорочен, дамский сон дети заучивают наизусть, один недостаток – не видели действительных средств достижения идеала.

Запад поиграл с похожими идеями, напоролся на кровавую революцию, принял их к сведению в качестве мыслительного эксперимента (а не практической установки) и двинулся дальше, удерживая их в снятом виде в гораздо более развитых проектах, включая марксизм. Правда, в сталинизме из русской социалистической утопии в основном был заимствован фасад с характерными элементами украшательства в духе "хрустального дворца" и беспорочных образов борцов за народное счастье. Но даже этот фасад был отнюдь не безобидным. Российская интеллектуальная традиция, в которой всегда было много народного, восприняла утопические идеи, как любую идею воспринимает народ: медленно, но верно – и с прямой установкой на реализацию[1]. Не случайно, эта же национальная духовная традиция, пожалуй, больше других ужаснулась перспективам схематизации человека и подвергла ее односторонность уничтожающей критике. "Утопический социализм, – писал один из исследователей "архискверного" и третировавшегося при сталинизме Достоевского, – мечтает о земном рае, о всеобщем благоденствии. Все эти возвышенные идиллии порождены его ребячески наивным пониманием человека... Чернышевский проектирует построение идеального общества на основании разумного согласования утилитарно действующих воль. Подпольный человек снова восклицает: "О младенец! О, чистое, невинное дитя!". В какой реторте сфабриковал ты этих разумных и утилитарных гомункулов? Какое домашнее животное в каком курятнике принял ты за человека?... Тут уж подпольный человек не выдерживает и весьма неблаговоспитанно возражает Вере Павловне: "Вы верите в хрустальное здание, навеки нерушимое, т.е. такое, которому нельзя будет ни языка украдкой выставить, ни кукиш в кармане показать. Ну, а я, может быть, потому и боюсь этого здания, что оно хрустальное и навеки нерушимое, и что нельзя будет даже украдкой языка ему выставить"[2]. На умиленном лице восторженной и трогательно женственной Веры Павловны уже тогда проступала до оторопи знакомая и отнюдь не женская растительность.

О критике революционного "бесовства" написано достаточно. Здесь важно подчеркнуть, что критика ведется и на уровне архитектоники проекта, эстетики самого стиля мышления. "В этом земном раю Чернышевского нетрудно узнать фаланстеру Фурье. Достоевскому он должен был напомнить "кристальный дворец" лондонской всемирной выставки – окончательный идеал человеческого устройства на земле"[3]. Не менее "архитектурны" образы самого Достоевского: "Курятник, капитальный дом, муравейник – три неизгладимых клейма наложил Достоевский на "хрустальный дворец" социалистического коллектива. Если земной рай покупается ценой превращения человечества в стадо animaux domestiques (домашних животных. – Авт.), то к чорту "все это благоразумие"[4].

Упоминание о фаланстере здесь также неслучайно и многозначительно. Характерные для сталинизма образы механической социальности, директивной справедливости, тотального и единообразного счастья, едва ли не насильственного и идиотического – весь этот комплект атрибутов земного рая на самом деле восходит к еще более ранним и пря-

---

[1] "Массы полны тайных влечений, полны страстных порывов, у них мысль не разъединилась с фантазией, у них она не остается по нашему теорией, она у них тотчас переходит в действие, им оттого и трудно привить мысль, что она не шутка для них". – А.И. Герцен. Соч. в 9-ти томах, т. 3. М., 1956, с. 295.

[2] К. Мочульский. Достоевский. Жизнь и творчество. Париж, 1947, с. 209.

[3] Там же, с. 209–210.

[4] Там же, с. 210.

молинейным версиям утопического социализма. Стиль сталинизма – это стиль идеальных городов и поселений; архитектура этого образа мышления, сам этот тип социального проектирования удручает такой же упрощенной симметрией, схематизмом и военизированной регулярностью. Общей здесь оказывается сама пространственная структура социального мира, единая для "хрустального дворца" и острога, идеального поселения и лагеря. На этом планировочном каркасе, из наличного материала и при данной технологии строительства – с ее военно-бюрократическим проектированием, рабским трудом и бесконечным авралом – ничего кроме всесоюзного централа выйти и не могло. Но на щедро декорированном фасаде, прикрывавшем "внутрянку", воспроизводилась уже несколько иная тональность отделки, с характерными деталями и лепниной: идеология, пропаганда, искусство являли собой не что иное, как беспробудный "четвертый сон".

Но и на этом в поисках глубин преемственности в рамках утопизма вряд ли можно остановиться. Достаточно пройтись практически по всем утопическим системам, чтобы обнаружить явное соответствие стереотипам сталинизма даже в самой отдаленной и всерьез не воспринимаемой из современности архаике. В платоновском "Государстве" люди случаются для продолжения рода по жребию, который в свою очередь незаметно подтасовывают руководители общества из самых благих евгенических соображений; потомство воспитывается государством и на основе тщательной селекции. В сталинизме не все так прямо, но он недалеко ушел от этого в плане понимания пределов вмешательства общества в самые интимные и индивидуальные сферы человеческой жизни. И это опять же не прямая преемственность идейного наследования между "учеником" и "учителем", но и не случайная, притянутая аналогия: здесь срабатывает сложный механизм, в котором идейные архетипы, с одной стороны, воспроизводятся на собственной основе – на основе реально длящихся в большом времени отношений социальности, взыскующих преобразования, а с другой – в скрытых формах транслируются в толще культуры, в произведениях которой примитивное сознание вычитывает содержание прообразов, казалось бы, безвозвратно ушедших. Хотя здесь, может быть, уместнее мандельштамовский неологизм "вчитывания". По той же логике в сталинизме воспроизводились многие черты утопизма не только не социалистического, но откровенно антиреволюционного свойства, в частности, славянофильского консерватизма, истоки которого Чаадаев назвал "ретроспективной утопией". Здесь полярные по своим главным интенциям утопии смыкались в отрицании таких "вредных" для общества нововведений, как либерализм, парламентаризм, юридизм, плюрализм, индивидуализм, космополитизм, даже гуманизм – и целой кучи тому подобных вызывавших идеологическую идиосинкразию "измов". И неизвестно еще откуда на самом деле родом наша недавняя, а в глубинке и поныне здравствующая фразеология. "Гнилой Запад – да, гнилой, так и брызжет, так и смердит отовсюду, где только интеллигенция наша пробовала воцаряться"[1], – брызжет К. Леонтьев. Да здравствует социализм, ибо "социализм есть феодализм будущего... то, что теперь крайняя революция, станет охранением, орудием строгого принуждения, дисциплиной, отчасти даже и рабством"[2]. Государство

---

[1] К. Леонтьев. Восток, Россия и славянство. Т. 2. М., 1886, с. 13.

[2] К. Леонтьев. Письма к А. Губастову. – *Русское обозрение*, 1897, № 5, с. 400.

обязано быть грозным, иногда жестоким и безжалостным, должно быть сурово, иногда до свирепости"[1]. "*Общественные организмы* (особенно западные), вероятно, не в силах будут вынести ни *расслоения*, ни глубокой мистики духовного единства, ни тех хронических жестокостей, без которых *нельзя* ничего из человеческого материала надолго построить. Вот разве союз *социализма* ("грядущее рабство", по мнению либерала Спенсера) с *русским Самодержавием и пламенной мистикой* (которой философия будет служить, как собака) – это еще возможно, но уж жутко же будет многим. И Великому Инквизитору позволительно будет, вставши из гроба, показать тогда язык Фед. Мих. Достоевскому. А иначе будет либо кисель, либо анархия..."[2] Вот тебе и идейные антагонисты!.. Кто это пишет, Бухарин, что ли?.. Или нынешние наши демократы с "железными руками"?

Однако возврат к однозначным, явно устаревшим, а то и вовсе архаичным образам идеального жизнеустройства был бы не более чем невинным заблуждением, если бы не сопровождался параллельным возвратом к столь же однозначной и неразвитой модели образа действия. Отчасти эта модель содержалась в самом утопизме. "Сейчас редко вспоминают о том, что в самых своих истоках социализм носил откровенно авторитарный характер. Французские философы и политические деятели, заложившие основы современного социализма, нимало не сомневались в том, что провести их идеи в жизнь может только сильная диктатура. Для них социализм означал попытку "довести революцию до конца" путем сознательной перестройки общества на иерархической основе и насильственное становление "духовной власти", основанной на методах принуждения. Что же до свободы, то тут намерения основателей социализма были совершенно недвусмысленны. Свободу мысли они считали коренным общественным злом девятнадцатого века, и предтеча нынешних сторонников планирования Сен-Симон даже предсказывал, что с теми, кто не подчинится распоряжениям придуманных им планирующих органов (советов), будут "обходиться как со скотом"[3]. Похоже, это одна из коренных черт утопического сознания как такового. Заблуждение утопизма, писал С.Л. Франк, заключается в замысле "спасти мир" мерами закона, т.е. установлением некоего идеального, принудительно осуществляемого порядка. "Любопытно, что все христианские утописты – табориты, анабаптисты, воинствующие пуритане – фактически заменяли новозаветное, христианское понимание правды ветхозаветной *религией закона*, ветхозаветным теократическим идеалом. Поэтому все они призывали к беспощадной войне против амалекитян и филистимлян, к истреблению безбожников, все вынуждены были объявить сострадание к противнику недопустимым ослушанием суровой воли Божией (известно, что табориты кончили открытым отречением от христианства и обращением в ветхозаветную религию)"[4].

Здесь утопическое сознание смыкается с революционаристским. Герцен писал о трагедии современных ему революционеров: "Они не могут выйти из старых форм, они их принимают за какие-то вечные грани-

[1] Памяти К. Леонтьева. Сб. статей. Спб., 1911, с. 157.

[2] К. Леонтьев. Письма к Василию Розанову. Лондон, 1981, с. 77.

[3] Ф.А. Хайек. Дорога к рабству. Лондон, 1983, с. 40–41. Здесь, впрочем, не мешает вспомнить, что и социалисты были разные, в том числе и христианские.

[4] С.Л. Франк. Свет во тьме. Опыт христианской этики и социальной философии. Париж, 1949, с. 291.

цы, и оттого их идеал носит только имя и цвет будущего, а в сущности принадлежит миру прошедшему, не отрешается от него...

Роковая ошибка их состоит в том, что, увлеченные благородной любовью к ближнему, к свободе, увлеченные нетерпением и негодованием, они бросились освобождать людей прежде, нежели сами освободились, они нашли в себе силу порвать железные, грубые цепи, не замечая того, что стены тюрьмы остались. Они хотят, не меняя стен, дать им новое назначение, как будто план острога может годиться для свободной жизни[1].

В нашей революционной и послереволюционной истории из традиции европейского революционаризма была во многом заимствована сама "технология" преобразующего общество действия: слащаво-жестокое утопическое "что" оказалось усугубленным еще более жестоким и совсем уже не слащавым революционаристским "как".

Сталинская, да и послесталинская идеология всячески, порой до навязчивости, подчеркивала причастность к российской революционной линии. Однако сейчас уже трудно в полной мере представить, до какой степени осязаемо присутствовал во всей нашей революции и ее ближайшем продолжении дух Великой Французской революции. Это обозначилось еще до Октября и не только среди большевиков и их более или менее радикальных конкурентов. В "Погружении во тьму" Волков приводит трогательный салонный диалог послефевральского периода, в котором Керенского называют "Дантоном нашей революции" и высказывают опасения по поводу возможности появления "нового Робеспьера". Впоследствии большевики искренне и открыто признавали в себе якобинцев, свергающих жиронду; Бухарин с сочувствием цитировал Сен-Жюста: "Нужно управлять железом, если нельзя управлять законом"; еще в памфлете Сиейеса было сказано: "Что такое третье сословие? – Все. – Чем оно было до сих пор? – Ничем". Ленин неоднократно и совершенно всерьез обсуждал возможность будущего "термидора". Аналогия сталинизма с термидором также очевидна и неоднократно описана. Но здесь важнее, что намечается своеобразная логика революционного действия. Два термидора (Наполеона и Луи-Бонапарта) – аналогия, но три – уже претензия на закономерность. Она и была прочерчена Ж. Эллюлем в модели циклического развития революции. Второй термидор Маркс описывает как фарс, пародировавший трагедию первой Французской революции. Наш – соединил в себе и трагедию и фарс, увидеть который в сталинизме нам мешают его страшные и слишком касающиеся нас самих стороны. Но он есть и нуждается в специальном осмыслении: "Утро нашей Родины" писал явно не Давид.

У Сталина, вместе со всей подпиравшей его иерархией, на особый вкус к красивому романтизму первых революционеров не хватало соответствующего воспитания. Но в выборе средств, логике действия и даже вывихах сознания и нравственности он существенно ближе к тому революционаризму, нежели русские революционеры-интеллигенты или сам канонизированный Маркс, во многом просто взращенный на осмыслении опыта Французской революции.

Прежде всего это затрагивает проблему насилия – в той мере, в какой оно рассматривается как нормальный, несомненно эффективный и даже предпочтительный способ решения политических и социально-пре-

---

[1] А.И. Герцен. Соч. в 9-ти томах, т. 3, с. 278.

образовательных задач. Выше уже отмечалось, что и марксов детерминизм и большевистская предрасположенность к теории и политическому маневру отводили насилию ограниченную и лишь временно центральную роль. Сталинизм в этом отношении вернулся к исходным революционаристским представлениям, во главу угла ставившим всепреобразующую волю. "Так, *Робеспьер*, – писал Маркс, – в большой нищете и большом богатстве видел только препятствие для *чистой демократии*. Поэтому он хотел установить всеобщую спартанскую простоту жизни. Принцип политики – *воля*. Чем односторон008е, чем совершеннее *политический* рассудок, тем сильнее его вера во *всемогущество* воли, тем большую слепоту проявляет он по отношению к природным и духовным *границам* воли..."[1] Такая политика неизбежно ведет к утрированному насилию там, где она переходит "границы воли"; насилие превращается уже не в средство установления режима, а в способ его существования.

Само по себе насилие не является в истории чем-то особенным, а если иметь в виду его потенциальные формы, то это просто повседневность всякого управления и осуществления законности. И даже насильственное изменение строя, с моральной точки зрения, не может быть запрещено правовым порядком, покуда сам режим не допускает возможности легального и ненасильственного изменения данного строя. Но здесь речь идет о специфической форме насилия – терроре – явлении, внутри себя весьма неоднозначном.

Обычное насилие направлено на того, на кого оно направлено. Террор – это в известном смысле косвенное насилие: подлинное действие террористических убийств направлено вовсе не на тех, кого убивают. Простое насилие функционально непосредственно, оно прямо добивается желаемого. Террор как насилие, допускающее убийство и репрессии невинных и несопротивляющихся, функционален опосредованно: это заведомо превентивное насилие, предполагающее подавление не только сопротивления, но и самой способности к сопротивлению. Поэтому он обычно воспринимается как нечто совершенно иррациональное и бессмысленное, хотя для самих субъектов террора он определенно мотивирован, осознают они это или нет.

Если насилие есть, в известном смысле, проявление слабости власти, ее неспособности управлять и осуществлять политику иными средствами, то террор – это слабость по отношению к поставленным целям, возведенная в степень. Вселяя ужас, террор сам оказывается порождением ужаса. До сих пор велик соблазн излишне рационализировать террор, представлять его как нечто отчетливо целесознательное: "Террор – это страх контролируемый, управляемый, ограниченный рамками народной юстиции, это не тот страх, который бессознательно ощущают, поддаваясь панике, а тот, который сознательно внушают врагам свободы"[2]. Отчасти это так. Но террор одновременно решает и психологические проблемы самих терроризирующих, причем действительные его масштабы могут определяться в конечном счете именно этим. В начале франко-прусской войны классики теории революционного насилия гораздо более скептически оценивали действительные причины террора: "Наблюдая, как французы вечно впадают в подобного рода паническое состояние из-за боязни таких ситуаций, когда приходится смотреть

---

[1] К. Маркс и Ф. Энгельс. Соч., т. 1, с. 441.
[2] М. Вовель. Указ. соч., с. 142.

правде в глаза, – получаешь гораздо лучшее представление о периоде господства террора. Мы понимаем под последним господство людей, внушающих ужас; в действительности же, наоборот, – это господство людей, которые сами напуганы. Террор – это большей частью бесполезные жестокости, совершаемые ради успокоения людьми, которые сами испытывают страх"[1].

Для развязывания Большого террора Сталину, естественно, не нужны были консультанты из европейской истории, хотя сама связь революции и радикального насилия достаточно эффективно отрабатывала свою функцию в идеологии. Но здесь действовали те же инерционные механизмы сознания, невнимательного к последовательности "естественно-исторического процесса", не ценящего органичности политического действия, ставящего перед собой несоразмерные истории цели – и заранее ужасающегося неизбежности мощного социального сопротивления. С этой точки зрения, сталинский террор "оправдан" и "рационален" на тех же основаниях, что и французский: он заведомо перекрывал необычайной силы возмущение, которое закономерно вызывалось небывалым насилием над народом и историей. Мощь и масштабы вероятного "ответа" на его политику неизбежно должны были видеться Сталину такими, что о границах "запаса" послушания, обеспечиваемого террором, речи не шло вовсе. Сталинский террор осуществлялся с таким запасом, что оказывался даже средством обеспечения истошной любви к вождю: вне этой беззаветной, всепринимающей, просто маниакальной любви сознание было уже просто не в состоянии принять откровенно зверскую действительность и оказывалось перед альтернативой полной деструкции своих взаимоотношений с этим миром. С этой точки зрения, "функциональным" оказывалось даже избиение родственников: после этого слабому сознанию оставалось только совершенно безмысленно верить в вождя – либо не принимать уже *ничего*.

Эта же психологическая подоплека террора обнаруживается не только в верховной власти, но и в ее продолжении в массах, в низовых инициативах, порой едва ли не перехлестывавших импульсы, исходящие от центра. В том же письме Ф. Энгельс писал: "Я убежден, что вина за господство террора в 1793 г. падает почти исключительно на перепуганных, выставлявших себя патриотами буржуа, на мелких мещан, напускавших в штаны от страха, и на шайку прохвостов, обделывавших свои дела при терроре"[2]. Наша массовая подвинутость на "врагах" также имела в основе не только "непрестанное революционное горение", но и вытесняемый в сознании ужас низовых энтузиастов перед самими проводимыми с их помощью свершениями и перед неясно ощущаемой перспективой возмездия, людского, исторического или трансцедентного. Это не надо было понимать разумом, это висело в воздухе, в самой атмосфере раскрестьянивания, дехристианизации и других "великих переломов". Отчасти это нагнеталось и самой истерией "обострения". Мы несколько увлекаемся исходящими из центра мотивами террора, недооценивая тот факт, что в массах сказывалась не только замороченность сталинской пропагандой, но и тот же непреходящий страх, испытываемый всеми разрушителями и насильниками. И это процесс самовозбуждающийся: действия, которыми пытаются снять собственный страх, создают

---

[1] К. Маркс и Ф. Энгельс. Соч., т. 33, с. 45.
[2] Там же.

основания для еще большего страха. Насилие и кровь начинают действовать, как наркотик, необходимый во все больших дозах. В конце концов дело доходит до полного сдвига, выражаемого, в частности, в возрождении архаических национальных ритуалов, для своего времени бывших не столь ужасными именно в силу их мистериального характера. Французский террор возрождает раблезианское смешение жанров в отношении к смерти и телесности: внутренности казненных носят на пиках с криками: "Кому свежего мяса?...", осужденного на казнь везут в телеге, а на пике протягивают голову его зятя с пучком сена во рту и кричат: "Поцелуй папу!". Казнь на обледенелой лестнице Секирной горы на Соловках в точности воспроизводит один из способов ритуального умерщвления предков в Древней Руси, от которого пошло до сих пор бытующее выражение "спустить на салазках"...

Террор и хронологически не есть нечто однородное. Его стадии, внешне различаемые лишь масштабами, на самом деле существенно разнят природу явления и действительные его мотивации. Начинаясь как ответ на вооруженное, подчас террористическое сопротивление "врагов революции", террор, сделав свое дело, не прекращается. "Что касается террора, то он был по существу *военной мерой* до тех пор, пока вообще имел смысл. Класс или фракция класса, которая одна только могла обеспечить победу революции, путем террора не только удерживала власть.., но и обеспечивала себе свободу действий, простор, возможность сосредоточить силы в решающем пункте, на границе"[1]. Но с нормализацией военного положения и победой Робеспьера *террор сделался для него средством самосохранения* и тем самым абсурдом; 26 июня Флёрюсе Журдан положил к ногам Республики всю Бельгию, таким образом террор потерял под собой почву..."[2]. Но у террора есть и другая "почва", на которой он уже не абсурден; этот механизм срабатывает безотказно и в других революциях: "Добропорядочные республиканцы", в свою очередь сделали изобретение... – *осадное положение*. Превосходное изобретение, периодически применяемое в каждом из последовательных кризисов в ходе французской революции"[3]. До зубов вооруженная власть, уже выработавшая довольно спокойное отношение к кровопусканию, мало застрахована от того, чтобы "не притти, наконец, к выводу: лучше спасти общество раз навсегда, провозгласив свой собственный режим высшей формой политического режима и совершенно избавив гражданское общество от забот самоуправления!"[4]. Лозунг "республика – осажденный лагерь" уже у большевиков не всегда имел в основании только "внешнюю" опасность. Сталинское изобретение – страна, осажденная изнутри. Далее террор распространяется на собственный гарнизон: в избиении верхов интеллигенции и военных была своя логика, особую предусмотрительность которой мы не можем в полной мере оценить именно потому, что она сработала. Во всяком случае, такие как Рютин или Раскольников лишний раз убеждали Сталина в том, что ему есть чего опасаться и что искоренять это надо не считаясь ни с чем и даже не в зародыше, а по возможности еще до зачатия. "Заговор военных" требует от тирана немедленных действий сразу с возникнове-

[1] К. Маркс и Ф. Энгельс. Соч., т. 37, с. 127.
[2] Там же.
[3] Там же, т. 8, с. 135.
[4] Там же.

нием самой мысли об этом: когда эта мысль приходит другим, часто бывает уже слишком поздно.

Но главная особенность сталинского террора – его рутинный характер. Террор здесь становится уже не только средством самосохранения противоестественного режима, но и формой решения "мирных" задач, средством "созидания" нового. Кровавая мистерия становится формой обыденного существования общества. Уже неоднократно подчеркивалось, что Сталин лишил гражданскую войну качества экстраординарности и перевел ее в пространство повседневности. Менее точная формула – "война государства против своего народа" (речь, очевидно, должна идти отнюдь не только о государстве). Но в обоих случаях остается непонятным, почему убийство безоружных и несопротивляющихся называют по-своему благородным словом "война".

Дух Нового времени

Если террор оказывается средством обеспечения курса, иными средствами нереализуемого, то сам этот курс может быть измыслен только в рамках совершенно определенных представлений о том, что есть мир и общество, как они устроены и каким образом можно в них что-либо менять. Это проблемы поистине онтологического порядка, но они не чужды и самому, казалось бы, далекому от них сознанию: определенные метафизические представления неосознаваемо присутствуют в каждом и определяют его действия в той мере, в какой он, в терминологии феноменологических социологов, выступает как "обыденный философ".

Дух европейского революционаризма имеет прямое отношение к идеям Просвещения – при том, что сами просветители сплошь и рядом отвергали насилие как средство радикального усовершенствования общества[1]. В этом умонастроении подчеркивают также "дух Картезия"[2]. Несомненно, сказалось и механистическое восприятие мира и общества, с которым преобразователи обращались как к чему-то машиноподобному, поддающемуся переустройству методами, не особенно утонченными. Отчасти здесь непосредственно срабатывали те или иные конкретные идеи, но главное содержалось в самой интеллектуальной и духовной атмосфере, в которой только и могло произойти нечто подобное.

Сталинизм как идеологическая система мнит себя причастным к традиции, качественно преодолевающей элементарность механицистского взгляда на общество, самоуверенный профетизм просветительства, жесткость схематического рационализма – все это подвергается в нем специальной и артикулированной критике. Но в реальной, сориентированной на практику составляющей идеологии номинально критикуе-

---

[1] В политическом рационализме эпохи Французской революции, писал в начале века Н.Н. Алексеев, следует видеть только один из моментов проявления идей, формулированных много ранее и переживших события конца XVIII века. "Этот дух жив и доныне, он есть не что иное, как результат приложения идеалов математического естествознания к области культурно-исторических явлений". – Н.Н. Алексеев. Науки общественные и естественные в историческом взаимоотношении их методов. М., 1912, с. 61.
[2] Анри Мишель. Идея государства. СПб, 1903, с. 57–58.

мое воспроизводится в самом неприкрытом, а иногда даже в усугубленном виде. Идеи машиноподобного общества, превратившиеся к XX веку в жутковатый образ социальной *мегамашины*, отражены в сталинизме в самой лексике "винтиков", "рычагов", "приводных ремней" и т.п. С обществом и историей в реальной политике обращаются как с чем-то сугубо механическим, более того, именно такое общество в каком-то смысле небезуспешно созидается. Сталинизм активно, даже агрессивно антиисторичен, он так же, как и ранний революционаризм, пытается разрушить историю, преодолеть ее повальными инновациями в географической и хронологической топонимике, сломом традиционной ритмики времени (ср. наши "шестидневки" и "десятидневки" Французской революции), отношением к прошлому, вполне достойным того, чтобы установить новое летоисчисление. О навязчивой профетичности и схематизме сталинистской рациональности сказано уже достаточно и они слишком очевидны.

Мы унаследовали от сталинизма сам характер "критики" этих идейных ориентаций. Они критикуются не просто номинально, но "инструментально" – как несколько несовершенные средства достижения благой цели. Поэтому они подлежат усовершенствованию в рамках одной интеллектуальной линии, в одном направлении прогрессирующей традиции. Она не критикуется как таковая, не переосмысливается радикально, с позиции альтернативы, видящей не безобидную недостаточность этих направлений эволюции сознания, но их чреватость опасными и страшными последствиями. Считается, что механицизм отчасти неадекватен как представление об обществе, но при этом практически не учитывается, во что он превращает *человека* и какие способы обращения с ним явно или неявно предполагает, до какого уровня природной иерархии его низводит. Именно в этой логике до сих пор проходят кампании аврального усовершенствования несуверенных индивидов, одна из которых недавно оставила страну без сладкого: они и сейчас мыслятся как недостаточно эффективные, но не как глубоко безнравственные самой стилистикой манипулирования человеком и обществом. В просветительстве видят непонимание объективных, "материальных" обстоятельств исторического процесса, но не замечают опасностей самой этой логики, заранее предполагающей наличие "ясных, как солнце", истин, экспансию сознания просвещающих и заведомое деление общества на тех, кто просвещает и кого просвещают. Правда, над этим иронизировали и сами просветители: "Особенно этот Декарт, – довольно невежливо бросает Вольтер, – приняв сначала вид сомневающегося, говорит затем в весьма утвердительном тоне о вещах, в которых ничего не смыслит..."[1]. Но здесь опять приходится напомнить, что эти логики не просто наследуются, но и воспроизводятся в культуре на основе длительных глубинных инерций в каждой точке времени, не отмирают, а порой, наоборот, оголяются и утрируются. В результате специфически ориентированное сознание в разные времена с одинаковой последовательностью приходит к выводу, что просвещать общество удобнее всего, рассматривая его в тени гильотины или через прицел: идеологический террор оборачивается вооруженным профетизмом.

Все это имело основания в более общем умонастроении, характерном для Нового времени. Здесь "раздается прославление герметическо-

---

[1] В о л ь т е р. Философские сочинения. М., 1988, с. 324.

го идеала, где воля, труд, действия производят и разрушают форму, творят и творятся, свободно движутся, устремленные в будущее, в бесконечность возможностей, в открытость без границ. Ведь человеку, который действует, как раз соответствует мир как неисчерпаемая возможность..."[1]. Но в этом есть и трагические черты: "Инстинкт фаустовского человека обращен вовне. Его воля к власти есть воля к безусловному мировому господству в военном, экономическом, интеллектуальном смысле, высшее выражение "динамического мирового чувства". Обуреваемый волей к власти, фаустовский человек стремится навязать свою волю всем и каждому: то, во что он верит, должно стать верой для всех, то, чего он хочет, должны хотеть все, все должны следовать его политическому, социальному, экономическому идеалу, либо погибнуть"[2]. Портрет этот достаточно для нас узнаваем, но важно, что это одновременно и черты портрета самой эпохи, в которую сталинизм вписывается как одно из ее законных порождений.

"При теперешнем развитии науки о Ренессансе, – пишет А.Ф. Лосев, – банально и некритично звучат и такие оценки Ренессанса, как выдвижение человеческой личности, или индивидуума, как некое прогрессивное стремление в противоположность средневековому застою, как гуманизм и даже как реализм. Все подобного рода характеристики, взятые сами по себе, конечно, правильны и даже неопровержимы. Но мало кто отдает себе полный отчет в том, что такое, например, хотя бы тот же гуманизм или что такое реализм"[3]. Разговор о Ренессансе, гуманизме или индивидуализме в контексте критики сталинизма может показаться просто кощунственным для человека, воспитанного на наших историко-культурных идеологемах. Но и это – наследие совершенно определенной идеологической проработки. И понятно, какие суровые вещи имеет в виду Лосев, когда пишет: "Вошло в обычай бесконечно превозносить всю возрожденческую эстетику, бесконечно умиляться ею, торжественно ее восхвалять и считать отсталыми людьми тех, кто с какой-нибудь стороны замечает отрицательные черты возрожденческого индивидуализма и не считает его явлением насквозь передовым. Эти достаточно пошлые критики часто бывают *очень злыми людьми* (курс. наш. – Авт.), и тех, кто пытается анализировать и ограничивать передовой характер Ренессанса, они прямо зачисляют в культурно-исторических консерваторов и реакционеров. Нам кажется, что культурно-историческая наука в настоящее время созрела настолько, что может не бояться этих несправедливых инвектив"[4]. До этого постепенно дозревает и само общество, в том числе и в процессе переосмысления таких интегральных срывов цивилизации, каким был сталинизм и ему подобные режимы.

Начало Возрождения, как показывает Лосев, включает мощные импульсы самокритики: "Ренессанс, который так глубоко пронизывает все существо творчества Шекспира, в каждой его трагедии превращается лишь в целую гору трупов, потому что такова страшная, ничем не одолимая и убийственная самокритика всей возрожденческой эстетики... В дальнейшем, после Ренессанса, этот юный и красивый индивидуализм, прекрасно и честно чувствующий свою ограниченность, будет прогрес-

[1] Э. Гарэн. Проблемы итальянского Возрождения. М., 1986, с. 346.

[2] O. Spengler. Politiche Schriften. München, 1933, S. 24–25.

[3] А.Ф. Лосев. Эстетика Возрождения. М., 1982, с. 51.

[4] Там же, с. 66.

сировать в своей изолированности, в своей отдаленности от всего внешнего и от всего живого, в своей *жесткости* и *жестокости*, в своей бесчеловечности ко всему окружающему"[1]. Эти жесткость и жестокость распространяют свой всепреобразующий пафос буквально на все: на природу, на общество – а значит, и на других людей. И именно в контексте этих умонастроений человечество втягивает себя в, мягко говоря, драматичную ситуацию, отягощенную последствиями безудержного насилия над естеством природных и социальных процессов. Здесь, казалось бы, достаточно локальный (с глобальной точки зрения) феномен сталинизма становится частью трагедии поистине цивилизационного порядка, требующей переосмысления многих фундаментальных линий макроэволюции сознания.

Опыт такого рода критики, хотя, может быть, и несколько односторонней, уже достаточно богат. Сошлемся лишь на один из примеров – критику "профанного гуманизма" у Франка, прямо выводящую на обсуждаемые нами темы. "В лице марксизма и ницшеанства совершилось внутреннее крушение профанного гуманизма... Марксизм и ницшеанство – в других отношениях прямо противоположные друг другу – оказались, таким образом, солидарными в этом культе – в вере, что высшее состояние человечества может быть осуществлено через разнуздание и санкционирование низших, животных, злых сил человеческого существа. Эту новую извращенную веру можно было бы назвать д е м о н и ч е с к и м у т о п и з м о м . Противоречивость профанного гуманизма сменена в демоническом утопизме противоречием, еще более вопиющим. К чему это противоречие приводит на практике, показала история нашего времени. В лице русского большевизма марксизм превратил старый гуманитарный социализм в господство злодейски-тиранического деспотизма; злые, темные средства к осуществлению царства добра и правды оказались самоцелью – зло не породило добра, а цинически утвердило само себя, само воцарилось на земле. А биологический и аморалистический аристократизм учения Ницше, сочетавшись с демагогической революционностью, выродился в учение о творческой роли насилия, практические плоды которого человечество теперь пожало во всех пережитых им ужасах. Крушение профанного гуманизма привело мир к господству умонастроения и практики жизни *разбойничьей шайки*, потопило на наших глазах мир в море крови и слез"[2]. Не обсуждая употребляемой здесь политической терминологии, приходится согласиться с самим масштабом историко-культурного захода на проблему, к тому же справедливо не локализуемую концептуально и географически.

Возрождение мифологизма

Историческое пространство, окружающее рубеж перехода к Новому времени, обнаруживает множество так или иначе подчеркиваемых

---

[1] Там же, с. 61, 63.

[2] С.Л. Ф р а н к. Свет во тьме. Опыт христианской этики и социальной философии, с. 58–59.

антецедентов сталинистского типа сознания. Среди часто упоминаемых: осовремененное иезуитство (партия как "орден меченосцев"); "охота на ведьм" в духе классической инквизиции; макиавеллизм, возрожденный в самых своих злобных и циничных формах, если не усиленный; совершенно средневековое мракобесие; модернизированный вариант крепостного права; возврат к доэгалитаристской сословной стратификации общества, вплоть до массовых экзекуций по одному лишь признаку сословной принадлежности и т.д. и т.п. Этот ряд может быть продолжен вглубь истории, вплоть до обнаружения элементов социальности и сознания, характерных для древневосточных деспотий. В этом обычно акцентируют прежде всего структуру государственности, и в самом деле ставящей едва ли не все общество на положение рабов гипертрофированно развитого государства. Но не менее значительны здесь и повторы совсем уже архаических структур сознания – как в сознании власти, так и в сознании масс. Например, реализация сверхмасштабных природопреобразовательных проектов отличается в сталинизме не только дотопными формами эксплуатации рабского труда, но и глубинными смыслами самой этой "величественной" деятельности: в конечном счете эти сооружения, может быть, даже не столько функционально-утилитарные, сколько символические, увековечивающие деяния великой личности, а если иметь в виду почти космический масштаб этой личности, то смысл этих сооружений становится чуть ли не мегалитическим. И наоборот, макротехнические "пирамиды", возводимые в увековечение этой личности, для масс означают не что иное, как сакрализацию этой личности, персонализацию в ней связи с трансцедентным. К доживающим свой век непереубедимым сталинистам нередко относятся несколько несерьезно, хотя в сознании этих людей (естественно, за исключением циничных прагматиков) буквально рушится вселенная – которой, кстати, нынешние антисталинисты бывают просто лишены.

Подобного рода экскурсы в поистине безграничные пространства "ненового" времени можно множить до бесконечности; они отнюдь не бессодержательны, но оставляют впечатление некоторой вольности в обращении с историческими аналогиями, уводящими в дурную бесконечность видения "всего во всем". Тем не менее, невозможно даже близко подойти к пониманию многих черт сталинизма без обращения к анализу структур сознания, характерных для эпох одновременно и древних, и как бы неоконченных, продолжающихся в самом модернизированном настоящем. В сталинизме за идеологическим фасадом, скроенным по новоевропейским меркам и стандартам, обнаруживаются постройки, выдержанные в совершенно иной, подчас просто архаической стилистике. Здесь важно понять основные принципы этой архитектоники сознания и сверхустойчивые стереотипы его функционирования.

В самом общем виде эту конструкцию сознания можно охарактеризовать как *мифологизм*. В качестве доминирующей структуры он характерен для традиционных обществ, но в новых, а порой и в тех же самых качествах он прорастает и в самых нетрадиционных проявлениях современности. Характер его проявления зависит от социокультурной конституции конкретного общества: в одних случаях можно говорить о мифологизме фрагментарном, локализованном, функциональном, неагрессивном и даже по-своему продуктивном, в других – о мифологизме структурном, воспроизводящем самые отрицательные свои качества и по существу тотальном.

Пожалуй, основная характеристика этой структуры сознания – *закрытость*. В онтологическом плане она означает специфический тип взаимоотношения с реальностью, в котором собственные, хотя и небезосновательные порождения сознания безнадежно доминируют над сколь угодно убедительной объективностью. Никакой факт не является здесь аргументом, он скорее вызывает импульсы повышенной агрессивности. При всех отличиях эти черты характеризуют как архаический мифологизм, так и всякое чрезмерно идеологизированное сознание, агрессивную демагогию (все необходимое для воссоздания образа Сталина-полемиста содержится в шукшинском "Срезал"), наконец, сознание параноика. В сталинизме эти структуры сознания воспроизводятся на почве, казалось бы, совсем уже для них неблагодатной – не только в искусстве или идеологии, но и в правовом сознании и даже в естественнонаучном.

В плане функциональном мифологизм проявляется в катастрофической закрытости по отношению к другому сознанию. Отсюда – монологизм, воплощающийся в завершенной и унифицированной системе верований, которая глуха к чужому голосу и чужому ответу, "не ждет его и не признает за ним решающей силы", "претендует на последнее слово" (М. Бахтин). "Монологизм в пределе отрицает наличие вне себя другого равноправного и ответно-равноправного сознания, другого равноправного я (*ты*). При монологическом подходе (в предельном или чистом виде) *другой* всецело остается только объектом сознания, а не другим *сознанием*"[1]. В конце концов эта логика приобретает всеобъемлющий характер, вплоть до ее крайне одиозных воплощений в идеологическом, политическом и даже военном империализме.

Мифологическое сознание закрыто и во времени, одна из наиболее заметных его черт – ничем не преодолеваемая статичность. Так, марксизм – учение, которое по несколько утопическому замыслу его создателей должно было отличаться прежде всего повышенной критичностью, революционностью и динамизмом, – обретает в сталинизме все черты идеологического мифа – замкнутой, самодовлеющей системы убеждений, застывающей в формах, претендующих на достоинство универсальности. Но это миф особого рода – не довлеющий как бы извне *всякому* сознанию, но контролируемый и по мере надобности заново толкуемый верховным экзегетом – держателем права на окончательную интерпретацию.

В конце концов мифологическое сознание оказывается закрытым и само от себя, поскольку отрицает индивидуальность как таковую. Не случайно миф даже как литературная форма принципиально лишен авторства. И не случайны в этом плане такие, казалось бы, необязательные кампании, как борьба с "психологизмом" – даже в литературе. "Психология в романах, – пишет Г. Федотов, – считалась чем-то вроде политического преступления. Интерес к внутреннему миру был объявлен буржуазным. Романы, в которых этот интерес сумел пробиться сквозь цензурные рогатки, можно пересчитать по пальцам. Если бы психология приносилась в жертву социально-революционной тенденции, это было бы объяснимо политически. Но в Советской России процветал и авантюрный роман. Интерес фабулы, в его чисто внешнем, синематографическом волшебстве, принимался суровым большевизмом как законный отдых бойцов. Лишь интерес к миру души признавался разлагаю-

[1] М. Бахтин. Эстетика словесного творчества. М., 1986, с. 336.

щим"[1]. Это тем более понятно в рамках мифологической структуры сознания, нивелирующий пафос которой к тому же задан устремленностью к централизованным, унифицированным принципам управления; С.М. Соловьев в свое время точно подметил: "Все выпуклое мешает централизации, ровное же представляет самый крепкий фундамент для нее"[2].

Мифологизм обнаруживает крайне сложные взаимоотношения со временем истории культуры. Его преодоление начинается в эпоху, которую Ясперс назвал "осевым временем" (XVIII–II вв. до н.э.): "Тогда произошел самый резкий поворот в истории. Появился человек такого типа, каким он пребывает по сей день"[3]. Но и по сей день он пребывает не освободившимся от мифологизма и скорее обнаруживающим безнадежность упований на его окончательное искоренение. Даже наука, казалось бы, специально предназначенная для преодоления мифологизма, воспроизводит в структуре знания новые – собственные – мифы, без которых, как выясняется, ее функционирование и даже развитие практически немыслимы. Возможно, именно сам миф об окончательном преодолении мифологизма чреват наиболее тяжелыми формами мифотворчества – самыми убежденными и нетерпимыми до агрессивности. По крайней мере, в сфере социального знания миф окончательно эмансипированной "научности" уже породил социальные потрясения, несравнимые по своим последствиям с подвигами утверждения веры.

С точки зрения и чисто психологической, мифологизм достаточно функционален для сознания, он создает даже своего рода комфорт. Но, как это ни парадоксально, потребности в бегстве в миф возникают и в процессе освобождения от мифологизма. "Новое... сводится к тому, – пишет Ясперс, – что человек осознает бытие в целом, самого себя и свои границы. Перед ним открывается ужас мира и собственная беспомощность. Стоя над пропастью, он ставит радикальные вопросы, требует освобождения и спасения. Осознавая свои границы, он ставит перед собой высшие цели, познает абсолютность в глубинах самосознания и в ясности трансцедентного мира.

Все это происходит посредством рефлексии. Сознание вновь осознавало сознание, мышление делало мышление своим объектом. Началась духовная борьба, в ходе которой каждый пытался убедить другого, сообщая ему свои идеи, обоснования, свой опыт... Дискуссии, образование различных партий, расщепление духовной сферы, которая и в противоречивости своих частей сохраняла их взаимообусловленность, – все это породило беспокойство и движение, граничащее с духовным хаосом"[4]. Каждый шаг в обретении свободы – духовной или социальной – сопровождается появлением новых оснований для того, что Фромм назвал "бегством от свободы". "Каждая ступень возрастания индивидуализации личности угрожала людям новыми опасностями. Первичные связи, однажды нарушенные, уже не могут быть восстановлены... Однако если экономические, социальные и политические факторы, от которых зависит весь процесс индивидуализации человека, не создают условий для самовыражения его индивидуальности... и если в то же время люди нарушили свои первоначальные связи, которые обеспечивали им внутрен-

[1] Г. Федотов. Ecce Homo. – В кн.: Образ человека в XX в. М., 1988, с. 53.
[2] Исторические письма С.М. Соловьева. Избранное. М., 1983, с. 222.
[3] К. Ясперс. Истоки истории и ее цель. М., 1977, с. 29.
[4] Там же, с. 30.

нюю стабильность, то в этом случае свобода превращается в невыносимое бремя... Люди всеми силами стремятся уйти от такой свободы в мир подчинения или каких-либо подобных отношений человека с действительностью, которые обещают освобождение от неуверенности, даже если это лишает индивида его свободы"[1].

В этой, мягко говоря, непростой ситуации миф поистине оказывается спасением. Мифотворчество создает особый мир, которому приписывается определенный избыток упорядоченности и интегративности, в котором недопустимы какие-либо отклонения от заданных образцов поведения и способов интерпретации реальности. Это мир сакральных формул, символов, эмблем, образов, легенд, норм и запретов, становящихся объектами веры и обеспечивающих высокую степень социальной интеграции, групповой сплоченности и устойчивости. Это тот глубинный слой сознательного и бессознательного, в котором аккумулированы ценности родовой, коллективной жизни: к нему всегда апеллируют вожди и пророки, ибо он дает уверенность в себе, в контролируемости мира, в том, что "в своих дерзаниях всегда мы правы". Обладая огромной эмоциональной насыщенностью и психологической значимостью, мифологическая ментальность позволяет преодолевать ощущение временности, случайности, шаткости, непрочности существования, культивирует стремление к самоотдаче и самопожертвованию, к идентификации с определенными социальными, познавательными, идейно-нравственными системами – этносом, государством, партией, школой и т.д. Она органично включает в себя такие черты, как чувство избранничества и превосходства, "социальный нарциссизм", нарочитое стремление к самоутверждению, нетерпимость и агрессивность. Как не без оснований пророчествует А. Кёстлер: "Всех смертных грехов опаснее восьмой – ложно ориентированная самоотдача"[2]. В этой же структуре сознания вполне органичны и социально-психологические основания персонифицированных культов: "Тип героя, дорогого сердцу толпы, всегда будет напоминать Цезаря, шлем которого прельщает толпу, власть внушает ей уважение, а меч заставляет бояться..."[3].

В такого рода защитно-компенсаторных реакциях мифологическое сознание неизменно воспроизводит образы и символы, связанные с действием того, что Г. Бутуль назвал "психологическими комплексами групповой агрессивности". К ним относят, в частности, комплекс "козла отпущения", в котором внутренние трудности и негативные качества переносятся на "образ врага", воплощающего вселенские силы зла и разрушения, и само существование которого, по словам Юнга, является огромным облегчением для собственной совести. Это также "комплекс Авраама", выражающий готовность приносить самые дорогие жертвы во имя общественных идеалов ("за ценой не постоим") – со всеми положительными и отрицательными последствиями такой готовности. Это, наконец, комплекс "дамоклова меча", провоцирующий ощущение постоянной и повсюду подстерегающей опасности в целях укрепления собственной стабильности, мобилизации сил и способности самому нанести "упреждающий удар". В этом контексте сталинизм выглядит оригинальным только беспрецедентной силой проявления такого рода реакций. Впро-

[1] Erich Fromm. Escape From Freedom. New York, 1971, p. 52.
[2] A. Koestler. The Ghost in the Mascine. London, 1971, p. 272.
[3] Г. Лебон. Психология народов и масс. СПб., 1896, с. 190.

чем, отчасти и это не совсем оригинально: "Роль эгоистических, агрессивных побуждений в исторических катастрофах, – пишет Кёстлер, – сравнительно невелика: массовые убийства всегда мотивировались как жертвоприношения богам, царям, народу или будущему счастью человечества. Преступления Калигулы меркнут рядом с опустошением, учиненным Торквемадой. В какую угодно историческую эпоху число жертв, пострадавших от разбойников, грабителей, насильников, гангстеров и прочих преступников, ничтожно в сравнении с неисчислимым множеством тех, кого торжественно заклали во имя истинной веры, справедливого общества или правильной идеологии"[1].

Здесь сталкиваются извечная и неодолимая жажда справедливости, стремление обрести смысл и истину – и трагическая невозможность достичь этого здесь и сейчас, в этом мире и в данном реальной историей настоящем. Отсюда нескончаемые срывы сознания, вновь и вновь соблазняемого, казалось бы, ничем не замутненными идеалами. Это, в конечном счете, старая, как мир, проблема зла, множащегося самим стремлением к добру, проблема прошлого, в которое неизбежно отбрасывает всякое неосмотрительное устремление к будущему. Спасение, видимо, не в качестве идеала и уж тем более не в малореальном выходе за пределы собственной несовершенной истории, но в самой способности соизмерять усилия с объективным сопротивлением реальности, жить не только в проекте (что в известном смысле есть атрибут сознания), но и в этом безнадежно относительном, пусть даже несовершенном, мире.

В какой мере это свойственно нам, нашей национальной традиции? Рассматривая феномен сталинизма в контексте предельно широкой макроэволюции сознания, видишь, что все это уже неоднократно и едва ли не везде было. Но вместе с тем это, пожалуй, далеко не везде и не всегда было с такой ни с чем не соразмерной безудержностью. Инерции истории не преодолеваются в одночасье, и все это не только было, но и будет – даже если мы сведем счеты с издержками нашей революции, пересмотрим Маркса или еще раз проклянем рабство в собственной истории. Вопрос в том, в какой мере, с какими последствиями, за недостатком каких усилий и какого понимания?

Рецидивы национальной психологии

Здесь приходится, как это уже неоднократно делалось, задуматься над некоторыми по-своему замечательными, но и трагическими свойствами национального духа, над особенностями нашей непростой, иногда страшной, но и величественной истории.

"С традиционно-русским характером коммунизма, – писал Бердяев, – связаны и его положительные и отрицательные стороны: с одной стороны, искание царства Божия и целостной правды, способность к жертве и отсутствие буржуазности, с другой стороны, абсолютизация государства и деспотизма, слабое сознание прав человека и опасность безликого коллективизма"[2].

---

[1] A. Koestler. Op. cit., p. 268–269.
[2] Н. Бердяев. Истоки и смысл русского коммунизма. Париж, 1955, с. 153.

Героическая готовность жертвовать плотью приобретает страшные оттенки при неготовности жертвовать излишней самонадеянностью идейного пафоса, смирять себя разумом. Недостаток рациональности – одна из черт того, что сам же Бердяев назвал "вечно бабьим в русской душе". "Но не было в русской душе, – писал Г. Флоровский, – именно этой жертвенности, не было этого самоотречения перед истиной, этого последнего смирения в любви. Душа двоится и змеится в своих привязанностях. И позже всего просыпается в русской душе л о г и ч е с к а я с о в е с т ь, – искренность и ответственность в познании... В истории русской мысли с особенной резкостью сказывается эта безответственность народного духа. И в ней завязка русской трагедии культуры... Это христианская трагедия, не эллинская античная. Трагедия вольного греха, трагедия ослепшей свободы – не трагедия слепого рока или первобытной тьмы. Это трагедия двоящейся любви, трагедия мистической неверности и непостоянства. Это трагедия духовного рабства и одержимости"[1].

Одержимость приводит к драме самоотрицания, пожалуй, наиболее болезненно прочувствованной Достоевским: "... забвение всякой мерки во всем... потребность хватить через край, потребность в замирающем ощущении, дойдя до пропасти, свеситься в нее наполовину, заглянуть в самую бездну... Это – потребность отрицания в человеке, иногда в самом неотрицающем и благоговеющем, отрицания всего, самой главной святыни сердца своего, самого полного идеала своего, всей народной святыни...

...Поражает та торопливость, стремительность, с которою русский человек спешит заявить себя в хорошем или поганом... Любовь ли, вино ли, разгул, самолюбие, зависть – тут иной русский человек отдается почти беззаветно, готов порвать все, отречься от всего: от семьи, обычая, бога"[2].

Подобными пронзительными откровениями насыщена история русского самоосознания. То, что происходит сейчас, – более или менее выразительные перепевы могучей традиции национальной самокритики. Видеть в этом злобную и стороннюю хулу – значит не понимать, что ревнивая сконцентрированность на производимом впечатлении – удел слабого, что некоторые вещи может позволить себе далеко не всякий народ. Альтернатива простая: либо впадать в очередной синдром русофобии – либо через некоторое время с новой силой удивляться тому, что мы сами с собой можем сотворить под эгидой нового вождя. Во всяком случае, уже сейчас осмысление сталинизма и ревизия его истоков часто грешат хотя и понятной, но все же слишком знакомой нам эмоциональностью, довлеющей мысли даже в самом, казалось бы, беспристрастном теоретизировании. Да и теперешние прогрессисты, кажется, нередко готовы "ввязаться в бой", с тем чтобы потом – и уже в который раз в нашей истории – задним числом осмыслять случившееся.

И все же приходится с известной осторожностью относиться к попыткам построить слишком определенный и законченный образ национального характера. В нем, очевидно, всегда было и многое другое, в иные времена, в иных ситуациях и отношениях проявлявшееся вполне конструктивно. Кроме того, нельзя и слишком абсолютизировать эту уни-

---

[1] Г. Флоровский. Пути русского богословия. Париж, 1937, с. 501–502.
[2] Ф. Достоевский. Соч. в 30-ти томах, т. 21. Л., 1980, с. 35.

кальность. В реальной истории другие нации, во многих отношениях на нас непохожие, уже не раз вдруг начинали вести себя совершенно "по-российски". Может быть, дело не столько в характере, от которого все равно в одночасье не избавиться, сколько в особенных исторических условиях, распаляющих его самые негативные качества.

Синдром "очернительства" собственной истории так же не нов, как не новы попытки ее критического осмысления. Особенного благолепия в ней не видел, пожалуй, никто из сколько-нибудь серьезных историков. В политической публицистике тем более всегда писалось то, что сегодня подчас воспринимается как навеянные ситуацией или недоброжелателями откровения. Еще разбуженный декабристами Герцен писал: "В самые худшие времена европейской истории мы встречаем некоторое уважение к личности, некоторое признание независимости – некоторые права, уступаемые таланту, гению... В Европе никогда не считали преступником живущего за границей и изменником переселяющегося в Америку.

У нас нет ничего подобного. У нас лицо всегда было подавлено, поглощено, не стремилось даже выступить. Свободное слово у нас всегда считалось за дерзость, самобытность – за крамолу; человек пропадал в государстве, распускался в общине... Рабство у нас увеличивалось с образованием; государство росло, улучшалось, но лицо не выиграло; напротив, чем сильнее становилось государство, тем слабее лицо. Европейские формы администрации и суда, военного и гражданского устройства развились у нас в какой-то чудовищный, безвыходный деспотизм"[1]. И это написано не русофобом и не злобствующим аристократом: "Народы обвинять нелепо, они правы, потому что всегда сообразны обстоятельствам своей былой жизни; на них нет ответственности ни за добро, ни за зло, они факты как урожай и неурожай, как дуб и колос. Понимать и обвинять – это почти так же нелепо, как не понимать и казнить"[2].

В самом деле, многие историографические оценки и сейчас звучат более чем злободневно. "В России история составляет часть владения монарха; она является моральной собственностью государя, точно так же как люди и земля являются его материальной собственностью; ее держат в кладовой вместе с императорскими сокровищами и показывают лишь ту ее часть, которую пожелает сделать известной властелин. Память о том, что произошло в недавнем прошлом, – это собственность царя; он переделывает летопись страны, как ему заблагорассудится, и в любой день преподносит своему народу исторические истины, соответствующие вымыслу данного момента... И все же эта чрезмерная власть вредит сама себе; Россия не будет склоняться перед нею вечно". Все это слишком легко переадресовать эпохе сталинизма, но в этом видят и другие инерции. Западный публицист, приводящий эту цитату, так ее комментирует: "Данный автор говорит не о времени Сталина, этого царя недавнего прошлого; это и не Оруэлл, который говорил о переписывании истории заново и о "пробеле в памяти". Это маркиз де Кюстин, французский путешественник и журналист, писавший о России 1839 г. Но он отображает суть того, что происходит в Советском Союзе сегодня, при Михаиле Горбачеве"[3]. И хотя это писалось в апреле 1987 г., мы и сейчас

[1] А.И. Герцен. Соч. в 9-ти томах, т. 3, с. 241–242.

[2] Там же, с. 308.

[3] W. Pffaf. Gorbachev Should Let History out of the Storeroom. – *International Herald Tribune*, 10 April, 1987.

воспринимаем известную открытость собственной истории не как неотчуждаемое достояние, а как щедрый подарок власти.

Такого рода исторические параллели можно множить до бесконечности. Но вопрос в том, насколько они уникальны, не есть ли это чрезмерно затянувшееся выражение того, через что в той или иной степени проходят и другие общества – в свое время? Кажется, выводить сталинизм как таковой из специфики национальной истории не менее односторонне, чем слишком многое списывать на то, что "темный вихрь передовой идеологии (марксизма) налетел на нас с Запада" (А. Солженицын).

Мало что проясняет и простое "примиряющее" соединение "того и другого". Даже если одного этого соединения достаточно для того, чтобы понять основное в сталинизме (что, честно говоря, сомнительно), остается неясным, по какой логике и в силу каких обстоятельств это соединение произошло, и почему в это соединение не оказалось включенным положительное из национальной специфики и из заимствованной доктрины. Столь же мало это обнадеживает: в одночасье нельзя ни изменить веками формировавшийся нелегкий национальный характер, ни освободиться от инерций собственной крайне противоречивой и далеко не безбедной истории. Но если основные компоненты нежелательных соединений в ближайшее время неустранимы, можно хотя бы попытаться понять, какие защитные механизмы культуры в такого рода соединениях не срабатывают.

Кроме того, нельзя слишком доверять и линейности, однородности макродвижения истории. Не исключено, что сталинизм – это нечто не только подготовленное прошлым и по его меркам случившееся в своем настоящем, но и порождение специфики именно современной истории, с ее новыми возможностями – и новыми опасностями.

Логика срыва

Первое, что бросается в глаза в идеологии и стандартных массовых проявлениях сталинизма, – катастрофический многоступенчатый срыв в прошлое сознания. Масштабы этого регресса, глубина впадения в архаику здесь таковы, что этот срыв, в общем-то очевидный, воспринимается скорее на уровне аналогий, исторических аллюзий, многозначительных сопоставлений. На самом же деле его имеет смысл воспринимать и совершенно буквально: сталинизм воспроизводил не похожие на архаику типы сознания и формы общественности, а именно те самые, отнюдь не преодоленные в истории, тем более в нашей, и выведенные из анабиотического состояния, а затем и многократно усиленные массовыми движениями революционных и послереволюционных процессов.

Будучи принципиально и глубоко нетворческим, даже бесплодным, сталинизм оказался явлением идеологии и сознания одновременно и уникальным – и не создавшим ничего сколько-нибудь существенно нового. Сталинская предрасположенность к плагиату – своего рода клептомания, доходившая до идеологического мародерства, когда непринужденно заимствовали идеи тех, кого за эти же самые идеи уничтожали, – стала общим свойством идеологии того времени. Ее уникальность достигалась тем, что идеи, представления и "ходы мысли", уже неоднократно отработанные и преодоленные в истории, рекомбинировались, переодевались в униформу "современности" и неузнаваемо утрировались.

Важно понять собственную логику этого срыва – условия, создающие предрасположенность к такого рода регрессам или даже делающие их неизбежными.

Срыв этот имеет сложную природу и организацию. Прежде всего в нем можно выделить регресс идеологии, "сознания власти" – и регресс массового сознания. Основания этих срывов в некоторых отношениях различны, в некоторых совпадают, но более всего усугублял ситуацию резонанс этих срывов, когда регресс массового сознания давал новые импульсы для деградации идеологии, а деградация идеологии еще больше подстегивала регресс сознания массы.

В любом случае регресс этот нельзя понимать упрощенно – как замену новых и "хороших" идей старыми и "плохими", "передовых" – "отсталыми". Взаимоотношения между идеями и представлениями, с одной стороны, и преобразующим действительность сознанием – с другой, вообще очень непросты. Н. Бердяев заметно "спрямлял" проблему, когда писал: "Главное зло, главное страдание в жизни общества определяется не столько тем, что люди индивидуально дурные или злые, сколько дурными и злыми идеями, которыми они одержимы... Зло и страдание, причиненные каким-нибудь Торквемадой, Филипом II, Робеспьером и многими другими, их жестокость определялись не тем, что они были злые и дурные люди..., а тем, что они были одержимы злыми идеями и верованиями, представляющимися им хорошими и высокими".[1] Как будто специально полемизируя с этим, С.Л. Франк писал: "В вопросе о нравственной судьбе человечества... есть одно чрезвычайно распространенное и вредное заблуждение. Это – тенденция усматривать источник нравственного зла в определенной системе идей... Нужно помнить, что почти нет идей, которые не содержали бы элемента благотворной правды, и нет идей, которые, взятые односторонне, не смягченные и не уравновешенные другими идеями, не подчиненные чувству конкретной правды и нравственному такту, не порождали бы зла. Истина и заблуждение, благотворность и зловредность по общему правилу проистекают не из содержания идеи, взятой отвлеченно, а из наличия или отсутствия интуиции конкретной правды, побуждающей так комбинировать и уравновешивать идеи, чтобы их итог соответствовал правильной жизненной установке и имел благотворные последствия".[2]

В нашем случае регресс означал прежде всего такое изменение общей конфигурации идей, представлений и свойств сознания, при котором резко ослаблялись их смягчающие и уравновешивающие взаимовлияния. В результате то, что в иных ситуациях было не столь опасным, просто безобидным или даже вполне конструктивным, вдруг оказывалось источником "неожиданных" бедствий.

Творческий прорыв требует значительной напряженности сознания, его сосредоточения и даже известной конфликтности с миром и наличной культурой. Отсюда – расположенность к одностороннему и утрированному, свойственная как идейным экспериментам, так и инновациям в сознании массы. Однако эволюция сознания предполагает, что зарождение в нем новых содержаний и качеств поначалу не имеет прямого выхода на реализацию. Некоторые идеи платоновского "Государства" перекрывают не только фантазии современных антиутопий, но и отдель-

---

[1] Н. Бердяев. Опыт эсхатологической метафизики. Париж, 1947, с. 194–195.
[2] С.Л. Франк. С нами Бог. Париж, 1964, с. 272–273.

ные реалии сталинизма. Ужасна сама мысль о возможности их воплощения, но они могут быть поняты как сопровождающие эффекты чрезвычайного усилия сознания. Точно так же некоторые тенденции в сознании
масс не имеют отягчающих последствий, покуда масса не становится
активной силой необратимого исторического действия.

Приближаясь к тому, чтобы соприкоснуться с реальной исторической практикой, иногда через века, идеи и свойства сознания обрастают
в культуре своего рода защитным поясом, смягчающим неизбежные
перехлесты и односторонности первооткрытия. Но и этот защитный пояс
сам оказывается порой слишком хрупок. Его основа – традиции, опыт,
культура, которые в масштабах обычной событийности и видимого течения истории легко разрушимы. Они прорастают через любые идейные покрытия, но лишь в конечном счете, часто уже слишком поздно, если
иметь в виду судьбу отдельных поколений. Поэтому в периоды первоот-
крытий сознания и массовых идейных движений, в моменты мощных
переносов идей во времени и социальном пространстве резко возрастает вероятность регресса к начальным, докультурным, жестким и однозначно утрированным вариантам идейных ориентаций. Регресс в прошлое начинается незаметно, часто как попытка движения вперед через
разрушение сложившихся защитных механизмов культуры и пренебрежение оформленным и бессознательным историческим опытом.

Идеологический срыв и срыв в сознании массы начинались у нас
как бы в разных точках, по разным основаниям и не сразу получили усиливающее продолжение один в другом. К моменту их соприкосновения
они уже находились в состоянии взрывоопасной экзальтации.

Срыв сталинской идеологии был пиком процесса, первые признаки
и собственная логика которого обозначились гораздо раньше. Эта
логика – не фатальная, но по-своему закономерная – определила и основные отсчеты регресса: от новой социальной теории к идеологии, от
идеологии к реальной социальной практике и, наконец, к тому особому
состоянию, когда "идеи овладевают массами".

Всякая идейная система, сколь угодно продвинутая и развитая,
представляет собой лишь звено в общей цепи развития человеческой
мысли и культуры – как в диахронии, во временной последовательности
развития идей, так и в синхронном срезе, в одновременном сосуществовании с другими идейными образованиями и системами ценностей. Несмотря на то, что люди, как правило, привержены *той или иной* системе
идей, строго говоря, ни одна из них не вправе претендовать на универ-
сальность освоения мира сознанием, этот статус может быть присвоен
(да и то с известными оговорками) лишь *целому* культуры, причем взято-
му как целое, и системно, – и во времени, в процессе. Поэтому какими
бы богатыми возможностями имманентного, на собственной основе осуществляемого саморазвития ни обладала та или иная система идей, в
конечном счете дальнейшие ее перспективы определяются ее открыто-
стью *иному* и в первую очередь – ее готовностью продуктивно внимать
противоположному, радикальной критике, реагировать на контраргумен-
ты и ассимилировать контрфакты.

Как только система идей берется "на вооружение", она неизбежно
резко сдвигается от статуса теории, науки, духовного поиска в сторону
идеологии, становится аксиомой, убеждением, предметом веры. В принципе не исключена возможность той или иной формы совмещения работы по внедрению и реализации идеологии, с одной стороны, и твор-

ческому развитию теории – с другой. Но нельзя не видеть, что это соединение прямо противоположных и принципиально противоречащих друг другу начал. Даже в свободном творческом мышлении необходимы специальные усилия, чтобы отказаться от догмы и понять другое. Но как только делается первый шаг в сторону идеологической утилизации теории, эти трудности возрастают стократ: сомнению не место там, где предстоит завоевать сознание и подавить всякую идейную конкуренцию. Если такое происходит, в шкале времени у системы идей отсекается практически вся зона будущего. Это, так сказать, нулевой отсчет регресса.

Большевизм, включая теоретические усилия Ленина, и был исключением в этом отношении, и не был. Конечно, время предъявляло свои требования, и марксизм приходилось подрабатывать применительно к "эпохе империализма и социалистической революции". Но на философское развитие учения тогда никто не претендовал, марксизм был именно "принят на вооружение", поэтому иное уже воспринималось с явной конфликтной предрасположенностью: выдающийся Мах был высмеян как путающий азы школьник, а доморощенные попытки теоретического поиска в рамках новых для того времени направлений породили реакцию по самой своей тональности более идеологического, нежели теоретического свойства.

Тенденции, изначально наметившиеся в деятельности крупнейших партийных теоретиков, нашли свое продолжение в превращении теории в идеологию все более распространявшегося революционного движения. Здесь постепенно стирались некоторые тонкости доктрины – нередко как раз те, которые и делали ее концепцией, достаточно продвинутой для своего времени. Уже сама идеологическая схематизация теории закономерно вела к утрате некоторых позиций, казалось, уже необратимо завоеванных в рамках концептуального исследования.

Собственные основания для дальнейшего регресса дал процесс практизации идеологии. Даже из закономерностей функционирования естественнонаучного знания видно, что при переходе в состояние практической применимости теория не только становится фиксированным кодексом, но и адаптируется до уровня видимых и повседневных потребностей практики. В сфере социального знания этот эффект усугубляется тем, что здесь возможна не только адаптация системы идей до уровня "массового учебника" и "практического пособия", но и ее переинтерпретация, текстуальная и даже принципиальная корректировка в зависимости от потребностей текущей социальной практики. Из регулятивной силы, направляющей практику, идеология превращается в средство ее вербального обеспечения. При этом на первый план выдвигается воля к решительному историческому действию, что закономерно возвращает систему идей к начальным мотивационным импульсам, упрощает и выпрямляет схему достижения конечных целей, отбрасывая даже то, что в самой идеологии это действие ограничивает и сдерживает.

Прежде всего это касалось вопросов о необходимых и достаточных условиях построения нового общества, реализации предельных пунктов программы и границах приемлемого исторического действия. Сама установка на действие чревата готовностью недооценивать некоторые сдерживающие положения, принципиальные для самой доктрины. Это обозначилось уже у самих "основоположников", непосредственные

595

практические высказывания которых нередко скрыто противоречили их же весьма сбалансированной теории исторического процесса. Наша революционная идеология обрела в данном отношении еще большую свободу. В целом это делало марксизм более пригодным к прямому практическому применению в крайне запутанной и неклассической ситуации России, но именно ценой возрождения некоторых домарксовых традиций революционаризма. Даже на исходе своей деятельности, пытаясь свести счеты с перехлестами социального экспериментаторства, Ленин с видимым удовольствием цитировал наполеоновское "On s'engage et puis... on voit". Эволюция большевизма вплоть до идеологии нэпа и в самом деле была движением вперед, но вперед не от Маркса, а к нему и вполне в пределах макроисторической ортодоксии марксизма.

То, что в большевизме начиналось как более или менее успешное балансирование на сравнительно высоких уровнях идеологии и связанного с ней теоретизирования, в сталинизме обернулось срывом, хотя и гораздо более масштабным, но происшедшим по той же самой логике: идеология была окончательно освобождена от существенных признаков теоретического сознания; практика социального действия, не считающегося ни с какими издержками и рациональными доводами, в свою очередь, подмяла идеологию, превратив ее в нечто сугубо служебное, лишенное какой бы то ни было самостоятельности и сниженное до идейного оформления ничем не сдерживаемой политической воли.

По мере углубления социального действия оно все более подпадает под влияние уже не теоретиков и идеологов, а практиков, представителей "социальной инженерии". Сейчас уже достаточно сказано об изменениях в социальном составе высших эшелонов партии, в решающий момент обеспечивших поддержку Сталину. Однако важно подчеркнуть, что победа представителя наиболее примитивной идеологической версии была обеспечена не только размыванием всей иерархии партийного руководства носителями малопродвинутого сознания, целенаправленной работой генсека и его аппарата: еще до предрешенных "решающих" голосований поддержка сталинской линии была обеспечена у представителей "революционной технократии", впоследствии составивших "умеренное крыло" сталинистов, а затем и уничтоженных за ненадобностью в ходе регресса к еще более примитивным формам социального действия.

Система, отмеченная явным приматом идеологии над прочими сферами социальной жизнедеятельности, до поры удерживалась от срыва ситуацией идейной авторитарности, просвещенного харизматического лидерства, способного в значительной мере учитывать опасности практизации и омассовления идеологии. Но срыв – по крайней мере, как возможность или предрасположенность – уже был записан в генетическую программу такой системы. По мере ослабления интеллектуальных допингов с частичной утратой идейного ядра и дальнейшим его междоусобным ослаблением, в ходе приведения системы к более естественному для нее состоянию идейной власти управляемого коллектива, чуждого "чрезмерным" тонкостям теоретизирования и рефлексии над практикой, вероятность срыва катастрофически возрастала. Бюрократическую составляющую сталинского апофеоза не надо преувеличивать: идеологи пропустили Сталина как организатора – он сбросил, а затем и ликвидировал их как сильный в демагогии *идеолог*.

Дальнейший срыв – не только хронологически, но и по собственной логике постепенно синхронизировавшегося регресса – происходил в непосредственном диалоге с массами, сознание которых к моменту встречи с идеологией уже было приведено в состояние готовности к архаизации объективными реалиями исторического процесса. Архаизации сознания вообще способствуют всякие социальные перенапряжения и взрывы страстей. Мощные массовые движения, тем более революционного характера, одновременно и продвигают сознание массы вперед и отбрасывают его назад уже тем, что выводят его из обычного равновесия и собирают эмоциональные энергии в узконаправленные русла: сила массовых переживаний оказывается обратно пропорциональной их сложности и неоднозначности. Сознание здесь подвергается тем же опасностям, что и сами революции: новое по какой-то неотвратимой временной симметрии возрождает порой совершенно немыслимую архаику и всякие забегания в будущее уравновешиваются параллельными или последующими откатами в прошлое, иногда более мощными, чем вызвавший их импульс обновления.

Цепь социальных катаклизмов – кризисов, войн и революций – уже создавала обстановку, в которой расшевеливались инстинкты первобытной агрессивности и снимались элементарные табу. Этому способствовало неизбежное во всяком революционном действии обострение процессов массовизации. Еще задолго до наших революционных потрясений один из основателей социальной психологии Г. Лебон писал: "Становясь частицей организованной толпы, человек спускается на несколько ступеней ниже по лестнице цивилизации. В изолированном положении он, быть может, был бы культурным человеком; в толпе – это варвар, то есть существо инстинктивное"[1]. Уже в наше время, имея в виду опыт массовых психозов XX века – прежде всего сталинизма и германского фашизма, – Кёстлер писал о неизбежном при этом "приведении разных сознаний и воль к самому низкому и элементарному общему знаменателю, исчерпывающемуся древними дологическими импульсами"[2]. В дальнейшем регресс на уровне массовой психологии образует как бы два вектора: консервативный, канализирующий массовые энергии в авторитарно-традиционалистском направлении, и вектор, идущий по линии эскалации революционного разрушения и насилия, экспансии все более маргинальных слоев общества. Нет ничего парадоксального в том, что эти во многом противоположные векторы сходились в основании будущей диктатуры.

"Верить же в преобладание революционных инстинктов в толпе, – писал тот же Лебон, – это значит не знать ее психологии. Нас вводит тут в заблуждение только стремительность этих инстинктов. Взрывы возмущения и стремление к разрушению всегда эфемерны в толпе. Толпа слишком управляется бессознательным и потому слишком подчиняется влиянию вековой наследственности, чтобы не быть на самом деле чрезвычайно консервативной. Предоставленная самой себе, толпа скоро утомляется своими собственными беспорядками и инстинктивно стремится к рабству"[3].

---

[1] Г. Лебон. Указ. соч., с. 170.
[2] A. Koestler. Op. cit., p. 272.
[3] Г. Лебон. Указ. соч., с. 190.

Эти алгоритмы воспроизводились и в нашей революции. Высочайший эмоциональный тонус перенапряженного сознания, в конце концов утомлявшегося от бесконечных собственных срывов, перестраивался в направлении привычных архетипов стабильности – порядка, сильной власти и персонализированного посредничества с трансцедентным. Утомившись в явно затянувшейся экскурсии в будущее царство свободы, все более широкие социальные слои из тех, что составляли главные движущие силы революции, бессознательно стремились к реставрации традиционных, многовековых стереотипов социальности, казавшихся после всего случившегося несравнимо более безопасными. Из революционизированной массы постепенно вымывались как раз те, в чьем сознании укорененность в традиционной культуре была не столь основательно подорвана.

Выпадая в социальный "пассив", люди, расположенные скорее к устроению жизни, чем к ее переустройству, одновременно и создавали фон поддержки стабилизирующейся диктатуры – и освобождали место в структурах низовой политической активности социальным маргиналам, тем более одержимым, чем меньшей была их связь с культурой и традицией. Тем самым регресс активной составляющей сознания массы приобретал дополнительную динамику. Уровень маргинального сознания выносился на поверхность социальной жизни не как нечто фиксированное, пусть даже на крайне низкой отметке; логика социального подъема маргинальности в результате бедствий, перенапряжений, частичных откатов и неизбежного при этом общего регресса чутко улавливалась, что в свою очередь задавало если и бессознательную, то во всяком случае вполне четкую ориентацию на сохранение режима перенапряжений и всякой чрезвычайности, на дальнейшее усугубление общего регресса. Агрессивно-нигилистические импульсы, вообще свойственные отношению маргинальности к культуре, получали все новые и новые стимулы как раз в процессе освобождения от чувства неполноценности, в реализации уникальной, во многом неожиданной возможности социального самоутверждения низов.

Таким образом, обе составляющие массового регресса задавались самой противоречивой логикой соединения реставрационных тенденций с процессами дальнейшей радикализации социального действия, начатого революцией. Однако, взятые сами по себе, эти спонтанные процессы еще не объясняют действительных масштабов срыва массового сознания. Точно так же собственная логика регресса идеологии не в состоянии объяснить нижних ступеней идеологического срыва. Предельный уровень архаизации сознания, достигнутый в развитом сталинизме, может быть понят только как результат своего рода *резонанса*, в который попали процессы идеологии и массового сознания.

Начало этого резонанса было положено самим стереотипом "формирования нового сознания", не учитывавшим, что культурные построения в сознании разрушаются в экстремальных ситуациях действительно быстро, но формируются десятилетиями, если не веками. Безотносительно к вопросу о совершенствах нового сознания срыв был предопределен для самого момента "перестановки" культур: когда одно было снято, а другое не установлено, происходило естественное возвращение к докультурным состояниям сознания. В этом была по-своему неотвратимая логика. "Люди думают, – писал Герцен, – что достаточно доказать истину, как математическую теорему, чтобы ее приняли; что достаточно самому верить, чтобы другие поверили. Выходит совсем иное; одни говорят одно, а другие слушают их и понимают другое, оттого что их развития разные. Что проповедовали первые христиане и что поняла толпа? Толпа поняла все нелепое и мистическое; все ясное и простое было ей недоступно; толпа поняла все связующее совесть и ничего освобождающее человека. Так впоследствии она поняла революцию только кровавой расправой, гильотиной, местью; горькая историческая необходимость сделалась торжественным криком; к слову "братство" приклеили слово "смерть"[1]. Волна, смывавшая старую культуру и насаждавшая новую, закономерно выносила на поверхность тех, в ком старое рушилось без лишних усилий, если вообще было что рушить. Именно они становились наиболее ревностными апологетами нового сознания в массах. Это требовало еще большего регресса в идеологии. Постепенно она превращалась в средство возбуждения коллективных эмоций необычайной силы, дававших новые импульсы для регресса перевозбужденного сознания. В свою очередь, это оказывало не просто обратное, но именно усиливающее воздействие на регресс идеологии: ей приходилось "теоретически" оформлять уже то, что с ее же подачи многократно усиливалось в ею же воспаленном мозгу коллектива. Здесь срыв сознания переходил в режим, близкий к цепной реакции, – сознание массы и идеология уже синхронизованно скатывались к доисторическим формам культа и пещерной агрессивности, магического мифологизма и первобытно-общинной нерасчлененности индивида и коллектива.

Но само по себе падение в сколь угодно глубокое прошлое еще не объясняет всего происшедшего при сталинизме, по многим параметрам перекрывшего все знаемые и мыслимые проявления варварства. Здесь на первый план выступает уж не глубина срыва, а именно его многоступенчатый характер, давший катастрофическое *соединение* архаических энергий и примитивной решительности с ультрасовременными для своего времени идейными устремлениями и средствами воздействия на сознание, с немыслимыми в прошлом технологиями социального воздействия, посредством которых общество осуществляет целенаправленное "рациональное" самоизменение.

Тревожная предрасположенность к такой взрывоопасной эклектике ощущалась в России уже на рубеже веков, хотя характерна, возможно, для всей российской истории. "История русской культуры, – писал Г. Фроловский, – вся она в перебоях, в приступах, в отречениях или увлечениях, в разочарованиях, изменах, разрывах. Всего меньше в ней непосредственной цельности. Русская историческая ткань так странно спутана, и вся точно перемята и оборвана... Издавна русская душа живет и пребывает во многих веках и возрастах сразу. Не потому, что торжествует или возвышается над временем. Напротив, расплывается во временах. Несоизмеримые и разновременные душевные формации как-то совмещаются и срастаются между собой. Но сросток не есть синтез. Именно синтез и не удавался"[2].

Рубеж революции уже дал сросток идейных и духовных движений повышенной эклектичности. Революционная идеология соседствовала с религиозной философией; рационализированный прогрессизм с мистикой; художественный авангард с иконой и лубком, с уже тогда обозна-

[1] А.И. Герцен. Соч. в 9-ти томах, т. 3, с. 326–327.
[2] Г. Флоровский. Указ. соч., с. 500.

чившимся "ретро"; космополитизм сосуществовал с национализмом; эстетика дисциплины и революционного порядка со столь же революционной анархией; заезжий либерализм с родной патриархальщиной. И все это было не разложено по полочкам привычной социальной стратификации, а приведено в непосредственное соприкосновение. В этом была возможность небывало продуктивного взаимооплодотворения – но и опасность бурных реакций с самыми непредсказуемыми эффектами.

Это и случилось. Произошло короткое замыкание теории неотвратимости исторического прогресса с примитивной жаждой миропереустройства; модернизированного гуманизма с застоявшимися энергиями социального возмездия; проповеди второго пришествия справедливости с вековой обидой униженных и оскорбленных. Это соединение "искрило" с самого начала революционного движения. Возникшая при этом "дуга" постепенно выжгла и все по соседству – и многое очеловечивающее в самих элементах соединения. Ни один из "истоков", никакая их частная комбинация, ни даже их общая сумма не в состоянии объяснить того чудовищного нагромождения, какое представлял собой сталинизм как идеология и сознание. Экстраординарная интенсивность проявления каждого из элементов, победивших в сростке, может быть объяснена только принципиально *сверхсуммативным* эффектом такого соединения, взрывообразным *синтезом* неосторожно приведенных в соприкосновение принципиально разновременных структур сознания.

Но это была сверхсуммативность особого рода. Она не была содержательной, ведущей к новым откровениям духа и сознания. Более того, ее действие в сфере смысла и содержания было сугубо отрицательного свойства: шла небывалая по размаху работа по искоренению, отбрасыванию, забвению не только "чуждого", но и генетически родственного, принадлежащего собственным прообразам. Это "очищение" от напластований культуры облегчало центральный пафос, опасно расковывало его и делало трагически свободным в его крайней примитивности. Сверхсуммативный эффект оказался направлен не на созидание, а на разрушение "лишнего", "мешавшего" простому и "главному", и на придание получаемой при этом энергии дальнейшему разжиганию все более примитивных остатков. Все ушло не на синтез сложного, который удерживал бы необходимую часть социальной энергии в потенциальной форме, а на придание огромной силы простому, расходуемой тут же на новые взрывы упрощения, и истощающей общество перед перспективой будущего.

Синтез таких структур напоминает ядерный: он труден, иногда кажется немыслимым, но если он происходит, высвобождается огромное количество социальной энергии – со всеми вытекающими отсюда последствиями. При этом возникают опасности совершенно специфические: не слишком утрированный аналог такого "синтеза" – возбужденный питекантроп в бункере с пультом управления ядерным потенциалом страны.

И наконец, то, что лежит вообще вне логики, – по крайней мере в обычном смысле этого слова. Субъективный "остаток", нечто невыводимое из жестких установок или хотя бы предрасположенностей ситуации присутствует практически в каждом историческом действии. Но в данном случае этот "остаток" сыграл совершенно особую роль. Все шло к тому, чтобы на острие срыва оказался человек, по многим параметрам подобный Сталину. Но надо было, чтобы во всей стране сыскался именно такой, чтобы именно он волею судеб оказался в критический момент рядом с властью и чтобы на протяжении всей эпопеи его восхождения ему удалось благополучно миновать ряд весьма острых и опасных для его политической судьбы ситуаций. Надо было, чтобы назревший срыв не просто состоялся, но еще и увенчался личностью, так страшно соединившей в себе утонченное восточное коварство со способностью к предельно жесткой схематизации мышления и поступков, патологическую амбициозность с умением выжидать, масштаб претензий с мстительной озлобленностью ничтожества. Из вероятных вариантов и худший не мог сравниться с тем, что в действительности вышло.

Здесь мы приходим к необходимости вообще несколько ограничить объяснительные возможности обычных логик применительно к данному случаю. Как уже отмечалось, сознание асимметрично по отношению к прошлому и всегда с гораздо большей готовностью находит причины того, что случилось, нежели основания, по которым могло или даже должно было случиться нечто иное. В результате критики марксова детерминизма сплошь и рядом сами вписывают сталинизм в нашу историю с жесткостью, на которую и Маркс был неспособен.

Это тем более бесперспективно, когда мы имеем дело с особым разрядом процессов, не поддающихся ни жесткой, "динамической", ни обычной вероятностно-статистической логике. Срыв в полноценный сталинизм состоялся в процессе скорее бифуркационного свойства, когда качественные изменения наступают не как прямое следствие достаточно сильных, соразмерных возмущений, а как результат необычайной чувствительности сильно неравновесной системы к случайным отклонениям, в относительно равновесных состояниях вообще неощутимым.

Сильные возмущения нашей истории принесли свои бедствия, но не сталинизм как таковой; он возник не в макрологике развития системы, которая на данный момент сравнительно естественно эволюционировала как раз в противоположном направлении, а в результате ряда микрофлуктуаций, переведших сильно неравновесную систему в существенно иной режим. Многочисленые хроники оппозиционной борьбы и искоренения уклонов 20-х годов воспринимаются из современности с таким драматизмом потому, что в них видят неотвратимую реализацию "инфернального графика". Они выглядят как фатально нанизывающиеся цепочки событий, что в известном смысле отражает реальность процесса: бифуркационный переход в новое качество и в самом деле происходит в результате каузально взаимосвязанных последовательностей событий. Но с точки зрения нормального функционирования данной системы, они являются не более чем микрособытиями, в относительно равновесной области не приводящими к макроскопическим изменениям. Поэтому начало бифуркации и даже довольно длительный период заданного ею уже необратимо направленного развития изнутри процесса зафиксированы быть не могут. Это является прямым следствием особого состояния системы, когда незначительные сигналы на входе дают, казалось бы, непредсказуемые эффекты на выходе, когда амплитуда "отклонений" становится соизмеримой с масштабами макропроцесса. Судьба такой системы определяется ее предысторией, но параметры, которые окажут решающее воздействие, и флуктуации, которые обозначат бифуркационный перелом, принципиально непрогнозируемы. Отсюда парадоксальное свойство такого рода систем, отчетливо проявляющееся в нашем сегодняшнем восприятии непосредственной предыстории сталинизма: задним числом историческая траектория представляется однозначной и как бы прочерченной в "твердой графике", хотя в "возможных мирах" еще не состоявшейся истории она размыта или вообще не просматривается. Предрешать что-либо в такого рода процессах столь же наивно, как пытаться однозначно предсказать погоду или землетрясение.

"Каскад бифуркаций" начался у нас с революционных катаклизмов. Сами по себе революции были предопределены "вероятностно". Но они создавали крайне неравновесное состояние, и уже приход большевиков к власти в Октябре 17-го оказался своего рода точкой бифуркации: его неизбежность есть скорее идеологический постулат, нежели строгий исторический вывод; предыдущее развитие событий не только не предполагало фатальности такого исхода, но и во многом делало его неожиданным.

При Ленине режим прошел еще ряд бифуркационных точек, таких как Брестский мир, некоторые перипетии и неопределенности гражданской войны или поворот к нэпу. То, что впоследствии большинством и идеологией было оценено как гениальные политические маневры, в решающие моменты было не столь очевидным, а то и просто висело на волоске.

Характерной в этом смысле точкой стали события 1923–1924 гг., положившие начало практически открытой борьбе за власть, заявкой на которую становилась каждая крупная идейная оппозиция. В сложившейся ситуации отход от политической деятельности и смерть главного вождя означали не просто рутинную смену лидера – хотя внешне все оставалось по-прежнему, во многом *изменялась сама политическая система*: от лидерства харизматического, не столько формального, сколько основанного на сугубо личном авторитете, способностях и заслугах перед партией, система явно сдвигалась в сторону усиления формально-бюрократической составляющей власти. В "идейной" борьбе за обладание новой харизмой потенциальное усиление главного партийного бюрократа не было замечено (несмотря на известные предупреждения в "завещании" вождя), пока в конце концов не оказалось, что "идейная" победа может быть обеспечена подспудной, но целенаправленной работой с аппаратом. Таким образом, недооценили не только Сталина как личность, но и само его "место" – усиливающуюся вместе со всей партбюрократией "функцию". Ленин это заметил раньше других, и если бы не болезнь, с точки зрения большой истории, бывшая не более чем рядовой случайностью, он приложил бы для нейтрализации Сталина усилия не меньшие, чем затраченные на заключение Брестского мира или отказ от политики военного коммунизма. Его поиск блока с Троцким против генсека в последний период деятельности был обусловлен крайне ограниченными возможностями проведения активных действий. Все это, как и то, что впоследствии главную опасность буквально под носом просмотрели другие члены Политбюро, с точки зрения общей логики процесса, было не более чем цепью случайностей.[1] Но именно эти случайности и задали направленный и в конце концов необратимый ход развития событий.

---

[1] Распространенное сейчас представление о том, что уже тогда Сталин играл со своими политическими конкурентами, как кот с мышами, слишком преувеличивает тогдашние возможности новоявленного генсека.

Стремление связать практику большевизма и сталинизма единой и лишенной сколько-нибудь существенных переломов исторической траекторией имеет под собой либо сугубо политико-идеологическую, либо скрыто моральную основу – интуитивно схватываемые моменты исторической ответственности, непосредственной причастности большевизма к происшедшему. Но это ответственность особого рода. Здесь вовсе не обязательны прямая, однозначная преемственность и фатальная неотвратимость срыва: достаточно его вероятности. Ответственность за аварии на атомных станциях оценивается не только в терминах заложенной в проекте неизбежности, и отвечают за них не только виновники конкретных нарушений. Вероятные масштабы последствий такого рода катастроф заставляют говорить об *обычной возможности,* и главная ответственность распространяется на создателей режима, такую возможность *хотя бы допускающего*. В такого рода процессах важно понять не логику конкретной бифуркации, а сами условия складывания сильно неравновесных состояний, недопустимых в ситуациях, чреватых "неприемлемым ущербом".

С этой точки зрения, взаимоотношения между большевизмом и сталинизмом представляются крайне сложными и противоречивыми. Рубеж 1928–1929 гг. был пиком двух прямо противоположных тенденций развития большевизма. Одна из них, если бы она реализовалась, действительно уводила общество от того, что потом было доведено в сталинизме до мыслимого предела. И хотя эволюция идеологии нэпа во многом была ограниченной и непоследовательной, нет никаких оснований полагать, что она не могла быть продолжена: ее углубление вполне может быть исполнено в рамках макроисторической ортодоксии марксизма, и исключать такой вариант, значит приписывать сегодняшним средней руки идеологам проницательность большую, нежели у тогдашних реформаторов. Отдельные формулировки "весны" 20-х (именно тогда возникло это понятие в привычном сейчас его политическом смысле) и сегодня опережают смелость перестроечной ревизии. Недооценивать этой эволюции, непосредственно предшествовавшей срыву в сталинизм, значит благодушествовать по поводу сегодняшней ситуации, не видеть ее реальных, хотя и не всегда видимых опасностей, лежащих в принципиально ином измерении. Как раз сейчас, возможно, не следует слишком увлекаться исторически малопродуктивной проблематикой индивидуальной вины: деятели русской революции часто вели себя с неосторожностью первооткрывателей радиации, также ставших первыми жертвами собственного открытия. Важнее понять, нагнетание каких параметров вводило процесс в режим неравновесный и чреватый непредсказуемыми эволюциями.

В самом общем виде здесь можно выделить эффекты тотализации. Об опасностях концентрации власти и идеологическом монополизме сказано уже немало. Меньше говорится об объективных свойствах любого процесса интенсивного и направленного изменения любой системы, в том числе и социальной. Неизбежное в таких случаях сосредоточение направлений развития, сколь угодно позитивного с точки зрения отдельных параметров, в любом случае приводит к сильному нарушению равновесности системы и переходу ее в критическое состояние. Отсюда неожиданные политические исходы революций, "непредсказуемые" срывы концентрированно развивающихся экономик и т.д.

В нашей ситуации, коль скоро речь идет о сознании, также сработал механизм разбалансировки процесса интенсивных и концентрированных изменений. Независимо от общих качеств исповедуемой и внедряемой идеологии, значимым был сам узконаправленный, канализированный характер и того, что внедрялось, и того, как это делалось. Происходил непропорциональный рост ряда параметров (в конце концов для разбалансировки процесса даже не столь важно каких именно), закономерно приводивший в зону экспоненциальных ответов на флуктуации. "Собственная" история культуры, как бы развертывающая в обратном времени проекцию основных установок данного сознания, также подвергалась жесткой канализации: отсекались все разветвления, критикующие "основную линию" или уводящие от нее в сторону; гуськом выстраивался строго отобранный ряд того, что входило в "прогрессивную традицию"; в самих предшественниках также отбрасывалось лишнее и отбиралось лишь то, что прямо работало на "генеральную линию"; оставшееся утрировалось в своей однозначности. В результате в истории культуры вырубался как бы узкий желоб, обеспечивавший разгон для узконаправленной эволюции сознания, но и создававший идеальные условия для канализированного и ничем не сдерживаемого срыва в архаику. Такой была и собственно большевистская идеология, хотя и терпевшая какое-то время рядом с собой отголоски иных культурных традиций и направлений; таким был сталинизм, доведший эту тенденцию до ее идеального выражения. Сначала сознание было заведено в бифуркационную зону нагнетанием отдельных параметров, затем приведено в состояние хаоса и готовности эволюционировать в неожиданных направлениях, задаваемых случайными (с точки зрения макропроцесса) импульсами. На тщательно просеянной и выстроенной "в затылок" истории идей, не способной оказывать какое-либо внутреннее сопротивление, играли уже как по клавиатуре, готовой к воспроизведению самых неожиданных мелодий. Сталин лишь узурпировал должность импровизатора – инструмент был настроен до него.

Привязка к искусственно сконструированным и узконаправленным историческим линиям является симптомом, а во многом и основанием идеологических срывов. Линия, ведущая из начального синкретизма Нового времени в сталинский марксизм, в узловых своих точках имела в европейской культуре симметричные ответы, которые в свою очередь образовывали свою линию, идущую через немецкий романтизм, ницшеанство и т.п. Видимо, не случайно на окончаниях обеих этих линий, оголенных и взятых в своей предельной односторонности, образовались два тоталитарных колосса, столкнувшихся в крупнейшей в истории войне, но оказавшихся родственными в глубинных свойствах идеологии и массового сознания. Очевидно, любая чрезмерная избирательность, какой бы прогрессистской и гуманистической она ни выглядела, разрушает защитные, уравновешивающие механизмы культуры.

Другим важным аспектом тотализации было сосредоточение функциональных зон общественного сознания – совмещение функций социальной теории, идеологии, "практического разума" структур власти и массового сознания. Тем самым была исключена возможность сколько-нибудь самостоятельного, самоценного, относительно свободного функционирования каждой из этих зон, их взаимной критики, продуктивного, уравновешивающего взаимовлияния. На какой-то момент идеологический процесс становился идеально управляемым, однако неограничиваемый рост самого параметра управляемости по той же бифуркационной логике в какой-то момент заводит систему в сильно неравновесное состояние, чреватое срывом в неуправляемость с самыми труднопредсказуемыми последствиями.

Проблема, таким образом, состоит в том, чтобы учитывать возможности *искусственных* бифуркаций. Такие практически неконтролируемые катаклизмы, каким был сталинизм – во многом порождение современности. "Пригожинская парадигма, – пишет О. Тоффлер, – особенно интересна тем, что она акцентирует внимание на аспектах реальности, наиболее характерных для современной стадии ускоренных социальных изменений: разупорядоченности, неустойчивости, разнообразии, неравновесности, нелинейных соотношениях, в которых малый сигнал на входе может вызвать сколь угодно сильный отклик на выходе, и темпоральности – повышенной чувствительности к ходу времени"[1]. "Ныне мы знаем, – пишут И. Пригожин и И. Стенгерс, – что человеческое общество представляет собой необычайно сложную систему, способную претерпевать огромное количество бифуркаций... Мы знаем, что столь сложные системы обладают высокой чувствительностью по отношению к флуктуациям. Это вселяет в нас одновременно и надежду, и тревогу: надежду на то, что даже малые флуктуации могут усиливаться и изменять всю их структуру (это означает, в частности, что индивидуальная активность вовсе не обречена на бессмысленность); тревогу – потому, что наш мир, по-видимому, навсегда лишился гарантий стабильных непреходящих законов. Мы живем в опасном и неопределенном мире, внушающем не чувство слепой уверенности, а лишь... чувство умеренной надежды..."[2]. Такой подход в крайне драматичной ситуации – в стране и в мире в целом – в равной мере предостерегает как от обезнадеженной пассивности, так и от не в меру решительных и узко целенаправленных действий, не учитывающих, что граница того, что называется экстремизмом, в политике, сейчас существенно понижена. Это требует нового качества сознания – способности работать в условиях известной неопределенности и подвижности самой иерархии целей.

В этом отношении человечество уже выработало немалый опыт. Он – в истории культуры и мысли, взятой *как целое*, вне чрезмерной сосредоточенности на каких-либо отдельных и *частных* по своей сути линиях. Освобождаться от идеологического и социально-психологического наследия сталинизма – значит не только, а может быть, даже не столько пересматривать его "позитив", сколько осваивать те пласты культуры сознания, которые были им и его предшественниками дискредитированы или просто отброшены. Но это, в свою очередь, требует изменения самой технологии мышления, пересмора некоторых его фундаментальных установок и настроенностей. Модный сейчас *плюрализм* в этом плане не выход, поскольку допускает известную зацикленность разных сознаний на разном, каждого – на своем. Альтернативное – *универсалистское* – сознание преодолевает плюралистическую конфликтность уже тем, что не просто допускает существование другого, но активно стремится к *пониманию*, к тому, чтобы увидеть момент истины и в другом – а значит и собственную ограниченность. Его идеал – само себя понимающее *целое* культуры, его "всеединство".

[1] О. Тоффлер. Наука и изменение. – В кн.: Илья Пригожин, Изабелла Стенгерс. Порядок из хаоса. Новый диалог человека с природой. М., 1986, с. 16.
[2] Илья Пригожин, Изабелла Стенгерс. Указ. соч., с. 386.

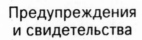

Предупреждения
и свидетельства

Н. Бухарин

БУДУЩЕМУ ПОКОЛЕНИЮ РУКОВОДИТЕЛЕЙ ПАРТИИ

Ухожу из жизни. Опускаю голову не перед пролетарской секирой, должной быть беспощадной, но и целомудренной. Чувствую свою беспомощность перед адской машиной, которая, пользуясь, вероятно, методами средневековья, обладает исполинской силой, фабрикует организованную клевету, действует смело и уверенно.

Нет Дзержинского, постепенно ушли в прошлое замечательные традиции ЧК, когда революционная идея руководила всеми ее действиями, оправдывала жестокость к врагам, охраняла государство от всяческой контрреволюции, поэтому органы ЧК заслужили особое доверие, особый почет, авторитет и уважение. В настоящее время, в своем большинстве, так называемые органы НКВД, эта переродившаяся организация безыдейных, разложившихся, хорошо обеспеченных чиновников, которые, пользуясь былым авторитетом ЦК, в угоду болезненной подозрительности Сталина, боюсь сказать больше, в погоне за орденами, славой, творят гнусные дела, кстати, не понимая, что одновременно уничтожают самих себя – история не терпит свидетелей грязных дел!

Любого члена ЦК, любого члена партии эти "чудодейственные органы" могут стереть в порошок, превратить в предателя-террориста, диверсанта, шпиона. Если бы Сталин усомнился в самом себе, подтверждение последовало бы мгновенно.

Грозовые тучи нависли над партией. Одна моя ни в чем не повинная голова потянет еще тысячи невиновных. Ведь нужно же создать организацию, "бухаринскую организацию", в действительности не существующую не только теперь, когда вот уже седьмой год у меня нет и тени разногласия с партией, но и не существовавшую тогда, в годы правой оппозиции. О тайных организациях Рютина, Угланова мне ничего известно не было. Я свои взгляды излагал вместе с Рыковым, Томским открыто.

С восемнадцатилетнего возраста я в партии, и всегда целью моей жизни была борьба за интересы рабочего класса, за победу социализма. В эти дни газета со святым названием *Правда* печатает гнуснейшую ложь, что якобы я, Николай Бухарин, хотел уничтожить завоевания Октября, реставрировать капитализм. Это неслыханная наглость, это – ложь, адекватна которой по наглости, по безответственности перед народом была бы только такая: обнаружилось, что Николай Романов всю свою жизнь посвятил борьбе с капитализмом и монархией, борьбе за осуществление пролетарской революции.

Если в методах построения социализма я не раз ошибался, пусть потомки не судят меня строже, чем это делал Владимир Ильич. Мы шли к единой цели впервые, еще непроторенным путем. Другое было время, другие нравы. В *Правде* печатался дискуссионный листок, все спорили, искали пути, ссорились и мирились, и шли дальше вперед вместе.

Обращаюсь к вам, будущее поколение руководителей партии, на исторической миссии которых лежит обязанность распутать чудовищный клубок преступлений, который в эти страшные дни становится все грандиознее, разгорается, как пламя, и душит партию.

КО ВСЕМ ЧЛЕНАМ ПАРТИИ ОБРАЩАЮСЬ.

В эти, может быть, последние дни моей жизни, я уверен, что фильтр истории, рано или поздно, неизбежно смоет грязь с моей головы.

Никогда я не был предателем, за жизнь Ленина без колебаний заплатил бы собственной. Любил Кирова, ничего не затевал против Сталина*.

Прошу новое, молодое и честное поколение руководителей партии зачитать мое письмо на Пленуме ЦК, оправдать и восстановить меня в партии.

Знайте, товарищи, что на том знамени, которое вы понесете победоносным шествием к коммунизму, есть и моя капля крови.

ОН ПОЖРЕТ НАС

Во время тайной встречи Н.И. Бухарина, приехавшего в Париж в 1936 г. по командировке Института Маркса-Энгельса, с супругами Ф.И. и Л.О. Дан, речь заходит о Сталине. Бухарин говорит:

Сталин "*даже несчастен оттого, что не может уверить всех, и даже самого себя, что он больше всех, и это его несчастье, может быть, самая человеческая в нем черта, может быть, единственная человеческая в нем черта, но уже не человеческое, а что-то дьявольское есть в том, что за это самое свое "несчастье" он не может не мстить людям, всем людям, а особенно тем, кто чем-то выше, лучше его... Если кто лучше его говорит, он – обречен, он уже не оставит его в живых, ибо – этот человек вечное ему напоминание, что он не первый, не самый лучший; если кто-то лучше пишет – плохо его дело... Нет, нет, Федор Ильич, это маленький, злобный человек, не человек, а дьявол*".

В ответ на вопрос Ф.И. Дана, как же при такой оценке Сталина он, Бухарин, и другие коммунисты так слепо доверили этому дьяволу и свою судьбу, и судьбу партии, и судьбу страны:

"*Вы этого не понимаете, это совсем другое, не ему доверено, а человеку, которому доверяет партия; вот уж так случилось, что он вроде как символ партии, низы, рабочие, народ верят ему, может, это и наша вина, но так это произошло, вот почему мы все и лезем к нему в хайло... зная наверняка, что он пожрет нас. И он это знает и только выбирает более удобный момент*".

---

* Бухарин в данном случае имеет в виду покушение на жизнь Сталина, в чем его обвиняли. Взгляды Сталина в период коллективизации, как известно, он оспаривал.

Но почему Бухарин в таком случае возвращается, недоуменно спрашивает жена Дана:

"Как не вернуться? Стать эмигрантом? Нет, жить как вы, эмигрантом, я бы не мог... Нет, будь что будет... Да может, ничего и не будет".

Из архива Л.О. Дан. Амстердам.
Институт социальной истории, 1987.

Ф. Раскольников

ОТКРЫТОЕ ПИСЬМО СТАЛИНУ

> Я правду о тебе порасскажу такую,
> Что хуже всякой лжи.

Сталин, Вы объявили меня "вне закона". Этим актом Вы уравняли меня в правах – точнее, в бесправии – со всеми советскими гражданами, которые под Вашим владычеством живут вне закона. Со своей стороны, отвечаю полной взаимностью: возвращаю Вам входной билет в построенное Вами "царство социализма" и порываю с Вашим режимом. Ваш "социализм", при торжестве которого его строителям нашлось место лишь за тюремной решеткой, так же далек от истинного социализма, как произвол Вашей личной диктатуры не имеет ничего общего с диктатурой пролетариата. Вам не поможет, если награжденный орденом уважаемый революционер-народоволец Н.А. Морозов подтвердит, что именно за такой "социализм" он провел 20 лет своей жизни под сводами Шлиссельбургской крепости.

Стихийный рост недовольства рабочих, крестьян, интеллигентов властно требовал крутого политического маневра наподобие ленинского перехода к НЭПу в 1921 г. Под напором советского народа Вы "даровали" демократическую конституцию. Она была принята всей страной с неподдельным энтузиазмом. Честное проведение в жизнь демократических принципов конституции 1936 г., воплотившей надежды и чаяния всего народа, ознаменовало бы новый этап расширения советской демократии. Но в Вашем понимании всякий политический маневр – синоним надувательства и обмана. Вы культивируете политику без этики, власть без честности, социализм без любви к человеку.

Что Вы сделали с конституцией, Сталин? Испугавшись свободы выбора, как "прыжка в неизвестность", угрожавшего Вашей личной власти, Вы растоптали конституцию, как клочок бумаги, выборы превратили в жалкий фарс голосования за одну-единственную кандидатуру, а сессии Верховного Совета наполнили акафистами и овациями в честь самого себя. В промежутках между сессиями Вы бесшумно уничтожаете "зафинтивших" депутатов, насмехаясь над неприкосновенностью и напоминая, что хозяином земли советской является не Верховный Совет, а Вы. Вы сделали все, чтобы дискредитировать советскую демократию, как дискредитировали социализм. Вместо того, чтобы пойти по линии намеченного конституцией поворота, Вы подавляете растущее недовольство насилием и террором. Постепенно заменив диктатуру пролетариата режимом Вашей личной диктатуры, Вы открыли новый этап, который в историю нашей революции войдет под именем эпохи террора. Никто в Советском Союзе не чувствует себя в безопасности. Никто, ложась спать, не знает, удастся ли ему избежать ночного ареста. Никому нет пощады. Правый и виноватый, герой Октября и враг революции, старый большевик и беспартийный, колхозный крестьянин и полпред, народный комиссар и рабочий, интеллигент и Маршал Советского Союза – все в равной мере подвержены ударам бича, все кружатся в дьявольской кровавой карусели. Как во время извержения вулкана огромные глыбы с треском и грохотом рушатся в жерло кратера, так целые пласты советского общества срываются и падают в пропасть.

Вы начали кровавые расправы с бывших троцкистов, зиновьевцев и бухаринцев, потом перешли к истреблению старых большевиков, затем уничтожили партийные и беспартийные кадры, выросшие в гражданской войне, вынесшие на своих плечах строительство первых пятилеток, и организовали избиение комсомола. Вы прикрываетесь лозунгом борьбы с троцкистско-бухаринскими шпионами. Но власть в Ваших руках не со вчерашнего дня. Никто не мог пробраться на ответственный пост без Вашего разрешения. Кто насаждал так называемых "врагов народа" на самые ответственные посты государства, партии, армии, дипломатии? – Иосиф Сталин. Кто внедрял так называемых "вредителей" во все поры советского и партийного аппарата? – Иосиф Сталин. Прочитайте старые протоколы Политбюро: они пестрят назначениями и перемещениями только одних "троцкистско-бухаринских шпионов", "вредителей" и "диверсантов"; под ними красуется подпись: И. Сталин. Вы притворяетесь доверчивым простофилей, которого годами водили за нос какие-то карнавальные чудовища в масках. Ищите и обрящете козлов отпущения: шепнете Вы своим приближенным – и нагружаете пойманные, обреченные на заклание жертвы своими собственными грехами. Вы сковали страну жутким страхом террора, даже смельчак не может бросить Вам в лицо правду. Волны самокритики "невзирая на лица" почтительно замирают у подножия Вашего престола. Вы непогрешимы, как папа. Вы никогда не ошибаетесь. Но советский народ отлично знает, что за все отвечаете Вы, "кузнец всеобщего счастья". С помощью грязных подлогов Вы инсценировали судебные процессы, превосходящие вздорностью обвинения знакомые Вам по семинарским учебникам средневековые процессы ведьм. Вы сами знаете, что Пятаков не летал в Осло, Максим Горький умер естественной смертью и Троцкий не сбрасывал поезда под откос. Зная, что все это ложь, Вы поощряете своих клевретов: клевещите, клевещите, от клеветы всегда что-нибудь останется. Как Вам известно, я никогда не был троцкистом. Напротив, я идейно боролся со всеми оппозициями в печати и на широких собраниях. И сейчас я не согласен с политической позицией Троцкого, с его программой и тактикой. Принципиально расходясь с Троцким, я считаю его честным революционером. Я не верю и никогда не поверю в его сговор с Гитлером и Гессом. Вы повар, готовящий острые блюда, для нормального человеческого желудка они несъедобны. Над гробом Ленина Вы принесли торжественную клятву выполнить его завещание и хранить как зеницу ока единство партии. Клятвопреступник, Вы нарушили и это завещание Ленина. Вы оболгали и расстреляли многолетних соратников Ленина: Каменева и Зиновьева, Бухарина, Рыкова и др., невиновность которых Вам была хорошо известна. Перед смертью Вы заставили их каяться в преступлениях, которых они никогда не совершали, и мазать себя грязью с ног до головы. А где герои Октябрьской революции? Где Бубнов? Где Крыленко? Где Антонов-Овсеенко? Где Дыбенко? Вы арестовали их, Сталин. Где старая гвардия? Ее нет в живых. Вы расстреляли ее, Сталин. Вы растлили и загадили души Ваших соратников. Вы заставили идущих с Вами с мукой и отвращением шагать по лужам крови вчерашних товарищей и друзей. В лживой истории партии, написанной под Вашим руководством, Вы обокрали мертвых, убитых и опозоренных Вами людей и присвоили себе их подвиги и заслуги. Вы уничтожили партию Ленина и на ее костях построили новую "партию Ленина – Сталина", которая служит удачным прикрытием Вашего единовластия. Вы создали ее не на общей базе программы и тактики, как строится всякая партия, а на безыдейной основе личной любви и преданности Вам. Знание программы новой партии объявлено необязательным для ее членов, на зато обязательна любовь к Сталину, ежедневно подогреваемая печатью. Признание партийной программы заменяется объяснением в любви к Сталину. Вы – ренегат, порвавший со своим вчерашним днем, предавший дело Ленина. Вы торжественно провозгласили лозунг выдвижения кадров. Но сколько этих молодых выдвиженцев уже гниет в Ваших казематах? Сколько из них Вы расстреляли, Сталин? С жестокостью садиста Вы избиваете кадры, полезные и нужные стране. Они кажутся Вам опасными с точки зрения Вашей личной диктатуры. Накануне войны Вы разрушаете Красную Армию, любовь и гордость страны, оплот ее мощи. Вы обезглавили Красную Армию и Красный Флот. Вы убили самых талантливых полководцев, воспитанных на опыте мировой и гражданской войны, которые преобразовали Красную Армию по последнему слову техники и сделали ее непобедимой. В момент величайшей военной опасности Вы продолжаете истреблять руководителей армии, средний командный состав и младших командиров. Где маршал Блюхер? Где маршал Егоров? Вы арестовали их, Сталин. Для успокоения взволнованных умов Вы обманываете страну, что ослабленная арестами и казнями Красная Армия стала еще сильнее. Зная, что закон военной науки требует единоначалия в армии от главнокомандующего до взводного командира, Вы воскресили институт политических комиссаров, который возник на заре Красной Армии и Красного Флота, когда у нас еще не было своих командиров, а над военными специалистами старой армии нужен был политический контроль. Не доверяя красным командирам, Вы вносите в армию двоевластие и разрушаете воинскую дисциплину. Под нажимом советского народа Вы лицемерно воскрешаете культ исторических русских героев: Александра Невского, Дмитрия Донского и Кутузова, надеясь, что в будущей войне они помогут Вам больше, чем казненные маршалы и генералы. Пользуясь тем, что Вы никому не доверяете, настоящие агенты гестапо и японская разведка с успехом ловят рыбу в мутной, взбаламученной Вами воде, в изобилии подбрасывают Вам подложные документы, порочащие самых лучших, талантливых и честных людей. В созданной Вами гнилой атмосфере подозрительности, взаимного недоверия, всеобщего сыска и всемогущества Народного комиссариата внутренних дел, которому Вы отдали на растерзание Красную Армию и всю страну, любому "перехваченному" документу верят или притворяются, что верят, как неоспоримому доказательству. Подсовывая агентам Ежова фальшивые документы, компрометирующие честных работников миссии, "внутренняя линия" РОВСа в лице капитана Фосса добилась разгрома нашего полпредства в Болгарии от шофера М.И. Казакова до военного атташе Н.Т. Сухорукова. Вы уничтожаете одно за другим важнейшие завоевания Октября. Под видом борьбы с текучестью рабочей силы, Вы отменили свободу труда, закабалили советских рабочих и прикрепили их к фабрикам и заводам. Вы разрушаете хозяйственный организм страны, дезорганизовали промышленность и транспорт, подорвали авторитет директора, инженера и мастера, сопровождая бесконечную чехарду смещений и назначений арестами и травлей инженеров, директоров и рабочих как "скрытых, еще не разоблаченных вредителей". Сделав невозможной нормальную работу, Вы под видом борьбы с "прогулами" и "опозданиями" трудящихся заставляете их работать бичами и скорпионами жестких и антипролетарских декретов. Ваши бесчеловечные репрессии делают нестерпимой жизнь советских трудящихся, которых за малейшую провинность с волчьим паспортом увольняют с работы и выгоняют с квартиры. Рабочий класс с самоотверженным героизмом нес тягость напряженного труда, недоедания, холода, скудной заработной платы, жилищной тесноты и отсутствия необходимых товаров. Он верил, что Вы ведете к социализму, но Вы обманули его доверие. Он надеялся, что с полной победой социализма в нашей стране, когда осуществится мечта светлых умов человечества о великом братстве людей, всем будет жить радостно и легко. Вы отняли даже эту надежду: Вы объявили социализм построенным до конца. И рабочие с недоумением, шепотом спрашивали друг друга: если это социализм, то за что боролись, товарищи? Извращая теорию Ленина об отмирании государства, Вы извратили всю теорию марксизма-ленинизма, Вы устами Ваших безграмотных доморощенных "теоретиков", занявших вакантные места Бухарина, Каменева и Луначарского, обещаете даже при коммунизме сохранить власть ГПУ. Вы отняли у колхозных крестьян всякий стимул к работе. Под видом борьбы с "разбазариванием колхозной земли" Вы разоряете приусадебные участки, чтобы заставить крестьян работать на колхозных полях. Организатор голода, грубостью и жестокостью неразборчивых методов, отличающих Вашу тактику, Вы сделали все, чтобы дискредитировать в глазах крестьян ленинскую идею коллективизации. Лицемерно провозглашая интеллигенцию "солью земли", Вы лишили минимума внутренней свободы труд писателя, ученого, живописца. Вы зажали искусство в тиски, от которых оно задыхается и вымирает. Неистовства запуганной Вами цензуры и понятная робость редакторов, за все отвечающих своей головой, привели к окостенению и параличу советской литературы. Писатель не может печататься, драматург не может ставить пьесы на сцене театра, критик не может сказать свое личное мнение, не отмеченное казенным штампом. Вы душите советское искусство, требуя от него придворного лизоблюдства, но оно предпочитает молчать, чтобы не петь Вам "осанну".

Вы насаждаете псевдоискусство, которое с надоедливым однообразием воспевает Вашу пресловутую, набившую оскомину "гениальность". Бездарные графоманы славословят Вас, как полубога, рожденного от Луны и Солнца, а Вы, как восточный деспот, наслаждаетесь фимиамом грубой лести. Вы беспощадно истребляете талантливых, но лично Вам неугодных писателей. Где Борис Пильняк? Где Сергей Третьяков? Где А. Аросев? Где Михаил Кольцов? Где Тарас Родионов? Где Галина Серебрякова, виновная в том, что она была женой Сокольникова? Вы арестовали их, Сталин!

Вслед за Гитлером Вы воскресили средневековое сжигание книг. Я видел своими глазами рассылаемые советским библиотекам огромные списки книг, подлежащих немедленному и безусловному уничтожению. Когда я был полпредом в Болгарии, то в 1937 г. в полученном мною списке обреченной огню запретной литературы я нашел мою книгу исторических воспоминаний "Кронштадт и Питер в 1917 г.". Против фамилии многих авторов значилось: "Уничтожить все книги, брошюры и портреты". Вы лишили советских ученых, особенно в области гуманитарных наук, минимума свободы научной мысли, без которой творческая работа становится невозможной. Самоуверенные невежды интригами, склоками и травлей не дают работать ученым в университетах и институтах, лабораториях. Выдающихся русских ученых с мировым именем академика Ипатьева и Чичибабина Вы на весь мир провозгласили "невозвращенцами", наивно думая их обесславить, но опозорили только себя, доведя до сведения всей страны и мирового общественного мнения постыдный для Вашего режима факт, что лучшие ученые бегут из Вашего рая, оставляя Вам Ваши "благодеяния": квартиру, автомобиль, карточку на обеды в совнаркомовской столовой. Вы истребили талантливых русских ученых. Где лучший конструктор советских аэропланов Туполев? Вы не пощадили даже его. Вы арестовали Туполева, Сталин! Нет области, нет уголка, где можно спокойно заниматься любимым делом. Директор театра, замечательный режиссер, выдающийся деятель искусства Вс. Мейерхольд не занимался политикой. Но Вы арестовали и Мейерхольда, Сталин! Зная, что при нашей бедности кадрами особенно ценен каждый опытный и культурный дипломат, Вы заманили в Москву и уничтожили одного за другим почти всех советских полпредов. Вы разрушили дотла весь аппарат Народного Комиссариата иностранных дел. Уничтожая везде и всюду золотой фонд страны, ее молодые кадры, Вы истребили во цвете лет талантливых и многообещающих дипломатов. В грозный час военной опасности, когда острие фашизма направлено против Советского Союза, когда борьба за Данциг и война в Китае – лишь подготовка плацдарма для будущей интервенции против СССР, когда главный объект германо-японской агрессии – наша Родина, когда единственная возможность предотвращения войны – открытое вступление Союза Советов в международный блок демократических государств, скорейшее заключение военного и политического союза с Англией и Францией, Вы колеблетесь, выжидаете и качаетесь, как маятник, между двумя "осями". Во всех расчетах Вашей внешней и внутренней политики Вы исходите не из любви к Родине, которая Вам чужда, а из гнилого страха потерять личную власть. Ваша беспринципная диктатура, как гнилая колода, лежит поперек дороги нашей страны. "Отец народов", Вы предали побежденных испанских революционеров, бросили их на произвол судьбы и предоставили заботу о них другим государствам. Великодушное спасение человеческих жизней не в Ваших принципах. Горе побежденным! Они Вам больше не нужны. Еврейских рабочих, интеллигентов, ремесленников, бегущих от фашистского варварства, Вы равнодушно предоставили гибели, захлопнув перед ними двери нашей страны, которая на своих огромных просторах может гостеприимно приютить многие тысячи эмигрантов. Как все советские патриоты, я работал, на многое закрывая глаза. Я слишком долго молчал. Мне было трудно рвать последние связи не с Вами, не с Вашим обреченным режимом, а с остатками старой ленинской партии, в которой я пробыл без малого 30 лет, а Вы разгромили ее за три года. Мне мучительно больно лишиться моей Родины. Чем дальше, тем больше интересы Вашей личной диктатуры вступают в непримиримый конфликт с интересами рабочих, крестьян и интеллигентов, с интересами всей страны, над которой Вы измываетесь, как тиран, добравшийся до единоличной власти. Ваша социальная база суживается с каждым днем. В судорожных поисках опоры Вы лицемерно расточаете комплименты "беспартийным большевикам", создаете одну за другой привилегированные группы, осыпаете их милостями, кормите подачками, но не в состоянии гарантировать новым "калифам на час" не только их привилегии, но даже право на жизнь. Ваша безумная вакханалия не может продолжаться долго. Бесконечен список Ваших преступлений. Бесконечен свиток Ваших жертв, нет возможности их перечислить. Рано или поздно советский народ посадит Вас на скамью подсудимых как предателя социализма и революции, главного вредителя, подлинного врага народа, организатора голода и судебных подлогов.

17 августа 1939 г.

М. Рютин

Пролетарии всех стран, соединяйтесь!

КО ВСЕМ ЧЛЕНАМ ВКП(б)

Товарищи!

Партия и пролетарская диктатура Сталиным и его кликой заведены в невиданный тупик и переживают смертельно опасный кризис. С помощью обмана, клеветы и одурачивания партийных лиц, с помощью невероятных насилий и террора, под флагом борьбы за чистоту принципов большевизма и единства партии, опираясь на централизованный мощный партийный аппарат, Сталин за последние пять лет отсек и устранил от руководства все самые лучшие, подлинно большевистские кадры партии, установил в ВКП(б) и всей стране свою личную диктатуру, порвал с ленинизмом, стал на путь самого необузданного авантюризма и дикого личного произвола и поставил Советский Союз на край пропасти.

Если за первое десятилетие Советской власти, при коллективном руководстве Центрального Комитета и всей партии, рабочий класс героическим напряжением сил добился крупнейших успехов в деле развертывания социалистического строительства, улучшения положения всех трудящихся и укрепления пролетарской диктатуры, то за последние годы при посредстве Сталина положение Советского Союза, наоборот, с каждым годом систематически и гигантски ухудшается. Развал и дезорганизация всей экономики страны, несмотря на постройку десятков крупнейших предприятий, приняли небывалые размеры. Вера масс в дело социализма подорвана, их готовность самоотверженно защищать пролетарскую революцию от всех врагов с каждым годом ослабевает.

Авантюристические темпы индустриализации, влекущие за собой колоссальное снижение заработной платы рабочих и служащих, непосильные открытые и замаскированные налоги, инфляцию, рост цен и падение стоимости червонца; авантюристическая коллективизация с помощью невероятных насилий, террора, раскулачивания, направленного фактически главным образом против середняцких и бедняцких масс деревни, и, наконец, экспроприация деревни путем всякого рода поборов и насильственных заготовок привели всю страну к глубочайшему кризису, чудовищному обнищанию масс и голоду как в деревнях, так и в городах.

Промышленность работает лишь с половинной нагрузкой и притом в значительной части на суррогатах; качество продукции в результате погони за выполнением дутых темпов чрезвычайно низкое; производительность голодного рабочего сильно упала; зарплата в провинции зачастую не выплачивается по нескольку месяцев, налоги с обнищавшего населения выколачиваются уже с трудом; уже началось сокращение рабочих и служащих; перед пролетариатом встает во весь рост призрак грядущей гигантской безработицы; сырьевая база в корне подорвана.

В перспективе – дальнейшее свертывание промышленности и прекращение капитального строительства, так как источники финансирования промышленности будут с каждым днем стремительно ухудшаться.

В перспективе – дальнейшее обнищание пролетариата и рост голода.

Еще более мрачная и тяжелая картина в деревне.

Ограбление сельского населения, принудительная коллективизация привели к тому, что скота осталось не более 30 процентов от 1927 г., причем и эти остатки в колхозах и совхозах гибнут от бескормицы; новых крестьянских построек не возводится, а старые не ремонтируются и большей частью растаскиваются, сельскохозяйственный инвентарь разбит и разрушен, семян на посев не хватает больше чем наполовину; земля обработана плохо, а часто совсем не обработана, тягловой силы недостает.

Всякая личная заинтересованность к ведению сельского хозяйства убита, труд держится на голом принуждении и репрессиях; насильственно созданные колхозы разваливаются. Все молодое и здоровое из деревни бежит, миллионы людей, оторванных от производительного труда, кочуют по стране, перенаселяя города, остающееся в деревне население голодает и питается суррогатами. Эпидемии начинают свою работу.

В перспективе – дальнейшее обнищание, одичание и запустение деревни.

В перспективе – угроза сильнейшего голода на будущий год.

Внутренняя торговля также находится в состоянии хаоса: червонец обесценен, беспринципная политика цен беспомощно мечется из стороны в сторону; цены повышаются; на почве бестоварья, голода и расстройства всей экономики страны пышным цветом расцветает во всех областях и во всех формах спекуляция. Внешнеторговый баланс имеет огромный дефицит; экспорт в корне подорван и держится лишь за счет обнищания масс.

Планирование превратилось в сплошное очковтирательство и обман; всюду получаются неизбежные прорывы, вину за которые сталинское руководство взваливает на низовых работников; планы выполняются на 60–70 процентов, возможность экономического продвижения и регулирования сведена на нет, экономика страны дезорганизована, и все ее развитие поставлено под власть стихии.

А в это время XVII Всесоюзная партконференция сталинских чиновников, нагло и цинично издеваясь над партией, пролетариатом и всеми трудящимися, заявляет, что мы вступили в социалистическое общество и что у нас "растет недостижимыми для капиталистических стран темпами народный доход, уничтожены безработица и нищета, уничтожаются "ножницы цен" и противоположность между городом и деревней, растут из года в год благосостояние и культурный уровень рабочих и трудящихся крестьян".

На всю страну надет намордник, бесправие, произвол и насилие, постоянные угрозы висят над головой каждого рабочего и крестьянина. Всякая революционная законность попрана! Всякая уверенность в завтрашнем дне потеряна! Рабочий класс и трудящиеся массы деревни доведены сталинской политикой до отчаяния.

Ненависть, злоба и возмущение масс, наглухо завинченные крышкой террора, кипят и клокочут. Восстания крестьян с участием в них членов партии и комсомола непрерывной волной разливаются в последние годы по всему Советскому Союзу. Забастовки рабочих, несмотря на свирепый террор, аресты, увольнения и провокации, вспыхивают то там, то здесь.

Учение Маркса и Ленина Сталиным и его кликой бесстыдно извращается и фальсифицируется. Наука, литература, искусство низведены до уровня низких служанок и подпорок сталинского руководства. Борьба с оппортунизмом опошлена, превращена в карикатуру, в орудие клеветы и террора против самостоятельно мыслящих членов партии. Права партии, гарантированные Уставом, узурпированы ничтожной кучкой беспринципных политиканов. Демократический централизм подменен личным усмотрением вождя, а коллективное руководство – системой доверенных людей.

Центральный Комитет стал совещательным органом при "непогрешимом" диктаторе, а областные комитеты – бесправными придатками при секретарях областкомов.

Политбюро, Президиум ЦКК, секретари областных комитетов в результате происшедших изменений в жизни партии и "18 брюмера Сталина" превратились в банду беспринципных, изолгавшихся и трусливых политиканов, а Сталин – в неограниченного и несменяемого диктатора, проявляющего в десятки раз больше тупого произвола, самодурства и насилия над массами, чем любой самодержавный монарх.

Системой угроз, террора и обмана партия вынуждена играть роль безгласного, слепого орудия Сталина для достижения его личных честолюбивых замыслов. Партийные массы в своем подавляющем большинстве настроены против сталинской политики, но они забиты и затравлены партийным аппаратом.

Всякая живая, большевистская партийная мысль угрозой исключения из партии, снятия с работы и лишения всех средств к существованию задушена; все подлинно ленинское загнано в подполье; подлинный ленинизм становится в значительной мере запрещенным, нелегальным учением.

Партийный аппарат в ходе развития внутрипартийной борьбы и отсечения одной руководящей группы за другой вырос в самодовлеющую силу, стоящую над партией и господствующую над ней, насилующую ее сознание и волю. На партийную работу вместо наиболее убежденных, наиболее честных, принципиальных, готовых твердо отстаивать перед кем угодно свою точку зрения членов партии чаще всего выдвигаются люди бесчестные, хитрые, беспринципные, готовые по приказу начальства десятки раз менять свои убеждения, карьеристы, льстецы и холуи.

Природа и внутренняя сущность пролетарской диктатуры извращены. Советы доведены за последнее время до роли убогих придатков партийного аппарата, из органов, близких и родных массам, превращены в бездушную бюрократическую машину. Профсоюзы из школы коммунизма, где рабочие дожны воспитываться в духе сознательного отношения к социалистическому производству и в то же время получать защиту от бюрократических извращений рабочего государства, превращены в подсобный орган нажима на рабочих и расправы с инакомыслящими.

Печать, могучее средство коммунистического воспитания и оружие ленинизма, в руках Сталина и его клики стала чудовищной фабрикой лжи, надувательства и терроризирования масс.

Антиленинская политика руководства партии дополняется антиленинским руководством Коминтерна. Коминтерн из штаба мировой коммунистической революции низведен до роли простой канцелярии Сталина по делам компартий, канцелярии, где сидят трусливые чиновники, послушно выполняющие волю своего начальника. Кризис ВКП(б) привел к кризису Коминтерна. Все компартии, за исключением германской, не растут, а уменьшаются. Влияние их, как показали выборы в английский парламент, выборы президента в Германии, не поднимается, а падает. Центральные Комитеты компартий вынуждены обманывать массы как в отношении действительного положения в ВКП(б), так и в отношении Советского Союза вообще. Этот обман, тем или иным путем обнаруживающийся, вносит в массы разброд и разочарование.

Беспринципная, авантюристическая политика внутри СССР сопровождается за последнее время такими же беспринципными трюками в разрешении международных вопросов. Позиция ВКП(б) и Коминтерна по отношению к выступлению Японии в Маньчжурии, Шанхае была явно оппортунистической. В настоящее время при растущей угрозе войны, в свою очередь, нет надлежащей мобилизации сознания масс вокруг этого вопроса. Проводимые аппаратные мероприятия и комбинации вызывают среди рабочих лишь чувство растерянности.

Сталин и его клика не могут повернуть на верный ленинский путь, у них нет выхода, они безнадежно изолгались и попали в безвыходный тупик. Они будут и дальше беспомощно метаться из стороны в сторону, все больше запутываться и запутывать других, все больше усложнять и ухудшать положение, не смея допустить, чтобы партия свободно выразила свою волю. Ложью и клеветой, расстрелами и арестами, пушками и пулеметами, всеми способами и средствами они будут защищать свое господство в партии и стране, ибо они смотрят на них, как на свою вотчину.

По своему объективному содержанию роль Сталина – это роль Азефа ВКП(б), пролетарской диктатуры и социалистического строительства.

Ни один самый смелый и гениальный провокатор для гибели пролетарской диктатуры, для дискредитации ленинизма не мог бы придумать ничего лучшего, чем руководство Сталина и его клики.

Партийные и рабочие массы обязаны спасти дело большевизма, они обязаны свою судьбу взять в свои собственные руки. Сталин и его клика не уходят и не могут добровольно уйти со своих мест, поэтому они должны быть устранены силой.

Позорно и постыдно для пролетарских революционеров дальше терпеть сталинское иго, его произвол и издевательство над партией и трудящимися массами. Кто не видит этого ига, не чувствует этого произвола и гнета, кто не возмущается им, тот раб, а не ленинец, холоп, а не пролетарский революционер.

Для борьбы со сталинщиной, за восстановление прав партии и пролетарской диктатуры, за возвращение партии на старый испытанный ленинский путь социалистического строительства, мы, члены ВКП(б), собравшись на всесоюзную конференцию, постановили организовать "Союз марксистов-ленинцев".

Этот Союз – союз защиты ленинизма – является частью ВКП(б), не имеет интересов, отличных от интересов партийных масс и рабочего класса. Он, наоборот, будет лишь наиболее последовательно и решительно выражать и защищать эти интересы. Он не противопоставляет себя партии, а противопоставляет лишь Сталину и его клике.

Союз марксистов-ленинцев стоит на точке зрения необходимости систематического развертывания индустриализации страны на основе действительного улучшения материального положения пролетариата и всех трудящихся. Но в настоящий момент он ставит своей задачей в первую очередь непримиримо бороться против сталинских методов и темпов индустриализации на основе невиданного разорения, обнищания и голода всей страны, ибо такая индустриализация не является подлинно социалистической и не может вести к построению социалистического общества.

Союз марксистов-ленинцев стоит на точке зрения необходимости всемерного содействия действительно добровольной коллективизации при одновременной систематической помощи развитию индивидуального бедняцко-середняцкого крестьянского хозяйства, но в настоящий момент он будет в первую очередь решительно бороться против насильственной сталинской коллективизации, так как она в корне противоречит программе партии и Коминтерна и на практике потерпела полное банкротство.

Союз марксистов-ленинцев стоит на точке зрения непримиримости классовых интересов между пролетариатом и капиталистическими элементами внутри СССР. Союз будет решительно бороться против затушевывания классовых противоречий между трудящимися массами города и деревни, но в настоящий момент он ставит своей задачей систематически и неуклонно разоблачать и вскрывать антиленинский характер разжигания классовой борьбы и гражданской войны в условиях пролетарской диктатуры, ибо такое разжигание подрывает и дезорганизует рабочее государство и социалистическое строительство.

Союз марксистов-ленинцев является самым непримиримым врагом всякого подлинного оппортунизма, но в настоящих условиях он прежде всего ставит своей основной задачей беспощадно бороться со сталинским опошлением, превращением в карикатуру, в орудие клеветы, лжи и террора ленинского учения о борьбе с оппортунизмом, ибо это дискредитирует ленинизм, деморализует партию, укрепляет и выращивает подлинный оппортунизм.

Для осуществления перечисленных выше задач должны объединиться все подлинные большевики, все испытанные ленинцы, все настоящие пролетарские революционеры. В свете переживаемых нами событий старые внутрипартийные группировки безнадежно устарели и теряют свое значение, история поставила перед нами вопрос не о тех или иных ошибках или оттенках в понимании отдельных вопросов ленинизма, а о самом существовании большевистской партии и рабочего государства. Основной водораздел партии проходит в настоящее время не по линии "за Троцкого или против", "за Бухарина или против", а за продолжение сталинского руководства и неизбежной гибели ленинской партии и Советской власти или за ликвидацию сталинщины, спасение ВКП(б) и пролетарской диктатуры.

Опасения Ленина в отношении Сталина – о его нелояльности, нечестности и недобросовестности, о неумении пользоваться властью – целиком и полностью оправдались: Сталин и его клика губят дело коммунизма, и с руководством Сталина должно быть покончено как можно скорее.

Мы призываем всех истинных ленинцев всюду и везде на местах организовать ячейки Союза защиты ленинизма и сплотиться под его знаменем для ликвидации сталинской диктатуры.

Немедленно за работу! Пора покончить с состоянием растерянности и страха перед репрессиями обнаглевшего беспринципного политикана и изменника делу ленинизма, покончить с бессильным брюзжанием и нытьем и начать самоотверженно бороться, не ждать начала борьбы сверху, а начинать ее снизу. Террору противопоставить мужество и сознание величайшей правоты нашего дела. Каждый член партии, которому дороги завоевания Октября и дело социализма, должен быть организующим центром для объединения вокруг себя преданных, честных, надежных товарищей. Каждый подлинный ленинец везде, где это возможно, должен пропагандировать разрешение стоящих перед нами задач в кратчайший срок, ибо события не ждут.

От товарища к товарищу, от группы к группе, от города к городу должен передаваться наш основной лозунг: долой диктатуру Сталина и его клику, долой банду беспринципных политиканов и политических обманщиков! Долой узурпатора прав партии! Да здравствует ВКП(б)! Да здравствует ленинизм!

Всесоюзная конференция Союза
марксистов-ленинцев

июнь 1932 г.

Прочитав, передай другому. Размножай и распространяй.

Л. Троцкий

ИОСИФ СТАЛИН

Опыт характеристики

В 1913 году в Вене, в старой габсбургской столице, я сидел в квартире Скобелева за самоваром. Сын богатого бакинского мельника, Скобелев был в то время студентом и моим политическим учеником; через несколько лет он стал моим противником и министром Временного правительства. Мы пили душистый русский чай и рассуждали, конечно, о низвержении царизма. Дверь внезапно раскрылась без предупредительного стука, и на пороге появилась незнакомая мне фигура, невысокого роста, худая, со смугло-серым отливом лица, на котором ясно видны были выбоины оспы. Пришедший держал в руке пустой стакан. Он не ожидал, очевидно, встретить меня, и во взгляде его не было ничего похожего на дружелюбие. Незнакомец издал гортанный звук, который можно было при желании принять за приветствие, подошел к самовару, молча налил себе стакан чаю и молча вышел. Я вопросительно взглянул на Скобелева.

– Это кавказец Джугашвили, земляк; он сейчас вошел в ЦК большевиков и начинает у них, видимо, играть роль.

Впечатление от фигуры было смутное, но не заурядное. Или это позднейшие события отбросили свою тень на первую встречу? Нет, иначе я просто позабыл бы о нем. Неожиданное появление и исчезновение, априорная враждебность взгляда, нечленораздельное приветствие и, главное, какая-то угрюмая сосредоточенность произвели явно тревожное впечатление... Через несколько месяцев я прочел в большевистском журнале статью о национальном вопросе за незнакомой мне подписью: И. Сталин. Статья останавливала на себе внимание главным образом тем, что на сером, в общем, фоне текста неожиданно вспыхивали оригинальные мысли и яркие формулы. Значительно позже я узнал, что статья была внушена Лениным, и что по ученической рукописи прошлась рука мастера. Я не связывал автора статьи с тем загадочным грузином, который так неучтиво наливал себе в Вене стакан чаю, и которому предстояло через четыре года возглавить комиссариат национальной политики в первом советском правительстве.

В революционный Петроград я приехал из канадского концентрационного лагеря 5 мая 1917 года. Вожди всех партий революции уже успели сосредоточиться в столице. Я немедленно встретился с Лениным, Каменевым, Зиновьевым, Луначарским, которых давно знал по эмиграции, и познакомился с молодым Свердловым, которому предстояло стать первым председателем Советской республики. Сталина я не встречал. Никто не называл его. Он совершенно не выступал на публичных собраниях в те дни, когда вся жизнь состояла из собраний. В *Правде*, которой руководил Ленин, появлялись статьи за подписью Сталина. Я пробегал их через строку рассеянным взглядом и не справлялся об их авторе, очевидно, решив про себя, что это одна из тех серых полезностей, которые имеются во всякой редакции.

На партийных совещаниях я, несомненно, встречался с ним, но не отличал его одного от других большевиков второго и третьего ряда. Он выступал редко и держался в тени. С июля до конца октября Ленин и Зиновьев скрывались в Финляндии. Я работал рука об руку со Свердловым, который, когда дело касалось важного политического вопроса, говорил:

– Надо писать Ильичу,

а когда возникала практическая задача, замечал иногда:

– Надо посоветоваться со Сталиным.

И в устах других большевиков верхнего слоя имя Сталина произносилось с известным подчеркиванием, – не как имя вождя, нет, а как имя серьезного революционера, с которым надо считаться.

После переворота первое заседание большевистского правительства происходило в Смольном, в кабинете Ленина, где некрашеная деревянная перегородка отделяла помещение телефонистки и машинистки. Мы со Сталиным явились первыми. Из-за перегородки раздался сочный бас Дыбенко; он разговаривал по телефону с Финляндией, и разговор имел скорее нежный характер. 29-летний чернобородый матрос, веселый и самоуверенный гигант, сблизился незадолго перед тем с Александрой Коллонтай, женщиной аристократического происхождения, владеющей полудюжиной иностранных языков и приближавшейся к 46-й годовщине. В некоторых кругах партии на эту тему, несомненно, сплетничали. Сталин, с которым я до того времени ни разу не вел личных разговоров, подошел ко мне с какой-то неожиданной развязностью и, показывая плечом за перегородку, сказал, хихикая:

– Это он с Коллонтай, с Коллонтай...

Его жест и его смешок показались мне неуместными и невыносимо вульгарными, особенно в этот час и в этом месте. Не помню, просто ли я промолчал, отведя глаза, или сказал сухо:

– Это их дело.

Но Сталин сразу почувствовал, что дал промах. Его лицо сразу изменилось, и в желтоватых глазах появились те же искры враждебности, которые я уловил в Вене. С этого времени он никогда больше не пытался вступать со мной в разговоры на личные темы.

Когда Сталин стал членом правительства, не только народные массы, но даже широкие круги партии совершенно не знали его. Он был членом штаба большевистской партии, и в этом было его право на частицу власти. Даже в "коллегии" собственного комиссариата Сталин не пользовался авторитетом и по всем важнейшим вопросам оставался в меньшинстве. Возможности приказывать тогда еще не было, а способностью переубедить молодых противников Сталин не обладал. Когда его терпение истощалось, он попросту исчезал из заседания. Один из его сотрудников и панегиристов член коллегии Пестковский дал неподражаемый рассказ о поведении своего комиссара. Сказав:

– Я на минутку, –

Сталин исчезал из комнаты заседания и скрывался в самых потаенных закоулках Смольного, а затем Кремля.

"Найти его было почти невозможно. Сначала мы его ждали, а потом расходились".

Оставался обычно один терпеливый Пестковский. Из помещения Ленина раздавался звонок, вызывавший Сталина.

– Я отвечал, что Сталин исчез, – рассказывает Пестковский. Но Ленин требовал срочно найти его.

"Задача была нелегкая. Я отправлялся в длинную прогулку по бесконечным коридорам Смольного и Кремля. Находил я его в самых неожиданных местах. Пару раз я застал его на квартире матроса Воронцова, на кухне, где Сталин, лежа на диване, курил трубку..."

Эта запись с натуры дает нам первый ключ к характеру Сталина, главной чертой которого является противоречие между крайней властностью натуры и недостатком интеллектуальных ресурсов. Куря трубку в кухне на диване, он размышлял, несомненно, о крайнем вреде оппозиции, о невыносимости прений и о том, как хорошо было бы со всем этим раз навсегда покончить. Вряд ли он тогда надеялся, что ему удастся достигнуть этой цели.

* * *

Иосиф или Сосо, четвертый ребенок в семье сапожника Виссариона Джугашвили, родился в маленьком городе Гори Тифлисской губернии 21 декабря 1879 года. Прежде, чем закончится этот год, нынешнему диктатору России исполнится, следовательно, 60 лет. Мать, которой во время рождения четвертого ребенка было всего 20 лет, занималась стиркой белья, шитьем и выпечкой хлеба у более зажиточных соседей. Отец, человек сурового и необузданного нрава, большую часть скудного заработка пропивал. Школьный товарищ Иосифа рассказывает, как Виссарион своим грубым отношением к жене и сыну и жестокими побоями

"...изгонял из сердца Сосо любовь к богу и людям, и сеял отвращение к собственному отцу".

Рабское положение грузинской женщины в семье наложило на Иосифа отпечаток на всю жизнь. Он признал позже программу, которая требовала полного равноправия женщин, но в личных отношениях навсегда остался сыном своего отца, и смотрел на женщину как на низшее существо, предназначенное для необходимых, но ограниченных функций.

Отец хотел сделать из сына сапожника. Мать была более честолюбива и мечтала для своего Сосо о карьере священника, как мать Гитлера лелеяла надежду увидеть своего Адольфа пастором. 11-ти лет Иосиф поступил в духовное училище. Здесь впервые познакомился с русским языком, который навсегда остался для него школьным, усвоенным из-под палки, чужим языком. Большинство учеников были дети священников, чиновников, мелких грузинских дворян. Сын сапожника чувствовал себя маленьким парием среди этой захолустной аристократии. Он рано научился сжимать зубы с затаенной ненавистью в сердце.

Кандидат в священники уже в школе покончил с религией.

– Знаешь, нас обманывают, – сказал он одному из товарищей. – Бога не существует.

Юноши и девушки предреволюционной России вообще порывали с религией в раннем возрасте, нередко в детстве: это носилось в воздухе. Но формула "нас обманывают" несет на себе личную печать будущего Сталина. Из низшей духовной школы молодой атеист перевелся, однако, в духовную семинарию в Тифлисе. Здесь он провел пять томительных лет. По внутреннему режиму семинария стояла между монастырем и тюрьмой. Недостаток пищи возмещался обилием церковных служб. Педагогика сводилась, главным образом, к наказаниям. Зато многие воспитанники научались под благочестивыми минами прятать от дежурных монахов свои мятежные мысли. Из тифлисской семинарии вышло немало кавказских революционеров. Немудрено, если в этой атмосфере Сосо примкнул к группе будущих заговорщиков. Его первые политические мысли были ярко окрашены национальным романтизмом. Сосо усвоил себе конспиративную кличку *Коба*, по имени героя грузинского патриотического романа. Близкие к нему товарищи называли его этим именем до самых последних лет; сейчас они почти все расстреляны.

В семинарии молодой Джугашвили еще острее, чем в духовном училище, ощущал свою бедность.

– Денег у него не было, – рассказывает один из воспитанников. – Мы же все получали от родителей посылки и деньги на мелкие расходы.

Тем необузданнее были мечты Иосифа о будущем. Он им покажет! Уже в те годы товарищи отмечали у Иосифа склонность находить у других только дурные стороны и с недоверием относиться к бескорыстным побуждениям. Он умел играть на чужих слабостях и сталкивать своих противников лбами. Кто пытался сопротивляться ему или хотя бы объяснить ему то, чего он не понимал, тот накликал не себя "беспощадную вражду". Коба хотел командовать другими.

Теперь он стал читать русских классиков, Дарвина, Маркса. Потеряв вкус к богословским наукам, Иосиф стал все ниже опускаться по лестнице и оказался вынужден покинуть семинарию до окончания курса, в июле 1899 года. Он пробыл в духовной школе всего 9 лет, и вышел из нее 20-летним юношей, т.е. на кавказский масштаб, взрослым человеком. Он считал себя революционером и марксистом. Мечты матери увидеть Сосо в рясе православного священника рассыпались прахом.

Коба пишет прокламации на грузинском и плохом русском языках, работает в нелегальной типографии, объясняет в рабочих кружках тайну прибавочной стоимости, участвует в местных комитетах партии. Его революционный путь отмечен тайными переездами из одного кавказского города в другой, тюремными заключениями, ссылкой, побегами, новым коротким периодом нелегальной работы и новым арестом. Полиция характеризует его в своих рапортах как

"...уволенного из духовной семинарии, проживающего без письменного вида, без определенных занятий, а также и квартиры".

Его друг молодости изображает его мрачным, обросшим волосами и неряшливым:

"Его средства, – объясняет он, – не давали ему возможности хорошо одеваться, но правда и то, что у него не было потребности поддерживать свою одежду в чистоте и порядке".

Судьба Кобы есть типичная судьба среднего провинциального революционера эпохи царизма. Что, однако, резко отличает его от товарищей по работе – это то, что на всех этапах его пути его сопровождают слухи об интригах, о нарушении дисциплины, о самоуправстве, о клевете на товарищей, даже о доносах полиции на соперников. Многое в этих случаях, несомненно, ложно. Но ни о ком другом из революционеров не рассказывали ничего подобного!

После раскола между большевиками и меньшевиками в 1903 году осторожный и медлительный Коба выжидает полтора года в стороне, но в конце концов примыкает к большевикам. Ему долго, однако, предстоит оставаться в тени. Блестящий инженер, впоследствии не менее блестящий советский дипломат Красин, игравший видную революционную роль на Кавказе в первые года нынешнего столетия, называет в своих воспоминаниях ряд кавказских большевиков, но совершенно не упоминает о Сталине. За границей существует революционный центр во главе с Лениным. Все выдающиеся молодые революционеры находятся в связи с этим центром, совершают поездки за границу, ведут переписку с Лениным. Во всей этой переписке имя Кобы не названо ни разу. Он чувствует себя провинциалом, продвигается вперед медленно, ступает тяжело и завистливо озирается по сторонам.

Революция 1905 года прошла мимо Сталина, не заметив его. Он провел этот год в Тифлисе, где меньшевики господствовали безраздельно. В день 17 октября, когда царь опубликовал конституционный манифест, Кобу видели жестикулирующим на фонаре. В этот день все взбирались на фонари. Но Коба не был оратором и терялся перед лицом массы. Он чувствовал себя твердо только на конспиративной квартире.

Реакция принесла резкий упадок массового движения и временный подъем террористических актов. На Кавказе, где живы были еще традиции романтического разбоя и кровавой мести, террористическая борьба нашла смелых исполнителей. Убивали губернаторов, полицейских, предателей; с бомбами и револьверами в руках захватывали казенные деньги для революционных целей. Имя Кобы тесно связано с этой полосой; но точно до сих пор ничего не установлено. Политические противники явно преувеличивали эту сторону деятельности Сталина; рассказывали, как он лично сбросил с крыши первую бомбу на площади в Тифлисе с целью захвата государственных денег. Однако в воспоминаниях прямых участников тифлисского набега имя Сталина ни разу не названо. Сам он ни разу не обмолвился на этот счет ни словом. Это не значит, однако, что он стоял в стороне от террористической деятельности. Но он действовал из-за кулис: подбирал людей, давал им санкцию партийного комитета, а сам своевременно отходил в сторону. Это более соответствовало его характеру.

Только в 1912 году Коба, доказавший в годы реакции свою твердость и верность партии, переводится с провинциальной арены на национальную. Конференция партии не соглашается, правда́, ввести Кобу в ЦК. Но Ленину удается добиться его кооптации самим Центральным Комитетом. С этого времени кавказец усваивает русский псевдоним *Сталин*, производя его от *стали*. В тот период это означало не столько личную характеристику, сколько характеристику направления. Уже в

1903 году будущие большевики назывались "твердыми", а меньшевики "мягкими". Плеханов, вождь меньшевиков, иронически называл большевиков "твердокаменными". Ленин подхватил это определение как похвалу. Один из молодых тогда большевиков остановился на псевдониме *Каменев*, – по той же причине, по какой Джугашвили стал называться *Сталиным*. Разница, однако, та, что в характере Каменева не было ничего каменного, тогда как твердый псевдоним Сталина гораздо больше подходил к его характеру.

В марте 1913 года Сталин арестован в Петербурге и сослан в Сибирь за полярный круг в маленькую деревню Курейку. Вернуться ему пришлось только в марте 1917 года, после низвержения монархии. Предоставленный в течение четырех лет самому себе, Сталин не написал ни одной строки, которая была бы впоследствии напечатана. А между тем это были годы мировой войны и великого кризиса в мировом социализме. Свердлов, которому пришлось некоторое время жить со Сталиным в одной комнате, пишет своей сестре:

"Нас двое, со мною грузин Джугашвили... парень хороший, но слишком большой индивидуалист в обыденной жизни".

Из Курейки переводились в другие места и другие ссыльные. Желчный, снедаемый честолюбием и враждебностью к людям Сталин был для всех тяжелым соседом.

"Сталин замкнулся в самом себе, – вспоминал впоследствии один из ссыльных, – занимался охотой и рыбной ловлей; он жил почти в совершенном одиночестве".

Охота была без ружья: Сталин предпочитал ставить капканы. В 1916 году, когда стали мобилизовывать старшие возрасты, Иосиф Джугашвили был призван в ссылке к отбыванию воинской повинности, но в армию не попал из-за несгибающейся левой руки.

В тюрьмах и ссылке Сталин провел в общем около 8-ми лет, но – поразительное дело: ему так и не удалось за этот срок овладеть ни одним иностранным языком. В бакинской тюрьме он пробовал, правда, изучить немецкий язык, но бросил это безнадежное дело и перешел на эсперанто, утешая себя тем, что это язык будущего. В области познания, особенно лингвистики, малоподвижный ум Сталина искал всегда линии наименьшего сопротивления. В конце февраля 1917 года (по старому стилю) побеждает революция. Сталин возвращается в Петроград. В прошлом декабре ему исполнилось 37 лет.

* *
*

Вместе с Каменевым Сталин отстраняет от руководства партией группу молодых товарищей, в том числе Молотова, нынешнего председателя Совнаркома, как слишком левых, и берет курс на поддержку Временного правительства. Но через три недели прибывает из-за границы Ленин, отстраняет Сталина и дает партии курс на завоевание власти. В течение месяцев революции трудно проследить деятельность Сталина. Более крупные и даровитые люди занимают авансцену и оттесняют его отовсюду. Ни теоретического воображения, ни исторической дальнозоркости, ни дара предвосхищения у него нет. В сложной обстановке он предпочитает молча выжидать. Новая идея должна была создать свою бюрократию, прежде чем Сталин мог проникнуться к ней доверием.

Революция, у которой свои законы и ритмы, попросту отрицает Сталина – осторожного кунктатора. Так было в 1905 году. Так повторилось в 1917 году. И в дальнейшем каждая новая революция – в Германии, в Китае, в Испании – неизменно застигала его врасплох и порождала в нем чувство глухого недовольства революционной массой, которой нельзя командовать при помощи аппарата.

Поверхностные психологи изображают Сталина как уравновешенное существо, в своем роде целостное дитя природы. На самом деле он весь состоит из противоречий. Главное из них: несоответствие честолюбивой воли и ресурсов ума и таланта. Что характеризовало Ленина, – это гармония духовных сил: теоретическая мысль, практическая проницательность, сила воли, выдержка, – все было связано в нем в одно активное целое. Он без усилий мобилизовал в один момент разные стороны своего духа. Сила воли Сталина не уступает, пожалуй, силе воли Ленина. Но его умственные способности будут измеряться какими-нибудь десятью-двадцатью процентами, если принять Ленина за единицу измерения. В свою очередь, в области интеллекта у Сталина новая диспропорция: чрезвычайное развитие практической проницательности и хитрости за счет способности обобщения и творческого воображения. Ненависть к сильным мира сего всегда была его главным двигателем как революционера, а не симпатия к угнетенным, которая так согревала и облагораживала человеческий облик Ленина. Между тем Ленин тоже умел ненавидеть.

В период Октябрьской революции Сталин более чем когда-либо воспринимал свою карьеру как ряд неудач. Всегда являлся кто-нибудь, кто его публично поправлял, затмевал, отодвигал. Его честолюбие не давало ему покоя как внутренний нарыв и отравляло его отношение к выдающимся людям, начиная с Ленина, мнительностью и завистливостью. В Политбюро он почти всегда оставался молчаливым и угрюмым. Только в кругу людей первобытных, решительных и не связанных предрассудками он становился ровнее и приветливее. В тюрьме он легче сходился с уголовными арестантами, чем с политическими.

Грубость представляет органическое свойство Сталина. Но с течением времени он сделал из этого свойства сознательное орудие. На людей незамысловатых грубость нередко производит впечатление искренности. "Этот человек не мудрствует лукаво, – он выливает наружу все, что думает". Именно этого Сталину и нужно. В то же время Сталин крайне чувствителен, обидчив, капризен, когда дело касается его. Почувствовав себя оттиснутым в сторону, он поворачивается спиной к людям, забивается в угол, сосет трубку, угрюмо молчит и мечтает о мести.

В борьбе Сталин никогда не опровергает критики, а немедленно поворачивает ее против противника, придав ей самый грубый и беспощадный характер. Чем чудовищнее обвинения, тем лучше. Политика Сталина, – говорит критик, – нарушает интересы народа. Сталин отвечает: мой противник – наемный агент фашизма. Люди ошарашены, но не допускают возможности такой чудовищной лжи. Этот прием, на котором построены московские процессы, мог бы быть смело увековечен в учебниках психологии как "рефлекс Сталина".

Жили в Кремле в первые годы революции очень скромно. В 1919 году я случайно узнал, что в кооперативе Совнаркома имеется кавказское вино и предложил изъять его, так как торговля спиртными напитками была в то время запрещена.

– Доползет слух до фронта, что в Кремле пируют, – говорил я Ленину, – произведет плохое впечатление.

Третьим при беседе был Сталин.

– Как же мы, кавказцы, – сказал он с раздражением, – будем без вина?!

– Вот видите, – подхватил шутливо Ленин, – грузинам без вина никак нельзя!

Я капитулировал без боя.

В Кремле, как и во всей Москве, шла непрерывная борьба из-за квартир, которых не хватало. Сталин хотел переменить свою слишком шумную на более спокойную. Агент ЧК Беленький порекомендовал ему парадные комнаты Кремлевского дворца. Жена моя, которая в течение девяти лет заведовала музеями и историческими памятниками, воспротивилась, так как Дворец охранялся на правах музея. Ленин написал ей большое увещевательное письмо: можно-де из нескольких комнат Дворца унести более ценную мебель и принять особые меры к охране помещения; Сталину необходима квартира, в которой можно спокойно спать; в нынешней его квартире следует поселить молодых товарищей, которые способны спать и под пушечные выстрелы и пр. Но хранительница музеев не сдалась на эти доводы. Ленин назначил комиссию для обследования вопроса. Комиссия признала, что Дворец не годится для жилья. В конце концов Сталину уступил свою квартиру сговорчивый Серебряков, тот самый, которого Сталин расстрелял 17 лет спустя.

Я никогда не бывал на квартире у Сталина. Но французский писатель Анри Барбюс, написавший незадолго до своей смерти две биографии: Иисуса Христа и Иосифа Сталина, – дал тщательное описание маленького кремлевского дома, во втором этаже которого находится скромная квартира диктатора. Барбюса дополнил бывший секретарь Сталина Бажанов, бежавший за границу. У дверей квартиры постоянно стоит часовой. В маленькой передней висят солдатская шинель и фуражка хозяина. В трех комнатах и столовой простая мебель. Старший сын Яша, от первого брака, долгое время спал в столовой на диване, который на ночь превращали в постель... Но уже несколько лет как он стал инженером и отделился от отца.

Завтрак и обед раньше приносили из столовой Совнаркома; но в последние годы, из страха перед отравлением, стали готовить пищу дома. Если хозяин не в духе, а это бывает нередко, за столом все молчат.

"В своей семье, – рассказывает Бажанов, – он держит себя деспотом. Целыми днями он соблюдает у себя высокомерное молчание, не отвечая на вопросы жены или сына".

После завтрака глава семьи усаживается в кресло возле окна и курит трубку. Раздается звонок по внутреннему телефону Кремля.

– Коба, тебя зовет Молотов, – говорит Надежда Аллилуева.

– Скажи ему, что я сплю, – отвечает Сталин в присутствии секретаря, чтобы показать свое пренебрежение к Молотову.

Со времени гражданской войны Сталин всегда носит нечто вроде военной формы, чтобы напоминать о своей связи с армией: высокие сапоги, тужурку и брюки хаки.

"Его никогда не видели одетым иначе, за исключением лета, когда он – в белом полотне".

Дело идет о передней, о шинели и сапогах, и мы можем признать свидетельство Барбюса достаточно авторитетным.

Ночные автомобили на кремлевском дворе не давали спать. В конце концов вынесено было постановление: после 11 часов ночи автомобилям останавливаться у арки, где начинаются жилые корпуса; дальше все должны двигаться пешком. Однако чей-то автомобиль продолжал нарушать порядок. Разбуженный не в первый раз в три часа ночи, я дождался у окна возвращения автомобиля и окликнул шофера.

– Разве вы не знаете постановления?

– Знаю, товарищ Троцкий, – ответил шофер, – но что же мне делать? Товарищ Сталин приказал у арки: поезжай!

Кроме кремлевской квартиры у Сталина есть дача Горки, где некогда жил Ленин и откуда Сталин вытеснил его вдову. В одном из помещений – экран кинематографа. В другом – драгоценный инструмент, который призван удовлетворять музыкальные потребности хозяина: это пианола. Другая пианола у него на кремлевской квартире. Он, видимо, не может долго жить без искусства. Часы отдыха он проводит за музыкальным ящиком, наслаждаясь мелодиями из "Аиды". В музыке, как и в политике, он предпочитает послушный аппарат. Советские композиторы тем временем воспринимают как закон каждое указание диктатора, у которого две пианолы. .

В 1903 году, когда Сталину шел 24-й год, он женился на молодой малокультурной грузинке. Брак, по рассказу друга его детства, был счастливым, потому что жена "выросла в священной традиции, обязывающей женщину служить". Молодая женщина проводила ночи в горячих молитвах, когда ее муж участвовал в тайных собраниях. Терпимость к религиозным верованиям жены вытекала из того, что Коба не искал в ней друга, способного разделить его взгляды. Молодая женщина умерла в 1907 году от туберкулеза или от воспаления легких, и ее похоронили по православному обряду. От нее остался мальчик, который лет до 10-ти оставался на попечении родственников в Тифлисе, а затем был доставлен в Кремль. Мы часто его находили в комнате наших сыновей. Нашу квартиру он предпочитал отцовской. В своих бумагах я нахожу такую запись жены:

"Яша – мальчик лет 12-ти, с очень нежным смуглым личиком, на котором привлекают /внимание/ черные глаза с золотистым поблескиванием. Тоненький, скорее миньятюрный, похожий, как я слышала, на свою умершую от туберкулеза мать. В манерах, в обращении очень мягок. Сереже, с которым он был дружен, Яша рассказывал, что отец его тяжело наказывает, бьет, – за курение. "Но нет, побоями он меня от табаку не отучит". "Знаешь, вчера Яша провел всю ночь в коридоре с часовым, – рассказывал мне Сережа. – Сталин его выгнал из квартиры за то, что от него пахло табаком".

Я застал как-то Яшу в комнате мальчиков с папиросой в руке. Он улыбался в нерешительности.

– Продолжай, продолжай, – сказал я ему успокоительно.

– Папа мой сумасшедший, – сказал он убежденно. – Сам курит, а мне не позволяет.

Нельзя не передать здесь другой эпизод, рассказанный мне Бухариным, видимо, в 1924 году, когда, сближаясь со Сталиным, он сохранял еще очень дружественные отношения со мной.

"Только что вернулся от Кобы, – говорил он мне. – Знаете, чем он занимается? Берет из кроватки своего годовалого мальчика, набирает полон рот дыму из трубки и пускает ребенку в лицо...

– Да что вы за вздор говорите! – прервал я рассказчика.

– Ей-богу, правда! Ей-богу, чистая правда, – поспешно возразил Бухарин с отличавшей его ребячливостью. – Младенец захлебывается и плачет, а Коба смеется-заливается: "Ничего, мол, крепче будет...".

Бухарин передразнил грузинское произношение Сталина.

– Да ведь это же дикое варварство?!

– Вы Кобы не знаете: он уж такой, особенный..."

Мягкому Бухарину первобытность Сталина, видимо, слегка импонировала. Нельзя не согласиться, что отец был действительно "особенный": он "закалял" младшего сына дымом и, наоборот, отучал старшего сына от дыма при помощи тех педагогических приемов, которые применял некогда к нему сапожник Виссарион... Эмиль Людвиг, опасавшийся встретить в Кремле надменного диктатора, на самом деле встретил человека, которому он, по собственным словам, готов был бы "доверить своих детей". Не слишком ли поспешно? Лучше бы почтенному писателю этого не делать...

Вторым браком Сталин был женат на Надежде Аллилуевой, дочери русского рабочего и матери-грузинки. Надежда родилась в 1902 году, после переворота работала в секретариате Ленина, была во время гражданской войны на Царицынском фронте, где находился и Сталин. Ей было 17 лет, Сталину – 40. Она была очень миловидна и скромна. Уже став матерью двух детей, она поступила студенткой в промышленную академию. Когда против меня развернулась травля под руководством Сталина, Аллилуева при встрече с моей женой проявляла двойное внимание. Она чувствовала себя, видимо, ближе к тем, которых травили. 9 ноября 1932 года Аллилуева внезапно скончалась. Ей было всего 30 лет. Насчет причин ее неожиданной смерти советские газеты молчали. В Москве шушукались, что она застрелилась, и рассказывали о причине. На вечере у Ворошилова в присутствии всех вельмож она позволила себе критическое замечание по поводу крестьянской политики, приведшей к голоду в деревне. Сталин громогласно ответил ей самой грубой бранью, которая существует на русском языке. Кремлевская прислуга обратила внимание на возбужденное состояние Аллилуевой, когда она возвращалась к себе в квартиру. Через некоторое время из ее комнаты раздался выстрел. Сталин получил много выражений сочувствия и перешел к порядку дня.

В драме популярного русского писателя Афиногенова, написанной в 1931 году, говорилось, что, если обследовать сто граждан, то окажется, что 80 действуют под влиянием страха. За годы кровавых чисток страх охватил и большую часть остальных 20%. Главной пружиной политики самого Сталина является ныне страх перед порожденным им страхом. Сталин лично не трус, но его политика отражает страх касты привилегированных выскочек за свой завтрашний день. Сталин всегда не доверял массам; теперь он боится их. Столь поразивший всех союз Сталина с Гитлером неотвратимо вырос из страха бюрократии перед войной. Этот союз мог быть предвиден: дипломатам следовало бы только вовремя переменить очки. Этот союз был предвиден, в частности, автором этих строк. Но господа дипломаты, как и простые смертные, предпочитают обычно *правдоподобные* предсказания *верным* предсказаниям. Между тем в нашу сумасшедшую эпоху верные предсказания чаще всего неправдоподобны. Союз с Францией, с Англией, даже с Соединенными Штатами мог бы принести СССР пользу только в случае войны. Но Кремль больше всего хотел избежать войны. Сталин знает, что если бы СССР в союзе с демократиями вышел бы из войны победоносным, то по дороге к победе он наверняка ослабил бы и сбросил нынешнюю олигархию. Задача Кремля не в том, чтобы найти союзников для победы, а в том, чтобы избежать войны. Достигнуть этого можно только дружбой с Берлином и Токио. Такова исходная позиция Сталина со времени победы наци.

Нельзя также закрывать глаза и на то, что не Чемберлен, а Гитлер импонирует Сталину. В фюрере хозяин Кремля находит не только то, что есть в нем самом, но и то, чего ему не хватает. Гитлер, худо или хорошо, был инициатором большого движения. Его идеям, как ни жалки они, удалось объединить миллионы. Так выросла партия, которая вооружила своего вождя еще не виданным в мире могуществом. Ныне Гитлер – сочетание инициативы, вероломства и эпилепсии – собирается не меньше и не больше, как перестроить нашу планету по образу и подобию своему.

Фигура Сталина и путь его – иные. Не Сталин создал аппарат. Аппарат создал Сталина. Но аппарат есть мертвая машина, которая, как пианола, не способна к творчеству. Бюрократия несквозь проникнута духом посредственности. Сталин есть самая выдающаяся посредственность бюрократии. Сила его в том, что инстинкт самосохранения правящей касты он выражает тверже, решительнее и беспощаднее других. Но в этом его слабость. Он проницателен на небольших расстояниях. Исторически он близорук. Выдающийся тактик, он не стратег. Это доказано его поведением в 1905 году, во время прошлой войны 1917 года. Сознание своей посредственности Сталин неизменно несет в самом себе. Отсюда его потребность в лести. Отсюда его зависть по отношению к Гитлеру и тайное преклонение перед ним.

По рассказу бывшего начальника советского шпионажа в Европе Кривицкого, огромное впечатление на Сталина произвела чистка, произведенная Гитлером в июне 1934 года в рядах собственной партии.

– Вот это вождь! – сказал медлительный московский диктатор себе самому. С того времени он явно подражает Гитлеру. Кровавые чистки в СССР, фарс "самой демократической в мире конституции", наконец, нынешнее вторжение в Польшу, – все это внушено Сталину немецким гением с усами Чарли Чаплина.

Адвокаты Кремля – иногда, впрочем, и его противники – пытаются установить аналогию между союзом Сталина – Гитлера и Брест-Литовским миром 1918 года. Аналогия похожа на издевательство. Переговоры в Брест-Литовске велись открыто перед лицом всего человечества. У советского государства в те дни не было ни одного боеспособного батальона. Германия наступала на Россию, захватывала советские области и военные запасы. Московскому правительству не оставалось ничего другого, как подписать мир, который мы сами открыто называли *капитуляцией* безоружной революции перед могущественным хищником. О нашей помощи Гогенцоллерну не было при этом и речи. Что касается нынешнего пакта, то он заключен при наличии советской армии в несколько миллионов; непосредственная задача его – облегчить Гитлеру разгром Польши; наконец, интервенция Красной армии под видом "освобождения" 8-ми миллионов украинцев и белорусов ведет к национальному закабалению 23 миллионов поляков. Сравнение обнаруживает не сходство, а прямую противоположность.

Оккупацией Западной Украины и Западной Белоруссии Кремль пытается прежде всего дать населению патриотическое удовлетворение за ненавистный союз с Гитлером. Но у Сталина для вторжения в Польшу был свой личный мотив, как всегда почти, – мотив мести. В 1920 году Тухачевский, будущий маршал, вел красные войска на Варшаву. Будущий маршал Егоров наступал на Лемберг. С Егоровым шел Сталин. Когда стало ясно, что Тухачевскому на Висле угрожает контрудар, московское командование отдало Егорову приказ повернуть с Лембергского направления на Люблин, чтобы поддержать Тухачевского. Но Сталин боялся, что Тухачевский, взяв Варшаву, "перехватит" у него Лемберг. Прикрываясь авторитетом Сталина, Егоров не выполнил приказ ставки. Только через четыре дня, когда критическое положение Тухачевского обнаружилось полностью, армии Егорова повернули на Люблин. Но было уже поздно: катастрофа разразилась. На верхах партии и армии все знали, что виновником разгрома Тухачевского был Сталин. Нынешнее вторжение в Польшу и захват Лемберга есть для Сталина реванш за грандиозную неудачу 1920 года.

Однако перевес стратега Гитлера над тактиком Сталиным очевиден. Польской кампанией Гитлер привязывает Сталина к своей колеснице, лишает его свободы маневрирования; он компрометирует его и попутно убивает Коминтерн. Никто не скажет, что Гитлер стал коммунистом. Все говорят, что Сталин стал агентом фашизма. Но и ценою унизительного и предательского союза Сталин не купит главного: мира. Ни одной из цивилизованных наций не удастся спрятаться от мирового циклона, как бы строги ни были законы о нейтралитете. Меньше всего это удастся Советскому Союзу. На каждом новом этапе Гитлер будет предъявлять Москве все более высокие требования. Сегодня он отдает московскому другу на временное хранение "Великую Украину". Завтра он поставит вопрос о том, кому быть хозяином этой Украины. И Сталин, и Гитлер нарушили ряд договоров. Долго ли продержится договор между ними? Святость союзных обязательств покажется ничтожным предрассудком, когда народы будут корчиться в тучах удушливых газов. "Спасайся, кто может!" станет лозунгом правительств, наций, классов. Московская олигархия, во всяком случае, не переживет войны, которой она так основательно страшилась. Падение Сталина не спасет, однако, и Гитлера, который с непогрешимостью сомнамбулы влечется к пропасти.

Перестроить планету Гитлеру даже при помощи Сталина не удастся. Ее будут перестраивать другие.

22 сентября 1939 года
Койоакан

СВЕРХ-БОРДЖИА В КРЕМЛЕ

Редактору "Life"

Милостивый государь!

В связи с моей первой статьей для вашего журнала вы охарактеризовали меня как "старого врага" Сталина. Это неоспоримо. Политически мы давно состоим со Сталиным в противоположных и непримиримых лагерях. Но в известных кругах стало правилом говорить о моей "ненависти" к Сталину и считать a priori, что этим чувством внушается все, что я пишу не только о московском диктаторе, но и об СССР. В течение десяти лет моей последней эмиграции литературные агенты Кремля систематически освобождали себя от необходимости отвечать по существу на то, что я писал об СССР, ссылаясь для собственного удобства, на мою "ненависть" к Сталину. Покойный Фрейд очень сурово относился к такого рода дешевому психоанализу. Ненависть есть все же форма личной связи. Между тем нас со Сталиным разъединили такие огненные события, которые успели выжечь и испепелить без остатка все личное. В ненависти есть элемент зависти. Между тем беспримерное возвышение Сталина я рассматриваю и ощущаю как самое глубокое падение. Сталин мне враг. Но и Гитлер мне враг, и Муссолини, и многие другие. По отношению к Сталину у меня сейчас так же мало "ненависти", как и по отношению к Гитлеру, Франко или микадо. Я стараюсь прежде всего понять их, чтоб тем лучше бороться против них.

Личная ненависть в вопросах исторического масштаба вообще ничтожное и презренное чувство. Она не только унижает, но и ослепляет. Между тем в свете последних событий внутри СССР, как и на мировой арене, даже многие противники убедились, что я был не так уж слеп: как раз те из моих предсказаний, которые считались наименее правдоподобными, оказались верными.

Эти вступительные строки pro domo sua тем более необходимы, что я собираюсь говорить на этот раз на особенно острую тему. В первой статье я пытался дать общую характеристику Сталина на основании близкого наблюдения за ним и тщательного изучения его биографии. Образ получился, я не оспариваю этого, мрачный, даже зловещий. Но пусть кто-нибудь попробует подставить другой, более человечный образ под те факты, которые потрясли воображение человечества за последние годы: массовые "чистки", небывалые обвинения, фантастические процессы сы, истребление старого революционного поколения, командного состава армии, старой советской дипломатии, лучших специалистов, наконец, последние маневры на международной арене! В этой второй статье я хочу рассказать некоторые не совсем обычные факты из истории превращения провинциального революционера в диктатора великой страны. Мысли этой статьи и высказанные в ней подозрения созрели во мне не сразу. Поскольку они появлялись у меня ранее, я гнал их как продукт чрезмерной мнительности. Но московские процессы, раскрывшие за спиной кремлевского диктатора адскую кухню интриг, подлогов, фальсификаций, отравлений и убийств из-за угла, отбросили зловещий свет и на предшествовавшие годы. Я стал более настойчиво спрашивать себя: какова была действительная роль Сталина в период болезни Ленина? Не принял ли ученик каких-либо мер для ускорения смерти учителя? Лучше, чем кто-либо, я понимаю чудовищность такого подозрения. Но что же делать, если оно вытекает из обстановки, из фактов и особенно из характера Сталина? Ленин с тревогой предупреждал в 1921 году:

"Этот повар будет готовить только острые блюда".

Оказалось – не только острые, но и отравленные, притом не в переносном, а в буквальном смысле. Два года назад я впервые записал факты, которые были в свое время (1923–1924 годы) известны не более как семи-восьми лицам, да и то лишь отчасти. Из этого числа в живых сейчас остались, кроме меня, только Сталин и Молотов. Но у этих двух, если допустить, что Молотов был в числе посвященных, в чем я не уверен, не может быть побуждения исповедаться в том, о чем я собираюсь впервые рассказать в этой статье. Да будет позволено прибавить, что каждый упоминаемый мною факт, каждая ссылка и цитата могут быть подкреплены либо официальными советскими изданиями, либо документами, хранящимися в моем архиве. По поводу московских процессов мне пришлось давать письменные и устные объяснения перед комиссией д-ра Джон Дьюи, причем из сотен представленных мною документов ни один не был оспорен.

Ленин и Сталин.
Последняя борьба и разрыв

Богатая по количеству (умолчим о качестве) иконография, созданная за самые последние годы, изображает Ленина неизменно в обществе Сталина. Они сидят рядом, совещаются, дружественно смотрят друг на друга. Назойливость этого мотива, повторяющегося в красках, в камне, в фильме, продиктована желанием заставить забыть тот факт, что последний период жизни Ленина был заполнен острой борьбой между ним и Сталиным, закончившейся полным разрывом. В борьбе Ленина, как всегда, не было ничего личного. Он, несомненно, высоко ценил известные черты Сталина: твердость характера, упорство, даже беспощадность и хитрость – качества, необходимые в борьбе, а следовательно, и в штабе партии. Но Сталин чем дальше, тем больше пользовался теми возможностями, которые открывал ему его пост, для вербовки лично ему преданных людей и для мести противникам.

Став в 1919 году во главе народного комиссариата инспекции, Сталин постепенно превратил и его в орудие фаворитизма и интриг. Из генерального секретариата партии он сделал неисчерпаемый источник милостей и благ. Во всяком его действии можно было открыть личный мотив. Ленин пришел постепенно к выводу, что известные черты сталинского характера, помноженные на аппарат, превратились в прямую угрозу для партии. Отсюда выросло у него решение оторвать Сталина от аппарата и превратить его тем самым в рядового члена ЦК. Письма Ленина того времени составляют ныне в СССР самую запретную из всех литератур. Но ряд их имеется в моем архиве, и некоторые из них я уже опубликовал.

Здоровье Ленина резко надломилось в конце 1921 года. В мае следующего года его поразил первый удар. В течение двух месяцев он был не способен ни двигаться, ни говорить, ни писать. С июля он медленно поправляется, в октябре возвращается из деревни в Кремль и возобновляет работу. Он был в буквальном смысле потрясен ростом бюрократизма, произвола и интриг в аппарате партии и государства. В течение декабря он открывает огонь против притеснений Сталина в области национальной политики, особенно в Грузии, где не хотят признать авторитета генерального секретаря; выступает против Сталина по вопросу о монополии внешней торговли и подготавливает обращение к предстоящему съезду партии, которое секретари Ленина, с его собственных слов, называют "бомбой против Сталина". 23 января он выдвигает, к величайшему испугу генерального секретаря, проект создания контрольной комиссии из рабочих для ограничения власти бюрократии.

"Будем говорить прямо, – пишет Ленин 2-го марта, – наркомат инспекции не пользуется сейчас ни тенью авторитета... Хуже поставленных учреждений, чем учреждения нашего наркомата инспекции, нет..." и т.д.

Во главе инспекции стоял Сталин, и он хорошо понимал, что означает этот язык.

В середине декабря (1922 г.) здоровье Ленина снова ухудшилось. Он вынужден был отказаться от участия в заседаниях и сносился с ЦК путем записок и телефонограмм. Сталин сразу попытался использовать это положение, скрывая от Ленина информацию, которая сосредотачивалась в секретариате партии. Меры блокады направлялись против лиц, наиболее близких Ленину. Крупская делала что могла, чтоб оградить больного от враждебных толчков со стороны секретариата. Но Ленин умел по отдельным, едва уловимым симптомам восстанавливать картину в целом.

– Оберегайте его от волнений! – говорили врачи.

Легче сказать, чем сделать. Прикованный к постели, изолированный от внешнего мира, Ленин сгорал от тревоги и возмущения. Главным источником волнений был Сталин. Поведение генерального секретаря становилось тем смелее, чем менее благоприятны были отзывы врачей о здоровье Ленина. Сталин ходил в те дни мрачный, с плотно зажатой в зубах трубкой, со зловещей желтизной глаз; он не отвечал на вопросы, а огрызался. Дело шло о его судьбе. Он решил не останавливаться ни перед какими препятствиями. Так надвинулся окончательный разрыв между ним и Лениным.

Бывший советский дипломат Дмитревский, весьма расположенный к Сталину, рассказывает об этом драматическом эпизоде так, как его изображали в окружении генерального секретаря.

"Бесконечно надоевшую ему своими приставаниями Крупскую, когда та вновь позвонила ему за какими-то справками в деревню, Сталин... самыми последними словами изругал. Крупская немедленно, вся в слезах, побежала жаловаться Ленину. Нервы Ленина, и без того накаленные интригой, не выдержали. Крупская поспешила отправить ленинское письмо Сталину... – Вы знаете ведь Владимира Ильича, – с торжеством говорила Крупская Каменеву, – он бы никогда не пошел на разрыв личных отношений, если бы не считал необходимым разгромить Сталина политически".

Крупская действительно говорила это, но без всякого "торжества"; наоборот, эта глубоко искренняя и деликатная женщина была чрезвычайно испугана и расстроена тем, что произошло. Неверно, будто она "жаловалась" на Сталина; наоборот, она, по мере сил, играла роль амортизатора. Но в ответ на настойчивые запросы Ленина, она не могла сообщать ему больше того, что ей сообщали из секретариата, а Сталин утаивал самое главное.

Письмо о разрыве, вернее, записка в несколько строк, продиктованная 5-го марта доверенной стенографистке, сухо заявляло о разрыве со Сталиным "всех личных и товарищеских отношений". Эта записка представляет последний оставшийся после Ленина документ, и вместе с тем окончательный итог его отношений со Сталиным. В ближайшую ночь он снова лишился употребления речи.

Через год, когда Ленина уже успели прикрыть мавзолеем, ответственность за разрыв, как достаточно ясно выступает из рассказа Дмитревского, была открыто возложена на Крупскую. Сталин обвинял ее в "интригах" против него. Небезызвестный Ярославский, выполняющий обычно двусмысленные поручения Сталина, говорил в июле 1928 года на заседании ЦК:

"Они дошли до того, чтобы позволить себе к больному Ленину придти со своими жалобами на то, что их Сталин обидел. Позор! Личные отношения примешивать к политике по таким большим вопросам..."

"Они" – это Крупская. Ей свирепо мстили за обиды, которые нанес Сталину Ленин. Со своей стороны Крупская рассказывала мне о том глубоком недоверии, с каким Ленин относился к Сталину в последний период своей жизни.

"Володя говорил: "У него (Крупская не назвала имени, а кивнула головой в сторону квартиры Сталина) нет элементарной честности, самой простой человеческой честности...".

Так называемое "Завещание" Ленина, т.е. его последние советы об организации руководства партии, написано во время его второго заболевания в два приема: 25 декабря 1922 года и 4 января 1923 года.

"Сталин, сделавшийся генеральным секретарем, – гласит Завещание, – сосредоточил в своих руках необъятную власть, и я не уверен, сумеет ли он достаточно осторожно пользоваться этой властью".

Через десять дней эта сдержанная формула кажется Ленину недостаточной, и он делает приписку:

> "Я предлагаю товарищам обдумать вопрос о смещении Сталина с этого места и назначении на это место другого человека",

который был бы

> "... более лоялен, более вежлив и более внимателен к товарищам, меньше капризности и т.д.".

Ленин стремился придать своей оценке Сталина как можно менее обидное выражение. Но речь шла тем не менее о смещении Сталина с того единственного поста, который мог дать ему власть.

После всего того, что произошло в предшествовавшие месяцы, Завещание не могло явиться для Сталина неожиданностью. Тем не менее он воспринял его как жестокий удар. Когда он ознакомился впервые с текстом, который передала ему Крупская для будущего съезда партии, он в присутствии своего секретаря Мехлиса, ныне политического шефа Красной армии, и видного советского деятеля Сырцова, ныне исчезнувшего со сцены, разразился по адресу Ленина площадной бранью, которая выражала тогдашние его подлинные чувства по отношению к "учителю". Бажанов, другой бывший секретарь Сталина, описывает заседание ЦК, где Каменев впервые оглашал Завещание.

> "Тяжкое смущение парализовало всех присутствующих. Сталин, сидя на ступеньках трибуны президиума, чувствовал себя маленьким и жалким. Я глядел на него внимательно; несмотря на его самообладание и мнимое спокойствие, ясно можно было различить, что дело идет о его судьбе..."

Радек, сидевший на этом памятном заседании возле меня, нагнулся ко мне со словами:

– Теперь они не посмеют идти против вас.

Он имел в виду два места письма: одно, которое характеризовало Троцкого как "самого способного человека в настоящем ЦК", и другое, которое требовало смещения Сталина, ввиду его грубости, недостатка лояльности и склонности злоупотреблять властью. Я ответил Радеку:

– Наоборот, теперь им придется идти до конца, и притом как можно скорее.

Действительно, Завещание не только не приостановило внутренней борьбы, чего хотел Ленин, но, наоборот, придало ей лихорадочные темпы. Сталин не мог более сомневаться, что возвращение Ленина к работе означало бы для "генерального секретаря" политическую смерть. И наоборот: только смерть Ленина могла расчистить перед Сталиным дорогу.

"Мучается старик"

Во время второго заболевания Ленина, видимо, в феврале 1923 г., Сталин на собрании членов Политбюро (Зиновьева, Каменева и автора этих строк) после удаления секретаря сообщил, что Ильич вызвал его неожиданно к себе и потребовал доставить ему яду. Он снова терял способность речи, считал свое положение безнадежным, предвидел близость нового удара, не верил врачам, которых без труда уловил на противоречиях, сохранял полную ясность мысли и невыносимо мучился. Я имел возможность изо дня в день следить за ходом болезни Ленина через нашего общего врача Гетье, который был вместе с тем нашим другом дома.

– Неужели же, Федор Александрович, это конец? – спрашивали мы с женой его не раз.

– Никак нельзя этого сказать; Владимир Ильич может снова подняться, – организм мощный.

– А умственные способности?

– В основном останутся незатронутыми. Не всякая нота будет, может быть, иметь прежнюю чистоту, но виртуоз останется виртуозом.

Мы продолжали надеяться. И вот неожиданно обнаружилось, что Ленин, который казался воплощением инстинкта жизни, ищет для себя яду. Каково должно было быть его внутреннее состояние!

Помню, насколько необычным, загадочным, не отвечающим обстоятельствам показалось мне лицо Сталина. Просьба, которую он передавал, имела трагический характер; на лице его застыла полуулыбка, точно на маске. Несоответствие между выражением лица и речью приходилось наблюдать у него и прежде. На этот раз оно имело совершенно невыносимый характер. Жуть усиливалась еще тем, что Сталин не высказал по поводу просьбы Ленина никакого мнения, как бы выжидая, что скажут другие: хотел ли он уловить оттенки чужих откликов, не связывая себя? Или же у него была своя затаенная мысль?.. Вижу перед собой молчаливого и бледного Каменева, который искренне любил Ленина, и растерянного, как во все острые моменты, Зиновьева. Знали ли они о просьбе Ленина еще до заседания? Или же Сталин подготовил неожиданность и для своих союзников по триумвирату?

– Не может быть, разумеется, и речи о выполнении этой просьбы! – воскликнул я. – Гетье не теряет надежды. Ленин может поправиться.

– Я говорил ему все это, – не без досады возразил Сталин, – но он только отмахивается. Мучается старик. Хочет, говорит, иметь яд при себе... прибегнет к нему, если убедится в безнадежности своего положения.

– Все равно невозможно, – настаивал я, на этот раз, кажется, при поддержке Зиновьева. – Он может поддаться временному впечатлению и сделать безвозвратный шаг.

– Мучается старик, – повторял Сталин, глядя неопределенно мимо нас и не высказываясь по-прежнему ни в ту, ни в другую сторону. У него в мозгу протекал, видимо, свой ряд мыслей, параллельный разговору, но совсем не совпадавший с ним. Последующие события могли, конечно, в деталях оказать влияние на работу моей памяти, которой я в общем привык доверять. Но сам по себе эпизод принадлежал к числу тех, которые навсегда врезаются в сознание. К тому же по приходе домой я его подробно передал жене. И каждый раз, когда я мысленно сосредотачиваюсь на этой сцене, я не могу не повторить себе: поведение Сталина, весь его образ имели загадочный и жуткий характер. Чего он хочет, этот человек? И почему он не сгонит со своей маски эту вероломную улыбку?.. Голосования не было, совещание не носило формального характера, но мы разошлись с само собой разумеющимся заключением, что о передаче яду не может быть и речи.

Здесь естественно возникает вопрос: как и почему Ленин, который относился в этот период к Сталину с чрезвычайной подозрительностью, обратился к нему с такой просьбой, которая, на первый взгляд, предполагала высшее личное доверие? За несколько дней до обращения к Сталину Ленин сделал свою безжалостную приписку к Завещанию. Через несколько дней после обращения он порвал с ним все отношения. Сталин сам не мог не поставить себе вопрос: почему Ленин обратился именно к нему? Разгадка проста: Ленин видел в Сталине единственного человека, способного выполнить трагическую просьбу или непосредственно заинтересованного в ее исполнении. Своим безошибочным чутьем больной угадывал, что творится в Кремле и за его стенами, и каковы действительные чувства к нему Сталина. Ленину не нужно было даже перебирать в уме ближайших товарищей, чтобы сказать себе: никто, кроме Сталина, не окажет ему этой "услуги". Попутно он хотел, может быть, проверить Сталина: как именно мастер острых блюд поспешит воспользоваться открывающейся возможностью? Ленин думал в те дни не только о смерти, но и о судьбе партии. Революционный нерв Ленина был, несомненно, последним из нервов, который сдался смерти. Но я задаю себе ныне другой, более далеко идущий вопрос: действительно ли Ленин обращался к Сталину за ядом? Не выдумал ли Сталин целиком эту версию, чтобы подготовить свое алиби? Опасаться проверки с нашей стороны у него не могло быть ни малейших оснований: никто из нас троих не мог расспрашивать больного Ленина, действительно ли он требовал у Сталина яду.

Лаборатория ядов

Еще совсем молодым человеком Коба натравливал в тюрьме исподтишка отдельных горячих кавказцев на своих противников, доводя дело до избиений, в одном случае даже до убийства. Техника его с годами непрерывно совершенствовалась. Монопольный аппарат партии в сочетании с тоталитарным аппаратом государства открыли перед ним такие возможности, о которых его предшественники вроде Цезаря Борджиа даже и мечтать не могли. Кабинет, где следователи ГПУ ведут сверхинквизиционные допросы, связан микрофоном с кабинетом Сталина. Невидимый Иосиф Джугашвили с трубкой в зубах жадно слушает им самим предначертанный диалог, потирает руки и беззвучно смеется. Свыше десяти лет до знаменитых московских процессов он за бутылкой вина на балконе дачи летним вечером признался своим тогдашним союзникам – Каменеву и Дзержинскому, – что высшее наслаждение в жизни – это зорко наметить врага, тщательно все подготовить, беспощадно отомстить, а затем пойти спать. Теперь он мстит целому поколению большевиков! Возвращаться здесь к московским судебным подлогам нет основания. Они получили в свое время авторитетную и исчерпывающую оценку*. Но, чтоб получить настоящего Сталина и его образ дей-

---

*См. два тома, изданных комиссией д-ра Джона Дьюи: The Case of Leon Trotsky, 1937, and Not guity, 1938, Harper and Brothers.

ствий в дни болезни и смерти Ленина, необходимо осветить некоторые эпизоды последнего большого процесса, инсценированного в марте 1938 года.

Особое место на скамье подсудимых занимал Генрих Ягода, который работал в ЧК и ГПУ 16 лет, сперва в качестве заместителя начальника, затем в качестве главы все время в тесной связи с "генеральным секретарем" как его наиболее доверенное лицо по борьбе с оппозицией. Система покаяний в несовершенных преступлениях есть дело рук Ягоды, если не его мозга. В 1933 году Сталин наградил Ягоду орденом Ленина, в 1935 году возвел его в ранг генерального комиссара государственной обороны, т.е. маршала политической полиции, через два дня после того, как талантливый Тухачевский был возведен в звание маршала Красной армии. В лице Ягоды возвышалось заведомое для всех и всеми презираемое ничтожество. Старые революционеры переглядывались с возмущением. Даже в покорном Политбюро пытались сопротивляться. Но какая-то тайна связывала Сталина с Ягодой и, казалось, навсегда. Однако таинственная связь таинственно оборвалась. Во время большой "чистки" Сталин решил попутно ликвидировать сообщника, который слишком много знал. В апреле 1937 года Ягода был арестован. Как всегда, Сталин добился при этом некоторых дополнительных выгод: за обещание помилования Ягода взял на себя на суде личную ответственность за преступления, в которых молва подозревала Сталина. Обещание, конечно, не было выполнено: Ягоду расстреляли, чтоб тем лучше доказать непримиримость Сталина в вопросах морали и права.

На судебном процессе вскрылись, однако, крайне поучительные обстоятельства. По показанию его секретаря и доверенного лица Буланова (этот Буланов вывез меня и мою жену в 1929 году из Центральной Азии в Турцию), Ягода имел особый шкаф ядов, откуда по мере надобности извлекал драгоценные флаконы и передавал их своим агентам с соответственными инструкциями. В отношении ядов начальник ГПУ, кстати сказать, бывший фармацевт, проявлял исключительный интерес. В его распоряжении состояло несколько токсикологов, для которых он воздвиг особую лабораторию, причем средства на нее отпускались неограниченно и без контроля. Нельзя, разумеется, ни на минуту допустить, чтоб Ягода соорудил такое предприятие для своих личных потребностей. Нет, и в этом случае он выполнял официальную функцию. В качестве отравителя он был, как и старуха Локуста при дворе Нерона, instrumentum reghi. Он лишь далеко обогнал свою темную предшественницу в области техники!

Рядом с Ягодой на скамье подсудимых сидели четыре кремлевских врача, обвинявшихся в убийстве Максима Горького и двух советских министров.

"Я признаю себя виновным в том, – показал маститый доктор Левин, который некогда был также и моим врачом, – что я употреблял лечение, противоположное характеру болезни..."

Таким образом

"... я причинил преждевременную смерть Максиму Горькому и Куйбышеву".

В дни процесса, основной фон которого составляла ложь, обвинения, как и признания в отравлении старого и больного писателя казались мне фантасмагорией. Позднейшая информация и более внимательный анализ обстоятельств заставили меня изменить эту оценку. Не все в процессах было ложью. Были отравленные и были отравители. Не все отравители сидели на скамье подсудимых. Главный из них руководил по телефону судом.

Максим Горький не был ни заговорщиком, ни политиком. Он был сердобольным стариком, заступником за обиженных, сентиментальным протестантом. Такова была его роль с первых дней октябрьского переворота. В период первой и второй пятилетки голод, недовольство и репрессии достигли высшего предела. Протестовали сановники, протестовала даже жена Сталина Аллилуева. В этой атмосфере Горький представлял серьезную опасность. Он находился в переписке с европейскими писателями, его посещали иностранцы, ему жаловались обиженные, он формировал общественное мнение. Никак нельзя было заставить его молчать. Арестовать его, выслать, тем более расстрелять – было еще менее возможно. Мысль ускорить ликвидацию больного Горького "без пролития крови" через Ягоду должна была представиться при этих условиях хозяину Кремля как единственный выход. Голова Сталина так устроена, что подобные решения возникают в ней с силою рефлекса.

Приняв поручение, Ягода обратился к "своим" врачам. Он ничем не рисковал. Отказ был бы, по словам Левина, "нашей гибелью, т.е. гибелью моей и моей семьи".

"От Ягоды спасения нет, Ягода не отступит ни перед чем, он вас вытащит из-под земли".

Почему, однако, авторитетные и заслуженные врачи Кремля не жаловались членам правительства, которых они близко знали как своих пациентов? В списке больных у одного доктора Левина значились 24 высоких сановника, сплошь членов Политбюро и Совета Народных Комиссаров! Разгадка в том, что Левин, как и все в Кремле и вокруг Кремля, отлично знал, чьим агентом является Ягода. Левин подчинился Ягоде, потому что был бессилен сопротивляться Сталину.

О недовольстве Горького, о его попытке вырваться за границу, об отказе Сталина в заграничном паспорте в Москве знали и шушукались. После смерти писателя сразу возникли подозрения, что Сталин слегка помог разрушительной силе природы. Процесс Ягоды имел попутной задачей очистить Сталина от этого подозрения. Отсюда повторные утверждения Ягоды, врачей и других обвиняемых, что Горький был "близким другом Сталина", "доверенным лицом", "сталинцем", полностью одобрял политику "вождя", говорил с "исключительным восторгом" о роли Сталина. Если б это было правдой хоть наполовину, Ягода никогда не решился бы взять на себя умерщвление Горького, и еще менее посмел бы доверить подобный план кремлевскому врачу, который мог уничтожить его простым телефонным звонком к Сталину.

Мы извлекли из одного процесса одну "деталь". Процессов много, и "деталям" нет числа. Все они носят на себе неизгладимую печать Сталина. Это его основная работа. Шагая вразвалку по своему кабинету, он тщательно обдумывает комбинации, при помощи которых можно довести неугодного ему человека до предельной степени унижения, до ложного доноса на самых близких людей, до самой ужасной измены по отношению к собственной личности. Кто сопротивляется несмотря ни на что, для того всегда найдется маленький флакон. Ибо исчез только Ягода, – его шкап остался.

Смерть и похороны Ленина

В судебном процессе 1938 года Сталин выдвинул против Бухарина как бы мимоходом обвинение в подготовке покушения на Ленина в 1918 году. Наивный и увлекающийся Бухарин благоговел перед Лениным, любил его любовью ребенка к матери и, если дерзил ему в полемике, то не иначе, как на коленях. У Бухарина, мягкого как воск, по выражению Ленина, не было и не могло быть самостоятельных честолюбивых замыслов. Если бы кто-нибудь предсказал нам в старые годы, что Бухарин будет когда-нибудь обвинен в подготовке покушения на Ленина, каждый из нас (и первый – Ленин) посоветовал бы посадить предсказателя в сумасшедший дом. Зачем же понадобилось Сталину насквозь абсурдное обвинение? Зная Сталина, можно сказать с уверенностью: это – ответ на подозрения, которые Бухарин неосторожно высказывал относительно самого Сталина. Все вообще обвинения московских процессов построены по этому типу. Основные элементы сталинских подлогов не извлечены из чистой фантазии, а взяты из действительности, большей частью из дел или замыслов самого мастера острых блюд. Тот же оборонительно-наступательный "рефлекс Сталина", который так ярко обнаружился на примере со смертью Горького, дал знать всю свою силу и в деле со смертью Ленина. В первом случае поплатился жизнью Ягода, во втором – Бухарин.

Я представляю себе ход дела так. Ленин потребовал яду – если он вообще требовал его – в конце февраля 1923 года. В начале марта он оказался уже снова парализован. Медицинский прогноз был в этот период осторожно-неблагоприятный. Почувствовав прилив уверенности, Сталин действовал так, как если б Ленин был уже мертв. Но больной обманул его ожидания. Могучий организм, поддерживаемый непреклонной волей, взял свое. К зиме Ленин начал медленно поправляться, свободнее двигаться, слушал чтение и сам читал; начала восстанавливаться речь. Врачи давали все более обнадеживающие заключения. Выздоровление Ленина не могло бы, конечно, воспрепятствовать смене революции бюрократической реакцией. Недаром Крупская говорила в 1926 году:

"Если б Володя был жив, он сидел бы сейчас в тюрьме".

Но для Сталина вопрос шел не об общем ходе развития, а об его собственной судьбе: либо ему теперь же, сегодня удастся стать хозяином аппарата, а следовательно – партии и страны, – либо он будет на всю жизнь отброшен на третьи роли. Сталин хотел власти, всей власти во что бы то ни стало. Он уже крепко ухватился за нее рукою. Цель была близка, но опасность со стороны Ленина – еще ближе. Именно в этот момент Сталин должен был решить для себя, что надо действовать безотлагательно. У него везде были сообщники, судьба которых была полностью связана с его судьбой. Под рукой был фармацевт Ягода. Передал ли Сталин Ленину яд, намекнув, что врачи не оставляют надежды на выздоровление, или же прибегнул к более прямым мерам, этого я не знаю. Но я твердо знаю, что Сталин не мог пассивно выжидать, когда судьба его висела на волоске, а решение зависело от маленького, совсем маленького движения его руки.

Во второй половине января 1924 года я выехал на Кавказ в Сухуми, чтобы попытаться избавиться от преследовавшей меня таинственной инфекции, характер которой врачи не разгадали до сих пор. Весть о смерти Ленина застигла меня в пути. Согласно широко распространенной версии, я потерял власть по той причине, что не присутствовал на похоронах Ленина. Вряд ли можно принимать это объяснение всерьез. Но самый факт моего отсутствия на траурном чествовании произвел на многих друзей тяжелое впечатление. В письме старшего сына, которому в то время шел 18-й год, звучала нота юношеского отчаяния: надо было во что бы то ни стало приехать! Таковы были и мои собственные намерения, несмотря на тяжелое болезненное состояние. Шифрованная телеграмма о смерти Ленина застала нас с женой на вокзале в Тифлисе. Я сейчас же послал в Кремль по прямому проводу шифрованную записку:

"Считаю нужным вернуться в Москву. Когда похороны?"

Ответ прибыл из Москвы примерно через час:

"Похороны состоятся в субботу, не успеете прибыть во-время. Политбюро считает, что Вам, по состоянию здоровья, необходимо ехать в Сухум.

Сталин".

Требовать отложения похорон ради меня одного я считал невозможным. Только в Сухуме, лежа под одеялами на веранде санаториума, я узнал, что похороны были перенесены на воскресенье. Обстоятельства, связанные с первоначальным назначением и позднейшим изменением дня похорон так запутаны, что нет возможности осветить их в немногих строках. Сталин маневрировал, обманывая не только меня, но, видимо, и своих участников по триумвирату. В отличие от Зиновьева, который подходил ко всем вопросам с точки зрения агитационного эффекта, Сталин руководствовался в своих рискованных маневрах более осязательными соображениями. Он мог бояться, что я свяжу смерть Ленина с прошлогодней беседой о яде, поставлю перед врачами вопрос, не было ли отравления; потребую специального анализа. Во всех отношениях было поэтому безопаснее удержать меня подалее до того дня, когда оболочка тела будет бальзамирована, внутренности сожжены, и никакая экспертиза не будет более возможна.

Когда я спрашивал врачей в Москве о непосредственных причинах смерти, которой они не ждали, они неопределенно разводили руками. Вскрытие тела, разумеется, было произведено с соблюдением всех необходимых обрядностей: об этом Сталин в качестве генерального секретаря позаботился прежде всего! Но яду врачи не искали, даже если более проницательные допускали возможность самоубийства. Чего-либо другого они, наверное, не подозревали. Во всяком случае, у них не могло быть побуждений слишком утончать вопрос. Они понимали, что политика стоит над медициной. Крупская написала мне в Сухум очень горячее письмо; я не беспокоил расспросами на эту тему. С Зиновьевым и Каменевым я возобновил личные отношения только через два года, когда они порвали со Сталиным. Они явно избегали разговоров об обстоятельствах смерти Ленина, отвечали односложно, отводя глаза в сторону. Знали ли они что-нибудь или только подозревали? Во всяком случае, они были слишком тесно связаны со Сталиным в предшествующие три года и не могли не опасаться, что тень подозрения ляжет и на них. Точно свинцовая туча окутывала историю смерти Ленина. Все избегали разговоров об ней, как если б боялись прислушаться к собственной тревоге. Только экспансивный и разговорчивый Бухарин делал иногда с глазу на глаз неожиданные и странные намеки.

— О, вы не знаете Кобы, — говорил он со своей испуганной улыбкой. — Коба на все способен.

Над гробом Ленина Сталин прочитал по бумажке клятву верности заветам учителя в стиле той гомилетики, которую он изучал в тифлисской духовной семинарии. В ту пору клятва осталась мало замеченной. Сейчас она вошла во все хрестоматии и занимает место синайских заповедей.

* *
*

В связи с московскими процессами и последними событиями на международной арене имена Нерона и Цезаря Борджиа упоминались не раз. Если уж вызывать эти старые тени, то следует, мне кажется, говорить о сверх-Нероне и сверх-Борджиа, — так скромны, почти наивны, кажутся преступления тех эпох по сравнению с подвигами нашего времени. Под чисто персональными аналогиями можно, однако, открыть более глубокий исторический смысл. Нравы Римской империи упадка складывались на переломе от рабства к феодализму, от язычества к христианству. Эпоха возрождения означала перелом от феодального общества к буржуазному, от католицизма к протестантизму и либерализму. В обоих случаях старая мораль успела истлеть прежде, чем новая сложилась.

Сейчас мы снова живем на переломе двух систем, в эпоху величайшего социального кризиса, который, как всегда, сопровождается кризисом морали. Старое расшатано до основания. Новое едва начало строиться. Когда в доме провалилась крыша, сорвались с цепей окна и двери, в нем неуютно и трудно жить. Сейчас сквозные ветры дуют по всей нашей планете. Традиционным принципам морали становится все хуже и хуже, и притом не только со стороны Сталина... Историческое объяснение не есть, однако, оправдание. И Нерон был продуктом своей эпохи. Но после его гибели его статуи были разбиты, и его имя выскоблено отовсюду. Месть истории страшнее мести самого могущественного "генерального секретаря". Я позволяю себе думать, что это утешительно.

13 октября 1939 года
Койоакан

СОДЕРЖАНИЕ

ОСМЫСЛИТЬ КУЛЬТ СТАЛИНА

Научная, научно-художественная литература

ОСМЫСЛИТЬ КУЛЬТ СТАЛИНА

Составитель X. Кобо

Редактор X. Кобо

Младший научный редактор Д.М. Шангайт

Художник Ю.Н. Егоров

Технические редакторы Л.Н. Шупейко и Л.Б. Васенкова

Корректор Н.В. Ожерельева

ИБ № 17471

Сдано в набор 25.04.89 г. А11046. Подписано в печать с РОМ 25.09.89 г.
Формат 60 x 90 1/16. Бумага офсетная № 1.
Гарнитура цюрих. Печать офсетная. Условн. печ. л. 41,0.
Усл. кр.-отт. 41,0. Уч.-изд. л. 55,71. Тираж 100000 экз.
Заказ № 1203. Цена 3 руб. 50 коп. Изд. № 46962.
Ордена Трудового Красного Знамени издательство "Прогресс"
Государственного комитета по печати СССР

119847, ГСП, Москва, Г-21, Зубовский бульвар, 17
Издание подготовлено на наборно-пишущих машинах Типотайпер 3.

Можайский полиграфкомбинат В/О "Совэкспорткнига"
Государственного комитета по печати СССР.
143200 Можайск, ул. Мира, 93

ИЗДАТЕЛЬСТВО "ПРОГРЕСС"

Готовится к выходу в свет

В человеческом измерении: Сборник.

Книга поднимает острые и сложные вопросы исторического становления и нынешнего состояния советского общества.

У всех нас единая историческая судьба, общие стратегические цели. Как обеспечить интересы всех, не поступаясь при этом интересами каждого? Почему нельзя искать решения этого вопроса на путях "казарменного" социализма? Какие здесь возможны альтернативы? Чему учит наша недавняя история? Над этими вопросами размышляют авторы сборника, публицисты и ученые – философы и социологи, экономисты и демографы, историки и этнографы.

Личность и общество, город и деревня, эволюция семьи, охрана здоровья, национальные отношения, государство и церковь... Авторы пытаются взглянуть на эти проблемы свежим взглядом, разрушить устаревшие стереотипы, предложить новые идеи и решения.

ИЗДАТЕЛЬСТВО "ПРОГРЕСС"

Готовится к выходу в свет

РАБИНОВИЧ А. **Большевики приходят к власти: революция 1917 г. в Петрограде.**

Книга известного американского историка и политолога, профессора Индианского университета Александра Рабиновича принадлежит к немногим зарубежным исследованиям, которые дают в основном объективную характеристику Октябрьской революции в России. Октябрь для автора – глубоко демократическое движение народных масс, стремившихся достичь мира, получить землю, решить другие коренные проблемы.

Книга насыщена большим фактическим материалом. В ней много точных, живых описаний хода революции, политических деятелей различных лагерей, участвовавших в острейшей борьбе в 1917 году. Не всегда можно согласиться с автором в трактовке отдельных событий, но он стремится избежать тенденциозных оценок, свойственных многим работам советологов.

Издание предназначено как специалистам-историкам, так и самым широким читательским кругам.

ИЗДАТЕЛЬСТВО "ПРОГРЕСС"

Готовится к выходу в свет

ЛЕСАЖ М. **Политическая система СССР.**

В книге известного французского ученого анализируются политическая система СССР, исторические условия ее возникновения и основные этапы преобразования. Автор большое внимание уделяет оценке роли и места Коммунистической партии в жизни советского общества, рассматривает компетенцию государственных органов и общественных организаций.

Для политологов, юристов, социологов и философов.

How to Make Big Profits
Renovating Real Estate

How to Make Big Profits Renovating Real Estate

Robert P. Gaitens

Prentice-Hall, Inc.
Englewood Cliffs, New Jersey

Prentice-Hall International, Inc., *London*
Prentice-Hall of Australia, Pty. Ltd., *Sydney*
Prentice-Hall of Canada, Ltd., *Toronto*
Prentice-Hall of India Private Ltd., *New Delhi*
Prentice-Hall of Japan, Inc., *Tokyo*
Prentice-Hall of Southeast Asia Pte. Ltd., *Singapore*
Whitehall Books, Ltd., Wellington, *New Zealand*

© 1982, by

PRENTICE-HALL, INC.
Englewood Cliffs, N.J.

This publication is designed to provide accurate and authoritative information in regard
to the subject matter covered. It is sold with the understanding that the publisher is not
engaged in rendering legal, accounting, or other professional service. If legal advice or
other expert assistance is required, the services of a competent professional person
should be sought.

. . . *From the Declaration of Principles jointly adopted by a Committee of the American
Bar Association and a Committee of Publishers and Associations.*

Library of Congress Cataloging in Publication Data

Gaitens, Robert P.
How to make big profits renovating real estate.

Includes index.
1. Dwellings—Remodeling—Economic aspects.
2. Profit.   3. Real estate investment.   I. Title.
HD1382.5.G34   643'.7'0681   81-11857
ISBN 0-13-418103-4   AACR2

Printed in the United States of America

DEDICATION

For those I need and love the most . . .
Becky, Billy, Kelly, and Joey.

the unique, practical value this book offers

In today's real estate market there are countless opportunities for the person who doesn't have a large sum of money to make big profits in our country's safest, most productive investment. One of the most often overlooked and underestimated of these opportunities is the renovating of neglected and dilapidated properties. Truly real estate's greatest untapped resource, the restoration of these properties need not be formidable when you apply the tested, systematic guidelines and techniques described in this book.

The profits to be realized for the effort put forth will amaze you. For example, one of my recent renovation projects took 12 weeks of organized effort and netted a solid profit in excess of $24,000. Another project, purchased with 100% financing and sold under a land installment contract, took not one dime out of my pocket or more than six hours of my time, yet will net me nearly *$2,000 each year for the next nine years.*

Another example is illustrated by the estate containing four single family properties that were left to an elderly couple living out of state. Being financially secure and uninterested in maintaining the properties, the couple's main concern was to market them quickly as a whole. They offered all four neglected properties for $31,000, which we purchased with 100% financing. With only a small initial cash outlay, we revitalized these properties and immediately gained an equity in excess of $20,000, plus a net cash

9

flow of $2,800 per year. These examples are typical of the profits you can make in renovating neglected and dilapidated properties.

This book takes a straightforward, step by step, how-to approach to renovating and marketing a wide range of real estate. It is a book that can build a fortune for the investor of average means, and success is not dependent on the size of your existing bank account. For example, you'll learn:

- How to judge a property's profit-making potential.
- Methods for financing the purchase and renovation of neglected properties when you don't want to use *your* cash.
- How to prepare your own written agreements.
- The secret to insuring uninsurable properties.
- How to buy building materials at big discounts through wholesale distributors.
- How to renovate without over or underimproving.
- Hundreds of design and renovation tips aimed at creating appeal and increasing your profit.
- Sophisticated depreciation techniques that will increase your tax write-off on rental properties.

Everything concerning the entire spectrum of renovation is analyzed and explained in detail. The procedures deal primarily with residential units, as well as commercial properties. The detailed information and checklists will prove invaluable with *any* renovation project, helping you minimize or prevent the common and not so common problems that arise in renovating and investing.

You will discover why many of these properties are continually overlooked by even the most experienced investors. You'll learn how to look for and recognize the most revealing, significant factors involved in a property analysis. Through your new-found contacts, your knowledge in related fields will expand, enabling you to turn seemingly losing propositions into extraordinary, profitable investments. In fact, you'll master the exact techniques necessary to make every project a profitable one, and acquire such a high degree of expertise, you will no longer consider risk a major factor to contend with.

This book is a reference manual that provides analysis forms, checklists, and helpful tricks of the trade, while comparing specific renovation techniques and their costs, enabling you to invest knowledgeably and profitably time after time.

The following is just a partial list of the practical information you will find in this book:

- Uncovering Real Estate's Hidden Renovation Market
- The Art of Real Estate Rehabilitation
- Leveraging Your Buying Power
- Dynamic Ways to Get Things Done Through Other People
- Blueprint for Organizing and Managing Your Remodeling Team
- Unique, Creative Financing and Marketing Techniques
- An All-Inclusive Look at the Tax Benefits of Investment Property
- Creating That *One of a Kind Property* That Buyers Can't Resist
- The Secret of Eliminating Risk, Stress and Failure in Real Estate Investing
- Pyramiding Your Way to an Impressive Investment Portfolio

Ingenious, practical formulas for purchasing materials at 40% to 60% below retail, for calculating the time and cost to renovate any project, and tips for avoiding the "dealer" classification, will help to round out programs that will show you how to attain unimagined financial success.

In addition to these and other essential topics, case studies of actual renovation projects will illustrate not only the facts, the figures and why decisions were made, but also the mistakes that were sometimes made and how *you* can avoid them.

Real estate investing, when you follow the practical procedures recommended in this book, will result in high profits and a secure income . . . limited only by your imagination and ambition.

Robert P. Gaitens

ACKNOWLEDGMENT

My deepest appreciation goes to my wife, Becky, for her significant and much needed contribution in preparing this book, and to my father and mother, Andrew and Eleanor Gaitens, who were helpful in so many ways.

I would also like to thank the following persons for their assistance in preparing this book:

George Parker
Tom Gaitens
Jean Gaitens Moore
Ed Salamony
Ed Thomas III
Lana Chernik
Glenn Schillo

Table of

Contents

Profit opportunities in cosmetic improvements . . . How two nonpros made big profits with small investments . . . Turning "bad" locations into "good" profit opportunities . . . Using creative thinking to discover hidden treasures . . . The challenge and reward of a total renovation project . . . Six reasons why you can profit from real estate's most untapped resource . . . An overall view of the advantages of a tax sheltered income and equity buildup . . . The secret of pyramiding your way to the top . . . Exploring the basic principles in renovating for sale versus renovating for rent.

Analyzing your financial position . . . The advantages of having a partner and guidelines for choosing a good one . . . Recognizing the pitfalls of a general partnership . . . Overcoming the problems of a partnership . . . A proven method for dealing with risk, stress, and failure in renovating real estate . . . Successfully coping with an uncooperative spouse . . . Blueprint for effectively managing your time.

**Chapter 3 Magic Keys to Building a Strong Foundation
for Real Estate Renovation** **49**

People you need to know to get the job done right . . . The
secret of finding real estate's hidden market . . . How to establish and expand your wholesale lines of credit . . . The dos and
don'ts of organizing your remodeling team . . . Contracts
made easy . . . Insurance: The key to protecting your profit
. . . A sure way to a strong, basic accounting system.

**Chapter 4 What You Must Know to Be Successful
in Renovating Real Estate** **81**

Expanding your knowledge of construction and techniques
. . . Discovering "tricks of the trade" to short-cut your way to
renovating success . . . Utilizing additional sources for improving your skills . . . Learning the secrets to developing
maximum appeal and character in a property . . . Using
proper planning to maximize profits . . . The art of seeing and
developing what is not yet there . . . Six steps to visualizing
your finished product . . . Five successful tips for determining
remodeling criteria . . . Forecasting the direction of the real
estate market . . . Sources for gauging the real estate market.

**Chapter 5 Capitalizing on the Special Techniques
of Creative Financing** **101**

Choosing the right kind of financing . . . Implementing
safeguards to ensure security of your equity . . . 35 practical
alternatives for financing any project . . . Keeping in step with
the financial climate . . . Creative financing: How to make it
work for you . . . Successfully selling your expertise—A means
of obtaining financing.

**Chapter 6 Sure-Fire Ways to Evaluate
a Property's Potential** **129**

Viewing the property: The importance of your first impression
. . . The all-important structural analysis . . . The neighborhood analysis—A guide to your property's potential . . . How
to evaluate your site.

Guidelines for deciphering your neighborhood and structural analyses . . . Seven criteria to be considered when evaluating comparables . . . Using comparables to learn from others' mistakes and to profit from their successes . . . Interpreting vacancy rates in your investment area . . . Utilizing market activity as the best guide to your future sales . . . How to estimate the time required to renovate and market your projects . . . Calculating your labor and material costs for your renovation project . . . Regarding the disregarded costs of purchase, finance, and sale . . . The psychology of your first offer and strategies for following up.

What must be done before taking possession . . . The significance of the sequential process in renovating . . . How to eliminate problem areas in renovating and investing . . . The benefits of developing a follow-up maintenance program . . . Creating the right design room by room . . . The secret of creating that one-of-a-kind home that buyers can't resist.

How depreciation works for you . . . How interest expense can actually make you money . . . Judging a rental's profitability through an income and expense statement and a cash flow analysis . . . Guidelines for determining the right time to sell your rental property . . . The benefits of long-term capital gains and how not to lose them.

How to structure your investing activity to protect your profit . . . Creative ways of structuring a sale and the benefits of each . . . The art of showing the property: When, how, and

to whom . . . The importance of being realistic in accepting an
offer.

Lessons to be learned from properties renovated for a quick
sale . . . How it's possible to make big profits with bad locations . . . The renovation of real estate's sleeping giants . . .
Exploring the property conversion alternative and how to approach a zoning change.

Checklist to use for every project . . . Related books of interest
. . . Renovating and investing tips . . . Self-starting: Your real
key to success.

1

Capitalizing on the Proven Pathways to Profit in Renovating Real Estate

This chapter provides examples drawn from real life. These examples will acquaint you with important factors in renovating and investing. You'll see the lucrative opportunities in cosmetic renovation and learn how to make it big with bad locations. You'll see the impressive profits to be made with renovation projects and get a clear understanding of the problems that a dilapidated property owner faces, along with a review of the *few* alternatives he or she has available. You'll discover why real estate is the best tax shelter, and you'll see how the "prince," along with the "pauper," can satisfy his financial needs with this type of investing. You'll also discover how two inexperienced investors turned $1,400 into $33,000 in less than a year. The last topic stresses an important point: Know the market you are dealing with inside and out, and relate the extent of your renovating to what it is telling you.

PROFIT OPPORTUNITIES IN COSMETIC IMPROVEMENTS

One of the most profitable renovation opportunities can be described as a property suffering from surface neglect and in need of cosmetic refurbishing. Basically this means about two to four weeks of work required to complete the renovation.

The major form of neglect in these properties is *deferred maintenance.* In short, the property has not been properly maintained and updated. This includes neglecting to paint the structure, failing to caulk the windows, or permitting the yard to become overgrown with shrubs and weeds.

The other possible form of neglect is *functional obsolescence.* This concerns aspects of a property that are unacceptable by today's standards, but that can usually be remedied without excessive cost. Such things as a coal furnace, galvanized plumbing, or the old sidearm water heaters are just a few.

How Two Nonpros Made Big Profits with Small Investments

A case in point is a duplex purchased a few years back by insurance broker Andrew F. Although the figures in this example seem small by today's standards, the same ratio percentage can be expected today. The property, though livable, had fallen into a state of disrepair and suffered from deferred maintenance and a little obsolescence, all of which was curable. The property was purchased for $4,500. With $2,500 in improvements, its net rental income *increased* by *240%.* Andrew's entire investment was paid back in the first few years, and today he clears more than $3,500 per year on just this one property.

Another example is provided by 25-year-old steelworker Bill V. Although inexperienced, Bill turned a run-down, three-unit apartment house into a viable income property through cosmetic renovation. Once completed, he used his equity position in this first property as a down payment to buy a second. Today, through this pyramiding technique, Bill has five income-producing units.

Depending upon the extent of disrepair and the price range of the property, a good cosmetic project will sell about 10% to 40% below what the same property in top condition would. By comparison, the cost for rehabing these properties generally ranges between 3% and 10%. *The difference is what goes in your pocket.*

Turning "Bad" Locations Into
"Good" Profit Opportunities

You often hear that the three most important things to consider in a property are location, location, and location. While we know this to be true, we also realize there are exceptions to every rule. Cosmetic improvement projects in nonprime areas are continually overlooked. Failure to consider the potential of *any* property can be a costly mistake. A case in point: We purchased a property in an undesirable section of town. It was occupied at the time and had received its share of wear and tear from past tenants. The asking price was $5,000, and we estimated our ultimate sales price to be $16,000. (To provide a market comparison, properties at the other end of the town were selling in the $50,000 range.) We installed new carpeting, bathroom fixtures, and retextured the plaster. We did an overall refurbishing of the house, installing a new roof, porch floor, and sprucing up the yard. It sold in just a few months time, for a profit of $5,600.

Renovators from the old school would consider this a risky venture because of the location. And that's the main reason why it is an excellent investment opportunity for *you*. What others fail to realize is that different areas have different market potentials. (As you will see in Chapter 11, a lower priced area is not always synonymous with an undesirable area. By learning to read certain indicators, you can distinguish between a good area, such as the one in this example, and an area to avoid.) While it's true that this property claimed a smaller share of the overall market than properties priced around $60,000, so does a property priced over $150,000. Yet the latter would be considered by some people to be a good investment.

There exists a sizeable market for decent, lower priced property in areas that are not considered prime. As a renovator and investor, you will find an unlimited potential for quick profit because of the lack of competition. Of course, there are areas to avoid, and certainly a good location is a big plus. But you cannot lose sight of the fact that many properties worthy of renovation are not always in the best locations. You might search months to find a run-down property in a good neighborhood and then have to bid with your competition for the opportunity to purchase the property. Buildings like the one I just discussed are always available for the sharp investor.

The types of properties referred to in this book are within the financial reach of the average income person. They are not speculative as are large commercial ventures. These are properties in demand. With a little knowledge they are easy to finance and there is a large potential market for either the buying or renting of your finished product. This book does not concern itself with large-scale commercial investing. The investor who made $200,000 on one property and $300,000 on the next makes for enviable reading, but for as many winners that you read about there are that many losers. With our type of investing you can *expect* not to lose.

Neglect is common in all types of properties. Single family homes, duplexes and apartment buildings, as well as small commercial properties, may all have the potential of a good, low-risk investment. While a conservative viewpoint is a necessity in some respects, new approaches and creative thinking can turn what many consider an unprofitable venture into a profitable one. For example, the use of an *option* is at times beneficial when buying. *Purchase money mortgages,* with *you* receiving the interest, increase your yield. *Land installment contracts* also increase your yield through interest income, initially eliminate closing costs, and provide you security in case of default by the purchaser.

USING CREATIVE THINKING TO DISCOVER
HIDDEN TREASURES

In properties that I don't have time to renovate, but are too good to pass by, I offer free material as a sales incentive and market them in their present condition. For example, I recently purchased a neglected duplex for $7,000. I remortgaged another of my properties, which eliminated any cash investment on my part, and offered $1,000 worth of free material to entice potential buyers. (This is given in draw stages to the buyer as his or her work progresses.) In less than a month I sold it for $12,800 under a land installment contract. (The deed stays in my name until full payment is received.) The buyer assumed full responsibility for maintenance, taxes, insurance . . . everything. With the sizeable down payment and future interest income, I'll receive over $18,000 for this property that took a little of my time and less of my money.

From single family homes to small commercial properties, from land installment contracts to leases and options, cosmetic renovation is lucrative. Within these investment areas exist a wide spectrum of profit opportunities for the average investor.

THE CHALLENGE AND REWARD
OF A TOTAL RENOVATION PROJECT

One of the greatest opportunities, as well as challenges, in renovating properties is what I refer to as *sleeping giants*. These eyesores often have no useful life and are uninhabitable. Their potential is overlooked even by the most experienced investors, and they too often fall prey to the demolition crew.

While the noncreative renovator will drive by such a property every day without even considering it as having any profit potential, the creative, aggressive renovator will look forward to the challenge and the profit that this property represents.

A typical description would go like this: a two-story, single family dwelling situated on a nice lot in a desirable residential community. The windows are broken; the furnace, plumbing, and electrical system need to be replaced. The property has been vacant for years and vandalized to the point where no one bothers with it anymore. (Frankly, that's the way I like to see them.)

Let me begin by hypothetically comparing two identical properties located in an area where values are in the $70,000 range. Both are two-story frame, single family homes, which I shall label "A" and "B."

Property A—The exterior wood siding was painted eight years ago and its overall appearance is acceptable.
Property B—The exterior wood siding was last painted 25

Photo 1-1

A "before" look at the living room of this typical sleeping giant.

Photo by Ed Salamony

years ago. The appearance is ghastly with severe cracking and peeling of the paint.

Property A—The roof has about three to five years of useful life remaining.

Property B—The roof is leaking and has no useful life remaining.

Property A—It has a 45-year-old coal furnace converted to gas, presently functioning.

Property B—There is no furnace.

Property A—The galvanized waterlines have below-normal pressure.

Property B—All waterlines are broken and not functional.

My point is that both properties would require the same amount of work to reach their maximum potential. An inefficient conversion furnace is not acceptable in a $70,000 property. It would have to be replaced, as would the roof, plumbing, and the deteriorated exterior siding. If both of these properties were placed on the market in this condition, there could be as much as a $15,000 to $20,000 difference in the asking price; yet both properties would require the same amount of work to reach maximum potential. Therefore, property "B" is by far the best buy.

Any aspect of a property needing to be replaced, such as windows, siding, or plumbing, serves you best if it does not function or if it looks as poorly as possible. *It is not desirable to initially pay for anything that you must later replace.* The worse it looks, the less you pay, the more you make.

Neighbors obviously view these structures as eyesores. These properties adversely affect surrounding property values and create an attractive nuisance for children as well. These grievances are usually taken to local officials, who begin the long and heated process of rectifying the problem. It can involve several council meetings with the owner of the property as the main event.

It soon becomes evident to the owner that his alternatives are few. One, he can repair the property. Two, the property can be torn down at his expense. Three, and the most likely, he can sell the property as quickly as possible and get what he can for it.

An owner sooner or later realizes that selling a property that is impossible to finance and equally impossible to market is, to say the least, difficult. The only market available, experienced renovators, is but a fractional part of the overall buying public, and even they are reluctant to tackle a thoroughly dilapidated property. An owner comes to realize that his only market approach is to sell the property for the value of the lot alone. To determine what that will be, the owner must first arrive at a value for the lot without the structure. Let's assume that value is $10,000. The owner must then establish the cost of tearing down the structure, let's say $2,000, and deduct that from the value of the lot.

Value of the lot	$10,000.00
Cost to raze structure	−2,000.00
Value of the property	$ 8,000.00

Even at a price that is below the cost of the lot alone, the owner must often reduce further to quickly sell this "white elephant."

The skills given to you in this book will enable you to capitalize on the seller's unwillingness or inability to take on such a project. Your reward for assuming this unwanted responsibility from the owner is likely to be as much as $20,000 profit. In fact, the description at the beginning of this section is that of a property I recently purchased for $6,000 in an area where neighboring properties were selling in the $50,000 range. Once I have completed the remodeling and improvements (at a cost of $16,000), I will realize a net profit of almost $28,000.

The challenge is there and so are the rewards. Naturally the profits you earn tend to overshadow the other benefits gained, but you'll find additional satisfaction in doing projects that even the experienced consider unfeasible. Certainly not every property is a worthwhile venture, and there are many more considerations to weigh before tackling one. But feel confident that when you've read the last page of this book, you'll have been exposed to all you need to know, and more, to handle such a task.

SIX REASONS WHY YOU CAN PROFIT
FROM REAL ESTATE'S MOST UNTAPPED RESOURCE

These sleeping giants are truly real estate's most untapped resource. In my opinion they are the best investment opportunity available for the following reasons:

1. Since there is little demand for such properties the price is always right and your competition is few.
2. There exists many creative ways in which to finance the purchase and renovation of these properties, even in tight money times.
3. The potential market for your finished product is consistently good.
4. Real estate values have consistently increased year after year reaching as much as 20% and more in some areas.
5. Many sources are available for the financing of your finished product.

6. Stability of the residential market is reinforced by government's commitment to the real estate industry through tax incentives and financing, even in bad times.

Although there are many profitable opportunities in the cosmetic field, the challenge and creativity involved in rehabilitating these sleeping giants, not to mention the profits, is unsurpassed.

AN OVERALL VIEW OF THE ADVANTAGES OF A TAX SHELTERED INCOME AND EQUITY BUILDUP

Real estate is viewed by many as the best avenue for sheltering income from taxes. For example, rental property provides the best of both worlds; appreciation and depreciation. While your property increases in value each year, you are simultaneously permitted to depreciate the structure and any major improvements, thereby reducing your income for tax purposes.

Depreciation is an expense not requiring the use of funds. It's a legal deduction, but not an out-of-pocket expense such as taxes and insurance. It may be considered a fringe benefit for owning rental property. The types of depreciations are:

1. Straight-line
2. 125% declining balance
3. 150% declining balance
4. Double declining balance
5. Sum of the years' digits

Each of these methods apply to various types of properties and their particular use, all of which will be covered in Chapter 9.

Interest paid is another permissible deduction. This is the amount of your annual debt service paid for outstanding loans and mortgages applying to the property, excluding principal. This amount is deducted, as are other expenses, from the amount of rental income received.

In the first years of a mortgage, interest accounts for most of the debt service. For example, a $32,000 loan at 12% interest, with a term of 25 years, would have an annual debt service of

$4,044. Of that, $3,828 or 95% of the total amount would be deductible interest. Add to that the deductions of taxes, insurance, repairs, supplies and maintenance, legal and accounting, utilities, permits, advertising and management, and you have the ultimate tax shelter.

Here is a brief example of how Greg J., a telephone lineman, sheltered his income. He purchased a run-down, two-family dwelling, which he renovated within a few months' time. The first year he received $5,600 in rental income from the property and had expenses amounting to $1,965. Adding the cost of debt service to his expenses, he was left with a modest before tax cash flow of $972. (Rental income minus expenses and debt services equals before tax cash flow.) His first-year depreciation was $2,200, and the interest write-off amounted to $2,300. This, plus all expenses, brought the total deductions to $6,465, a tax loss of $865. (Rental income minus total deductions.) This meant Greg paid no tax on his $972 profit. In fact, the $865 loss was used to reduce his earned income from the telephone company, providing him an additional $150 tax savings. Actually, the property generated an after tax cash flow of $1,120 ($972 net rental income plus a $150 tax savings on earned income).

The third year Greg sold the property and benefited from yet another tax advantage, long-term capital gains. His net profit or gain on the sale amounted to $18,000. With the benefit of long-term capital gains, however, he paid tax on only 40% of that amount, or $7,200. Actually Greg paid $2,345 in taxes on his $18,000 gain. Had he earned this $18,000 from the telephone company, Greg would have paid $6,749 in taxes, or $4,404 *more* for earning the same income.

To qualify for a long-term capital gain, you must hold a property for more than one year. A property held for less than one year and sold would be a short-term capital gain, with the tax applying to the entire gain rather than on 40%. If the previous example had been a short-term capital gain, the tax paid would have amounted to 37% of the $18,000, rather than the actual 13% that was paid.

The long-term capital gain privilege has been abused at times and many of the offenders have been classified as "dealers," thereby losing the privilege altogether. In Chapter 9, you will learn how to avoid the "dealer" classification in order to keep the benefit of long-term capital gains working for you.

In addition to these tax benefits, you are permitted to depreciate your tools, equipment, and any vehicles used in connection with your renovation work. You may also be eligible for an investment tax credit, and any additional expenses that are an "ordinary or necessary" part of your renovating and investment activity may well be deductible. The internal revenue code is not specific in many areas concerning business expenses, and tax specialists often interpret the code to the advantage of the taxpayer. These interpretations, however, are best left to an experienced tax consultant.

Educational expenses incurred also are generally deductible if they *improve or maintain* the skills required in your trade or business, namely, renovating and investing in real estate. The cost of any course, including books, travel, overnight and away from home lodging, and meals may well be deductible. Again consult your tax specialist on these issues.

Equity buildup is another reason why real estate is considered an excellent investment. Equity is the difference between the current market value of the property and the mortgage amount outstanding. The two ways of building equity are through the amortization of the mortgage and appreciation of the property.

Amortization occurs each time a payment on the property is made. The amount applying to principal reduces the outstanding debt, thereby increasing your equity. It's not a particularly fast process, especially in the early years of the mortgage, but in time it adds up.

Appreciation is the rise in the market value of a property and, in this regard, real estate is unparalleled. It has seen greater overall increases in value than any other form of investment. For this reason, real estate, especially renovated properties, is today's best inflation fighter.

THE SECRET OF PYRAMIDING
YOUR WAY TO THE TOP

Pyramiding in real estate refers to the accumulation of properties. Neglected properties provide a distinct advantage over other forms of real estate as far as pyramiding is concerned. Because a property can be purchased for far less than its potential market value, and because the cost to renovate amounts to only a portion of that difference, you are in a position to realize a sizeable equity once the property is completed.

Construction worker John S. and car salesman Tim O. show how it's done. They joined together to buy their first property, a two-bedroom home up for $1,400 in back taxes. They borrowed $6,000 for improvements, renovated it, and within a few months sold the property for $22,000. Their $14,600 profit, plus their original $1,400 investment, was channeled into a second property, again a single family home. The purchase price was $16,000 and total improvements amounted to $9,300. They sold the property for $42,000 making a profit of $16,700. The result: within one year, two relatively inexperienced renovator-investors turned their initial $1,400 into a pre-tax amount of *$32,700.*

Although they preferred to resell their properties and accumulate the cash, insurance broker Andrew F. did it another way. Being self-employed, he needed income for his retirement. Recognizing the advantages of neglected properties, Andrew pyramided from his first $2,500 rental unit to his current $500,000 investment portfolio. His net annual income from these properties currently exceeds $23,000.

Pyramiding is the best way to amass your own investment portfolio, and doing it with neglected properties is the fastest, most profitable way. Properties already improved are high in price and comparatively low in return. You wait years for any noticeable amortization and there is no immediate equity buildup.

With a neglected property, the purchase price is often as much as 90% below market value for one that requires a complete rehabing. Within just a few months time you can realize an immediate equity position of $25,000 or more. Pyramiding with neglected properties enables you to build an investment portfolio quickly. You can eliminate tying up your money for long periods of time and you can reach the goals you have set for yourself now, rather than ten years from now.

Many people who have had success in renovating have surprisingly not been very astute in judging a property's maximum potential and how to best reach it. They fail to consider or to even realize many important factors that affect their success. They don't lose, they simply make less than they should. They pass by profitable opportunities and fail to fully capitalize on the ones they do take on. The majority operate at a 50% to 60% efficiency.

On the other hand, truly efficient investors have the ability to thoroughly analyze a property down to its last detail. They have established key contacts in the related areas of finance, real estate, and construction, and have the discipline and management capabilities needed to tackle these so-called "risky" ventures. Many renovators can recognize potential, or the lack of it, in a cosmetic project. But a thoroughly dilapidated property having, say, a right-of-way problem, structural deficiencies, and possible zoning difficulties quickly eliminates all but a knowledgeable few. Most investors are unprepared to deal with problems of this magnitude. Their awkward, unknowledgeable approach in these and other matters results in a lot of "no" answers which they accept as gospel.

To consistently turn a seemingly impossible task into a profitable venture requires a knowledge in the fields of design, renovation, and market analysis, along with a comprehensive evaluation of a property that gives you *all* the answers to *all* the questions.

The secret of pyramiding to the top requires you to step out of the "run of the mill" category—to be innovative, setting no limitations on your own capabilities, and to always strive to improve.

Creatively designing and renovating a dilapidated property into a viable one of character is an art. Pyramiding your way to the top is a game. How to do both successfully is what this book is about.

EXPLORING THE BASIC PRINCIPLES IN RENOVATING FOR SALE VERSUS RENOVATING FOR RENT

People purchase investment real estate for a variety of reasons. Some use it to build up their retirement income or as a tax shelter, while others see it as a means to put their children through college or even as a livelihood. Whatever your reason, the fact stands that a rental property is not renovated in the same way as one that you would resell. In either case, however, it is *imperative* that you renovate to the demands of your particular market. (Chapters 6 and 7 cover the specifics of analyzing your particular market.) Failure to do so has resulted in the undoing of many investors.

I'll cite the example of renovator, Jack C., who to date has completed several properties. His renovating ability is surpassed by few and little fault can be found in the quality of his work. However, a major oversight is conspicuously evident. The majority of his properties are overimproved for their area. He includes luxury items in properties where $200 is considered high rent. You just can't renovate all properties as if they were high priced, yet many people do. They lose sight of their objective—*making money*—and they don't renovate to the market's demand.

You have to *mirror* the market to see what people are willing to pay and what they expect for their dollar. Mirroring simply means comparing your property to those of your competition to see what they get in rent or a sales price. In addition, you look to see what they offer as far as the structures themselves are concerned. While one fireplace in a property that you intend to sell may well be worth the investment, will two or three produce the same profitable results? If you determine that $250 per month is the maximum you can receive on a two-bedroom rental unit, can you afford to include built-in appliances and air conditioning, and then maintain them? Your answer lies in the market. Look to the competition in your area to see what is acceptable and what is not.

I basically renovate rental units to the acceptable minimum standards for the rent I expect to receive, though when necessary, I make my units more desirable than the competition without excessive costs. Instead of the basic white look, I strive to add some appeal by color-coordinating the rooms, adding decorative moldings, or by installing an attractive floor covering. The result is a more appealing rental unit without significant cost increases.

On properties that I intend to resell, I focus in on specific areas of the structure, usually the kitchen, living room, or family room, and try to establish that one-of-a-kind atmosphere that buyers can't resist. By using unique ceiling designs, wooden beams, or a

Victorian atmosphere, you can produce a real show stopper that is not found in comparable properties. (Photo 1-2.)

I also try to incorporate some type of efficient woodburning fireplace, and I often include non-functional fireplaces as well. You can often pick up a wooden mantel inexpensively, or for that matter, build your own. The result is a pleasing focal point on which to design a room around, and the cost is negligible.

Photo 1-2

The kitchen in the Valley Street property illustrates a unique, four-sided, slanted ceiling design with car-peted insert and continuous bulkhead.

Photo by Ed Salamony

Move on to the next chapter with this thought in mind: *mirroring the market and renovating to that reflection is the only sure way to get the maximum profit out of each property.*

2

Understanding and Applying What It Takes to Be a Winner

Investing in the real estate market, particularly in renovation, requires a step-by-step approach. Before you invest one dollar in real estate, it is imperative to your future success that you understand and meet the important prerequisites to investing. In Chapter 2 you will learn how to analyze your financial situation so you better understand your needs, as well as your limitations. We'll review the ingredients of a successful partnership and provide you with the insight necessary to avoid disputes. You'll come to know, contrary to other investments, the larger the profit margin in renovation properties, the smaller the risk, and, in turn, the chance of failure.

An obstacle seldom considered, but often present, is an uncooperative spouse or colleague. By considering your spouse's objections and understanding the proper approach to overcoming this problem, the road to meeting your objectives will become much smoother. You will also learn the necessity of controlling your time and using it wisely, so you can realize the maximum return on your dollars invested.

By utilizing all the methods in this chapter for overcoming the more subjective obstacles that renovation investing presents, you will eliminate any mental stress and be able to profit from the abilities of others, rather than competing with them.

ANALYZING YOUR FINANCIAL POSITION

It has been said that before you consider investing in real estate you should have nestled away six to nine months' income in addition to the amount you wish to invest. Some funds should be available for emergencies and such, but six to nine months in most cases is extreme. The amount of funded reserves set aside has to be determined on an individual basis. You should consider the following to determine your own financial position.

1. *The size of your family unit.* Naturally, an unmarried investor has less family responsibilities than one with six children; therefore, the latter should have more funded reserves set aside.

2. *The amount and types of insurance coverage.* How much life insurance do you have; is it term or whole life; how does it meet your family's needs? Do you have adequate hospitalization, dental, and major medical coverage? Do you have workmen's compensation and/or an accident and health policy, and how much income would you receive in case of a claim? How much liability insurance do you have? Could you realistically be sued for an amount exceeding your present coverage?

3. *Net worth and equity position.* What is your ability to raise funds in case of an emergency? In what form are your assets and how liquid are they? Could you remortgage a property? Do you have any cash surrender values on insurances? How much could you realistically borrow on unsecured personal notes?

4. *Income to debt ratio.* What percent of your income is consumed by debts, living expenses, and such? How long will you be indebted, and do you anticipate any additional debts?

5. *Stability, type and income of job(s).* Consider any conditions that may affect your job's security, such as promotions, demotions, your health, age, stability of your industry, layoffs, and how long you have held your present position. Do you travel much

in your position, and how many hours do you work in an average week? Do you have the time to devote to renovating a property? Does your job provide you with any tax shelters? Do you have some type of retirement income or pension plan? Does your income fluctuate, such as on a commission basis, and if so, can you evaluate what a bad year could do to you financially?

6. *Future anticipated expenditures.* Consider anything that requires a substantial cash outlay such as a child in college or a new car in the foreseeable future.

7. *Any applicable personal circumstances that affect you financially.* Does your family have any medical or personal problems resulting in expenses that are your financial responsibility?

Only after answering these questions do you truly see your whole financial picture. From here you must choose the particular types of ventures that will best suit your needs. You already have chosen wisely by involving yourself with renovating. It is the only form of real estate that provides an immediate equity buildup and a sizeable margin for error, even in times of a bad market.

Attorney Bob J. owns a lucrative law practice and finds he needs tax shelters to protect his income. He prefers to invest in apartment buildings that are in need of cosmetic refurbishing. Basically he looks for three things in a property:

1. A sizeable tax shelter.
2. An immediate equity position once the improvements are completed.
3. That no money comes out of his pocket to own the property. In other words, he doesn't want a *negative cash flow.*

Bob is looking for big depreciation, sizeable interest deductions, and expenses to offset his $80,000 income. This type of property does the trick for him.

In contrast, many investors are not in the $80,000 income bracket, and they prefer to turn the properties over quickly and pay the tax on the profit. They view the tax as just another cost to be considered when evaluating a property.

It's best to not limit yourself to one specific type of property. Certainly, because of differences in our financial situations, each of us must pursue the type of venture that will best fulfill our needs at any given time. However, strive to develop a well-rounded portfolio that enables you to shelter your income adequately, while at the same time take advantage of those quick-profit endeavors.

To know where you stand financially, now and in the future, is a path that many investors don't follow. They are neglecting to consider the unexpected and inviting the possibility of serious consequences. This financial self-analysis enables you to know where to draw the line, if need be. It is but a part of what will keep you a winner time after time.

THE ADVANTAGES OF HAVING A PARTNER AND GUIDELINES FOR CHOOSING A GOOD ONE

The possibilities and methods for setting up a syndication or group ownership is a book in itself. It can be a complicated affair involving attorneys, accountants, and possibly the Securities and Exchange Commission.

In renovating, the primary concern with this type of venture is that of a *general partnership.* It works on the premise that each partner assumes a certain area and degree of responsibility in the project, with his or her return being proportionate to the amount of his or her contribution. Theoretically all partners have an active participation in the project in one sense or another. They share, to varying degrees, the decision making, the financing, the work, and the expenses, along with the profit.

The advantages of a general partnership include:

1. Increased capital and borrowing power
2. Increased knowledge and expertise
3. Sharing of the risk
4. Sharing of the responsibilities

To the novice a general partnership lends additional appeal. It provides an opportunity to gain valuable experience from other partners. It enables both partners to get involved in an investment that would be difficult in a number of ways on their own, and finally provides them a sense of security.

It's uncommon to find an experienced and financially secure investor in a general partnership. Partnerships are basically formed because an individual lacks money, experience, time, or a combination of these and other factors. The majority of the people entering a general partnership do so because they cannot accomplish the task on their own.

RECOGNIZING THE PITFALLS
OF A GENERAL PARTNERSHIP

1. *Disagreement.* Whenever more than one person is making the decisions there inevitably is disagreement. The more decision makers, the more disagreement. There are many decisions to make in renovating and most of them are not cut and dry issues, but rather a matter of opinion.

2. *Slacking.* It sometimes happens that one or more of the partners will not carry their full share of the load. Someone must pick up the slack and that someone will resent it.

3. *Sharing the profit.* While the profit sharing has been agreed to in advance, once underway it's not uncommon for a partner to feel he or she is not being duly compensated for his or her effort. The result is dissension.

4. *Unconscious incompetence.* Each of the above is caused by a lack of understanding between the partners, primarily due to their own ineptness. They are unconsciously incompetent, which means the partners are unaware that they don't know what they are doing. They fail to consider all the ramifications involved in a partnership, thereby running into many unforeseen problems once underway.

OVERCOMING THE PROBLEMS
OF A PARTNERSHIP

1. An analysis should be made of each partner's investment objectives and timetables, as well as a financial statement on each. This would include the amount of capital the partners have to invest, their amount of income and debts, and would give to each partner a complete financial outlook of the other.

2. There must be complete agreement between the partners, *some of which must be in writing,* as to:
   a. The amount initially invested by each.
   b. The percentage of profit or return to each and a clear definition as to what comes off the top before arriving at the profit or return. For example, if one of your partners is a Realtor, does he or she receive a commission for marketing the finished property that would come off the top, or is it merely one of the agreed upon responsibilities?
   c. The delegation of all duties and responsibilities of each.
   d. An agreed upon formula for handling slacking and the decision-making process.
   e. The most advantageous way for the partners to take title to the property, such as taking title with rights of survivorship, which would eliminate the possibility of anyone outside the partnership from becoming involved.
   f. What would happen to a partner's interest and duties should he or she become ill, die, or renege?

You should utilize the knowledge of each partner's area of expertise and rely heavily on this experience. On the other hand, each partner must assume the role of the "devil's advocate" to the other and *reasonably* challenge each decision to make sure that it's truly the best one.

A successful general partnership is determined by the caliber of the partners and the ability to examine and agree upon all the issues involved. It is *conscious competence,* which is knowing that you know what you're doing and that it is right.

If a partnership is a necessity, consult your attorney and choose your partners wisely.

A PROVEN METHOD FOR DEALING
WITH RISK, STRESS, AND FAILURE
IN RENOVATING REAL ESTATE

Risk, stress, and failure in real estate are all interrelated. Risk can cause stress, which in turn may cause failure. How well you are able to handle these factors will certainly affect your degree of success.

A project is *risky* when the chance of loss exists. The greater the chance, the greater the risk. However, each of us views risk in a different light. While some of us fear it, others thrive on it. Consequently, it's impossible to clearly state for all people what is too risky and what is not. The only answer that really counts is yours.

When comparing investments, you must examine a number of factors. Perhaps the two most important of these are the *amount of anticipated return* and the *degree of risk*. The return is commensurate to the risk. More clearly stated, the more potential profit, the more risk involved. You need look no further than a "game of chance" to see how true this is. However, our type of investing is an exception to that rule. It without a doubt provides the winnings of a long shot, but without the risk.

Let's look back to my not so uncommon example of the single family home on the acre lot. I expect to make a $28,000 profit on this property, into which I invested a total of $6,200. This will give me a 900% annual return *on* my investment, *plus,* a return *of* my investment. It must be conceded by all that this is a very healthy profit. But is the amount of gain commensurate to the risk? That's a question that can only be answered by you, so consider the following and make your own decision.

The neighboring property values are in the $50,000 to $60,000 range with most homes selling within 45 days. The proposed time to renovate and market this property is six months. Now let's assume the unexpected. A severe recession hits, prices drop, interest rates climb, and home sales are well off the normal pace. In addition let's assume I underestimated the cost of renovation by $6,000, which cuts my profit margin to $22,000. In this position let's further assume I must reduce my $50,000 asking price to $35,000 in order to sell. The result is still *not* disastrous. Faced with this dilemma, I'm still in a position to realize a $7,000 profit or a 226% annual return on my initial investment. For this gloom to appear without notice in six months time is unprecedented, yet I am still in a position to make a profit. Certainly those gifted with vivid imaginations could conceive of an economic disaster so preponderous that it would put even the O.P.E.C. oil ministers in the poor house, but come now, let's retain some reason. This project is as risk proof as you can get. Some of my other properties have shown profit margins exceeding $28,000, while the lowest has been $5,600 on a cosmetic project. True, a $5,600 profit margin is small in comparison, but so is the room for miscalculations. Frankly, with only surface improvements needed, it's difficult to miscalculate the dollar amount for renovating a cosmetic project. Furthermore, with work taking but a few weeks to complete, it becomes even more unlikely for the market to take such a drastic plunge in that short of time.

So it's time to decide for yourself: Is this type of investing too "risky" for you?

Stress is even more difficult to analyze on an individual basis than risk. There is no way to eliminate all stress in our lives; in fact, some experts find that a certain degree and type of stress is healthy. Certainly by eliminating risk the likelihood of harmful stress diminishes, but there are other factors to contend with that also cause stress in renovating. *Overworking, disorganization, a lack of knowledge,* and *financial problems* would, for the most part, cover the spectrum. You've briefly seen the importance of analyzing and choosing a property wisely. Now recognize the need to set timetables to organize yourself, along with your remodeling. As my mother always said, "plan your work and work your plan." By being prepared in these ways, to the point of anticipating the unexpected, you help to eliminate any measurable degree of stress involved in rehabing properties.

It's impossible to deal effectively with stress without involving all aspects of your life. Stress is not something to be turned off and on at will. If you have a stress situation at home it inevitably follows you to the office. In fact, it creates a snowball effect that magnifies *any* of your problems and diminishes your ability to deal effectively with them. A lingering stressful situation of any type will adversely affect the success of your project.

You must recognize stress to deal with it. Ignoring it is not the answer. Your need to relax and enjoy is as important to your efficiency and long-term success as any other aspect of your work. Don't overlook that. You may be able to cope with being over-worked over the short term, but it will soon take its toll.

Reducing risk and stress is the first step toward eliminating *failure.* The many methods and techniques that follow will virtually eliminate the word "failure" from your vocabulary. I can truthfully say that I have never considered any of my projects risky or stressful and none have lost any money. In fact, most have made more than I had conservatively predicted.

Risk, stress, and failure are all interrelated and eliminated through conscious competence. From there it's a matter of organizing your efforts in a way that lets you enjoy life and reap the benefits of your astute investing, rather than becoming a slave to it.

SUCCESSFULLY COPING WITH AN UNCOOPERATIVE SPOUSE

A most formidable obstacle to any investment project is a spouse who opposes the idea. It adversely affects the success of the project, but more importantly, it adversely affects your entire life. You must come to realize that this reaction often stems out of the fear of losing all that you have saved and built or out of resentment.

The following takes a condensed look at a few common ways *not* to approach your spouse. There is the "shocker" approach that goes something like this, "Honey, *I've* just decided to invest all *our* savings and remortgage *our* house to buy the old dilapidated Jones place down on the corner." A response of, "Over my dead body" can be expected. Even worse is the "Honey, I just *bought* the old Jones place down on the corner" approach. Again there is mention of a dead body, only this time it's not your spouse's.

These and similar approaches unintentionally come across as being one-sided, alienating your spouse from you and your project. Frequently there is an inadequate explanation of what you are proposing to do and a failure to deal with conflicting views. These approaches produce rejection, resentment, anger, and a lack of understanding in your spouse.

A mutual analysis of the following considerations is your first step in winning over an uncooperative spouse.

1. Are you satisfied with your current financial situation and are you receiving the best return possible on your invested

money? If you have $12,000 in a savings account it's not difficult to see that inflation and taxes put you well in the red as far as purchasing power is concerned. Do you have equity in your home? If so, are you now going to use it to meet your goals or let it sit dormant?

2. Analyze together your financial situation as described earlier in this chapter.

3. Define your *mutual* goals, short and long range. Where would you like to be financially three or five years from today? If you don't plan for it now it won't happen then.

4. Set your new course of direction and define your abilities and shortcomings as far as the spectrum of renovating is concerned.

If at this point your spouse remains unconvinced, you probably need to be more specific. By taking your spouse with you to view projects, explaining the good points along with the bad, you should give off an air of confidence and expertise. This reassurance, along with the black and white of the specific costs involved in an actual project, may turn the tide. Remember, particularly if you're dealing with a spouse who is unknowledgeable in these matters, a little backtracking is necessary for total understanding on his or her part. Where there exists a lack of knowledge there also looms risk. It becomes necessary to provide more than your assurances for your spouse not to worry. He or she needs to know how it works and what it entails. Your spouse needs to feel comfortable about the situation and be as convinced as you are about how solid an investment this is.

You're not going to achieve all this in 30 minutes or so; it takes time. Perhaps the easiest way of explaining is to put yourself in your spouse's shoes and just say what *you* would want to hear. Common sense, understanding, explanation after explanation, and compromise should prevail. If all of this fails and if it boils down to choosing either renovating or your spouse, then the decision is yours. But if it comes down to either renovating or anything *less* than the previous choice, then go for it and take comfort in the fact that soon the day will come when you can spread the profit on the table and let out all that frustration in the form of, "I told you so."

BLUEPRINT FOR EFFECTIVELY
MANAGING YOUR TIME

Time is money. That's a cliché that we've all heard at one time or another, but perhaps it's better understood if rephrased: *wasting time is wasting money.*

Nothing could be more true when it comes to rehabing. Most people are not accustomed to looking at the 24 hours given them each day in this manner, but to be successful in renovating you must. It's essential to govern your time effectively and to squeeze the most out of each working day. That doesn't mean working yourself ragged or working longer hours. In fact it means working fewer hours because you become more productive. In a word it means *efficiency.*

You start by setting long-range goals and timetables for yourself, financial and otherwise. Again the question arises, "Where do you want to be three years from today?" Having chosen renovating as a means of reaching your goals, and having analyzed your financial position, you now must establish a course that best suits your needs. Only after analyzing and purchasing a property do you really get involved in the "meat and potatoes" of time management. You then must determine the maximum time for completing your project and from there set a daily schedule of tasks, in order of priorities, to meet that goal.

It's not only essential to manage your own time, but to some extent the time of everyone involved in your project. You cannot afford to waste time (money) on people that are not as productive as they should be. Make this point perfectly clear to all parties involved prior to beginning any project.

Strive to be realistic. Don't set unreachable goals for yourself or your workers. Aim beyond the mediocre to an attainable excellence in all that you do.

A diary of sorts is essential to save time and to develop a discipline that will hold you on schedule. (You should carry a separate diary with you *always* to jot down those ideas and thoughts that all of a sudden pop into your mind and then in an instant are gone.) List each task in order of importance based on its productivity. The tasks that make you the most money should be first on the list. It's also very important to take five minutes at the end of each day to list what you plan to accomplish the following day.

To increase your efficiency it is necessary to examine how you presently utilize your time. Consider what portion of your day is devoted to productive and nonproductive activities. Time wasted in idle conversation or as a result of poor planning must be eliminated. Allocate as much of your time as possible to profitable or potentially profitable activities. Understand that day-to-day activities such as picking up materials, recordkeeping, and paying bills are necessary, but spend as little time as possible in these areas without neglecting your duties. Recreational, social, and family activities should not be considered wasted time unless excessive. Remember, all work and no play can cause big problems.

It's essential to control your time and turn it into money. If that means stepping on a few toes now and again, then so be it. One of the frustrations of renovating concerns the passers-by who stop in for thirty minutes of idle chat and the grand tour. In some of my earlier projects I found that as much as two hours in one day had been wasted by these intruders. Some are literally impossible to get rid of. They pretend not to realize that they are interfering with your work, but without exception will mention that *they don't wish to hold you back,* or that *they have taken enough of your time.* To avoid being caught in this very real and awkward position, I suggest the following: (1) Always appear very busy when faced with this situation. Make it abundantly clear, through your actions, that you are up to your neck in work. (2) Greet the person, but don't stop what you are doing. (3) *Never truly give them your undivided attention.* (4) State in the first minute of the conversation that you wish you could take time to chat, but you're just too busy. Just remember that someone wasting your time is taking money out of your pocket, and when you look at it that way, it almost justifies any means!

People fail because they have no direction, no organization, no self-discipline, and no goals. It rarely has anything to do with ability. They have a lot of good intentions, but they don't know how to get results. If you approach a project without any game plan, you will see no further than what you are presently involved with. It's like crossing a busy intersection with your eyes closed. You're not sure where you're at, where you're going, or if you'll get there. Time management is a self tune-up that sets goals, priorities, and incentives, and produces results.

3

Magic Keys to Building a Strong Foundation for Real Estate Renovation

This chapter describes the key factors that will help ensure your success in renovating. You will discover the concept of how to accomplish your goals through the use of certain key people. We'll touch on the subject of evaluating potential in a property, and you'll be given a full run-down on the numerous sources needed to find such properties. You'll discover the formula for buying building supplies at the best possible discount and even see how to take advantage of those special items that are 40% to 60% below retail. You will see what it takes to build and maintain a competent and cooperative remodeling team along with guidelines for preparing contracts, insuring "uninsurable" properties, and the setting up of an often overlooked, but important aspect in renovating, your accounting system.

PEOPLE YOU NEED TO KNOW TO GET THE JOB DONE RIGHT

There are a few key people who can make the essential difference between doing fairly well in renovating properties and doing extraordinarily well. Without this team of key people, you will do little more than dabble in renovating. With the use of these people, the sky's the limit.

The Realtor

The Realtor is probably the most important member of your team. His or her many contacts can provide you with first-hand knowledge of who is the best as far as bankers, attorneys, and other key people are concerned. The Realtor is an important, diversified source of information to you. Naturally his or her business pertains to the real estate, but an experienced Realtor can be so much more than a source of finding properties. In today's complex market the Realtor must have an extensive knowledge of real estate law, financing, construction, zoning ordinances, building codes, property insurance, and contracts. He or she is a *problem solver,* not only able to put the pieces of a transaction together, but often shaping those pieces to fit the situation. The Realtor's vast knowledge of financing practices and the key people in lending institutions can save you time in putting your renovation team together. The Realtor has at his or her finger tips information on everything that applies to the real estate market and then some. Utilize this knowledge to your benefit. By doing so you will lessen your risk and *maximize* your profit.

The Tax Specialist

Once you start to turn over properties and accumulate income-producing units, you become increasingly involved with complex tax issues. Investment credits, accelerated depreciation, ordinary and necessary business expenses, and capital gains are just a few. You need expert advice in this area to eliminate paying excess taxes. The fee you pay for this service ($35 to $50 per hour for a CPA) is usually more than made up by the amount a CPA can save you.

Choose an individual or small firm where you can get personal attention. Often such a firm has expertise beyond accounting and tax procedures and can provide financial advice if needed.

Handle your own bookkeeping (your tax specialist can help set up a system) so as to save money, and have all records in order prior to April 15th.

A tax specialist provides tax savings as well as peace of mind.

The Banker

Bankers are a most important gear in your renovating machine. A good working relationship with them is *essential.* They not only provide the funds when needed, but equally important is their commitment to expedite the entire loan process. You must be in a position to buy and sell quickly and their cooperation is essential in this process. There is no way you can afford to wait 60 days to buy and sell each property.

Your bankers can also keep you informed to the ups and downs of the everchanging money market. You'll be able to gauge when it is best to buy and to sell. That much needed insight into the financial side of the market will enable you to stay ahead of the game and eliminate costly losses.

The Attorney

Choose an attorney with considerable experience in real estate. He or she is your legal arm in matters concerning contracts, zoning changes, title examinations, and overall legal advice. Receive a commitment from him or her that matters concerning you will be handled without delay. An attorney who doesn't return your phone calls and drags his or her feet is one to be avoided. Attorneys don't come cheaply so use them *only* when necessary. Don't hesitate to inquire about their fees so as to compare with others. If you have a one-hour counseling session scheduled, be prepared to pay $50 or more, but keep in mind that you don't want to be nickled and dimed out of your profit by an attorney who charges you for every phone call and question asked. Use your attorney only when problems arise that either you or your Realtor are unprepared to deal with. Your attorney is part of your team, but one whose role should be limited due to the cost of services.

Remodeling Team

Depending upon your own involvement in your projects, the number of people in your remodeling team will vary. Rely on their ability and consider their suggestions and experience in helping you determine what renovation is to be done along with the costs involved. With so many "ifs, ands, and buts" involved in a project, their much needed imput will be welcome.

You

Finally we are down to the person upon whose shoulders lies the responsibility of success—*you*. You are the decision maker. The other people who aid you are only advisors. They are important in their own right, and the choosing of a loyal and capable team plays a key role in determining your degree of success and how fast you achieve it. But you and only you are the one who puts it all together.

On a few of my earlier projects, I was all the key people in one, doing everything myself. Money was made, but not quickly enough. A lot of hours were put in, but it was not as productive as it should have been. Time was lost and properties were passed by because I was not prepared to handle the volume. It was too much effort, frustration, and not enough money. I finally realized that it's not productive to do everything yourself all the time. You must get some things done through other people. I proceeded to choose those people and with a little weeding out *my profits more than doubled.* I was able to get in and out of a property faster when time was crucial and move on to the next. It provided me with more time, less work, and, best of all, more money.

Your job can be compared to one of a producer, director, and designer. As the general contractor, you'll put together, with the help of your key people, the purchasing, the financing, the projected costs, and the timetables for completion. You'll choreograph and direct your people as to their roles in the project and finally, through your design, you'll achieve the property's maximum profitable potential.

Renovating is much more than pounding a nail. It requires an insider's view of real estate and related markets as to the current trends and what the future holds in store. Choosing competent key people enables you to have that insider's view that's required to be and stay a winner. Remember, it's not necessary to know all the answers to be successful, it's only necessary to know where to find them.

Up until now, you have been introduced only briefly to a few ideas and people that you will need to know. Now we'll proceed with the nuts and bolts issues of this book, and start making you some money.

THE SECRET OF FINDING
REAL ESTATE'S HIDDEN MARKET

Severely neglected properties are truly real estate's hidden gold mine. The physical structures are only part of what is hidden. Once found, the potential that lies beneath their tattered surfaces is what many fail to see. (This section concerns itself with your *awareness* of potential in a property. The mechanics and how-to formulas for determining potential will be covered in Chapters 6 and 7.) It is true that some properties have no potential. The area is depressed or the structure is totally unsound; one or the other can make a project unfeasible. But many times these sleeping giants are nestled in a desirable area. Often they require a great deal of work, but they have the makings of a nice home for someone and a nice profit for you.

Unlocking the secret to finding the hidden market takes two keys. Locating the properties is only one, which will be dealt with later in this chapter. Acquiring the ability to recognize dormant potential in any and all forms is the other.

Potential Visualization

About nine years ago, our agency had two older homes for sale in a desirable section of town. One property was a run-of-the-mill, 2½-story home when viewed from the outside, and a superb-looking 15 rooms and 3 baths once you stepped over the front-door threshold. A little cosmetic work to the exterior and the

3-car garage was the only renovating necessary to put this property in top condition. It sold for its listed price of $27,000, and I must have shown it at least 15 times before I sold it. Showing it that many times should have produced a spark that would have made me look ahead a few years to see that this property would become a virtual gold mine. I regret to say that there wasn't any spark.

The other property was a 2½-story brick with much ornate trim on the exterior that was indeed stunning. The cosmetic work to be done on this property was on the inside. Kitchen cabinets, floor refinishing, some carpet, and paint would have spruced it up rather well. I also showed this home numerous times and it sold for $30,000. Again, no spark.

At that time I was unconsciously incompetent. I failed to look ahead to see the future value and to present the potential of these properties. In fact I'm not sure that I was knowledgeable enough to evaluate what the real estate market would bring. (In Chapter 4 I'll discuss ways of predicting the direction of the real estate market.) I not only lacked the ability to see potential, but also the creative ways to finance such projects. I just didn't have the expertise needed to put all the pieces together. If I had I could easily sell those same properties today and *net in excess of $120,000.*

A few years later I came across another property, only this time I knew what to look for. The property was a two-story, one-family unit on a large corner lot. The windows were all broken, the yard overgrown, the birds now occupied the second floor, the bats had the attic. Beyond what was obvious to the eye lay a property loaded with as much potential as I had seen in a good while. I later learned it had been for sale for over a year and shown to many at an asking price of $12,000. It was clear that with effort, imagination, and about $20,000 in improvements that it was possible to have a $65,000 property. That would leave someone $33,000 ahead of the game. So the question arises, *why didn't any of those people buy it?* Did they fail to see its potential as I had done years earlier?

There are a number of possible answers to these questions. Quite possibly they just didn't see the property's dormant potential. But let's assume they did. As shown in later chapters, a special knowledge of creative financing is in order to purchase and renovate such a property. Also, most people, including investors, are unprepared to calculate the dollar amount of the renovation process. Finally, many lack the initiative to tackle such a project.

All of these shortcomings work to your advantage. They create a situation, particularly in dilapidated properties, that enables *you* to be one of the few *aware* enough to see underlying potential and to be knowledgeable enough to know how to put all the pieces together. It's called *potential visualization.*

Locating the Properties

Let me introduce you to the main sources in finding properties to renovate. They are not ones overlooked by you, but the choosing of these people as well as the way you approach them is crucial in producing profitable results. One of the key people you need to select are *attorneys,* preferably ones who handle a large number of estates and service an area where dilapidated properties are prevalent. About 30% of the properties I've purchased have been through estates.

Often an elderly person or couple occupy a property alone, and because of their age, limited income, or both, are unable to keep up with the necessary maintenance and repairs. The majority of these people don't want to be placed in a home for the elderly and they don't wish to become dependent on their children. As a result they hang on to their homes despite their families' wishes, and the property declines. Once a property passes into the estate of the elderly person, it may sit unoccupied for as long as a year before a sale can be consummated due to the red tape involved. The end result ranges from a property having a little neglect to one that is thoroughly dilapidated, and an attorney is always involved.

There are times when a property does not get this far along. One of the first properties I renovated was severely neglected and occupied by an elderly widow. It was February and her children, who lived out of state, had contacted our office for an appointment at the property. To our dismay we found that she heated the entire six-room house with the gas burners of two cooking stoves. Because of this all the plumbing had frozen, leaving her no bathroom facilities.

The family's main concern was to get her out of that house as quickly as possible. They asked if we would be willing to purchase the property at a price obviously below market. They realized it was possible to get more money, but they wanted a quick sale and the property out of their hands. We bought it, renovated it, and made a profit of $8,200 in a short period of time.

When a property has not yet reached an estate, an attorney is often contacted concerning such legal matters as a Power of Attorney, the adding of a name to a deed, or the structuring of an estate to reduce inheritance taxes. These first steps taken may indicate a sale of property in the foreseeable future. If you have a good working relationship with that attorney, chances are you'll get the first shot at purchasing it.

Approach several attorneys and let them know that you invest in such properties. Maybe over some lunch, with *you* buying, explain some previous projects stressing the major elements involved. Be certain the lawyer knows what you are looking for as far as location, soundness of structure, lot size, and price are concerned. Feel the lawyer out as to the amount of estates he or she will handle in any given year having these types of properties. Strive to impress without being boastful. Avoid flashing about the "big dollar signs of profit." Give the impression of a *knowledge-able, modest* investor. Impress the lawyer to the point where it appears that you are doing *him* or *her* a favor by providing an avenue where the lawyer can *cleverly* market these "unmarket-able" properties. He or she is likely to refer you to other attorneys having the same "problem."

A *Realtor* is another important source. As with other key people, strive to make the Realtor contact you whenever a ne-glected property comes his or her way. Naturally he or she should be successful, but I *may* hesitate choosing some of the top produc-ers in a large area for the following reason: Most are making quite a handsome living off of their referrals and reputation as top produc-ers and may have the attitude that they are wasting their time looking for run-down properties for you. Sure they'll keep you in mind if they run across something, but you want more than that. You want someone successful and knowledgeable, but equally important is this person's desire to have *you* as a client. They see it as a unique opportunity for themselves, and *there* lies the key to good solid contacts.

Don't restrict yourself to one Realtor, but do restrict yourself to one Realtor in any given area. Be loyal to your Realtor by referring other business his or her way. The old adage of "you scratch my back and I'll scratch yours" certainly applies here, and there is absolutely nothing wrong with that if done properly and above board.

Be flexible in your commitments concerning the selling of your finished projects. If you can sell the property yourself, certainly do so. It puts more dollars in your pocket and that's the name of the game. The Realtor will get the commission on the neglected property he or she has sold to you and in addition benefit from your referred business. If you feel obligated to give the Realtor a shot at selling your completed project, you may want to do so under an open listing. That way it doesn't restrict you from selling it yourself. In the event the Realtor procures a buyer at your price, with his or her commission on top, you take it.

If a property is for sale by the owner, and the owner is unwilling to pay a commission to the Realtor for bringing about the transaction, then you pay the Realtor. He or she must be duly compensated for his or her efforts, or that Realtor won't be part of your team for long.

Remember, your Realtors are one of the most important parts of your team. Choose them carefully and treat them fairly. *Make it pay for the both of you.*

Building inspectors know every property in their area that is in poor condition. One of their responsibilities is to make certain that properties within their jurisdiction do not provide a potential hazard to the community. The properties that do are where the building inspectors' problems and your potential opportunities begin.

Building inspectors take a lot of hassle from the community council and neighbors of a dilapidated property. If an inspector thinks you may *buy* one of his or her "problems," the inspector will give you all the inside information concerning the property and its owner.

The contacting of several building inspectors in areas where older properties are prevalent will provide several good sources for finding properties to renovate.

Community council members should be used in conjunction with building inspectors. Their additional viewpoints enable you to get the whole inside "scoop" on the owner's situation, which may save you a few thousand dollars on the purchase price. Often the community will take legal action against the owner of such a property because he or she has failed to repair and secure it. The building inspector may not be aware of this information whereas the council would be. If you know this in advance of making an offer, chances are you can negotiate to a lower purchase price because the owner has few other choices. When it gets to this point of legal action, the property is rarely occupied. The owner is an absentee one and is usually not destitute. Take caution though and avoid making your gain someone else's loss.

Local *tax collectors* can provide you with information on properties that may be sold because of delinquent taxes. It's something to keep in mind and to check on from time to time. You don't want to lose a profitable opportunity because you overlooked a potential source.

Newspapers have a variety of sources, the obvious being the classified section of sales through Realtors or by owners. The common *Handyman Special* or *You provide the elbow grease* phrases are certainly not to be overlooked in this section just because they are common. Elsewhere in the paper look for such items as real estate auctions or notices for estates that may indicate a property will be for sale in the near future. Also look for local council meeting topics, particularly when they have discussed dilapidated properties and the action the council will take.

Another source to consider is foreclosures of properties by lending institutions. Your *banker* can inform you as to the details concerning these types of properties. It is not often that a dilapidated property is being foreclosed on, but often one needing cosmetic improvements is. The price is frequently below what the market should yield. Again, it is worth investigating. Additional sources to consider are:

1. Family
2. Friends and acquaintances

3. Mail carriers (They know every abandoned property on their routes.)

4. Auction companies (Have them notify you when neglected properties are to be sold.)

5. Notices of sheriff sales posted on properties or on display in the county sheriff's office

6. Advertising that you purchase neglected properties through newspapers and business cards

HOW TO ESTABLISH AND EXPAND YOUR WHOLESALE LINES OF CREDIT

Renovating requires purchasing large quantities of various building products. In holding your costs to a minimum you'll need to receive discounts on much of what you buy. Thoroughly check the prices of an outlet before setting up an account. Compare their retail prices with other outlets to determine their *actual* percentage of discount.

I had an account with an electrical outlet for a number of years and was receiving an actual discount of up to 30%. Their business was purchased a few years back by a larger firm, which informed me that I would have the same discount privileges as before. I naturally assumed what they said was true. My first experience with them taught me differently.

I was rewiring a property and needed a large quantity of electrical supplies. When the invoice for the supplies arrived, it was clear there must have been a billing error. The entire invoice was inflated by 50% on the retail end. With a so-called 30% discount deducted, I was still paying 20% above the actual retail. When I compared the prices with another outlet, I found a difference of $104. I called the manager and was told the bill was correct and nothing could be done. Since most of the materials were installed before I received the invoice, I couldn't return them for a refund. Even if they hadn't been installed I learned that they had adopted a policy of no cash refunds and a 20% restocking fee. Needless to say, I no longer have an account there.

It pays to look beyond the surface when establishing an account. In this case their so-called "discount" was more than retail. Such terms as "Wholesale Outlets" or "Contractor Prices" sound enticing, and perhaps rightfully so, but it's worth looking into a little further.

You'll find that most often you'll receive a 5% to 30% actual discount on most items, though a savings of 40% to 50% on discontinued or damaged stock is possible. For example, if you are doing a rental unit, a slightly damaged water heater or furnace that functions properly is worth considering. Often, due to poor handling, the heater or furnace is damaged and therefore must be reduced in price to sell. A fair-sized defect in the metal casing of a unit rarely affects its working ability. If you can receive the same guarantee as a new one and a substantial savings on the price, buy it. You can sometimes save up to $100. I would suggest this only in rental units and not in projects to be sold. If a prospective buyer sees that you purchase damaged materials it leads him or her to wonder about the rest of the structure and to question how well it is built. Make sure you get the same guarantee as a new one and make the savings substantial.

Depending on the item, discontinued products may or may not be a wise purchase. Again the savings has a lot to do with it. If the product is only discontinued by the local outlet and will continue to be handled and serviced by another in the area, then you have little to be concerned with. If the manufacturer has gone out of business, thus making the guarantee and possibly the servicing of the unit void, then equate it to the dollars saved versus a new unit and determine the savings yourself. Sometimes it's worth it, but it usually depends on the product. If it's a window it may be worth the savings since once installed there is little to go wrong or service, and the buying of a number of windows could produce a substantial savings. On the other hand you run a higher risk if it's a furnace since servicing is an important aspect to consider and parts may be discontinued.

It's advisable to have more than one outlet to rely on, but don't spread yourself too thin. Most base their discounts on the volume of your purchases. If you are purchasing numerous items at several different outlets, you may be failing to establish the dollar volume required to receive the best discounts. It's best to deal with one primary outlet for each of your building needs in order to minimize your costs. At the secondary outlets you'll receive a smaller discount, but they won't be used as often. You'll receive the best possible discount 95% of the time.

Ask people in the building trade what outlets they recommend and for what reasons. Before establishing an account anywhere, compare. Ask for literature on all the products that an outlet carries and their costs.

The essentials you need to know in choosing the best outlet are given below.

Retail Price of Materials

You may find that an outlet is very competitive in its prices except for a few items. On one of my projects I found that the least expensive windows available at my established outlets would cost me $1,750. Since this was more than I wished to invest in windows, I set up an account with a new outlet dealing exclusively in windows. Using a comparable window I sacrificed none of my sales price and saved $931 through the discounts and selection that my new outlet offered. That meant $931 *more* in my pocket, and again, that's the name of the game.

Discounts

The discounts you receive should be competitive with other outlets, and your costs must be below what the average purchaser pays. Don't be taken in by the "Contractor's Price" gimmick that's quoted to every person who approaches the counter. Often this is just a come-on. Compute the discount on the retail price and compare different outlets. You must determine what your *actual* discount will be before choosing any outlet.

Merchandise Return Policy

Look for a flexible return policy in an outlet, one where there isn't any restocking fee, and one that will credit your account and, if possible, issue cash refunds. When you first set up an account at a new outlet, the time permitted to return an item may be 30 days or less. Once you've established yourself, they tend to be more flexible in letting you return items and they often set no time limits. *Good customers have special privileges.*

Terms of Credit

In most cases the time for payment on an account is 30 days. Actually you have up to 60 days to pay since an invoice is sent only once a month and then with terms of 30 days. Check to see if the outlet charges you an extra fee in providing you credit. It's not desirable if they do, and I have had success in asking them to drop the extra charge since I would be spending a considerable amount there each month.

Delivery Charges

You'll find that it pays to have some items delivered to the site of your project. If large supplies of lumber or Sheetrock are needed, it's not worth five or six trips to pick up the material when they can deliver it all at one time. You won't often find an outlet that delivers to your site free of charge, so again, compare. If you plan to have most items delivered then the fee for such must be considered part of the cost of the items purchased. The cost of delivery could determine what outlet you choose.

Quality and Quantity of Stock

It's best to stick with an outlet that has a large stock of often-used materials. You can't afford to waste time ordering products that should be stocked. Some items, because of their uncommon use, must be specially ordered. Find out before choosing an outlet how long it takes to receive special orders. Make sure you order ahead of time to have the materials on site when needed.

Check the quality of materials at each outlet. Lower prices often mean a sacrifice in quality. *Don't overlook this.* Inferior materials, no matter how inexpensive, can cost you *more* in the long run.

Service

Service is an important element in choosing an outlet. Long waiting lines and an unknowledgeable and indifferent sales staff are things to avoid.

Receiving the right products undamaged, even in the best of outlets, is often a responsibility that you must take upon yourself. Too often I've left an outlet without inspecting what I had purchased, only to find the items damaged or not what I wanted. *Check all items before leaving an outlet; never make an exception.*

At the time of purchase some outlets indicate the items ordered on your invoice, but let the billing department write up the costs at a later date, giving you the appropriate discounts. If the invoice is priced at the time of your purchase be sure to check each price to see that you are being properly charged. Employees in large outlets with many regular customers can't keep track of who gets what discount, if any. They'll often charge you the retail price of an item. If you don't catch it, no one will. At one outlet I get a 5% to 10% discount on lumber products, depending on how much I have purchased the previous month, 10% on hardware items, and 20% on the kitchen lines. Except for the billing department, I'm the only one who knows exactly what discount I get. Be sure to check the pricing if it's done at the counter.

Additionally, look for an outlet that provides fast service with knowledgeable and conscientious employees who all care about keeping *you* as a customer.

Variety of Merchandise

Try to choose outlets that carry a variety of items and a few lines of each to provide a comparison. This way you can stop at one outlet and serve a variety of your needs.

Ask the outlets for their product catalogues, including current prices, and put your name on their mailing list to keep up with price changes and to receive flyers on special sales. The small fee charged by some outlets is more than justified by having at your finger tips all the product information needed to *accurately* determine the cost of improving any project, excluding labor.

I've established various accounts at lumber, electrical, plumbing, appliance, flooring, landscaping, and specialty outlets where the actual discounts range from 5% to 30%. For kitchen items I primarily use three outlets. With two of them I receive between a 20% and 30% discount. The third outlet I use is unusual. It's a lumber company supported by the county government that trains people to build kitchen-unit counter tops, steel doors, and other items. The county pays the owner to train these people; the items are made, sometimes with minor imperfections, and sold at cost. They are ideal for rental units or properties renovated to sell in a lower price range and the savings is near 60%. This is being done throughout various parts of the country; check to see if such an outlet is available by you.

Look to your "spheres of influence" for purchasing materials. These are friends, relatives, and acquaintances who may be in a position, by means of their employment, to provide you with materials at even lower discounts. For example, I have contacts employed by companies or subsidiaries of companies that manufacture tools, plumbing materials, windows, and doors. These employees can purchase items 40% below retail.

In effect, you can purchase a variety of goods and materials for much less than what the average person pays. It's a benefit that goes far beyond your projects.

By having a good credit record with references, you should avoid problems in establishing credit with a lumber company. After all, lumber companies are always looking for steady customers in the building trades, and here again, they see a new customer as a profitable opportunity for themselves. From there move on to establish credit accounts with carpeting and kitchen outlets. The easiest accounts to set up initially are the wholesale-retail outlets. Once you've established a good credit record with them you can move on to the strictly wholesale outlets that offer larger discounts. They are distributors to the wholesale-retail outlets. It takes a little more convincing to set up an account with them since they say they don't sell to the public, but be politely persistent. Explain that you *are* a company, not the public; that you have accounts elsewhere and that you plan to purchase a great deal of material within the foreseeable future. I've had success in setting up accounts with these types of outlets about 80% of the time. You don't have to be a corporation to give a company *image* here. For example, I use "Gaitens Enterprises" as my trade name and to project a company image. Since I'm not using a fictitious name or the words company, incorporated, corporation, or limited following my name, it's not necessary for me to register it. So simply by getting business cards, letterheads, and a checking account in that name, I am in effect, a company. State laws may differ on this so it's best to check with your attorney. (This is one of those questions that your lawyer should not charge you for.)

Always be on the lookout for expanding and improving your wholesale lines of credit. Keep on the mailing lists in order to periodically check the prices of your outlets to make sure you still have the best going for you. If something better comes along, don't hesitate to switch your outlets when it's truly a better opportunity. Remember, you are in this to *minimize your costs* and to *maximize your profits.*

THE DOS AND DON'TS
OF ORGANIZING YOUR REMODELING TEAM

Before choosing a remodeling team you must first decide your own role in your projects. There are two extremes to beware of. One is lack of involvement in your projects, which is profit dwindling. The other, with the exception of some cosmetic improvement projects, is trying to do all the work yourself. This leaves you overworked, frustrated, and again losing money and opportunities.

You must at least assume the role of the general contractor. This means taking charge of scheduling, ordering materials, and determining what improvements are needed. It means running the whole show. I would also advise becoming involved in the actual work, specifically areas that can save you money. Chapter 4 will help solve this problem for you.

By money-saving work, I mean specific improvements where most of the cost is in the labor, not materials. For example, plastering is an improvement where the material cost is negligible.

The labor accounts for up to 80% of the total improvement. By mastering that technique you can save thousands of dollars on many projects. On the other hand let's consider the installation of 150 square yards of carpeting. The labor cost to install average priced carpeting is about 15% of the total improvement, only a few hundred dollars. If you can actually afford the time to do both of these examples yourself, fine. But if you must choose one or the other, choose the one that increases your profits the most.

Don't waste precious time doing things that in the long run won't save you any money. Realize that your time is valuable and fix a dollar amount to it. Periodically check yourself to see if you are compensated adequately for your time invested. (This is a form of time management.) Remember, it's a common mistake to believe that, "I can do this myself and that myself, saving $100 here and $100 there." In the end, when it takes you six months to finish that project, with interest, taxes, and utilities all eating at your pocket, *YOU LOSE!* You lose dollarwise and you lose by doing one project in the time you should have done two.

The following is a list of improvements and the approximate percentage of cost allocated to the labor and material needed to complete the improvement. This is based on personal experience with myself purchasing the material at discount, and the labor provided by my remodeling team.

	LABOR %	MATERIAL %	TOTAL %
Plastering	80%	20%	100%
Roofing	65%	35%	100%
Carpeting	15%	85%	100%
Sheetrock or Drywall	75%	25%	100%
Wiring (including fixtures)	40%	60%	100%
Plumbing (including fixtures)	30%	70%	100%
Aluminum siding	60%	40%	100%
New windows	35%	65%	100%

You'll find that you can't afford to hire large general contracting firms to do any of the renovation work necessary. The cost is prohibitive. But you can hire a part of a general contracting firm without paying the prohibitive costs.

Let's say that you are doing a project but have decided for one reason or another not to get involved in the electrical work that needs to be done. Number one, don't hire the electrical contracting firm. Instead hire someone who works for that firm, on the side. If he's good, strive to make him part of your remodeling team.

On my earlier projects I did all the work necessary, including the electrical and plumbing. Now, since I realize my time is *sometimes* better spent doing other things, I've found an electrician and a plumber who both work for contracting firms. They do my work on the side and I pay them an hourly rate that is about the same as they get from their employers. The difference is that it costs me half of what their contracting firms would charge had they done the job. In either case *the same people are doing the work,* only now *my labor costs are cut by 50%.*

You may find it necessary to do some weeding out before you find the right people. Three things to keep in mind when choosing them are their *experience, reliability,* and *willingness to work and become involved in your projects.*

A remodeling team can be broken down into two categories of labor: skilled and general. I pay about six dollars an hour for skilled labor and four dollars an hour for general labor, though I sometimes prefer to pay a worker by the job and not by the hour. It provides an incentive for them to work more quickly and efficiently. Furthermore, by purchasing my own materials at discount, I hold my costs to a minimum and eliminate the possibility of a contractor concealing extra profit under the material costs.

In return for an unbeatable price from my skilled laborers I refer a great deal of work their way through our real estate and insurance agency. Again, the "you scratch my back, I'll scratch yours" philosophy.

I don't base what I pay for an improvement on the going rate. I look at a particular job that needs to get done and figure the time required to complete it. I then relate the time to a dollar amount that I would need to do the job myself. For example, if I'm busy and have a lot of projects going, I would need to realize at least $350 for two days of my effort. If I'm not so busy I may do the same work for $200. For example, if I had to pay someone over these amounts to install a new roof, it would then pay me to do it myself.

Beware of inflated labor costs, especially in cold winter climates where certain work is seasonal. I've never been fond of paying an excessive amount to people who spend all summer getting fat so they can survive the winter at my expense. Incidentally, don't ask what an individual will charge to do a particular job; it's usually too high. Instead, make the first move by offering a specific amount to do the work. Keep it *reasonably* low, and know beforehand how high you're willing to go. You want to arrive at the minimum amount he or she will be satisfied with. Caution: Don't resort to nickel and diming or hard-line bargaining.

I also have never been fond of paying contractors any money in advance of their work. You may occasionally require the services of contractors who are not part of your remodeling team and find that they request a down payment of up to 50% of the labor cost before any work is started. I've learned from personal experience that this is not a wise thing to do. Therefore, I prefer to pay contractors in draw stages similar to the way one gets paid for building a new home. Arrange for the money to be allocated as the work progresses. The first payment is made after at least one full day's work; the final payment is made after inspection and completion of *all* work. Don't feel obligated to give in to the line "I'm all finished up except for a few small things that I'll get to next week, could I have the check now?" Under very few circumstances is it wise to do so. I strongly believe that business is business. With all the issues concerning the contract spelled out and agreed to in advance there is rarely a reason to make an exception. You have to expect the unexpected to hold on to your profits. The unexpected in this case is that once you pay the contractor those few small things never will get done.

An often overlooked aspect of keeping good workers is how they see their own role in your projects. Do they see themselves as contributing to the project, or do they feel they're playing just a functionary role in a scheme that makes you a great deal of money? By asking for their opinions and ideas you make them a part of the decision-making process, which creates a *team* atmosphere. Little extras like buying coffee and donuts once in awhile or by remembering them at Thanksgiving with a turkey will go a long way in providing loyalty to you. Don't be the person in the suit who stops in once in awhile to shout out orders and criticize the work. Be fair, be part of the team, and do some of the dirty work.

Once you've decided on the people to be part of your remodeling team be specific in what they're expected to do. I make it clear from the start that we will have a schedule to hold to, and they, as with all of us, will have to support their end. I point out that we take pride in what we do and any work done unsatisfactorily by anyone will adversely affect the project. If a job is poorly done I make it clear that they will have to redo it without any compensation. I will not pay them to do unacceptable work. A common error, simple mistake, or oversight would be an exception.

Spell out beforehand all other aspects as to the policies you wish to follow. Don't be too demanding, but let them know where you stand and what is expected of them.

It would be ideal if you could get the work done without paying anyone to do it. Sometimes you can. Don't overlook friends and family when it comes to a little help. The idea of purchasing a few cases of a popular beverage in return for a little work from friends and family often gets a good response. Of course everyone agrees that afterwards a little celebration is in order. This works well for painting, yardwork, and cleaning up prior to showing your finished project.

Another source of free help is the person who wishes to learn a particular skill, perhaps to build or remodel his or her own home. Put yourself in this position. Would you not spend a few days time to learn a skill that would save you a considerable amount of money? In fact, you'll do just that as you will see in Chapter 4. This is a very good source of *free labor*.

Along these same lines you can also do a little bartering or exchanging of services. For instance, you may rewire a friend's home in exchange for him doing the plumbing on one of your projects.

Yet another potential source of what may be considered "free labor" is the buyer of one of your past projects. Very often you'll receive an offer on a property that is perhaps lower than you would normally accept. You may want to consider accepting such an offer provided that all buyers agree to sign an "on-demand" note for a sum that would increase the offer to an acceptable amount. The buyer would then pay off this amount by providing his or her services on your future projects. Naturally it's ideal if the buyer is a plumber, carpenter, or electrician, but it also works if he or she has any basic "handyman" abilities. The note is recorded against the property in case the buyer doesn't live up to his or her end of the bargain. A contract should be drawn specifying how the buyer is to meet the obligations along with the agreed upon terms such as the dollar value of the services based on an hourly or per job basis, and a maximum time period prescribed to meet the obligations. During this process you'll have to account for the accumulated value of services provided at any given time.

For example, I had agreed to sell a property for $65,000, which was $1,000 less than my asking price. The buyers were selling their home in order to purchase my property and did so for less than they had anticipated. Consequently, they were short of cash and asked if I would lower the price $800 more in order for them to afford the purchase. I agreed; however, the buyers owe me the $800 in future labor on my projects, to which they readily agreed.

Chances are that many sellers would agree to this reduction of $800 if found in a similar situation even without such a contract. That being the case, this service in lieu of sales price agreement may actually be considered *free labor.*

Everything is negotiable and it doesn't necessarily have to include money.

CONTRACTS MADE EASY

Sales agreements, leases, options, as well as construction, independent contractor and land installment contracts, are legal documents that you must become familiar with. I wish to make you aware of a few important aspects of each and how you can become expert at their preparation.

Construction Contracts

I draw up contracts for major remodeling jobs such as roofs, siding, and plaster. The first section of the contract follows a basic format that includes the parties' names and addresses, the contract date, and the property location. Also stated are the duties of the contractor, such as to provide the labor, tools, and equipment necessary to complete the work referred to in the specifications of the contract. If you are dealing with an individual as opposed to a partnership or corporation, check to see if it's necessary to include the name of the individual's spouse and have the spouse sign the contract also. If you have to take legal action against the property of an individual contractor who has defaulted, and the spouse has not signed the contract, you may be out of luck. It's likely the contractor will have property in both the husband's and wife's name, in which case you may have no legal recourse because the spouse was not a party to the contract.

The second portion of the contract is the specifications. It covers *everything* that is to be done to your project by the contractor. The following is an example.

> *Specifications:* The contractor is to cover the complete house with aluminum colonial cream siding .024 gauge; cover the five gable ends with Bedford Brown aluminum shake shingles; replace all wood on second-story eaves with 1 × 8 # 2 pine; cover all eaves on the entire house with white aluminum soffit and fascia; install shutters on all 14 windows (six screws to a shutter); cover front and rear porch ceilings with white aluminum soffit; install one wooden #2 pine column on front porch and cover all seven columns with white aluminum; close in under porch with brown aluminum siding .024 gauge; install seamless gutters and downspouts, which are to be pop-riveted at all connections on entire house; install five squares of 240 pound burnt brown shingles on both front and back porch roofs; perform miscellaneous carpenter work completing the railing on the front porch; pick up all material from suppliers and deliver to site; clean up and haul away all debris; caulk entire house around windows, doors, and where necessary.
>
> Certificates of insurance will be provided by contractor prior to starting date. Starting date is to be on or before December 12, 19X8; time is of the essence. Completion date to be on or before January 22, 19X9; time is of the essence. Each day after January 22, 19X9, that the job is not com-

pleted, $50 per day will be deducted from the amount of this contract . . . for which I agree to pay to the contractor or his order the sum of $1,600; down payment of $500 after completion of the third day of work by the contractor . . . cash to be paid within one business day after completion and inspection of work—$1,100.

We have read the above contract and understand that we are to do only what is written on the face of the contract. In case of our failure to complete this contract by failing to do the work stated, we the contractors, agree to pay to the owners the down payment of $500; we also agree to pay all damages incurred by the owner, plus all legal and court costs.

This contract is binding on the respective heirs, executors, administrators, and successors of both parties.

The contractor will provide a three-year guarantee on all labor performed under this contract, which shall be transferable to whoever owns the property at the time of claim, if any.

The specifications are followed by an acknowledgment and the signatures of all parties with the seal of the notary public.

Check with your attorney regarding your state's requirements concerning the Mechanic's Lien. This entitles prime contractors, subcontractors, laborers, and material suppliers to the right of lien for furnishing materials or labor with regard to the improvement of your property. This lien applies only to the property for which labor or material was provided; a release of liens or a no-lien contract may be in order to protect your interest. For example, full payment to a prime contractor is often no guarantee that a lien will not be filed. If that contractor fails to pay his co-workers or suppliers, they may be entitled to file a Mechanic's Lien against your property in the amount due even though you've paid the contractor in full. You can see why some type of waiver may be needed.

Have the contractor initial the clauses of importance, such as his guarantee on workmanship, the default clause, release of liens clause, and the penalty clause, if any.

All of my construction contracts follow this basic format with the possible exception of the $50 per day penalty clause. Since time was important to me on this project and I had used this particular contractor only once before, I thought it wise to add the penalty clause just to add a little extra incentive if necessary. The time period of this contract was five weeks, two weeks longer than the contractor had anticipated for completion. This allowed for any unforeseen delays.

Most contractors have their own contract forms, but these often have a number of loose ends and do not provide adequate protection for you. I insist on using my contract format without exception.

Different states may vary in the legal aspects of contracts. Consult your attorney and use this one *only* as a guide.

Independent Contractor Contracts

You have two choices in regard to your remodeling team. One is to make them *employees.* In doing so you'll be responsible for withholding taxes from their wages and be required to carry workmen's compensation insurance on them, which isn't cheap.

Your other choice is an *independent contractor* status. I suggest this relationship with your team for two reasons. One, they will be responsible to pay their own taxes, and two, you don't need to carry workmen's compensation insurance on them.

For major jobs I require the independent contractor to supply me with certificates of insurance. By doing this, I'm assured that the contractor is properly covered and I'm relieved of liability if the contractor or any of the workers are injured on the job. But general laborers, for a variety of reasons, don't carry insurance, and their tasks are too varied to be listed individually in a contract.

You'll want to draw up a contract, *with the advice of counsel,* whereby it's agreed between you and all the general laborers that they will be responsible for paying their own taxes. Also, they will carry their own insurance or relieve you from any and all liability concerning injury sustained while they're working on your project. Renew these contracts with each new project, changing only the dates, property address, and such. Have them signed, witnessed, and notarized.

Realize that you can't simultaneously have an independent

contractor relationship with your people in one respect and an employer-employee relationship in another. I set no hours or demands on my independent contractors other than to have good quality workmanship completed on schedule. *I insert in my contracts that I don't control the manner and means by which the contractor completes the work regardless of its nature.* This language can make the clear distinction between an employer-employee and an independent contractor relationship. Failure to include such a clause has, in some states, led the courts to assume that in actuality an employer-employee relationship existed. This could affect you when a laborer is injured or killed while working on your project. Without this clause you may become, in the eyes of the court, the employer. You would therefore be liable for damages *regardless* of other contract clauses utilizing the language "independent contractor" or supposedly relieving you from liability in the event of injury. If this came to pass, your present insurance coverages would probably not cover such a claim. You could lose everything you own.

Discuss this with your attorney. The one time fee for his or her advice is well worth the investment.

Form Contracts

Agreements of sale, leases, options, and land installment contracts are the ones you'll primarily deal with.

Your Realtor, attorney, or printing company can provide you with standard form agreements used in your area. Also, try to get a contingency clause list, which supplies you with the legal terminology for the common and not so common conditions that are not part of the form contract. Such things as having to sell one property in order to buy another within a specific period of time, or buying a property subject to a zoning change, must be worded in a way to protect all parties involved.

Strive to become knowledgeable enough with your contracts to prepare them yourself. You don't want to run to your Realtor or attorney every time you need something drawn up. That $50 or more a clip certainly eats at your pocket.

I suggest that you take a real estate course in your area

dealing with contracts as a means to becoming self-sufficient in their preparation. In most cases a course is around $100 and is taught by an attorney. It's approximately 30 hours of instruction concerning all details of agreements of sale, deeds, mortgages, options, land installment contracts, leases, and their preparation. They'll be explained thoroughly; you can ask as many questions as you wish and benefit from the experience and imput of the other students. You'll also receive sample copies of executed contracts, along with contingencies, which will provide you with a constant reference. There is no way you can receive that much information for $100 anywhere else. Can you imagine paying an attorney only $100 for 30 hours of office time?

Keep in mind that *any* course that improves or maintains your skills may be tax deductible. Consult your tax specialist.

INSURANCE: THE KEY
TO PROTECTING YOUR PROFIT

The time to think about insuring a property is long before you have one in mind. Talk to your agent and know well in advance where you stand as far as insuring your interest is concerned.

Once you have a property under agreement, you've established an interest in it. It's wise to insure that interest. You can do this by taking a policy of your own on the property, or by adding your name to the policy of the current owner with no charge to you or the owner. This way you're listed on his policy "as your interest may appear," but make certain that the owner has adequate coverage to meet nondepreciated replacement cost.

Some states have an 80% co-insurance requirement. This means that you must insure to at least 80% of the total replacement cost of the structure to receive, in case of a loss, full replacement value not exceeding your coverage and regardless of any incurred wear and tear. If you insure to *less* than 80% you would receive a depreciated replacement value reflecting age and wear. For example, if you meet co-insurance requirements and a windstorm blows off your 20-year-old roof, you would receive enough money to completely install a new roof, less your deductible.

However, if insured under 80% of replacement cost, you would receive the "value" of a 20-year-old roof, which, having a remaining life of say five years, would amount to only 20% of the total cost to install a new one and again less your deductible.

It's also common for policies to have a clause stating that a property unoccupied for 60 days or more is not covered, even though an insured may still be paying the premium. It's possible that you may be adding your name to an owner's policy that is not in effect.

The problem of protecting your interest arises when a property is vacant and is thus uninsurable. Even if you could insure it unoccupied, its tattered condition would further hinder this. It's simply too high a risk. This calls for some creative measures. First, if you are buying a property that is presently uninsured, and you can't get insurance on it yourself, write a contingency in your purchase agreement to this effect; if the property is destroyed or sustains a loss due to fire or any other cause, you are not required to purchase the property, and your hand money is to be returned and all parties thereby released from all obligations. At this stage I would also take steps to adequately secure the property if it's necessary to protect your interest.

Before you have ownership of the property, approach your agent to have the property insured once you take possession. You'll probably have little luck insuring total rehabs under a standard fire or homeowner's policy. However, these can usually be insured under a "builder's risk" policy, which is the same policy used to cover a new home under construction. If your agent claims he can't accommodate you with this type of coverage, look elsewhere. You should be able to insure the property in this manner. However, if you can't insure it this way, there are high-risk companies that will. The cost is high, but not prohibitive when acquired for only a few months until the property is sold or rented.

The following summarizes the important points to consider when insuring a neglected property.

1. Is the property presently insured by the current owner? Is the current coverage adequate and in effect? Will this coverage be in effect for the entire contract term? Can you insure your interest through the owner's policy?

2. If you answer "no" to any part of #1, can you insure the structure on your own?

3. If you answer "no" to #2, include a contingency in your purchase agreement releasing you from all contract obligations and returning your hand money in the event of a loss. Check the "risk of loss" clause in your purchase agreement to see that it does not conflict with the aforementioned contingency. If it does, it will need to be deleted.

4. Secure the property to lessen the risk of loss and further protect your interest.

5. The four most likely ways to insure neglected properties after taking possession are:

   a. *Fire policy*—ideal for slightly neglected or completed tenant-occupied properties.
   b. *Homeowner's policy*—ideal for slightly neglected or completed owner-occupied properties.
   c. *Builder's risk policy*—the most likely way of insuring all types of unoccupied neglected properties during renovation.
   d. *High-risk policy*—a last-resort method of insuring uninsurable properties.

6. Once you begin renovating, be certain to increase your coverage as the property's value increases, if it's necessary.

Meet with your agent to discuss your needs and to get the specifics of your state's requirements, using the preceding recommendations as a basic format. You must insure your interest in one way or another; it's too high of a risk to neglect.

A SURE WAY TO A STRONG, BASIC ACCOUNTING SYSTEM

No sophisticated bookkeeping system is in order here, only sound practices that will provide the facts and figures at tax time, and establish a means of thoroughly analyzing each property.

The following guidelines are in order.

1. Establish a separate checking and savings account exclu-

sively for your properties, where all disbursements for interest, labor, materials, and such originates, and all rental income is deposited.

2. Implement a rental income journal for each property, recording the amount of rent paid, any balance or late charge due, and the date it was paid. Identify each property by address and apartment number if applicable.

3. Design a filing system exclusively for your leases and implement some form of reminder system that lets you know when they are to be renewed. It's wise to adjust all your leases to become due in the same month. You may also want to consider a month to month lease that will automatically renew itself if you desire, but enables you to raise the rent more frequently should it become necessary.

4. Set up an annual cash disbursements ledger that indicates expenses for all properties, listing the payee, the check number, the date, the account from which it was disbursed, if more than one, and the various applicable expense headings such as materials, labor, interest, taxes, insurance, supplies, maintenance, utilities, legal, advertising, and miscellaneous.

5. Make a property ledger for each parcel indicating all pertinent data. For example, first identify the property by address. Next list its purchase price and additional costs incurred to make the purchase, such as title examination fees, document recording fees, points paid for financing, survey costs, tax stamps, etc. Then break down the major components of the structure's improvements indicating the cost for such, the methods of depreciation used, useful life of the improvement, accumulated depreciation to date, and if an investment credit was used. (Chapter 9 will familiarize you with these methods.)

6. Mark all invoices from suppliers with job location and have them signed by the person picking up the material so you can apply the costs to the appropriate property. Your once-a-month invoice from your building suppliers may itemize purchases, but it will not indicate where they apply. If you're working on more than one property and fail to mark the location on your invoice at the time of purchase, you'll be lost when it comes to determine what

was for where. In fact, I have accounts set up in two company names to further avoid confusion. One is used exclusively for our rental properties and the other is for my turnover rehabs.

7. You must remember to mark your check stubs indicating the specific expenditure and the applicable property. Also mark your monthly statements paid, listing the date, the account, and the check number. This provides a good cross reference. Keep each of these property's statements separate from one another. In fact, each folder should contain all the documents, agreements, receipts, and any other data concerning each property.

8. Keep expense records for luncheons (dates and with whom), gifts (if any), tools and equipment purchases, expenses for any depreciable vehicle, education, and entertainment (if applicable). Check further with your accountant concerning these and other issues.

By keeping up to date with this system, you'll have all the information needed in preparing your tax return, and all the proof needed should you be audited. This eliminates the "guesstimating" and worry that is so often part of an unprepared taxpayer's life.

Your accountant can easily establish and explain a system for you to use without great expense. Believe me, it's well worth the peace of mind and the tax savings to establish a good bookkeeping system.

In addition to the time, effort, and worry saved concerning your taxes, this system provides a complete breakdown of a property. This enables you to analyze the individual components of its makeup during the renovation process to see if you are holding to your cost projections and, in turn, making any needed adjustments. Furthermore, once the property is sold or rented, you can look back to compare your initial projections with what actually occurred, thereby realizing your mistakes and miscalculations, in order to avoid them the next time around.

4

What You Must Know to Be Successful in Renovating Real Estate

The single biggest mistake made by those in the renovating field is the failure to correctly analyze what is really needed to renovate a property. This error alone can cost you several thousand dollars, and even worse, stifle the marketing of your property. By providing you with proven techniques, Chapter 4 will demonstrate how you can improve and sharpen your renovating skills and bypass these expensive errors. You'll learn that creating character and appeal in a property entails more than pleasing effects. Guidelines are given that allow you to analyze individual improvements to see if they actually do contribute to your project.

Design should not be done for design's sake alone. To analyze a property and maintain the highest possible profit margin you must develop a "renovating eye." To reach this end you'll learn helpful "tricks of the trade" . . . you'll see the importance of capitalizing on the existing features in a property, and you'll learn how to make experts your advisors.

Over the years experts have been able to recognize trends. By being able to interpret these trends you can capitalize on new opportunities and markets, as well as forecast any upcoming real estate slumps. Chapter 4 translates the important components that illustrate the future of the real estate market into recognizable trends, so that you will be prepared to take advantage of whatever market situation is not only present, but also forthcoming.

EXPANDING YOUR KNOWLEDGE OF CONSTRUCTION AND TECHNIQUES

To excel at anything you must first become adept at the basic skills involved. Renovating is no exception. The basics include:

1. Carpentry
2. Electrical
3. Plumbing
4. Heating/air conditioning
5. Masonry
6. Roofing
7. Floor covering installation

Few have the ability to do *all* that's required in renovating. While it is seldom to your advantage to do an entire project on your own, it *is* to your advantage to have the required knowledge. It enables you to knowledgeably determine the labor costs, the timetables, and the amount of materials needed for a project. This knowledge, coupled with that of your remodeling team, creates a system of counterchecks that consistently point you in the most profitable direction.

You are your most valuable asset. Therefore, by sharpening your skills of developing new abilities and using the following methods, *you are investing in yourself and your future.*

Observing is the easiest way for you to learn any new skill. It doesn't cost anything and requires only your time. I learned to install ceramic tile and floor coverings just by spending a few hours observing and asking questions.

On the job training is another way of sharpening and developing your skills. By offering your services to a contractor, free of charge, in exchange for a little know-how, whether it be plastering or building a fireplace, you satisfy a mutual need. I learned electrical, masonry, plumbing, and roofing work by using this method.

For instance, eight years ago I *invested* three days working with an electrician without receiving any compensation. That experience has enabled me to confidently wire any project that I've been involved with since. I would estimate that as of today I have saved over $2,000 as a result of those three days of effort, and the best part is that with each new project, that figure increases.

The best means to increasing your renovating skills is to approach the owner of a small company or someone moonlighting as a subcontractor in addition to his or her regular job. Offer to give your services in return for on the job training. Moonlighters are perhaps better to approach, since they often lack a steady crew, and therefore, run short of help from time to time. However, I've often found owners of small companies also receptive to this trade of services; labor in exchange for on the job training.

You learn not only the techniques involved with this method, but also what tools are needed, where to get the best discounts on materials, along with a few "tricks of the trade."

DISCOVERING "TRICKS OF THE TRADE" TO SHORT-CUT YOUR WAY TO RENOVATING SUCCESS

I remember some years back being confronted with two small leaks in a half-inch copper waterline. For one reason or another the water would not drain dry in order for me to get a good solder. I worked over four hours on those leaks, soldering, then testing the line, only to find that time after time it still leaked. In frustration I called a plumber that I had done some on the job training with to see what I should do. When told the problem, he simply advised me to put a small piece of bread in the line to hold the water back just long enough to get a good solder. When the water is turned on, the pressure forces the bread out and the line is clear.

This example illustrates another advantage of on the job training. An added benefit is the rapport you develop with a contractor that allows you to call for advice without being charged. Normally if I had called another plumber on this, he or she would have come to repair it and charged me $30 or more.

On the job training provides these "tricks of the trade" that are a vital part of renovating where a "make do with what you have" approach is needed. The recruitment of these advisors expands your knowledge even further.

Old-timers are another source of "tricks of the trade." On my first total rehab, I was fortunate enough to meet Leo. Leo was a retired carpenter in his mid-seventies. Rain or shine he managed, and in fact, looked forward to stopping by to see how things were going. Actually, he stopped in to add his "two cents" worth, which is certainly understating his value. He was not one of those time wasters referred to earlier. In fact he was a *time saver*. He was from the old school . . . the days before the modern conveniences of power tools and pre-hung doors. Back then you made do with what you had and that kind of philosophy is often needed in renovating. If there was an unforeseen problem to run into in an older property, nine times out of ten Leo had the solution. His knowledge and commonsense approach is what's needed in renovating, and I always knew that if a problem arose I could count on Leo to help.

Rehabing is much different from building a new structure where everything is laid out in the blueprint. New construction for the most part is cut and dry. Rehabing is not. You want to restore and save as much of the existing structure as is feasible. You want to make the most out of what a property offers. Patching, repairing, restoring, and working to capitalize on the existing characteristics of a structure often make the difference between profitable and unprofitable renovation investing. It's seldom practical to tear *everything* out and start from scratch. Material such as wood fibre plaster and topping compound are often the main staples of your fix-up diet. Although there are many similarities to new construction work, renovating is in a different and more difficult league. You have to negotiate with what an existing structure offers you, and the seemingly hard part comes when you happen upon the unexpected. In those cases it pays to have the advice of someone who has been there. A mentor in the form of a "Leo" is a good addition to any remodeling team.

UTILIZING ADDITIONAL SOURCES
FOR IMPROVING YOUR SKILLS

Technical schools provide a form of on the job training, but in somewhat controlled conditions. There is a fee for this training, though it's usually reasonable. However, the courses are sometimes lengthy, and you must often keep pace with the instructor, which means that you may cover a substantial amount of matter with which you are already familiar. Because of this it may be suggested that this type of training is best suited for those skills of which you have little or no prior knowledge.

Check with the instructor before enrolling to see exactly what the course entails. Care should be taken in selecting a course since many deal only in theory and not in practice.

How-to-do books, dealing with a particular subject matter, are also a good inexpensive investment. Some of the ones I've found helpful are listed in Chapter 12.

In suggesting methods of sharpening and developing new skills, I'm not necessarily advocating that you do all the work yourself. I'm suggesting only that you learn these skills for the following reasons:

1. To better estimate all the segregated costs involved in a project.
2. To determine the time required to complete each phase of renovation, and in turn, the time required to finish the entire project.
3. To enable you to do any aspect of the renovation work on your project, if need be. (Especially those improvements that save the most money; i.e., improvements where most of the cost is in the labor.)
4. To better determine the sequence of improvements.

The following summarizes the ways of increasing your rehabing knowledge and techniques:

1. Observing
2. On the job training
3. "Leo's"

4. Tricks of the trade
5. Advisors
6. Technical schools
7. How-to-do books

Success in anything begins with a knowledge of the basics involved. Sharpening these basic skills and developing new ones is a must if you wish to continually improve. The time to become content with your present abilities is the time when you no longer wish to become more efficient.

LEARNING THE SECRETS
TO DEVELOPING MAXIMUM APPEAL
AND CHARACTER IN A PROPERTY

Designing, as with cooking, requires just the right amount of "seasoning" to attain exquisite taste. Too much or too little can adversely affect the end result. Your finished project, especially in a resale, exemplifies your "seasoning," which is evident throughout your project from the landscaping to the woodwork.

As a well-rounded renovator you'll wear a number of different "hats." In effect, you are the carpenter, plumber, and electrician. You'll negotiate contracts, zoning changes, and financing and marketing techniques, just to name a few. Now let's add one more hat to your collection, that of the designer. Actually, when designing you're struggling to wear three hats at once. Let me explain. The designer in you may wish to remove a staircase wall to add a decorative railing for an esthetically pleasing effect. But immediately your carpenter and treasurer "hats" enter the picture and look at the feasibility of that idea from a construction and economic point of view. You see, in addition to pleasing effects, designing involves economics, feasibility of construction, and at times restraint, because two out of these three is not good enough. For example, an improvement may produce an excellent effect and be feasible from a construction point of view, but its addition may not justify its cost. In short, it's nice, *but* people won't pay a premium to own it. Therefore the money spent for such an improvement will not be recaptured. Remember this, design is *not* done for design's sake alone; it's done when feasible and profitable, and then for effect.

What may be a warranted improvement in one property is not necessarily in another. The following factors come into play when deciding what is feasible and what is not.

1. *Necessity.* This is an improvement that is a must. An obvious example would be moving the only bath from the unfinished basement to a part of the structure's living area. A not so obvious example would be added to achieve any *necessary* compatibility with your competition. In other words, you do what's expected in a property in order to reach the maximum dollar potential of the given area.

2. *Utility and/or appeal.* Does the improvement add a convenience or a desirable feature, for which people generally will pay a premium exceeding the improvement's cost, in order to have it? A heat-circulating fireplace offers both utility and appeal, and generally provides a return exceeding its cost in a turnover rehab. However, it may not be a wise investment in a rental rehab, although this depends on what the market demands.

3. *Cost as compared to expected return.* Will an improvement carry and exceed its own weight in dollars? If it does, include it. (If its return equals its cost, refer to point #4.) If its cost exceeds its return, don't include it. We are concerned about fairly large expenditures only. Relatively *inexpensive* improvements which add to a property's appeal, create little concern unless a lot of these "inexpensives" start adding up.

4. *Time.* If the cost of an improvement is estimated to equal its anticipated return, then the time involved to complete that improvement has some bearing. In this instance no additional profits can be expected, so we're dealing only with the increased marketability that the improvement may lend to the property. A few days at most is generally acceptable in order to increase the marketability of your project, although market conditions, your financial circumstances, and the time of year may all have a bearing on how crucial time is to your project. (This aspect of adding to the marketability of a property without adding value is

not easily discernible and is somewhat intangible. Your best judgment, in light of all the facts, is the only practical means of justifying such an improvement.) Determining the *exact* return that an improvement will produce is not possible. Look to the local market and to your Realtor for guidance.

USING PROPER PLANNING
TO MAXIMIZE PROFITS

Design starts with a floor plan that lends itself to utility and excellent room transition. You must consider the placement of furniture, windows, doorways, electrical outlets, closets, and more, prior to beginning any renovation. If you don't, you could get into trouble.

Not long ago I viewed the new home of a remodeler, which he had built himself. It had a two-acre country setting and over 2,000 square feet of living area; however, several flaws negated all the good features. To start with, the kitchen was too long and narrow, interrupted by five doorways. The oven and range abutted the refrigerator and the built-in dishwasher was eight feet from the sink, both undesirable. In the living room, I found an appealing fireplace, but situated where it remained alone, far to the right of the conversation area of this 12′ by 30′ room. All else was fine until I reached one of the second-floor baths. There I noticed the only window facing north obscured by an awkwardly placed linen closet on the east wall.

The remodeler had designed this home himself and had obviously made some mistakes. Being accustomed to following a blueprint, which is well thought out, he failed to anticipate or realize how one improvement can affect another when he designed his own home.

The where's and how's of what you do initially can make the jobs that follow easier or more difficult, and at times even impossible.

In an attempt to rectify some of his mistakes, the owner exhausted his financing and was not in a position to acquire more. The property is and has been for sale for quite some time.

Make the most out of what you have. Don't restructure an entire floor plan unless it is absolutely necessary and economically feasible, which it seldom is. Challenge your own ideas and get the opinions of your remodeling team. Be reasonably sure of your decisions and consider *everything,* including the relationship that one improvement has upon another.

THE ART OF SEEING AND DEVELOPING WHAT IS NOT YET THERE

As a real estate broker I see the difficulty people have in recognizing potential in neglected properties. Their problem seems to be their inability to see beyond the undesirable sights that such a property offers. Therefore, what they see discourages them. There is a ray of hope that some potential may shine through in a cosmetic project; however, a total rehab is beyond the perception of most people.

When you first view a property as a renovator, you do so to evaluate all aspects of the project through your structural, neighborhood, and site analyses. (These will be covered in Chapters 6 and 7.) During this process you can't help but begin to develop some rough ideas as to the design you'll wish to follow. However, not until these analyses are completed and deciphered, and the project is deemed feasible, do you get to the specifics of what will be done.

Consider the following suggestions of what to look for in a neglected property and how to see and develop its given potential.

SIX STEPS TO VISUALIZING YOUR FINISHED PRODUCT

1. Look beyond the clutter and undesirable sights in a property, to the basics and soundness of the structure and its floor plan. Structural deficiencies and poor room transition are some of the drawbacks to consider, while the prospect of a potentially attractive staircase, level floors, walls and ceilings, and good room transition are some of the better aspects to look for.

2. Disregard the visual aspects of a property that your analyses show to be obsolete. This is taking point #1 a step further. For example, falling plaster throughout a structure can give a devastated look to an otherwise *sound* property. Yet to completely remove the plaster from the average room and have it ready for a new interior finish takes at most three and a half hours. Again, look beyond its ramshackled appearance only now to *"see"* the time and dollars required to remedy a given situation. In this example the cost of removing the eyesore (plaster) would be nominal and hardly worth considering.

3. Look for an established design or features of a property that favor a particular design. For example, a property may be void of any one style, yet have high ceilings that are ideal for creating a Victorian, colonial, or a rustic atmosphere utilizing cathedral ceilings. Work *with* the given potential of a property to develop the most, doing the least. A particular design need not be carried throughout the entire structure, but harmony must exist between different styles.

4. Consider *needed* changes in the style or location of windows, doors, archways, staircases etc., that will look awkward, clash, or interfere with your proposed design. For example, a window near the corner of a room may look fine as it is now, but once a proposed corner fireplace is added, the window will appear misplaced. This is a needed change that you must anticipate to avoid problems. It is a must to establish symmetry throughout your entire project. To accomplish this doesn't necessarily mean expensive, it means well thought out. If excessive revision is necessary, you're either not working in conjunction with the property's given potential or the property is not a worthwhile venture. Thus the need for deciphering your structural, neighborhood, and site analyses prior to purchasing a project.

5. Determine which room or rooms, because of their use, central location, or view, offer the most promising potential for the development of characteristic appeal, and direct your efforts primarily to them.

6. Develop the untapped potential of a property. For instance, in a past project of mine, an inviting view overlooking a scenic town had remained unrecognized and obstructed by first a wall and then a Scotch pine. The tree was removed and the wall opened up to accommodate a hexagonal picture window providing a stunning view from the dining area, which added value and appeal to my project. By the way, it was an inexpensive addition because I picked up the glass needed from a store owner who just installed new windows. I framed the glass myself and the total cost for the window was under $50. You can also check with glass installation companies that frequently replace large pieces of cracked and broken glass, which when cut down, can make a uniquely-styled picture window inexpensively.

The development of character, to be economical and effective, should be primarily directed to specific areas of the property. The living room, kitchen, family room, and dining area on the interior; and the landscaping, as well as the exterior of the structure, are the areas to focus on.

The important first impression a buyer has of a property is taken from the *exterior*. This should be impressive to the point of enticing that potential buyer to take a look inside. These "drive bys," perhaps unknowingly, purchase a property in two stages. They see a sign; stop; and in those first few minutes, decide from the exterior if this is a place in which they would like to live. If a "drive by" calls for an appointment to see the inside, it's a strong indication that the exterior has met with approval. In fact, the "drive by" has probably already bought, in his or her own mind, the area, lot, and exterior of the structure.

You should accentuate the positive features of the exterior structure. Use inviting and accepted colors on the exterior, including the roof. Adding shutters, window grids, and exterior corner moldings (except on brick), complementing the color of the exterior finish, will add that extra touch that is relatively inexpensive. Exposed foundations, gutters and downspouts, roof vents, and utility wires should be made as inconspicuous as possible by means of shrubbery, paint, or by their location. Garage doors, unless ornate, should not be made a focal point, while entrance doors, if ornate, should be.

Landscaping should be done to enhance the structure's beauty and to hide any undesirable features such as gas meters. In addition, it also may help to add proportion to a structure. For instance, a past project of mine was a 2½-story frame home, which had four feet of its foundation above grade. I installed cream-colored aluminum siding, but my concern was that the finished project, being 34 feet in height, would appear too high and out of proportion. To counteract this, I installed brown aluminum shake shingles in the four gable sections of the house adjoining the aluminum siding, added brown shutters to the 16 windows, and painted the foundation a corresponding brown earthtone. All of this helped to break the continuous stream of aluminum siding. As an additional measure, and one that put the icing on the cake, I added several varieties of upright shrubbery around the foundation. This supplemented the other measures and brought the entire structure into proper proportion. Had I not done any of this, all my other efforts to develop character and to produce a home of symmetry would have been overshadowed by this one oversight.

Harmonize your structure into a landscaping that blends with your site. There should be no definite horizon or conflict between the structure and the natural setting of your lot.

The *interior* of the structure should receive the proper emphasis. Generally, bedrooms, hallways, and baths are areas of specific and limited use, and should not be the focal point of expensive efforts to develop character, except in higher price properties. However, taste and quality are musts in any project. The following is a list of rooms and some specific improvements that produce good results in developing property appeal.

1. Living room and/or family room:
    a. Fireplace—functional, nonfunctional or conversion; adds character and often utility (see Chapter 12). A log pit and raised hearth add additional appeal.
    b. Cathedral, slanted, or beamed ceiling designs used to expand the personality of the room.
    c. Bay window, stained, leaded or beveled glass windows; stylish picture window and corner windows (windows on both sides of an inside corner on an exterior wall). Additionally, window grids provide an inexpensive quality look. An array of astonishing effects can be

accomplished with windows. I believe too little attention is given to them as an implement of design.

d. Bookcases denote quality and almost a sense of integrity in the structure while a distinctive wet bar is an enviable aspect to many.

e. Genuine wood planking on walls or floors; wallpaper with chair rail; decorative moldings, wainscoting, and possibly one wall in stone or brick each, in themselves, lend to a distinctive atmosphere. When painting, use two or three accent colors together.

2. Kitchen—with a few obvious exceptions, the same as the living room/family room, but in addition:

a. Lighting, including indirect and accented, which serves to focus on the positive aspects of a room and creates an interesting, yet undefinable light source.

b. Uniquely-designed four-sided ceiling, as pictured in Chapter 1, provides a one-of-a-kind atmosphere that buyers crave.

c. Distinctly-styled cabinets and hardware display richness and quality.

d. Impressive floor covering, especially with what's available today in one-piece vinyl, can revive and add color to a dull, lifeless room.

3. Dining room—with a few obvious exceptions, the same as the aforementioned, but in addition:

a. An eye-catching chandelier can act as the focal point of a room.

b. Built-in china closets can provide a number of effects that highlight the other aspects of the room.

4. In more expensive properties attention must be given to the bathrooms, master bedroom, and den since the buying public demands extra quality and convenience in these areas. Higher priced properties may also demand such extras as whirlpool steam baths, intercoms, etc.

Include just the necessary amount of characteristic improvements that enable you to attain your desired effect. Creating character, charm, and appeal is a major element in any successful renovation. More specifics on what to do, where to buy, and how to do it are covered in Chapter 8.

Five Successful Tips
for Determining Remodeling Criteria

1. Projects selling in high-priced areas warrant the investing of more money into extra features, shrubbery and better materials, but all this must first be judged to be economically feasible. Remember, design is not done for design's sake alone.

2. Lower priced turnover rehabs at times warrant investing in extra features, but in a more economical way. You would not, for instance, spend $1,000 on shrubbery or install hard wood flooring throughout such a structure. It would be overimproving. Coordinating the colors of a room or adding a few decorative moldings would be more in line.

3. Luxury apartments warrant feasible extras based primarily on what competitive units in your area are offering. You need to "mirror" the market.

4. Basic rental units warrant few extras, but again, base it on what your competition is offering.

5. Office area is geared basically toward visibility, utility, convenience, and space. Look to your competition to see what the public expects for its dollar.

FORECASTING THE DIRECTION
OF THE REAL ESTATE MARKET

Many current events, *seemingly unrelated,* will shape the real estate market of tomorrow. Your task is to correlate these events to form a general outlook of what the future market holds in store. These trends are your guidelines to opportunity.

Most people react to market conditions once they exist. The result is either being left at the starting gate where new opportunities are concerned, or being caught in an adverse situation and struggling just to stay afloat. These people are investing with their eyes closed.

Reading the market trends of today in preparation for tomorrow is not difficult. In fact, you are exposed to much of the information already. For example, financial conditions, energy conservation measures, population trends, changing lifestyles, new building activity, and proposed legislation relating to housing are everyday topics on the local and national news scene. These issues have a direct bearing on where the market is heading. Keeping an eye on these segments of the market, and a "two plus two" mentality is all that is necessary to interpret what these trends mean.

Financial Climate

Financing has a short- and long-range effect on the real estate market. It's not difficult to see that lingering inflationary periods generally lead to a tight money policy that drives buyers from the market and causes an overall slowdown in the industry. This, in effect, lowers demand and holds prices down. In general, it's not a good time to sell.

However, in periods of low production and high unemployment, the opposite may occur, which encourages borrowing to stimulate overall business activity. Credit standards are eased and market activity is inclined to increase. Once this upswing takes effect, it's generally a good time to sell and/or buy.

These financial aspects of the market are important to you for the following reasons:

1. To foresee a tight money situation on the horizon and to plan accordingly.

2. To buy properties just before peak periods, when demand is low and prices are right, and to sell once the market reaches its peak.

These financial downtimes and upswings are part of the business cycle. They've existed in the past and will exist in the future. It's necessary to recognize the signs that point to their coming. (Chapter 5 will cover this in more detail.)

The types of mortgages that are and will be available to the public also play a role in the future of real estate. Variable rate, renegotiable, graduated payment, balloon, and FLIP mortgages are alternative measures that are on the horizon of, perhaps, universal acceptance. In fact, some are already in widespread use. The acceptance of these and other newer methods will help keep mortgage money available and provide borrowers with needed variations to the tried and true means of financing. These alternative instruments are designed to keep the public in step with the everchanging market.

In summary, financing's role in the market is significant. It's necessary to be aware of the financial climate in order to capitalize on opportunities in prosperous times and to breeze unscathed through tight money periods. In addition, the prospect of new variations to customary methods of financing will help keep the dream of owning your own home alive. This is a sign of commitment that points to the stability of the market in years to come.

Energy Costs

The rising cost of energy has and will further affect real estate in the following ways:

1. More importance and value placed on the energy efficiency of a property by potential buyers and tenants alike.

2. More money allocated to energy-efficient products and materials in the building and renovating of a property. These include insulation, multi-fuel furnaces, solar heating units, heat circulating fireplaces, and woodburning stoves.

3. The rising cost and periodic shortages of gasoline may have the following effects:

  a. Make the get-away-from-it-all country living, far from centers of service (food, banking, recreational, etc.), less attractive and conversely make living close to these conveniences even more desirable.

  b. It may spur a renaissance of business activity in small communities hurt in the past by regional shopping centers. This relates to new growth in the form of single family housing, apartments, and rentable office space.

4. Oil, as a primary heating source, is becoming less acceptable to the public, especially in areas where natural gas is an alternative. This is due to both its cost and vulnerability of supply.

5. Oil has both a direct and indirect effect in the manufacturing of various materials used in renovating. When oil prices rise, so does the cost of renovating to some extent.

These few observations show how the real estate industry is adjusting to meet the energy needs of a concerned public. Your projects must also meet these needs. Energy efficiency in a property is of a growing concern. In years to come we'll see even more alternative energy sources. *Energy efficiency is an important selling tool of today and a necessity of tomorrow.*

Lifestyles

We're seeing the working woman as a majority, a decrease in the overall family size, more elderly in the rental market, more single people on their own, and more childless couples. Because of this, changes are occurring in the type and style of housing that are desired.

Leisure-time activity is also on the rise. America spends billions of dollars each year on leisure time activity and that figure is increasing. A growing segment of the population is placing great importance on convenience to recreational facilities and events, the arts, and shopping malls. New office buildings offer spas and racquetball courts, and new communities are being developed with recreational facilities as their nucleus.

To you this means potential opportunity. Neglected properties in these areas or, better yet, in areas that soon will have these facilities, may provide an even more profitable opportunity by enabling you to buy into an area prior to a growth period when prices are reasonable, and then selling once the area has grown to its peak.

Design

A change in design is certainly not an overnight occurrence, and it's often based on necessity rather than preference. For example, rising energy costs are forcing many large older homes into apartment conversions simply because one family alone can no longer afford the maintenance, updating, and utility bills. Along these same lines we're seeing other changes in design, most aimed at cost reduction and energy efficiency. They include:

1. More efficient use of space in new construction.
2. Space illusionary techniques, such as glass room dividers and painting techniques that make rooms appear larger and more spacious looking (see Chapter 12).
3. Underground homes (not widely accepted as yet).
4. Substantially more active and passive solar heating designs utilizing collector panels and passive air flow systems.
5. Smaller homes equating to reduce costs and increased energy efficiency. A scaling down of livable area, primarily in portions of a home that have limited use such as the dining room, extra bedrooms, and at times the living room, since the family room seems to have taken over in popularity. Other alternatives to larger single family homes may also enjoy increased popularity. Townhouses, mobil homes, duplexes, and condominiums are some of the alternatives available.

Rehabing properties will also increase and perhaps become the most popular of alternatives. Those who do renovate will sacrifice far less in quality and will receive more for their money as compared to others in the "improved resale" or new construction market.

Market Activity

Buyer and tenant activity in the market reflects the financial climate, energy cost, lifestyle, and design of the day.

However, other factors may also affect the direction of the market activity of buyers and tenants on a more localized scale. All can point to the growth of a particular area, but that doesn't necessarily mean it's to your advantage. For example, a zoning change, depending on a variety of circumstances, may work for or against you. The point here is to know of its coming and to adjust accordingly. These additional factors include:

1. *Zoning change.* This can open up communities to new development.

2. *Building new highways.* This could link an out-of-the-way community to shopping malls and the city, again creating growth, only this time through proximity to centers of service. (Long-range plans of new highways are public information. Contact your state's Department of Transportation.)

3. *Public transportation.* Implementation of new routes or systems of transportation can also link out-of-the-way communities to centers of service, thus making it more convenient and desirable to live there.

4. *Public water and/or sewage facilities.* An area's growth can be stagnated because of inadequate water and sewage facilities. Installation of these facilities sparks new growth, making existing properties more valuable and presenting opportunities to those astute enough to see it coming.

5. *New construction.* Building is direct growth and generally benefits existing property values.

6. *Industry.* New industry or a loss of a vital industry to an area has obvious results.

Sources for Gauging the Real Estate Market

1. Bankers
2. Realtors
3. Newspapers
4. Magazines and professional periodicals
5. News programs

These sources give you the current trends, but more importantly, they interpret these trends. For example, as you'll see in Chapter 5, tight money times don't just happen, they are created. Controls are implemented by the Federal Reserve Board to halt high inflation and certain indicators within the economy point to the success of these controls at any given time. Economists read these indicators and predict what they feel lies ahead. These are related to you through your sources. Once you know what the predictions are, especially in an upcoming tight money period, you'll know how to plan your buying and selling activities.

It is imperative to your renovating and marketing success that you interpret current happenings into future trends in order to capitalize on upcoming opportunities and to avoid "sweating it out" in market downtimes.

5

Capitalizing on
the Special Techniques
of Creative Financing

This chapter opens the door to an array of creative financing techniques. These practical alternatives and sources of funding make the thought of losing a project, due to a lack of financing, highly improbable. In fact, you will see how it's entirely possible to amass any number of investment properties without *any* out-of-pocket cash on your part. All it takes is a modest equity position in your own home. Additionally, you are provided a brief look at the Federal Reserve and the role it can play in shaping a favorable or unfavorable financial climate. With your sources of information interpreting the underlying currents of the financial market, including the workings of the Federal Reserve, your new-found knowledge of financial arrangements, geared toward weathering financial slumps, will help you breeze through the worst of market downtimes.

Furthermore, you will see the practicality of creative financing *in use* via a hypothetical look at a "down and out" investor and just exactly what viable alternatives he or she has available. Proven advice for approaching any lender, be it the bank or even an in-law, is provided, specifically focusing on what a lender wishes to hear and how to sell your proposals.

CHOOSING THE RIGHT KIND OF FINANCING

Tight money times always exist for dilapidated properties. Therefore, it's necessary to tailor various means of financing, the customary methods along with creative techniques, in order to fulfill your needs. Your financial capabilities, how long you intend to hold the property, market conditions, and how much you'll need to borrow will influence the types of financing that you choose. The methods that follow are practical approaches to financing your projects; however, the feasibility of each hinges on your particular circumstances.

Keep in mind that practices, procedures, and terminology vary throughout the nation. It is necessary to consult with your banker or Realtor when applying the following procedures in your area.

The standard practice of mortgaging (a deed of trust is used in some states) the property you wish to buy will not often work here. A mortgage works on the premise that the lender (banks, savings and loans, etc.) be provided security over and above the borrower's promise to pay, and that security is the property itself. It is liened or conditionally conveyed to the lender through the mortgage instrument. Needless to say, a dilapidated, unmarketable property is hardly adequate security. A slightly neglected property may under certain circumstances be mortgageable, but this is often the exception rather than the rule.

However, mortgaging other improved properties, particularly your own home, is quite feasible for the purchase and renovation of a neglected property. If you have equity built up in your home, mortgaging or remortgaging is quite possibly your best way to go. In fact it is often more desirable than mortgaging a rehab, if that were possible, or for that matter even an *improved* investment property, for the following reasons:

1. Lower interest rate:
    a. An owner-occupied, residential dwelling is viewed by

lenders as less of a risk than a tenant-occupied investment property, and generally offers a lower interest rate.

b. Depending on the amount you wish to borrow and the amount of your equity, it's possible that a lower loan-to-value ratio may reduce the interest rate even further, if it falls below certain percentage increments. An 80% loan-to-value ratio would mean that the amount of the loan equals 80% of the total value of the property. If that percentage drops, say to 66%, or lower to 50%, the lender may in turn lower the interest rate charged, perhaps 0.25% for each.

2. Longer mortgage term:

Residential mortgages are generally granted more years in which to amortize. This means lower payments.

3. 100% financing:

Again, depending on the amount you wish to borrow and the amount of your equity, it's often possible to borrow 100% of the amount needed to purchase and renovate a neglected property, including all costs. This means no out-of-pocket cash on your part.

As an illustration of the preceding points, I remortgaged my home two years ago for the third time. I did so in order to purchase a neglected rental unit and to add an addition on my home. As you'll see, both of these proved to be wise investments.

The equity in my home was such that I was able to borrow 100% of what I needed, including all costs, and my loan-to-value ratio was 60%. The fact that it was my home and my ratio was low, enabled me to get an interest rate 1% below the going rate on investment property.

For comparison, let's examine some of the disadvantages of mortgaging that neglected rental unit I purchased, rather than my own home, had I been able to do so. One, I would not have been able to borrow the money needed for my addition. Two, in order to purchase I would have had to make a 25% down payment plus closing costs, all out of my pocket. Three, I would have had a higher interest rate and shorter mortgage term, which would have meant $46 more per monthly payment.

As I mentioned, that addition to my home was also an investment. Not only do I get the pleasure and use of it day after day, but it increased the value of my home, which increased my equity. In turn, this lowered my loan-to-value ratio, which means that I now have $33,000 worth of additional borrowing power. That $33,000 will itself buy and renovate at least one, and possibly two, other neglected properties. Additionally, the neglected rental unit I purchased is now improved and mortgage free. By mortgaging it I can purchase yet another property.

Through refinancing my home, I've made two investments that enable me to easily purchase and renovate at least two additional properties which, when improved, can be mortgaged to buy two more . . . and two more . . . and two more. . . . I decide when to stop. This is the practicality of *pyramiding*.

It may concern you that the accumulation of all these mortgages through pyramiding may overextend you financially. Not so. Certainly you must choose a property that will be profitable, and in a rental unit that means meeting all expenses, debt service, and any tax consequence, plus providing a satisfactory profit. That, *plus* the following safeguards, equates to little worry.

IMPLEMENTING SAFEGUARDS
TO ENSURE SECURITY OF YOUR EQUITY

I'm insinuating in my example that you continuously pyramid by mortgaging the previous, now improved property. Obviously, throughout this process you'll be reanalyzing your financial situation and redefining your goals. In other words, you'll be setting the pyramiding pace that is comfortable for you.

Because the total cost to purchase and renovate a neglected property is considerably lower than its completed value, you're provided with a substantial equity position, especially in total rehabs, and a low loan-to-value ratio once the property is improved.

For example, Danny D., a construction worker, started by remortgaging his own home and has been pyramiding for the last five years. He incorporated into one *new* mortgage the amount of his old mortgage plus the amount needed to purchase and renovate his first neglected duplex. He borrowed 100% of what was needed at a reduced interest rate, since his loan-to-value ratio was low. Duplex #1 was completed and rented in three months' time and his annual cash flow, after all expenses, debt service, and taxes were paid, was roughly $2,800. He mortgaged duplex #1, which was free and clear, and bought duplex #2, which, when completed, had a cash flow after expenses, debt services, and taxes of $2,430. His net income from both properties exceeded all expenses, debt service, and any tax consequences by $5,230 annually.

There is a "rule of thumb" that expenses and debt service should not exceed 80% of gross rental income. In Dan's first duplex, these expenditures amounted to only 43% of gross rental income. Duplex #2 showed 51%; both were far below the accepted norm. In both duplexes his equity exceeded $25,000. This example shows that this is more than an adequate cushion and hardly an overextension of credit.

After realizing tremendous success with his first two projects, Dan went on to buy two more duplexes with the same results. Rather than increasing his liability, these projects were in reality increasing Dan's net worth.

Inevitably some of your properties will be turnover rehabs or resales. (By the way, if most of your properties are turnovers then you won't be accumulating mortgages since they will be paid off at the time of final sale.) This will provide you with substantial proceeds at final sale that can be used to buy another rental rehab, thus eliminating most, if not all, financing. Once it is completed, you increase even further the difference between your total net cash flow and debt service. If you happen to purchase another turnover rehab, the result is obvious. Either way you are provided additional protection against overextending your credit.

Generally, your annual debt service will stay constant while your rental income increases along with your equity. Again, this widens the gap between net cash flow and debt service even further. (Expenses will also rise, but usually not as fast as your income will over a number of given years.)

As you see, pyramiding with neglected properties generally keeps you well below maximum limits.

35 PRACTICAL ALTERNATIVES
FOR FINANCING ANY PROJECT

There are several types of mortgages that renovators can use to their advantage. Some are relatively new and not in widespread use, while others are universally accepted. It won't be necessary to use all of these methods; in fact, you'll probably rely on just a few. But if these few prove to be unfeasible just once, you'll need to have alternatives to fall back on.

VA Guaranteed and FHA Insured Mortgage

These are mortgage loans either guaranteed by the Veterans Administration or insured by the Federal Housing Administration. The VA and FHA do not lend the money; approved lending institutions do. Both programs periodically set maximum rates that can be charged by the lender to borrowers. Often these rates are lower than conventional rates; therefore, the lender must charge discount points or interest in advance to make up the difference. One discount point equals 1% of the loan amount and generally increases the lender's yield by one-eighth of 1%. Therefore, four discount points would increase the lender's yield over the term of the mortgage by 0.5%. These points cannot be paid by the borrower except when these programs are used to refinance a borrower's own property.

Actually refinancing with these programs or assuming an existing FHA or VA mortgage is the only possible use they have to us, since it would not be possible to mortgage a neglected property using these "high standard" programs.

FHA loans are assumable as well as VA loans by nonveterans and with no increase in interest rates.

Conventional Mortgage

This is a mortgage loan that is not insured or guaranteed by any agency. The borrower has the full burden of repaying the debt while the mortgaged property provides the security. Generally a lending institution will not lend more than 80% of a property's appraised value. A 30-year term is usually maximum and a conventional mortgage may be assumed at the discretion of the lender. This is the most common type of mortgage.

PMI Mortgage

A PMI (Private Mortgage Insurance) conventional mortgage enables a borrower to increase his or her loan-to-value ratio as high as 95%. An initial fee ranging from 0.5% to 1% of the mortgage amount may be due at closing. Additionally, an effective increase in the interest rate ranging anywhere from 0.5% to 0.75% is charged, but is dropped once the loan-to-value ratio is reduced to 80% or to the standards of a particular lending institution.

A mortgage insurance corporation guarantees the top portion of the loan exceeding the lender's maximum loan-to-value ratio.

PMI mortgages are for one-family, owner-occupied dwellings and can be used to refinance your home with lender approval.

Blanket Mortgage

This is one mortgage covering two or more properties.

If you fail to have enough equity to secure the needed financing with one property alone, then it may be possible to "put up" additional properties, thereby meeting the lender's security requirements in order to obtain a mortgage. The lender will usually release one or more of the properties when the remaining provides adequate security for the outstanding amount of the mortgage. However, the borrower usually must request that the lender do so.

Balloon Payment Mortgage

This is a mortgage that does not fully amortize itself within its term. In other words, the amount of principal paid over the term of the mortgage is not enough to fully pay the amount borrowed. As a result, there is a lump sum or balloon payment due at the end of the term; for example, 20 years.

The advantage here is that payments are lower. This helps

marginal buyers to meet the lender's qualifying requirements and provides a greater cash flow from a rental property since debt service is lower. These mortgages are not permissible in all sections of the country.

Open-end Mortgage

An open-end clause in a mortgage provides for future advances to the borrower after the mortgage is in effect. This is at the discretion of the lender and not automatic. The lender will also determine the means of repayment for the advance and for any increase in interest rate. The advantage of this type of mortgage is that it may not be necessary to refinance your own home in order to finance the purchase of a project. You may, if the lender agrees, be able to make an advance up to the original amount of your present mortgage or to a stipulated amount stated in the mortgage. Obviously you would need to have paid off a substantial amount of the principal for this to be practical. However, you should incur less costs in making an advance on your present open-end mortgage than by refinancing.

If the interest rate increases, ask that it apply only to the advance and not to your current outstanding amount. Also, to keep payments lower, consider extending the term of the mortgage rather than incur a hefty increase in monthly payments. These decisions usually come under the lender's jurisdiction, but a suggestion or two from you can't hurt.

Purchase Money Mortgage

Simply, the seller is the mortgagee or lender rather than a lending institution.

You take title to the property and the seller holds the mortgage. This is of benefit to those who have little or no equity to borrow on in order to finance the purchase of a project.

You've seen the problems a seller can have marketing a neglected property, and you know that often this property is not the seller's own home. With this being the case, it's very likely that a seller will take back a mortgage, frequently with a small down payment. The seller often has few alternatives other than to do so.

A purchase money mortgage is uncomplicated, practical, and an excellent tool for all, but especially for those with little equity or cash available. It's also quite common and works well in tight money times, even when good properties are hard to mortgage.

It's flexible. You can work in a balloon payment at the end of a term; you can often negotiate to a lower-than-market interest rate; you may be able to set up a graduated payment schedule or pay interest only for the first few years, along with any number of legal alternatives. The terms are highly negotiable because you are not restricted to the tight policy procedures of a particular lending institution.

As I stated, a seller may have no other choice than to take back a mortgage even though the property is not ideal security. However, it's unlikely that the seller will have the funds or will be willing to finance the amount needed to renovate the property as well. Funds for renovation must be found elsewhere.

Let's look at a purchase money mortgage possibility.

You have some equity in your home to borrow on and a little extra cash in savings, but these are not enough to purchase *and* renovate a project that you've had your eye on. The solution to this problem may lie in a purchase money mortgage. Perhaps by implementing all three sources of funds, (equity, savings, purchase money mortgage) the pieces may fall into place, enabling you to purchase and renovate the project. If all three should fall short (I'm getting a little ahead of myself) you still have available other sources of funds, such as family, friends, credit union, personal loan, or insurance policies on which you could borrow. There are an infinite amount of financing possibilities depending on a variety of circumstances that are too numerous to mention here. Realize that your situation may vary with each project and that a variety of financing tools are at your disposal. These can be arranged in various combinations and altered, with a new twist added here and there.

Farmers Home Administration (FmHA)

An agency of the Department of Agriculture, FmHA, can provide up to 100% of the financing needed to purchase and renovate a property. Restrictions concerning the borrower's income, size of house, and location of property (rural areas only) are considered. Under certain adverse conditions, the funds may be used to refinance your own home, but this is not common. Its primary function is to provide loans to low and moderate income families in rural areas, who could not otherwise secure needed financing. If a borrower doesn't meet FmHA qualifying requirements, a co-signer to a loan is permissible.

This is a potential source of financing for those with a low to moderate income; however, the borrowers must state that they will occupy the property. Many of the loans are given on properties that need extensive repair and the appraisal considers the value of the property once it is improved. Therefore, it is possible that 100% of the improved appraised value can be extended to the borrower. Funds come directly from the government and the borrower may do some or all of his or her own work if capable.

Farm Credit Mortgage

A private nationwide cooperative, the farm credit system, provides loans for refinancing, purchasing, or improving a home. Here again, you must state that you will occupy the premises and the appraisal is one of "improved" value so that it is possible to purchase neglected properties. The buyer, if capable, can do his or her own renovation work and money is given in draw stages as the work is inspected.

The interest rate is usually 2% to 3% below the conventional rate; however, there is a high loan service fee, and a 5% stock requirement is taken off the top of the loan. Loan-to-value ratios generally run about 75% and money is usually available in a tight market.

Remortgaging

This simply means mortgaging a property for the second time or more. Previous examples have shown the advantages of remortgaging a property with an equity position in order to purchase and to finance a rehab. However, for this to be practical, you must first have a sizeable equity position.

Here is how it works:

Let's assume we have a property worth $70,000, with an existing mortgage in the amount of $40,000. This will leave us a $30,000 equity position. To remortgage this property it would be necessary to satisfy the outstanding current mortgage ($40,000), and also borrow an amount that when combined with the $40,000 would not exceed, say, 80% of the property's appraised value, or in other words, an 80% loan-to-value ratio. In this case, that would amount to an additional $16,000.

To summarize:

$70,000.00	Property value
× 80%	Maximum loan-to-value ratio
56,000.00	Maximum borrowable amount
− 40,000.00	(Outstanding mortgage)
$16,000.00	Funds available for investment

Remember, an 80% loan-to-value ratio doesn't necessarily mean that you can borrow 80% of your equity. It means that the *total* amount of the new mortgage cannot exceed 80% of the property's appraised value.

The psychology of remortgaging is something else. Many people are hesitant to use their equity, although most of the reasoning for this reluctance is unfounded. Let's examine a few reasons why remortgaging is often a logical and wise decision.

1. Your equity in your home is of no value unless you sell or remortgage. It puts no dollars in your pocket or food on your table while it sits dormant. Remortgaging puts your equity to work for you.

2. People are reluctant to give up a low interest rate to take on a considerably higher one. Actually, the only point to consider here is the amount of dollars that go in or come out of your pocket monthly as a result of an investment. A wise investment purchase increases your income. When that's the case, it doesn't matter what number is in front of the percentage sign. In spite of a higher interest rate, your income increases, and that is all that counts.

3. There may be underlying tax benefits arising from the *increased* interest expense as a result of remortgaging your personal residence. It may be viewed that any applicable interest expense incurred over and above the amount of interest paid, *prior to remortgaging,* would apply to the investment property and be deductible. This can mean more tax dollars staying in your pocket. (Consult your tax specialist on this issue.)

4. The potential for equity buildup expands as the number of properties acquired expands. Refinancing, as we have seen, can make this possible through pyramiding.

Second Mortgage

A second mortgage, one subordinate to the prior lien of a first, is a possible means of additional funds. Obviously the second mortgage would have to be secured by a property other than your neglected project. An individual investor or a finance company, where law permits, would be some possible sources.

Assuming a Mortgage

Total rehabs rarely have existing mortgages since the lender would not permit his or her security (the property), for the repayment of the debt, fall into such condition. Action would likely be taken by the lender prior to any extensive disrepair occurring in the property.

However, it's possible that a cosmetic project may have an existing mortgage. A variety of circumstances determines if it is possible or wise to assume any mortgage. Consult with your banker in regard to assuming a mortgage if it appears to be a viable alternative.

Other mortgage alternatives are available and may now, or in the future, be a feasible means of financing a project. They include:

1. *Variable rate mortgage* (VRM). The interest rate fluctuates, with some limitations, to a market index. Where permissible, it can open up funds in an otherwise tight market. Additionally, by assuming a mortgage, a line of credit and an open-end clause become more likely when the interest rate fluctuates.

2. *Graduated Payment Mortgage* (GPM). A GPM keeps mortgage payments low in the first years with the difference being compensated for after the fifth year. The thinking here is that your payments rise as your expected income increases. This makes qualifying easier since debt service is initially lower.

3. *Flexible Payment Mortgage*. Authorized by the Federal Home Loan Bank Board, but to date not widely used, it provides for "interest only" payments for the first five years of the mortgage. The sixth year payments are increased to include principal, thus amortization begins. Like the GPM, it makes qualifying easier for borrowers.

Let's step out of mortgage alternatives now and consider viable means by which to finance the purchase and renovation of neglected properties.

Construction or Interim Loan

This type of loan is given to builders in draw stages during the period of construction. Payments are interest only on the amount borrowed to date. The lender inspects the work as it is completed and in turn approves the next advance of funds. Once the project is completed, the interim loan is converted into a mortgage. This is a common practice with all new construction and a possible means of financing a rental rehab. Lender approval is your first hurdle to cross.

Straight-Term Financing

A straight-term loan involves interest-only payments, usually monthly or quarterly, or the loan may be initially discounted involving a "lump-sum" payment at the end of a prescribed term, say one year. For example, a one year, $40,000 loan at 15% would accumulate $6,000 in annual interest. This $6,000 would be initially discounted or deducted from the $40,000 before you borrow it. In effect, you borrow $34,000, having no payment obligation and, in a sense, interest free for one year. At the end of that year the entire $40,000 is due. This is when the interest is paid.

Security for the repayment of the loan is usually required and the interest rate may fluctuate.

Line of Credit Loan

This again involves interest-only payments; however, you make payments only on the portion of the cumulative total borrowed to date. For instance, you establish a $20,000 line of credit with a lender. You make no payments on this loan until you draw on it. You may set up this loan, wait three months (during which no payments are due), then borrow, say, $2,500 initially. You would then make interest payments *only* on the $2,500, not the $20,000, until such time when additional advances were made. You can set up a checking account with the lending institution and merely make a phone call to advance your line of credit. The lender will then deposit the funds directly into your account. Furthermore, it's not necessary to use the entire $20,000. If you use only $16,000, then that is all you need to repay.

This is an excellent means of financing turnover rehabs. It enables you initially to borrow just a few thousand, while keeping payments low and doing all the work that requires little money. You can then plan to complete all the costly improvements within a short period of time, which holds your total interest costs to a minimum. I purchased one particular project using a line of credit, anticipating its completion within a few months' time. However, my plans to renovate this turnover rehab were interrupted by more important commitments, so I had to delay the project for six months. Initially I had borrowed only a few thousand on my line of credit so payments were low. I had no problem carrying the debt service for those six months; however, had I not set up a line of credit, my interest payments on the entire loan amount would have cost me $1,350 *more* in interest during that six-month period.

You never know when something unexpected may pop up and delay your project. A line of credit helps prepare you for the unexpected.

Land Installment Contract

Often called a land contract or an article of agreement, this method is actually a means of selling real estate on an installment basis. The seller holds title to the property until an agreed upon amount is paid. Often this amount is the full purchase price. The buyer, however, assumes full responsibility for paying the taxes, maintaining, and insuring the premises. (The seller is listed on the insurance policy as his or her interest may appear.) Any monthly payments made, which include principal and interest, are forfeited, as is the down payment, in case of buyer default.

It's wise initially to secure a title search or some assurance that the property has a marketable title before entering into the contract. If you fail to do so, you may be paying thousands of dollars for a property you can never own. Sure, your contract says that the seller must furnish to you a good and marketable title, but years from that contract date when the seller is dead and the property is in a penniless estate, try and get your money back. Keep in mind that it will be necessary to get another title search once the contract's terms are met and prior to taking title to the property. Perhaps the seller will split the cost of the two searches. You should also have the land contract recorded.

When buying a property in this manner, it is wise to take title as soon as possible. Once the property is improved you can then mortgage it through a lending institution and pay the seller off, often with no out-of-pocket cash, since your equity position will be considerable. If you plan to do this or plan to turn over the property in a short period of time, make allowances in the land contract for doing so and try to avoid any prepayment penalty for an early payoff. This method of purchasing a property is particularly beneficial to those with little equity or borrowing power.

Other sources and methods for financing the purchase and renovation of downtrodden properties include the following.

Personal loans. A means of supplementing the initial financing of a project or for any additional funds needed once underway.

Family and friends. A possible source of interest-free money; however, if necessary pay a fixed return on their invested money once a rental rehab is completed. In turnover rehabs, repayment would include the original sum plus interest.

The seller. Don't overlook the seller as a partner of sorts. He or she may be willing to waive part or all of the purchase price until completion of the project when he or she would receive a lump-sum with interest or a fixed return on the investment.

Your remodeling team. If short of funds, consider the possibility of making your remodeling team partners in your investment. They would waive their labor costs until the project is completed and sold, which at such time the amount due, plus interest, would be paid to them upon the sale of the property. This works better on turnover rehabs than rental rehabs since your team may not want to wait any extensive period of time to recapture what is due them.

Credit union. A supplemental source of funds at low interest rates may be your credit union or a fraternal organization.

Partnership. When short of funds it may be necessary to include a partner in your project who can carry part or all of the financial burden.

Co-maker or co-signer. If you can't secure a loan because you don't meet the lender's qualifying standards, a co-signer may be the answer. Family and friends are your possible sources.

Pledged account. If you lack adequate security in order to obtain a loan, it is sometimes possible for, say, a member of your family, to set up a pledged account with the lender as security. This is a savings account deposited with the lender. This account is not drawn on by the lender unless you, the borrower, defaults. The account is interest bearing with such interest going to the party pledging the account. The funds may be released as the loan is repayed. If default does not occur, the only drawback to the party pledging the account is that he or she can not withdraw any of the funds until the lender agrees. However, they will still receive their normal interest and the principal amount of their account is untouched.

Collateral loans. When real estate is unavailable as security, stocks, coin collections, and other negotiable instruments or articles of value *that a lender will accept as collateral* can provide the security.

Realtor or attorney. A Realtor may initially waive his or her commission for a piece of the action once the property is completed, or, like the attorney, may want to finance all or part of the project for a fixed return once it has income-producing ability.

Insurance policies. You may be able to borrow on or cash in policies with cash surrender value or possibly pledge some types of policies as collateral security to a lending institution.

Services. The value of your skills or services rendered to a seller, Realtor, or attorney may be used to offset part or all of a property's purchase price or costs. For instance, you may provide your skills to install new windows in a seller's own home in lieu of a portion of the rehab's selling price.

Negotiable paper. You may hold a purchase money or second mortgage that you could discount and sell, or offer to a seller as part or full payment for a property. Discounting means that you would sell the instrument for less than its face value in order for the purchaser to yield a return.

Option. An option may prove beneficial when an opportunity comes along and you're temporarily short of funds. Perhaps your money is tied up in a project soon to be finished, or possibly financing is tight for the time being. In either case, an option may provide the solution. An option to purchase is given by the seller for a specific time period in return for an agreed upon sum from the potential buyer. If you elect to purchase the property within the option's term, your deposit is applied to the purchase price. However, if you decide not to purchase, your deposit is forfeited. The seller cannot market the property to anyone else during the contract term. In effect the property is on "layaway" for you until funds become available. A variation to this type of layaway program is renting with an option to buy. In this case you'll probably occupy the property yourself or sublet it if possible.

Redevelopment funds. There exists numerous low interest financing programs for rehabilitation in certain target areas. Cities, townships, and small communities may apply for these programs geared toward the renovating of existing structures. Both investor and owner-occupied funding are available. Generally the funding is for 100% of the renovation cost with interest as low as 3%, but this varies. The various programs available, even in one redevelopment authority alone, are far too numerous to discuss here. Contact your redevelopment authority in your county or your local HUD office to see what is available.

These 35 alternatives literally translate into hundreds of financial arrangements that sufficiently accommodate any given set of circumstances.

In conclusion, a few additional tips concerning financing are in order.

1. Develop a good working relationship with a few lending institutions.

2. Consider extending a loan for as many years as possible where monthly prepayment is permitted. For example, most mortgages permit you to pay over and above your required monthly payment. This additional sum goes directly to principal and saves you interest. If you can afford the payments for, say, a 15-year loan, but are able to get a term of 25 years, do so and make the payments required for the 15-year term. The additional sum paid, in excess of the required 25-year term payment, will directly apply to the principal amount of the loan and substantially reduce the interest you pay over the life of the loan. However, if things tighten up for you financially, you are only required to make the lower payment based on the 25-year term.

3. Choose a lending institution that is open-minded and progressive in its thinking. Lending institutions that take an archaic approach to financing will not be very receptive to creative financing techniques.

4. A lender relies heavily on an appraiser's report. Find out from your Realtor which appraisers representing what lenders are liberal or ultraconservative in thinking. There may be times when choosing one or the other is critical.

KEEPING IN STEP
WITH THE FINANCIAL CLIMATE

Little regard is given to poor market conditions when money is available and real estate is booming. However, this is precisely the time when a close eye on market conditions is needed. In times when inflation is high, the government may begin to implement controls through the Federal Reserve Board, aimed at curbing inflation through credit tightening, which may eventually produce an overall slowdown in the economy, including real estate. Your job is to stay on top of the situation to detect any hint of financial turbulence in order to avoid becoming a casualty of a financial slump. The danger lies in completing a turnover rehab during a slump and not being able to market it. This all too common event has been the downfall of more than a few "otherwise knowledgeable" investors.

The early warning signs of an approaching tight money market include:

1. Lingering high inflation
2. A substantial decrease or withdrawal of savings deposited in thrift institutions
3. Implementation of controls by the Federal Reserve

Your sources for keeping abreast of these danger signs are:

1. Bankers
2. Realtors (how the local real estate industry is reacting to early warning signs)
3. News programs
4. Professional periodicals, magazines, and newspapers (i.e., *Business Week* and *The Wall Street Journal*)

The possible consequences of being caught midstream during a financial and, in turn, real estate slump include:

1. High interest rates
2. Higher down payment requirements
3. Shorter mortgage terms
4. Tougher qualifying standards
5. Lack of available mortgage money

The result of the preceding five points is often buyer withdrawal from the market. The cumulative reason for this is buyers' reluctance to compromise their standards and lower their expectations in order to purchase during a tight money period. Another reason is lack of urgency. If not pressed to purchase during a financial slump, for reasons such as a job transfer or a notice to vacate present living quarters, buyers often choose to delay their house hunting until more promising times arrive, *unless* something too good to pass by comes along. That raises another important point. "Too good to pass by," in this case, means *drastically reduced in price*. When supply is greater than demand, prices drop. In order to stir that inactive market and compensate for those five previously mentioned points, that drop must be substantial. When you're wearing your seller's hat, that's not good.

On the local front, it's also necessary (primarily before a purchase or sale) to update yourself on your lender's policies and procedures, such as:

1. Down payment requirements
2. Interest rates
3. Qualifying standards
4. The phasing in or out of alternative mortgage instruments
5. Discount points at closing
6. The availability of lendable funds

This information is crucial in arranging the financing of a potential project and also when you're in the position of selling a completed one. If a Realtor is not involved in the sale of your completed project, you'll often need to assist the buyers in financial arrangements. Your concern on the local front involves the feasibility of creatively financing a dilapidated property, prior to purchasing, as well as the customary procedures of financing an improved one prior to sale.

Your sources provide the insight into the interworkings of the financial market. However, there are times when even the predictions of the leading economists are not quite on target. As a result, it's possible to lose a potential opportunity if you heed the cry of "wolf" or you could get burnt when relying on too optimistic of a prediction. Once again this reinforces the point that you must always expect the unexpected.

You need to approach any project from the least vulnerable

position. Your "Achilles Heel" in renovating eventually boils down to "money trouble." Being strapped to a turnover rehab with a high-debt service in declining market conditions, certainly qualifies as an "Achilles Heel." There are just too few alternatives available when you suddenly become aware that you're caught in the middle of a declining market with a $400 monthly debt service coming out of one pocket, and utilities, taxes, and insurance out of the other. However, contrary to the "win a few, lose a few" philosophy, you can rest assured that through planning, awareness and "conscious competence" you'll avoid such a dilemma.

In addition to periodically checking with your sources, you must arrange your financing in a way that combats the unexpected. For instance, I found myself purchasing a thoroughly dilapidated turnover rehab just when the underlying currents of the financial climate indicated an upcoming housing slump. Since this was too good of an opportunity to pass by, I purchased it, although still unsure of what the coming months would bring. My confidence lay in the type of financing I had arranged, *a line of credit loan.* I paid cash for the property and set up a $20,000 line of credit. I initially borrowed just a few thousand to get things underway and my debt service was less than $45 per month. The initial work in such a project is generally confined to tearing out, roughing in, and cleaning up—in other words, not money consuming. I continued my work and "played it by ear" for a month or so before deciding that the market would not pick up in time to sell the property in the fall. As a result, I delayed the project until the following spring when times would be better, but continued to do as much of the non-money consuming work as possible. Had I borrowed the entire $20,000 straight out, my debt service would have been around $275 per month. The dollar difference for the period of delay would have amounted to a total of $1,540. My preference in financing any thoroughly dilapidated turnover rehab is with a line of credit loan.

Periodically check with your sources to determine the financial climate of both the local and national scenes. This keeps you abreast of approaching financial slumps, enabling you to plan your buying and selling activity in order to avoid any setbacks. It also keeps you up to date with the policies and procedures of your local lenders. Additionally, try to avoid financial arrangements that are burdensome, especially in turnover rehabs. *(Rental rehabs are of less concern since financial slumps seldom affect tenant activity adversely.)*

CREATIVE FINANCING: HOW TO MAKE IT WORK FOR YOU

When the customary methods of financing fail to meet your needs, it's time to resort to alternative measures, i.e., creative financing techniques. You'll find that creative measures are most needed during financial slumps or as you are just beginning to build your investment portfolio.

As I stated earlier, your financial arrangements will be dictated, to some extent, by the following:

1. Your financial stability and resourcefulness
2. How much you'll need to borrow
3. The type and condition of the property
4. How long you intend to hold the property
5. Your experience

Any number of circumstances can arise out of these five variables; however, the following guidelines can help you determine the most feasible method of financing any given project:

1. Define your financial needs.
2. Assess your immediate financial situation.
3. Realize your limitations.
4. Eliminate all unfeasible means of financing.
5. Choose a few of the more practical methods available.
6. Choose from these the most practical method that best suits your needs and is the most likely to succeed.

After your first or second project, you should have little trouble in securing any further financing since you'll have some experience, equity, or proceeds backing you up. However, the first time out can be a little more difficult. For instance, let's assume that someone has no project experience, no equity, no property, and little cash available. Further assume that this person had no luck with lending institutions as far as financing a project was concerned. What's left? Well, many would say that this person is not ready to venture out in the investment field, but let's, for the sake of argument, see what creative alternatives he has. Note that it would benefit a person of little means to choose a reasonably priced cosmetic project *to live in,* at least initially. The alternatives available are:

1. Approaching parents, relatives, or friends for a loan. If necessary, interest can be paid on the money borrowed. It's not a handout, it's a business proposition.

2. Approaching the seller to hold a mortgage. If the seller doesn't need the cash initially, there is a fair chance that he'll do so.

3. A land installment contract.

4. A wrap-around mortgage, which is a type of second mortgage. The seller, having an existing low interest mortgage can, in effect, wrap his mortgage with one that he would extend to the buyer. This wrap-around would include the amount of the existing mortgage plus any additional amount needed for the purchase. The interest of the wrap-around would be higher, providing the seller a return on his existing mortgage (the difference between his existing interest rate, say 6%, and the interest rate of the wrap-around, say 13%), plus a return on the sum over and above the existing mortgage. Check with your Realtor on wrap-arounds.

5. Rent with an option to buy agreement.

6. Additional funds secured through a credit union or on insurance policies.

7. Partnership.

8. Securing a co-signer and/or someone to pledge an account to a lending institution and then reapplying for a mortgage loan.

9. Providing his services to the owner in lieu of a portion of the sales price.

It's obvious that many creative alternatives are available. In fact, there are any number of possible combinations using these and other methods, previously discussed, if one or two alone fail to meet the need. Even if we assume that this person could afford only the *purchase* of a cosmetic project, and not the renovation, he could always do a little work here and there as money became available. The important thing is that it provides him a place to live and he is in the process of renovating and pyramiding.

SUCCESSFULLY SELLING YOUR EXPERTISE— A MEANS OF OBTAINING FINANCING

After selecting a few lending institutions that have an open-minded approach to financing, establish a good working relationship with influential officers of the same. These key contacts are your conduit to:

1. Obtaining needed financing for the purchase and renovation of a project.
2. Keeping you up to date with the ups and downs of the market on the local and national scene.
3. Expediting the loan process and minimizing delays.
4. Acquiring technical and procedural advice.
5. Providing possible opportunities through property foreclosures.

A creative financial arrangement must often be sold, not casually presented, to a lender. Bankers know their limitations and what they can arrange financially; however, it's not wise to assume that they know the subject at hand. Quite possibly they know little about renovating neglected properties. Assuming that, they'll likely see your undertaking as risky *unless* you prove otherwise. Your job is to convince them that renovating is anything but risky by filling in the gaps through anticipating their concerns and providing answers to their questions. Simply use the logic of earlier chapters and examples, and prepare your presentation in advance.

Once you sell your bankers on your ideas and proposals you must then back them up with security. After all, if you're not willing to put your assets on the line, you can't expect a lender to feel very secure about the venture. Your reluctance or hesitation in going all the way to secure a loan is an unmistakable danger sign to a lender.

On the other hand, you may find it necessary to make your presentation to an unsuspecting relative, friend, or in-law. Unlike lending institutions, whose business it is to extend credit, an unsuspecting source is often caught off-guard and may be defensive, hostile, and even demeaning. The possibility of that kind of response would justify your reluctance. It's difficult to be rejected by someone with whom you will have future personal contact. However, it's not uncommon for the one proposing the idea to unconsciously invite this type of rhetoric. For lack of a proper approach, he or she races through the proposal without clarity, to get it over with as fast as possible. This type of poorly proposed approach creates misunderstanding, reveals your apprehension, and highlights your *own* ineptness and lack of confidence in your proposal.

Enough with how it often is; let's look at how it should be. First, prepare. Like your presentation to your banker, anticipate all questions. A "layman's" questions will be basic in nature and deal primarily with risk and the possibility of failure. However, instead of baring your soul and waiting for the "thumbs up, thumbs down" decision, develop an opening line that simply cracks the door of opportunity to this potential financier. For instance, "Bill, I've happened across an investment opportunity that I feel is worthwhile. I've looked into it and I'm strongly considering the venture. It deals with renovating neglected properties and from all I've seen, it appears very lucrative. Frankly, I'm looking for someone who is interested in investing and can help with the financial load. If you're interested I'll explain further."

With this approach, you are not vulnerable to a "no" answer. After all, you're not asking for a handout, you're merely presenting him an opportunity to get in on a wise business proposition.

Additionally, it helps a great deal if you prepare yourself for a "no" answer prior to your presentation, although you should never make your presentation with a defeatist's attitude.

Whether you approach a lending institution or an unsuspecting source, your experience in renovating neglected properties carries considerable weight. There is no better way to demonstrate this expertise than by a photo-history of your work. Start an album compiling before, during, and after photos of your projects along with any other promotional data. For instance, the community newspaper will often do an article on a total renovation project that converts a local eyesore into a viable, tax-producing property.

This album is a sales tool. It establishes your credibility visually; however, it's more than just a financial sales tool. When looking to establish key people, such as Realtors and attorneys in new areas, or for opening a new account with an outlet, this visual history speaks louder than words.

Whoever assists in the financing of a project should also be given a before and after tour of the property. On the before tour you often need to give reassurances to "green" financiers that the property isn't as bad as it appears and explain some of the basic concepts of rehabing. You also may want to consider this inspection only after the financing has been secured. During the after tour, the property will speak for itself—especially if it's a total rehab.

To summarize, the three indicators of your expertise are:

1. Proper presentation (This includes preparation, anticipation of a lender's concerns, a basic knowledge of lending practices, and a favorable first impression, including appearance.)

2. A photo-history of your work

3. A before and after tour of each project

Other than demonstrating your expertise, the one gesture that often receives the best response is the depositing of funds into a lender's institution. A few thousand dollars won't make the lender bend over backwards for you, but it shows your commitment nonetheless. Also consider your influence with family members and friends, who may be uncommitted to any one lender, and who will take your advice to transfer their savings into this new, highly recommended institution. Of course, your first consideration will be given to lending institutions where you or family members have accounts or had prior dealings.

Consider using one primary lender for the majority of your projects, but remember that it's necessary to keep on friendly terms with at least one other lender in the event the first cannot supply your needs.

6

Sure-Fire Ways
to Evaluate
a Property's Potential

Your first impression of a property is your clearest. For that reason it's necessary to record your initial thoughts in order to sustain a balanced perspective. This is accomplished by combining both a dollar and cents approach and your first impression of a property. One without the other may lead to over or under-improving. The structural analysis provides an in-depth study of the structure itself. With this format provided, you have all you need to know in order to eliminate the unexpected and to determine the feasibility of renovation.

In addition, helpful tips on viewing the property are given, such as how to determine if the operating components of a structure have been property maintained, and the importance of asking questions about a property that requires a knowledgeable answer rather than a simple yes or no. Numerous suggestions on detecting poor workmanship, hidden defects, and testing the functioning components of the structure are provided. If there were a single most important phase in this process of renovation it would be the neighborhood analysis. This lays the groundwork and frames the perimeter for all that is to follow. Additionally provided are numerous indicators of an area's desirability and appeal, which go beyond the obvious.

VIEWING THE PROPERTY:
THE IMPORTANCE OF YOUR FIRST IMPRESSION

It's important to hold on to your initial thoughts and reactions when viewing a property for the first time. Initially consider:

1. The lot
   a. Size
   b. Topography
   c. Landscaping
2. The structure
   a. Design
   b. Characteristic appeal
3. The neighborhood
   a. Appeal (desirability)
   b. Conformity of structures

As I view the property for that first time, I note the highlights and characteristic potential of the lot and structure, as well as the negative aspects of each. Consider these, but don't make a detailed analysis of them. You simply need to record your first spontaneous impressions of the property, focusing on these points.

This is important for one reason only. In that first viewing, you see the property more clearly than you'll ever see it again. You cannot afford to lose that sight—it's what keeps you on track. Once involved in a project for a period of time, and generally I'm speaking of total rehabs, you tend to analyze it too deeply. To borrow a phrase, "you can't see the forest for the trees." You are striving to develop the maximum potential of a property which, in itself, is somewhat debatable. Exactly what improvements, using what materials, will enable you to most economically reach your goal? The alternatives are many and you'll inevitably receive conflicting suggestions from your remodeling team. When this occurs you can look back to your first impression. It alone does not provide the answers. However, when combined with a logical dollar and cents approach, it helps to put things in proper perspective.

When things get out of perspective you either overimprove or underimprove . . . both cost you money. Total rehabs have large profit margins and thus a large margin for error. The drawback to such a cushion, if there is any, is unconscious waste. This waste consists of noncontributing extras that can accumulate to hundreds, possibly thousands of dollars, and are justified as increasing the saleability of the property. When this occurs, future dollars are slipping through your fingers. Since a sizeable profit will nonetheless result, this waste often goes unnoticed. It's the rare investor who analyzes a project after making a $20,000 profit to see if waste occurred. As we've seen, an improvement or extra feature, that takes more money out of your pocket than it puts in, has no value. When this occurs, you are off-track. I've often found my only salvation to be a combination of a logical, dollars and cents approach and my first spontaneous thoughts concerning the property. One without the other leads to an unbalanced perspective. Your first impression is your clearest, but entirely uncalculated, which may lead toward overimproving. A logical, dollars and cents approach is often too thrifty in nature and leads you toward underimproving. I suggest combining the two to achieve a balanced perspective.

THE ALL-IMPORTANT
STRUCTURAL ANALYSIS

If your first impression of a property is favorable, you'll need to analyze it further. The purpose of this analysis is to gather all the information needed to further evaluate the extent of the renovation and its cost. This analysis is done prior to purchasing a property in order to know exactly what you're getting into. The following is how I handle a structural analysis.

1. I make elevation drawings of the entire exterior structure and any additional buildings, indicating their overall size. I also include the location of the doors, windows, porches, public utility entrances, garage, and any exposed foundation. I list the various materials that make up the exterior structure such as the type of roofing material and exterior finish. When this is complete, I have a "paper replica" of the exterior from every angle.

2. I photograph all sides of the exterior in addition to a few long shots of the entire property. This gives me the actual "look" of the property that my elevation drawings do not, and I see the location of the structure in regard to the lot.

3. I sketch the interior floor plan, *room by room,* noting overall size, plus the location of the doors, windows, closets, chimneys, the heat source and returns, electrical outlets and fixtures, the kitchen unit and bathroom fixtures. Under each individual drawing, I list all pertinent data pertaining to the particular room. I identify each wall, floor, and ceiling, recording the type of finish and the condition of such, along with any needed alterations to the same.

For example, wall #1 is structurally sound, but the plaster is severely cracked and will need to be removed. The wall is out of level two inches from top to bottom and will need to be firred out and leveled prior to installing a new interior finish. The door on wall #1 appears to be located properly and should not interfere with any alterations; however, it needs realignment, new hinges, a passage lock, and painting. The double-hung wood window needs reglazing and painting and the storm window is functional. The chimney on this wall is temporarily closed off and has no flue liners. It could be used for a woodburning fireplace if parged (see Chapter 12, "Helpful Hints") or for a gas log or nonfunctional fireplace, as is. The hot water radiator should be changed to a baseboard unit. No electrical receptacles appear on this wall; two are needed.

When this is completed I have every detail about each room and can then plan any needed alterations while minimizing surprises. This process is not as entailed as it may seem. I do a great deal of abbreviating and more or less jot down my thoughts.

4. I draw an *overall* floor plan of the interior, including the basement, indicating doors, windows, and such. This correlates the rooms and shows the transition from one to another.

5. Next I inspect all the components of the property that have not been scrutinized in the previous interior and exterior analysis. These components include:

   a. Electrical
   b. Plumbing (including condition of sewage facilities and waterline from curb to the structure)
   c. Soundness of overall structure including foundation, floor joists, and rafters
   d. Heating and air conditioning units
   e. Water heater
   f. Appliances (if any)
   g. Any other features not previously covered

My analysis is not a regimented form with scale drawings and precise measurements. My only concern is to know every aspect of the property and to spend as little time as possible gathering this data, but without sacrificing thoroughness to do so.

The recommended alterations that you make at the time of your analysis must be reanalyzed once you have the entire property in focus. The purpose of these recommendations is to provide you with initial suggestions as you view the property. Many of these may prove correct, but you still need to reanalyze them in light of all data, including the neighborhood and site analyses.

The complexity of this analysis depends primarily on two factors. One, your experience. After you've completed numerous projects, much of what you need to look for in a property becomes second nature, as does your ability to efficiently create a property of character. With each project this task gets easier.

Two, the condition of the property. It appears that a cosmetic project would be less detailed than a total rehab, and the majority of the time that is true. However, certain aspects of a cosmetic project must frequently be scrutinized more carefully since the margin for error is lower than in a total rehab. Any unanticipated expenditure, such as having to replace the heating or air conditioning unit, can all but wipe out your expected profit. I suggest that the major components of any property be inspected by the appropriate member of your remodeling team.

One of the main concerns of a structural analysis is overlooking deficiencies or flaws in the structure or a component thereof. You can't rely entirely on the person showing you the property, since he or she too often will run you by the undesirable features. You must assume the responsibility of thoroughly analyzing any structure yourself. (I'm not insinuating that all people try to cover up structural defects because often they themselves are unaware of them, but the fact remains that it does happen too often.)

Here are a few inspection tips to help you avoid overlooking structural flaws. These apply to cosmetic projects as well as total rehabs and should be implemented where applicable.

1. Periodic servicing of the furnace, air conditioning unit, humidifier, air cleaner, etc., is an *indication* that a unit has been properly maintained and updated and is in good working order. It's also an indication that the owner is conscientious and has cared for the property in more ways than this. Unfortunately, merely asking an owner if he or she frequently services these units does not always produce the most truthful of answers. It's quite simple to answer "yes" without actually having done so. Therefore accustom yourself to asking questions that require a knowledgeable answer rather than a simple yes or no.

For example, ask the owner "What size is your furnace filter and can you show me the lubrication points on the furnace fan and motor?" His reply will tell you all you need to know. Additionally check, for instance, a furnace for new parts, the filter and fan blades for cleanliness, the blower belt for wear, the flue pipe for leaks, and the operation of the thermostat and the furnace itself to see that all are in good working order. If the unit is serviced by someone other than the owner, then ask for that person's name and phone number. If there have been no problems, the owner should not hesitate in giving you this information.

2. Be sure to examine areas of the structure that are not easily visible or for that matter, not visible at all. For instance, check above suspended ceilings, below area rugs, in conspicuously cluttered areas of the basement or garage, around the exterior edge of the roof sheathing (for signs of rotting), and through paneling and other wall coverings. I know it's difficult to look through paneling,

but by rapping on the wall and closely examining the finish around windows and doorways, in addition to the quality of the job, you can determine if the underlying wall has been firred out, or possibly insulated, and if the wall covering is adequately secured. A poor paneling or wallpapering job may look good at first glance, especially with furnishings in a room, but these temporary cover-ups can hide a great deal and not be properly secured. Often paneling is put directly over cracked plaster. The nailing process further crumbles the plaster and often the nails do not hold adequately. The nails will pop, plaster will fall, and the paneling will bow in time.

    3. Check the following concerning the plumbing of the structure:

    a. The type of waterline from the curb to the structure. If galvanized or lead, it will likely need to be changed.

    b. Have well, spring, and cistern water tested for impurities and measure the distance from the same to the nearest septic system, if any. The minimum distance should be 100 feet. Also check the capacity of the well or cistern and determine from the owner, neighbors, and water supply company in the area if shortage of water is a problem.

    c. Inspect the septic tank, if possible, and examine the surface above the filter field or leach bed for seepage. It's often recommended that a system with only one tank, and having a filter field, be cleaned every two or three years to prevent sludge from building up in the lines. However, overflows from tanks in some outlying areas empty into streams. If this is the case, check to see if this preexisting condition complies with municipal and state ordinances. Several municipalities in my area have implemented ordinances permitting existing property owners to continue this practice; however, once the property is sold, the new owner must remedy this unhealthful situation at his or her expense. This can amount to as much as $1,500, and many new unsuspecting owners have purchased properties without prior knowledge of this.

d. Inspect all waste drains and traps. Determine where all drains terminate from the property and that they're functioning adequately and properly vented. A dye is sold at most plumbing outlets that when flushed down the drain produces an unmistakable color. If determining where the drains terminate is a problem, and if the drainage setup doesn't hinder such a test, this is an inexpensive means of mapping the drains of an existing property.

e. In a property that is unoccupied and where water is not available, all drains should be tested nonetheless. The ideal way to accomplish this is to offer a neighboring family $10 or so for the use of their water, connect a hose to their property, and test the drains. Broken drains within the structure present no costly problems, but the ones outside, under, say, 5 feet of ground and possibly extending 50 feet to the curb, do. Therefore, it's necessary to run a considerable amount of water for half an hour or more into such drains, to determine if they're functional.

f. Check a property for an adequate amount of valves under sinks, on toilets, to water heater, at meter, and to outside waterlines. Also test to make certain that they function.

g. Check water pressure by turning on, say, the cold water in a bathroom sink and tub simultaneously. Also check the time for the hot water to reach the most distant faucet from the heater.

h. Examine waterlines that are insulated or wrapped with a heat tape for signs of prior breakage, possibly indicating future problems.

4. Check the attic for proper ventilation, structural soundness, signs of a leaking roof, and insulation, and inspect the chimney and any electrical wiring. If a slate roof, check the spacing

between the roofing boards to determine if half-inch exterior plyscore would have to be installed prior to any new roofing material such as asphalt shingles.

5. Operate all windows, including storm and basement windows, and all doors, including garage doors, closet, kitchen cabinet, and oven doors. Inspect all hardware on same.

6. Examine the fireplace damper and firebox. Inspect the front facing of the fireplace for signs of smoke stains, which may indicate a down draft (to remedy this see Chapter 12, "Helpful Hints"). Check the chimney for loose bricks and proper height (2' above the highest portion of the roof within 10', and 3' above flat roof surfaces.)

7. Consider the following when inspecting the electrical portion of the structure.

   a. Check for oversize fuses, which may indicate that a circuit is overloaded and is "blowing" frequently with the proper amperage fuse.

   b. Inspect the service entrance cable for wear.

   c. Determine if the present service amperage is adequate for the structure. Anything under 100 amps for a single family structure is substandard; 150 amps is usually considered ideal. However, 200 amps is generally required for electrically-heated single family homes.

   d. Check the type of wire used (the old knob and tube system is obsolete) and look for makeshift wiring, crammed junction boxes, poor connections, and frayed or dangerously placed wires.

   e. Determine where any exterior underground wire runs that provides electricity to a garage, post light, or to the electrical service entrance on the structure.

8. Ask the owner to see recent tax receipts and utility bills.

9. Test all appliances that are included with the property. For instance, check the burners and elements of an oven and range in addition to its age and availability of parts. Other appliances in-

clude dishwashers, window air conditioners, washers and dryers, disposals, and refrigerators.

10. During your inspection, check for termites. Look for "mud tracks" (small tunnels of mud) that may appear on wooden members of the structure or the foundation. Termites hollow out the wood, often with no visible signs appearing until extensive damage is done. Check the floor joists, band joists, and sill plate of a structure with a penknife, puncturing the wood to see if any damage has occurred. The majority of the time I have my properties treated for termites by an exterminator.

11. If the basement appears dry, keep an eye out for water stains on the walls and floor. Also, any channels in the concrete leading from an exterior wall to a basement floor drain quite possibly indicate a water problem.

12. Check the runoff and drainage around the exterior of the structure, especially if a basement indicates signs of leaking.

13. The actual age of a structure may be determined by a date inspection sticker on the electrical panel box or by looking inside the tank of a water closet (toilet) for the date it was made. However, it must be determined if these are the original items.

14. Check to see if screens and/or storm panes for the windows are provided, and then inspect them.

15. Check gasline connections with a solution sold in most larger hardware and plumbing outlets that when applied will immediately detect the smallest of leaks.

Your comments and recommendations concerning these aspects of a property should be recorded, but again not in any formal manner.

If someone has lived in a property for some time, it can lead you to assume that the necessities of such, namely the furnace, water heater, and bathroom facilities, are functioning adequately if no evidence to the contrary is found. However, this does not mean that you take this shortcut approach to inspecting a property. It's only meant to corroborate the other information gathered.

On the other hand, an unoccupied structure must be viewed as suspect. Thoroughly test all functioning components of the property if they've not been found to be obsolete. It may take a few days to get everything checked out since a utility, such as gas, may have to be turned on to test the lines, furnace, and water heater. Remember, if it's necessary to get into an agreement before these tests are completed, simply incorporate a contingency in your purchase agreement that the sale hinges upon the furnace, water heater, and gaslines being in proper working order. If they're not, the sellers are required, at their expense, to make the necessary repairs or your hand money is returned and the agreement, *at that contract price,* becomes voidable at the option of either party. Of course, another alternative is to simply present an offer to the seller that assumes that these components are not functional. In other words, deduct their costs from what you would be otherwise willing to pay.

THE NEIGHBORHOOD ANALYSIS— A GUIDE TO YOUR PROPERTY'S POTENTIAL

A property does not exist in a vacuum. It is surrounded and affected by seemingly unrelated elements that dictate the style, extent, cost, and to some degree, the feasibility of the renovation process. A neighborhood analysis is in order to assemble these elements to form a perspective of the local market. Chapter 1 spoke of this as "mirroring" the market.

This analysis will be far less detailed in an area that you're familiar with since much of the needed information will be instinctive. However, feel confident that when a neighborhood analysis is completed in unfamiliar territory, you'll know it as well as your own.

This analysis applies to turnover rehabs as well as rental rehabs since there is great similarity between the preferences of buyers and tenants. For instance, detrimental conditions, a poor location, and a lack of public transportation can affect the saleability along with the rentability of a property. Additionally, you must assume that a rental unit, at some time or another, will be sold. Conditions over which you have no control may not affect the rentability of a property; however, they may affect its saleability. The extent, in dollars, of this effect must be weighed although this is not to imply that any such drawback would render a project automatically unfeasible.

To acquaint yourself with an area, you'll need to construct a wide angle view by correlating the appropriate data. This starts with the general scan of the characteristics of the neighborhood. They include:

1. Population and trends of population (losing, gaining, shifting to specific areas).

2. Type of employment in vicinity; blue collar *versus* white collar. (Who is your potential buyer or tenant?)

3. Employment stability (plant shutdowns—new industries).

4. Family income range in area. (What can your potential buyers or tenants afford?)

5. Real estate tax structure. (Burdensome? Does it affect the market in any way?)

6. Quality of municipal services (maintenance of streets and parks; adequate police and fire protection).

7. Area development (new shopping malls, housing, industrial parks).

8. Transition of neighborhood. (Note any change occurring now or in the foreseeable future.)

9. Zoning. (Note the zoning surrounding your potential project and note the ease of obtaining any needed changes or special exceptions to the present zoning, if necessary. Also investigate the likelihood of any zoning change for properties surrounding your project and the effects of such.)

10. Building codes. (Can you do your own work?)

11. Adequacy of utilities. (Is what's available adequate?)

12. Protection from potentially hazardous conditions (flooding, excessive air pollution, chemical waste, nuclear power plants).

13. Traffic conditions and proximity to main arteries.
14. Quality of schools.
15. Number of real estate offices servicing the area. (This is an indication of the amount of market activity.)
16. Foreclosure rate by lenders (a possible sign of a neighborhood turning bad if rate is high).
17. Is the community in a growth period? Has it reached its peak or is it declining?
18. Does the area offer any sites or facilities that would further attract people? (lakes, ski resorts, etc.)

After acquiring the general data, it's time to plot your prospective property into the overall picture to determine how it's specifically affected by the following:

1. Convenience to shopping.
2. Convenience to schools.
3. Convenience to employment.
4. Convenience to recreational facilities.
5. Convenience to public transportation.
6. Housing turnover in the area (sales).
7. Vacancy rates in the area.
8. Price range of homes in vicinity.
9. Are property values increasing, stagnated, or decreasing?
10. Property appeal. (Does the neighborhood present a good appearance? Is "pride of ownership" evident?)
11. Property compatability. (Are properties too dissimilar?)
12. Growth rate of immediate area. (Note new housing starts, businesses, apartment complexes, etc.)
13. Average marketing time for the sale of a property.
14. Property improvement. (Are owners updating and improving their properties?)
15. Percentage of owner-occupied and tenant-occupied units.

16. Sale price or rental rates of comparable units. (Comparable to your prospective project?)
17. Number of comparable units for sale or rent in an area.
18. Design and quality of materials existing in recently sold comparable properties.

Don't become overwhelmed by the number of factors that can affect your potential project. Actually it's not at all difficult to obtain this information. The most knowledgeable source you can turn to is a local Realtor, preferably one who is an appraiser, assuming that you have no contact in this unfamiliar area and that you're viewing the property on your own. (You may wish to consult a disinterested appraiser nonetheless.) Appraisers include this type of data in every one of their appraisal reports. It's second nature to them. To find an appraiser in an unfamiliar area, check with a local lending institution. They'll gladly refer you to whomever they use. So you spend $20 or so for the information. Who's to complain when you make $20,000 as a result? If you don't make it on this project, simply tack the cost on to the next one.

Regardless of whom you consult with, take a drive around the area yourself. I think you may be surprised by how much information you can obtain or confirm on your own. All you need to do is observe. Look at the residential and business district. Does pride of ownership exist? Is the neighborhood well designed? What types of businesses exist other than the necessary services of banking and grocery stores? Are the streets and parks clean? Look for Vacancy, For Sale, and Sold signs. Check traffic and parking problems. Take a ride by the school facilities.

Perhaps one of the more important aspects of analyzing a neighborhood is the stage in which it is in. Is it building to its peak, stagnant, or on the way down? The *ideal* time to buy is just before a surge of growth. This growth can be sparked by a new highway, new industry entering the area, or the installation of a public sewage facility where previously only private systems existed. Getting in on the ground floor and riding the wave of growth to its peak can sharply increase your profits over and above what you've anticipated.

If you're totally unfamiliar with an area, you may wish to

contact your state's department of commerce. They'll often provide information on specific areas of the state, broken down by counties, concerning population density and trends, employment, geographic features, a brief history, and more. These data provide the outsider with more general information than many lifelong residents would be aware of. In fact, it's wise to get this information, if available, for your own area. Often it's just for the asking and you may learn something new about your own backyard.

HOW TO EVALUATE YOUR SITE

The following information is needed to evaluate thoroughly the site of a project.

1. Sketch the boundaries of the lot, detailing its dimensions and shape. This information can be taken from the deed or a survey. Additionally plot the structure in relationship to the lot and note the location of the driveway, sewer, water and gaslines, any overhead or underground wiring, fences, and any other significant features.
2. Topography of lot. (Slope, drainage, percentage of grade.)
3. Soil conditions. (Do any adverse soil conditions exist that will entail an extra expense, such as hauling in top soil in order to provide an acceptable landscaping?)
4. Landscaping. (Assess whether the existing shrubs or trees are overgrown, poorly placed, adequate, etc.)
5. Drive and walkway materials.
6. Zoning of immediate site.
7. Utilities available to the site.
8. Availability of streetlights, fire hydrants, and storm sewers.
9. Easements or encroachments (check the deed, walk the property).
10. Surface material of street.
11. Availability of parking (onsite—offsite).

Your main objective of the site analysis is to determine the environment within and immediately surrounding the project. This environment dictates any changes in landscaping, drainage, and such, that may be necessary for the property to reach its maximum potential. In addition, it points out the circumstances that are beyond your control. These restrictive conditions, including a conflict between present zoning and the proposed use of the property, a nonharmonious site-structure relationship, lack of utilities, or the easement of another across your potential site, can make an otherwise ideal property unfeasible.

The prerequisite to evaluating a site is an objective attitude and good judgment. Often during these analyses only one aspect of the property is judged unfavorably. However, when this aspect is beyond your control and adversely affects your project to the point of making it unfeasible, then you have an obligation to move on to the next potential project, regardless of all the good points that are evident in this property. You don't weigh the cumulative total of good and bad aspects of a property to decide its potential. Too many knowledgeable investors have already made that mistake.

7

Calculating Your Profit . . .

and the Strategy of Making Your Offer

Your unraveling of neighborhood and structural analyses goes beyond the obvious. You learn that it's not always best to compare one community with another. Instead you must judge it on its own merits and gauge the general attitude of the people who make up this market to find what is acceptable and what is not. The essential components of what makes comparable properties comparable are illustrated next. These comparables are instrumental in establishing a realistic sales price for your property once it's completed. Equally important, these sold and unsold comparables set the perimeters of exactly what should and should not be done by way of improvements.

Specific guidelines are also given that enable you to accurately establish timetables for the completion of your project, along with determining the labor and material costs involved. Furthermore, this chapter covers the often overlooked costs incurred as a result of purchase, financing, and sale, in an effort to expose all the direct and indirect expenditures involved in any project. With all the groundwork laid, you arrive at the point of formulating an offer. Also included in this section are strategies for making follow-up offers as well as some tips that may save you time and money by providing valuable insight into the circumstances surrounding a sale.

GUIDELINES FOR DECIPHERING YOUR NEIGHBORHOOD AND STRUCTURAL ANALYSES

Neighborhood Analysis

The neighborhood analysis breaks down an area into certain categories; quality of schools, transportation, detrimental conditions, etc., which, when interpreted, indicate whether these components add or detract from the neighborhood. For example, does the quality of schools attract people into the community or drive them away? Your task is to characterize each of these categories as having a positive or negative effect on your potential project. However, also consider that it may do neither. For instance, referring to the school system in the previous example, it may generally be considered adequate and acceptable, playing no major role in a purchaser's decision.

Yet before you can judge any of this, you must first reflect the general attitude of the market with which you are dealing. What does this market expect for their dollar, what will they pay a premium for, and what do they consider undesirable? Community #1 may demand of their schools a debating team, five or six choices of language studies, and swimming and soccer teams. Community #2 may take a 3 R's, no-frills approach to their curriculum and sports programs, which they find adequate. An investor from community #1, analyzing a property in community #2, may judge the schools as inferior, and, in turn, find that the community services, recreational facilities, and public transportation are unsuitable when compared to his own community. As a result, he may disregard a profitable opportunity because the property doesn't live up to *his* expectations. This relates back to Chapter 1 when I spoke of rehabing in areas that were not considered prime, yet claimed an adequate share of the market.

A crucial prerequisite of a neighborhood analysis is determining the attitude and climate of the community and market that you're dealing with. It's obvious that a rural midwesterner and a Manhattan native would generally not see eye to eye when it came down to what they considered to be the ideal neighborhood. The point here is to determine what the potential buyers and/or tenants of an area expect and want from their community.

Once each component of the neighborhood analysis is interpreted and pieced together, a "feel" for the area emerges. To bring this picture into sharper focus, it's necessary to come up with three or more comparable sales of properties that are similar to your potential project. (If you're in the rental market, comparable rentals are what you are searching for.) These comparables will indirectly reflect all the individual components that make up the neighborhood analysis as well as the climate of the market.

SEVEN CRITERIA TO CONSIDER
WHEN EVALUATING COMPARABLES

The following criteria set forth the specific areas of similarity to consider when searching for comparables.

1. Date of sale (preferably within the past six months and generally not more than one year)
2. Similarity to your project, once completed, in:
   a. Design (one-story, two-story, saltbox, etc.)
   b. Square feet of living area
   c. Number of rooms
   d. Size of garage, if any
   e. Size of lot and topography
   f. Location
   g. Onsite amenities (any feature that adds to pride of ownership or gives enjoyment to the owner, such as a fantastic view, a clear stream running through the property, or a built-in whirlpool bath)
3. How long was the property on the market prior to sale or occupancy?

4. What was the original listed price or rental fee?

5. What was the final sales price or rental fee?

6. Note any other than normal factors that would have affected the sale or rental of a comparable, such as a father-to-son transaction, or a seller liquidating quickly in an attempt to avoid legal problems. These are not good comparables.

7. Note any unusual financial arrangements that may indicate special circumstances to consider. Again, these may not be good comparables.

USING COMPARABLES TO LEARN FROM OTHERS' MISTAKES AND TO PROFIT FROM THEIR SUCCESSES

When dealing with rental units, comparables are again your guide to the market. For instance, what are properties similar to yours renting for, and what do they include by way of improvements for that fee? In addition to the aforementioned and yet to be mentioned aspects, which affect both turnover and rental rehabs alike, obvious differences do exist. For example, properties with high vacancy rates generally indicate too high of a rental fee, and a fourth-floor apartment that has no elevator writes its own epitaph. Likewise the amount of units available for rent at any given time is also important to consider since too much of a supply is ruinous.

The following primarily concerns itself with turnover rehabs; however, great similarity exists between the aspects that affect both turnover and rental rehabs alike.

Comparable sales are your indication to value and much more. For instance, if four properties similar to yours sold between $64,000 and $70,000, it's not too difficult to see what price range you'll be in. However, some adjusting is necessary since all properties will not be exactly alike. The following example, intended to be purposely uncomplicated, will show you what I mean.

Two comparables, "A" and "B," sell for $68,000 and $69,500, respectively. Property "B" has a larger lot and better landscaping than does "A" which, let's say, accounts for $2,000 in additional value to "B." However, "A" has two full baths while "B" has only one and one-half baths, accounting for an additional $500 in value to "A." The final analysis shows a $1,500 difference in price between the two properties.

This example is meant to illustrate that adjustments will be necessary when comparing your project to similar properties that have sold or rented. For example, is their lot superior to yours, and if so, by how much? However, don't always assume that a superior aspect will command more money. It will when the item provides utility and/or appeal that commands a premium. On the other hand, what commands a premium in an affluent area may not in a moderate income community. A particular aspect may be desirable, but not so much that people will pay a premium to have it. Your neighborhood analysis and your comparables, combined, are the pulse of market activity and preference.

Three comparables are adequate in areas that you're familiar with; however, five or six are preferable in unfamiliar territory. Conspicuously high or low comparables should be disregarded since this suggests special circumstances.

Some obvious minor adjustments to the aforementioned are in order when considering comparable rental units as opposed to comparable sales. For example, you're primarily looking for the rental fees of comparable properties rather than sales prices, although some consideration must still be given to the latter when, for instance, you renovate a four-unit project that you intend to rent prior to sale.

INTERPRETING VACANCY RATES
IN YOUR INVESTMENT AREA

The annual vacancy period for a rental unit must also be given consideration. However, it's necessary to look beyond the figures to avoid the mistakes of others and to learn from those who did it right. For instance, a high vacancy rate may be due to poor property management and upkeep, which can be remedied. Proper management can turn a losing proposition into a profitable venture.

On the other hand, a poor location is a factor that cannot be changed. If a high vacancy rate is attributed to this factor, the only possible alternative is to lower the rental fee charged in order to compensate for this drawback, thus lowering the vacancy rate. Of course, this is not automatically feasible. The location's degree of undesirability and the increased amount of *overall* income, if any, are the deciding factors.

It may be necessary to adjust or to disregard a nonexistent or extremely low vacancy rate property because this may be the exception rather than the rule. Again you must look beyond the figures. A below par rate may imply that a tenant has things too good. In other words, the rent is too low. This is especially true where tenants are not tied to long-term leases and have the opportunity to vacate freely. Some experts suggest that a modest vacancy rate is healthy. On the other hand, it may just be a property that includes extra features and conveniences that make it superior to its competition without overimproving. This, plus good management, can keep vacancy rates low.

Your sources of information for the necessary interpretations that are so much a part of this chapter include:

1. Your Realtor, an appraiser, or property management brokerage office.

2. Tenants and past tenants of specific properties in which you are interested.

3. Property management courses offered in your area for a basic understanding of what good property management entails.

4. Join or start an investment group and learn from everyone's experiences.

UTILIZING MARKET ACTIVITY AS THE BEST GUIDE TO YOUR FUTURE SALES

Withdrawn unsold properties, when exposed to the market for a considerable time under normal conditions, can point to a number of things. First, there is one or more reasons why a property such as this, barring any unusual circumstances, doesn't sell. It may be the property itself, the location, the price, or any combination of these. Here is where you learn what buyers find undesirable. Assuming that such a property is adequately shown to a number of potential buyers, yet remains unsold, it's obvious that something is not to their liking. It is essential to determine what this factor is so as to avoid it yourself if possible. On this I suggest that the bottom line here is always money. For example, let's assume a property has a poor location, the asking price is $55,000, and it won't sell. It generally must be conceded that, with the exception of some extremely undesirable areas, the price could be lowered to a point that compensates for the drawback. The question is: how much of a reduction is necessary in order to sell the property? A drawback in a potential project doesn't necessarily mean you disregard the property. You must first determine how it will affect your final asking price, your saleability, and in turn, your profit.

Your comparables, be they rentals or sales, tell you what is renting or selling and what is not, and the reasons why, along with what the local market generally finds desirable and undesirable.

The amount of *properties normally for sale or rent* at any given time shows how much of an active supply of similar housing exists in the area. What the market demonstrates here is again obvious. If too much of a supply of similar properties are available on the market, then consideration must be given to determine the reason. At any rate, it doesn't look good.

However, if not enough of these properties are placed on the market to satisfy the demand and, judging from your comparable sales or rentals, you find the time required to secure a buyer or tenant is quite short . . . now that's optimistic.

Structural Analysis

Your comparables are also your guide to the specific improvements that should be included in your project, as well as the ones to avoid.

As you compile your structural analysis, recommendations of changes to the structure are made. These basically concern necessary alterations such as replacing an obsolete furnace, leveling the walls, etc., that must take place in any project. However, you are now to the point of determining, for instance, the type of interior and exterior finish, and if a family room is necessary.

Your comparable sales have illustrated the price range of your completed property. Now they're indicating what's needed, by way of improvements, in order to develop the maximum potential within the confinements of your property's price range. With three or more conclusive examples of similar properties, testifying to the extent, scope, and characteristics of the renovation work, your path is unmistakably clear. All that's necessary is to collect the information concerning your comparable's improvements. For example, how many baths do they have, is a fireplace a necessity . . . even to the point of considering the surface material of the driveway and walks. You must at the very least offer what your competition is offering. Your task from here is to define any extra features not necessarily found in your comparables, that will command a premium in the market you're dealing with. Your goal is to dominate your competition, and these extras are the means to accomplish this task. In rental units, inexpensive extras are generally enough to make your property second to none. In turnover rehabs, depending on the area, a bit more may be necessary.

HOW TO ESTIMATE THE TIME REQUIRED
TO RENOVATE AND MARKET YOUR PROJECTS

When your analyses are complete and you've determined which improvements are necessary, it's time to put all the figures and costs together, which is a step prior to making an offer. Throughout the first six chapters, I've mentioned ways of calculating your costs and determining your timetables. Now, in addition to a review, we'll bring these together in order to come up with an offer.

Timetables

Estimating the time required to complete a project can be crucial. Without prior consideration given to this aspect of renovating, it's possible to lose precious time.

Before we get into the process of determining the amount of

time required to complete your renovation, let's first consider three factors that may come into play when judging the most opportune time to place your completed project on the market.

1. *Time of year.* Is there an undesirable time to sell or rent a property in your area? For example, I generally find it less desirable to market a project during the winter in my area for the following reasons:

 a. The landscaping, an important selling feature, is often negated by the winter climate.

 b. Viewing a property with a potential buyer of a single family home in winter climate often hinders a showing and sets the wrong mood. Snow can conceal the lawn, roof, walks, driveway, and porches, which can't be inspected and further may hinder the walking of the property. Cold weather and the thought of indoors seems to preoccupy a buyer when viewing the exterior, which negates exterior selling features. Once inside, snow covered shoes must be removed or cleaned.

  The point is that all of this can make for an unpleasant showing that is not particularly encouraging. The sale of investment property is generally less affected by this since the income stream is what an investor usually seeks to purchase.

 c. Past figures have indicated a slowdown in market activity during the winter months. However, during the spring of the year activity increases, and the landscaping and exterior of the structure as selling features can work for you. Also, this time of year often encourages and reflects higher prices since market activity is up. Leases are generally set up to terminate during more pleasant weather when school is in recess, thus more activity in the rental market.

2. *Financial outlook.* Are downtimes on the horizon or do all indicators point to clear sailing?

3. *Financing.* Obviously at this stage of analyzing a project, no definite financial arrangements have been made. Yet you should be aware of your alternatives and quite possibly you've already laid the groundwork for such. You must now determine if

this financing, due to a higher debt service or limited term, hurries your renovation process or is it, say, a line of credit loan that will accommodate a holding period should it be necessary or preferred?

To utilize your time wisely, it's best to establish short-range timetables, those needed to complete each phase of renovation, and from there tally up the time required to complete the entire project. Estimate high, especially in total rehabs. Most jobs will require more time than you anticipate and the unforeseen can play a larger role than you expect. I suggest adding as much as two weeks over and above the estimated completion date in a total rehab, one week in a cosmetic project, to accommodate the unforeseen. If the final estimated completion date is then within your most opportune marketing period, you can feel reasonably secure. Nonetheless, make certain that you can "weather" the worst of circumstances if need be.

You and your co-workers determine the time necessary for each phase of renovation. When done on this basis, it's actually quite simple. Start with a "first things first" approach and coordinate each phase of work from the initial tearing out process to polishing the door knocker. However, don't simply add up the time required for the completion of each phase, since overlapping will occur. Confer with your co-workers and develop a time schedule for each of these phases separately and collectively. This then is your work schedule.

The short- and long-range deadlines for specific tasks and phases of work should be recorded in your daily diary. It's also wise to note the *actual* time to complete the individual phases of renovation as your work is progressing, as well as any unforeseen problems that may arise. After analyzing a few projects this way, you'll be amazed at how precise your future estimations will be and how much your efficiency will increase.

An organized schedule with deadlines to meet is also a step in the right direction to increase efficiency. Renovating a property without any schedule encourages delays.

Your goal is to complete a project while avoiding any undesirable marketing period. If you surpass your estimated completion date, but without sacrifice, merely chalk it up to experience and avoid that same mistake the next time out.

The time required to market your *comparables* is an indication of the time needed to sell or rent your own completed project. Actually it should be less since your goal is to dominate your competition by offering more for the money. Nonetheless, it's best to again anticipate longer than you expect. If your comparables show a 30- to 45-day marketing period, plan on the latter. For instance, let's assume that marketing a property from November to February is generally considered untimely. If this is the case, you'll need to finish your project no later than September if your comparables show a marketing period of 30 to 45 days. The additional 15 days provides a cushion, although more leeway may be desirable, depending on present market conditions and the consequences suffered should you miss the mark.

It's quite possible that this extra time allotted for the unexpected could run your property into an unfavorable marketing period or perhaps just longer than you actually anticipate or want. My point is, when you've considered at the very outside the time required to complete your project, and you still fall within the perimeters of an opportune marketing period, you can rest assured. However, if these extra time allotments run you into an undesirable marketing period, *reasonably* look to justify proceeding with the project nonetheless. At this point *all* circumstances must be weighed and you should discuss the entire situation with your Realtor to get his or her viewpoint. The important thing to remember here is to be reasonable, logical, and practical. Too many justifications are made because of expediency rather than practicality.

The time required to complete a cosmetic project is far less difficult to estimate than a total rehab, since the renovation is less entailed; however, the same principles apply.

CALCULATING YOUR LABOR AND MATERIAL COSTS FOR YOUR RENOVATION PROJECT

Labor Costs

Determining the labor costs is actually just a matter of deduction. Once each phase of work is reduced to a certain number of hours you simply apply the hourly rate or per job cost to the same. When, for instance, my plumber says that the job will take 30 to 35 hours to complete, I rest assured that the estimate is accurate since the plumber has done this type of work on a day-to-day basis for the past seven years. Nonetheless, I generally work up my own estimate to double-check the time required, which usually coincides with the plumber's estimate. If the plumber is paid on a per job basis, then the time required to complete the work has no bearing since the rate is fixed. All of my skilled labor (roofing, siding, electrical, and so forth) is computed in this manner.

However, the varied duties of general laborers can make the dollar calculation for their efforts a little more difficult. I can't give you an exact formula for this because it depends on a number of variables including the length of the project and how much of the work you'll do yourself. Nevertheless, I can provide some guidelines based on what I've found to be true through analyzing past projects.

After reviewing all of my total rehabs, I found that the most extensive use of my general laborers, who actually participated in nearly every phase of renovation, and *did more than just lend a helping hand,* accounted for a total of 540 hours (20 to 25 hours per week for each of two laborers). At $3.50 per hour for this 12-week project, the amount totaled $1,890 for both laborers.

However, in looking for an average, I generally found that around 400 total hours of work were required by two general laborers on the majority of my total rehabs. These projects took approximately 8 to 12 weeks of work to complete. Let me again stress that many variables come into play here and the preceding figures are merely meant as "ballpark" estimates.

To me the $1,890 was well spent. The 540 hours of effort translates into nearly 14, 40-hour work weeks. I would much rather have these 14 weeks to complete another project in than a mere $1,890. When you get right down to it, those were my choices.

I also believe in figuring the amount of time I have in a project and, in turn, my fee for services rendered. The purpose of my investing is to realize profit. My time and effort does not come free of charge; therefore, I adequately compensate myself for my own contribution. The profit is the amount left over after all disbursements for labor, materials, interest, cost of acquisition, and so forth are expended. So when I say I made $20,000 on the sale of a total rehab, that does not include the $4,000 to $5,000 that I took as a wage.

If you need to be paid periodically as your project is progressing, include your estimated compensation in your financial arrangements. In other words, the amount you borrow will need to include the amount you propose to take as a wage. If this is done, hold this wage to an acceptable minimum to avoid overextending yourself. Again a line of credit loan is beneficial here, since, to some extent, you're not paying interest on wages yet to be taken. On the other hand, if you can afford to wait, take your compensation out of the proceeds of sale. This way you avoid paying any interest on your wages at all.

A rental rehab is the same as a turnover in that you can borrow the amount of your wages when financing the project. However, there are no final proceeds since there is no sale. So if you choose not to include your wages in the initial financing of your project, you can include them, if you wish, when you mortgage *this* rental rehab to buy another.

Regardless of the way you intend to compensate yourself, if in fact you do it at all, realize that a wage for your time involved should be considered in order to determine the actual profit of your project. Labor is a contributing component of construction. It is without reason that one assumes the cost of his or her own labor and efforts be exempt from consideration while the cost of all others involved is a must.

Material Costs

Once again look to your comparables to determine the specific materials needed for your projects. For instance, are the majority of these comparables plastered with decorative moldings, having double front doors with side lights and balconies off the master bedroom? If so, you must *at least* parallel what they offer if you hope to be a "contender" on the market.

On the other hand, if the properties in your area offer only basic materials of average quality, then that is your path to follow, although a few justifiable extras, as with any project, may be included. You need only to "mirror" your comparables, with relatively few adjustments, to find your answers.

Generally you're looking for three factors in a comparable:

1. Terms and conditions of sale (i.e., price, how long on the market, any unusual circumstances)
2. Location
3. What the property offers in the way of improvements

The prices of your comparables are analogous to what they offer in design and materials. For example, properties in high priced areas generally include high quality materials and extra features for which people in that market will pay a premium. Likewise, the quality of materials and extent of improvements in low and medium priced properties reflect what the market deems acceptable. Keep in mind that comparables overimproved for their area and price range must be recognized and eliminated. You want to avoid the "blind leading the blind" syndrome.

Determining the estimated costs of materials is quite simple. We earlier talked of establishing accounts and receiving materials and price lists from our suppliers. This information helps determine the costs of specific materials that your comparables show to be necessary. If for some reason that information is not available, call the outlet with your list of materials and have them get back to you when they've come up with a total price for them. It's wise at this time to ask how long that price is in effect, and if a drastic increase is in sight. Of course you'll need to determine how much of each material is needed. Obviously this is a matter of measuring and conferring with your remodeling team.

The cost of some materials, for instance, plastering, is often included in the cost of the improvement if a contractor does the job. In this instance it's not practical to buy the materials yourself since the cost is negligible. However, when getting an estimate that includes materials, demand a breakdown on the labor costs; for instance, the number of hours estimated to complete the work, along with the number of laborers needed, as well as the hourly wage for each. In addition, request that the amount, type, and cost of all materials be included in the estimate. This way it's not possible for the contractor to conceal extra costs that are undetectable in most estimates.

REGARDING THE DISREGARDED COSTS OF PURCHASE, FINANCE, AND SALE

At times overlooked, the supplemental costs of purchasing and financing, as a result of a sale, can exceed several thousand dollars. Some of these expenses are obviously not overlooked by the experienced investor, but others are. The following includes both, and the circumstances surrounding each transaction dictates their applicability.

COST AS A RESULT OF PURCHASING:

1. Realty transfer tax (Deed stamp).

2. Survey.

3. Document recording fees.

4. Title examination.

5. Title insurance.

6. Payment of any liened taxes or municipal services. Prior to signing an agreement, inquire if any unpaid utilities, taxes, or municipal services exist against the property and work out who is to be responsible for each.

Realize, however, that once the agreement is signed you immediately lose all bargaining power. Prior to closing, request a no-lien letter from the municipality and from any utilities that lien their services as well as all tax statements concerning the subject property. Otherwise you may get stuck with paying the bills of the previous owner.

7. Document preparation.

8. Property insurance is needed once you purchase. Also check to see if other types of hazard insurance are necessary now or in the future, such as mine subsidence or flood insurance.

9. Other costs, generally not common, may arise, such as:

a. Commission to a Realtor on a For Sale By Owner.

b. Fee for any meetings requesting a change or special exception to the present zoning. If a change is granted, additional costs may result. Check with the local zoning board concerning the costs involved.

c. Attorney's fees for representing you at the closing.

10. Although not a direct cost of purchase, building permits and fees for necessary inspections, or submitting plans for approval of renovation may nonetheless result. In addition, real estate taxes are owed while you own a property as well as utility costs. If you choose to increase your title insurance as your property's value rises, you will bear an additional fee for a bringdown search of the title and an additional fee for title insurance.

COST AS A RESULT OF FINANCING:

In addition to interest, the following makes up the bulk of the costs incurred when financing:

1. Appraisal.

2. Loan origination fee, finder's fee, service charge.

3. Credit report.

4. Mortgage life insurance premium.

5. Points; although they are interest in advance, they are not often thought of in those terms.

6. Extra settlement fees for PMI mortgages or, say, a farm credit loan that has a stock requirement.

Depending on the source of financing, the preceding costs may or may not be applicable.

COST AS A RESULT OF SALE:

1. Realtor's commission.

2. Realty transfer tax.

3. Document preparation.

4. Settlement fee.

5. Proration of taxes.

6. Prepayment penalty on early loan payoff.

7. Satisfaction of loan payoff fee. (Nominal fee)
8. Capital gains tax.

All of the previous costs may or may not be applicable depending on the following:

1. How you structure the purchase of the property.
2. Type and source of financing used.
3. How you choose to structure the sale of the property.
4. If a Realtor is involved.
5. If an attorney represents you at the closing.
6. If a change of zoning is necessary.

The amount of some of these fees may differ with each locality, so it's best to check with your local Realtor concerning the practices and procedures in your area.

THE PSYCHOLOGY OF YOUR FIRST OFFER
AND STRATEGIES FOR FOLLOWING UP

Before I begin, some backtracking is in order to put things in their proper perspective.

When first viewing a property it's common that an asking price will be proposed by the owners. Certain observations can generally be made during that tour of the property, specifically when the asking price is presented to you. However, before I discuss this, let's first consider a property where the owners claim to have no idea what to ask as a purchase price. Often they take the "What will you give me for it?" approach. At this point we all realize the amount of time and effort spent analyzing a property in order to make an offer. Not that it's insurmountable, but you don't want to waste your time when an owner indeed has a price in mind and that price is nowhere near reasonable by your standards. For example, I came upon a majestic old home barely visible from the road due to the overgrown landscaping. I made my way up the lane and found the property totally dilapidated, although it was evident that at one time it was possibly the grandest home in the vicinity. A cooperative neighbor in this unfamiliar area provided the name and address of the owner as well as a brief history of the property. The owner, an elderly spinster, said she was interested in selling the property when I phoned her, but had no idea what to ask for the place. I politely persisted for some general price range that she would find acceptable, but it was to no avail. However, her sentiment for the property was obvious as she reminisced about growing up there. This indicated that she had fixed a price tag to the fond memories that she held for the property. I wanted to know just how much her fondness was worth. I finally, as a last-ditch effort and knowing that I must get some idea of what price she had in mind, inquired, "Might we consider a ballpark figure of around $20,000 for the property and negotiate from there?" Her immediate response was that she would not accept less than *$100,000* for this severely neglected property.

Obviously, this price was unreasonable, but my point here is twofold. One, I suggest that all sellers have some idea of what they want for their property regardless of what they claim. It may be a very general price range and it may require some prodding on your part to reveal it; nonetheless, it's there. When you start presenting obviously low figures and work up from there to get their reaction, you eventually arrive at a negotiating point where some agreement is reached. That brings us to the next point briefly mentioned earlier; i.e., you don't want to waste valuable time formulating your structural, neighborhood, and site analyses when you are nowhere near what the owner has in mind. My example, being in unfamiliar territory, would have required investing a significant number of hours into my analyses prior to presenting any offer that would have been some $60,000 to $70,000 less than the outlandish price demanded by the owner. Press for some idea of an acceptable price range prior to investing any time in your analyses. Obviously, if the price asked for the property far exceeds your ballpark estimate of its value, then there is little reason to proceed any further. This, by the way, can be known before any formal viewing of the property takes place. A drive-by, quick-look inspection and a phone call is sometimes all that's needed to render a project unfeasible.

Your tour of a property should provide more than the obvious answers. Specifically, you want to know the attitude and the urgency of the owner in selling this property. As was mentioned in an earlier chapter, the neighbors, the building inspector, or a community council member may be helpful in supplying some of this information.

However, the person showing you the property, perhaps even the owner, can relate to you more than he or she realizes if you ask the right questions and observe. Consider the following generalizations:

1. If the owner is showing the property, observe what kind of car he or she is driving and how well he or she is dressed. Subtly ask where the owner lives and what he or she does for a living, all, by the way, as a matter of conversation. These observations may generally denote something of the owner's financial situation. Can he or she afford to sit on the property if no other circumstances are pressing otherwise or does the owner appear in need of money?

As an additional thought, you may believe that someone "well-off" can afford to let a run-down property go for "peanuts." However, I've generally found that the people who achieve the "well-off" status didn't get there with a "give it away" approach. I've found them to be some of the hardest of hard-line bargainers. Nevertheless, pay strict attention to what the owner says in hopes of shedding some light on his or her circumstances.

2. When a Realtor shows the property, the same information can be obtained in, perhaps, a slightly different manner. Obviously the easiest way is to ask the Realtor directly about the financial situation of the owner, although you may find it best to ask if the owner is *financially able* to finance the purchase and possibly the renovation of the project with, of course, very lucrative terms for the owner. You may not even be considering such a proposal, but the answers you get should indicate something of the owner's financial situation.

3. Generally one of three different approaches dominate the showing of a neglected property. These approaches or defenses of the property relate a great deal about the attitude of the owner or

Realtor, who may have some measure of influence over the owner. In other words, the Realtor's attitude when showing the property may reflect the attitude of the owner to some degree.

    a. In the previous example the elderly woman attached sentimental value to her property. To her, those fond memories of growing up there with her family, who are now gone, may have justified asking that outrageous price, or perhaps she didn't wish to sell the property at all. Regardless, to me it immediately meant unfeasible and not worth investigating further at that time.

    b. You may run into an owner whose defense starts with easy answers to difficult problems and who tends to gloss over any undesirable features. *Of course* there are always five or six interested parties who can't wait to buy the place. Additionally they talk of potential and "what a little work could do for the property," as well as giving you the benefit of their *vast* renovation knowledge. Their price is usually high and somewhat firm. However, it's wise to learn how long their property has been on the market and to how many people it has been shown. You see, they initially take an unrealistic look at only one side of the issue—theirs—and generally time is the only cure for these ardent defenders of hearth and home. On the other hand, don't rule out the possibility that all of this may be done in an effort to keep offers high.

    c. Though too few and far between, there is the person who takes the "no contest" approach and genuinely realizes the shortcomings of the property. He or she is generally willing to negotiate and is looking only for a reasonable price.

    4. Ask to see the deed to the property for the exact dimensions of the lot or for any excepting and reserving provisions, but equally important, look to see *when* the property was purchased and for *how much*. This information can be invaluable when you are formulating your offer. It provides insight into the financial posture of the owner and is indicative of the profit to be made. A copy of the deed can be found at the county courthouse.

Any offer must naturally permit you to realize an adequate profit after meeting all expenses. Once you've formulated your opinion of the circumstances surrounding the owner and the property, you must conclude the least amount that would be acceptable to the owner and submit that amount as your first offer. Your conclusions are based on the following criteria:

1. Your interpretation of the owner's situation with regard to the property, as demonstrated by the owner or the owner's representative, be it an attorney or a Realtor.

2. Probing into the situation concerning the property and the owner as viewed by the local building inspector, council members, solicitor, neighbors, or Realtor.

3. A look at what comparable properties, *in similar run-down condition,* sold for as a measure of what the owner may expect in terms of a sales price.

4. Objectively putting yourself in the owner's shoes in light of all the known facts, and with the attitude of the owner. From here project the least amount that you yourself would accept. When I mention the owner's attitude I'm referring to his or her opinion of whether the property is repairable and capable of producing a profit for someone, or beyond repair. The difference between the two definitely affects the owner's degree of flexibility as far as negotiating the price is concerned.

Before making your first offer, establish the maximum price that you will pay for a property.

Note that some properties will list at very reasonable prices. It's not *always* mandatory to make a lower offer. When the price is right, grab it. Don't ponder over making an offer $200 less and risk losing a profitable venture to someone who knows a good deal when he sees it. A few dollars and cents, when tens of thousands hang in the balance, is not a fair trade off.

Any *unreasonably* low offer that you believe will not be accepted should not be made. Often the thinking here is to present such an offer in order to pave the way for a follow-up offer. This is done in an attempt to whittle down the owner's steadfastness, and in turn, the price. However, this tactic frequently offends the seller to the point of hindering further negotiations. The point worth noting is to be aboveboard and deal in good faith. Your reputation is not something to compromise.

On the other hand, any probing for answers that will shed light on the owner's situation concerning the property is generally acceptable; for instance, any actions taken against the owner that are of public record, be they discussed at a community council meeting, or be it legal action taken by the community solicitor. The amount you pay for a property may hinge on what you know of the circumstances of it and the owner. Ideally you are looking to make a purchase for the least amount that the sellers are willing to accept and be satisfied with.

Many variables influence an owner's decision to accept or not accept an offer. Some, such as the owner's financial situation and the circumstances surrounding the property, have been discussed. However, take into consideration the amount of time that a property has been for sale. When the property is on the market for only a short period of time, the owner will generally be less apt to accept a lower offer. Usually when the property has been on the market for less than 45 to 60 days and/or shown to less than 15 to 20 people, the owner still believes that the right person for his or her price will come along. However, if the property remains unsold after this period, the reasonable owner soon begins to realize that his demands must be more flexible. The point to note here is that a good offer, unaccepted by an owner when a property is still fresh on the market, may have a much better chance of acceptance if the property does not sell within, say, 60 days. Of course the recommended 60 days and the 15 to 20 people varies, but I have had offers initially rejected early on, which were accepted six to eight weeks later. In fact, on one total rehab with an asking price of $11,000, I initially offered $8,000 during the first week it was on the market. The offer was rejected. I knew that very few people would be interested in a property with so much work, so I decided not to present an additional offer. My decision was further influenced by the fact that the owner had told me that she needed a quick sale. I was in a position to up my original offer by $1,000 at that time, but I was also looking at a few other properties; therefore, I chose to sit back and wait on this one.

Six weeks later, the owner of the property called and said that she would accept my $8,000 offer. At that time I was negotiating the purchase of a commercial building and told her so as a means of justifying what I was about to say. I told her that because of this other property I was only in a position to offer her $7,000 at this time. Frankly, it was my projected workload and tight schedule that prompted me to reduce the price. If I could get the property for $7,000, fine. If not, I already had more than a full schedule and, after all, she was the one who turned down my higher offer. She saw my position and accepted the $7,000 offer. As it turned out, the commercial property transaction fell through, and I got this property for $2,000 less than I was willing to pay and $4,000 less than the asking price.

Often when I purchase a property, I have more than one in mind. If I can get them all at my price, fine. However, I usually work one against the other striving to get at least the one that will make me the most money if that's possible. The benefits to this type of philosophy include:

1. Letting an owner know that I have other properties in mind and that I can prosper without his or her property. When I mention these other properties, I describe them and give the specific addresses so that the owner knows I'm not just trying to work him or her down to a lower price.

2. With two or more properties to choose from, I can be somewhat selective. Should my first choice fall through, I always have others to fall back on.

3. I'm not overanxious or dependent on any one property and it shows. I do the picking and choosing, and I call the shots, although it's without any arrogance. For two parties to agree and be satisfied with such an agreement, they both must win some ground. I yield some ground, but I also choose what issues to yield on. I don't say this boastfully, it just happens to be a supply and demand issue. I, as a buyer of total rehabs, am more in demand than a dilapidated property. The owner needs me more than I need the owner.

4. Because I'm not thoroughly dependent on any one property, I don't pay more than I should. The temptation to overbid is not there as it would be if one particular property was the only game in town.

8

An Inside Look at the Renovation Process from Start to Finish

This is the first of three chapters that will deal specifically with the renovation process. It starts off on a time management note explaining how to be thoroughly prepared to begin work once you own a property. Additionally, it spells out the whys and hows of what you should and should not do in this regard. It goes on to examine each stage of renovation from start to finish, as well as pointing out the areas where complications most often occur. This chapter also offers valuable property maintenance advice and illustrates the basics of a well-balanced floor plan. One of the most important aspects of this book, especially in the area of turnover rehabs, is your ability to create appeal inexpensively. I have included a project of mine that dramatically demonstrates how you can create this appeal in a property, as well as showing you how to carry each improvement to the limits of its potential.

WHAT MUST BE DONE
BEFORE TAKING POSSESSION

The period during the agreement stage of a transaction, prior to taking possession of the property, is time not to be wasted. This time period can be utilized to fine-tune your renovation process. This includes scheduling, timetables, and the finer points of specific improvements such as the style of trim to be used, color of carpeting, etc. During this time I also reinspect the property once more for potential problems that I may have previously missed. If something should become evident, I simply add one more hurdle to my renovation course. Anything that I've found to date during this last inspection has been minor. However, an unanticipated problem, although minor, can interrupt and set a project back. Such a problem may even require redoing what has already been completed if it's not realized beforehand.

This inspection is also done to calculate more precisely the amount of materials that will be needed for the first few stages of work. I generally don't purchase any materials before I own the property; however, this inspection permits me to know exactly what I need to begin work once I do own it. This precaution is again anticipating the unexpected. Should for some reason a deal fall through, I'm not stuck with materials that I'll have to store or that can't be used on other projects.

Let me get off track here and mention that it's best to buy materials in three or more stages. This is to avoid any damage while materials are stored on site, and to keep working areas clear of materials yet to be used. Unpackaged toilets, kitchen units, doors, windows, paneling, ceiling tile, etc., that are set in a corner to avoid damage almost inevitably end up damaged. Even if it's only dirt and sawdust on unfinished doors and ceiling tile, extra work in cleaning results. A great deal of time is also wasted in working around, stepping over, and continually moving materials out of the way. It's more practical to buy materials in stages to avoid this hassle. Also, as mentioned earlier, purchasing some items far in advance either increases the risk of losing that money spent should your plans change, or *hampers* your change of plans for the better should you not wish to lose the money spent. Furthermore, if it's necessary to return a stored item, you may be out of luck if the return period on the item has expired.

You can also use this time to confer with your co-workers to let them know when work will begin and when their efforts will be needed. This way they have a few weeks to plan their schedules accordingly, thereby avoiding any unnecessary delays.

It is even possible to use this time to begin work on a project, although it's not advisable without some sort of written agreement. If you wish to do anything that alters the property in any way, you should first do so only after any loan for the property is approved. Next you should receive permission from *all* owners *in writing,* specifying the type and extent of work to be done. A clause that relieves you from any liability, legal recourse, or any form of reimbursement because of your efforts, if the transaction would fall through, is also a necessary part of such an agreement. Any money or time invested in a property before you owe it is susceptible to loss. If there is no real advantage to your starting work on a project before you own it, then avoid doing so. If you feel it necessary to begin, then choose to do the work that entails as little money as possible. Your attorney should be consulted if you choose to take this route.

The time during the agreement stage of the transaction can be put to good use. It's a period where loose ends are tied and your phase-by-phase renovation process is distilled. It's also a time that may even be used to begin work when certain precautions are taken.

THE SIGNIFICANCE OF THE
SEQUENTIAL PROCESS IN RENOVATING

All projects are reasonably similar as far as the progress of renovation is concerned. The only difference that immediately comes to mind is a project that is occupied as opposed to one that is vacant.

It's best to take a room-by-room approach with a property that is occupied. In other words, thoroughly complete one room before venturing to the next. This provides the least amount of inconvenience to any of the occupants. When a tenant is the occupant, as opposed to occupying the premises yourself, inquire as to any vacations or weekend trips that they may have planned. This is the ideal time to complete the most disruptive work, such as any plumbing or electrical work that would interrupt the necessary services of the property for a considerable amount of time. A reduction in the rental fee is often needed if you wish to keep a tenant while work is progressing. This income is better than none, but you must judge for yourself if it's worth the inconvenience.

The sequential process of rehabing is not complex. Most renovators can determine the progression of work where the major elements of construction are concerned. The seemingly insignificant aspects of rehabing are where lost time, inconvenience, and damage occurs. It may be hard to believe, but I've often seen renovators put down their final floor covering before painting a room. The task of painting now becomes more difficult and the risk of damaging the floor greatly increases. Another common example is putting up interior trim work before finishing it. The painstaking process of painting or staining all the trim work, particularly when the wall or ceiling surface is of a different finish, can easily be avoided if a commonsense approach is used. These types of senseless blunders account for the majority of problem areas in renovating.

For the most part, the process of renovation begins with tearing out and cleaning up. I've found it best to get all of this out of the way before beginning any constructive work. Existing adverse conditions that may further damage any part of the structure must also be remedied before any constructive work begins; for example, a leaking roof or water seepage into a basement where perhaps a family room is proposed.

Next, move on to resolving any structural deficiencies as well as firring out, shoring up, roughing-in and leveling out any floors, walls, or ceilings. From here rough in the wiring, plumbing, and any necessary heating and air conditioning ductwork. You may also wish to consider any necessary prewiring done by the phone company or cable television, especially in structures where such wiring would be difficult once the improvements are completed. Installing needed insulation is also a consideration at this time.

Next the interior finish gets underway. All of the plastering and drywall installation and much of the painting and other messy work should be completed before installing any doors, trim, kitchen unit, floor covering, light fixtures, etc. Once this is complete, the trim work, light fixtures, floor coverings, doors, kitchen unit, and final touches are added, with a general cleanup of the property to follow.

The exterior improvements generally follow the same format, i.e., tearing out and preparing for the productive work to follow. Weather conditions may dictate whether this is done before or after the interior work begins.

Keep in mind that different phases of renovation can progress simultaneously. It's certainly more efficient to begin, say, the electrical rough-in work once the first floor is gutted and while the second floor is in the process of being gutted. This way two or more different phases of renovation can progress simultaneously without interfering with each other.

HOW TO ELIMINATE PROBLEM AREAS IN RENOVATING AND INVESTING

This topic takes a "preventative" approach to eliminating problem areas rather than a "wait until it happens and then solve it" philosophy.

A preventative approach is simply based on thoroughness and preparation. It means making no optimistic assumptions and taking no risky shortcuts.

It all begins with a complete structural, neighborhood and site analysis. These analyses will diagnose problem areas affecting a property from within and without. Often the renovator who complains of hidden defects once he owns a property has only himself to blame. Defects are hidden only to those who don't look for them or to those who don't know how to look for them. Of course, you can't be infallible on every project. It's probable that you will pass over a "hidden" defect now and again, but if you're conscientious and aware of that possibility, chances are it won't be anything overwhelming. Nonetheless, allowances for unexpected costs and time delays are recommended.

Basically there are two reasons why a thorough analysis of a property is not completed. One, some renovators just don't know how to evaluate a property adequately. They suffer from unconscious incompetence, especially in regard to the neighborhood analysis. Two, other renovators seemingly become overconfident because of past successes and start taking shortcuts beginning with the analysis of a property.

Not long ago I was asked to evaluate the potential of a run-down property that was just purchased by Jim U., an experienced renovator. Jim had six successful projects under his belt and hoped to make this one his seventh. During my inspection of the property I noticed a weak spot in the bathroom floor on the first level. This property had no basement. Jim told me that the previous owner had informed him that a leak in one of the waterlines had rotted this area. Jim's mistake was assuming that the owner's claim was true without checking it for himself. Based on an unfounded assumption he wrote the problem off. Once I removed the linoleum and rotted floorboards, we found termites. Further investigation revealed extensive damage throughout the house. Jim had no other choice than to repair the damage since he already owned the property. His profit margin suffered as a result, but this incident put him back on the right track of sticking with the basic fundamentals of thoroughly analyzing any property and potential problem area.

On the other hand, overanalyzing is also a problem area to recognize and avoid. One regular client I have, who has yet to purchase a property, inquires about every investment listing that we get through our real estate sales office. He spends hours examining frivolous details and in the end finds himself engulfed in a mass of charts, graphs, projections, and analyses. The time and effort expended in an attempt to decipher a mountain of data serves only to fuel indecision. In turn, indecision fuels frustration, which turns an investor sour on a property. The underlying point to recognize here is the possible reluctance of an investor to make a purchase from the beginning.

Shortcuts taken during the inspection of a property and the evaluation of the neighborhood are not the only problems to recognize. Taking shortcuts in the performance of the actual work is another potential problem area. For instance, I have many times viewed a completed project and found the joints of the drywall to be poorly done and clearly visible. The room, the entire project, and the profit that should be realized suffer because of this poor effort. Quality workmanship is vital. When a potential buyer sees sloppy trim work and painting, rough drywall seams, or sloping floors and ceilings, it immediately points to shoddy workmanship. It is not a property that they would like to own or live in. Poor planning may have something to do with this. The right person for the right job is not always given consideration but it is essential. For example, one of my co-workers previously worked in an auto body shop, which enabled him to do superb work on drywall seams. Obviously, he does the drywall. Another was particularly adept at texturing the drywall, once finished, with a ready mixed compound that is used to create various plastered effects. He does all the texturing.

An unexpected or not so common problem can arise even when your analyses and work are completed meticulously. For example, on one project, vacant for three years, I tested the waste drains leaving the structure by running water into them for four hours straight. They handled the water without any trouble, then; however, a few months after the property was sold and occupied, one of the drains started backing up and became clogged. I repaired the small section of broken wasteline causing the problem after my preliminary inspection indicated that the present owners were not to blame in any way.

This exemplifies a common problem in unoccupied properties, i.e., can the underground waste drains, gaslines and septic system service the property? In some instances the answers are obvious; however, other areas remain questionable from the beginning since living in the property is the only true test. Thus, the reason for funded reserves anticipating the possibility of unexpected expenditures. In other words, being prepared financially to resolve any questionable areas that may be inadequate.

The truly unexpected concerns matters that remain unknown regardless of how complete your analyses are. Of course there are many potential problems that can arise. The point is not to identify each one but rather to prevent them or to be prepared for them should they arise. The following summarizes the ways to achieve this:

1. Check out and test all components of any potential property.
2. Complete a thorough neighborhood analysis and recognize how your property is affected by factors surrounding it.
3. Complete a site analysis.

4. Recognize and financially prepare for *potential* problem areas that cannot be checked out, short of living in the property for a period of time.

5. Allocate, say, an extra 10% over and above the funds needed to renovate a property for questionable areas and unexpected problems that may arise.

6. Know your financial limitations and don't overextend yourself.

7. Prepare all contracts as though you had to defend them in court.

8. Become adept at time management for yourself as well as your co-workers. Co-workers should be given an orientation on what is expected of them.

THE BENEFITS OF DEVELOPING A FOLLOW-UP MAINTENANCE PROGRAM

Acknowledge that a certain amount of your turnover rehabs will require some form of repair after they are sold. Generally the miscellaneous repairs that fall under your responsibility are minor. Nonetheless, you should frame the perimeters of these responsibilities as you see them. In other words, spell out how long you intend to assume responsibility for specific repairs as well as specifying areas that are not your responsibility. For example, if I have aluminum siding installed on a project by a contractor, I include in the contract that the guarantee on the workmanship applies to whomever owns the property within the term of the guarantee. Should a flaw in the workmanship become evident within the term of the guarantee, the contractor, not I, carries the burden of repair. I make this perfectly clear to the contractor before the work begins and to the owners before they purchase the property. The same would apply to any other improvements that were subcontracted out.

If a responsible contractor fails to meet his obligations, then *you* must, if you are to maintain a good reputation. Carefully choosing a contractor goes a long way in avoiding these types of problems.

In the plumbing department the repairs generally consist of a dripping faucet, valve, or trap. On occasions, however, I have had complaints that toilets or drains were clogged and would not function. When this happens, I politely remind the tenants or buyers that, as I stated prior to their occupying the property, I will not accept, nor will my contractors accept any responsibility for commonly clogged drains once the property is occupied. All drains were demonstrated to be in good working order during their inspection of the property. If one becomes clogged shortly thereafter, it's almost always the fault of the occupant.

Again there are exceptions to everything and I generally will take the time to investigate such a problem before writing someone off. If I can easily take care of the problem while I am investigating it, I will do so. It's usually not my responsibility, but in the long run it does me more good to fix it than to not. Other common repairs are generally confined to minor oversights such as neglecting to caulk a window or make adjustments to a door.

Rental properties require periodic maintenance inside and out. With few exceptions do I rely on the tenant to take care of such maintenance for the simple fact that it usually doesn't get done right, if it gets done at all. I therefore suggest that you set a few days aside each year to maintain your properties. For instance, the furnace should be properly serviced by oiling the motor, changing the filter, inspecting the flue and making the necessary adjustments. If you are unable to do this, have your furnace man attend to it.

In addition to maintaining the serviceable components of your rentals, make it a point to drop in on your tenants occasionally to see how things are going and to ask if there are any problems. This is primarily done to see for yourself what repairs are needed and to see the care given to your property by the tenant. Any problems should be taken care of immediately.

To monitor and verify damages to a property once it's occupied, it's advisable to inspect the premises with the tenant and to list the existing damages prior to any occupancy. Have this list signed by the tenants and give them a copy. Now, any future inspection indicating further damages by the tenant cannot be disputed. A solid case in your favor is assured when such a list exists and where withholding or drawing on a security deposit is necessary for such repairs.

Do your best to cure deferred maintenance immediately. Waiting only makes the problem and your image worse. Maintaining your properties is an important aspect of investing. There is just no way around that fact.

CREATING THE RIGHT DESIGN
ROOM BY ROOM

The *ideal* design is not always achievable in properties that are already improved. However, working best with what you have while adhering to the basic principles of a sound design is your goal. Look for guidance and test your ideas in the market.

We'll now examine each room individually with emphasis on size, location, and utility. It's important to note that the price of the property and the purpose, for instance, a rental unit as opposed to a turnover property, has a great deal to do with the applicability of the following suggestions. The bottom line here is if it increases your profit, include it.

Kitchen

To many, the kitchen is the most important room of the house. It has expanded beyond just a working and eating area. It has become a conversation area for family and friends and at times is used for entertaining. With this in mind, I recommend a spacious eat-in kitchen where possible. Additionally I suggest:

- An efficient work area in relation to the refrigerator, range, and sink is necessary. An L-shaped, U-shaped, single wall or parallel wall kitchen unit works well in this regard. Enough drawer and cabinet space is also essential and rarely will you find a buyer or tenant complaining that there is too much. The amount of cabinet space needed as well as the size of the room is proportionate to the amount of bedrooms or persons occupying the property. An 8- to 10-foot kitchen unit is adequate for a one-bedroom apartment; 17- linear feet seems to be an acceptable minimum for a unit with five occupants.

- A built-in dishwasher should be within arm's length of the sink.
- The refrigerator should not abut the oven and range.
- A double bowl sink is worth the extra money invested in a turnover property.
- Adequate counter space for working is required adjacent to the range, refrigerator, and on either side of the sink.
- Sufficient sunlight to facilitate any daytime functions in the kitchen is ideal.
- The kitchen should not be an avenue for guest traffic in and out of the house. When possible, keep it close but separate of the living and family rooms.
- When possible, locate the kitchen adjacent to the garage for ease in delivering groceries. It also must abut the dining room.

Family and Living Rooms

- Again, the number of bedrooms in a property is the best indicator of the number of possible occupants. The family and living room areas should be capable of accommodating all family members.
- The living room, as with most rooms, must also be designed with the arrangement of furniture in mind.
- The location of a family room has a bearing on its frequency of use. If in the basement, a family room may be used only occasionally when the kitchen and bathrooms are not particularly handy.
- A conveniently located family room often takes preference over the living room as far as use is concerned, and the style of this room often leans more towards a kick-off-your-shoes atmosphere.
- The acceptable minimum room size of a family or living room should be no less than 12' in width and 16' in length.

The real issue is not what I consider adequate, but rather what your comparables reflect. The preceding suggestions and dimensions are given as basic guidelines only, to give you some idea of size and design. Naturally you may take some liberties within these acceptable standards.

Dining Room

- Its use is generally occasional in a property with an eat-in kitchen, so I suggest you consider this when determining size.

- It is desirable, if the dining room is able, to handsomely accommodate a full dining room suit. Dining room furniture is generally expensive and I've seen more than a few buyers and tenants disregard a property that they otherwise liked because the dining room could not accommodate their furniture.

- The dining room is often a traffic area to the living room or other areas of the house. Consideration to size, imagining furniture in place, must be given to allow easy access to these rooms.

- Not all existing floor plans include a dining room area. If your comparables indicate that one is needed and your floor plan does not accommodate such a need, vie for an alternative, namely a breakfast room. The formal dining room does not play as large a role as it once used to. Breakfast areas are acceptable alternatives, and particularly nice are rooms with lots of windows, a nice view, light cheery colors, and simple design.

- If possible you should try to arrange at least one eating area that will accommodate more than just the family members.

- Perhaps the aspect that best adds to the character of any dining room is the light fixture that so commonly, yet distinctly, is suspended above the table. Don't buy a bland fixture for turnover rehabs that are moderate and above in price. This one feature can be so important. Stay within reason pricewise, but realize that an extra $40 or so can make a world of difference.

Bedrooms

- Bedrooms should ideally be separated from the living and working areas of the structure, namely the kitchen and living rooms.
- It's very undesirable to go through one bedroom to get to another or to have the *only* bath directly off of one bedroom.
- It's desirable if the master bedroom has its own powder room; however, lower priced properties and rental units often do not, which in some instances is perfectly acceptable.
- Bedrooms are adequate at minimum size due to their limited use. Minimum would be 10′ × 11′, except for the master bedroom, which should be at least 12′ × 14′. Certainly there is a considerable difference between minimum size and ideal size, and higher priced properties lean toward the ideal size.
- The master bedroom must include enough closet space for two people.
- All bedrooms, especially the master bedroom, should be soundproofed or insulated from other rooms by bathrooms or closets.
- Generally no extra features, with the possible exception of the master bedroom, are necessary or worth the expense except in higher priced properties.

Bathroom

- Determining the amount of baths and how luxurious or basic they should be is taken from the market via your comparables.
- At least one bath should exist on all floors with bedrooms.
- When practical to install, a linen closet and an exhaust fan should be included in every residential bathroom unit.

- If you have a choice, the toilet should not be placed so that it is the focal point of attention when entering the bath.

- A decorative vanity should not be placed to one side of a narrow bathroom near the door. Upon entering, you will not get the effect that you should. If this is the only logical place that such a unit can be worked into the bathroom, consider purchasing a less expensive unit that will function the same, but perhaps not look quite as nice since the visual effect is lost anyway due to the layout of the room.

- Buy good quality, no frills accessories for the bath, which include faucets, towel bars, soap dishes, toilet paper holder, and medicine cabinets, unless your comparables indicate otherwise. People may comment on gold-plated faucets and such, but generally won't pay anything extra to own them.

- In shower stalls and around tub areas that have a shower, choose ceramic tile or fiber glass in favor of plastic tile, prefinished hardboard panels, or waterproof drywall. The extra initial cost is justified by the quality and the maintenance savings in years to come.

Properties renovated for commercial use must, to some extent, be designed individually with their particular use in mind. For instance, an office area, store room, and restaurant would obviously not be similar in design when renovation is complete. Again the general rule of thumb applies. Do only what is *necessary* to dominate your competition. Keep in mind, however, the importance of properly identifying your competition. If you acquire an obviously overimproved property and renovate to the standards *it* has set, you'll likely be in trouble.

Another point to remember when renovating to a specific use, especially in an area where the market for such may be bordering unstable, is to try and renovate in a way that accommodates other uses as well. For example, we have one unit in an office and apartment building that accommodates a variety of tenants. Previous uses include an insurance office, a doctor's office, an attorney's office, and an apartment. The alterations necessary for each change of use are minimal because of our original design. We have greatly increased our potential market for leasing this property as a result. Zoning may be a factor you need to consider here.

THE SECRET OF CREATING
THAT ONE-OF-A-KIND HOME
THAT BUYERS CAN'T RESIST

Perhaps the best way to illustrate this topic is with an actual example. Let's begin with a room-by-room analysis of a property which I own, but have yet to complete. I'll explain my plans for this two-story frame, single family home while highlighting the points that I feel will make it irresistible to buyers once on the market.

Through my neighborhood analysis and comparables, I've set the perimeters of my improvements, dollarwise, by recognizing what buyers in this area expect for their money and will pay a premium for.

The basic floor plan of the house needs few structural alterations other than the kitchen. Because this area is so large, I can easily create a laundry room, a 6' × 15' entrance foyer, as well as an eat-in kitchen.

The rear porch is presently a step above the floor of the proposed foyer area. Good ceiling height permits me to elevate the rear door to the porch to accommodate raising, by a little over six inches, the floor of the foyer area. By doing this, I will eliminate this existing step down.

The kitchen area, a step down from the foyer, will feature an L-shaped birch unit and a distinct floor covering. I'll also include a beamed ceiling and a small snack bar that will physically, but not visually, divide the foyer from the kitchen except for the access area.

The entry from the rear porch into the foyer will be tastefully decorated yet unpretentious, yielding the limelight to the kitchen, where you need go but a few feet ahead and down one step to enter. To the left as you enter the foyer you'll find a guest closet. Running perpendicular to the right of this closet is the laundry room, which will be small but adequate. The laundry will not be seen from the kitchen or foyer, and the wall separating these areas will be insulated for soundproofing. To the right as you enter the foyer are the basement stairs, which need to be replaced, so that no problem exists here as far as raising the floor is concerned.

The pine floorboards in the area of the foyer and laundry room need to be replaced or covered with plywood regardless of whether the floor is elevated or not. As a result, my raising of the floor not only creates a desired effect and solves the step down from the porch problem, but it also costs very little extra to do. Also, I'll retain proportion in this area given the high ceilings and spacious floor area.

Upon entering this property, potential buyers will be immediately impressed and surprised to find a sunken kitchen. Other homes that they may have looked at in this price range will not have anything comparable, yet my *additional* cost for this one-of-a-kind atmosphere will be less than $100, including labor.

My intent in any property, where it is feasible to do so, is to amaze potential buyers with what they see and find that their money can buy.

Entering the spacious dining room from the kitchen, when this project is complete, a potential buyer will first see a non-functional corner fireplace on the opposite end of the room. The wooden mantelpiece that will be used for this fireplace was obtained from a home that was being remodeled. It's large, but so is the room which it seems to fit perfectly, and I picked it up for the asking.

The cost of boxing in the corner to accommodate the fireplace is nominal when compared to the return I'll receive as a result. Actually this fireplace, the sunken kitchen, and the other aspects of the home yet to be discussed, will increase my *profit* by at least $3,000. In addition, my property will far exceed the competition in appeal, while remaining in the same general price range and without overimproving.

Getting back to the subject at hand, the wall to the left of the corner fireplace is severely out of plumb. Apparently a brick fireplace was removed at one time and the patchwork done left something to be desired. There are just too many ins and outs to fir the wall out properly. It will be much easier to build a false wall in front of the existing one.

When a situation calls for adjustments such as this, stop and think of the possible opportunities that can be realized as a result. For instance, in building this false wall I *could* choose to include a guest closet here, a china closet, bookcases, or, as I have chosen to do, include a picture window. This window demonstrates a point I made earlier in the book about recognizing *unrecognized potential* in a property. Once installed, the window will frame an excellent view that was unrecognized by previous occupants and again, I'll capitalize on this.

To enhance the usefulness and appeal of this window, I will extend the false wall into the spacious room a little more than necessary, to allow for a window seat. However, I can further enhance the appeal of the window at no extra cost. I'll simply take my two pieces of 6′ × 5′ glass, which I obtained from a re-modeled furniture store free of charge, and come in from the top corners 10″ on each side and down each side from the same corners about 12″. From point to point on each side I'll cut the glass producing a hexagonal window. This double-pane window, once recessed in its frame and featuring a window seat, will be a highlight of the house and not your run-of-the-mill window. Again, another one-of-a-kind feature inexpensively done and irresistible to a potential buyer.

With feasibility as a prerequisite, develop each feature of your property to its maximum. The picture window is just one example of this. It's essential to learn how to create and maximize appeal.

Perhaps you're now wondering where your ideas will come from and how you can tell if something you propose will look right. Believe me, I am no architect nor do I have the ability to design out of my head. However, I do know what looks good when I see it. One of the most often heard complaints from my wife is that I don't watch the road when I'm driving and I can't argue that. What I am doing is observing the designs, color schemes, and landscaping of properties that I pass. If I see something I like I'll go back and take a picture of it, be it a porch railing, window, stone wall, or roof design.

In addition, I'm constantly lured to magazine stands where it seems hundreds of books on house designs and plans are waiting for me. As I scan through each one, I look for any *eye-catching* features that I may someday include in a project. It would be an expensive habit except that when I include one of these features in a property, as I have often done, the payback far outweighs the expenditure. I virtually have a library of pictures, magazines, and books on design to refer to.

Before I went astray here, we were as far as the dining room and the picture window. Since most of my points concerning this topic have been made, I'll just run through the other proposed features that will highlight the property. The dining room, in addition to the fireplace and picture window, will feature a Victorian atmosphere characterized by a moderately high base molding, chair rail, and cornice molding, as well as a distinctive light fixture. All aspects of this or any room should be designed to complement each other, producing one effect consisting of individual parts.

The living room will feature a staircase to the second floor, heat circulating fireplace with raised hearth and stone facing, and genuine wood paneling, probably walnut.

The bedrooms and bath upstairs will be of quality but basic. However, the smallest bedroom, 12′ × 14′, will take exception to the latter. The conventional plastered ceiling in this bedroom needed to be torn down and once this was done, we saw the makings of a perfect cathedral ceiling. I had never considered the thought of incorporating such a ceiling in this bedroom. However, when I visualized the finished effect of the ceiling from what I could then see, along with the fact that very little extra money would be needed to accomplish the task, I decided to include it.

Here an unanticipated opportunity presented itself and all that my co-workers and I did was to recognize it. It would normally be unwise to go to the extra expense and time to include a cathedral ceiling in the bedroom of this property. However, a new ceiling of some type is needed and the cathedral design here will cost only $50 more than a convenional design. This will increase the marketability of my project and probably increase the profits as well, although not just in the normal sense. A one-of-a-kind property dominates its competition and will generally market more quickly. This saves interest expense on any loans, which increases the profit. By selling one month sooner than comparable units indicate, you save a month's interest. If it rents sooner, vacancy losses are minimized.

Photo 8-1

The living room of the Valley Street property illustrates how to capitalize on needed alterations. A high ceiling was transformed into a cathedral design and an obsolete fireplace was refashioned and made functional.

Photo by Ed Salamony

9

How to Make that Bottom Line Work for You

The wise investor has a basic knowledge of the tax angles available to him, and for good reason. It enables the investor to analyze the net effect of a property's income-producing potential with the tax consequences considered. He or she can then choose opportunities with more prudence. It eliminates the need of running to an accountant when an opportunity presents itself, in addition to eliminating the fee for such a service.

This chapter explores the methods of depreciation, its computation and applicability. It examines how an investment tax credit and a long-term capital gain can reduce your taxes. It's far more than basic in its scope and is uncharacteristically written in an easy-to-understand style.

You will learn how to leverage your buying power by using others' money and by selectively channeling your own funds into more than one project. The use of others' money accelerates the return *of* and the return *on* your own money.

An income and expense statement form for a look at a property's cash flow before taxes, reflecting debt service, is an absolute must for evaluating the potential of a prospective rental property. However, this chapter also provides various ways to compute a property's return and to determine its after tax cash flow. How to compute your capital gain and proceeds from a sale follows, in addition to some important guidelines on when it's best to sell a property.*

HOW DEPRECIATION WORKS FOR YOU

This topic is not intended to be a crash course in tax law. Its purpose is to familiarize you with the *possible* tax avenues available in real estate . . . specifically renovating existing properties.

Individual circumstances often dictate the tax approach to be used. This is not always an area of simple black and white. Therefore, I recommend you employ the expertise of a tax specialist to take full advantage of existing tax shelters and to avoid problems with the IRS.

Depreciation is a loss of value due to the wearing away of an asset, namely the structure and its components. In reality, most structures do not lose value, they increase in value. As a result, you harvest from the best of both worlds, appreciation and depreciation.

To qualify for depreciation the following requirements must be met:

1. You must hold title and/or have an economic interest in the property.

2. The item or improvement should have a *useful life* of at least one year. If less than one year, it should be expensed.

3. The depreciable item must be used in regard to a trade, business, or for the production of income. If you own a four-unit apartment building and occupy one unit yourself, you cannot depreciate your own unit, but you can

---

*The Economic Recovery Tax Act has radically changed the federal tax laws. Fortunately, we were able to include a tax update at the end of this book, focusing on changes that were made in the laws that affect real estate investing. Be sure to review carefully the last section in this book, "Federal Tax Law Update," which starts on page 279. While some portions in the body of the chapter may have been superseded by the new law, they remain important in that they provide a foundation for understanding depreciation and taxation of real estate.

depreciate the applicable portion of the building, in this case, 75% (three out of the four units).

4. You cannot depreciate land.

Basis

The basis is the amount or sum recoverable through depreciation allowance. More easily understood, but perhaps less accurate, it is the amount that is depreciated. The basis is generally computed from the purchase price, plus costs of purchasing, and any additional improvement expense. The portion of the total cost attributable to the land cannot be depreciated.

Useful Life

This is the period of time that the depreciable item can be expected to be functional or economically viable, i.e., capable of producing income or being productive. Generally, a 20- to 40-year useful life is given to real estate when depreciated as a whole, or to the structural shell when each component is depreciated individually. Just what is considered an appropriate useful life for all structures and components remains a gray area. Consult your tax specialist.

Salvage Value

In no instance can a property be depreciated below its salvage value. This is the fair market value of the depreciable item after its useful life has expired.

Straight-Line Depreciation

The most commonly used depreciation method, and the one that most investors are familiar with, is straight line. The depreciation write-off with straight line is constant throughout the expected useful life of the depreciable item. This method may be used with any type of real or personal property.

It is computed by dividing the basis by the useful life. For example, $40,000 (basis) ÷ 25 years = $1,600 annual depreciation. A useful life of 25 years would then require a 4% factor to recover 100% of the basis; a 20-year life, 5%; a 40-year life, 2.5% . . . and so forth.

Technically, a salvage value must be deducted before arriving at a basis for the straight-line method.

125% Declining Balance

A form of accelerated depreciation, this method, in regard to real estate, applies only to *used residential rental properties* with a useful life of 20 years or more. Contrary to straight line, the annual depreciation allowance is not constant. With all accelerated methods, depreciation in the early years recoups in excess of straight line while the latter years recapture less than straight line. In the end the depreciation allowance is the same regardless of the method. The advantage of the accelerated method is that you get more of a write-off early on. The premise that a dollar today is worth more and can earn more than a dollar received a year from today is legitimate.

To compute, you simply figure the depreciation via straight line and multiply by 125%.

$$\$40,000 \text{ (Basis)} \div 25 \text{ yrs.} = \$1,600 \times 125\% = \$2,000$$

A simpler method would be to multiply the annual straight-line factor, in this case 4%, by 125%:

$$4\% \times 125\% = 5\%$$

Each succeeding year you deduct the cumulative depreciation taken in prior years and recompute. The second year would be as follows:

$$5\% \times (\$40,000 - \$2,000) = \$1,900$$

No salvage value deduction is necessary with any accelerated method; however, you cannot deduct below an item's salvage value in any instance.

150% Declining Balance

This method, in regard to real estate, is used exclusively for *new, nonresidential rental properties.* It is computed in the same fashion as the 125% method, except the multiplier is 150%.

Double (200%) Declining Balance

In regard to real estate, this accelerated method applies to *new residential rental property,* but equally applies to tangible personal property such as your equipment, truck, tools, etc. In fact, any accelerated method of depreciation can be used for tangible personal property. This method computes like the 125% and 150% methods except that the multiplier is now 200%, or twice the straight-line rate.

Sum of the Years' Digits

Also a form of accelerated depreciation, this method in regard to real estate, applies to new, *nonresidential rental property.* Because of its limited application to the subject at hand, I'll skip its more complex computation.

The Component Alternative for Depreciating Real Estate

The component approach, as opposed to depreciating a structure as a whole, produces the greatest depreciation allowance, thereby increasing your cash flow. (It is not restricted to any one method of depreciation.) Each component of a building is categorized and depreciated separately. The structural shell, foundation, electrical, plumbing, heating, interior and exterior finish, roof, carpeting, windows, as well as the painting, driveway, and appliances, to name a few, are all given their appropriate remaining useful life exclusive of one another. With this method, your depreciation write-off increases due to the shorter useful lives of many of the components. For example, carpeting, appliances, painting, and the driveway have much shorter useful lives than the structural shell, which is the basis of the useful life when a property is depreciated as a whole. Instead of capturing, say, 4% of your total depreciable amount each year, you may well capture an average 10% with the component method. You do not get any more depreciation overall, but you do get it faster.

A potential problem area with the component method is easily avoided with our type of investing. Existing, already improved properties can use the component method, but it's often difficult to establish the appropriate depreciable amount for each individual component of the building. Since you have no data to back up your "guesstimated" amounts, you run the risk of confrontation should the IRS audit you. But with renovating, the majority of these costs can be documented with your receipts, since you did the actual work.

Additional First-Year Depreciation

As a taxpayer, you can elect to write off 20% of the cost of tangible *personal* property in the first year it is depreciated. This 20% first year bonus applies up to, but not exceeding, $10,000 of the cost, or a portion of the cost, of the item(s) in question. This amount is $20,000 on a joint return. This cost limitation is the sum of all qualifying personal property combined. Therefore, a taxpayer married and filing jointly could not deduct more than $4,000 ($2,000 if single) in additional first-year depreciation regardless of the amount and number of items that may qualify. The items must have a minimum remaining useful life of six years, and this does not apply to real property. It would, however, apply to furnishings, appliances, and possibly floor coverings that are included in your rental units. It would also apply to equipment, tools, and vehicles that meet the six-year test.

The amount of additional first-year depreciation is deducted from the original basis, and from that adjusted basis your standard depreciation is computed.

Investment Tax Credit

A credit of 10% is permitted for qualifying investments with a *minimum* useful life of three years. This includes tangible personal property that is depreciable, but it does not include a structure or its components. Appliances, furnishings, floor coverings, tools, equipment, vehicles, and individual window air conditioners may all qualify for an investment credit.

This credit can be used to offset the first $25,000 of a taxpayer's tax liability, and 80% of the amount exceeding $25,000 in 19X1 (90% in 19X2). The investment credit deduction cannot exceed the amount of tax due in a given year. Any unused credit is first carried back to prior years, then, if necessary, over to future years.

Although the minimum useful life that qualifies for an investment credit is three years, only a *portion* of an item's cost with a three to six-year useful life will apply for an investment credit. An item must have at least a seven-year useful life for its total cost basis to be 100% eligible for an investment credit.

Depreciation Recapture

Depreciation recapture simply put, is the amount of depreciation taken in excess of straight line that is taxed as ordinary income at the time of sale.

EXAMPLE:

Depreciation taken with the accelerated method	$8,500.00
Depreciation taken had the straight-line method been used	7,000.00
Depreciation in excess of straight line to be taxed as ordinary income at sale	$1,500.00

If a property is held less than 12 months, all depreciation is recaptured and taxed as ordinary income.

Depreciation, as you may well know, is not only limited to your real estate holdings. The applicable percentage of use regarding your tools, equipment, and vehicles, which are used in your renovating and investing activity, is also deductible. They may also qualify for an investment tax credit and additional first-year depreciation as well. Furthermore, appliances, furnishings, carpeting, etc., included in your rental units, can all help to lessen your taxes and to increase your cash flow.

HOW INTEREST EXPENSE
CAN ACTUALLY MAKE YOU MONEY

Interest costs you nothing . . . in fact it makes you money. Everyone knows that this is not true, right? Wrong!

Interest is the fee paid for using someone's money in order to make you money. Who pays this fee? Not you. The tenant or the buyer pays this fee as he or she pays for all other expenses and then some. The "then some" is your profit.

When you sell a property, interest is just a portion of the total cost necessary to improve and place it on the market. Subtract all these costs from your sales price and you're left with your profit. Now tell me, who paid for your interest expense, you or the buyer? Well, you say, had it not been necessary to pay interest expense you would have made even more profit; therefore, you actually paid for the interest in lost profits. Further examination, starting with the premise that available money should not sit dormant, puts holes in the prior statement. (By the way, most investors would agree that available money for investment should be put to its best use, which is not in cash form sitting in a savings account while losing to the ravages of inflation.)

Let's assume you have $35,000 cash available for investment. Is it better to invest all of this money into *one* project and eliminate interest expense altogether, or is it better to use this money as down payment to buy three or four properties and borrow the balance? Assuming that you'll pay 15% interest for the borrowed funds, and realizing that you can *easily* make a 60% to 70% return on your invested capital with renovated properties, the choice is clear. What you are actually doing is leveraging your buying power. Individually, these three to four properties will not exceed the profit of one bought and improved with interest-free money, but cumulatively they will by far. You will also reap greater tax deductions of interest, depreciation, investment credit, and the like. Your equity with three or four properties will obviously accumulate much faster than with only one, and you can pyramid more rapidly on three or four fronts than from only one. By choosing to "rent" someone else's money you can triple or quadruple the buying power of the money or equity you possess.

Don't think that you can't handle three or four projects at one time, because you can. Perhaps not your first or second time out, but once you've established your remodeling team and key contacts, and put into motion all the other guidelines, tips, and procedures that this book illustrates, you will have no problem. The more projects you do, the easier it becomes. Your borrowing power through equity buildup and profit increases. Your gained expertise makes the analyzing and rehabing much easier, and the strengthening of relationship with your reliable key contacts and co-workers shifts some of the responsibility from you to them.

Interest expense is also a legitimate tax deduction, although it is not an expense incurred for operating or maintaining a rental property. It is used to offset rental income. When combined with all other expenses, deductions, and credit, it can, at times, offset your earned income from your occupation as well. In effect, the tax shelters from rental property can produce a tax-free cash flow and even spill over to protect the top portion of your earned income.

If you occupy one of the projects as your residence, you cannot deduct expenses for repairs, maintenance, utilities, and insurance. You can, however, deduct for interest expense and real estate taxes if you itemize deductions.

Interest on a property held for resale, not for rental purposes, is capitalized, as are all other applicable costs and expenses, and added to your basis. In effect, they are lumped together with the costs to purchase and improve the property, thereby increasing your basis or investment in the property. This reduces your capital gain at sale.

JUDGING A RENTAL'S PROFITABILITY THROUGH AN INCOME AND EXPENSE STATEMENT AND A CASH FLOW ANALYSIS

Many investors have made it big without going to the lengths of analyzing a property, such as those that have preceded this topic, or the ones that will follow. However accurate someone's "gut" feeling about a property is, it is no substitute for a thorough analysis. The more you know about a property and its market, the better you can choose and be prepared for the unexpected.

Real estate investing, in the past, was less complicated than it is today. A more knowledgeable public, government regulations, alternative financing, the ups and downs of the money market, energy, and much more, make it essential for the real estate investor of today to be knowledgeable in many seemingly unrelated fields. The old school of gross rent multipliers and the like has faded away.

Analyzing a property today can be quite complex. For our purposes, however, I'll keep it thorough and simple. First I'll define some of the terms that will be used in this topic.

- *Contract rent.* The actual amount of rent paid by the tenant.

- *Economic rent.* The rent that a unit could and should get, if placed on the open market. It is not necessarily the amount that is being paid.

- *Vacancy and credit loss.* The anticipated amount of rent lost to normal vacancy and bad debt. This is taken from other comparable rental units in your area. (Ask your Realtor.) A *general* rule of thumb on some properties is 4% of gross rental income.

- *Gross rental income.* The annual amount of economic rent you could get once a property is improved, with all units occupied 100% of the time.

- *Net operating income (NOI).* NOI equals annual gross rental income, minus vacancy and credit loss and annual expenses, not including interest.

- *Debt service.* Your mortgage payment including principal and interest.

- *Before tax cash flow.* The amount of money remaining after debt service is deducted from NOI, but before any tax consequences.

- *After tax cash flow.* The net cash flow to your pocket after any tax consequence is computed. This is what every investor wants to know.

- *Capitalization rate.* Indicated as a percentage, an overall rate of return computed by dividing NOI by the price or value of the property.

EXAMPLE:

Asking price or value of property $100,000.00
NOI 10,000.00

$10,000.00 ÷ $100,000 = 10% cap rate

If you wanted a 15% cap rate instead of 10%:

$10,000 ÷ 15% = $66,700 (what you would
pay for the property to
get a 15% cap rate)

The following example and figures are based on an actual project; however, it is not meant to be realistically representative of each and every local real estate market since rents, tax structures, and more, vary in any given area. Let's work into this example as it would actually transpire for you. You find a run-down, four-unit apartment building suffering from deferred maintenance, some functional obsolescence and tenant abuse. Your structural, neighborhood, and site analyses check out without any problem; however, the current rents are well below what comparable units in good condition are getting. You calculate your costs to improve the property to its maximum potential, which is in this example, $20,000. The asking price for the property is $30,000. To determine the money-making potential of this or any rental property, you have to complete an income and expense statement. Consider the following:

INCOME:

Gross rental income
(4 units × $300/unit × 12 mos.) $14,400.00
Minus: vacancy and credit loss − 300.00
Gross operating income $14,100.00

OPERATING EXPENSES:

Accounting, legal and permits	$150.00
Property insurance	600.00
Real estate taxes	750.00
Property management (If you prefer to employ an agency to collect your rents or manage the property this would be applicable. A rule of thumb is 6% to 7% of gross operating income.)	-0-
Maintenance and repairs (5% to 6% of gross rental income is a rule of thumb. The condition of the property and its components is an important consideration here.)	520.00
Utilities	300.00
Total operating expenses	$ 2,320.00
Net operating income (NOI)	$11,780.00
Minus annual debt service	–5,504.00
Cash flow before taxes	$ 6,276.00

Other possible operating expenses could include advertising, personal property taxes, supplies, payroll for a resident manager or a maintenance man (unlikely with small apartment units), or for funded reserves for items such as a roof that may need to be replaced in five years. Generally, most investors do not specifically set money aside for anticipated future expenditures.

The NOI, $11,780, can be converted to a market value by dividing it by the cap rate, i.e., the percentage of annual return that you would like to receive in relationship to the value of the property. If you choose a minimum of 15% for your cap rate, the maximum price you would pay to purchase and improve this property would be $78,500. In our example, $50,000 is the total required investment, so the cap rate would be 24% ($11,780 ÷ $50,000). Try to get that kind of return with properties already improved.

The annual debt service in the example is based on a 13¼% interest rate, a 25-year term, with a principal sum of $40,000. In other words, $10,000 is your cash investment in the property. At this point you can compute your rate of return on your invested capital before taxes by dividing the cash flow before taxes by your invested capital ($6,276 ÷ $10,000 = 63%). This 63% return indicates that your cash investment in the property will be returned to you in less than two years. (If you remember, earlier I told of the immediate equity position you'll receive with dilapidated properties once they are improved. This example, not uncommonly unprofitable, illustrates what I meant in regard to rental property.)

Often an analysis will stop here, since the potential of the opportunity is obvious. One further point you may need to consider, however, is the quality of the income stream. Let's make a simple comparison here to illustrate the point.

A business tenant wishes to move into one of your units, make improvements, and will sign a five-year lease. Further, his business activity is one that will put little wear and tear on your property. The other prospect is a residential tenant with three children and is only willing to sign a one-year lease. If, for the sake of this example only, both tenants were vying for the same unit, it would be in your best interest to choose the business tenant for obvious reasons. In fact, I would take less rent to get a quality tenant.

To carry an analysis of a property further, you must compute the after tax cash flow. Let's assume you want to project your after tax cash flow from a rental property over a five-year period.

Your first step is to figure the amount of interest you'll pay over each of the five years. This requires a calculator, and I've listed one in Chapter 12 (Texas Instruments Business Analyst) that will handle this and many other functions, as well as explaining how to compute each. Its cost is about $30 and I personally couldn't function without one.

Next you compute your depreciation over each of the five years. This can be done longhand or with the calculator mentioned. (Refer to the first topic of this chapter for instructions on how to compute.) Each year's interest and depreciation is then deducted from each year's NOI arrived at on your income and expense statement illustrated earlier. (NOI minus interest minus depreciation = taxable income. NOI is not likely to remain constant over a five-year period. Rents, as well as expenses, will increase, so you may wish to reflect this in your five-year projection. Be conservative and realize that it's impossible to accurately predict what will happen in the years to come.) The "taxable income" is multiplied by your *effective tax rate,* and indicates the amount of taxes that you will owe, or your amount of credit if you show a loss.

Your effective tax rate is best computed by *bracket averaging.* Look in the tax tables of the booklet sent with your tax return, and divide by your total income the amount of tax due for your income bracket, not considering this particular real estate venture.

For example, if your total income, exclusive of this real estate venture, is $30,000, and the tax tables indicate that you will owe $5,000 in taxes, divide the $5,000 by the $30,000 to get your tax rate (17%). Now add (if a gain) or subtract (if a loss) your taxable income attributable to the real estate venture, from your total income of $30,000 to get your *adjusted* total income reflecting the gain or loss of the investment. Again look in the tax tables to find your tax liability for this new income amount and compute as previously mentioned.

Let's say, for this example, that your tax rate, should you purchase the property, is 23%. Simply average the two percentages to get your *effective tax rate.* (17% + 23% = 40% ÷ 2 = 20%)

If you remember, we were multiplying the taxable income of the investment by your effective tax rate, to determine the tax consequences of the investment. This amount is then added (if a tax loss) or subtracted (if a tax is due) from your cash flow before taxes. The resultant amount is your cash flow after taxes. It is made up of the amount that goes in your pocket after expenses, debt service, and taxes are paid, and any amount that remains in your pocket that would have otherwise gone for taxes had you not owned the investment.

Let's look at the first year's cash flow in the following manner.

Net operating income (NOI)	$11,780.00
Less: Interest	−5,300.00
Depreciation	−2,200.00
Taxable income	4,280.00
Effective tax rate	× 20%
Income tax due	$ 856.00
Cash flow before taxes	$ 6,276.00
Income tax due	− 856.00
Cash flow after taxes	$ 5,420.00

The cash flow after taxes is then computed for each of the four remaining years. At this point you could compute your return on your invested capital *after taxes* by dividing the cash flow after taxes by your invested capital. ($5,420 ÷ $10,000 = 54%)

This example shows that taxes are due on the rental income received and that is often the way it is with smaller rental units, especially rehabs. You can't expect to make a fantastic return and show a tax loss at the same time. If given the choice, I'll take the fantastic return any day over a marginal profit that shows a tax loss. The only thing to really consider is how much goes in your pocket when all is said and done, regardless of the amount of tax liability or tax credit.

After a cash flow analysis is computed, you may wish to project the sales proceeds of a property within a certain period of time—let's again use five years. Start with your original basis, which is generally the purchase price. Add to this the cost for capital improvements (renovation), and the costs to purchase the property (transfer taxes, attorneys' fees, etc.). From this amount deduct the total depreciation taken over the five years, which gives you your adjusted basis at sale. Now project your conservative estimation as to your sales price five years hence. Generally look to the past to see the appreciation rates for your type of property. Apartment units generally appreciate a little slower than single family units. From your projected sales price, subtract your adjusted basis and any depreciation taken in excess of the straight-line method. (See depreciation recapture in the first topic of this chapter.) The remaining total is your capital gain at sale.

Only 40% of the amount of your capital gain, if it is computed on a long term basis, is taxable. Any excess depreciation taken through an accelerated method is taxed as ordinary income. Finally, all your costs to sell the property, your outstanding mortgage amount, cost of sale, and your tax due on your gain is deducted from your projected sales price to arrive at your net proceeds from sale. This is how it looks:

ADJUSTED BASIS:

Original basis	$ 30,000.00
Plus: Capital improvements	+20,000.00
Cost of purchasing	+ 500.00
Sub total	50,500.00
Less: Amount of depreciation attributable to straight line	–6,665.00
Depreciation in excess of straight line	–1,000.00
Adjusted basis	$ 42,835.00

GAIN ON SALE:

Projected sales price in five years. (This is a 5% per year appreciation rate computed from a figure of $78,500, the actual value of the property, not the $50,000 that was invested.)	$100,000.00
Less: Adjusted basis	– 42,835.00
Excess depreciation (Deducted because it is taxed as ordinary income not as capital gain)	– 1,000.00
Capital gain	$ 56,165.00

TAX CONSEQUENCE OF SALE:

Excess depreciation	$ 1,000.00
Effective tax rate	× 20%
Tax liability on excess depreciation	$ 200.00

Capital gain	$ 56,165.00
Long-term capital gain percentage	× 40%
Taxable portion of gain	$ 22,466.00
Taxable portion of gain	$ 22,466.00
Your effective tax rate	× 20%
Tax liability on gain	$ 4,493.00
Tax liability on gain	$ 4,493.00
Tax liability on excess depreciation	+ 200.00
Total tax liability	$ 4,693.00

SYNOPSIS OF SALES PROCEEDS:

Projected sales price	$100,000.00
Less: Costs to sell (closing costs advertising, legal fees, commissions, etc.)	– 6,300.00
Mortgage payoff (five years hence)	–38,560.00
Total tax liability	– 4,693.00
Net proceeds from sale	$ 50,447.00

The capitalization rate and the rate of return on your invested capital (cash on cash return) are not all there is to analyzing a return on an investment. The cap rate neglects to consider the consequences of financing on your investment, and the cash on cash return does not consider the proceeds from sale a few years hence. The one method that is viewed as the most precise in this regard, accounting for vacancies, debt service, tax consequences, and resale proceeds, is the *internal rate of return*. This somewhat complex method of analyzing a property is, in my opinion, not essential for success in our type of venture. A calculator can compute this function.

Your Realtor may have income and expense statements and cash flow analysis forms should you need them. If not, write to:

> Realtors National Marketing Institute
> 430 North Michigan Avenue
> Chicago, IL 60611

Their income and expense statements are called annual property operating data forms.

GUIDELINES FOR DETERMINING
THE RIGHT TIME TO SELL
YOUR RENTAL PROPERTY

Perhaps you've heard some rules of thumb as to when it's best to sell a rental unit. Seven years for the maximum tax write-off; fifteen years to get a good internal rate of return, and so forth. Whatever the general consensus may be, it is not always gospel.

Look first to your own needs. Are you in a high tax bracket, in need of a sizeable tax shelter? Is your rental unit for retirement income? Has a particular unit been a "problem" property? These and other factors inherent to you contribute to your decision of when it's best to sell.

Factors exclusive of your personal circumstances and your property must also be considered. Keep an eye on the development of the surrounding area. Are any changes forthcoming that would prove to be beneficial or detrimental to your property? For instance, a zoning change could adversely affect the value of your rental property or enhance it. Proposed new highways, shopping centers, a waste disposal site, or a possible gain or loss of employment can all play a part in a decision to sell.

It's impossible to list all of the circumstances that might affect your decision in selling or not selling a rental property. However, they generally fall into two categories. Your own circumstances, preferences, and needs is one. Factors surrounding and affecting your property is the other. A five-year projection of a property's cash flow and proceeds from sale, considering loan amortization, projected equity buildup, tax consequences, and costs of sale gives you the figures that you need to work with in order to make a knowledgeable decision.

THE BENEFITS OF
LONG-TERM CAPITAL GAINS
AND HOW NOT TO LOSE THEM

Presently only 40% of the gain on a sale of real estate, qualifying for the long-term capital gain privilege, is taxable. This means that 60% of the gain is tax-free. If, for example, your gain on a sale of a qualifying property was $20,000, and your tax rate was 25%, you would compute as follows:

$20,000 × 40% = $8,000 (capital gain) × 25% = $2,000 in taxes due on your $20,000 gain.

Property held for the production of income, as well as your own residence, may qualify for a long-term capital gain *if the property is held for more than one year*. There is, however, a once-in-a-lifetime tax exemption from the gain on the sale or exchange of a *personal* residence for those over 55 years of age. This tax-exempt gain is limited to $100,000. In addition, *any* taxpayer who purchases and uses a new *personal* residence 18 months after the sale of a former *personal* residence, or 18 months prior to that sale, can defer, perhaps indefinitely, any tax on the gain from the sale, if the cost of the new residence exceeds the adjusted sales price of the old residence. However, if the adjusted sales price of the old residence *exceeded* the cost of the new, the amount exceeding the cost of the new residence *would* be taxable. This deferment of taxes also applies if you build a new personal residence.

If an investment property is held for less than one year and sold, the gain would be taxed as ordinary income. For example, $20,000 (gain) × 25% (tax rate) = $5,000 in taxes due. As you see, this short-term capital gain is taxed $3,000 more than if the long-term privilege had applied.

The IRS makes a distinction between an *investor* and a *dealer* in real estate. A dealer may be described as one whose purpose it is to buy and sell property for a quick profit and not to hold as a long-term investment. In this regard a dealer would *not* be eligible for the long-term capital gains privilege, even though his holding period and property met all requirements. All you need to do is sell four, five, or six properties, held just over one year so as to qualify for the long-term privilege, and within a short period of time, to arouse the suspicion of the IRS. If your tax return was audited they could possibly label you a dealer, whereby your long-term privilege on possibly all of your properties, even those truly held for a long-term investment, would be lost. It is extremely unwise and shortsighted to attempt to take advantage of your long-term capital gains privilege with your quick-profit ventures, even though they may qualify. This is, of course, assuming that a few more of these ventures may soon follow. The thinking here is that claiming *dealership intent* on your tax return for those properties clearly held for that purpose, keeps the long-term privilege for your properties that are clearly long-term investments. This is important should you decide to sell one. It's unwise to jeopardize your whole operation for years to come by trying to disguise an obvious ploy. This area should be discussed with your tax specialist who can better advise you concerning your specific circumstances and future plans.

10

Increasing Your Profit Through Creative Ways of Structuring the Sale

The time to plan for keeping those tax dollars in your pocket is before you are faced with a high tax bracket. Chapter 10 provides ways of sheltering your income from taxes, for those investors who may wish to turn over most of their projects. Creative measures of structuring the sale of a property, and the benefits of each, are also explored and again aimed at deferring or reducing your tax burden. Guidelines and tips on how and when to show your finished project, as well as to whom, will enable you to confidently market your own properties should you so choose. Financially qualifying any prospect or tenant is easily accomplished with the tested procedures of the professionals contained herein. Also, the importance of seeing your own project objectively will help you avoid the common error of turning down a good offer and living to regret it.

HOW TO STRUCTURE
YOUR INVESTING ACTIVITY
TO PROTECT YOUR PROFIT

It's possible that your income will double, possibly triple, as a result of your renovating activity. This can easily take place within the first years of investing. The drawback to this, if there is any, concerns your tax liability. The kind of profits realized from the sale of renovated properties can put you in a 30% to 40% tax bracket. This could mean $20,000 or more in annual taxes. Another way of looking at it is that for every three or four properties renovated and sold, the profit of one goes directly to your silent partner, Uncle Sam. (Uncle Sam is certainly entitled to his fair share, which is the least amount a taxpayer is obligated to pay, using all avenues legally available.)

An eye towards a balanced investment portfolio can keep more of your income and gain in your pocket. A balanced portfolio incorporates properties that provide tax write-offs that shelter your gain. Should you decide to turn over many of your properties quickly, you'll need to offset your gains with rental properties that show some hefty deductions. This, however, must be put in perspective. An investor reaching the point of consistently turning over eight or ten properties per year may need other investments that provide larger tax deductions than the average duplex. The advice of a tax specialist is needed here. On the other hand, the investor who chooses to remain small can likely serve his or her needs without venturing into other types of investments. This, however, is not to indicate that he or she should not.

Don't be obsessed with avoiding taxes. They're inevitable and just another cost of your enterprise. Like other costs, measures are taken to hold the expense down. Simply plan ahead, and, if necessary, diversify into other types of investments not necessarily unrelated to real estate.

CREATIVE WAYS
OF STRUCTURING A SALE
AND THE BENEFITS OF EACH

Certainly the common methods of structuring a sale are the first to consider. A property meeting the requirements of conventional, as well as VA and FHA financing, is generally easier to market than one restricted to one or two creative alternatives. This, however, does not imply that a property should be disregarded because it does not meet the requirements of a particular lender or government agency.

The following takes a look at some creative alternatives not previously covered in detail.

Land Installment Contract

As a seller, this method benefits you by providing more profit through interest income. It also delays your tax liability, since the gain is spread over the term of repayment.

The interest rate agreed upon is often in line with what local lenders are charging, possibly more, and the down payment should be sizeable. Title to the property is retained by the seller until full payment is received. Amortization schedules, breaking down the monthly principal, and interest payments over the entire term of the loan are available. Ask your Realtor.

This type of sale is desirable for those who want an income stream over a number of years without the obligation of maintaining the property. The maintenance, as well as the obligation of paying the taxes and insurance, is the buyer's responsibility. Actually the taxes will continue to come to the seller since he or she legally owns the property. Therefore, it's necessary to collect 1/12 of the taxes with each month's payment. Supply the buyer with copies of the paid receipts and keep track of tax increases in order to pass them on to the buyer. This should all be spelled out in the contract.

Insurance may also be collected with each month's payment should you wish to pay the premium yourself. Again, any increase in the premium would be passed on to the buyer. You, the seller, as well as the buyer, are listed on the policy since you both have an insurable interest. If you choose to have the buyer pay for the insurance on his own, make certain you are listed on the policy as per the terms of your contract. Further, see that you receive renewal notices as well as a cancellation notice prior to any termination of a policy.

The terms of the land contract need not abide by the term (number of years) of repayment. For instance, if the term for repayment of the loan is 25 years, you are not necessarily obligated to wait 25 years to recoup all your money. You can set forth in the contract that a balloon payment is due in, say, 5 years. This way the buyer's monthly payment remains manageable, yet you are not obligated to carry him or her for the entire 25-year term.

This type of sale is ideal for the property that may not be mortgageable in its present condition. By using a land installment contract, you can sell such a property without first making repairs. You can, as mentioned in Chapter 1, entice potential buyers with the offer of free materials. Once they improve the property, simply require that they mortgage it and pay you off if you desire.

This type of sale could also be used to sell seven or eight properties in the same year; all having balloon payments due in varying years. This reduces your overall tax burden since you avoid reporting all gains in one tax year.

Delayed Payment

If you are taxed to the hilt in a given year, you may give thought to spreading the proceeds from a property sold over two or more years. This can lessen your tax burden. Seek professional advice.

Exchanging

A tax-free exchange can result when real property used in a trade, business, or for the production of income is exchanged for other real property also used in a trade, business, or for the production of income. A personal residence exchanged for a rental unit would not qualify. If, however, any "boot" (cash or other nonqualifying property) is included in the exchange, it may be subject to tax. If mortgaged real estate is involved, the reduction of one's indebtedness as a result of the exchange is considered boot. This area is somewhat complex. It's essential to consult a real estate exchange specialist.

Paying Points to Lower Interest

High interest rates can drive buyers from the market. An alternative to consider, though not always practical, is to pay points (interest in advance) to a lender on a conventional loan so that your buyer gets a lower interest rate. Perhaps the cost, or a portion of the cost, of the points can be added to your sales price. A lower interest rate is one method of attracting buyers to *your* doorstep in times of high interest rates.

These four alternatives supplement the others discussed in earlier chapters. For example, creative financing and purchasing techniques were covered in Chapter 5, though you viewed them through the eyes of a purchaser. You need only to review these from a seller's standpoint to see how they apply here.

A buyer is often unaware of the financing alternatives available. If you are selling a property on your own, it's your job to see that alternatives are discussed, if necessary. You need only to point to some possible alternatives, not give a dissertation on creative financing and purchasing techniques. Structuring a sale concerns not only your own needs, but often the financial needs of a buyer.

THE ART OF SHOWING THE PROPERTY: WHEN, HOW, AND TO WHOM

Single family homes, duplexes, and other small investment properties are generally not as difficult to market as larger, high priced investment properties. The potential market is not as limited; therefore, the small property investor will often choose to do his own selling or renting. Thus the need for this topic.

When

I generally won't show a property to a prospective buyer or tenant until it is completed. This includes the final cleanup. The reason for this is that most people cannot visualize what you have planned for a property as you may be able to. They don't see what will be, they see only what is there. Look at it this way: if you were repairing a car that had been seriously damaged, in order to sell it, would you show it before you began repair? Would you show it once work had begun, but was not yet complete? Don't you agree that it would be best to show it once it is finished and cleaned up? Most of the time a property is no different.

Exceptions, however, are at times necessary. The general exception is made for the buyer or tenant with *urgency*. The transferee living with his family in a motel, the desirable tenant who must move within a month, or the family that lost their home to a fire . . . these are people with urgency. They can be choice prospects because they can't afford to be too choosy. They must make a move quickly, which makes them more compromising. Showing your property to a prospect with urgency may be a now or never situation. Perhaps their circumstances will force them to visualize what is not yet there. In any case, nothing is lost. If you don't show the property, they'll buy or rent something else. If you do show it, there's always that chance that they'll take it.

A tip you may wish to consider when showing a property before it is completed is to precede the showing by describing the present condition of the property somewhat pessimistically. This description should accentuate the present state of disrepair, but not drastically. In no way should it raise question to the structural soundness of the property. This prepares the prospects for something worse than they actually will see. Instead of defending the property yourself, they tend to. They will be pleasantly surprised to find that it's better than they expected and leave the property on a positive note.

How

How you show a property can be important. A buyer or tenant who is straddling the fence of indecision may be swayed one way or another by your display of the property—not so much by what you do or don't do, but rather by what you say or don't say.

On the other hand, if a buyer really wants a property, what you do or don't do, say or don't say, will matter little. In other words, your role in showing a property may be a contributing factor in a prospect's decision, but not necessarily so. Nevertheless, you should be prepared to make every effort to have a good showing. You never know when it may count.

Consider the following tips:

- If there is a particular approach to a property that substantially enhances its exterior appearance, arrange for a prospect to view the property for the first time from this direction, if possible.

- A lead-in conversation before you actually begin to show the property is in order to get briefly acquainted with the prospect. You can also try to gain the prospect's confidence, ease any tension, and break down any preconceived notions that the seller and buyer are adversaries.

- You'll run into many different attitudes, likes, and dislikes among prospective buyers and tenants. Your basic format for showing a property will not change because of this, but your need to adapt a conversation to suit the person and the occasion will. Some people will ask a great deal of questions; others will say hardly a word. Some will look for advice; others will shun it. There is no one attitude synonymous with the interested party . . . the buyer. Each must be dealt with individually and the prospect that seems the least interested can often be your buyer.

- A smooth showing involves a constant flow of visual effects, information, comments, and problem-solving advice. As you're showing the exterior of the property, you can comment on the following:
  a. The lot size
  b. The location of the sewer, water and gaslines
  c. The roofing material
  d. The style of windows
  e. The type of siding and what lies beneath
  f. The variety of shrubbery and trees
  g. Outdoor lighting

- In areas of the property where there is not much to comment on, you can:
  a. Show the windows from the interior
  b. Comment on the insulation in the structure
  c. Mention the amount of taxes and the zoning regulations
  d. Talk about the schools and recreational facilities nearby
  e. Mention the utility expenses

    f. Discuss the placement of their furnishings

    g. Describe the renovation process, how it proceeded, and how the floor plan was altered

- Inspecting the basement gives you an opportunity to view and comment on:
  a. The plumbing
  b. The electrical
  c. Foundation
  d. Subflooring
  e. Water heater
  f. The furnace and air-conditioning

- First and last impressions of a property are what a prospect remembers most. Therefore, when it's possible, show the room displaying the most character first, and arrange to pass through it again at the end of the showing.

- Have a planned route throughout the entire structure, though it should not be rigid.

- Don't rush the showing. Give the prospects some freedom. Present them the opportunity to reinspect any portion of the property alone, once they've completed their rounds the first time.

- Rooms that need no introduction should receive none, and rooms filled with character will speak for themselves. However, anything that is not obvious to the prospect should be pointed out.

- Years ago, the hard sale, high pressure approach was employed by many in selling real estate. Today it's more of a soft sale, psychological approach and less high pressure sale. However, the purpose of each approach is the same and today's knowledgeable prospects recognize this. If you've bought a set of encyclopedias lately, been solicited over the phone by a home improvement company, or been the victim of one of those people at the airport or on the street corner who puts a flower in your lapel in exchange for a bill from your wallet, you may know how uncomfortable the soft sale approach can be for a buyer.

    When showing a property, be yourself. Call attention

to the property's good points, commenting on the property's advantages. Do your best to handle objections and, most of all, be genuine. You don't gain a prospect's respect and trust or build a good, honest reputation with a glossy sales pitch. You don't market any more properties that way either.

- Some people search for and actually think they can find the perfect home that will suit all their needs for the remainder of their lives. Such a home doesn't really exist. If you look at *all* the aspects of a property that need to be considered, you will see how difficult it is to find the perfect home. Even if the location, price, size and topography of lot, access to conveniences, landscaping, neighbors, and number of bedrooms, to name just a few, were just what a buyer was looking for, their wants and needs would likely change in the next five to ten years. Frequently I find it necessary to enlighten prospects of this fact. I too often hear them say that the property is just what they are looking for, except that they didn't care for the light fixture in the dining room and the curtains in their present apartment won't fit the windows in this property. I politely point out to such prospects that out of the many aspects to consider in the purchase of a property, two relatively minor objections are hardly enough to keep them from buying the right home. They are about as close as they can get to finding their perfect home. This is *not* a sales pitch, it's being realistic and also good advice.

A showing should not be nonstop talking. Give prospects time to reflect on what they see. It's your job, however, to demonstrate some aspects of the property yourself. Invite a prospect to look in the closets and kitchen cabinets. Demonstrate any indirect, recessed, or closet lighting. Display the convenience features of a property such as a disposal, dishwasher, or tilting, easy-to-clean windows. Point out a good view and so forth.

When a prospect appears to like a particular feature, comment on it in a way that evokes a positive response. The prospect then verbally confirms his or her own approval of the item. It not only confirms to you that the prospect likes it, but it also lets the prospect's spouse, if there is one, know it too. It puts things on a positive note and calls attention to the features of the property that they like.

Likewise, objections should be brought to the forefront. If, for example, a prospect doesn't care for the color of carpet in one of the bedrooms, consider indicating that a possible substitution is not out of the question. You should be somewhat flexible in this regard; at the same time you must not appear too yielding. By indicating that a solution to the objection may *possibly* be worked out, you achieve a little of both. Don't lose a needed sale because you would not make a concession on a $100 item. On the other hand, don't concede to outlandish demands.

The income-producing property being sold as an investment deserves a little attention here. The prospect looking to buy such a property is certainly interested in the physical aspects of it. But primarily he or she is buying an income stream. An income and expense statement is definitely in order for a prospect interested in an income-producing property. Additionally, know something of the competition in your surrounding area. For instance, know the approximate number of comparable units, the state of the rental market, vacancy rates, and the amount of rents that similar units are getting. You should also be up on the financing available for your type of property.

Keep your income and expense statement realistic. The prospect may later ask that you verify this statement, possibly with your tax return, which indicates your *actual* income and expenses.

To Whom

Whether your first contact with a prospect is by phone, in response to an ad, or in person, you need some up-front information before showing the property. A conversation generally begins with a prospect inquiring about some aspect of the property. Once the complete run-down is given, the only thing left to do is show the property, right? Wrong! At this point, *money* is what you want to talk about. There's no sense in showing your property without first finding out whether the prospect can afford to buy it. If you've done your homework, you'll know the current interest rate, the down payment required, and the mortgage term being given by local lenders. (Simply call a few lenders and inquire about this information as well as their qualifying ratios and fees charged in regard to a transaction.)

The topic of money must be worked into the conversation by you. If done properly, you'll find that most prospects have little objection to discussing this, especially when they realize that sooner or later the money topic must surface. I generally break the ice by asking the prospect if he or she has considered a means of financing. Regardless of the answer, I'll follow this up by inquiring about a down payment if his or her previous answer hasn't already indicated it. This is a sensitive area to many so it's best to proceed with caution. For instance, I may ask, "How much of your savings have you planned on using for a down payment?" This is much more diplomatic than asking, "How much money do you have?" Another way is to let the prospect know how much he or she will actually need for a down payment should he or she choose a particular method of financing. Following this up by inquiring if this amount of down payment, which should include closing costs as well, presents any problem. These approaches will often produce the information you need without offending or putting a prospect on the defensive.

The monthly payment is next. With the Business Analyst calculator mentioned earlier, and again in Chapter 12, you can easily compute any payment for any given interest rate, term, or principal amount within ten seconds. A prospect can then be informed what his or her monthly obligation will be. Again ask if this presents a problem for the prospect. Keep in mind that a "no" answer does not necessarily indicate clear sailing. Lending institutions have qualifying ratios that a borrower must meet. These ratio requirements, which can fluctuate from time to time, are expressed as 5:1 (read, 5 to 1), 4:1, or 3:1. A 5:1 ratio would simply mean that 20% ($1 \div 5 = 20\%$) of a borrower's *gross* monthly income must be greater than the monthly payment required to purchase a particular property. This payment amount will often need to include 1/12 of the taxes, and possibly the insurance premium as well, should the lender require that these be paid with the regular monthly payment.

EXAMPLE:

Gross monthly income of borrower	$3,000.00
4:1 ratio (1 ÷ 4 = 25%)	× 25%
Max. monthly payment permitted by lender	$ 750.00
Required monthly payment for purchase	$ 550.00
1/12 taxes and insurance	+125.00
Total monthly payment required for purchase	$ 675.00

This $675 payment is less than the maximum allowable payment permitted by the borrower's income with the 4:1 ratio. Therefore, the borrower's income can handle the required payment. (Keep in mind that the practices, procedures, and qualifying ratios may differ slightly with any given lending institution.)

A lender generally considers a borrower's outstanding debts in relation to his or her gross monthly income as well. A borrower's outstanding debts or bills, other than rent and utilities, are deducted from his or her gross monthly income to get the adjusted gross monthly income. A different ratio is used here, say 3:1, to express the maximum payment allowable reflecting outstanding debts.

EXAMPLE:

Gross monthly income of borrower	$3,000.00
Outstanding debts (monthly)	−500.00
Adjusted gross monthly income	$2,500.00
3:1 ratio (1 ÷ 3 = 33.3%)	× 33.3%
Maximum monthly payment permitted by lender reflecting debts	$ 832.50

As you see, the required monthly payment of $675 does not exceed this 3:1 amount either. Again, the borrower's income is sufficient. Remember that the required monthly payment must not exceed either method of computation.

Once you've calculated the required monthly payment, you can divide that payment by the ratio required by the lender to get the minimum amount of gross monthly income necessary to handle the required payment. For example, if the required payment necessary to purchase a property is $400 per month, and the lender's ratio is 5:1 or 20%, the gross income would have to be at least $2,000 per month ($400 ÷ 20%). As you can see, you don't have to ask a prospect how much money he or she makes when you know the monthly payment. You need only to point out that his or her monthly income would need to be, in this case, $2,000 or more.

By taking it a step further, you could divide the $400 required payment by the ratio that the lender has set to take into account for outstanding debts, say, 4:1 ($400 ÷ 25% = $1,600). As you see, the prospect's gross monthly income, less expenses, would need to be $1,600 or more in order to qualify.

Length of employment is also a consideration. If a prospect has worked less than two years at his or her present employment, a lender may want to go back to his or her former job to establish a two-year period of steady employment. If it's found that a prospect's employment record consists of a number of jobs, none of which lasted very long, there may be a problem. Again it's best to air this issue before showing the property. A phone call to a few local lenders will supply you with their requirements.

The main reason that I qualify people before showing a property is to conserve my time. It is simple time management. It's fruitless to show a property to someone who can't afford it. Prospects generally take the "I'll look at it first and then talk about the financing" approach. I don't see it that way. Out of the hundreds of prospects that I've qualified, only one refused to cooperate at all.

The process of qualifying is actually quite simple. Ask a few questions of a prospect in the proper way, and you have all the information that's needed to make a few simple computations that indicate whether the prospect qualifies financially.

The same ratios used by lenders in qualifying buyers can also be used as guidelines for qualifying tenants, or in instances where you may hold the mortgage. Chapter 12 gives you a qualifying format for a prospective tenant. You need only apply the appropriate ratios to their indicated income amounts to get an idea of what they can afford.

THE IMPORTANCE OF BEING
REALISTIC IN ACCEPTING AN OFFER

It's true, to varying degrees, that an owner of a property does not always see his or her property as others do. Some owners completely overlook any shortcomings that their property or location may have. Others are more objective. But seldom do you find an owner who is totally objective. Because there is a pride of ownership factor in owning real estate, and because the renovator takes additional pride in his or her work, there exists a potential problem in regard to an offer prefaced by strong criticism of the property. Not that this is always the case, just that it happens enough to be mentioned.

Realize that some people may *not* like or may claim not to like what you've done with your property. Recognize, however, that you can't please each and every potential prospect, and recognize that some prospects may lead into a low offer with criticism of a property. Assuming that your work is acceptable to most and in good taste, without a lesson to be learned in design or workmanship, don't take offense to the prospect who voices criticism and dislike. So often an owner-renovator will construe a particular criticism as an attack on his or her ability. Friction can result between the parties because of this and thus hinder negotiations if this prospect makes an offer. Always keep in mind, however, that your main objective is to sell a property for the best price you can get. Consider your own personal and financial circumstances and the state of the real estate market, in addition to overlooking any friction caused by an obnoxious prospect. How long you have had the property for sale is also a consideration as shown in Chapter 7.

Each offer should be considered in light of all facts, even those that you may have a tendency to overlook. If you make an effort to be objective, disregarding any personal conflict between you and a prospect, you'll seldom have a problem here.

11

A Look at Actual Renovation Projects: The Profits That Were Made and the Lessons to Be Learned

One of your best learning sources concerning the dos and don'ts of renovating projects is experience. In order for you to capitalize and benefit from the experiences of others, we will take a look at actual renovation projects. You will learn from the successes as well as the failures. Emphasis has been placed on the problems I faced, the mistakes I made, and how I could have avoided them, so that you can get a head start on your own projects.

You will learn how it's possible to profit from properties in poor neighborhoods, how to distinguish between locations to choose and those to avoid, and how to recognize the danger signs surrounding a property. You will also be introduced to a real-life project exemplifying the renovation of real estate's most profitable, yet unrecognized opportunity.

You will even learn how to convert a property to another use, and how to win with proven guidelines and tips for obtaining a zoning change.

LESSONS TO BE LEARNED
FROM PROPERTIES RENOVATED
FOR A QUICK SALE

The following examples are actual projects that I have renovated. The purpose of these examples is twofold: to let you see
how the properties were affected by the circumstances surrounding them, and to see how some of the decisions were arrived at.
Equally important is what can be learned from the mistakes made.
These examples were chosen to provide some insight. They were
not selected to illustrate how much money you can make, though
the profits of even these mistake-ridden properties are respectable.

School Street Property

This was my first renovation project. My level of competence
as far as analyzing a property and doing the work was quite low at
this time. In fact, had I known just how much I didn't know, I might
have never attempted such an undertaking. This example, in
varying degrees, is fairly typical of the unknowledgeable
renovator-investor. It does, however, illustrate how it's hard to lose
with real estate even when mistakes are prevalent.

The exterior of the structure was in reasonably good condition and comparable with other improved properties in the area. I
did recognize this in addition to the extra desirability provided by
this property's corner lot. Comparable two bedroom homes in
this, at best, mediocre area, were selling somewhere around
$20,000. At the other end of town, the medium price range was
$37,000. The location was far from the best, but there was a
sizeable market for this kind of property and it sold within two
weeks of completion. The location was not a problem.

My limited inspection of this two-story aluminum sided,
one-family dwelling told me a great deal, but not as much as I
needed to know. I ended up having to replace the water and
gaslines from the curb to the structure, as well as the electrical
entrance. All were unanticipated costs. I also underestimated the
time and expense to seed the lawn, prune and remove overgrown

trees, and plant shrubbery. The cost to renovate this property ended up $2,000 over what I had "guesstimated."

The other mistakes made were fairly typical of an inexperienced renovator-investor. Except for the new water and gaslines, the new furnace, and the wiring, I chose to do the entire project myself. As a result, I lost thousands. Had I hired some help, I could have finished this project at least five weeks sooner; enough time to complete a cosmetic project that I had my eye on, but lost because I was tied up with this property.

For the water and gaslines, heating and wiring, I chose general contractors, which really diminished my funds. In addition, I signed no contract and had no guarantee on their workmanship. I spent about $600 more than I should have because I hired a company rather than an individual.

I also renovated the property without knowing whether I would rent or sell it. As it turned out, I renovated it with renting in mind and ended up selling it. My sales price suffered to some degree because of this, and the property was rather bland, with no interesting or extra features to use as selling points.

I paneled and installed suspended ceilings in every room, except the bathroom, which was another mistake. Drywall would have been considerably cheaper and made a better appearance overall, though the limited use of quality paneling can enhance a structure.

The property had potential, I just didn't capitalize on it fully. A contributing factor that greatly reduced my profit was the "tear it all out and start from scratch" theory. Much of what was existing in the property was salvageable, but I failed to recognize it at the time.

I still made a profit of $4,500, but as I see it now, it should have been around $7,000, had I done things right.

This example should not discourage you. In fact, it should be somewhat encouraging. It demonstrates how a respectable profit can be made even when mistakes are common. There is no doubt that I was operating somewhere between unconscious incompetence and conscious incompetence when I tackled this project. Nevertheless, it was one in the win column and a lesson well learned.

North Street Property

The purchase price for this property was $4,000 (the asking price was $5,000), the sales price was $26,000, and the profit was $8,400.

With a good lesson under my belt from the School Street property, I increased my proficiency significantly, though I was far from being an expert. Because the landscaping on the School Street property cost a good deal more than I anticipated, I let the pendulum swing too far on this one. I did little in the way of enhancing the property with needed landscaping. It's difficult to say how much I lost as a result, but there was no question that it affected the property's appearance and desirability.

Other mistakes made with this property primarily involved cutting costs. Because the renovation of the School Street property cost more than I anticipated, I was determined to hold my costs down. There is nothing wrong with this, but in some areas I sacrificed the quality and design of the property. For instance, I bought inexpensive paneling and carpeting to save a few dollars, but once installed, their lack of quality was evident. The money saved did not compensate for this lack of quality. As a result I lost money by trying to cut corners. I also opted to put shutters on the front windows only, not on the back and sides which were less visible. Once I saw the result, however, I purchased shutters for the remaining windows as well. An additional $60 was all it cost, and it was money well spent.

The purpose of such a tactic is obvious. The renovator or builder who uses luan interior doors rather than the better birch doors, who puts brick to grade on the front of a structure, but not on the sides and back, or installs shutters on the front only, is telling everyone who looks at the work that he or she is out to cut corners and save a buck. The next thought that immediately comes to mind is, "Did he cut corners elsewhere, perhaps in areas that I can't see?" Although some properties may warrant luan doors rather than birch, the renovator who takes these shortcuts in properties where they are not warranted is threatening his entire undertaking and reputation. Prospects will *not* regard him as a quality renovator and may view his work with suspicion, as will others. Word of mouth travels fast.

I had a little trouble with one of my laborers on this project, possibly because I had not explained what was expected of him. Once the problems were aired and discussed, he quit. Perhaps he would have quit even if I had explained what was expected of him, then again, maybe not. From this point on, an orientation was given to all my new co-workers and I have had very few problems since, none of which are notable.

This project was also a learning experience as every property should be, and the profit here was respectable. It could, however, have been more profitable now that I view it in retrospect. I again should have used more drywall, and some of the structural changes made were not necessary. To some extent, I did not fully capitalize on the salvageable features that the property offered. But I did manage to open accounts with a few wholesale outlets, and came to a "you scratch my back, I'll scratch yours" agreement with a local roofer and aluminum siding contractor that got me a 20% discount on labor.

Valley Street

A few years after the School and North Street properties, with several other projects to my credit, I came across a two-story frame, dilapidated property situated on a half-acre lot. A price tag of $60,000 was not uncommon in this desirable area. Having been on the market for one year and vacant for five, it remained unsold. The asking price was $12,000.

When I viewed this property for the first time, the potential that lay beneath its tattered appearance was obvious. By that evening I had completed my structural and neighborhood analyses and worked up my projected costs. I was somewhat familiar with the general area, so much of the neighborhood data was second nature. The economic outlook for the months ahead was good, and my only concerns were the conditions of the furnace, the septic system, and the water and gaslines into the structure. Instead of testing these, which might have taken a few days, I simply assumed that they would need to be replaced and worked up my costs from that standpoint. As it turned out, the waterline needed replacing, and the furnace needed to be repaired. The gasline and septic system were fine.

My first offer was $9,000, which was rejected. I countered with $10,000, which was accepted. Initially a straight-term loan of $14,000 was used to buy the property and begin renovation. I used profits from previous projects, plus a personal note for the rest of the renovation expense.

This was the first project that permitted me to renovate creatively. In other words, I could include characteristic detail and extra features without overimproving the property because the area warranted it.

The renovation process proceeded routinely. I predominantly used drywall, but I salvaged the plaster in the first and second floor hallways, which were then wallpapered. I used a genuine walnut paneling in the living room and as far up as the chair rail in the dining room. The wall that originally divided the living and dining room was removed to allow the newly converted fireplace to be enjoyed from both rooms. This also provided the needed psychological space for the proposed design that included a cathedral ceiling. The existing ceilings in these two rooms were 9½ feet high, perfect for a cathedral design. (See photos in Chapters 8 and 12.) The kitchen ceiling was also uniquely redesigned. (See photo in Chapter 1.) New ceilings were needed in all three rooms, so why not design them in a way that contributed to the marketability of the property? We refinished the original staircase, kept the pedestal sink in the bathroom and salvaged the stylish baseboard and trim in the hallways, in addition to the six-paneled interior doors throughout. Comparable properties indicated that two bathrooms in this type of property were needed. We therefore added a first floor bath to the rear of the house in order to meet the need.

When all was said and done, the property sold for $65,000 even before all the work was completed. The profit was $24,000 with only 12 weeks of actual work invested.

The lesson I learned with this project has to do with contracts. It involves an established contractor, who I often used, his financial and personal difficulties, and nonperformance of his contract obli-

Photo 11-1

*A modified "before" look at the Valley Street property
after I installed a new roof, new windows, and repaired
the front porch. The weathered wood siding, ghastly in
appearance yet sound, confirms the premise that the
worse it looks, the less you pay, and the more you
make.*

Photo by Robert Gaitens

gations with myself and many others. I paid him in advance of the
work to be done, a practice I have since ceased to do, and he
showed up for only two days' work. Every opportunity was given
him to comply with the contract before I confiscated much of his
tools and equipment. However, I was still in the red. The first
contract signed did not have his wife's signature and my legal
counsel advised that I could take no action against *their* property

Photo 11-2

An "after" look once the Valley Street property was completed.

Photo by Ed Salamony

without it. I persuaded the contractor and his wife to sign a second contract and again I gave him ample opportunity to comply with its terms which he did not do. I began legal action, but as it turned out there were four lien-holders on his property ahead of me. In the end, I had to be content with his tools and equipment and a somewhat expensive lesson: Never pay money in *advance* of work to be done by a contractor.

HOW IT'S POSSIBLE TO MAKE BIG PROFITS WITH BAD LOCATIONS

Yes, there are opportunities in areas that are generally not considered desirable, and yes, there are some areas to avoid. The areas to avoid are rather easy to recognize. Any area resembling a slum district and showing no signs of improvement or betterment should be avoided. Low rents, high vacancies, vandalism, a majority of tenant-occupied properties, as opposed to owner-occupied, deferred maintenance, obsolescence and no signs of pride of ownership in evidence . . . these are the danger signs.

On the other hand, there are areas where rents and sales prices are lower than what is considered normal, but these areas that I refer to have some redeeming features. Before looking at some of these redeeming features, let's view some of the reasons why these properties may be considered undesirable.

1. Structures are situated too near one another.
2. Structures are too near the road.
3. Lot sizes are small.
4. Quality of workmanship is below average.
5. The property is not conveniently located.
6. The property is located next to a school, ballfield, gas station, railroad, or some other property that would detract from its desirability, but not so much that it would destroy it.
7. Properties are not updated.

What distinguishes an acceptable area from one that should be avoided involves a number of factors that may include the following:

1. Pride of ownership. Not necessarily that major improvements to the majority of the properties in an area have taken place, but that an attempt is made. An owner who makes an effort to paint and patch a shabby, worn-out porch, because he or she doesn't have the money to replace it, demonstrates pride of ownership. An area where most owners, as well as tenants, take this approach is easily distinguishable from areas to be avoided. General upkeep or an attempt to improve a property is what you look for even though major improvements are actually what's needed. Planting flowers in the spring and well-kept lawns would be other encouraging signs.

2. Any initiative taken by the community to renovate and

improve a run-down area. The community, with state or federal assistance, may offer low-interest money to property owners to encourage renovation. A depressed area can, in a matter of years, pick up dramatically because of this. These areas show promise.

3. The initiative of a single property owner to improve his or her own property can also spur a surge of betterment in an area. It is the "keeping up with the Jones' " syndrome. Again, an area can steadily improve once the renovation of a few isolated properties begins.

The desirability of an area is somewhat subjective. For example, it would not be unlikely for a person accustomed to living in a $300,000 property with six acres to find a $65,000 home with a 125' × 140' lot undesirable. Likewise, the occupant accustomed to this $65,000 home may find a $25,000 property unacceptable to his or her standards.

Today a $65,000 property is not considered expensive in the real estate community. But to many people it still is. With 20% down, a $65,000 home would require about $15,000 for down payment and closing costs. With a 13.5% interest rate, a payment exceeding $700, including taxes, would be quite possible. For many first-time buyers or people whose income is $33,500 or less, this property is out of reach. With tougher qualifying standards (a 5:1 ratio), anything less than a $42,000 income would generally not qualify for a $700 monthly payment. Many people have incomes far less than these mentioned. At $10 per hour, a wage earner working 40 hours each and every week would make $20,800 per year, yet not qualify to buy a $32,000 home with 20% down, $800 in annual real estate taxes escrowed by the lender, and a 5:1 qualifying ratio. Buyers and tenants in this large income group constitute the market for the areas in question.

Here are a few examples of successful projects located in undesirable locations.

Perch Street Property

My real estate agency was contacted about buying or possibly selling this "problem" property. It seems the owner had sold it on a land installment contract with but a few hundred dollars down payment, and the buyer defaulted. Before vacating, however, the buyer did extensive damage to the property and failed to make his last three payments. (This is not typical of a well-executed land installment contract. A sizeable down payment to deter a buyer from skipping out and doing damage, a credit report, employment verification, and standard qualifying procedures are necessary to avoid problems.) Disillusioned with investment property, the owner asked only that he clear $3,000 for this two-story, four-bedroom, brick home that he inherited.

The location was not good. The property was located in an area of business and residential mix. A bar, a bowling alley, a construction firm, and an auto body shop were in the immediate vicinity. The lot, 50' × 150', was steep, and the weeds and overgrown shrubbery concealed the house from the heavily traveled road.

The house was sound, but it looked shabby. Beyond the garbage and discarded furniture there was a property that had potential. The furnace, septic system, kitchen unit, water heater, bathroom fixtures, and wiring needed little in the way of repair. And just three years before the owner had plastered every room himself. There were, however, a few holes in the wall, compliments of the vacating buyer, and the roof had a few leaks. All other work primarily involved painting, minor repairs, and replacing the glass in the broken windows. Although it was possible to improve the property further, in the esthetic sense, the area didn't warrant it.

We bought the property with cash as an agency project, and soon thereafter found a tenant. One day's work got the property livable and the tenant agreed to do the rest. He first demonstrated his ability to handle the work involved. Remember, a tenant can do more harm than good if he doesn't know what he is doing.

The initial rent was $100 per month, about $75 less than what similar housing in a good area was renting for. This amount did, however, reflect a first year's concession of $25 per month, since the tenant was providing the labor. The rent the second year increased to $125.

The tenant moved out after four years. However, before we

responded to the interested rental prospects, we called a few on-file prospects who were interested in buying this type of property. The second phone call eventually netted us a buyer.

I decided that we should sell the property after the first tenant moved out because it would not be long before substantial improvements would be necessary. The roof and water heater had maybe three years left, and the furnace possibly five. Other general improvements would also be necessary in a few years in order to bring the property up to date.

After analyzing the situation, I came to the conclusion that if we could get $10,500 for the property in its present condition, it would pay us to sell. In the end, we listed it at $12,000 and sold it for $11,500.

We made a profit of $7,000 on the sale and realized close to $5,000 in net rent over the four years. Hardly an outstanding profit, but nonetheless respectable, considering that the total time invested in the project was less than 40 hours.

The Brewer Street Property

Also bought as an agency rental project, this 1½ story, brick, one-family home, on a lot 50' × 100', was also in an undesirable area. The general conditions of the surrounding properties were not good, though the house across the street had just installed a new roof, windows, and aluminum siding. (An encouraging sign that the area may pick up some.) A partially occupied, dilapidated, eight-unit apartment house, and an abandoned and vandalized single family property were the main eyesores in this area that would normally be best to avoid. The reason we didn't avoid it was twofold. The apartment house was soon to go up for sale at a very reasonable price (I missed that one), and the abandoned property was scheduled to be torn down. The second reason was that the subject property was currently rented to a desirable tenant who wanted to continue leasing it. His rent was on time, he made his own minor repairs, and he put very little wear and tear on the property.

We paid $4,000 for this two-bedroom property and rented it to the same tenant for three years at $125 per month. At the end of the third year, I analyzed the property and concluded that it would be an ideal time to renovate it to sell. Three years of rent at $125 netted us $3,800, after taxes, insurance, and maintenance. The sales price was $15,600, and our profit from the sale was $6,000.

The low price of this and the Perch Street property may give the impression that these projects were sold years ago. Not so. Both were sold in the past few years. The prices are indicative of the desirability of the area and not the year in which they were sold.

Montour Property

This two-story brick, two-family unit was located amidst a row of company houses, all predominantly two family. A railroad bordered the rear of the property and beyond that was a strip-mine operation. The neighborhood was typical of a lower income area, with a substantial amount of deferred maintenance, but it was evidenced with pride of ownership and a majority of owner-occupied properties as well. Everyone kept their properties neat and attempted to improve them as best they could afford. Some had already installed new windows and aluminum siding . . . the area appeared to be on its way up.

One side of this property was livable when I purchased it, though it needed some immediate attention, but the other side was not.

Being as tied up as I wanted to be with my other obligations, I decided that I would try to market the property in its present condition. I realized, however, that this may be difficult considering that my market was lower income groups and that the property was unmortgageable. I therefore decided to sell on a land install-ment contract and add $1,000 worth of free materials as a sales incentive. I advertised the property as follows:

$1,000 WORTH OF FREE MATERIALS WITH PURCHASE

This reasonably priced two-story frame duplex can be purchased and occupied with only $1,500 down and $175 per month. Best of all is the $1,000 worth of free materials that will be given to the buyer. With five rooms

and bath each side and a 65' × 105' lot, this unique
opportunity for those not afraid of a little work in return
for a home of their own, will not last long.

The response to this ad was phenomenal. It purposely conjured up
questions in the minds of the prospects reading it that could only
be answered if they called. That is the purpose of this or any ad.

I sold it for $12,800 on a land installment contract, $5,800
more than what I had paid for it just two weeks earlier. The $1,000
in free materials was distributed to the buyer as his work prog-
ressed. Considering the interest I'll receive over the term of the
land contract, my profit will exceed $10,000. My time involved in
the project was less than six hours and I remortgaged another
property to make the purchase. I made use of my present equity
and did not have to use any out-of-pocket cash on this project.

These examples show how it's possible to make a profit with
properties located in what many consider undesirable locations.
The key is to distinguish between the areas to avoid and the areas
that are acceptable to a sizeable segment of the overall market.
The point of this topic is not to encourage you to choose an
undesirable location in favor of a desirable one. The point to be
made is: don't ignore undesirable areas that attract a significant
percentage of the market. The "free material" approach works
well with these properties, and more and more people are in the
market to buy inexpensively and to provide the labor themselves.
Decent lower priced housing, in areas not considered prime, at-
tracts a significant amount of the buying public. These are not
areas to avoid simply because they are not the most desirable.

THE RENOVATION OF
REAL ESTATE'S SLEEPING GIANTS

A *sleeping-giant property* is one whose potential is hidden
and vast, and whose condition is dilapidated. The Valley Street
property, earlier described, was one example.

Finding the potential in these properties is difficult for most
people. It's like looking at a drawing where the object is to find the
hidden articles cleverly concealed by the picture that is obvious to

the eye. The only difference with seeing the underlying potential of a property is that the average buyer is unaware that he or she should look for anything *but* the obvious. It would be difficult to see the hidden objects in the drawing if you didn't know to look for them. Likewise, it's difficult to see hidden potential in a severely dilapidated property when its ramshackled appearance conceals it. The following is an example of a sleeping giant.

My first purchase was a five room and bath ranch on 1.3 acres. I bought it under a land installment contract for $8,500 some years ago, and my monthly payment at that time was $100.

The lot had received little attention and was no more than a combination of overgrown shrubbery, stones, and a garbage pile. Thick, green grass was a scarcity. The roof leaked in four places; the basement leaked everywhere. One foundation wall was caving in; the floor, wall, and ceiling coverings were all outdated and badly worn; the quality of workmanship was poor; and the plumbing and wiring needed immediate attention. In spite of this and more, my wife and I moved in. We immediately fixed the leaking roof, wiring, and plumbing problems, and we renovated one room at a time as money became available. Two years later, we mortgaged the property through a lending institution to pay off the land contract and to add three rooms and a bath, and a two-car garage. Our equity in the property at that time enabled us to borrow all that we needed. Three years after that we remortgaged to add further improvements to our home and to buy an investment property, as well as to pay off the prior mortgage. Today our mortgage payment is only $220 per month on our two properties worth $110,000, and our equity position in our home alone is around $50,000.

We not only recognized the potential of this property, but the potential for the area as well. Underdeveloped at the time we purchased, we knew it would not be long before new housing starts would begin. We were encouraged by this for a number of reasons. One, the zoning was single family residential, requiring a minimum of one acre to build, and prohibited mobile homes, business, commercial, and industrial establishments. The second reason was that our property's value would increase because of the new construction. We retained privacy with our large lot yet benefited in gained value from the four new homes that were later built in our immediate area.

EXPLORING THE PROPERTY
CONVERSION ALTERNATIVE
AND HOW TO APPROACH
A ZONING CHANGE

When examining the potential of a property, you do not necessarily confine it to one usage. For example, a one-family unit in an area where zoning prohibits two or more family units, may be economically unfeasible unless it's converted into multi-family usage. The fact that the present zoning prohibits such a usage is no reason not to pursue a change. Zoning boards frequently grant exceptions to present zoning ordinances, which can alter a project's economic feasibility.

The kind of conversions that primarily concern us include one-family units converted to two or more family units, abandoned store rooms into office and apartment buildings, or a combination of business and residential usage in say, a two-story house located in a predominantly commercial district.

Like the prior topic, this one is aimed at adding another dimension to your renovating activity. Changing the usage of a property can make an otherwise unprofitable venture, profitable. The renovation and analyses of a property to be converted to another use would differ little from any other type of renovation project. The only exception may be a needed change in the present zoning. Here are some tips that you may want to consider in seeking a change of zoning. Keep in mind that you are dealing with individuals, and what may work in one locality will not necessarily work everywhere.

1. Don't accept the first "no" answer you hear as gospel. Pursue the issue until you are legally sure you have no other alternatives, or none as far as it is economically practical.

2. Plan your strategy as to why a change or an exception to the present zoning is good for the area, the neighbors, and the

municipal government. Since you're dealing with dilapidated properties, arguments such as an increase in real estate taxes to the community and the school district, the removing of an eyesore and an attractive nuisance, the improvement of the neighborhood and surrounding property values once the property is renovated, and the salvaging, rather than the destroying, of an existing structure are good ones to use.

3. Determine whether an exception to the zoning is easier to get than a change. Often it is. A change may facilitate the altering of zoning maps for which you are charged, in addition to other requirements not necessary with an exception to the present zoning. An exception may go through faster, with much less formality and cost.

4. Consider contacting the surrounding property owners for support. This can be risky for a number of reasons, but it's part of the change or exception process that must come about sooner or later. Surrounding property owners are generally contacted by mail that a change or exception is being considered and that they can voice their opinion at a special hearing. In my opinion, this generally raises concerns and questions in the mind of the property owner that remain unanswered. I feel it's best to confront surrounding property owners yourself, before any notice arrives, and present your ideas and needed changes constructively and in a positive manner. You can then answer any questions presented and seek the owner's support. The owner then gets the full story and does not dwell on unfounded concerns. Obviously you can't convince all the people all the time, but you can usually handle the situation better than a notice in the mail.

5. Get a copy of the zoning regulations and the details of how a change or exception comes about. This should actually be done before pursuing a change. Let me illustrate why this can be important with an actual example. I was talking to the zoning officer of a small community not long ago, and he cited an incident that had come about a few months earlier. An individual had requested an exception or change from an R-1 zoning (single-family residential) to an R-2 (two-family residential) in an area where all previous changes had been denied. Like the

others, this change had also been denied. The owner, however, did not accept their word as gospel and proceeded to try and find something that could make a difference. And find he did. He learned that a dwelling used at any time previously as a two- or three-family unit and then converted to a one-family unit, as was the case with his property, could change back to the former usage of a two- or three-family unit. All members of the zoning board were unaware of this, but had no choice but to grant the change requested. While this is not the case everywhere, it illustrates that zoning boards are not infallible. Doing your homework before seeking a change or exception to the present zoning, especially where difficulties are anticipated, can make a difference. Don't neglect to consider the use of an attorney if necessary and worth the expense. Keep in mind, however, that you should be able to handle routine zoning changes alone.

12

Checklists, Procedural Guidelines, and Renovating Tips for Investing the Profitable Way

This chapter is to be used as a reference for all future projects. The checklists provided will help you make certain you have considered all aspects of inspecting a property, making an offer, preparing a purchase agreement, showing a property, choosing a tenant, preparing a lease, and more. It provides over 130 useful renovating and investing tips—all aimed at saving you time and money. Other publications related to renovating and investing are also examined for those who want to supplement or expand their knowledge and ability in specific areas. This final chapter is a synopsis of what you need to know as a renovator-investor, and what you must do to be successful.

CHECKLIST TO USE FOR EVERY PROJECT

Certain considerations are imperative beginning with the first viewing of a potential project. This topic categorizes these considerations into a combination checklist, dos and don'ts format. The purpose here is to provide a helpful reference for future projects.

Inspecting a Property

✓ Complete a thorough structural analysis of the property.

✓ Complete and decipher a neighborhood analysis.

✓ Complete a site analysis.

✓ Obtain sold and unsold comparables.

✓ Get an adequate legal description of the property by requesting a copy of the deed and any survey. The deed should also indicate the amount the owner paid for the property as well as the date of purchase. Additionally it may show any special conditions or easements that you will have to abide by should you purchase the property. If the subject property has a right-of-way across that of another property, then the other party's deed may possibly have the right-of-way provision, not necessarily the deed of the subject property. However, a separate easement agreement may have been negotiated, which may not be reflected in the deed. If recorded it would become evident during the title search. If unrecorded and found enforceable, it may possibly be covered by title insurance if a buyer was unaware of it at purchase.

✓ Ask the owners if they have entered into any type of agreement with other parties concerning the subject property.

✓ Investigate and get copies of any existing leases on the property.

✓ Check to see who owns the mineral and any coal rights.

✓ Inquire if any coal or mineral rights have been leased. If so, get a copy of the lease.

✓ Check the current and previous year's tax statements to see that all are paid up to date.

✓ Does the owner have a legal right to sell the property? Are any other parties involved? If so, do they agree to sell?

Considerations Before Making an Offer

✓ Determine the amount of your total costs to purchase, renovate, and market the property.

✓ Calculate your profit.

✓ Are you ignoring any potential risks involved?

✓ What is the owner's situation in regard to the property? Consider his or her financial circumstances and attitude toward the property, and take into account any legal action initiated by the community.

✓ How long has the property been for sale?

✓ Have there been any offers refused?

✓ Can you insure your interest in the property?

✓ Do any existing leases, zoning ordinances, or building codes restrict your proposed usage of the property or interfere with the manner and means by which you propose to complete the renovation work?

✓ Investigate the procedure, costs, and feasibility of obtaining necessary zoning changes, building permits, or occupancy permits.

✓ Establish the maximum amount that you'll pay for the property.

✓ Make certain that what you see is what you get. Walk the property while examining the survey or a copy of the deed.

Presenting an Offer

✓ Initially offer the least amount that you feel has a chance of being accepted.

✓ Remember that all parties must feel that they have won some ground for negotiations to be successful.

✓ Don't appear overanxious to purchase a property.

✓ Never show all your cards to anyone, including the Realtor who is representing the seller.

✓ Be careful not to use phrases such as "my first offer" because it immediately indicates to the Realtor or seller that there are more offers to follow.

✓ Don't overbid because there are other people making offers as well.

✓ Don't underbid and lose a profitable venture because you held out for a few hundred dollars.

✓ On a For-Sale-By-Owner you may want to consider giving the hand money to a responsible third party to hold rather than directly to the seller.

✓ Consider that your Realtor may be the best person to present your offer to the sellers. A third party presentation often creates less tension and a good Realtor is schooled in the mechanics of overcoming objections and presenting your offer in the best light.

✓ Don't degrade an owner's property in an attempt to justify a lower offer. Instead justify a lower offer by explaining that the amount presented is the most you can go without substantially increasing your risk.

Preparing the Agreement of Sale Contract

✓ Use the purchase agreement form recommended by your Realtor or attorney.

✓ Have all legal owners of the property listed in the agreement of sale and have them all sign. If one owner has power of attorney to sign and act for another, get a copy of that power of attorney.

✓ Include a mortgage contingency clause in your agreement if the purchase requires you to get a loan. State the amount to be borrowed, the interest rate, the term, and the type of loan.

✓ Include any other necessary contingencies in the agreement of sale. Some common ones are:

   a. The sale contingent upon you first selling another piece of real estate within a specified number of days.

    b. A sale contingent upon the good working order of certain components in the property.

    c. A sale contingent upon the premises being free of termites and resultant structural damage. State who is to pay for the inspection and any treatment.

    d. A sale contingent upon certain personal property being included in the sale.

    e. A sale contingent upon a survey specifying the dimensions of a property.

    f. If a perc test is needed for a septic system in areas where public sewage is not available, include a contingency stating that the sale hinges upon the approval of a septic system by the appropriate governmental agency. Specify the type of system. Some, like the elevated sand mound system, may cost $1,000 more to install than the standard system.

    g. A sale contingent upon a change of zoning.

✔ Realize that once you sign the agreement, you lose all bargaining power. Present all of your demands before signing.

✔ Make the legal description of the property part of the agreement.

✔ Insure your interest in the property immediately after signing an agreement of sale or include a clause releasing you from the agreement in case of a loss (to be defined), should insuring not be possible.

✔ Be sure to specify the type of deed you are to receive. A general warranty deed provides full legal protection against all prior claims and is your best protection. A special warranty deed warrants only against claims arising after the grantor (present owner) acquired the property . . . not before. A quit claim deed, the least preferred of the three, is generally used when the owner may or does not have clear title or any title at all to the property. Often a long-lost heir may be involved who cannot be located. Get legal advice on quit claim transactions.

✔ If a property is occupied, it may be necessary to discuss when the owner or tenant will vacate. Since it's likely that at least 30 days' notice will need to be given to an occupying tenant, it may be best if the current owner initiates this procedure after the approval of any loan. You may also want to hold off the closing until the tenant complies with such a notice. The burden of removing an obstinate tenant then remains with the seller. Put any such agreement in writing.

✔ If you wish to begin work on the property before the closing, this is the time to discuss the possibility of doing so with all the owners and *your* legal counsel.

From the Agreement Stage to Closing

✔ Reinspect the property to double-check your analysis.

✔ Secure the property adequately, if necessary, in order to protect your interests.

✔ Determine the type and amount of materials that will be needed to begin renovation.

✔ Let your remodeling team know your specific scheduling plans and when their efforts will be needed.

✔ Inspect the property just prior to closing to verify that the property, personal and real, is as you viewed it initially.

✔ Make certain that any necessary municipal lien letters are ordered.

✔ Order the title examination after any loan has been approved. If you mortgage the property, the lending institution will take care of this for you. If you mortgage another property, the lender will request a title examination on it; however, *you* must order a title search on the property you are purchasing. Two examinations of title will be needed.

✔ The preparation of the new deed is often the seller's expense. If they choose an attorney other than your own, have a copy of the new deed sent to your attorney to review it before closing. (You can do a lot of this type of arranging yourself and save on attorney fees.)

✓ Consider, with your attorney, how you should take title to the property if more than one party is involved.

✓ Order any needed survey, but only after the approval of any loan.

✓ Contact your insurance agent and notify him or her of the closing date should any changes in an existing policy or any new policy be needed. Inform your agent of any needed mortgagee (lendor) clause.

✓ If all sellers cannot be present at the closing, have the deed signed and notarized beforehand.

✓ Call for final readings and have all utilities turned over into your name for the day of the closing.

The Closing

✓ Call the closing officer or attorney to check the amount needed at closing and if certified funds are necessary.

✓ Have the title examination report in order for closing date.

✓ Secure title insurance. This is insurance protection against any errors made by the attorney searching the title. Should a prior lien against the property surface any time after a clear title report is given, and you do not have the title insured, you would have to seek compensation from the attorney in question. But what if he died in the interim or what if he tries to avoid compensation? Title insurance through an approved company is your answer. It's a one-time fee well worth the investment. If a lending institution arranges the examination for you, tell them you want it insured.

✓ Have copies of all tax receipts, legal documents, municipal lien letters, and settlement statements given to you at closing.

✓ Have the deed signed, notarized, and in hand at closing.

✓ Prorate the taxes, all rents, and the interest on any mortgage assumption.

✓ Have your hazard (fire) insurance policy in effect for the day of the closing and have a copy for the lender if necessary.

✓ Get all the keys to the property from the owner.

The Renovation Process

✓ If you feel it necessary, change the locks on a property as soon as you have possession. Past tenants may have purposely retained some keys.

✓ Obtain any needed building permits before beginning work.

✓ Know the electrical and plumbing codes and obtain the necessary inspections.

✓ Your state's Department of Labor and Industry or a related government agency may regulate the renovation of apartment units. Know what is required of you and comply with their standards when it's necessary. (Avoid areas where overregulation exists.)

✓ Order special items in time to have them onsite when needed.

✓ Get before as well as during and after pictures of your work. (A wide-angle lens is essential for good indoor shots.)

✓ Electrical, plumbing, and other inspections can cause delays in completing your project. Anticipate when you will be ready for any necessary inspections and call well in advance to set up a date to avoid these delays.

✓ Keep an eye on any possibility of a utility strike. If, for instance, the electric or water company goes out on strike and you need an inspection or their assistance to hook up or tap into their services, you're out of luck. The delay can be months so keep up to date on any threatened walkouts or contract negotiations. If strike is threatened, adjust your schedule to get what's needed before they walk out.

✓ On occasion, certain materials, because of unexpected demands, or a strike by the manufacturer, are scarce. Ask your suppliers to keep you informed of any potential material shortages so you can get what you need before-hand.

Advertising the Property

✓ Before advertising, contact all prospects that have shown an interest in buying or renting your property before it was complete.

✓ Determine the potential market of your property and advertise to that market.

✓ Choose the newspapers and other means of advertising that best reach your potential market.

✓ Every classified ad should *at least* include the property's general location, condition, price, number of bedrooms, design, and exterior finish. In a tight money market any financial alternatives, such as owner financing, should be included.

✓ Capitalize on the property's good points and use enticing language without going overboard.

✓ Leave a question in the mind of potential buyers so that it's necessary for them to call to get the answer. The objective of an ad is to produce a phone call. Without it an appointment and sale may never result.

✓ Utilize all available free advertising. For instance, a For Sale sign on the property, word of mouth, and bulletin boards.

Showing Your Finished Project
to a Prospective Buyer

The following assumes that you are selling the property on your own rather than through a Realtor.

✓ Qualify prospects before showing a property.

✓ Know the neighborhood, the distance to schools, the

shopping and recreational facilities, the amount of the taxes, the lot size, projected utility costs, the square feet of living area, the size of rooms, and the zoning. On the sale of an income property, know the economic rent, vacancy loss, and all expenses.

✔ Know the types of financing available for a particular property, as well as the terms of local lenders.

✔ Explain the entire process of a real estate purchase to an unknowing buyer.

✔ Establish your tour of the property before actually showing it.

✔ Try to show the property to all interested persons of the same party at one time and during the daylight hours. This includes the father who may be the financier and the uncle who is the builder.

✔ It's best to show a property after it is complete and ready for showing. Most people cannot visualize beyond what is evident.

Showing Your Property to a Prospective Tenant

✔ Review the rental application and qualify that tenant.

✔ Run a credit report on the prospective tenant.

✔ Give a copy of your rules and regulations and lease, with all applicable clauses, to a prospective tenant for review.

✔ Get the first month's rent, security deposit and, if you so require, the last month's rent in advance.

✔ Make a list of the existing damages in a rental unit with the new tenant. Each of you should sign it and get a copy.

Preparing a Lease

✔ Use the lease form recommended by your Realtor or attorney.

✔ Have all principals of legal age sign the lease.

✔ Unusual contingencies or conditions in a lease agreement

should be separately initialed in the margins of the contract by all parties.

The following clauses to incorporate in a lease are food for thought. This does not imply that all of these clauses are to be part of the average lease.

✔ A security deposit clause in the event of damages to the property caused by the tenant.

✔ An escalation clause should the landlord incur an increase in insurance, taxes, or other obligations during the term of the lease.

✔ A clause stating that the tenant may not sublet or assign without the landlord's written consent.

✔ A clause specifying who is to pay for utilities, the landlord or the tenant.

✔ A clause requiring tenant and landlord to comply with existing building codes, zoning ordinances, and health department regulations.

✔ Any necessary clause specifying or restricting the property's character of use.

✔ A clause covering tenant improvements on the property should be included stating which ones, if any, may be taken by the vacating tenant and which ones remain.

✔ A clause that spells out what will happen if the property is destroyed or taken by eminent domain.

✔ A clause covering any option to buy the property, renew the lease, or a first right of refusal. State all terms.

✔ A clause that you may show the rental property to new prospective tenants any time after receiving the occupying tenant's notice to vacate, and in addition, to show the property if it is put up for sale or for any necessary inspections by exterminators, repairmen, or appraisers.

✔ A drain and waste pipe clause stating that any stopped or clogged drains occurring in the property, after occupancy by the tenant, are the responsibility of said tenant.

✔ A clause that the landlord is to have a key to the rental unit as well as access to it, should it be necessary for repairs, inspections, and such. This should also include showing the property in the event of a sale or to a new prospective tenant once a notice to vacate has been acknowledged by the landlord or tenant, whatever the case may be.

✔ A clause that specifies that a malfunctioning component or fixture in the property, which is unreported to the landlord himself, and causes additional utility expense to the land-lord or tenant, is not at the fault of the landlord. Additionally, the landlord shall not bear any liability to pay for or reimburse the tenant for this additional expense. Common examples would be a leaking faucet or toilet.

Rental Property Maintenance

✔ Do not allow unskilled tenants to do repairs on your properties.

✔ Service your heating and cooling units at recommended intervals.

✔ Keep exterior painting up to date.

✔ Periodically spot-check your properties for needed repairs and possible tenant abuse.

✔ Give all tenants a list of their responsibilities concerning repairs on the property. Have them sign two copies of this list and retain one for your files.

RELATED BOOKS OF INTEREST

Your main references are your key contacts . . . your Realtor, banker, attorney, CPA, etc. When you need a question answered, call on them. Being professionals in their field, they undoubtedly receive newsletters, magazines, and books that keep them up to date on the latest in their area of expertise. By utilizing them, you are, in a sense, subscribing to what they subscribe to. In fact, they even sort out the pertinent, new information and translate it for you.

However, I do subscribe to certain publications and I've found other books to be rather helpful. The following list includes a few of these that you may find helpful in the field of renovating and investing.

BOOKS

Title: *Real Estate Tax Shelters Handbook*
Author: John C. M. Wilkinson
Publisher: Prentice-Hall Inc., Englewood Cliffs, NJ

If your are interested in increasing your own knowledge of tax shelters, then consider this book. There is an entire section devoted to real estate rehabilitation. Guidelines, checklists, and helpful tips make this a good selection.

Title: *Reader's Digest Complete Do-It-Yourself Manual*
Publisher: The Reader's Digest Association, Inc.

When the title says complete, it means complete. This book covers all aspects of property maintenance, repairs, renovation, construction . . . and much more. I highly recommend this book to everyone.

Title: *The Complete Estate Planning Guide*
Author: Robert Brosterman
Publisher: McGraw-Hill, Inc.

An often forgotten part of building your assets is planning the estate you are building. This book helps you do just that.

Title: *Real Estate Advertising Ideas*
            (Not sold in book stores)

Write to: Realtors National Marketing Institute of the National Association of Realtors
            430 North Michigan Avenue
            Chicago, IL 60611

If you need some ad writing assistance, proven ideas, and phrases that work, then this book is for you. It covers some areas that are not related to the subject at hand; however, an entire section is devoted to classified advertising and there are literally hundreds of catchy phrases to use when writing an ad.

Title: *Realty Bluebook*
                 (Not sold in book stores)

Write to: Professional Publishing Corporation
                 122 Paul Drive
                 San Rafael, CA 94903

This book begins with more than 200 pages of various tables (amortization, mortgage yield, remaining balance, balloon payment, and proration) and follows with sections on finance, contract clauses, and the tax consequences of real estate. There are about 500 pages in all.

Title: *McGraw-Hill HomeBook*
                 (Not sold in book stores)

Write to: Home Information Services
                 McGraw-Hill Information Systems Co.
                 1221 Avenue of the Americas
                 New York, NY 10020

Many helpful tips, a lot of color photos depicting various architectural styles, and sound advice make this a good addition to any renovator's library.

MAGAZINES

The following list includes magazines that you may wish to consider subscribing to:

Title: *real estate today*

Write to: Business Office,
                 National Association of Realtors
                 430 North Michigan Avenue
                 Chicago, IL 60611

As the official publication of the National Association of Realtors, this magazine covers a number of areas, all real estate related. I'm certain that you will find at least two or three specific articles each month that will be very informative. Upcoming legislation, helpful tips, surveys, and current trends are also covered. Most articles are written by various professionals from across the country, who are experts in their fields. All Realtors get this magazine. Perhaps your Realtor will let you borrow back issues.

Title: *The Family Handyman*
            (available at newsstands)

Write to: The Family Handyman
            Subscribers Service Department
            52 Woodhaven Road
            Marion, OH 43302

This magazine provides informative readings on a number of subjects all related to renovating.

Title: *Architectural Digest*

Write to: Architectural Digest
            P. O. Box 2418
            Boulder, CO 80321

I've adopted many design ideas from the dazzling color photos featured in this magazine. Emphasis is on furnishings and architectural style. Simple as well as elaborate designs are featured. If anything, it stimulates new ideas and approaches, and breaks you from the mold of bland designing. The magazine is frequently 200 pages or more, although advertising accounts for a sizeable portion of that. It is billed as the International Magazine of Fine Interior Design.

Title: *The Old-House Journal Catalog*

Write to: The Old-House Journal
            69R Seventh Avenue
            Brooklyn, NY 11217

This catalog tells you where to locate those hard-to-find items should you be restoring an older home. Electrical, plumbing, mill work, moldings, tin ceilings . . . more than 8,500 items in all. If you subscribe to the Old-House Newsletter, a periodical providing renovation tips and helpful do-it-yourself instructions, the catalog costs you less.

Finally, and perhaps a bit off the subject, get yourself a well-detailed map of the areas you'll primarily be involved with. Proximity to schools, shopping, highways, and such are then at your immediate disposal for evaluating any area.

RENOVATING AND INVESTING TIPS

The following information, individually categorized, may just make your job a little easier and hopefully better.

Designing Tips

✓ Choose colors that enhance your desired effect. There are light and dark colors . . . warm and cool colors. Each can set a different mood and even size to the same room. If you want a room to appear longer and narrower, make the two longest walls a darker color than the remaining two. If you want a high ceiling to appear lower, paint it a dark color . . . a low ceiling higher, paint it a light color. Light colors make things appear larger and farther away. Darker colors produce just the opposite effect. Bright colors become more dominant as their area increases and are used to draw attention to a specific area or away from other unattractive areas.

✓ Two or three colors on the exterior of a structure generally produce the best effect. Choose acceptable color schemes. Look at other properties in the area to see what is acceptable. However, don't settle for blandness or run-of-the-mill color schemes. It costs no more to choose a desirable color, and the additional expense incurred for any accents such as shutters is usually justifiable. The design of the exterior has a bearing on what colors you choose. For example, a large, rectangular 2½-story home with many windows is extremely impressive when sided with white aluminum, especially the double five-inch clapboard styled siding, and accented with a black roof and black shutters on all windows. However, a 1-story house with irregular dimensions, various styles of windows and sided with eight-inch white aluminum siding is generally very bland. Horizontal wood siding, brick, or stone provides a much better effect on this type of structure. Observing is the key to what looks good where and what doesn't.

✔ On the interior choose acceptable colors that blend well with a number of other colors when choosing carpeting, paint, and wallpaper. You don't want to severely limit the possible color schemes and lose a prospect because you bought the red carpeting that was on sale for the living room and the promising buyer's new furniture is green.

✔ Genuine wood paneling, especially the darker woods—walnut, cherry and mahogany—adds coziness and warmth to a room. Any use of stone or brick is enhanced by genuine wood.

✔ Many fireplaces are enhanced by a raised hearth and log pit, which are often inexpensive to include when installing a new unit.

Apartment units should be designed with maintenance in mind:

✔ Choose washable wallpaper and paint.

✔ A Formica kitchen unit will take the abuse better than genuine wood and is better suited for apartment use.

✔ A no-wax floor covering is better in the long run than a floor covering that requires periodic waxing. Tenants can build up the wax over a number of years to the point where it's impossible to remove, or they can neglect to wax it at all, which leaves the floor unprotected against wear. Make certain you have some floor covering remaining after the initial installation in case you need to replace a small section years later when the pattern has been discontinued. Also choose a floor pattern that has a smooth surface. Sculptured patterns tend to accumulate the ground-in dirt.

✔ Carpeting in a kitchen, bath, or entrance foyer of a rental unit is generally unwise.

✔ When installing suspended ceilings, consider choosing dark gridwork rather than white. Sometimes a little more expensive, the dark gridwork does not show the yellowing over the years as does the white.

✔ Use a vinyl base cove molding in a room with a washable

floor. It wears better, doesn't need painting, and is water resistant. Wood will not hold up nearly as well.

✓ Choose a dense, low-pile, looped carpeting for good wear. Sculptured carpeting and shags tend to show wear faster.

✓ Avoid putting down floor tile or vinyl flooring over anything but a smooth surface. Uneven floorboards can damage the floor covering after minimum wear.

✓ Don't include any extra features that require maintenance unless necessary. This is just creating another potential area for problems to arise. Disposals, ranges, refrigerators, window air conditioners and such, significantly increase your maintenance expense. If any are necessary be sure to try and reflect the projected expense in the rental fee charge. I say try, because it's difficult to anticipate when, for instance, a range will need to be replaced. Variables such as these should be avoided if possible.

✓ Generally use the same color of paint for all your rental units to keep your costs down. A shade of white will go with any other color and is usually best.

Plumbing Tips

Roughing-in drains and waterlines for plumbing fixtures is done before the fixtures themselves are set. Therefore, you need to have the drains and waterlines in just the right location to facilitate a quality job with ease of installation. The plumbing code set by your county's department of health will specify much of this information. You'll need to adhere to this code if you hope to pass any rough inspection of your plumbing. However, in absence of any code in your area, the following suggests the *standard* requirements that are generally adhered to. Any other than standard fixture may require slight alterations to the following guidelines.

✓ The height of a finished kitchen unit (to top of counter) . . . 36 to 37 inches.

✓ Height of bathroom sink to the flood level or top of bowl rim . . . 30 to 31 inches.

✓ Distance from kitchen counter top to bottom of wall-hung cabinets . . . 17 to 19 inches.

✓ Height of roughed-in waterline to shower head . . . 76 to 78 inches. (Bottom of shower head will be about 6 inches below the roughed-in waterline.)

✓ Roughed-in waterlines to bathroom sink through wall . . . up 20 to 21 inches from the floor. A sink with a 4-inch faucet set . . . hold lines 3 to 3½ inches off of either side of center drain. Use chrome angle valves and chrome lavatory supply lines where plumbing is exposed. For an 8-inch center faucet set, hold lines 4 inches to either side of center drain.

✓ Waterlines to kitchen sink through wall . . . 18 inches up from the floor and 4 inches off either side of center drain for an 8-inch center faucet set.

✓ Waterline to toilet through wall . . . 4 to 6 inches up from the floor and generally off to the left of the fixture, as you face it, 7½ inches from the center drain.

✓ A roughed-in toilet waste drain, for a standard toilet fixture, is 12 inches on center from the finished wall. This will leave a ½ to 1-inch space between the fixture and the finished wall when set. When replacing an older fixture, but not the waste drain, check the rough-in measurement. Some are 10 or 14-inch center rough-ins. These more expensive fixtures can still be purchased today, but you must specify the rough-in measurement, otherwise you'll get a 12-inch rough-in.

✓ Roughed-in bathroom sink drain through wall . . . up from the floor 17 to 18 inches.

✓ Roughed-in kitchen sink drain through wall without a dishwasher or disposal . . . 18 to 20 inches from the floor. If a dishwasher and/or disposal are included, check the unit's instructions before roughing-in.

✓ Roughed-in tub or shower drain . . . check the particular unit since many vary in size.

✓ Roughed-in shower faucets . . . the standard is up from the floor 52 to 54 inches.

✓ Roughed-in tub faucets and spout . . . consider 10 inches up from the rim of the tub for the faucet and 5 inches up from the same for the spout.

✓ Minimum drain sizes, again to be used in *absence* of any plumbing code, are:

Bathroom sink—1¼ inches
Kitchen double bowl sink—1½ inches
Kitchen double bowl sink with dishwasher and disposal—2 inches
Tub and/or shower—1½·to 2 inches
Main soil stack (main drain and waste line)—3 inches for a structure with three full baths, however all toilets should come into the main soil stack from different branches . . . 4 inches required for four full baths.

✓ The minimum fall for a drain and waste line is ¼ inch per foot. However, get as much fall as possible.

✓ Include trouble doors or access panels to tub areas for facilitating repairs.

✓ Show your tenants how and where to shut off the main water supply as well as individual supplies to sinks, toilet, etc. Tag these valves and indicate the hot and cold lines. A knowledgeable tenant can then quickly shut the system down and avoid extensive water damage if a break occurs. Do the same for the gas valves and electrical circuits.

✓ If a copper waterline freezes and splits in a hard to reach area, you can fix it by first cleaning the break with sand-cloth or steel wool, squeezing the split together with vise grips, applying soldering paste, and then soldering the split together. This eliminates having to cut the tubing and sweat in a coupling. A compression fitting may eliminate the need for soldering altogether when repairing broken waterlines. Cut out the break with a small tubing cutter, (a must for this kind of work), attach the fitting, and tighten the nuts.

✓ Gurgling drains are an indication of inadequate venting or too small of a drain pipe. Sewer fumes may also accompany inadequate venting.

✔ When installing valves on copper waterlines, choose the stop and waste variety that permits you to bleed individual lines of water to facilitate winterizing a property and making soldering repairs.

✔ Install an adequate amount of cleanouts in your drain and waste lines.

✔ A 50-year-old main drain and waste line may function without any visible signs of problems at the time of your renovating, but realize that its remaining life is quite short. Change it while it's easy and less expensive to do.

✔ Make certain that gas water heaters are properly vented and that all water heaters have functional relief valves.

✔ Fill an electric water heater before turning it on to prevent burning out the heating elements.

✔ Use flexible copper tubing where slight adjustments in the waterlines may be necessary.

✔ Plug the overflow of a bathtub or bathroom sink drain before plunging any blockage. The force of the plunging action will take the path of least resistance which is the overflow if it's not plugged.

✔ If you suspect a leaking toilet, place several drops of food coloring into the tank, wait a few hours, and check the bowl of the toilet for any coloring. If coloring is evident, replace the tank ball.

✔ If your toilet still leaks after properly installing a new tank ball, clean the inside of the valve seat, where the tank ball inserts, with fine steel wool. Corrosion here will prevent the tank ball from seating properly. Tell your tenants this helpful tip and advise them to periodically check for leaks in any basement toilets that are functional, but seldom used.

Electrical Tips

✔ Obtain the electrical code requirements in your area. This code will take precedence over any nonconforming suggestion that may follow in this topic. Ask your electrician exactly what can and cannot be done concerning rewiring and inspections.

✓ *Never* undertake wiring a property when unqualified to do so.

✓ A two-wire electrical service entrance immediately indicates that you'll have to rewire. This 110-volt hookup will not accommodate 220-volt appliances.

✓ A three-wire 100-amp service is the minimum that a unit should have. However, a 150-amp service, where an electric range and water heater are used, is ideal. A 200-amp service is needed for a structure equipped with electric heat.

✓ Circuits serving kitchen and laundry appliances as well as power tools (basement and garage) should be 20 amp and use a size 12 wire. Your basic living room, dining room, bedroom, and family room can use a 15-amp circuit and a size 14 wire.

✓ The kitchen should be on two separate 20-amp circuits and include two or more receptacles between countertop and wall-hung cabinets.

✓ The furnace, other than electric, should generally be on a separate 15-amp circuit.

✓ You can hold down your cost of buying light fixtures by wiring receptacles to switches in bedrooms, living rooms, and family rooms. The projected savings is about $75 or more in a three-bedroom home.

✓ From the floor to the bottom of the wall box, rough-in wall receptacles at 12 inches and wall switches at 50 inches.

✓ A frayed entrance cable can be wrapped with electrical tape or coated with roof cement to extend its life. An exposed entrance cable should be replaced.

Climate Control Tips

✓ A poor furnace draft can often be remedied by installing a draft inducer into your flue pipe. The fan action of the inducer increases the draft and inexpensively solves the problem. The inducer is wired to the furnace burner to kick on and shut down when it does.

✔ A 24-inch ceiling fan is a possible and inexpensive alternative to air conditioning and ideal for properties with poor air circulation. It provides a fresh breeze to the inside of the house and removes unwanted heat from the attic. The fan works on a timer switch, has an attractive louver to conceal it when not operating, and is maintenance free.

✔ A clothes dryer adapter kit is sold to aid in the heating of a structure by distributing the hot air from the dryer vent into the room rather than to the outdoors. The device consists of a box with one inlet and two outlets, including a bypass and a small filter to catch the lint. In the winter the outlet into the room distributes the heat, and in the summer the heat escapes through the outlet to the outdoors. This inexpensive device is a wise investment if you include the heat in a rental property. In fact, it would be very simple to build your own. The filter can be made out of furnace filter material purchased at well-stocked hardware stores.

✔ By adequately winterizing and insulating a property, you can increase your rent and hold your vacancies down. Today's tenants are energy conscious and consider *all* costs to occupy a property. A unit more energy efficient than its competition can obtain a higher rent, which means more money in your pocket and, at the same time, costs the tenant less overall. You also keep tenants longer because they realize an energy-efficient property when they see one and they know what other people are paying in similar types of unwinterized units.

✔ If the burner of a gas furnace will not kick on, chances are it's the thermocouple. The thermocouple, a slender, pencil-like element which the pilot flame surrounds, can easily and inexpensively be replaced by you. Consult your plumber and let him show you how it's done. A gas water heater also has a thermocouple and the symptom here is that the pilot will not stay lit.

✔ When renovating, try to take full advantage of passive solar heating power. One way is to install large windowed areas on the south side of a structure which enables the sun's rays to assist your primary heating source. Dark colored floors and walls that receive direct sunlight in these areas will further enhance the sun's ability to heat the structure.

✓ Avoid supplying heat in a rental property, especially in units having two or more tenants. Regulating the heat to suit all tenants is perhaps the source of more complaints than all other problem areas put together. It's also a deterrent when selling a rental property to another investor.

Carpentry and Related Tips

✓ Use the double nail system on single drywall installation. This technique is used to keep nails from popping once the drywall is installed and finished. Nail as usual, only double up by putting two nails together instead of one. Also use a construction adhesive, especially to ceiling areas, to further avoid nail popping and to make for less nailing, patching, and sanding.

✓ Construction adhesive is also recommended in any instance where nailing is difficult. For instance, putting firring strips over concrete block or installing drywall or paneling over existing plastered walls where wall studs are not on center. It's also wise to use when laying a subfloor or plywood flooring to prevent squeaking in years to come.

✓ Floor tile can be heated with a propane torch and made flexible to facilitate shaping the tile around difficult corner moldings and door jams. Keep the flame away from any adhesive, which is often highly flammable.

✓ Roofing material is measured by squares. One square equals 100 square feet. If the square footage of your roof is 1,750 feet, you would need at least 17½ squares of roofing material. Allow a few bundles extra . . . the amount depending on the number of valleys, caps, and extras needed.

✓ You can install an asphalt shingled roof in cold weather contrary to what many believe. Simply store the roofing materials in a heated property for 24 to 48 hours before beginning work. Carry up just enough bundles to permit installation before the shingles stiffen up.

✔ Black and dark colored asphalt shingles generally show less wear and damage over the years than do white or light colored shingles. Keep this in mind when choosing a color.

✔ Heat buildup in an attic is the cause for many roofs to need replacement before their time, and many older properties have inadequate attic ventilation. Roof or gable vents are needed in conjunction with eave vents. Locate roof vents as inconspicuously as possible and buy or paint them to match the color of the roof.

✔ The underlying roof sheathing on properties with slate or tin roofs often have gaps between each board. The common practice is to cover the roof with half-inch exterior plyscore before installing asphalt shingles. Where possible, consider filling these gaps with $1'' \times 2''$ boards or whatever size of wood the job requires. Some shimming may be in order, but the job done this way takes no longer to complete than does the plywood roof. The plyscore route would cost about $400 more for a 15-square roof.

✔ When extending an interior wall surface out past the existing door jamb by installing paneling or drywall over the existing wall covering, you create a gap between the door jamb and the trim of the door. This gap can be concealed by installing the appropriate size lattice to the jamb, which extends out to the distance of the new wall covering and abuts the trim of the door. When painted or finished to match the rest of the jamb, the lattice is virtually undetectable. This works only on the side of the jamb opposite of where the door closes. If the door side is done likewise, you can choose one of the following measures:

   a. Remove the existing wall surface on the wall with the door only so that the new finish will now extend past the jamb.
   b. Loosen the door jamb from the wall and adjust it back to the door side flush with the new wall surface.
   c. Fir out the jamb to the new wall surface.
   d. Notch the trim if possible, to conceal the gap created by the new wall covering.

✔ Vinyl joint or topping compound, the ready-mixed drywall compound, can also be used for texturing drywall and existing plaster. Many varied effects simulating plaster can be achieved when the compound is put on with a trowel, brush, sponge, stipple, or your hand.

✓ Wood-fibre plaster is unsurpassed for patching holes, cracks, or whatever in existing plastered walls. If existing plaster can be salvaged, by all means, save it. It will save a lot of time and expense. If however, the plaster is weak and riddled with cracks and holes, there is probably more work involved in repairing such than in starting from scratch with a new interior finish. Cracks to be repaired, should the plaster be salvageable, must be widened enough to get all the loose edges out and to allow the wood-fibre plaster to adhere properly. Lightly sand around the surface of the crack, dampen it, and apply the filler. Do the same for the second filler coat if needed. Sand smooth when dry and prime with a sealer before painting. Holes can also be filled in a similar manner; however, it's wise to place wire mesh behind the plaster and in front of any wood lath. Insert a wire through the mesh, once in place, to snug it up at the hole, allowing the adhesive to make a good bond. With the wire still in place, apply the wood-fibre plaster, making sure it oozes through the mesh. Let this first thin coat dry, and then apply the second, after removing the wire support. On a large section of fallen ceiling plaster, you first must cut back to the nearest ceiling joist. Next install the correct thickness of drywall so that it's flush with the plaster. Any wide gaps existing between the plaster and drywall must now be filled with wood-fibre plaster. Once dry, tape and coat the joints as you would normally do on drywall; however, it's best to sand the surface of the plaster to provide a good bond for the joint compound. To complete the job, texture the entire ceiling with joint compound to provide a new finished look.

✓ Prime all knotholes in wood that is to be painted. They may not initially bleed through and stain the surface, but in time they most likely will.

✓ When installing a dark seamed paneling over light-colored existing walls, paint the existing wall the same color as the paneling seams where one sheet of paneling will abut another. This will compensate for any untrue edges the paneling may have and for human error.

✓ Have you ever tried to install curtain rods and found that there was nothing to screw into? During your renovation, when the wall studding is exposed, insert scrap pieces of lumber between adjoining studs at the top corners of the window where curtain rods are usually installed. Now an area of solid wood will support any type of curtain rod.

✓ Waves, indentations, and other imperfections in a hardwood floor to be refinished can be maximized by a high gloss finish, or can be minimized by a satin or dull finish.

✓ A paneling job sometimes requires you to make cuts around randomly shaped objects such as stone on a fireplace. In this situation use a scribing compass to get the exact pattern. The penciled end of the compass will record the pattern on a piece of cardboard while you guide the other end in and about the randomly shaped object. Cut the pattern from the cardboard and use this template to trace the pattern onto the paneling.

✓ A chimney without flue liners is potentially unsafe to use for a woodburning fireplace or wood stove. Installing flue liners in an existing chimney is seldom an easy job, if in fact it can be done at all. The alternative is to parge or coat the chimney with mortar to fill any voids existing between the bricks. With a rope attached, lower a snuggly fitting, sand-filled burlap sack into the bottom portion of the chimney. Next pour a wet mortar mix directly into the chimney from the top while pulling the burlap sack up the chimney. This forces the mortar into the spaces between the bricks and coats the inside of the chimney, and prevents sparks from finding their way into the framing of the structure. Inspect the job with a mirror fastened to a pole, which is then lowered into the chimney. You'll also need a light. Naturally, this must comply with local building codes and it's not necessarily feasible for all older chimneys. Periodic inspections of a chimney parged in this manner are recommended.

✓ An old gas fireplace can often be converted to a woodburning or gaslog fireplace if local building codes permit. The first thing to do is render the chimney serviceable and capable of providing enough draft. You can test the chimney's drafting capability by building a small fire of paper in the firebox. You may get a little smoke in the room since the fireboxes on the older gas fireplaces are only 12 or 13 inches deep. When the fire box is extended out to the required depth of a woodburning unit, this problem should be eliminated. When in doubt on any of the above points, have a professional check it out for you before doing anything. The firebox must be lined with fire bricks or fire brick splits (thin versions of fire bricks used to line existing fireboxes). Woodburning units are framed out with masonry; gaslog units can be partially framed with lumber at safe distances. The newly framed fireplace can now be faced with brick, stone, or a wooden mantel. The cost to convert an older gas fireplace to a gaslog unit, including the gaslog, is in the $250 to $350 range.

✓ A good source of inexpensive bathroom vanities, small kitchen units, and replacement balusters for staircases is the retired handyman who has a woodworking shop.

✓ Electrical wiring to be fished through the walls should be done before any insulation is blown into the structure.

✓ Repainting frame structures where the existing paint has blistered and peeled is but a temporary solution. Once this process begins, it's there to stay. Strongly consider a new type of exterior siding, preferably one that requires little or no maintenance.

✓ A down draft on a chimney may be remedied by installing a chimney cap if the height of the chimney meets with minimum standards and no other problems are evident.

Insuring Tips

In addition to the standard coverages provided by a basic hazard insurance policy, it's wise to include the necessary of the following coverages, which may possibly be excluded:

✓ Extended coverage endorsement that normally covers windstorm, cyclone, hail, automobile damage, and falling aircraft.

✓ Vandalism and malicious mischief.

✓ Plate glass insurance, if applicable.

Photo 12-1

*A "before" look at the typical older style gas fireplace
as it appeared when I bought the Valley Street property.*

Photo by Robert Gaitens

✓ *Replacement* cost coverage for structures and personal
property.

✓ Loss of rents endorsement, which covers loss of rental
income due to a peril or loss that is covered under your
policy. Without this coverage you would receive no income for the units rendered uninhabitable by a loss until
repairs were made. However, any mortgage payment on
the property would still be due regardless of your situation.

Photo 12-2

An "after" look at the same gas fireplace once the firebox was deepened, the hearth raised and the feather-rock facade and gaslog were added. Cost to convert–$325.

Photo by Ed Salamony

✓ You may possibly need workmen's compensation insurance for any employees working on your property. This includes cleaning services.

✓ An endorsement for any exterior signs on the property. Coverage for the sign itself and liability coverage, should it fall on someone, is needed.

In addition, consider:

✓ Increasing your limits of liability beyond minimum amounts. Usually minimum limits are not enough protection and the cost to increase this coverage is money well spent.

✓ Review your policy annually or whenever major improvements to the structure are added or rents are increased. At this time your coverage on the building may need to be increased and your loss of rents endorsement will need to reflect any new rental rates. Also keep in mind the 80% co-insurance requirement discussed back in Chapter 3, should it be applicable.

✓ By choosing larger deductibles, you can reduce your premium.

✓ Cover your properties under a package policy, as opposed to separate coverages. Credits may then be available that will reduce your premium.

✓ A property vacant for a period of time, generally 60 days, may no longer be covered under the terms of a standard policy even though the insured is still up to date with his or her premium.

Leasing Tips

✓ When considering a tenant for a property, make the following inquiries through your rental application:

1. Date of application.
2. Name, address, and telephone number of applicant.
3. Number of children . . . any pets.
4. How long at present residence, and the name, address, and phone number of landlord.
5. Amount of present monthly rental payment.
6. Address of prior residence and how long at this location.
7. Name, address, and telephone number of previous landlord and amount of previous monthly rental payment.
8. Name, address, and telephone number of employer(s) and length of employment. (If less than two years, have tenant indicate prior employment.)

9. Other sources of income, if any.

10. Gross monthly income.

11. Monthly expenses other than rent and utilities.

12. Credit references including addresses and phone numbers.

13. Type of housing desired.

14. Number of bedrooms needed.

15. *Maximum* monthly payment applicant wishes to pay, excluding utilities.

16. Has applicant ever owned a home and does he or she have any plans to purchase a home within the next year?

17. How many times has applicant moved in the last five years?

18. Is applicant willing to sign a one-year lease?

Along with the application, give a copy of your rules and regulations as well as specifying your general terms to the prospective tenant. The general terms would include when the rent will be due, when a late charge takes effect, if you require the last month's rent in advance, when the security deposit is due, as well as specifying the obligations of both landlord and tenant in maintaining the property. This helps to minimize conflicts between landlord and tenant later on. It will also weed out prospective tenants who do not care to meet with your policies.

Consider the applicable of the following points for your tenant rules and regulations depending on the character of use and the type of property in question.

✔ No locks on the property can be changed without landlord consent.

✔ No signs or nameplates of any nature may be placed on any door, hallway, or any part of the building without landlord consent.

✔ Tenants shall keep sidewalks clear of all debris, leaves, and snow.

✔ The tenant is to mow and maintain the lawn properly.

✔ The property is to be kept free and clear of all garbage, obstructing debris, junked autos, etc.

✔ Any common passageway or stairway in said building shall not be obstructed in any way and used only for the purposes for which they were intended.

✔ No drapery or curtain rods or any other window coverings shall be installed on or about the window without consent of the landlord.

✔ Water beds are prohibited.

✔ Pets are prohibited in or about the building.

✔ Laundry shall be done only in designated areas.

✔ No disorderly conduct or excessive noise will be permitted on any part of the property.

✔ The tenant shall not interfere with any operating components of the structure without consent of the landlord.

✔ Toilets and all other drains shall be used only for their intended use.

Property Management Tips

✔ Get the first month's rent in advance. Don't lose other possible tenants by holding a property for someone just on their word or a few dollars' deposit.

✔ Take rental applications even when you don't have a unit available. You can cut down on vacancies and advertising costs in this manner by having qualified tenants on file.

✔ When buying a property with existing tenants send a letter to each stating that you are the new owner, where to send or make payments, and include your rental application for them to fill out. This provides background information on unfamiliar tenants.

✔ I find it helpful to look at a prospective tenant's car before considering him or her for a rental unit. It's unlikely that a person who keeps a spotless home will keep a filthy car and vice versa. Of course this alone is not conclusive.

✔ An elaborate stereo system in a prospective tenant's car

may indicate another potential problem area in other than single family rental units and that is the tenant's enjoyment of loud music. If the tenant has one in his or her car, he or she is likely to have one at home. I will frequently ride to an available property in the prospective tenant's car in order to observe and inconspicuously inquire.

✓ If permitted by law, get the last month's rent in advance of occupancy or soon thereafter. The most common loss of rent is due to a tenant skipping out without notice or paying his last month's rent, feeling that his security deposit is already lost due to the damages he may have caused.

✓ Talk to your local magistrate or justice of the peace to know the procedure for filing for back rent or bad checks. Know your alternatives before any such situation arises.

Miscellaneous Tips

✓ Don't fall in love with a property. This is pride of owner-ship taken to the extreme. It's very similar to getting your first new car at the age of say, 18. You baby it, wax it daily, and sit up nights thinking of how you can fix it up. A first property can affect you the same way. You are inclined to hold on to it when you know it's best to sell and you can easily overimprove. Remember, the beauty of any investment is the money that it puts in your pocket.

✓ Landscaping a property is so important and yet so often expensive. Save what existing trees and shrubs you can. Consider pruning back or transplanting when possible, and also consider getting your trees out of wooded areas if permissible.

✓ Consider replacing items in your own home with new merchandise and putting what you presently have in your project. I have done this with carpeting, my kitchen unit, and doors. Of course the items that go into your project must not detract from it in any way. They must be right for your design and color scheme and not show any significant wear.

✓ Learn how to prime the pump. *Consider* paying an attor-ney, Realtor, tax preparer, etc., $10 or $20 more than they charge you for your first visit when you anticipate further dealings. Of course, you must be satisfied with their services and their fee should be reasonable. This starts a good relationship right off the bat and makes negotiating your future needs a little easier (not paying for questions asked and attending to your business promptly). This also establishes you as a preferred client. It may be said that doing this unconsciously intimidates the person to work a little harder in your behalf. If you deal with an associate of a firm, it's also helpful to send a letter to the owner of the firm commending that associate for his or her service to you. This again is something that few other people will do and also works in your behalf. That associate has you to thank for the pat on the back from the boss.

✔ Buy the best tools. In the long run it pays off. They usually last longer and they can handle the workload.

✔ Purchase carbide tipped blades for your circular saw rather than the standard blades. They may cost twice as much but they last five times longer.

✔ Develop a recycling sense. For instance, I have, from time to time, come across wooden mantels, plate glass for picture windows, light fixtures . . . all free of charge from individuals who saw them as valueless. I recently got 4,000 mortar-free road bricks this way when the gas company replaced a line in my home town. They will come in handy for sidewalks, patios, planters, porch columns, or fireplace facings. Discarded railroad ties are ideal for making outdoor planters or edgings for shrubbery around the structure. Rotted portions are simply cut off prior to inserting sections of the tie into the ground vertically, staggering the height of each one. By doing this, you need to have only one good surface on a discarded tie since only one side will be exposed. They can also be used to set the perimeters of a sidewalk creating square individual sections, which can then be filled with concrete, gravel, or brick.

✔ Consider providing smoke alarms in residential apartment units. It shows that you take an interest in your tenant's safety and more importantly, it may save someone's life. Inform the tenants that they are responsible for replacing any batteries in the alarm.

✓ Transfer tax stamps may not apply in a father and/or mother to a son and/or daughter transaction.

✓ It may be possible to submit a promissory note to a seller in lieu of hand money should you not have the cash required immediately available. Consult your attorney.

✓ A one-inch white vinyl tape is an inexpensive way to get a grid effect on your windows. Get the tape that adheres regardless of moisture.

✓ There may be an additional advantage to having your tax return signed and prepared by a CPA. It has been suggested that the IRS will audit a return having additional income, depreciation, interest expense, and investment credits much quicker when prepared by the taxpayer rather than a CPA. The reason? Individuals are more likely to make mistakes and falsify information.

✓ Texas Instruments has a "Business Analyst" calculator selling for around $30. This calculator is excellent for the real estate investor and will do all the basic functions as well as compute compound interest, profit margins, discounted cash flows, amortization, internal rate of return, balloon payments, accelerated depreciation, remaining balance on a loan, and present and future value for an annuity due. It's a must for analyzing the income-producing potential of a rental unit.

✓ Efficiency is a strong consideration when choosing laborers on a per hour basis. For instance, I would generally choose the experienced $6 per hour laborer who demonstrated his ability to me over the $4 per hour inexperienced laborer. The consideration here is the amount of work that can be accomplished in one hour's time.

✓ Concrete is measured by cubic yards. To compute this, multiply an area's length × the width × thickness and divide that total by 27. If you have an area 18 feet long by 15 feet wide and you plan on 4 inches of concrete, you would compute as follows: 18 feet × 15 feet × 0.33 (the decimal equivalent of 4 inches) = 89.1 cubic feet of concrete. Now divide 89.1 by 27 (the number of cubic feet in one cubic yard) which equals 3.3 cubic yards of concrete. To make this easier, a concrete calculator, similar in working to a slide rule, may be obtained from your concrete supplier.

✔ Floor covering is measured by square yards. To compute, arrive at the cumulative total of an area's square footage and divide by 9. For example, a 14 feet × 20 feet room would compute as follows: $14 \times 20 = 280 \div 9 = 31.1$ square yards of carpet. However, seaming, pattern matches, and waste will increase the amount of yards needed to complete a job. Generally a salesperson from the carpet outlet will come out and measure what you need at no extra cost.

✔ It's not always feasible to use a brick or stone facing on a converted gas fireplace because of the additional weight to the floor area. *Feather rock,* a light volcanic rock, is an ideal alternative. (See the fireplace photo earlier in this chapter.) It can be installed over wood with an adhesive and held in place with finishing nails until set. Once set, mortar is squeezed between the joints using a cake decorating bag and nozzle if no other way is available. The rock is easily cut with a circular saw (use safety glasses and an abrasive masonry blade) or shaped by chiseling.

✔ There is a tendency to overlook the obvious when a problem arises. Learn to look for simple solutions first. Many a serviceperson has been called to repair a furnace torn apart by a well meaning do-it-yourselfer, only to find that the only problem was a blown fuse.

SELF-STARTING:
YOUR REAL KEY TO SUCCESS

You *must* be a self-starter to be successful in investing. In other words, you must provide the motivation . . . the incentive. You won't have anyone pushing you or urging you on. It's all up to you. You are sure to have your doubts, but realize that you are not alone. We investors have all had our doubts at one time or another. Questioning your own judgment or even reading risk into a project as if you were looking for a reason not to get involved is not uncommon. Your task, however, is to keep your objectivity through all of this. For example, challenging your own judgment is something that every successful investor does in order to make sure he or she has covered all bases. Without any objectivity, such a challenge would raise unfounded doubts and distort the true picture. Besides providing your own incentive, real success is then dependent upon maintaining objectivity and calculating judgment in spite of your doubts and fears.

At the beginning of this book I stated that your success will be limited only by your imagination and ambition. Frankly, I find that same note to be the best one to end with.

Federal Tax Law Update

The following list of changes in the federal tax laws supersedes anything mentioned to the contrary in Chapter 9. This update should serve as an addendum to the depreciation and capital gains sections of Chapter 9.

USEFUL LIFE

Under the Accelerated Cost Recovery System (ACRS), which replaces the depreciation system while operating on the same premise, the term "recovery period" is now used instead of "useful life."

A taxpayer may elect the regular recovery period where the cost of the property is recovered or depreciated over a 3, 5, 10 or 15-year period, depending on the type of property. For example, automobiles and light-duty trucks are in the 3-year class; most tangible personal property and furnishings are in the 5-year class; and real estate investment property is in the 15-year class.

The recovery rate (depreciation rate) for most real estate investment property is 175% declining balance shifting to straight-line in the latter years of the recovery period. The adjustment from 175% declining balance to straight-line for the regular recovery period is factored into the rate tables provided by the IRS.

There is an optional recovery period which a taxpayer may elect; however, the straight-line method of recovery or depreciation must be used and in no instance can the optional recovery period be shorter than the regular recovery period.

SALVAGE VALUE

Salvage value in the Accelerated Cost Recovery System is disregarded.

279

STRAIGHT-LINE DEPRECIATION

Straight-line depreciation is now referred to as straight-line recovery and is used only when the optional recovery period is elected. Straight-line is, however, factored into the rate tables for the latter years of the regular recovery period procedure.

ALL DECLINING BALANCE METHODS

The declining balance methods of depreciation no longer apply as they did previously. However, they have been blended into the rate tables for the regular recovery period procedure.

COMPONENT DEPRECIATION

The component method of depreciating real estate is no longer permitted for STRUCTURES PLACED IN SERVICE after December 31, 1981. However, the ACRS, with its 15-year recovery period provides, on the whole, a shorter useful life for a property than does the component method.

ADDITIONAL FIRST YEAR DEPRECIATION

Additional first year depreciation is no longer permitted. In place of it, the new tax act allows you to expense a certain amount of qualifying tangible personal property in the year it was placed in service. This begins in 1982 with a maximum expense amount of $5,000. This climbs to $10,000 by 1986. In the past, items which now qualify for this expense election would have had to have been depreciated over a number of years rather than recovered in a single year.

Qualifying personal property may include tools, equipment, furnishings, and even a truck that is used in connection with your business of renovating and investing in real estate.

INVESTMENT TAX CREDIT

The changes in the investment tax credit rules concern the elimination of the useful life concept and the implementation of the regular recovery period concept. Under the new tax act, qualifying property receives a specific investment tax credit rate for the class into which it falls. For example:

Recovery period	ITC rate
3-year property	6%
5-year property	10%
10-year property	10%

Buildings and their components do not apply for an investment tax credit.

DEPRECIATION RECAPTURE

Depreciation recapture is now termed "recovery allowance recapture," yet remains basically the same. The one difference, however, is that all the depreciation taken on nonresidential real estate is taxed as ordinary income at the time of sale, unless the optional straight-line recovery method is used.

Recapture on residential real estate is only on the amount of depreciation taken in excess of straight-line, had the latter been used.

CAPITAL GAINS

The long-term capital gains holding period remains one year; however, the lowering of the maximum income tax bracket from 70% to 50% is good news for high-income investors.

The once-in-a-lifetime exemption on the sale of a personal residence for those over 55 years of age is increased from $100,000 to $125,000.

The tax act also increased the period of time to buy a replacement residence from 18 months to 2 years.

An additional point of interest concerns the tax credit available for rehabilitating older properties. The tax act permits a 15% tax credit for expenditures to renovate a commercial or industrial building that is at least 30 years old. A 40-year-old structure is eligible for a 20% credit. Residential buildings do not qualify unless they are certified as historic structures, in which case the tax credit is 25%.

The costs of acquiring or enlarging a structure do not qualify for a tax credit. Only the cost to rehabilitate is eligible. In addition you must elect to use this straight-line optional recovery method of depreciation for your project.

The tax act also provides a partial exclusion of interest income. This is effective for years beginning after 1984 and is of benefit to investors who take back mortgages or sell on an installment contract.

More than ever it will pay to consult a tax specialist in order to keep within the law while reaping all the benefits that the new regulations offer. ·

Index